Langenscheidt

Universal-Wörterbuch
Amerikanisches Englisch

Englisch – Deutsch
Deutsch – Englisch

Herausgegeben von der
Langenscheidt-Redaktion

Langenscheidt

Berlin · München · Wien · Zürich · New York

Bearbeitet von
Erick P. Byrd, Dierk Drews

Inhaltsverzeichnis

Abkürzungen und Erklärungen der phonetischen Zeichen
vorderer und hinterer Buchdeckel innen.

Ergänzende Hinweise, für die wir jederzeit dankbar sind,
bitten wir zu richten an:
Langenscheidt Verlag, Postfach 40 11 20, 80711 München
redaktion.wb@langenscheidt.de

Als Marken geschützte Wörter werden in diesem Wörterbuch
in der Regel durch das Zeichen ® kenntlich gemacht.
Das Fehlen eines solchen Hinweises begründet jedoch nicht
die Annahme, eine nicht gekennzeichnete Ware
oder eine Dienstleistung sei frei.

© 1998 Langenscheidt KG, Berlin und München
Druck: Mercedes-Druck, Berlin
Bindung: Stein + Lehmann, Berlin
Printed in Germany
ISBN 978-3-468-18041-5

Hinweise für die Benutzer

1. Stichwort. Das Wörterverzeichnis ist alphabetisch geordnet und verzeichnet im englisch-deutschen Teil auch die unregelmäßigen Verb- und Pluralformen an ihrer alphabetischen Stelle. Im deutsch-englischen Teil werden die Umlautbuchstaben ä, ö, ü wie a, o, u behandelt. Das „ß" wird wie „ss" eingeordnet.

Die **Tilde** (~, bei Wechsel von Groß- und Kleinschreibung ⎅) ersetzt entweder das ganze Stichwort oder den vor dem senkrechten Strich (|) stehenden Teil:

export ... ~ation ... ~er = exportation ... exporter
hang| glider ... ~ gliding = hang gliding
Beginn ... ~en = beginnen

Die Tilde ersetzt in Anwendungsbeispielen das unmittelbar vorangehende halbfette Stichwort, das auch selbst mit einer Tilde gebildet sein kann:

distance ... *in the* ~ = in the distance
after ... ~noon ... *good* ~ = good afternoon

In der Lautschrift ersetzt die Tilde den bereits bekannten Teil der Aussprache.

2. Aussprache. 2.1 Die Aussprache des englischen Stichworts steht in eckigen Klammern. (Erklärung der phonetischen Zeichen hinterer Buchdeckel innen!)

Häufig wird auch nur eine Teilumschrift gegeben, z.B. **closing time** ['kləʊzɪŋ].

Bei zusammengesetzten Stichwörtern ohne Angabe der Aussprache gilt die Aussprache der jeweiligen Einzelbestandteile.

2.2 Die **Betonung** der englischen Wörter wird durch das Zeichen ' vor der zu betonenden Silbe angegeben:

onion ['ʌnjən] – **'lightweight**

4

2.3 Endsilben ohne Lautschrift. Um Raum zu sparen, werden die häufigsten Endungen der englischen Stichwörter hier mit Lautschrift aufgelistet.

-ability [-ə'bɪlətɪ]	-ery [-ərɪ]	-izing [-aɪzɪŋ]
-able [-əbl]	-ess [-ɪs]	-less [-lɪs]
-age [-ɪdʒ]	-ful [-fʊl; -fl]	-ly [-lɪ]
-al [-(ə)l]	-hood [-hʊd]	-ment(s) [-mənt(s)]
-ally [-əlɪ]	-ial [-əl]	-ness [-nɪs]
-an [-ən]	-ian [-jən; -ɪən]	-oid [-ɔɪd]
-ance [-əns]	-ible [-əbl]	-or [-ə]
-ancy [-ənsɪ]	-ic(s) [-ɪk(s)]	-ory [-ərɪ; -rɪ]
-ant [-ənt]	-ical [-ɪkl]	-ous [-əs]
-ar [-ə]	-ie [-ɪ]	-ry [-rɪ]
-ary [-ərɪ]	-ily [-ɪlɪ; -əlɪ]	-ship [-ʃɪp]
-ation [-eɪʃn]	-iness [-ɪnɪs]	-(s)sion [-ʃn]
-cious [-ʃəs]	-ing [-ɪŋ]	-sive [-sɪv]
-cy [-sɪ]	-ion → -tion;	-some [-səm]
-dom [-dəm]	-(s)sion	-ties [-tɪz]
-ed [-d; -t; -ɪd]	-ish [-ɪʃ]	-tion [-ʃn]
-edness [-dnɪs;	-ism [-ɪzəm]	-tional [-ʃənl; -ʃnl]
-tnɪs; -ɪdnɪs]	-ist [-ɪst]	-tious [-ʃəs]
-ee [-iː]	-istic [-ɪstɪk]	-trous [-trəs]
-en [-n]	-ite [-aɪt]	-try [-trɪ]
-ence [-əns]	-ity [-ətɪ; -ɪtɪ]	-ty [-tɪ]
-ency [-ənsɪ]	-ive [-ɪv]	-ward(s) [-wəd(z)]
-ent [-ənt]	-ization [-aɪ'zeɪʃn]	-y [-ɪ]
-er [-ə]	-ize [-aɪz]	

Plural -s: [-z] nach Vokalen und stimmhaften Konsonanten
[-s] nach stimmlosen Konsonanten

3. Arabische Ziffern kennzeichnen im englisch-deutschen Teil einen Wechsel der Wortart. Die Wortart wird nur dann angegeben, wenn dies zum Verständnis notwendig ist:

control ... **1.** kontrollieren ... **2.** Kontrolle *f*
but ... **1.** *cj* aber, jedoch ... **2.** *prp* außer

4. Sachgebiet. Sachgebiet und Sprachebene eines Stichworts werden durch Abkürzungen oder ausgeschriebene Hinweise kenntlich gemacht.

drive ... *tech.* Antrieb *m*; *Computer*: Laufwerk *n*; *psych.* Trieb *m*; *fig.* Schwung *m*, Elan *m*

5. Grammatische Hinweise. Im englisch-deutschen Teil stehen die unregelmäßigen Verbformen (siehe auch Seite 515) bzw. bei Substantiven die unregelmäßigen Pluralformen in runden Klammern hinter dem Stichwort:

do ... (**did, done**) – **bring** ... (**brought**)
shelf ... (*pl* **shelves** [∼vz])

Im deutsch-englischen Teil werden die unregelmäßigen englischen Verben mit einem * gekennzeichnet:

baden ... have* (*od.* take*) a bath; ... swim*

6. Übersetzungen. Unübersetzbare Stichwörter werden in *Kursivschrift* erläutert:

bagel *ringförmiges Brötchen*

Vor der Übersetzung stehen im englisch-deutschen Teil (kursiv) die Akkusativobjekte von Verben und mit Doppelpunkt kursive Erläuterungen zur Übersetzung:

abandon ... *Hoffnung etc.* aufgeben
blow² ... *Sicherung*: durchbrennen; F *Geld* verjubeln

Im deutsch-englischen Teil wird ein Doppelpunkt gesetzt:

erfüllen ... *Zweck*: serve; *Erwartung*: meet*
Bauer¹ ... *Schach*: pawn

Wird das Stichwort (Verb, Adjektiv oder Substantiv) von bestimmten Präpositionen regiert, so werden diese mit den deutschen bzw. englischen Entsprechungen, der jeweiligen Bedeutung zugeordnet, angegeben:

aim ... zielen (**at** auf, nach)
indication ... (**of**) (An)Zeichen *n* (für), Hinweis *m* (auf)
Bericht *m* report (**über** on)

Hat eine Präposition in der Übersetzung keine direkte Entsprechung, so wird nur die Rektion gegeben:

correspond ... (**with, to**) entsprechen (*dat*)

7. Anwendungsbeispiele in *Auszeichnungsschrift* und ihre Übersetzung stehen nach der Grundübersetzung eines Stichworts bzw. bei der Wortart, auf die sich das Beispiel bezieht:

catch ... **2.** ... *v/t* (auf-, ein)fangen ... **~ (a)** *cold* sich erkälten
Beginn ... start; *zu* **~** at the beginning

8. Abkürzungen

a. also, auch

Abk. Abkürzung, *abbreviation*

acc accusative, Akkusativ

adj adjective, Adjektiv, Eigenschaftswort

adv adverb, Adverb, Umstandswort

agr. agriculture, Landwirtschaft

amer. amerikanisch, *American*

anat. anatomy, Anatomie, Körperbaulehre

arch. architecture, Architektur

astr. astronomy, Astronomie; *astrology,* Astrologie

attr attributive, attributiv, beifügend

aviat. aviation, Luftfahrt

biol. biology, Biologie

bot. botany, Botanik, Pflanzenkunde

brit. britisch, *British*

bsd. besonders, *especially*

chem. chemistry, Chemie

cj conjunction, Konjunktion, Bindewort

cond conditional, konditional,

Bedingungs...

contp. contemptuously, verächtlich

dat dative, Dativ

econ. economic term, Wirtschaft

e-e eine, a (an)

electr. electrical engineering, Elektrotechnik

e-m einem, *to a (an)*

e-n einen, *a (an)*

e-r einer, *of a (an), to a (an)*

e-s eines, *of a (an)*

et. etwas, *something*

etc. etcetera, usw.

euphem. euphemistic, euphemistisch, *verhüllend*

F familiär, *familiar,* umgangssprachlich, *colloquial*

f feminine, weiblich

fig. figuratively, bildlich, im übertragenen Sinn

gastr. gastronomy, Kochkunst

GB Great Britain, Großbritannien

gen genitive, Genitiv

geogr. geography, Geographie, Erdkunde

geol. geology, Geologie

ger gerund, Gerundium

gr. grammar, Grammatik

hist. history, Geschichte; *historical*, inhaltlich veraltet

humor. humorous, humorvoll

hunt. hunting, Jagd

impers impersonal, unpersönlich

int interjection, Interjektion, Ausruf

j. jemand, *someone*

j-m jemandem, *to someone*

j-n jemanden, *someone*

j-s jemandes, *of someone*

jur. jurisprudence, Rechtswissenschaft

konstr. konstruiert, *constructed*

ling. linguistics, Sprachwissenschaft

m masculine, männlich

math. mathematics, Mathematik

m-e meine, *my*

med. medicine, Medizin

metall. metallurgy, Hüttenkunde

meteor. meteorology, Wetterkunde

mil. military, militärisch

min. mineralogy, Gesteinskunde

m-m meinem, *to my*

m-n meinen, *my*

mot. motoring, Kraftfahrwesen

m-r meiner, *of my, to my*

m-s meines, *of my*

mst meistens, *mostly, usually*

mus. musical term, Musik

n neuter, sächlich

naut. nautical term, Schiffahrt

neg! negative, kann als beleidigend empfunden werden

od. oder, or

opt. optics, Optik

o.s. oneself, sich

öster. österreichisch, Austrian

paint. painting, Malerei

parl. parliamentary term, parlamentarischer Ausdruck

pass passive, Passiv

ped. pedagogy, Schulwesen

pers personal, persönlich

phls. philosophy, Philosophie

phot. photography, Fotografie

phys. physics, Physik

pl plural, Plural, Mehrzahl

pol. politics, Politik

poss possessive, possessiv, besitzanzeigend

post. post and telecommunications, Post- u. Fernmeldewesen

pp past participle, Partizip Perfekt, Mittelwort der Vergangenheit

pred predicative, prädikativ, als Aussage gebraucht

pres present, Präsens, Gegenwart

pres p present participle, Partizip Präsens, Mittelwort der Gegenwart

pret preterite, Präteritum, 1. Vergangenheit

print. printing, Buchdruck

pron pronoun, Pronomen, Fürwort

8

prp preposition, Präposition, Verhältniswort

psych. psychology, Psychologie

rail. railway, Eisenbahn

reflex reflexive, reflexiv, rückbezüglich

rel. religion, Religion

s. substantive Hauptwort

schweiz. schweizerisch, *Swiss*

s-e seine, *his, one's*

sg singular, Singular, Einzahl

sl. slang, Slang

s-m seinem, *to his, to one's*

s-n seinen, *his, one's*

s.o. someone, jemand

s-r seiner, *of his, of one's, to his, to one's*

s-s seines, *of his, of one's*

s.th. something, etwas

südd. süddeutsch, *Southern German*

tech. technology, Technik

tel. telephony, Fernsprechwesen; *telegraphy*, Telegrafie

thea. theater, Theater

TV television, Fernsehen

u. und, *and*

univ. university, Hochschulwesen

USA United States, Vereinigte Staaten

V *vulgar*, vulgär, unanständig

v/aux auxiliary verb, Hilfszeitwort

vb verb, Verb, Zeitwort

vet. veterinary medicine, Tiermedizin

v/i intransitive verb, intransitives Verb

v/t transitive verb, transitives Verb

z.B. zum Beispiel, *for instance*

zo. zoology, Zoologie

zs.-, Zs.- zusammen, *together*

Zssg(n) Zusammensetzung (-en), *compound word(s)*

→ siehe, *see, refer to*

® *registered trademark*, eingetragene Marke

A

a [ə, *betont* eɪ], vor Vokal: *an* [ən, *betont* æn] ein(e)

A-1 [eɪˈwʌn] erstklassig, ausgezeichnet

AAA [ˈtrɪpl̩ˈeɪ] *Abk. für American Automobile Association* amerikanischer Automobilclub

abandon [əˈbændən] verlassen; *Hoffnung etc.* aufgeben

abbreviate [əˈbriːvɪeɪt] (ab-)kürzen; **~ion** [~ˈeɪʃn] Abkürzung *f*

ABC [eɪbiːˈsiː] Abc *n*; *Abk. für American Broadcasting Corporation* amerikanische Fernsehgesellschaft

abdomen [ˈæbdəmen] Unterleib *m*; **~inal** [~ˈdɑːmɪnl] Unterleibs...

abduct [əbˈdʌkt] entführen

ability [əˈbɪlətɪ] Fähigkeit *f*

able [ˈeɪbl] fähig, tüchtig, geschickt; *be* ~ *to* imstande sein zu, können

abnormal [æbˈnɔːrml] anomal, abnorm

aboard [əˈbɔːrd] an Bord

abolish [əˈbɑːlɪʃ] abschaffen

abort [əˈbɔːrt] *Schwangerschaft* abbrechen; abtreiben; *Computer: Programm etc.* abbrechen; **~ion** [əˈbɔːrʃn]

Fehlgeburt *f*; Schwangerschaftsabbruch *m*, Abtreibung *f*

about [əˈbaʊt] um (... herum); herum in (*dat*); um, gegen (~ *noon*); über (*dat*); bei, auf (*dat*), an (*dat*)

about-ˈface Kehrtwendung *f*, *fig. a.* Umschwung *m*

above [əˈbʌv] **1.** *prp* über, oberhalb; über, mehr als; ~ *all* vor allem; **2.** *adv* oben; darüber (hinaus); **3.** *adj* obig, oben erwähnt

abrasion [əˈbreɪʒn] (Haut-)Abschürfung *f*

abridge [əˈbrɪdʒ] kürzen

abrupt [əˈbrʌpt] abrupt, plötzlich; kurz, schroff

ABS [eɪbiːˈes] *Abk. für Anti-lock Braking System* ABS *n*, Antiblockiersystem *n*

abscess [ˈæbsɪs] Abszess *m*

absence [ˈæbsəns] Abwesenheit *f*; Fehlen *n*

absent [ˈæbsənt] abwesend; geistesabwesend; *be* ~ fehlen; **~-ˈminded** zerstreut

absentee [æbsənˈtiː] Abwesende *m*, *f*; ~ *ballot* Briefwahl *f*; ~ *voter* Briefwähler(in) absolute ['æbsəluːt] absolut; vollkommen, völlig

absolve [əb'zɔːlv] freisprechen

absorb [əb'sɔːrb] absorbieren, auf-, einsaugen; **~ed in** vertieft in; **~ent** absorbierend

abstain [əb'stein] sich enthalten (**from** gen)

abstinen|ce ['æbstinəns] Abstinenz f, Enthaltsamkeit f; **~t** abstinent, enthaltsam

abstract **1.** ['æbstrækt] abstrakt; **2.** [~'strækt] abstrahieren; **~ed** zerstreut

absurd [əb'sɜːrd] absurd; lächerlich

abundan|ce [ə'bʌndəns] Überfluss m; **~t** reichlich

abus|e **1.** [ə'bjuːs] Missbrauch m; Beschimpfung f; **2.** [~z] missbrauchen; beschimpfen; **~ive** [~sɪv] beleidigend

AC ['eiːsiː] Abk. für **alternating current** Wechselstrom m; Abk. für **air conditioning** Klimaanlage f

academic [ə'kædəmɪ] Akademie f

Acadian [ə'keidiən] französischsprachiger Einwohner bsd. in Maine und Louisiana

accelerat|e [ək'seləreit] beschleunigen; mot. Gas geben; **~or** Gaspedal n

accent ['æksent] Akzent m

accept [ək'sept] an-, entgegennehmen; akzeptieren;

hinnehmen

access ['ækses] **1.** Zugang m; Computer: Zugriff m (**to** auf); fig. Zutritt m; **2.** Computer: Zugriff haben auf; **~ible** [ək'sesəbl] (leicht) zugänglich

accessory [ək'sesərɪ] Zubehörteil n; Mode: Accessoire n; jur. Mitschuldige m, f; **~ after the fact** Begünstiger(in); **~ before the fact** Anstifter(in), Tatgehilfe m, Tatgehilfin f

accident ['æksɪdənt] Unfall m, Unglück(sfall m) n; **by ~** zufällig; jur. [~'dentl] zufällig; versehentlich

acclimate ['æklɪmeɪt] (sich) akklimatisieren

accommodat|e [ə'kɑːmədeɪt] unterbringen; Platz haben für, fassen; anpassen (**to** dat od. an acc); j-m aushelfen; **~ion** [~'deɪʃn] mst pl Unterkunft f

accompan|iment [ə'kʌmpənɪmənt] Begleitung f; **~y** begleiten

accomplish [ə'kʌmplɪʃ] erreichen; leisten; **~ed** fähig; vollendend

accord [ə'kɔːrd] **1.** Übereinstimmung f, **of one's own ~** von selbst; **2.** übereinstimmen; **~ance:** **in ~ with** entsprechend, gemäß; **~ing:** **~ to** laut, nach; **~ingly** (dem-)entsprechend

account [ə'kaunt] **1.** Konto

n; Rechnung *f;* Bericht *m;* Rechenschaft *f;* **give an ~ of** Bericht erstatten über; **on no ~** auf keinen Fall; **on ~ of** wegen; **take into ~** berücksichtigen; **2. ~ for** Rechenschaft über *et.* ablegen, erklären; **~ant** Buchhalter(in)

accumulate [əˈkjuːmjʊleɪt] (sich) ansammeln *od.* (an-)häufen

accuracy [ˈækjʊrəsɪ] Genauigkeit *f;* **~te** [-rət] genau

accus|ation [ækjuːˈzeɪʃn] An-, Beschuldigung *f;* **~e** [əˈkjuːz] *jur.* anklagen (**of** *gen. od.* wegen); beschuldigen (**of** *gen*)

accustom [əˈkʌstəm] gewöhnen (**to** an); **get ~ed to** sich gewöhnen an; **~ed** gewöhnt

ace [eɪs] 1. Ass *n* (*a. fig.*); 2. F *j-n* besiegen *od.* übertrumpfen; **~ a test** in e-r Prüfung die beste Note (A) bekommen

ache [eɪk] anhaltender Schmerz

achieve [əˈtʃiːv] Ziel erreichen, *Erfolg* erzielen; **~ment** Leistung *f*

acid [ˈæsɪd] Säure *f;* F LSD *n;* **~ rain** saurer Regen

acknowledg|e [əkˈnɒlɪdʒ] Empfang bestätigen; zugeben; **~ment** Anerkennung *f*

ACLU [eɪsiːelˈjuː] *Abk. für American Civil Liberties*

Union *amerikanische Bürgerrechtsbewegung*

acoustics [əˈkuːstɪks] *pl* **e-s** *Raumes:* Akustik *f*

acquaint [əˈkweɪnt] bekannt *od.* vertraut machen; **be ~ed with** *j-n, et.* kennen; **~ance** Bekanntschaft *f;* Bekannte *m, f*

acquire [əˈkwaɪr] erwerben

acquit [əˈkwɪt] freisprechen

across [əˈkrɒs] 1. *prp* (quer) über (*acc*); (quer) durch; jenseits (*gen*), auf der anderen Seite von (*od. gen*); **2. ~ from** gegenüber; **2.** *adv* (quer) hin-*od.* herüber; (quer) durch; drüben; **~ the board** global, linear

act [ækt] 1. handeln; sich verhalten *od.* benehmen; (ein)handeln; *thea.* spielen, *Stück a.* aufführen; **~ as** fungieren als; 2. Tat *f;* Handlung *f; jur.* Gesetz *n; thea.* Akt *m;* (*Programm*)Nummer *f;* **~ion** Handlung *f* (*a. thea.*); Tat *f; Film etc.:* Action *f; tech.* Funktionieren *n;* (Ein)Wirkung *f; jur.* Klage *f,* Prozess *m; mil.* Gefecht *n,* Einsatz *m*

activ|e [ˈæktɪv] aktiv; tätig; lebhaft; **~ity** [-ˈtɪvətɪ] Aktivität *f*

act|or [ˈæktər] Schauspieler *m;* **~ress** [-trɪs] Schauspielerin *f*

actual [ˈæktʃʊəl] wirklich; **~ly** eigentlich

acupuncture ['ækjəpʌŋk-tʃər] Akupunktur f
ad [æd] F → *advertisement*
adapt [ə'dæpt] (sich) anpassen; *Text* bearbeiten; **~ation** [ædæp'teɪʃn] Anpassung f; Bearbeitung f; **~er**, **~or** [ə'dæptər] Adapter m
add [æd] hinzufügen
addict [ə'dɪkt] Süchtige m, f; **~ed** [ə'dɪktɪd]: *be ~ to ...* ...süchtig sein; **~ion** [ə'dɪkʃn] Sucht f
addition [ə'dɪʃn] Hinzufügung f, Zusatz m; *math.* Addition f; *in ~ to* außer, zusätzlich zu; **~al** zusätzlich
add-on ['ædɒːn] *Computer*: Zusatz(komponente f) m
address [ə'dres, 'ædres] **1.** *Worte etc.* richten (*to* an), *j-n* anreden *od.* ansprechen; adressieren; **2.** Adresse f, Anschrift f; Rede f, Ansprache f; **~ee** [ædre'siː] Empfänger(in)
adequate ['ædɪkwət] angemessen
adhesive [əd'hiːsɪv] Klebstoff m
adjective ['ædʒɪktɪv] *gr.* Adjektiv n, Eigenschaftswort n
adjourn [ə'dʒɜːrn] verschieben; vertagen
adjust [ə'dʒʌst] anpassen; *tech.* einstellen, regulieren; **~able** verstellbar
ad-lib [æd'lɪb] improvisieren
administer [əd'mɪnɪstər] verwalten; *Arznei* geben,

verabreichen; *Recht* sprechen; **~ration** [~'streɪʃn] Verwaltung f; Verabreichung f; Regierung f, Amtsdauer f; **~rative** [~'mɪnɪstrətɪv] Verwaltungs...; **~rator** [~treɪtər] Verwalter m; Verwaltungsbeamte m, -tin f
admirable ['ædmərəbl] Bewunderung f; **~e** [əd'maɪr] bewundern; verehren; **~er** [~ər] Verehrer(in)
admissible [əd'mɪsəbl] zulässig; **~ion** [~'mɪʃn] Ein-, Zutritt m
admit [əd'mɪt] einlassen; zulassen; zugeben; **~tance** Zutritt m
ad nauseam [æd'nɔːziæm] *fig.* bis zum Erbrechen
adolescent [ædou'lesnt] Jugendliche m, f
adopt [ə'dɒpt] adoptieren; **~ion** Adoption f
adult [ə'dʌlt, 'ædʌlt] Erwachsene m, f
adultery [ə'dʌltərɪ] Ehebruch m
advance [əd'væns] **1.** *v/t* rücken, -schieben; *Zeitpunkt* vorverlegen; *Geld* vorauszahlen; **2.** *in ~* im Voraus; vorher; **~ booking** Vor(aus)bestellung f; *thea.* Vorverkauf m
advantage [əd'væntɪdʒ] Vorteil m; *take ~ of* ausnutzen; **~ous** [ædvən'teɪdʒəs] vorteilhaft, günstig

adventure [əd'ventʃər] Abenteuer n

adverb ['ædvɜːrb] gr. Adverb n, Umstandswort n

adversary ['ædvərseri] Gegner(in)

advertise ['ædvərtaiz] Reklame machen (für), werben für; **~ment** [~z] j-m raten; j-n beraten; **~or** Berater(in)

advice [əd'vais] Rat(schlag) m; **take s.o.'s ~** j-s Rat befolgen

advis|able [əd'vaizəbl] ratsam; **~e** [~z] j-m raten; j-n beraten; **~or** Berater(in)

aerobics [e'roubiks] sg Aerobic n

affair [ə'fer] Angelegenheit f; Affäre f, Verhältnis n

affect [ə'fekt] beeinflussen; med. angreifen, befallen; bewegen, rühren

affection [ə'fekʃn] Liebe f, Zuneigung f; **~ate** [~ʃnət] liebevoll, herzlich

affluent ['æfluənt] reich, wohlhabend; **~ society** Wohlstandsgesellschaft f

afford [ə'fɔːrd] sich leisten

afraid [ə'freid] **be ~ (of)** sich fürchten (vor). Angst haben (vor)

African ['æfrikən] **1.** afrikanisch; **2.** Afrikaner(in); **~-American 1.** Afroamerikaner(in); **2.** afroamerikanisch

after ['æftər] **1.** prp räumlich: hinter (... her), nach; zeitlich, fig.: nach; **~ all** schließlich; doch; **~ that** danach; **2.** adv nachher, hinterher, danach; **3.** cj nachdem; **~'noon** Nachmittag m; **in the ~** am Nachmittag; **this ~** heute Nachmittag; **good ~** nachmittags: guten Tag

afterward ['æftərwərd] nachher, später

again [ə'gen] wieder; noch einmal

against [ə'genst] gegen; an

age [eidʒ] **1.** Alter n; Zeit(alter n) f; **at the ~ of** im Alter von; **of ~** volljährig; **under ~** minderjährig; **five years of ~** fünf Jahre alt; **for ~s** F seit e-r Ewigkeit; **2.** alt machen; alt werden; **~d** [eidʒd] im Alter von, ... Jahre alt; ['eidʒid] alt, betagt; **~ discrimination** Benachteiligung f wegen des Alters

agency ['eidʒənsi] Agentur f; Geschäftsstelle f, Büro n; Behörde f

agenda [ə'dʒendə] Tagesordnung f

agent ['eidʒənt] Agent m, Vertreter m; Makler m; Wirkstoff m, Mittel n

aggression [ə'greʃn] bsd. mil. Angriff m, Aggression f; **~ive** [~siv] aggressiv

agile ['ædʒail] beweglich

agitate ['ædʒiteit] schütteln, (um)rühren; aufregen; j-n aufhetzen; hetzen (**against**

gegen); **~ion** [ˌ~'teiʃn] Aufregung f; Agitation f

ago [ə'gou] *zeitlich:* vor; *long ~* vor langer Zeit

agonizing ['ægənaiziŋ] qualvoll; '**~y** Qual f

agree [ə'griː] *v/i* einig werden, sich einigen; zustimmen, einverstanden sein; gleicher Meinung sein; übereinstimmen; *Speise:* bekommen; *v/t* vereinbaren; [ˌ~i-] angenehm; **~ment** [ˌ~i-] Übereinstimmung f; Vereinbarung f; Abkommen n; Einigung f

agricultural [ægri'kʌltʃərəl] landwirtschaftlich; **~e** ['~tʃə] Landwirtschaft f

ahead [ə'hed] vorn; voraus, vorwärts; **~ of** vor, voraus

aid [eid] **1.** Hilfe f; **2.** helfen

AIDS [eidz] *Abk. für Acquired Immune Deficiency Syndrome* Aids n, erworbenes Immunschwächesyndrom

aisle [ail] Gang m

AK *Abk. für* Alaska

AL *Abk. für* Alabama

à la mode [ælə'moud] *gastr.* mit Eiscreme

alarm [ə'lɑːrm] **1.** Alarm m; Alarmvorrichtung f, **-anlage** f; Wecker m; Angst f, Unruhe f; **2.** alarmieren; ängstigen, beunruhigen; **~ clock** Wecker m

alcohol ['ælkəhɒl] Alkohol m; **~ic** [ˌ~'hɒːlik] **1.** alkoholisch; **2.** Alkoholiker(in)

'airbase Luftstützpunkt m; '**~brake** Druckluftbremse f; '**~-conditioned** mit Klimaanlage; '**~-conditioning** Klimaanlage f, **-craft** (*pl* **-craft**) Flugzeug n; **~ force** Luftwaffe f; '**~freight** Luftfracht f; '**~gun** Luftgewehr n; '**~head** Dummkopf m; '**~line** Fluggesellschaft f; '**~mail** Luftpost f; *by ~* mit Luftpost; '**~ mattress** Luftmatratze f; '**~plane** Flugzeug n; '**~play:** *that song got a lot of ~* dieses Lied wurde viel im Radio gespielt; '**~ pollution** Luftverschmutzung f; '**~port** Flughafen m, **-platz** m; '**~ pressure** Luftdruck m; '**~sick** luftkrank; '**~space** Luftraum m; '**~tight** luftdicht; **~ traffic** Flugverkehr m; **~ traffic control** Flugsicherung f; **~ traffic controller** Fluglotse m

alert [ə'lɜːrt] **1.** auf der Hut, wachsam; **2.** (Alarm)Bereitschaft f; Alarm(signal n) m

alibi ['ælɪbaɪ] Alibi n

alien ['eɪlɪən] **1.** ausländisch; fremd; **2.** Ausländer(in); Außerdische m, f

alike [ə'laɪk] gleich; ähnlich

alimony ['ælɪmoʊnɪ] Unterhalt(szahlung f) m

alive [ə'laɪv] lebend, am Leben; lebendig; lebhaft

all [ɔːl] **1.** adj all, gesamt, ganz; jede(r, -s), alle pl; **2.** adv ganz, gänzlich; **3.** pron alles, alle pl; ~ **at once** auf einmal, plötzlich; ~ **but** fast; ~ **of us** wir alle; ~ **over** überall; ~ **right** in Ordnung; ~ **the better** umso besser; ~ **the time** die ganze Zeit; (not) at ~ überhaupt (nicht); **not at ~!** F nichts zu danken!; **for ~ I care** meinetwegen; **for ~ I know** soviel ich weiß

alleged [ə'ledʒd] angeblich

Allen screw ['ælɪn skruː] Inbusschraube f; ~ **wrench** Inbusschlüssel m

allergic [ə'lɜːrdʒɪk] allergisch (to gegen); ~y ['ælərdʒɪ] Allergie f

alley ['ælɪ] Gasse f; Pfad m; Bowling: Bahn f

alliance [ə'laɪəns] Bund m, Bündnis n; ~ied [ə'laɪd, attr 'ælaɪd] verbündet; verbunden (with, to mit)

allot [ə'lɑːt] zuteilen, zuweisen

all-out umfassend, kompromisslos

allow [ə'laʊ] erlauben, gestatten; bewilligen, gewähren; zugestehen; Summe geben; anerkennen, gelten lassen; ~ **for** berücksichtigen; **be ~ed** dürfen; **~ance** Erlaubnis f; Bewilligung f; Taschengeld n; Zuschuss m, Beihilfe f; Rabatt m; Nachsicht f

alloy ['ælɔɪ] Legierung f

'all-purpose Allzweck..., Universal...; ~'**round** vielseitig, Allround...

allusion [ə'luːʒn] Anspielung f

'all-wheel drive Allradantrieb m

ally 1. ['ælaɪ, ə'laɪ] ~ (o.s.) sich vereinigen od. verbünden; **2.** ['ælaɪ] Verbündete m, f

almighty [ɔːl'maɪtɪ] allmächtig

almond ['ɑːmənd] Mandel f

almost [ɔːl'moʊst] fast, beinahe

alone [ə'loʊn] allein

along [ə'lɔːŋ] **1.** prp entlang, längs, an ... vorbei; **2.** adv weiter, vorwärts; ~ **with** zs. mit; **all ~** F die ganze Zeit

aloud [ə'laʊd] laut

alphabet ['ælfəbet] Alphabet n; ~**ical** [~'betɪkl] alphabetisch; ~ **soup** Suppe f mit Buchstabennudeln

already [ɔːl'redɪ] bereits, schon

alright [ɔːlˈraɪt] in Ordnung

also [ˈɔːlsoʊ] auch, ebenfalls

altar [ˈɔːltər] Altar *m*

alter [ˈɔːltər] (ver-, ab-, um-) ändern; sich (ver)ändern; **~ation** [~ˈreɪʃn] (Ver-, Ab-, Um)Änderung *f*

alternat|e [ˈɔːltərneɪt] abwechseln (lassen); **'~ing current** Wechselstrom *m*; **~ive** [~ˈtɜːrnətɪv] **1.** alternativ, Ersatz...; **2.** Alternative *f*, Wahl *f*

although [ɔːlˈðoʊ] obwohl

altitude [ˈæltɪtuːd] Höhe *f*

aluminum [əˈluːmənəm] Aluminium *n*

always [ˈɔːlweɪz] immer

am [æm] *ich* bin

amateur [ˈæmətʃʊr] Amateur(in)

amaze [əˈmeɪz] erstaunen, verblüffen; **~ment** (Er)Staunen *n*, Verblüffung *f*

amazing erstaunlich

ambassador [æmˈbæsədər] *pol.* Botschafter *m*

ambiguous [æmˈbɪɡjuəs] zwei-, vieldeutig; unklar

ambiti|on [æmˈbɪʃn] Ehrgeiz *m*; **~ous** ehrgeizig

ambulance [ˈæmbjuləns] Krankenwagen *m*

ambush [ˈæmbʊʃ] **1.** Hinterhalt *m*; **2.** aus dem Hinterhalt überfallen; auflauern

amen [ɑːˈmen] *int* amen!

amend [əˈmend] verbessern; *Gesetz* abändern, ergänzen; **~ment** Verbesserung *f*; *parl.*

Abänderungs-, Ergänzungsantrag *m*; Ergänzungsartikel *m* (*zur Verfassung der USA*); **~s** (Schaden)Ersatz *m*

amenity [əˈmiːnəti] *oft pl* Annehmlichkeit(en *pl*) *f*

American [əˈmerɪkən] **1.** amerikanisch; **2.** Amerikaner(in)

ammunition [æmjʊˈnɪʃn] Munition *f*

amnesty [ˈæmnəstɪ] Amnestie *f*

among [əˈmʌŋ] (mitten) unter, zwischen

amount [əˈmaʊnt] **1.** Betrag *m*, Summe *f*; **2. ~ to** sich belaufen auf; betragen; hinauslaufen auf

amp [æmp] Ampère *n*; F Verstärker *m*

amplif|ier [ˈæmplɪfaɪər] Verstärker *m*; **~y** [ˈ~aɪ] verstärken

amputate [ˈæmpjʊteɪt] amputieren, abnehmen

amus|e [əˈmjuːz] amüsieren; unterhalten; **~ement** Unterhaltung *f*; Zeitvertreib *m*; **~ park** Vergnügungspark *m*, Rummelplatz *m*; **~ing** lustig

an [ən, *betont* æn] ein(e)

analogy [əˈnælədʒɪ] Analogie *f*, Entsprechung *f*

analy|ze [ˈænəlaɪz] analysieren; **~sis** [əˈnæləsɪs] (*pl* -ses [~siːz]) Analyse *f*

Anasazi [ænəˈsɑːzɪ] prähistorische Pueblobewohner im Südwesten der USA

anatomy [ə'nætəmɪ] Anatomie *f*

ancestlor ['ænsestər] Vorfahr *m*; **~ress** ['~trɪs] Vorfahrin *f*

anchor ['æŋkər] **1.** Anker *m*; Moderator(in); **2.** (ver)ankern; moderieren; **~man** (*pl -men*) Moderator *m*; **~person** Moderator(in); **~woman** (*pl -women*) Moderatorin *f*

anchovy ['æntʃoʊvɪ] An-(s)chovis *f*, Sardelle *f*

ancient ['eɪnʃənt] (ur)alt

and [ænd] und

anemia [ə'niːmɪə] Anämie *f*, Blutarmut *f*

angel ['eɪndʒəl] Engel *m*; **~ food cake** *etwa* Biskuitkuchen *m*

anger ['æŋgər] **1.** Zorn *m*, Ärger *m*, Wut *f*; **2.** (ver)ärgern

angle ['æŋgl] Winkel *m*

Anglo ['æŋgloʊ] *weißer Amerikaner nicht spanischer oder nicht lateinamerikanischer Abstammung*

angry ['æŋgrɪ] verärgert, ärgerlich, böse

angular ['æŋgjʊlər] wink(e)lig; knochig

animal ['ænɪməl] **1.** Tier *n*; **2.** animalisch, tierisch

animatle ['ænɪmeɪt] *v/t* beleben; anregen, aufmuntern; **2.** ['~mət] *adj* lebend, lebend; lebhaft; **'~ed cartoon** Zeichentrickfilm *m*; **~ion**

[~'meɪʃn] Lebhaftigkeit *f*; (Zeichen)Trickfilm *m*; *Computer:* Animation *f* (*bewegtes Bild*)

animosity [ænɪ'mɑːsətɪ] Feindseligkeit *f*

ankle ['æŋkl] (Fuß)Knöchel *m*

annex **1.** [ə'neks] *v/t* annektieren; **2** ['æneks] *s* Anbau *m*, Nebengebäude *n*

anniversary [ænɪ'vɜːrsərɪ] Jahrestag *m*

announce [ə'naʊns] ankündigen; bekannt geben; *TV etc.:* ansagen; **~ment** Ankündigung *f*; Bekanntgabe *f*; *TV etc.:* Ansage *f*; Durchsage *f*; **~r** *TV etc.:* Ansager(in)

annoy [ə'nɔɪ] ärgern; **be ~ed** sich ärgern; **~ance** Ärger *m*; Belästigung *f*, Störung *f*; **~ing** ärgerlich; lästig

annual ['ænjʊəl] jährlich

anonymous [ə'nɑːnɪməs] anonym

another [ə'nʌðər] ein anderer, e-e andere; ein anderes; noch ein(er, -e, -es)

answer ['ænsər] **1.** Antwort *f*; **2.** antworten (auf); beantworten; **~ the door** die Tür öffnen, aufmachen; **~ the telephone** ans Telefon gehen; **~ing machine** Anrufbeantworter *m*

ant [ænt] Ameise *f*

ante ['æntɪ] *Glücksspiel:* **1.** Einsatz *m*; **2. ~ up** setzen

antebellum [æntɪ'beləm] aus

der Zeit vor dem amerikanischen Bürgerkrieg (*1860–1865*)

antenna [æn'tenə] (*pl* **-nae** [~niː]) *zo.* Fühler *m*; Antenne *f*

anthem ['ænθəm] Hymne *f*

anti... [ænti] Gegen..., gegen..., Anti..., anti...; '**~biotic** [~baɪ'ɔtɪk] Antibiotikum *n*; '**~body** Antikörper *m*, Abwehrstoff *m*

anticipate [æn'tɪsɪpeɪt] voraussehen, ahnen; erwarten; zuvorkommen; vorwegnehmen; **~ion** [~'peɪʃn] (Vor-) Ahnung *f*; Erwartung *f*; Vorwegnahme *f*

antidote ['æntɪdəʊt] Gegengift *n*, -mittel *n*; '**~freeze** *mot.* Frostschutzmittel *n*

antique [æn'tiːk] **1.** antik, alt; **2.** Antiquität *f*; **~ity** [~'tɪkwətɪ] Altertum *n*

antiseptic [æntɪ'septɪk] **1.** antiseptisch; **2.** Antiseptikum *n*

antisocial [æntɪ'səʊʃl] asozial; ungesellig

anxiety [æŋ'zaɪətɪ] Angst *f*, Sorge *f*

anxious ['æŋkʃəs] besorgt; gespannt (**for** auf); bestrebt

any ['enɪ] *adj u. pron* (irgend)ein(e), einige *pl*, etwas; jede(r, -s) (beliebige); **not** ~ kein; **at** ~ **time** jederzeit; **2.** *adv* irgend(wie), (noch) etwas; '**~body** (irgend)jemand; jeder; '**~how** irgendwie; trotzdem; jedenfalls; '**~one** *or* **anybody**; '**~thing** (irgend)etwas; alles; ~ **else?** (sonst) noch etwas?; '**~way** *or* **anyhow**; '**~where** irgendwo(hin); überall

Apache [ə'pætʃɪ] Apache *m* (*Indianer im Südwesten der USA*)

apart [ə'pɑːrt] auseinander, getrennt, für sich; beiseite; ~ **from** abgesehen von

apartment [ə'pɑːrtmənt] Wohnung *f*; ~ **building** Wohnhaus *n*

apathetic [æpə'θetɪk] apathisch, teilnahmslos

ape [eɪp] (Menschen)Affe *m*

APO [eɪpiː'əʊ] *Abk. für* **Army and Air Force Post Office** *Postdienste des US-Heeres und der US-Luftwaffe*

apologize [ə'pɒlədʒaɪz] sich entschuldigen; **~y** Entschuldigung *f*

apparent [ə'pærənt] augenscheinlich, offensichtlich; scheinbar

appeal [ə'piːl] **1.** ~ **to** j-n dringend bitten (**for** um); appellieren an, sich wenden an; gefallen, zusagen; **2.** dringende Bitte; Appell *m*; Anziehung(skraft) *f*, Wirkung *f*

appear [ə'pɪr] erscheinen; scheinen, aussehen; *TV etc.* auftreten; **~ance** [~əns] Erscheinen *n*, Auftreten *n*; Aussehen *n*, das Äußere; *mst pl* (An)Schein *m*

appendicitis [əpendi'saitis]
Blinddarmentzündung f

appendix [ə'pendiks] (pl
-dices [~disi:z]) Buch: Anhang m; Blinddarm m

appetite ['æpitait] (for) Appetit m (auf); Verlangen n
(nach), Lust f (auf); ~tizer
['~zər] Vorspeise f; ~tizing
['~ziŋ] appetitanregend

applaud [ə'plɔ:d] applaudie-
ren, Beifall klatschen; ~se
[~z] Applaus m, Beifall m

apple ['æpl] Apfel m; ~jack
Apfelschnaps m; ~ pie ge-
deckter Apfelkuchen; ~ pol-
isher F Schleimer m; ~
sauce Apfelmus n

appliance [ə'plaiəns] Gerät n

applicable ['æplikəbl] an-
wendbar (to auf); zutreffend

applicant ['æplikənt] An-
tragsteller(in); Bewerber
(-in); ~tion [~'keiʃn] Gesuch
n, Antrag m; Bewerbung f;
Anwendung f; Auftragen n
(e-r Salbe etc.)

apply [ə'plai] beantragen (for
acc); sich bewerben (for
um); verwenden (to für); anwenden (to auf); betätigen;
auflegen, -tragen (to auf);
zutreffen (to auf)

appoint [ə'pɔint] ernennen,
berufen; ~ment Verabre-
dung f, Termin m; Ernen-
nung f

appreciate [ə'pri:ʃieit]
schätzen, würdigen, zu
schätzen wissen; ~ion

[~'eiʃn] Würdigung f; Anerkennung f

apprehend [æpri'hend] fest-
nehmen, verhaften; ~sion
[~ʃn] Besorgnis f; Festnah-
me f, Verhaftung f; ~sive
[~siv] besorgt (for um; that
dass)

approach [ə'prəutʃ] 1. v/i
näher kommen, sich nähern;
v/t sich nähern (dat); heran-
gehen od. herantreten an (at);
2. (Heran)Nahen n; Annähe-
rung f; Zugang m

appropriate [ə'prəupriət]
passend, geeignet

approval [ə'pru:vl] Billigung
f; Anerkennung f, Beifall m;
~e [~v] billigen, genehmigen

approximate [ə'prɔksimət]
annähernd, ungefähr

apricot ['æprikɔt] Aprikose
f

April ['eiprəl] April m; ~
Fools' Day der erste April

apron ['eiprən] Schürze f

aquatic [ə'kwætik] Wasser...

AR Abk. für Arkansas

arbor ['a:rbər] Laube f; ⁂
Day Tag m des Baumes

arcade [a:r'keid] Arkade f

archaic [a:r'keiik] veraltet

archeology [a:rki'a:lədʒi]
Archäologie f

architect ['a:rkitekt] Archi-
tekt(in); ~ure ['~ktʃər] Architektur f

archives ['a:rkaivz] pl Archiv n

archway ['ɑːtʃweɪ] Bogen (-gang) m

arctic ['ɑːktɪk] arktisch

are [ɑːr] du bist, wir, sie, Sie sind, ihr seid

area ['eərɪə] Fläche f; Gebiet n; Bereich m; ~ **code** tel. Vorwahl(nummer) f

arena [ə'riːnə] Arena f

argue ['ɑːgjuː] argumentieren; streiten; diskutieren

argument ['ɑːgjʊmənt] Argument n; Streit m

arithmetic [ə'rɪθmətɪk] Rechnen n

arm¹ [ɑːm] Arm m; Armlehne f; Ärmel m

arm² [~] (sich) bewaffnen; aufrüsten

armament ['ɑːməmənt] Aufrüstung f

armⱡchair [ɑːm'tʃer] Lehnstuhl m; '~pit Achselhöhle f

arms [ɑːmz] pl Waffen pl

army ['ɑːmɪ] Armee f, Heer n

aroma [ə'rəʊmə] Aroma n, Duft m

around [ə'raʊnd] **1.** adv (rings)herum; umher, herum; in der Nähe, da; **2.** prp um (... herum); in ... herum

arrange [ə'reɪndʒ] (an)ordnen; festsetzen, -legen; arrangieren; vereinbaren; **~ment** Anordnung f; Vereinbarung f; Vorkehrung f

arrears [ə'rɪərz] pl Rückstand m, -stände pl

arrest [ə'rest] **1.** Verhaftung f; **2.** verhaften; aufhalten

arrival [ə'raɪvl] Ankunft f; **~e** [~v] (an)kommen, eintreffen; ~ **at** fig. erreichen, kommen od. gelangen zu

arrogant ['ærəgənt] arrogant, überheblich

arrow ['ærəʊ] Pfeil m

arson ['ɑːsn] Brandstiftung f

art [ɑːt] Kunst f; Pl Geisteswissenschaften pl

arterⱡial [ɑː'tɪərɪəl] Arterien...; **~y** [ɑː'tɪərɪ] Arterie f, Schlagader f

article ['ɑːtɪkl] Artikel m

artificial [ɑːtɪ'fɪʃl] künstlich

artist ['ɑːtɪst] Künstler(in); **~ic** [ɑː'tɪstɪk] künstlerisch

as [æz] **1.** adv so, ebenso; wie (z. B.); **2.** cj (so) wie; als, während; da; weil; ~ ... ~ (eben)so ... wie; ~ **for** was ... (an)betrifft; ~ **Hamlet** als Hamlet

ASAP, asap [eɪeseɪ'piː] Abk. für **as soon as possible** so schnell wie möglich (Abkürzung in Faxmitteilungen, Geschäftsbriefen etc.)

ASCII ['æskɪ] Abk. für **American Standard Code for Information Interchange** ASCII m

ash¹ [æʃ] Esche(nholz n) f

ash² [~] a. **~es** pl Asche f

ashamed [ə'ʃeɪmd] beschämt; **be** ~ **of** sich e-r Sache od. j-s schämen

ashore [ə'ʃɔːr] am od. ans Ufer; **go** ~ an Land gehen

'ashtray Aschenbecher m

Asia|n ['eɪʃn], **~tic** [eɪʃɪ'ætɪk]
1. asiatisch; **2.** Asiat(in)

aside [ə'saɪd] beiseite, auf die
Seite

ask [æsk] fragen; fragen
nach; bitten; einladen; verlangen (**of** von); **~ for** bitten
um; fragen nach

asleep [ə'sliːp] schlafend; **be
(fast, sound) ~** (fest) schlafen; **fall ~** einschlafen

asparagus   [ə'spærəgəs]
Spargel m

ASPCA [eɪespiːsiː'eɪ] Abk.
für **American Society for
the Prevention of Cruelty
to Animals** amerikanischer
Tierschutzverein

aspect ['æspekt] Aspekt m,
Seite f, Gesichtspunkt m

asphalt ['æsfælt] **1.** Asphalt
m; **2.** asphaltieren

ass [æs] F Arsch m

assassin [ə'sæsɪn] pol. Mör-
der(in), Attentäter(in); **~ate**
[~eɪt] pol. ermorden; **~ation**
[~'neɪʃn] (bsd. politischer)
Mord, Ermordung f, Atten-
tat n

assem|ble [ə'sembl] (sich)
versammeln; tech. montie-
ren; **~bly** Versammlung f;
tech. Montage f; **~bly line**
Fließband n

assert [ə'sɜːrt] behaupten,
erklären; geltend machen

assess [ə'ses] (zur Steuer)
veranlagen (**at** mit); schätzen, (be)werten

asset ['æset] econ. Aktivpos-
ten m; pl econ. Aktiva pl; jur.
Vermögen n; fig. Vorzug
m, Plus n; Gewinn m

assign [ə'saɪn] an-, zuweisen;
bestimmen;   zuschreiben;
~ment Anweisung f; Aufgabe f, Auftrag m

assist [ə'sɪst] j-m helfen, bei-
stehen; **~ance** Hilfe f, Beistand m; **~ant** Assistent(in),
Mitarbeiter(in)

associat|e **1.** [ə'souʃɪeɪt]
vereinigen,   -binden,   zs.-
schließen, assoziieren; ver-
kehren; **2.** [~ʃɪət] Kolleg|e
m, -in f; Teilhaber(in); **~ion**
[~'eɪʃn] Vereinigung f, Verbindung f; Verein m; Asso-
ziation f

assort|ed   [ə'sɔːrtɪd]   ge-
mischt; **~ment** econ. Sortiment n, Auswahl f

assume [ə'suːm] annehmen

assur|ance   [ə'ʃurəns]   Si-
cherheit f, Gewissheit f;
Selbstsicherheit f; **~e** [ə'ʃur]
j-m versichern; **~ed** sicher

asthma ['æsmə] Asthma n

astrology [ə'strɑːlədʒɪ] Astrologie f

astronaut ['æstrənɔːt] Astro-
naut(in), Raumfahrer(in)

astronomy   [ə'strɑːnəmɪ]
Astronomie f

asylum [ə'saɪləm] Asyl n

at [æt] prp Ort: in, an, bei,
auf; Richtung: an, nach, gegen, zu; Beschäftigung: bei,
beschäftigt mit; in; Art u.

Weise, Zustand: in, bei, zu, unter; *Preis etc.*: für, um; *Zeit, Alter*: um; bei; **~ the door** an der Tür; **~ 18** mit 18 (Jahren); **~ 5 o'clock** um 5 Uhr

ate [eɪt] *pret von* **eat**

athlete ['æθliːt] (Leicht-) Athlet(in), Sportler(in); **~'s foot** Fußpilz *m*; **~ic** [~'letɪk] athletisch; **~ics** *sg* Leichtathletik *f*

Atlantic [ət'læntɪk] atlantisch

ATM [eɪtiː'em] *Abk. für* **Automatic Teller Machine** Geldautomat *m*

atmosphere ['ætməsfɪə] Atmosphäre *f*

atom ['ætəm] Atom *n*

atomic [ə'tɒmɪk] atomar, Atom...; **~ bomb** Atombombe *f*; **~ energy** Atomenergie *f*; **~ power** Atomkraft *f*; **~ waste** Atommüll *m*

atrocious [ə'trəʊʃəs] grässlich; **~ty** [~'ɒsətɪ] Scheußlichkeit *f*; Gräueltat *f*

attach [ə'tætʃ] (**to**) befestigen, anbringen (an); anheften, ankleben (an); *Wichtigkeit etc.* beimessen; **be ~ed to s.o.** an j-m hängen

attack [ə'tæk] **1.** angreifen; **2.** Angriff *m*; *med.* Anfall *m*

attempt [ə'tempt] **1.** versuchen; **2.** Versuch *m*

attend [ə'tend] *v/t* (ärztlich) behandeln; *Kranke* pflegen;

teilnehmen an, *Vorlesung etc.* besuchen; *fig.* begleiten; *v/i* anwesend sein; erscheinen; **~ to** j-n (in e-m Geschäft) bedienen; **~to** beachten, achten auf; sich kümmern um; **~ance** Dienst *m*, Bereitschaft *f*; Pflege *f*; Anwesenheit *f*, Erscheinen *f*; Besucher(zahl *f*) *pl*, Beteiligung *f*; **~ant** Begleiter(in); *Museum, Park etc.*: Aufseher(in), Wächter(in); Garderoben-, Toilettenfrau *f*; Tankwart *m*

attention [ə'tenʃn] Aufmerksamkeit *f*; **~ive** [~tɪv] aufmerksam

attic ['ætɪk] Dachboden *m*

attitude ['ætɪtjuːd] (Ein)Stellung *f*; Haltung *f*; F herausfordernde, anmaßende Haltung

attorney [ə'tɜːnɪ] Rechtsanwalt *m*, -anwältin *f*; Bevollmächtigte *m*, *f*; (**power of**) **~** Vollmacht *f*; **~ general** *in den USA*: Justizminister(in)

attract [ə'trækt] anziehen; *Aufmerksamkeit* erregen; **~ion** [~kʃn] Anziehung(skraft) *f*; Reiz *m*; Attraktion *f*; **~ive** anziehend; attraktiv; reizvoll

attribute¹ [ə'trɪbjuːt] zuschreiben (**to** *dat*); zurückführen (**to** auf)

attribute² ['ætrɪbjuːt] Attribut *n*

ATV [eɪtiː'viː] *Abk. für* **all-ter-**

away

rain vehicle Geländefahrzeug n

auction ['ɔ:kʃn] **1.** Auktion f, Versteigerung f; **2.** mst ~ off versteigern

audible ['ɔ:dəbl] hörbar

audience ['ɔ:dɪəns] Publikum n, Zuhörer(schaft f) pl, Zuschauer pl, Besucher pl, Leser(kreis m) pl; Audienz f

audit ['ɔ:dɪt] econ. **1.** Buchprüfung f, **2.** prüfen; '~or econ. Buchprüfer m; ~orium [~'tɔ:rɪəm] Zuschauerraum m

August ['ɔ:gəst] August m

aunt [ænt] Tante f

Austria ['ɔ:strɪə] Österreich

Austrian ['ɔ:strɪən] **1.** österreichisch; **2.** Österreicher (-in)

authentic [ɔ:'θentɪk] authentisch; echt

author ['ɔ:θər] Autor(in), Verfasser(in); Urheber(in)

authori|tative [ɔ:'θɔ:rɪteɪtɪv] gebieterisch, herrisch; autoritativ, maßgebend; ~ty [~rətɪ] Autorität f; Vollmacht f; Person: Kapazität f; mst pl Behörde(n pl) f; ~ze ['ɔ:θəraɪz] autorisieren

auto|biography [ɔ:təʊbaɪ-'ɒgrəfɪ] Autobiographie f; ~graph ['~əgræf] Autogramm n

automat|e ['ɔ:təʊmeɪt] automatisieren; ~ic [~ə'mætɪk] automatisch; ~ion [~ə-'meɪʃn] Automation f

automobile ['ɔ:təməʊbi:l] Auto(mobil) n

autonomy [ɔ:'tɒnəmɪ] Autonomie f

autumn ['ɔ:təm] Herbst m

auxiliary [ɔ:g'zɪljərɪ] **1.** Hilfs...; **2.** Hilfskraft f; Hilfsverb n

available [ə'veɪləbl] verfügbar, vorhanden; erhältlich; econ. lieferbar, vorrätig

avenge [ə'vendʒ] rächen

avenue ['ævənu:] Allee f; Hauptstraße f

average ['ævərɪdʒ] **1.** Durchschnitt m; **2.** durchschnittlich, Durchschnitts...

aversion [ə'vɜ:ʒn] Abneigung f

aviation [eɪvɪ'eɪʃn] Luftfahrt f

avid ['ævɪd] gierig (**for** nach)

avoid [ə'vɔɪd] (ver)meiden, ausweichen

awake [ə'weɪk] **1.** wach, munter; **2.** (**awoke** od. **awaked**, **awoken** od. **awaked**) v/t (auf)wecken; v/i auf-, erwachen; ~n [~ən] → awake 2

award [ə'wɔ:rd] **1.** Preis m, Auszeichnung f; **2.** Preis etc. verleihen

aware [ə'wer]: **be ~ of s.th.** et. wissen od. kennen, sich e-r Sache bewusst sein; **become ~ of s.th.** et. merken

away [ə'weɪ] adv u. adj weg, fort; (weit) entfernt; immer weiter, drauflos awesome ['ɔ:səm] F super, geil

awful ['ɔ:fʊl] furchtbar

awkward ['ɔ:kwəd] ungeschickt, unbeholfen, linkisch; unangenehm; ungünstig; unhandlich, unpraktisch

awning ['ɔ:nɪŋ] Plane f; Markise f

awoke [ə'wʊk] pret von awake 2; ∼n [∼ən] pp von awake 2

ax(e) [æks] Axt f, Beil n

axle ['æksl] (Rad)Achse f

AZ Abk. für Arizona

B

babe [beɪb] Baby n, kleines Kind; F Puppe f (Mädchen)

baboon [bə'bu:n] Pavian m

baby ['beɪbɪ] 1. Baby n, Säugling m; 2. Baby..., Säuglings...; Klein...; ∼ bond econ. Baby Bond m, Kleinschuldverschreibung f; ∼ boom geburtenreiche Jahrgänge nach dem 2. Weltkrieg; ∼ boomer Angehörige(r) e-s der geburtenreichen Nachkriegsjahrgänge; ∼ carriage Kinderwagen m; ∼ grand mus. Stutzflügel m; '∼-sit (-sat) babysitten; '∼-sitter Babysitter(in)

BAC [bi:eɪ'si:] Abk. für blood alcohol concentration Blutalkoholgehalt m

bach [bætʃ] 1. Junggeselle m; 2. ∼ it allein leben, allein den Haushalt führen

bachelor ['bætʃələr] Junggeselle m

back [bæk] 1. s Rücken m; Rückseite f; (Rück)Lehne f; hinterer od. rückwärtiger

Teil; Sport: Verteidiger m; 2. adj Hinter..., Rück..., hintere(r, -s), rückwärtig; 3. adv zurück; rückwärts; 4. v/t a. ∼ up unterstützen; a. ∼ up zurückbewegen, rückwärts fahren lassen; wetten od. setzen auf; v/i oft ∼ up sich rückwärts bewegen, zurückgehen od. -fahren, mot. a. zurückstoßen; '∼bone Rückgrat n; '∼fire Frühzündung f; '∼ground Hintergrund m; '∼hand Sport: Rückhand f; '∼ing Unterstützung f; '∼pack Rucksack m; '∼packer Rucksacktourist(in); '∼pedal Radfahrer: rückwärts treten; fig. F e-n Rückzieher machen; '∼seat Rücksitz m; '∼seat driver Besserwisser(in); '∼slapper plumpvertraulicher Mensch; '∼space (key) Schreibmaschine, Computer: Rück(stell)taste f; '∼stairs pl Hintertreppe f; '∼stroke Rückenschwimmen *n*; ~ **talk** Widerrede; ~ **to** ~ aufeinander folgend; '~**up** Unterstützung *f*; *tech*. Ersatzgerät *n*; ~**ward** ['~wərd] **1.** *adj* Rückwärts...; zurückgeblieben; rückständig; **2.** *adv* (*a*. ~**wards** ['~wərdz]) rückwärts; zurück; ~'**yard** Garten *m* hinter dem Haus

bacon ['beɪkən] Frühstücksspeck *m*; *bring home the* ~ die Brötchen verdienen

bacteria [bæk'tɪrɪə] *pl* Bakterien *pl*

bad [bæd] schlecht; böse, schlimm; *this guy is* ~ *news* F das ist ein übler Typ; ~ **guy** *der* Böse (*im Film etc.*); ~-**mouth** F *j*-*n* schlecht machen

badge [bædʒ] Abzeichen *n*; Button *m*; Dienstmarke *f*

badlands ['bædlændz] Ödland *n*; *the* ≈ Landschaft in South Dakota

bag [bæg] Beutel *m*; Sack *m*; Tüte *f*; Tasche *f*; ~ **lady** Stadtstreicherin *f*

bagel ['beɪɡəl] *ringförmiges Brötchen*

baggage ['bæɡɪdʒ] (Reise-)Gepäck *n*; ~ **car** Gepäckwagen *m*; ~ **check** Gepäckschein *m*; ~ **room** Gepäckaufbewahrung *f*

baggy ['bæɡɪ] F bauschig; *Hose*: ausgebeult

bail [beɪl] **1.** Kaution *f*; **2.** ~ *s.o. out* *j*-*n* gegen Kaution

freibekommen

bailiff ['beɪlɪf] Justizwachtmeister *m*

bait [beɪt] Köder *m* (*a. fig.*)

bake [beɪk] backen; ~**d Alaska** Eiscreme auf e-m Stück Kuchen, bedeckt mit Baiser und kurz überbacken; ~**d potato** überbackene Kartoffel, Folienkartoffel *f*; ~**r** Bäcker *m*; ~**ry** [ˈ~rɪ] Bäckerei *f*

balance ['bæləns] **1.** Waage *f*; Gleichgewicht *n* (*a. fig.*); *econ*. Bilanz *f*; *econ*. Saldo *m*, Guthaben *n*; *econ*. Restbetrag *m*; **2.** *v*/*t* ab-, erwägen; im Gleichgewicht halten, balancieren; *Konten etc.* ausgleichen; *v*/*i* balancieren; *econ*. sich ausgleichen; ~**d** ausgewogen, -geglichen; ~ **sheet** Bilanz *f*

balcony ['bælkənɪ] Balkon *m*

bald [bɔːld] kahl; ~ **eagle** weißköpfiger Seeadler (*Wappentier der USA*)

ball [bɔːl] Ball *m*; Kugel *f*; Knäuel *m*, *n*; *Tanzen*: Ball *m*; *pl*. V Hoden: Eier *pl*; *pl*. F Mut *m*, Entschlossenheit *f*; *the whole* ~ *of wax* F alles, die ganze Chose

ballad ['bæləd] Ballade *f*

ball bearing [bɔːl'berɪŋ] Kugellager *n*

ballet [bæ'leɪ] Ballett *n*

balloon [bə'luːn] Ballon *m*

ballot ['bælət] **1.** Stimmzettel *m*; (*bsd. geheime*) Wahl; ~ **box** Wahlurne *f*

ball park Baseballstadion *n*;
~ figure *e-e* fast richtige
Zahl, Näherungswert *m*

ballroom Ball-, Tanzsaal *m*

ballsy ['bɔːlsɪ] F draufgänge-
risch, mutig

baloney [bə'ləʊnɪ] F Morta-
della *f*; F Unsinn *m*

bamboo [bæm'buː] Bambus
m

ban [bæn] **1.** (amtliches) Verbot; **2.** verbieten

banana [bə'nɑːnə] Banane *f*;
~ split Bananensplit *m*

band [bænd] Band *n*; Streifen
m; Schar *f*, Gruppe *f*; (Musik)Kapelle *f*, (*Jazz-, Rock-
etc.*)Band *f*

bandage ['bændɪdʒ] **1.** Binde
f; Verband *m*; **2.** bandagieren; verbinden

Band-Aid® Heftpflaster *n*

B and B, B&B [bænd'biː]
Abk. für **bed and breakfast**
Bed and Breakfast *n*, Privat-
pension *f*

bandleader Bandleader *m*;
**~ wagon: join the ~, jump
on the ~** sich *e-r* erfolgrei-
chen Sache *od.* Partei *etc.*
anschließen

bang [bæŋ] **1.** heftiger
Schlag; Knall *m*; *mst pl* Frisur: Pony *m*; **get more ~ for
your buck** F mehr für sein
Geld bekommen; **2.** Tür zuschlagen

bank¹ [bæŋk] **1.** *econ.* Bank *f*;

(*Blut-, Daten- etc.*)Bank *f*; **2.**
v/i: **~ with** ein Bankkonto
haben bei

bank² [~] (*Fluss- etc.*)Ufer *n*;
(Erd)Wall *m*; Böschung *f*;
(*Sand-, Wolken*)Bank *f*

bank|account Bankkonto *n*;
~card Kreditkarte *f* (, *die
von e-r Bank ausgegeben
wird*); **~er** Bankier *m*, F
Banker *m*; **~ rate** Diskont-
satz *m*

bankroll ['bæŋkrəʊl] **1.** Bündel *n* Geldscheine; **2.** F finan-
zieren

bankrupt ['bæŋkrʌpt] bankrott; **go ~** in Konkurs gehen,
Bankrott machen; **~cy**
['~rʌptsɪ] Bankrott *m*

bank statement Kontoaus-
zug *m*

banquet ['bæŋkwɪt] Bankett
n

bapti|sm ['bæptɪzəm] Taufe
f; **~ze** ['~taɪz] taufen

bar [bɑː] Stange *f*, Stab *m*;
(Quer)Latte *f*; *pl* Gitter *n*;
(*Gold- etc.*)Barren *m*;
Schranke *f*; *mus.* Taktstrich
m; *mus. ein* Takt *m*; (dicker)
Strich; Bar *f*; Lokal *n*, Im-
bissstube *f*; **a ~ of chocolate**
ein Riegel (*a. e-e* Stück)
Schokolade; **a ~ of soap** ein
Riegel *od.* Stück Seife

barbecue ['bɑːbɪkjuː] **1.**
Bratrost *m*, Grill *m*; Barbecue *n*; **2.** grillen

barbed wire [bɑːbd 'waɪə]
Stacheldraht *m*

batch

barber ['bɑːrbər] (Herren-)
Friseur *m*

bar code Strichcode *m*

bare [ber] **1.** nackt; leer;
knapp; **2.** entblößen; *fig.* enthüllen; **'∼foot** barfuß; **'∼ly**
kaum

bargain ['bɑːrgɪn] **1.** vorteil-
haftes Geschäft; *it's a ∼!* abgemacht!; **2.** (ver)handeln

barfly ['bɑːrflaɪ] häufiger
Barbesucher

barge [bɑːrdʒ] Lastkahn *m*

bar hop ['bɑːrhɑːp] e-n Knei-
penbummel machen

bark¹ [bɑːrk] Rinde *f*, Borke *f*

bark² [∼] **1.** bellen; **2.** Bellen
n

barkeep(er) ['bɑːrkiːp(ər)]
Barbesitzer(in); Barkeeper
m, Barmann *m*, Barfrau *f*

barley ['bɑːrlɪ] Gerste *f*

barn [bɑːrn] Scheune *f*, Stall
m; **∼yard** Hofplatz *m*; **∼
humor** derber Humor

barometer [bəˈrɑːmɪtər] Barometer *n*

barracks ['bærəks] *sg* Kaserne *f*

barrel ['bærəl] Fass *n*; (Gewehr)Lauf *m*

barren ['bærən] unfruchtbar

barricade [ˈbærɪˈkeɪd] Barrikade *f*

barrier ['bæriər] Schranke *f*,
Barriere *f*, Sperre *f*; *fig.* Hindernis *n*

barrio ['bɑːriːoʊ] *Stadtviertel
mit überwiegend lateinamerikanischer Bevölkerung*

bartender ['bɑːrtendər] Barkeeper *m*, Barmann *m*, Barfrau *f*

barter ['bɑːrtər] **1.** Tausch
(-handel) *m*; **2.** (ein)tau-
schen

base [beɪs] Basis *f*, Grundlage *f*, Fundament *n*; *mil.*
Standort *m*; *mil.* Stützpunkt
m; **2. be ∼d on** *od.* **upon** beruhen *od.* basieren auf;
'∼ball Baseball(spiel *n*) *m*;
'∼ball hat Baseballmütze *f*;
'∼less grundlos; **'∼ment**
Keller(geschoss *n*) *m*

bashful ['bæʃfʊl] schüchtern

basic ['beɪsɪk] **1.** grundlegend, Grund...; **2.** *pl* Grundla-
gen *pl*; **'∼ally** im Grunde

basin ['beɪsn] Becken *n*;
Schüssel *f*

basis ['beɪsɪs] (*pl* **-ses**
['siːz]) Basis *f*; Grundlage *f*

basket ['bæskɪt] Korb *m*;
'∼ball Basketball(spiel *n*) *m*

bass [beɪs] *mus.* Bass *m*

bassinet [ˈbæsɪˈnet] Kinder-
tragetasche *f*

bastard ['bæstərd] Bastard *m*

bat¹ [bæt] Fledermaus *f*;
have ∼s in the belfry nicht
alle Tassen im Schrank haben

bat² [∼] **1.** Schlagholz *n*,
Schläger *m*; *right off the ∼* F
sofort; **2.** *Baseball:* schlagen;
go to ∼ for s.o. *fig.* F für j-n
eintreten

batch [bætʃ] Stoß *m*, Stapel
m

bath [bɑːθ] (*pl* **baths** [~ðz]) Bad(ewanne *f*) *n*; **take a** ~ baden, ein Bad nehmen

bathe [beɪð] baden

bathing ['beɪðɪŋ] Baden *n*; Bade-

'bath|robe Bademantel *m*; '~room Bad(ezimmer *n*) *n*; Toilette *f*; **go to the** ~ auf die Toilette gehen; ~ **towel** Badetuch *n*

batter ['bætər] **1.** heftig schlagen; misshandeln; verbeulen; **2.** *Baseball:* Schlagmann *m*; Rührteig *m*; '~y ['~ɪ] Batterie *f*; *jur.* Körperverletzung *f*; *Baseball:* Werfer *m* und Fänger *m*

battle ['bætl] Schlacht *f* (*of* bei); *fig.* Kampf *m*; '~field, '~ground Schlachtfeld *n*

Bava|ria [bəˈveɪrɪə] Bayern; ~rian **1.** bay(e)risch; **2.** Bayer(in)

bawl [bɔːl] brüllen, schreien

bay [beɪ] Bai *f*, Bucht *f*; Erker *m*; ~ **leaf** Lorbeerblatt *n*

bayou ['baɪuː] *sumpfiger Flussarm (in den Südstaaten, bsd. in Louisiana)*

bay window Erkerfenster *n*

bazaar [bəˈzɑːr] Basar *m*

BB ['biːbiː] Luftgewehrkugel *f*; ~ **gun** Luftgewehr *n*

BBQ ['biːbiːkjuː] Barbecue *n*

be [biː] (*was od.* **were**, **been**) sein; *Passiv, beruflich:* werden; **she is reading** sie liest (gerade); **it is me** F ich bin's; **how much is (are) ...?** was

kostet (kosten) ...?; **there is**, **there are** es gibt

beach [biːtʃ] Strand *m*; ~ **chair** Liegestuhl *m*; '~wear Strandkleidung *f*

beacon ['biːkən] Leucht-, Signalfeuer *n*

bead [biːd] (Glas- *etc.*) Perle *f*

beak [biːk] Schnabel *m*

beam [biːm] **1.** Balken *m*; (Leit)Strahl *m*; strahlendes Lächeln *n*; **2.** strahlen

bean [biːn] Bohne *f*; **not know** ~**s about s.th.** von etwas keinen blassen Dunst haben

bear¹ [ber] Bär *m*

bear² [~] (**bore**, **borne** *od. geboren:* **born**) ertragen, aushalten, ausstehen; ~**able** ['~əbl] erträglich

beard [bɪrd] Bart *m*

bearer ['berər] Träger(in); Überbringer(in)

bearing ['berɪŋ] (Körper-) Haltung *f*; Beziehung *f*; *tech.* (Kugel- *etc.*) Lager *n*

bear market *econ.* Baisse *f*

beast [biːst] Tier *n*; Bestie *f*

beat [biːt] **1.** (**beat**, **beaten** *od.* **beat**) schlagen; (ver)prügeln; besiegen; übertreffen; ~ **s.o. up** zs.-schlagen; ~ **it!** F hau ab!; ~**s me!** F keine Ahnung!; **2.** Schlag *m*; *mus.* Takt *m*; Runde *f*, Revier *n* (e-s Polizisten); '~en *pp von* **beat 1**

beaut [bjuːt]: **a (real)** ~**!** F Klasse!, ein Hammer!

beautiful ['bju:təfʊl] schön; *the ~ people* die Schickeria; '~y Schönheit f; '~y parlor Schönheitssalon m

beaver ['bi:vər] Biber m

became [bɪ'keɪm] pret von **become**

because [bɪ'kɑːz] weil; ~ *of* wegen

become [bɪ'kʌm] (**became**, **become**) werden (*of* aus); sich schicken für; *j-m* stehen; **~ing** kleidsam

bed [bed] Bett n; Tier: Lager n; ~ agr. Beet n; Unterlage n; *get up on the wrong side of the ~* mit dem falschen Fuß zuerst aufstehen; *put to ~* Kind ins Bett bringen; ~ *and breakfast* Zimmer n mit Frühstück; '~ding Bettzeug n; Streu f; '~ridden bettlägerig; '~roll zusammengerolltes Bettzeug; '~room Schlafzimmer n; '~side: *at the ~* am Bett; ~ *lamp* Nachttischlampe f; '~spread Tagesdecke f; '~stead Bettgestell n; '~time Schlafenszeit f

bee [bi:] Biene f

beech [bi:tʃ] Buche f

beef [bi:f] Rindfleisch n; ~ **broth** (Rind)Fleischbrühe f 'bee|hive Bienenkorb m; '~stock m; '~line: *make a ~ for* F schnurstracks zugehen auf

been [bɪn] pp von **be**

beer [bɪr] Bier n

beet [bi:t] Rote Bete f

before [bɪ'fɔːr] **1.** adv zeitlich: vorher, zuvor; **2.** cj bevor, ehe; **3.** prp vor; **~hand** zuvor, (im) Voraus

beg [beg] et. erbitten (*of s.o.* von j-m); betteln (um)

began [bɪ'gæn] pret von **begin**

beggar ['begər] Bettler(in)

begin [bɪ'gɪn] (**began**, **begun**) beginnen, anfangen; **~ner** Anfänger(in); **~ning** Beginn m, Anfang m

begun [bɪ'gʌn] pp von **begin**

behalf [bɪ'hæf]: *in ~ of* im Namen von

behave [bɪ'heɪv] sich benehmen; **~ior** [~vɪər] Benehmen n

behind [bɪ'haɪnd] **1.** prp hinter; **2.** adv hinten, hinterher; nach hinten; **3.** adj im Rückstand od. Verzug (**with**, *in* mit); **4.** s F Hintern m

being ['bi:ɪŋ] (Da)Sein n; Wesen n

belated [bɪ'leɪtɪd] verspätet

belch [beltʃ] aufstoßen, rülpsen; *Rauch etc.* speien

belief [bɪ'li:f] Glaube m (*in* an); Überzeugung f

believe [bɪ'li:v] glauben (*in* an); ~**r** Gläubige m, f

bell [bel] Glocke f; Klingel f; *with ~s and whistles* F mit allen Schikanen; '~hop (Hotel)Page m; ~ **pepper** Paprika m (*Gemüse*)

belligerent [bɪ'lɪdʒərənt] streitlustig, aggressiv

belly ['belɪ] Bauch *m*; Magen *m*; **~ button** F Bauchnabel *m*

belong [bɪ'lɒːŋ] gehören; angehören (**to** *dat*); **~ings** *pl* Habseligkeiten *pl*

beloved [bɪ'lʌvd] **1.** (innig) geliebt; **2.** Geliebte *m, f*

below [bɪ'ləʊ] **1.** *adv* unten; nach unten; **2.** *prp* unter(halb)

belt [belt] Gürtel *m*; Gurt *m*; Zone *f*, Gebiet *n*; *tech.* Treibriemen *m*; **'~way** Umgehungsstraße *f*, Ringstraße *f*

bench [bentʃ] (Sitz)Bank *f*

bend [bend] **1.** Biegung *f*, Krümmung *f*, Kurve *f*; **2.** (**bent**) sich biegen *od.* krümmen; beugen

beneath [bɪ'niːθ] **1.** *adv* unten; darunter; **2.** *prp* unter(halb)

beneficial [benɪ'fɪʃl] vorteilhaft, günstig, nützlich

benefit ['benɪfɪt] **1.** Nutzen *m*, Vorteil *m*; Wohltätigkeitsveranstaltung *f*; (*Sozial-, Versicherungs- etc.*) Leistung *f*; (*Arbeitslosen-*)Unterstützung *f*; (*Kranken-*)Geld *n*; **2.** nützen; **~ by od. from** Vorteil haben von *od.* durch

benign [bɪ'naɪn] *med.* gutartig

benny ['benɪ] *sl.* Amphetamintablette *f*

bent [bent] *pret u. pp von* **bend** 2

beret [be'reɪ, 'bereɪ] Baskenmütze *f*

berry ['berɪ] Beere *f*

beside [bɪ'saɪd] *prp* neben; **~ o.s.** außer sich (**with** vor); **→ point** 1; **~s** [~z] **1.** *adv* außerdem; **2.** *prp* außer, neben

best [best] **1.** *adj* beste(r, -s), größte(r, -s), meiste; **2.** *adv* am besten; **3.** *s der, die, das* Beste; *at* ~ bestenfalls; *do one's* ~ sein Möglichstes tun; *make the* ~ *of* das Beste machen aus; *all the* ~*!* alles Gute!; ~ **man** (*pl* - **men**) engster Freund des Bräutigams *bei dessen Hochzeit*; **'~-seller** Bestseller *m*

bet [bet] **1.** Wette *f*; **2.** (**bet**) wetten; *you* ~ F und ob!

betcha ['betʃə] *I* ~ ... Ich wette, dass ...

betray [bɪ'treɪ] verraten; **~al** Verrat *m*

better ['betər] **1.** *adj* besser; *he is* ~ es geht ihm besser; **2.** *s das* Bessere; **3.** *adv* besser; *between* [bɪ'twiːn] **1.** *adv* dazwischen; **2.** *prp* zwischen; unter

beverage ['bevərɪdʒ] Getränk *n*

beware [bɪ'weə] sich in Acht nehmen, sich hüten

beyond [bɪ'jɒnd] **1.** *adv* darüber hinaus; **2.** *prp* jenseits; über ... hinaus

bi... [baɪ] zwei...

bias ['baɪəs] Neigung *f*; Vorliebe *f*; Vorurteil *n*; **~ed** voreingenommen

bitch

bib [bɪb] Lätzchen n
Bible ['baɪbl] Bibel f; **~ Belt** *die frommen Staaten des Südens der USA*
biblical ['bɪblɪkl] biblisch
bibliography [bɪblɪ'ɑːgrəfɪ] Bibliographie f
biceps ['baɪseps] (*pl* **~**) Bizeps m
bid [bɪd] **1.** (*bid od. bade, bid*) *econ.* bieten; **2.** *econ.*: Gebot n; Angebot n
biennial [baɪ'enɪəl] zweijährlich; zweijährig
big [bɪg] groß; F großspurig; **~ bucks** das große Geld; **~ deal!** na, wenn schon!; **the** ♀ **Dipper** der Große Wagen, der Große Bär (*Sternbild*)
bigamy ['bɪgəmɪ] Bigamie f
bighorn ['bɪghɔːrn] Dickhornschaf n
bike [baɪk] F (Fahr)Rad n; Motorrad n, Maschine f; **'~path** Radweg m; **'~r** Motorradfahrer(in)
bilateral [baɪ'lætərəl] bilateral
bilingual [baɪ'lɪŋgwəl] zweisprachig
bill [bɪl] Rechnung f; *pol.* (Gesetzes)Vorlage f; Plakat n; Banknote f, Geldschein m; F Hundertdollarnote f; (Münzen)Schirm m; Schnabel m; **'~board** Reklametafel f; **'~fold** Brieftasche f
billion ['bɪljən] Milliarde f
bill of lading *econ.* Lieferschein m

bind [baɪnd] (*bound*) binden; **'~er** (Akten)Ordner m
binoculars [bɪ'nɑːkjʊlərz] *pl* Fernglas n
biodegradable [baɪoʊdɪ'greɪdəbl] biologisch abbaubar
biography [baɪ'ɑːgrəfɪ] Biographie f
biolog|ical [baɪoʊ'lɑːdʒɪkl] biologisch; **~y** [~'ɑːlədʒɪ] Biologie f
birch [bɜːrtʃ] Birke f
bird [bɜːrd] Vogel m; **give s.o. the ~** j-n ausbuhen; j-m den Stinkefinger zeigen; **~ of prey** Greifvogel m; **~ sanctuary** Vogelschutzgebiet n
birth [bɜːrθ] Geburt f; Herkunft f; **give ~ to** gebären, zur Welt bringen; **date of ~** Geburtsdatum n; **~ certificate** Geburtsurkunde f; **~ control** Geburtenregelung f, -kontrolle f; **'~day** Geburtstag m; **happy ~!** alles Gute od. herzlichen Glückwunsch zum Geburtstag!; **'~place** Geburtsort m; **'~rate** Geburtenziffer f
biscuit ['bɪskɪt] *etwa* Brötchen n
bit¹ [bɪt] Stück(chen) n; **a ~** ein bisschen; ziemlich; **two ~s** 25 Cents
bit² [~] Computer: Bit n
bit³ [~] *pret von bite* 2
bitch [bɪtʃ] **1.** Hündin f; *sl.*

bite

von e-r Frau: Miststück *n*; **2.** *sl.* meckern

bite [baɪt] **1.** Biss *m*; F Bissen *m*, Happen *m*; **2.** (*bit, bitten*) (an)beißen; *Insekt*: beißen, stechen

bitten ['bɪtn] *pp von* **bite** 2

bitter ['bɪtər] **1.** bitter; *fig.* verbittert; **2.** *pl* Magenbitter *m*

black [blæk] **1.** schwarz; **2.** schwarz machen; **~ out** ab-, verdunkeln; **3.** Schwarze *m, f*; '**~berry** Brombeere *f*; '**~bird** Amsel *f*; '**~board** (Schul-, Wand)Tafel *f*; **~ box** Flugschreiber *m*; '**~en** schwarz machen *od.* werden; *gastr.* in Pfeffer wälzen *od.* braten *od.* grillen; **~ eye** blaues Auge, Veilchen *n*; '**~head** Mitesser *m*; **~ ice** Glatteis *n*; '**~mail** **1.** Erpressung *f*; **2.** *j-n* erpressen; '**~mailer** Erpresser(in); **~ market** Schwarzmarkt *m*; '**~ness** Schwärze *f*; '**~out** Black-out *m*; '**~top** Asphalt(straße *f*) *m*

bladder ['blædər] *anat.* Blase *f*

blade [bleɪd] Halm *m*; (*Säge-, Schulter- etc.*)Blatt *n*; (*Propeller*)Flügel *m*; Klinge *f*

blame [bleɪm] **1.** tadeln; **~ s.o. for s.th.** *j-m* die Schuld geben an et.; **2.** Tadel *m*; Schuld *f*

blank [blæŋk] **1.** leer; unbeschrieben; *econ.* Blanko...; **2.**

freier Raum, Lücke *f*; Leerzeichen *n*; leeres Blatt

blanket ['blæŋkɪt] **1.** (Woll-, Bett)Decke *f*; **2.** zudecken

blast [blɑːst] **1.** Windstoß *m*; *Blasinstrument*: Ton *m*; Explosion *f*; Druckwelle *f*; Sprengung *f*; **2.** *v/t* sprengen; *fig.* zunichte machen; **~ off** *Rakete*: abheben, starten; **~ furnace** Hochofen *m*; '**~-off** *Rakete*: Start *m*

blatant ['bleɪtənt] offenkundig

blaze [bleɪz] **1.** Flamme(n *pl*) *f*; Feuer *n*; **2.** lodern

blazer ['bleɪzər] Blazer *m*

bleach [bliːtʃ] bleichen; '**~ers** *pl. nicht überdachte* Stadiontribüne

bled [bled] *pret u. pp von* **bleed**

bleed [bliːd] bluten (*bled*) bluten; *fig.* F schröpfen; '**~ing** Bluten *n*, Blutung *f*

blemish ['blemɪʃ] **1.** Fehler *m*; Makel *m*; **2.** verunstalten

blend [blend] **1.** (sich) (ver)mischen; *Wein* verschneiden; **2.** Mischung *f*; '**~er** Mixer *m*

bless [bles] segnen; (*God*) **~ you!** alles Gute!; Gesundheit!; '**~ed** [~ɪd] selig, gesegnet; '**~ing** Segen *m*

blew [bluː] *pret von* **blow²**

blind [blaɪnd] **1.** blind (*fig.* **to** gegenüber); *Kurve etc.*: unübersichtlich; **2.** Rollo *n*, Jalousie *f*; *the* **~** *pl* die Blinden

bluff

pl; **3.** blenden; blind machen; **'~fold** *j-m* die Augen verbinden; **~ spot** *mot. Rückspiegel:* toter Winkel

blink [blɪŋk] blinzeln, zwinkern; blinken

'blinker *mot.* Blinker *m.*

blister ['blɪstər] Blase *f*

blizzard ['blɪzərd] Blizzard *m,* Schneesturm *m*

bloated ['bloʊtɪd] aufgedunsen, aufgebläht

block [blɑːk] **1.** Block *m,* Klotz *m;* Baustein *m,* (Bau-) Klötzchen *n;* Häuserblock *m;* **two ~s from here** zwei Straßen weiter; **2.** *a.* **~ up** (ab-, ver)sperren, blockieren, verstopfen

blockade [blɑːˈkeɪd] **1.** Blockade *f.* **2.** blockieren

blockage ['blɑːkɪdʒ] Blockade *f;* Blockierung *f*

block letters *pl* Blockschrift *f*

blond(e) [blɑːnd] **1.** blond; hell; **2.** Blondine *f*

blood [blʌd] Blut *n;* Blut...; *in cold* ~ kaltblütig; **~ bank** Blutbank *f;* **~ donor** Blutspender(in) *f;* **~ group** Blutgruppe *f;* **~ poisoning** Blutvergiftung *f;* **~ pressure** Blutdruck *m;* **~ sample** Blutprobe *f;* **'~shed** Blutvergießen *n;* **'~shot** blutunterlaufen; **'~stream** Blut (-bahn *f) n;* **~ transfusion** Bluttransfusion *f;* **~ vessel** Blutgefäß *n.* **'~y** blutig

bloom [bluːm] **1.** Blüte *f;* **2.**

blühen

blossom ['blɑːsəm] *bsd. bei Bäumen:* **1.** Blüte *f;* **2.** blühen

blouse [blaʊz] Bluse *f*

blow[1] [bloʊ] Schlag *m,* Stoß *m*

blow[2] [~] *(blew, blown)* blasen, wehen; keuchen, schnaufen, schnauben; *Sicherung:* durchbrennen; F *Geld* verjubeln; F *Sache* versauen; **~ one's nose** sich die Nase putzen; *it ~s my mind* F es haut mich um; **~ up** (in die Luft) sprengen; *Foto* vergrößern; in die Luft fliegen; explodieren *(a. fig.);* **'~-dry** föhnen; **~n** *pp von* **blow**[2]; **'~out: they had a ~** *mot.* ihnen ist ein Reifen geplatzt; **'~-up** Explosion *f; phot.* Vergrößerung *f*

BLT [biːelˈtiː] *Abk. für* ***bacon, lettuce, tomato*** Sandwich *n* mit Frühstücksspeck, Salat und Tomaten

blue [bluː] blau; melancholisch, traurig; **~berry** ['~beri] Blau-, Heidelbeere *f;* **~ cheese** Blauschimmelkäse *m;* **'~grass** Rispengras *n; Stilrichtung der Country-Music;* **'²grass State** Kentucky; **'~print** Blaupause *f*

blues [bluːz] *pl od. sing mus.* Blues *m;* F Melancholie *f; he's having the ~* er ist melancholisch

bluff[1] [blʌf] Steilufer *n*

bluff² [~] bluffen

blunt [blʌnt] stumpf; *fig.* offen; '~ly frei heraus

blur [blɜːr] **1.** Fleck *m*; undeutlicher Eindruck, verschwommene Vorstellung; **2.** verwischen; verschmieren; *phot.* verwackeln; *Sinne* trüben

blush [blʌʃ] **1.** Erröten *n*; **2.** erröten, rot werden

boar [bɔːr] Eber *m*; Keiler *m*

board [bɔːrd] **1.** Brett *n*, Diele *f*, Planke *f*; (*Anschlag-, Schach- etc.*)Brett *n*; (Wand-)Tafel *f*; Pappe *f*; Ausschuss *m*, Kommission *f*; Kost *f*, Verpflegung *f*; ~ (*of directors*) Vorstand *m*; Aufsichtsrat *m*; *on* ~ an Bord; im Zug *od.* Bus; → *room*; **2.** an Bord gehen; einsteigen in; verpflegen; wohnen (*with* bei); '~er Kostgänger(in); Pensionsgast *m*; Internatsschüler(in)

'**boarding**/ **card** *aviat.* Bordkarte *f*; ~ **house** Pension *f*, Fremdenheim *n*; ~ **pass** *aviat.* Bordkarte *f*; ~ **school** Internat *n*

'**boardwalk** Plankenweg *m*

boat [bəʊt] Boot *n*; Schiff *n*

bobby pin ['bɒbɪpɪn] Haarklammer *f*

bobcat ['bɒbkæt] *amerikanischer Luchs*

bobsled ['bɒb-], **bobsleigh** ['bɒbsleɪ] *a.* **sleigh** *Sport:* Bob *m*

bod [bɒd] F Körper *m*

bodily ['bɒdɪlɪ] körperlich; ~

injury insurance Unfallversicherung *f*

body ['bɒdɪ] Körper *m*; (*oft dead* ~) Leiche *f*; Körperschaft *f*, Gruppe *f*; Hauptteil *m*, Text(teil) *m*; *mot.* Karosserie *f*; '~guard Leibwache *f*; Leibwächter *m*; ~ *odor* Körpergeruch *m*; '~work Karosserie *f*

bogus ['bəʊgəs] Schwindel...

boil¹ [bɔɪl] Geschwür *n*, Furunkel *m*, *n*

boil² [~] kochen, sieden; ~*ed dinner* Eintopf *m*; '~er Dampfkessel *m*; Boiler *m*

boisterous ['bɔɪstərəs] stürmisch; lärmend; wild

bold [bəʊld] kühn; dreist

bolt [bəʊlt] **1.** Bolzen *m*; Riegel *m*; **2.** *v/t* verriegeln; *v/i* davonlaufen

bomb [bɒm] **1.** Bombe *f*; **2.** bombardieren; *Theaterstück etc.*: durchfallen

bond [bɒnd] *econ.* Schuldverschreibung *f*, Obligation *f*

bone [bəʊn] Knochen *m*; Gräte *f*; '~-dry knochentrocken

bonfire ['bɒnfaɪr] Freudenfeuer *n*; Feuer *n* im Freien

bonus ['bəʊnəs] Bonus *m*, Prämie *f*; Gratifikation *f*

book [bʊk] **1.** Buch *n*; Heft *n*; Liste *f*; **2.** *Reise etc.* buchen; *Eintritts-, Fahrkarte* lösen; *Zimmer etc.* (vor)bestellen; *Gepäck* aufgeben; ~*ed up* ausgebucht, -verkauft, *Ho-*

tel: belegt; **~case** Bücher-
schrank *m*; **~keeper** Buch-
halter(in); **~keeping** Buch-
haltung *f*, -führung *f*; **~let**
['_lɪt] Broschüre *f*; **~mark**
Lesezeichen *n*; **~seller**
Buchhändler(in); **~store**
Buchhandlung *f*

boom¹ [buːm] Boom *m*, Auf-
schwung *m*, Hochkonjunk-
tur *f*

boom² [~] dröhnen; **~ box**
tragbares Radio mit Kas-
setten- und/oder CD-Teil

boondocks ['buːndɑːks]: *in
the ~* F in der Pampa, am
Ende der Welt

boost [buːst] **1.** hochschie-
ben; *Preise* in die Höhe treiben; *Produktion etc.* ankur-
beln; *electr.* Spannung verstärken; *tech.* Druck erhöhen; *fig.* stärken, Auftrieb
geben; **2.** Auftrieb *m*;
(Ver)Stärkung *f*; **~er** Verstärker *m*; **~er cable** *mot.*
Überbrückungskabel *n*,
Starterkabel *n*

booth [buːθ] (Markt)Bude *f*;
(Messe)Stand *m*; (Wahl)Ka-
bine *f*; (Telefon)Zelle *f*

booze [buːz] F **1.** Schnaps *m*;
2. saufen

border ['bɔːrdər] **1.** Rand *m*;
Einfassung *f*; Grenze *f*;
einfassen; grenzen (**on** an)

bore¹ [bɔːr] **1.** Bohrloch *n*;
tech. Kaliber *n*; **2.** bohren

bore² [~] **1.** Langweiler *m*;
lästige Sache *f*; *j-n* lang-

weilen; *be ~d* sich langwei-
len

bore³ [~] *pret von* bear²
boring ['bɔːrɪŋ] langweilig
born [bɔːrn] *pp von* bear²:
2. *adj* geboren

borne [bɔːrn] *pp von* bear²
borrow ['bɑːrou] (sich) *et.*
(aus)borgen *od.* leihen

boss [bɑːs] F Boss *m*,
Chef(in); **~y** herrisch

botanical [bə'tænɪkl] bota-
nisch; **~y** ['bɑːtəni] Botanik *f*

both [bouθ] beide(s); **~ of
them** sie alle beide; **~ ... and** sowohl ... als (auch)

bother ['bɑːðər] **1.** Belästigung *f*, Störung *f*, Mühe *f*; **2.**
belästigen, stören; *don't ~!*
bemühen Sie sich nicht!

bottle ['bɑːtl] **1.** Flasche *f*; **2.**
in Flaschen abfüllen; **~neck**
fig. Engpass *m*

bottom ['bɑːtəm] Boden *m*,
Berg: Fuß *m*; Unterseite *f*;
Grund *m*; F Hintern *m*;
~less unergründlich; uner-
schöpflich; **~ cup of coffee**
Kaffee, so viel man möchte

bought [bɔːt] *pret u. pp von*
buy

boulder ['bouldər] Fels(brok-
ken) *m*

bounce [bauns] **1.** Sprung *m*,
Satz *m*; **2.** *Ball*: aufprallen,
springen; hüpfen; F *Scheck*: platzen

bound¹ [baund] **1.** *pret u. pp
von* bind; **2.** *adj*: *be ~ to do
s.th.* et. tun müssen

bound 36

bound² [~] unterwegs (*for* nach)

bound³ [~] **1.** Sprung *m*, Satz *m*; **2.** springen, hüpfen; auf-, abprallen

bound⁴ [~] begrenzt; '**~ary** Grenze *f*; '**~less** grenzenlos

bouquet [buˈkeɪ] Bukett *n*, Strauß *m*; *Wein*: Blume *f*

boutique [buːˈtiːk] Boutique *f*

bow¹ [baʊ] **1.** Verbeugung *f*; **2.** *v/i* sich verbeugen (**to** vor); *v/t* beugen, *Kopf* neigen

bow² [bəʊ] Bogen *m*; Schleife *f*

bowel [ˈbaʊəl] Darm *m*, *pl a*. Eingeweide *pl*

bowl¹ [bəʊl] Schale *f*, Schüssel *f*; (*Zucker*)Dose *f*; Napf *m*; (*Pfeifen*)Kopf *m*

bowl² [~] **1.** (*Bowling-, Kegel*)Kugel *f*; **2.** Bowlingkugel rollen; '**~ing** Bowling *n*; Kegeln *n*; '**~ing alley** Bowling-, Kegelbahn *f*

box¹ [bɒks] Kasten *m*, Kiste *f*; Büchse *f*; Schachtel *f*; *tech.* Gehäuse *n*; Postfach *n*

box² [~] boxen; '**~er** Boxer *m*; '**~ing** Boxen *n*, Boxsport *m*

boy [bɔɪ] Junge *m*

boycott [ˈbɔɪkɑːt] boykottieren

'boy|friend Freund *m* (*e-s Mädchens*); **~ scout** Pfadfinder *m*

bra [brɑː] BH *m*

brace [breɪs] *tech.* Strebe *f*, Stützbalken *m*; (*Zahn-)

Klammer *f*, (-)Spange *f*; **2.** *tech.* verstreben

bracelet [ˈbreɪslɪt] Armband *n*

bracket [ˈbrækɪt] *tech.* Träger *m*, Halter *m*, Stütze *f*; *print.* Klammer *f*; (*Gehalts-, Steuer- etc.*)Klasse *f*

brag [bræg] prahlen

braid [breɪd] **1.** Zopf *m*; Borte *f*, Tresse *f*; **2.** flechten

brain [breɪn] *anat.* Gehirn *n*; *oft pl* *fig.* Verstand *m*; '**~storm** Geistesblitz *m*; '**~storming** Brainstorming *n*; **~ trust** Beratergruppe; Brain-Trust *m*; '**~washing** Gehirnwäsche *f*; '**~wave** Hirnstrom(welle *f*) *m*

brake [breɪk] **1.** Bremse *f*; **2.** bremsen; **~ fluid** Bremsflüssigkeit *f*; **~ lining** Bremsbelag *m*

branch [brɑːntʃ] **1.** Ast *m*, Zweig *m*; Branche *f*; Filiale *f*; Zweigstelle *f*; *fig.* Zweig *m*; **2.** *oft* **~ off** sich verzweigen; abzweigen; **~ water** Leitungswasser *n* (*im Gegensatz zu Soda in Mixgetränken*)

brand [brænd] (*Handels-, Schutz*)Marke *f*, Warenzeichen *n*; *Ware*: Sorte *f*

brand-new (funkel)nagelneu

brass [brɑːs] Messing *n*; **~ band** Blaskapelle *f*; **~ knuckles** Schlagring *m*; **~ tacks**: *let's get down to* **~** F kommen wir zur Sache

brat [bræt] F Balg m, n, Gör n
brave [breɪv] tapfer, mutig
brawl [brɔːl] Rauferei f
bread [bred] Brot n; sl. Kohle f (Geld); '**winner** Brotverdiener m
break [breɪk] **1.** Bruch m (a. fig.); Riss f, Unterbrechung f; Umschwung m; F Chance f; **take a ~** e-e Pause machen; **give s.o. a ~** j-m e-e Chance geben; Tag: anbrechen; **bad ~** F Pech n; **lucky ~** F Dusel m, Schwein n; **2.** (**broke, broken**) v/t (ab-, auf-, durch-, zer)brechen; zerschlagen, -trümmern, kaputtmachen; (a. **~ in**) Tiere zähmen, abrichten; Pferd zureiten; Kode etc. knacken; Nachricht (schonend) mitteilen; v/i brechen (a. fig.); (zer)brechen, (-)reißen, kaputtgehen; Wetter: umschlagen; Tag: anbrechen; **~ away** ab-, losbrechen; sich losreißen; **~ down** ein-, niederreißen; sich losreißen; zs.-brechen (a. fig.); tech. versagen, mot. e-e Panne haben; scheitern; **~ in** einbrechen, -dringen; Tür aufbrechen; **~ off** abbrechen; **~ out** ausbrechen; **~ up** abbrechen, beenden, schließen; (sich) auflösen; Ehe etc.: zerbrechen; auseinander gehen; **~ up with s.o.** mit j-m Schluss machen; '**down** Zs.-bruch m; mot. Panne f
breakfast ['brekfəst] **1.**

Frühstück n; **have ~ → 2.** frühstücken
breast [brest] (weibliche) Brust f; '**stroke** Brustschwimmen n
breath [breθ] Atem(zug) m; Hauch m
breathalyze ['breθəlaɪz] mot. F (ins Röhrchen) blasen lassen; '**r** mot. F Röhrchen n
breathe [briːð] atmen
breath|less ['breθlɪs] atemlos; '**taking** atemberaubend
bred [bred] pret u. pp von **breed** 2
breed [briːd] **1.** Rasse f, Zucht f; **2.** (**bred**) sich fortpflanzen; Tiere etc. züchten; '**er** Züchter(in); Zuchttier n; phys. Brüter m; '**ing** Fortpflanzung f; (Tier)Zucht f; Erziehung f
breeze [briːz] Brise f
brew [bruː] **1.** Bier brauen; Tee etc. zubereiten, aufbrühen; **2.** Gebräu n; Bier brauer m; '**ery** ['brʊərɪ] Brauerei f; '**ski** ['bruːski] F Bier n
bribe [braɪb] **1.** Bestechungsgeld n, -geschenk n; **2.** bestechen; '**ry** ['braɪ ərɪ] Bestechung f
brick [brɪk] Ziegel(stein) m, Backstein m; '**layer** Maurer m
bride [braɪd] Braut f; '**groom** ['braɪgrʊm] Bräutigam m; '**smaid** ['braɪdzmeɪd] Brautjungfer f

bridge [brɪdʒ] Brücke f

bridle ['braɪdl] **1.** Zaum m; Zügel m; **2.** (auf)zäumen; zügeln; ~ **path** Reitweg m

brief [bri:f] **1.** kurz; knapp; **2.** instruieren, genaue Anweisungen geben; '~**case** Aktentasche f

bright [braɪt] hell, glänzend, strahlend; heiter; gescheit; '~**en**, a. ~ **up** heller machen, auf-, erhellen; aufheitern; sich aufhellen; '~**ness** Helligkeit f; Glanz m; Gescheitheit f

brillian|ce ['brɪljəns] Glanz m, Leuchten n; fig. Brillanz f; '~**t 1.** glänzend; hervorragend, brillant; **2.** Brillant m

brim [brɪm] Rand m; Krempe f; '~**ful** randvoll

bring [brɪŋ] (**brought**) (mit-, her)bringen; j-n dazu bringen (**to do** zu tun); ~ **about** zustande bringen; bewirken; ~ **round, to** Ohnmächtigen wieder zu sich bringen; ~ **up** Kind auf-, großziehen

brink [brɪŋk] Rand m fig.

brisk [brɪsk] flott; lebhaft

Brit [brɪt] F Brite m, -in f

British ['brɪtɪʃ] **1.** britisch; **2.** **the ~** pl die Briten pl

brittle ['brɪtl] spröde

broad [brɔːd] breit; weit; '~**cast 1.** (-**cast** od. -**casted**) im Rundfunk od. Fernsehen bringen; übertragen; senden; **2.** Rundfunk, TV: Sendung f; Übertragung

f; '~**caster** Rundfunk-, Fernsehsprecher(in); '~**en** verbreitern, erweitern;

~ jump Weitsprung m; '~**minded** großzügig, tolerant; '~**side** e-m anderen Auto in die Seite fahren

brochure [brɒˈʃʊr] Broschüre f, Prospekt m

broil [brɔɪl] (auf dem Rost) braten, grillen

broke [brəʊk] **1.** pret von **break** 2; **2.** F pleite, abgebrannt; '~**n 1.** pp von **break** 2; **2.** zerbrochen, kaputt; gebrochen (a. fig.); zerrüttet; '~**n-'hearted** untröstlich

broker ['brəʊkər] Makler(in)

bronchitis [brɒŋˈkaɪtɪs] Bronchitis f

bronze [brɒnz] **1.** Bronze f; **2.** bronzefarben; Bronze...

brood [bru:d] **1.** Brut f; Brut...; **2.** brüten (a. fig.)

brook [brʊk] Bach m; ~ **trout** Bachforelle f

broom [bru:m] Besen m

broth [brɒθ] (Kraft-, Fleisch)Brühe f

brother ['brʌðər] Bruder m; **Oh ~!** Junge, Junge!; '~**s and sisters** pl Geschwister pl; '~**-in-law** [′-ɪnlɔː] Schwager m; '~**ly** brüderlich

brought [brɔːt] pret u. pp von **bring**

brow [braʊ] Braue f; Stirn f

brown [braʊn] **1.** braun; **2.** bräunen; braun werden; '~**bag** sein Essen mit zur

Arbeit bringen

browse [braʊz] *in Büchern* blättern, schmökern; *im Geschäft* sich umsehen

bruise [bruːz] **1.** Quetschung *f*, blauer Fleck; **2.** quetschen; **~d** *Frucht*: angestoßen

brush [brʌʃ] **1.** Bürste *f*; Pinsel *m*; *(Hand)*Feger *m*; Unterholz *n*; **2.** bürsten; fegen; streifen; **~ up** *Kenntnisse* aufpolieren, -frischen

Brussels sprouts [brʌslz-'spraʊts] *pl* Rosenkohl *m*

brutal ['bruːtl] brutal; **~ity** [~'tælətɪ] Brutalität *f*

bubble ['bʌbl] **1.** *(Luft- etc.)* Blase *f*; **2.** sprudeln

buck[1] [bʌk] **1.** Bock *m*; **2.** bocken

buck[2] [~] F Dollar *m*

bucket ['bʌkɪt] Eimer *m*

buckle ['bʌkl] **1.** Schnalle *f*, Spange *f*; **2. ~ up** umschnallen; sich anschnallen

'buckskin Wildleder *n*

bud[1] [bʌd] **1.** Knospe *f*; **2.** knospen

bud[2] [~] F Kumpel *m*

buddy ['bʌdɪ] Kumpel *m*

budget ['bʌdʒɪt] Budget *n*, Etat *m*

buffalo ['bʌfələʊ] *(pl* **-lo[e]s)** Büffel *m*; **⚥** *wings* gegrillte *od.* frittierte Hähnchenflügel *pl*

buffer ['bʌfər] *tech.* Puffer *m*

buffet ['bʌfeɪ] *(Frühstücksetc.)*Büfett *n*, Theke *f*

bug [bʌg] **1.** *zo.* Wanze *f*; Insekt *n*; F Bazillus *m*; *tech.* F Wanze *f*; F Defekt *m*; *Computer:* Fehler *m* im Programm; **2.** F Wanzen anbringen in

build [bɪld] **1.** *(built)* (er)bauen, errichten; **2.** Körperbau *m*, Statur *f*; **'~er** Erbauer *m*; Bauunternehmer *m*; **'~ing** Gebäude *n*; Bau...

built [bɪlt] *pret u. pp von* **build** 1; **~'in** eingebaut, Einbau...; **~·'up area** bebautes Gelände; Wohngebiet *n*

bulb [bʌlb] Zwiebel *f*, Knolle *f*; *electr.* (Glüh)Birne *f*

bulge [bʌldʒ] **1.** (Aus)Bauchung *f*, Ausbuchtung *f*; **2.** sich (aus)bauchen; hervorquellen

bulk [bʌlk] Umfang *m*, Größe *f*, Masse *f*; Großteil *m*; **'~y** umfangreich; sperrig

bull [bʊl] Bulle *m*, Stier *m*; **'~dog** Bulldogge *f*; **'~doze** planieren

bull's-eye: hit the ~ ins Schwarze treffen *(a. fig.)*

bullet ['bʊlɪt] Kugel *f*

bulletin ['bʊlətɪn] Bulletin *n*, Tagesbericht *m*; **~ board** schwarzes Brett

bullshit ['bʊlʃɪt] F Scheiße *f*

bully ['bʊlɪ] **1.** Tyrann *m*; **2.** tyrannisieren, schikanieren; *Kollegen:* mobben; **'~ing** Mobbing *n*

bum [bʌm] F **1.** Penner *m*; Saukerl *m*; **2.** schnorren; **~ around** herumgammeln bumblebee ['bʌmblbiː] Hummel *f*

bump [bʌmp] **1.** Schlag *m*, Stoß *m*; Beule *f*; Unebenheit *f*; Schwelle *f* (*zur Geschwindigkeitsreduzierung*); **2.** stoßen; rammen; prallen; zs.-stoßen; holpern; **'~er** Stoßstange *f*; **'~y** holp(e)rig, uneben

bun [bʌn] süßes Brötchen *n*; (Haar)Knoten *m*

bunch [bʌntʃ] Bündel *n*, Bund *n*; F Verein *m*, Haufen *m*; **~ of flowers** Blumenstrauß *m*; **~ of grapes** Weintraube *f*

bundle ['bʌndl] **1.** Bündel *n*, Bund *n*; **he's making a ~** er verdient einen Haufen Geld; **2.** *a.* **~ up** bündeln

bunk [bʌŋk] Koje *f*; **~ bed** Etagenbett *n*

bunny ['bʌnɪ] Häschen *n*

buoy [bɔɪ] Boje *f*

burden ['bɜːrdn] Last *f, fig. a.* Bürde *f*; **2.** belasten

burger ['bɜːrɡər] *gastr.* Hamburger *m*; **~ joint** Hamburgerlokal *n*

burglar ['bɜːrɡlər] Einbrecher *m*; **'~arize** einbrechen (in); **'~ary** Einbruch *m*

burial ['berɪəl] Begräbnis *n*, Beerdigung *f*

burn [bɜːrn] **1.** Verbrennung *f*, Brandwunde *f*; Brandstelle *f*; **2.** (**burnt** *od.* **burned**) (ver-, an)brennen; *→* **burn** 2

burp [bɜːrp] F rülpsen

burst [bɜːrst] **1.** (**burst**) bersten, (zer)platzen; explodieren; zerspringen; (auf)sprengen, zum Platzen bringen; **~ into tears** in Tränen ausbrechen; **2.** Bersten *n*, Platzen *n*; *fig.* Ausbruch *m*

bury ['berɪ] ver-, begraben; verschütten; beerdigen

bus¹ [bʌs] Bus *m*

bus² [~]: **~ tables** *im Restaurant* das Geschirr von den Tischen abräumen; **'~boy** Hilfskellner *m*; **'~girl** Hilfskellnerin *f*

bush [buʃ] Busch *m*, Strauch *m*; **'~y** buschig

business ['bɪznɪs] Geschäft *n*; Arbeit *f*; Beschäftigung *f*, Beruf *m*; Angelegenheit *f*; Sache *f*; Aufgabe *f*; **on ~** geschäftlich, beruflich; **that's none of your ~** das geht Sie nichts an; *→* **mind** 2; **~ hours** *pl* Geschäftszeit *f*; **'~like** sachlich; **'~man** (*pl* **-men**) Geschäftsmann *m*; **~ trip** Geschäftsreise *f*; **'~woman** (*pl* **-women**) Geschäftsfrau *f*

bus stop Bushaltestelle *f*

bust¹ [bʌst] Büste *f*

bust² [~]: **go ~** F Pleite gehen

bus terminal ['bʌs tɜːrmɪnl] Busbahnhof *m*

busy ['bɪzɪ] **1.** beschäftigt; geschäftig, fleißig; *Straße:* belebt; *Tag:* arbeitsreich; *tel.* besetzt; **be ~ doing s.th.**

damit beschäftigt sein, et. zu tun; **2.** ~ **o.s. with s.th.** sich mit et. beschäftigen; '~**signal** *tel.* Besetzzeichen n

but [bʌt] **1.** *cj* aber, jedoch; sondern; außer, als; ~ **then (again)** and(e)rerseits; **2.** *prp* außer; **all** ~ **him** alle außer ihm; **nothing** ~ nichts als

butcher ['butʃər] Fleischer m, Metzger m

butter ['bʌtər] **1.** Butter f; **2.** mit Butter bestreichen; '~**fly** Schmetterling m

buttocks ['bʌtəks] pl Gesäß n

button ['bʌtn] **1.** Knopf m; Button m, (Ansteck)Plakette f; **2.** *mst* ~ *up* zuknöpfen; '~**hole** Knopfloch n; ~'**up sweater** Strickjacke f

buy [baɪ] (**bought**) (an-, ein)kaufen; '~**er** Käufer(in)

buzz [bʌz] **1.** Summen n, Surren n; **I'll give you a** ~ ich rufe dich an; **2.** summen, surren

buzzard ['bʌzərd] Bussard m

buzzer ['bʌzər] Summer m

by [baɪ] **1.** *prp* räumlich: (nahe *od.* dicht) bei *od.* an, neben (**side** ~ **side** Seite an Seite); vorbei *od.* vorüber an; *zeitlich:* bis (spätestens); *Tageszeit:* während, bei (~ **day** bei Tage); per, mit, durch (~ **bus** mit dem Bus); nach, ...weise (~ **the dozen** dutzendweise); nach, gemäß (~ **my watch** nach *od.* auf m-r Uhr); *Urheber, Ursache:* von, durch (**a play** ~ **...** ein Stück von ...; ~ **o.s.** allein); um (~ **an inch** um 1 Zoll); **2.** *adv* vorbei, vorüber (→ **go by, pass by**); nahe, dabei; beiseite

by... [baɪ] Neben...; Seiten...

bye [baɪ] *int* F Wiedersehen!, tschüs!

'by|-election Nachwahl f; '~**gone 1.** vergangen; **2.** *let* ~**s be** ~**s** lass(t) das Vergangene ruhen; '~**pass** Umgehungsstraße f; Umleitung f; *med.* Bypass m; '~**-product** Nebenprodukt n; '~**stander** Zuschauer(in)

byte [baɪt] *Computer:* Byte n

C

CA *Abk.* für Kalifornien

cab [kæb] Taxi n

cabbage ['kæbɪdʒ] Kohl m

cabin ['kæbɪn] Hütte f; Kabine f

cabinet ['kæbɪnɪt] *pol.* Kabi-

nett n; Schrank m

cable ['keɪbl] **1.** Kabel n (*a. electr.*), (Draht)Seil n; **2.** telegrafieren; kabeln; *TV* verkabeln

cabstand ['kæbstænd] Taxistand m

car Seilbahn f; Straßenbahn in San Francisco

Caesar salad ['si:zər 'sæləd] gemischter römischer Salat

café [kæ'feɪ] Café n

cafeteria [kæfɪ'tɪrɪə] Cafeteria f, a. Kantine f

cage [keɪdʒ] 1. Käfig m; 2. einsperren

Cajun ['keɪdʒən] französischstämmige(r) Bewohner(in) Louisianas; gastr. scharf gewürzt

cake [keɪk] Kuchen m, Torte f

calculat|e ['kælkjʊleɪt] berechnen, kalkulieren, schätzen; ~ion [~'leɪʃn] Berechnung f (a. fig.), Kalkulation f; '~or Gerät: Rechner m

calendar ['kælɪndər] Kalender m

calf [kæf] (pl calves [~vz]) Wade f; Kalb n

caliber ['kælɪbər] Kaliber n

call [kɔ:l] 1. Ruf m; tel. Anruf m, Gespräch n; aviat. (kurzer) Besuch; 2. berufen; tel. j-n anrufen; tel. j-m anrufen; be ~ed heißen; ~ s.o. names j-n beschimpfen, j-n beleidigen; ~ back wiederkommen; tel. zurückrufen; ~ for rufen nach; um Hilfe rufen; et. fordern, verlangen; et. anfordern; et. abholen; ~ off absagen; ~ on s.o. j-n besuchen; '~er Anrufer(in); Besucher(in); ~ box Notrufsäule f; Feuermelder m

calm [kɑ:m] 1. still, ruhig; windstill; 2. (Wind)Stille f; Ruhe f; 3. oft ~ down besänftigen, (sich) beruhigen

calorie ['kælərɪ] Kalorie f

camcorder ['kæmkɔ:rdər] Camcorder m

came [keɪm] pret von come

camel ['kæml] Kamel n

camera ['kæmərə] Kamera f, Fotoapparat m

camouflage ['kæməflɑ:ʒ] 1. Tarnung f; 2. tarnen

camp [kæmp] 1. Lager n; 2. zelten, campen

campaign [kæm'peɪn] 1. mil. Feldzug m; pol. Wahlkampf m; 2. kandidieren

camp| bed Feldbett n; ~ chair Klapp-, Campingstuhl m; '~er Camper(in); Wohnwagen m; '~ground Camping-, Zeltplatz m; '~site Lagerplatz m

campus ['kæmpəs] Campus m, Universitätsgelände n

can¹ [kæn] v/aux (pret could) ich, du etc. kann(st) etc.

can² [kæn] 1. (Blech)Kanne f; (Blech-, Konserven)Dose f; (-)Büchse f; F Hintern m; F Klo n; sl. Knast m; 2. konservieren

Canada ['kænədə] Kanada n

Canadian [kə'neɪdɪən] 1. kanadisch; 2. Kanadier(in); ~ bacon Frühstücksspeck m

canal [kə'næl] Kanal m

cancel ['kænsl] (durch-aus)streichen; Fahrschein

etc. entwerten; rückgängig machen: *Abonnement etc.* kündigen; absagen

cancer ['kænsər] Krebs *m*

candid ['kændɪd] offen

candidate ['kændɪdət] Kandidat(in), Bewerber(in)

candle ['kændl] Kerze *f*; **'~stick** Kerzenleuchter *m*

candy ['kændɪ] Süßigkeiten *pl*; Bonbon *m, n*; **~ bar** Schokoriegel *m*; **~ store** Süßwarenladen *m*

cane [keɪn] *bot.* Rohr *n*; Stock *m*

canned [kænd] Dosen..., Büchsen...; **~ fruit** Obstkonserven *pl*

cannon ['kænən] (*pl* **~[s]**) Kanone *f*

cannot ['kænɑːt] *ich, du etc.* kann(st) *etc.* nicht

canoe [kə'nuː] Kanu *n*

can't [kænt] = **cannot**

canteen [kæn'tiːn] Kantine *f*; Feldflasche *f*

canvas ['kænvəs] Segeltuch *n*; Zeltleinwand *f*; *paint.* Leinwand *f*

canyon ['kænjən] Cañon *m*

cap [kæp] Kappe *f*, Mütze *f*, Haube *f*; (Verschluss)Kappe *f*, (Schutz)Haube *f*; Deckel *m*

capability [keɪpə'bɪlətɪ] Fähigkeit *f*; **'~le** fähig (**of** zu)

capacitor [kə'pæsɪtər] Kondensator *m*

capacity [kə'pæsətɪ] (Raum-) Inhalt *m*; Fassungsvermögen

n, Kapazität *f*; (Leistungs-) Fähigkeit *f*

cape¹ [keɪp] Kap *n*

cape² [~] Cape *n*, Umhang *m*

capital ['kæpɪtl] **1.** Hauptstadt *f*; Großbuchstabe *m*; *econ.* Kapital *n*; **2.** Kapital...; Haupt...

capitalism ['kæpɪtəlɪzəm] Kapitalismus *m*; **'~t** Kapitalist *m*

capital letter Großbuchstabe *m*; **~ punishment** Todesstrafe *f*

Capitol ['kæpɪtl]: **the ~** das Capitol (*Kongressgebäude in Washington, D.C.*); Regierungsgebäude *n* (*e-s US Bundesstaates*); **~ Hill** *der amerikanische Kongress*

capsize [kæp'saɪz] kentern

capsule ['kæpsəl] Kapsel *f*

captain ['kæptɪn] Kapitän *m*; *mil.* Hauptmann *m*

caption ['kæpʃn] Überschrift *f*; Bildunterschrift *f*; *Film:* Untertitel *m*

captivate ['kæptɪveɪt] *fig.* gefangen nehmen, fesseln; **'~e** Gefangene *m, f*; **~ity** [~'tɪvətɪ] Gefangenschaft *f*

capture ['kæptʃər] fangen, gefangen nehmen

car [kɑːr] Auto *n*, Wagen *m*; *Aufzug:* Kabine *f*; *Zug:* Wagen *m*; **~ seat** Kindersitz *m*

carbohydrate [kɑːrbou'haɪdreɪt] Kohle(n)hydrat *n*

carbon ['kɑːrbən] Kohlenstoff *m*; *a.* **~ copy** Durchschlag m; a. **~ paper** Kohlepapier n

card [kɑːrd] Karte f; **'~board** Pappe f

cardiac ['kɑːrdiæk] Herz...

care [ker] **1.** Sorge f; Sorgfalt f, Vorsicht f; Obhut f, Fürsorge f; Pflege f; **~ of** (Abk. **c/o**) Adresse: bei ...; **take ~** vorsichtig sein, aufpassen; **take ~!** pass auf dich auf!; **take ~ of** aufpassen auf; **with ~!** Vorsicht!; **2.** sich sorgen, sich kümmern (**about** um); Interesse haben (**for** an); **~ for** sorgen für, sich kümmern um; meinetwegen; **I don't ~** meinetwegen; **I could(n't) ~ less!** das ist mir egal!

career [kəˈrɪr] Karriere f

'care|free sorgenfrei; **'~ful** vorsichtig; sorgfältig; **be ~!** pass auf!, gib Acht!; **'~less** nachlässig; unachtsam

'caretaker Hausmeister m

cargo ['kɑːrgoʊ] (pl **-go[e]s**) Ladung f

caricature ['kærɪkətʃʊr] Karikatur f

carnation [kɑːrˈneɪʃn] Nelke f (Blume)

carnival ['kɑːrnɪvl] Jahrmarkt m

carol ['kærəl] Weihnachtslied n

carp [kɑːrp] Karpfen m

carpenter ['kɑːrpəntər] Zimmermann m

carpet ['kɑːrpɪt] Teppich m

car pool Fahrgemeinschaft f

carrier ['kæriər] Spediteur m; Fahrrad etc.: Gepäckträger m

carrot ['kærət] Karotte f, Mohrrübe f

carry ['kæri] tragen; befördern; bei sich haben od. tragen; **~ on** fortführen, -setzen; betreiben; **~ out**, **~ through** durch-, ausführen

carryall ['kæriɔːl] Reisetasche f, Tragetasche f

'carrying charge Ratenzahlungszuschlag m

'carry-on Bordgepäck n; Bord...; **~ bags** Bordgepäck n

cart [kɑːrt] Einkaufswagen m; Servierwagen m; Karren m

cartilage ['kɑːrtɪlɪdʒ] Knorpel m

carton ['kɑːrtən] (Papp)Karton m; Milch: Tüte f; Zigaretten: Stange f

cartoon [kɑːrˈtuːn] Cartoon m, n; Karikatur f; Zeichentrickfilm m

cartridge ['kɑːrtrɪdʒ] Patrone f; phot. (Film)Patrone f, (-)Kassette f

carv|e [kɑːrv] Fleisch zerlegen, tranchieren; schnitzen; meißeln; **'~er** (Holz)Schnitzer m; Bildhauer m; **'~ing** Schnitzerei f

car wash Autowäsche f; Waschanlage f, -straße f

case¹ [keɪs] Kiste f, Kasten m; Koffer m; Etui n

case² [~] Fall m (a. med., jur.); **in ~ (that)** falls

cash [kæʃ] **1.** Bargeld n; Barzahlung f; **~ down** gegen bar; **in ~** bar; **~ in advance** gegen Vorauszahlung; **~ on delivery** (Abk. **COD**) (per) Nachnahme; **short of ~** knapp bei Kasse; **2.** Scheck etc. einlösen; **~ier** [~'ʃɪr] Kassierer(in)

casket [kæskɪt] Kästchen n; Sarg m

cassette [kə'set] (Film-, Band-)Kassette f; **~ deck** Kassettendeck n

cast [kæst] m; tech. Guss(form f) m; Abguss m, Abdruck m; med. Gips(verband) m; thea. Besetzung f; **2. (cast)** (ab-, aus)werfen; tech. gießen, formen; thea. Stück besetzen; Rollen verteilen (**to** an)

cast iron Gusseisen n; **~-iron** gusseisern

castle [kɑːsl] Burg f; Schloss n; Schach: Turm m

castrate [kæ'streɪt] kastrieren

casual [kæʒʊəl] zufällig; gelegentlich; Bemerkung: beiläufig; Blick: flüchtig; lässig; **~ wear** Freizeitkleidung f; **~ty** [~tɪ] Verletzte m, f, Verunglückte m, f; **casualties** pl Opfer pl (e-r Katastrophe)

cat [kæt] Katze f

catalog [kætəlɒɡ] **1.** Katalog m; **2.** katalogisieren

catalytic converter [kætə'lɪtɪk kən'vɜːrtər] mot. Katalysator m

catastrophe [kə'tæstrəfɪ] Katastrophe f

catch [kætʃ] **1.** Fangen n; Fang m, Beute f; Haken m (a. fig.); (Tür)Klinke f; Verschluss m; **2. (caught)** v/t (auf-, ein)fangen; packen, fassen, ergreifen; erwischen; Zug etc. (noch) kriegen; verstehen; hängen bleiben mit; sich e-e Krankheit holen; **~ (a) cold** sich erkälten; v/i sich verfangen, hängen bleiben, klemmen; **~ up (with)** einholen; **~er** Fänger m; **~ing** packend; med. ansteckend (a. fig.)

category [kætəɡərɪ] Kategorie f

cater [keɪtər] Speisen u. Getränke liefern (**for**); sorgen (**for** für); **~er** [~rər] Lieferant m od. Lieferfirma f für Speisen u. Getränke

caterpillar [kætərpɪlər] Raupe f; ® Raupenschlepper m

cathedral [kə'θiːdrəl] Dom m, Kathedrale f

Catholic [kæθəlɪk] **1.** katholisch; **2.** Katholik(in)

catsup [kætsəp] Ketchup n

cattle [kætl] (Rind)Vieh n

caught [kɔːt] pret u. pp von catch 2

cauliflower [kɒlɪflaʊər] Blumenkohl m

cause [kɔːz] **1.** Ursache f;

Grund *m*; Sache *f*. **2.** verursachen; veranlassen

caution ['kɔːʃn] **1.** Vorsicht *f*; Warnung *f*; Verwarnung *f*; **2.** warnen; verwarnen

cautious ['kɔːʃəs] vorsichtig

cave [keɪv] Höhle *f*

cavity ['kævətɪ] Loch *n*

cay [kiː] *kleine flache Korallen- od. Sandinsel*

CB [siː'biː] *Abk. für* **citizens' band** CB-Funk *m*

CD [siː'diː] *Abk. für* **compact disk** CD *f*

cease [siːs] aufhören; beenden; **~'fire** Feuereinstellung *f*; Waffenstillstand *m*

ceiling ['siːlɪŋ] Decke *f*

celebrate ['selɪbreɪt] feiern; **'~ed** berühmt (**for** für, wegen); **~ion** [~'breɪʃn] Feier *f*

celebrity [sɪ'lebrɪtɪ] Berühmtheit *f*; prominente Person, F Promi *m*

celery ['selərɪ] Staudensellerie *m*, *f*

cell [sel] Zelle *f*; **'~phone** Handy *n*

cellar ['selər] Keller *m*

cello ['tʃeləʊ] Cello *n*

cellular phone ['seljələr 'fəʊn] Handy *n*

cement [sɪ'ment] **1.** Zement *m*; Kitt *m*; **2.** zementieren; (ver)kitten

cemetery ['semɪterɪ] Friedhof *m*

censor ['sensər] zensieren

cent [sent] Cent *m*

centennial [sen'tenɪəl] Hun-

dertjahrfeier *f*

center ['sentər] **1.** Mitte *f*, *a. fig.* Zentrum *n*, Mittelpunkt *m*; **2.** *tech.* zentrieren; **~ lane** *mot.* Mittelstreifen *m*

centi|grade ['sentɪgreɪd]: **10 degrees ~** 10 Grad Celsius; **'~meter** Zentimeter *m*, *n*

central ['sentrəl] zentral; Haupt..., Zentral...; Mittel(punkts)...; **~ heating** Zentralheizung *f*; **'~ize** zentralisieren; **~ locking** *mot.* Zentralverriegelung *f*; **~ processing unit** (*Abk.* **CPU**) *Computer:* Zentraleinheit *f*

century ['sentʃurɪ] Jahrhundert *n*

CEO [siːiː 'əʊ] *Abk. für* **chief executive officer** *etwa* Vorstandsvorsitzende *m*

cep [sep] Steinpilz *m*

ceramics [sɪ'ræmɪks] *pl* Keramik *f*

cereal ['sɪərɪəl] **1.** Getreide...; **2.** Getreide(pflanze *f*) *n*; Getreideflocken *pl*, Frühstückskost *f* (*aus Getreide*)

ceremony ['serɪməʊnɪ] Zeremonie *f*; Feier *f*

certain ['sɜːrtn] sicher; bestimmt; gewiss; **a ~ Mr. S.** ein gewisser Herr S.; **'~ly** sicher, bestimmt; *Antwort:* aber sicher, natürlich; **'~ty** Sicherheit *f*, Bestimmtheit *f*

certi|ficate [sər'tɪfɪkət] Bescheinigung *f*, Attest *n*; Zeugnis *n*; **~ of birth** Geburtsurkunde f; **~fy** ['sɜːrtɪ-faɪ] et. bescheinigen

chain [tʃeɪn] **1.** Kette f; **2.** (an)ketten; fesseln; **~ store** Kettenladen m

chair [tʃer] Stuhl m, Sessel m; fig. Vorsitz m; Vorsitzende m, f; **~ lift** Sessellift m; **'~man** (pl **-men**) Vorsitzende m; **'~person** Vorsitzende m, f; **'~woman** (pl **-women**) Vorsitzende f

chalk [tʃɔːk] Kreide f; **'~board** Wandtafel f

challenge ['tʃælɪndʒ] **1.** Herausforderung f; **2.** herausfordern; **~r** bsd. Sport: Herausforderer m, -forderin f

chamber ['tʃeɪmbər] Kammer f; **~maid** Zimmermädchen n; **~ of commerce** Handelskammer f

champagne [ʃæm'peɪn] Champagner m; Sekt m

champion ['tʃæmpɪən] Sport: Meister(in); Verfechter(in); **~ship** Meisterschaft f

chance [tʃɑːns] **1.** Zufall m; Chance f, (günstige) Gelegenheit; Aussicht f (**of** auf); Möglichkeit f; **by ~** zufällig; **take a ~** es darauf ankommen lassen; **take no ~s** nichts riskieren (wollen); **2.** riskieren; **3.** zufällig

chancellor ['tʃɑːnsələr] Kanzler m

chandelier [ʃændə'lɪr] Kronleuchter m

change [tʃeɪndʒ] **1.** (sich) (ver)ändern od. verwandeln; wechseln; (ver)tauschen; Geld (um)wechseln; Teile (aus)wechseln; mot., tech. schalten; sich umziehen; **~ (trains, planes, etc.)** umsteigen; **2.** (Ver)Änderung f, Wechsel m; Abwechslung f; (Aus)Tausch m; Wechselgeld n; Kleingeld n; **for a ~** zur Abwechslung

channel ['tʃænl] Kanal m

chant [tʃænt] **1.** (Kirchen)Gesang m; Sprechchor m; **2.** singen, in Sprechchören rufen

chanterelle [ʃæntə'rel] Pfifferling m

chao|s ['keɪɑːs] Chaos n; **~tic** [~'ɑːtɪk] chaotisch

chapel ['tʃæpl] Kapelle f

chaplain ['tʃæplɪn] Kaplan m

chapped [tʃæpt] Hände, Lippen: aufgesprungen, rissig

chapter ['tʃæptər] Kapitel n

character ['kærəktər] Charakter m; Roman etc.: Figur f, Gestalt f, pl a. Charaktere pl; Schriftzeichen n, Buchstabe m; **~istic** [~'rɪstɪk] **1.** charakteristisch (**of** für); **2.** charakteristisches Merkmal; **~ize** ['~aɪz] charakterisieren

char|broil ['tʃɑːrbrɔɪl] auf dem Holzkohlengrill grillen; **~coal** Holzkohle f

charge [tʃɑːrdʒ] **1.** Batterie etc. (auf)laden; j-n beschuldigen *od.* anklagen (**with** e-r *Sache*) (*a. jur.*); *econ.* j-n, etw. belasten (**with** mit e-m *Betrag*); beauftragen; berechnen, verlangen, fordern (**for** für); ~ **at** losgehen auf; **2.** Preis *m;* Forderung *f;* Gebühr *f; a. pl* Unkosten *pl,* Spesen *pl;* Beschuldigung *f;* Schützling *m;* **free of** ~ kostenlos; **be in** ~ **of** verantwortlich sein für

charit|able ['tʃærətəbl] wohltätig; '~y Nächstenliebe *f;* Wohltätigkeit *f*

charivari [ʃiva'ri:] Getöse *n;* Lärm *m*

charley horse [tʃɑːli 'hɔːs] Muskelkater *m*

charm [tʃɑːrm] **1.** Charme *m;* Zauber *m;* Talisman *m,* Amulett *n;* **2.** bezaubern; '~ing charmant, bezaubernd

chart [tʃɑːrt] (*See-, Himmels-, Wetter*)Karte *f;* Diagramm *n,* Schaubild *n;* **Charts** *pl,* Hitliste (*n pl*) *f*

charter ['tʃɑːrtər] **1.** Urkunde *f;* Charta *f;* Chartern *n;* **2.** chartern; ~ **flight** Charterflug *m*

chase [tʃeɪs] **1.** jagen, Jagd machen *auf;* rasen, rennen; *a.* ~ **away** verjagen, -treiben; **2.** (Hetz)Jagd *f;* '~r Schluck *m* zum Nachspülen

chassis ['ʃæsi] (*pl* ~ ['~sɪz]) Fahrgestell *n*

chat [tʃæt] F **1.** plaudern, schwatzen; *Computer:* chat-

ten; **2.** Schwatz(en *n*) *m;* ~ **room** Chatroom *m*

chatter ['tʃætər] **1.** plappern, schwatzen, schnattern; *Zähne:* klappern; **2.** Geplapper *n,* Geschnatter *n;* Klappern *n*

chatty ['tʃætɪ] F geschwätzig

cheap [tʃiːp] billig; schäbig, gemein; '~ie, '~o Geizkragen *m;* '~skate Geizkragen *m*

cheat [tʃiːt] **1.** betrügen; **2.** Betrug *m,* Schwindel *m*

check [tʃek] **1.** Schach(stellung *f*) *n;* Hemmnis *n,* Hindernis *n* (**on** für); Einhalt *m;* Kontrolle *f,* Überprüfung *f;* Scheck *m* (**for** über); Kassenzettel *m,* Rechnung *f* (*im Restaurant*); Kontrollabschnitt *m,* -schein *m;* Gepäckschein *m;* Garderobenmarke *f;* Schachbrett-, Karomuster *n;* karierter Stoff; **could I have the** ~, **please** ich möchte bitte zahlen; **hold** *od.* **keep in** ~ *fig.* in Schach halten; **2.** *v/i* (plötzlich) innehalten; **in** sich (*in e-m Hotel*) anmelden; einstempeln; *aviat.* einchecken; ~ **out** aus e-m Hotel abreisen; ausstempeln; untersuchen, überprüfen; **I'll** ~ **it out** ich schaue es mir mal an; ~ **up** (**on**) e-e Sache nachprüfen, e-e Sache, j-n überprüfen; *v/t* zurückhalten; checken, kontrollieren, überprüfen; *auf e-r Liste* abhaken; *in der Garderobe* abgeben; *(als Reisegepäck)* aufgeben; '**~book** Scheckbuch *n*, -heft *n*; **~ed** kariert

checker|board [ˈtʃekərbɔːrd] *Dame-*, Schachbrett *n*; **~s** *sg* Dame(spiel *n*) *f*

'**check-in** Anmeldung *f* (*in e-m Hotel*); Einstempeln *n*; *aviat.* Einchecken *n*; **~ing account** Girokonto *n*; '**~list** Check-, Kontrolliste *f*; '**~mate** 1. (*Schach*)Matt *n*; 2. (*schach*)matt setzen; '**~out** Abreise *f* (*aus e-m Hotel*); Ausstempeln *n*; Kasse *f*; '**~-out time** Abreisezeit *f*; '**~point** Kontrollpunkt *m*; '**~room** Garderobe(nraum *m*) *f*; Gepäckaufbewahrung *f*; '**~up** *med.* F Check-up *m*

cheek [tʃiːk] Backe *f*, Wange *f*; '**~bone** Backenknochen *m*

cheer [tʃɪr] 1. Hoch(ruf *m*) *n*, Beifall(sruf *m*) *m*; Aufmunterung *f*; 2. *v/t* Beifall spenden, hochleben lassen; *a.* **~ up** aufmuntern, aufheitern; *v/i* Beifall spenden, jubeln; *a.* **~ up** Mut fassen; **~ up!** Kopf hoch!; '**~ful** vergnügt, fröhlich; *Raum, Wetter etc.*: freundlich, heiter; '**~leader** Cheerleader *m*, Einpeitscher(in *f*) *m* (*bei Sportveranstaltungen*)

cheese [tʃiːz] Käse *m*; '**~cake** Käsekuchen *m*;

Pin-up-Foto *n*

chef [ʃef] Küchenchef *m*

chemical [ˈkemɪkl] 1. chemisch; 2. Chemikalie *f*

chemist [ˈkemɪst] Chemiker(in); **~ry** [-tri] Chemie *f*

cherry [ˈtʃeri] Kirsche *f*

chess [tʃes] Schach(spiel) *n*; '**~board** Schachbrett *n*

chest [tʃest] Kiste *f*; Truhe *f*; *anat.* Brust(kasten *m*) *f*; **~ of drawers** Kommode *f*

chestnut [ˈtʃesnʌt] 1. Kastanie *f*; 2. kastanienbraun

chew [tʃuː] (zer)kauen; '**~ing gum** Kaugummi *m*

Cheyenne [ʃaɪˈæn] Cheyenne *m* (*Indianer in Montana und Oklahoma*); Hauptstadt von Wyoming

Chicana [tʃɪˈkɑːnə] Amerikanerin mexikanischer Abstammung

Chicano [tʃɪˈkɑːnoʊ] Amerikaner mexikanischer Abstammung

chick [tʃɪk] *neg!* Mädchen *n*

chicken [ˈtʃɪkɪn] 1. Huhn *n*; Küken *n*; *als Nahrung*: Hähnchen *n*, Hühnchen *n*; 2. ängstlich, furchtsam: **are you ~?** hast du Angst?; '**~pox** [-pɑks] Windpocken *pl*; '**~shit** V Hosenscheißer *m*

chicory [ˈtʃɪkəri] Chicorée *f*, *m*

chief [tʃiːf] 1. Chef *m*; Häuptling *m*; 2. erste(r, -s), oberste(r, -s); Ober..., Haupt...; wichtigste(r, -s); ☿

Executive der Präsident der USA; der Gouverneur e-s US-Bundesstaates; '**~ly** hauptsächlich

child [tʃaɪld] (pl **children** ['tʃɪldrən]) Kind n; '**~birth** Geburt f, Entbindung f; **~hood** ['~hʊd] Kindheit f; '**~ish** kindlich; kindisch; '**~less** kinderlos; '**~like** kindlich; **~ren** ['tʃɪldrən] pl von **child**

chili|burger ['tʃɪlibɜːgər] gastr. Hamburger m mit Chili con carne; **~ con carne** ['tʃɪlɪkɑːnˈkɑːrni] gastr. Chili con carne m (stark gewürztes Gericht aus Chilipfeffer, Hackfleisch und Bohnen)

chill [tʃɪl] **1.** Kältegefühl n, Frösteln n; Kälte f, Kühle f; Erkältung f; **2.** (ab)kühlen; j-n frösteln lassen; **~ out!** F reg dich ab!; **3.** adj **~'~y** kalt, frostig, kühl

chime [tʃaɪm] **1.** (Glocken-) Geläute n; mst pl Glockenspiel n; **2.** läuten; Uhr: schlagen

chimney ['tʃɪmnɪ] Schornstein m; '**~ sweep** Schornsteinfeger m

chin [tʃɪn] Kinn n

china ['tʃaɪnə] Porzellan n

chinook [ʃəˈnʊk] warmer trockener Wind in den Rocky Mountains

chip [tʃɪp] **1.** Splitter m, Span m; Schnitzel n; Chip m, Spielmarke f; Computer:

Chip m; pl (Kartoffel)Chips pl; **2.** anschlagen; '**~munk** Streifenhörnchen n

chirp [tʃɜːrp] zwitschern

chisel ['tʃɪzl] **1.** Meißel m; **2.** meißeln

chive(s pl) [tʃaɪv(z)] Schnittlauch m

chlorine ['klɔːriːn] Chlor n

chocolate ['tʃɒkələt] Schokolade f; Praline f; '**~s** pl Pralinen pl, Konfekt n

choice [tʃɔɪs] **1.** Wahl f, Auswahl f; **2.** ausgesucht (gut)

choir ['kwaɪr] Chor m

choke [tʃəʊk] **1.** würgen; erwürgen, erdrosseln; ersticken; a. **~ up** verstopfen; **2.** mot. Choke m, Luftklappe f

cholesterol [kəˈlestərɒl] Cholesterin n

choose [tʃuːz] (**chose, chosen**) (aus)wählen

chop [tʃɒp] **1.** Hieb m, Schlag m; (Schweine-, Lamm)Kotelett n; **2.** (zer)hacken; **~ down** fällen; '**~per** F Hubschrauber m; '**~stick** Essstäbchen n

chore [tʃɔːr] schwierige od. unangenehme Aufgabe

chorus ['kɔːrəs] Chor m; Refrain m; Revue: Tanzgruppe f

chose [tʃəʊz] pret von **choose**; '**~n** pp von **choose**

chow [tʃaʊ] F Essen n; **2.** F essen

chowder ['tʃaʊdər] dicke Suppe aus Meeresfrüchten

Christ [kraɪst] Christus m

christen ['krɪsn] taufen
Christian ['krɪstʃən] **1.** christlich; **2.** Christ(in); **~ity** [~tɪˈænətɪ] Christentum n

Christmas ['krɪsməs] Weihnachten n u. a. pl; **at ~** zu Weihnachten; **~ merry**; **~ Day** erster Weihnachtsfeiertag; **~ Eve** Heiliger Abend; **~ tree** Christ-, Weihnachtsbaum m

chrome [krəʊm] Chrom n
chronic ['krɒnɪk] chronisch; ständig, (an)dauernd
chronological [krɒnəˈlɒdʒɪkl] chronologisch
chrysanthemum [krɪˈsænθəməm] Chrysantheme f
chubby ['tʃʌbɪ] rundlich; **~ cheeks** pl Pausbacken pl
chuckle ['tʃʌkl]: **~ (to o.s.)** (stillvergnügt) in sich hineinlachen
chunk [tʃʌŋk] Klotz m, (dickes) Stück
church [tʃɜːtʃ] Kirche f; **~key** F Flaschenöffner m; **~yard** Kirch-, Friedhof m
chute [ʃuːt] F Fallschirm m
CIA [siːaɪˈeɪ] Abk. für **Central Intelligence Agency** CIA m (amerikanischer Geheimdienst)
cider ['saɪdər] Apfelwein m
cigar [sɪˈgɑː] Zigarre f
cigarette, a. **-ret** [sɪgəˈret] Zigarette f
cinch [sɪntʃ] Sattel-, Packgurt m; **it's a ~** ist ein Kinderspiel

cinder ['sɪndər] Schlacke f; pl Asche f; **~ella** [~ˈrelə] Aschenbrödel n, -puttel n
cinnamon ['sɪnəmən] Zimt m; **~ bear** amerikanischer Schwarzbär
circle ['sɜːkl] **1.** Kreis m; thea. Rang m; fig. Kreislauf m; **2.** (um)kreisen
circuit ['sɜːkɪt] Runde f, Rundreise f, -flug m; electr. Strom-, Schaltkreis m; **short ~** Kurzschluss m
circular ['sɜːkjʊlər] **1.** (kreis)rund, kreisförmig; Kreis...; **~ file** F runde Ablage, Papierkorb m; **2.** Rundschreiben n
circulate ['sɜːkjʊleɪt] zirkulieren, im Umlauf sein; in Umlauf setzen; **~ion** [~ˈleɪʃn] (a. Blut)Kreislauf m, Zirkulation f; econ. Umlauf m
circum|ference [sərˈkʌmfərəns] math. Umfang m; **~scribe** ['sɜːkəmskraɪb] math. umschreiben; begrenzen, einschränken; **~stance** ['~stəns] Umstand m; mst pl (Sach)Lage f, Umstände pl; pl Verhältnisse pl; **in od. under no ~s** unter keinen Umständen, auf keinen Fall; **in od. under the ~s** unter diesen Umständen
circus ['sɜːkəs] Zirkus m
citizen ['sɪtɪzn] Bürger(in); Staatsangehörige m, f; **~ship** Staatsangehörigkeit f

city ['sɪtɪ] (Groß)Stadt *f*; ~ **desk** Lokalredaktion *f*; ~ **editor** Lokalredakteur(in); ~ **hall** Rathaus *n*

civic ['sɪvɪk] städtisch, Stadt...; ~**s** *sg* Staatsbürgerkunde *f*

civil ['sɪvl] staatlich, Staats...; (staats)bürgerlich, Bürger...; zivil, Zivil...; *jur.* zivilrechtlich; höflich

civilian [sɪ'vɪljən] **1.** Zivilist *m*; **2.** zivil, Zivil...

civiliz|ation [sɪvɪlaɪ'zeɪʃn] Zivilisation *f*, Kultur *f*; **~e** ['~laɪz] zivilisieren

civil rights *pl* (Staats)Bürgerrechte *pl*; ~ **servant** Staatsbeamt(e) *m*, -in *f*; ~ **service** Staatsdienst *m*; ~ **war** Bürgerkrieg *m*; ♀ **War** der amerikanische Bürgerkrieg (*1861–1865*)

claim [kleɪm] **1.** Anspruch *m*, Anrecht *n* (**to** auf); Forderung *f*; Behauptung *f*; **2.** beanspruchen; fordern; behaupten

clam [klæm] *eßbare* Muschel; '**~bake** Picknick *n* (*am Strand*); große, laute Party; **~chowder** *dicke* Suppe mit Muscheln

clammy ['klæmɪ] feuchtkalt, klamm

clamp [klæmp] Zwinge *f*

clan [klæn] Clan *m*, Sippe *f*

clap [klæp] **1.** Klatschen *n*; Klaps *m*; (**the**) ~**F** (der) Tripper; **2.** klatschen

clarinet [klærə'net] Klarinette *f*

clarity ['klærətɪ] Klarheit *f*

clash [klæʃ] **1.** Zs.-stoß *m*; Konflikt *m*; **2.** zs.-stoßen; nicht zs.-passen

clasp [klɑːsp] Schnalle *f*, Spange *f*, Haken *m*; (Schnapp)Verschluss *m*

class [klɑːs] **1.** Klasse *f*; (Bevölkerungs)Schicht *f*; (Schul)Klasse *f*; (Unterrichts)Stunde *f*; Kurs *m*; *bei Schulabgängern etc.*: Jahrgang *m*; **2.** einteilen, -ordnen, -stufen

classic ['klæsɪk] **1.** Klassiker *m*; **2.** klassisch; '**~al** klassisch

classif|ication [klæsɪfɪ'keɪʃn] Klassifizierung *f*, Einteilung *f*; **~fied** ['~faɪd] *mil., pol.* geheim; ~ ad(**vertisement**) Kleinanzeige *f*; **~fy** ['~faɪ] klassifizieren, einstufen

'class|mate Mitschüler(in); '**~room** Klassenzimmer *n*

claw [klɔː] **1.** Klaue *f*, Kralle *f*; *Krebs*: Schere *f*; **2.** (zer)kratzen; sich krallen

clay [kleɪ] Ton *m*, Lehm *m*

clean [kliːn] **1.** *adj* rein, sauber; *sl.* clean (*nicht mehr drogenabhängig*); **2.** *v/t* reinigen, säubern, putzen; ~ **out** reinigen; ~ **up** gründlich reinigen; aufräumen; '**~er** Reiniger *m*; → **dry cleaner('s)**

cleanse [klenz] reinigen,

säubern; **~r** Reinigungsmittel *n*

clear [klɪr] **1.** *adj* klar; hell; rein; klar, deutlich; frei (**of** von) (*a. fig.*); *econ.* Netto...; Rein...; **2.** *adv* klar; hell; deutlich; los, weg (**of** von); **3.** *v/t* wegräumen (*oft ~ away*): frei machen, (ab)räumen; *Computer:* löschen; reinigen, säubern; freisprechen (**of** von); *v/i* (a. *~ up*) hell werden; *Wetter:* aufklaren; *Nebel:* sich verziehen; **~ out** F abhauen; auf-, ausräumen, entfernen; **~ up** Verbrechen etc. aufklären; aufräumen; *Wetter:* aufklaren; **~ance** ['~əns] Räumung *f*; Freigabe *f*; **~ance sale** Räumungs-, Ausverkauf *m*; **~ing** ['~ɪŋ] Lichtung *f* (*im Wald*); **~ly** klar, deutlich; offensichtlich

clench [klentʃ] *Lippen* etc. (fest) zs.-pressen, *Zähne* zs.-beißen, *Faust* ballen

clergy ['klɜːdʒi] *die* Geistlichen *pl*; **~man** (*pl* **-men**) Geistliche *m*

clerk [klɜːk] (*Büro-* etc.) Angestellte *m*, *f*; (*Bank-, Post-*) Beamte *m*, *f*; Verkäufer(in)

clever ['klevər] clever; klug, gescheit; gerissen; geschickt

click [klɪk] **1.** Klicken *n*; **2.** klicken; zu-, einschnappen

client ['klaɪənt] *jur.* Klient (-in), Mandant(in); Kund|e *m*, -in *f*

cliff [klɪf] Klippe *f*

climate ['klaɪmɪt] Klima *n*

climax ['klaɪmæks] Höhepunkt *m*; Orgasmus *m*

climb [klaɪm] klettern (auf); (er-, be)steigen; **~er** Bergsteiger(in); *bot.* Kletterpflanze *f*

cling [klɪŋ] (*clung*) (*to*) kleben (an), haften (an); festhalten (an), sich klammern (an); sich (an)schmiegen (an)

clinic ['klɪnɪk] Klinik *f*; **~al** klinisch

clip¹ [klɪp] **1.** (aus)schneiden; scheren; **2.** Schnitt *m*; (*Film-* etc.)Ausschnitt *m*; (*Video-*) Clip *m*; Schur *f*

clip² [~] **1.** (*Heft-, Büro-* etc.)Klammer *f*; (*Ohr*)Klipp *m*; **2. a. ~ on** anklammern

clippers ['klɪpərz] *pl, a. a pair of ~* (*Nagel-* etc.)Schere *f*; Haarschneidemaschine *f*; **~ing** (*Zeitungs*)Ausschnitt *m*

clitoris ['klɪtərɪs] Klitoris *f*

clock [klɒk] **1.** (*Wand-, Stand-, Turm*)Uhr *f*; **2.** *Sport:* Zeit stoppen; **~ in** einstempeln; **~ out** ausstempeln; **~ radio** Radiowecker *m*; **~wise** im Uhrzeigersinn; **~work** Uhrwerk *n*; *like* **~** wie am Schnürchen

clog [klɒg] *a.* **~ up** verstopfen

close 1. [kloʊs] *adj* nah; *Ergebnis* etc.: knapp; genau;

gründlich; stickig, schwül; eng (anliegend); *Freund:* eng, *Verwandte(r):* nah; **2.** [klous] *adv* eng, nahe, dicht; **~ by** ganz in der Nähe; **~ at hand** nahe bevorstehend; **3.** [klouz] s Ende n, Schluss m; **4.** [klouz] *v/t* (ab-, ver-, zu)schließen, zumachen; *Betrieb etc.* schließen; *Straße etc.* sperren; beenden, beschließen; *v/i* sich schließen; schließen; zumachen; **~ down** schließen; *Betrieb* stilllegen; **~ up** (ab-, ver-, zu)schließen; *Straße etc.* sperren; aufrücken, aufschließen; **~d** [~zd] geschlossen; gesperrt (**to** für)

closet ['klɔːzɪt] (Wand-) Schrank m

close-up ['klousʌp] *phot. etc.:* Nah-, Großaufnahme f

closing time ['klouzɪŋ] Laden-, Geschäftsschluss m

clot [klɔːt] **1.** Klumpen m, Klümpchen n; **~ of blood** Blutgerinnsel n; **2.** gerinnen

cloth [klɔːθ] Stoff m, Tuch n; Lappen m, Tuch n

clothes [klouz] *pl* Kleider *pl*, Kleidung f; **~ brush** Kleiderbürste f; **~ hanger** Kleiderbügel m; **~line** Wäscheleine f; **'~pin** Wäscheklammer f

cloud [klaud] Wolke f; **'~burst** Wolkenbruch m; **'~y** bewölkt; trüb

clove [klouv] Gewürznelke f

clover ['klouvər] Klee m

clown [klaun] Clown m

club [klʌb] **1.** Knüppel m; (Golf)Schläger m; Klub m; *pl Karten:* Kreuz n; **2.** einknüppeln auf, prügeln; **~ sandwich** *Sandwich aus drei Toastscheiben belegt mit Hähnchen- od. Truthahnfleisch, Frühstücksspeck od. Schinken, Salat, Tomaten und Mayonnaise*

clue [kluː] Anhaltspunkt m, Spur f

clump [klʌmp] Klumpen m

clumsy ['klʌmzɪ] unbeholfen

clung [klʌŋ] *pret u. pp von* **cling**

clutch [klʌtʃ] **1.** Kupplung f; **2.** umklammern; (er)greifen

CO *Abk. für* Colorado

coach [koutʃ] **1.** *Sport:* Trainer(in); **2.** *Sport:* trainieren

coagulate [kou'ægjuleit] gerinnen (lassen)

coal [koul] Kohle f

coalition [kouə'lɪʃn] Koalition f

'coalmine Kohlenbergwerk n

coarse [kɔːrs] grob; vulgär

coast [koust] **1.** Küste f; **2.** im Leerlauf fahren; **'~al** Küsten...; **'~guard** Küstenwache f

coat [kout] **1.** Mantel m; Fell n; Anstrich m, Schicht f; **2.** *mit Glasur:* überziehen; *mit Farbe:* (an)streichen; **~ hanger** Kleiderbügel m; **'~ing** Überzug m, Anstrich

m, Schicht *f*; Mantelstoff *m*;
~ **of arms** Wappen *n*

coax [kouks] überreden

cob [ka:b] Maiskolben *m*

cobweb ['ka:bweb] Spinnennetz *n*, Spinnwebe *f*

cocaine [kou'keɪn] Kokain *n*

'**cockpit** Cockpit *n*

cockroach ['ka:krout∫] Schabe *f*

'**cocktail** Cocktail *m*

cocoa ['koukou] Kakao *m*

coconut ['koukənʌt] Kokosnuss *f*

cocoon [kə'ku:n] Kokon *m*

cod [ka:d] Kabeljau *m*, Dorsch *m*

code [koud] **1.** Kode *m*; Regel: Kodex *m*; **2.** verschlüsseln, chiffrieren; kodieren

cod-liver oil [ka:dlɪvər'ɔɪl] Lebertran *m*

coexist [kouɪg'zɪst] nebeneinander bestehen; ~**ence** Koexistenz *f*

coffee ['ka:fɪ] Kaffee *m*; ~ **machine** Kaffeeautomat *m*; '~**maker** Kaffeemaschine *f*; ~ **table** Couchtisch *m*; ~ **whitener** Kaffeeweißer *m*

coffin ['ka:fɪn] Sarg *m*

cog [ka:g] (Rad)Zahn *m*; '~**wheel** Zahnrad *n*

coherent [kou'hɪrənt] zs.-hängend

coil [kɔɪl] **1.** *v/t a.* ~ **up** aufwickeln, -rollen; *v/i* sich schlängeln *od.* winden; **2.** Rolle *f*; *electr.* Spule *f*; *med.* Spirale *f*

coin [kɔɪn] **1.** Münze *f*; **2.** prägen

coincide [kouɪn'saɪd] zs.-fallen; übereinstimmen; ~**nce** [~'ɪnsɪdəns] Zufall *m*; Übereinstimmung *f*

cold [kould] **1.** kalt; **I'm (feeling)** ~ mir ist kalt, ich friere; → **blood**; **2.** Kälte *f*; Erkältung *f*; ~ **cuts** *pl* Aufschnitt *m*

coleslaw ['koulslɔ:] Krautsalat *m*

collaborate [kə'læbəreɪt] zs.-arbeiten

collaps|**e** [kə'læps] **1.** zs.-brechen; einstürzen; **2.** Zs.-bruch *m*; ~**ible** zs.-klappbar, Falt...

collar ['ka:lər] Kragen *m*; *Hund*: Halsband *n*; '~**bone** Schlüsselbein *n*

colleague ['ka:li:g] Kolleg|e *m*, -in *f*

collect [kə'lekt] **1.** *v/t* (ein)sammeln; *Geld* kassieren; abholen; *v/i* sich versammeln; **2.** *adv a.* ~ **on delivery** (*Abk.* **COD**) per Nachnahme; **call** ~ ein R-Gespräch führen; ~**ed** *fig.* gefasst; ~**ion** [~k∫n] Sammlung *f*; *econ.* Eintreibung *f*; Abholung *f*; *Briefkasten*: Leerung *f*; *rel.* Kollekte *f*; ~**ive** gemeinsam; ~**or** Sammler(in)

college ['ka:lɪdʒ] College *n*; *etwa* (Fach)Hochschule *f*

collide [kə'laɪd] zs.-stoßen

56

collision [kə'lıʒn] Zs.-stoß m

colloquial [kə'loukwıəl] umgangssprachlich

colon ['koulən] Doppelpunkt m; anat. Dickdarm m

colonel ['kɜ:rnl] Oberst m

color ['kʌlər] **1.** Farbe f; Farb...; **2.** färben; sich (ver-)färben; erröten; **'~-blind** farbenblind; **'~ed** bunt; farbig; **'~fast** farbecht; **'~ful** farbenprächtig; fig. bewegt, schillernd

colt [koult] (Hengst)Fohlen n

column ['kaləm] Säule f; print. Spalte f

Comanche [kə'mæntʃı] Komantsche m (Indianer in Oklahoma)

comb [koum] **1.** Kamm m; **2.** kämmen

combat ['ka:mbæt] **1.** Kampf m; **2.** bekämpfen

combination [ka:mbı'neıʃn] Verbindung f, Kombination f; **~e 1.** [kəm'baın] (sich) verbinden; **2.** ['ka:mbaın] a. **~ harvester** Mähdrescher m

combustible [kəm'bʌstəbl] brennbar; **~ion** Verbrennung f

come [kʌm] (**came, come**) kommen; kommen, gelangen; kommen, geschehen, sich ereignen; **~ about** geschehen, passieren; **~ across** auf j-n od. et. stoßen; **~ along** mitkommen, -gehen; **~ apart** auseinander fallen; **~ away** sich lösen, Knopf etc.: ab-,

losgehen; **~ by** zu et. kommen; Besucher: vorbeikommen; **~ down** Preise: sinken; **~ for** abholen kommen, kommen wegen; **~ forward** sich melden; **~ home** nach Hause kommen; **~ in** Nachricht etc.: eintreffen; Zug: einlaufen; **~ in!** herein!; **~ off** Knopf etc.: ab-, losgehen; **~ on!** los!, komm!; **~ through** durchkommen; Krankheit etc. überstehen, -leben; **~ to** sich belaufen auf; wieder zu sich kommen; **~ to see** besuchen

comedian [kə'mi:dıən] Komiker m; **~y** ['ka:mədɪ] Komödie f

comfort ['kʌmfərt] **1.** Komfort m, Bequemlichkeit f; Trost m; **2.** trösten; **'~able** komfortabel, behaglich, bequem

comic(al) ['ka:mık(əl)] komisch, humoristisch; **'~s pl** Comics pl; Comichefte pl

comma ['ka:mə] Komma n

command [kə'mænd] **1.** Befehl m; Beherrschung f; mil. Kommando n; **2.** befehlen; mil. kommandieren; verfügen über; beherrschen; **~er** Kommandeur m, Befehlshaber m; Kommandant m; **~er in chief** [~ərın'tʃi:f] Oberbefehlshaber m; **~ment** Gebot n

commemorate [kə'meməreıt] gedenken (gen);

~ion [~'reɪʃn]: **in ~ of** zum Gedenken an

comment ['kɒment] **1. (on)** Kommentar m (zu); Bemerkung f (zu); Anmerkung f (zu); **no ~!** kein Kommentar!; **2. (on)** kommentieren (acc); sich äußern (über); **~ary** ['~ɒntərɪ] Kommentar m (**on** zu); **~ator** ['~ənteɪtər] Kommentator m, Rundfunk, TV: a. Reporter(in)

commerce ['kɒmɜːrs] Handel m

commercial [kə'mɜːrʃl] **1.** Geschäfts..., Handels...; kommerziell, finanziell; **2.** Rundfunk, TV: Werbespot m; **~ize** [~ʃəlaɪz] kommerzialisieren, vermarkten; **~ television** Werbefernsehen n; **~ traveler** Handelsvertreter(in)

commission [kə'mɪʃn] **1.** Auftrag m; Kommission f (a. econ.), Ausschuss m; Provision f; **2.** beauftragen; et. in Auftrag geben; **~er** [~ʃnər] Beauftragte m

commit [kə'mɪt] anvertrauen, übergeben; Verbrechen etc. begehen, verüben; verpflichten (**to** zu), festlegen (**to** auf); **~ment** Verpflichtung f; Engagement n; **~tee** [~tɪ] Ausschuss m, Komitee n

common ['kɒmən] **1.** gemeinsam; allgemein; alltäglich; gewöhnlich, einfach; **2.**

Gemeindeland n; **in ~** gemeinsam; **~ law** Gewohnheitsrecht n; **~place** alltäglich; **~ sense** gesunder Menschenverstand

commotion [kə'moʊʃn] Aufregung f; Aufruhr m

communal [kəm'juːnl] Gemeinde...; Gemeinschafts...

communicat|e [kə'mjuːnɪkeɪt] v/t mitteilen; v/i in Verbindung stehen; sich verständigen; sich verständlich machen; **~ion** [~'keɪʃn] Verständigung f, Kommunikation f; Verbindung f; pl Fernmeldewesen n; **~ions satellite** Nachrichtensatellit m; **~ive** [kə'mjuːnɪkətɪv] gesprächig

Communion [kə'mjuːnjən] rel. Kommunion f, Abendmahl n

communis|m ['kɒmjʊnɪzəm] Kommunismus m; **~t** ['~ɪst] **1.** Kommunist(in); **2.** kommunistisch

community [kə'mjuːnətɪ] Gemeinschaft f; Gemeinde f

commuter [kə'mjuːtər] Pendler m; **~ train** Vorortszug m

compact 1. ['kɒmpækt] s Puderdose f; **2.** [kəm'pækt] adj kompakt; eng; gedrängt; Stil: knapp; **~ disk → CD**

companion [kəm'pænjən] Begleiter(in); Gefährt|e m, -in f; **~ship** Gesellschaft f

company ['kʌmpənɪ] Gesell-

schaft f; econ. Gesellschaft f,
Firma f; mil. Kompanie f;
thea. Truppe f; **keep s.o. ~**
j-m Gesellschaft leisten

compar|able ['kɑ:mpərəbl]
vergleichbar; **~ative** [kəm-
'pærətɪv] **1.** adj verhältnismäßig; **~ degree → 2.** s gr.
Komparativ m; **~e** [~'per]
v/t vergleichen; v/i sich vergleichen (lassen); **~ison**
[~'pærɪsn] Vergleich m

compartment [kəm'pɑ:rt-
mənt] (Schub)Fach n; rail.
Abteil n

compass ['kʌmpəs] Kompass m

compassion [kəm'pæʃn]
Mitleid n; **~ate** [~ʃənət] mit-
leidig, -fühlend

compatible [kəm'pætəbl]
vereinbar; **be ~ (with)** zs.-
passen; Computer etc.:
kompatibel (mit)

compensat|e ['kɑ:mpenseɪt]
j-n entschädigen; et. erset-
zen; v/i **~ for** [~'seɪʃn] Ausgleich
m; (Schaden)Ersatz m, Ent-
schädigung f

compete [kəm'pi:t] sich
(mit)bewerben (**for** um);
konkurrieren; Sport: (am
Wettkampf) teilnehmen

competen|ce, ~cy ['kɑ:mpi-
təns, ~sɪ] Fähigkeit f; Kom-
petenz f; **~t** [~nt] fähig,
tüchtig

competit|ion [kɑ:mpɪ'tɪʃn]
Wettbewerb m; Konkurrenz
f; **~ive** [kəm'petətɪv] kon-

kurrierend; konkurrenzfä-
hig; **~or** [~tɪtər] Mitbewer-
ber(in); Konkurrent(in);
Sport: Teilnehmer(in)

complain [kəm'pleɪn] sich
beklagen od. beschweren
(**about** über; **to** bei); klagen
(**of** über); **~t** [~t] Klage f, Beschwerde f; med. Leiden n

complete [kəm'pli:t] **1.** vollständig; vollzählig; **2.** ver-
vollständigen; beenden

complexion [kəm'plekʃn]
Gesichtsfarbe f, Teint m

complicat|e ['kɑ:mplɪkeɪt]
komplizieren; **~ed** kompliziert; **~ion** [~'keɪʃn] Kompli-
kation f

compliment 1. ['kɑ:mplɪ-
mənt] Kompliment n; **2.**
['~ment] j-m ein Kompli-
ment machen (**on** für)

component [kəm'pəʊnənt]
(Bestand)Teil m

compos|e [kəm'pəʊz] zs.-
setzen od. -stellen; mus.
komponieren; **be ~d of** bestehen od. sich zs.-setzen
aus; **~ o.s.** sich beruhigen;
~ed ruhig, gelassen; **~er**
Komponist(in); **~ition** [kɑ:m-
pə'zɪʃn] Zs.-setzung f; Kom-
position f; Aufsatz m; **~ure**
[kəm'pəʊʒər] Fassung f

compound 1. [kəm'paʊnd]
v/t zs.-setzen; **2.** ['kɑ:m-
paʊnd] adj zs.-gesetzt; med.
Bruch: kompliziert; **3.**
['kɑ:mpaʊnd] s Zs.-setzung f;
chem. Verbindung f; gr.

zs.-gesetztes Wort; **~ interest** Zinseszinsen *pl*

comprehend [kɑːmprɪ'hend] begreifen, verstehen; **~sion** [~ʃn] Begreifen *n*, Verständnis *n*; **~sive** [~sɪv] umfassend

compromise ['kɑːmprəmaɪz] **1.** Kompromiss *m*; **2.** *v/t* gefährden, aufs Spiel setzen; kompromittieren, bloßstellen; *v/i* e-n Kompromiss schließen

computer [kəm'pjuːtər] Computer *m*, Rechner *m*; **~-controlled** computergesteuert; **~ize** [~aɪz] (sich) auf Computer umstellen; computerisieren, mit Hilfe e-s Computers errechnen *od.* zs.-stellen; **~ science** Informatik *f*

conceal [kən'siːl] verbergen, -stecken; verheimlichen

conceit [kən'siːt] Einbildung *f*, Dünkel *m*; **~ed** eingebildet

conceivable [kən'siːvəbl] denk-, vorstellbar; **~e** [~'siːv] *v/t* Kind empfangen; sich *et.* vorstellen *od.* denken

concentrate ['kɑːnsəntreɪt] (sich) konzentrieren

conception [kən'sepʃn] Vorstellung *f*, Begriff *m*; *biol.* Empfängnis *f*

concern [kən'sɜːrn] **1.** Angelegenheit *f*; Sorge *f*; *econ.* Geschäft *n*, Unternehmen *n*; **2.** betreffen, angehen; beunruhigen; **~ o.s. with** sich be-

schäftigen mit; **~ed** besorgt

concert ['kɑːnsərt] Konzert *n*; **~hall** Konzertsaal *m*

concession [kən'seʃn] Zugeständnis *n*; Konzession *f*

concise [kən'saɪs] kurz, knapp

conclude [kən'kluːd] folgern, schließen; **~sion** [~uːʒn] (Ab)Schluss *m*, Ende *n*; (Schluss)Folgerung *f*; **~sive** [~sɪv] schlüssig

concrete¹ ['kɑːŋkriːt] konkret

concrete² ['~] Beton *m*

concussion (**of the brain**) [kən'kʌʃn] Gehirnerschütterung *f*

condemn [kən'dem] verurteilen (*a. jur.*); für unbewohnbar *etc.* erklären; **~ation** [kɑːndem'neɪʃn] Verurteilung *f*

condensation [kɑːnden'seɪʃn] Kondensation *f*; **~e** [kən'dens] kondensieren; zs.-fassen; **~ed milk** Kondensmilch *f*

condition [kən'dɪʃn] **1.** Zustand *m*; *Sport*: Form *f*; Bedingung *f*; *pl* Verhältnisse *pl*; **on ~ that** unter der Bedingung, dass; **2.** bedingen; in Form bringen; **~al** [~ʃənl] bedingt, abhängig

condo [kɑːndoʊ] Eigentumswohnung *f*

condom ['kɑːndəm] Kondom *n*, *m*

condominium [kɑːndə'mɪ-

conduct 60

niəm] Eigentumswohnung f
conduct 1. ['kɔːndʌkt] Führung f; Verhalten n, Betragen n; **2.** [kən'dʌkt] führen; phys. leiten; mus. dirigieren; **~ed tour** Führung f (**of** durch); **~or** [~'dʌktər] Führer m; Schaffner m; Zugbegleiter m; mus. Dirigent m; phys. Leiter m; Blitzableiter m; **~ress** [~'dʌktrɪs] Schaffnerin f

cone [kəʊn] Kegel m; Eistüte f; bot. Zapfen m

confection [kən'fekʃn] Konfekt n; **~er** [~ʃnər] Konditor m; **~ery** [~ʃnərɪ] Süßwaren pl; Konditorei f

confederation [kənfedə'reɪʃn] Bund m, Bündnis n

conference ['kɔːnfərəns] Konferenz f

confess [kən'fes] gestehen; beichten; **~ion** [~'feʃn] Geständnis n; Beichte f; **~ional** [~'feʃənl] Beichtstuhl m

confide [kən'faɪd]: **~ in s.o.** sich j-m anvertrauen

confidence ['kɔːnfɪdəns] Vertrauen n; Selbstvertrauen n; **~t** überzeugt, zuversichtlich; selbstsicher; **~tial** [~'denʃl] vertraulich

confine [kən'faɪn] beschränken; einsperren; **~ment** Haft f; Entbindung f

confirm [kən'fɜːm] bestätigen; rel.: konfirmieren; firmen; **~ation** [kɑːnfər'meɪʃn] Bestätigung f; rel.: Konfir-

mation f; Firmung f; **~ed** Gewohnheit etc.: fest; überzeugt

confiscate ['kɔːnfɪskeɪt] beschlagnahmen, konfiszieren

conflict 1. ['kɔːnflɪkt] Konflikt m; **2.** [kən'flɪkt] im Widerspruch stehen (**with** zu)

conform [kən'fɔːrm] (**to**) (sich) anpassen (dat); übereinstimmen (mit)

confront [kən'frʌnt] gegenüberstehen; sich e-m Problem etc. stellen; konfrontieren

confuse [kən'fjuːz] verwechseln; verwirren; **~ed** verwirrt; verworren; **~ing** verwirrend; **~ion** [~ʒn] Verwirrung f; Durcheinander n

congested [kən'dʒestɪd] überfüllt; verstopft; **~ion** [~tʃn] Blutandrang m; a. **traffic ~** (Verkehrs)Stau m

congratulate [kən'grætʃʊleɪt] j-n beglückwünschen; j-m gratulieren; **~ion** [~'leɪʃn] Glückwunsch m; **~s!** (ich) gratuliere!, herzlichen Glückwunsch!

congregate ['kɔːngrɪgeɪt] sich versammeln; **~ion** [~'geɪʃn] rel. Gemeinde f

congress ['kɔːngres] Kongress m

conjunction [kən'dʒʌŋkʃn] gr. Konjunktion f

conjunctivitis [kəndʒʌŋkti'vaɪtɪs] Bindehautentzündung f

connect [kə'nekt] verbinden;

electr. anschließen (**to** an); *rail., aviat. etc.* Anschluss haben (**with** an); **~ing flight** Anschlussflug *m;* **~ed** verbunden; (logisch) zs.-hängend; **~ion** Verbindung *f;* Anschluss *m;* Zs.-hang *m*

conquer ['kɑːŋkər] erobern; besiegen; **~or** ['~ər] Eroberer *m*

conquest ['kɑːŋkwest] Eroberung *f*

conscience ['kɑːnʃəns] Gewissen *n*

conscientious [kɑːnʃɪ'enʃəs] gewissenhaft; **~ objector** Wehrdienstverweigerer *m (aus Gewissensgründen)*

conscious ['kɑːnʃəs] bei Bewusstsein; bewusst; **'~ness** Bewusstsein *n*

consecutive [kən'sekjʊtɪv] aufeinander folgend

consent [kən'sent] **1.** Zustimmung *f;* **2.** zustimmen

consequen|ce ['kɑːnsɪkwəns] Folge *f,* Konsequenz *f;* Bedeutung *f;* **~tly** ['~tlɪ] folglich, daher

conservation [kɑːnsər'veɪʃn] Erhaltung *f;* Natur-, Umweltschutz *m;* **~ationist** [~ʃnɪst] Natur-, Umweltschützer(in); **~ative** [kən'sɜːrvətɪv] konservativ; **~atory** [~'sɜːrvətɔːrɪ] Konservatorium *n;* Wintergarten *m;* **~e** [~'sɜːrv] erhalten, bewahren; konservieren

consider [kən'sɪdər] nachdenken über; betrachten als, halten für; sich überlegen; in Betracht ziehen, berücksichtigen; **~able** [~əbl] ansehnlich, beträchtlich; **~ably** bedeutend, (sehr) viel; **~ate** [~ət] aufmerksam, rücksichtsvoll; **~ation** [~'reɪʃn] Erwägung *f,* Überlegung *f;* Rücksicht(nahme) *f;* **~ing** [~ɪŋ] in Anbetracht (der Tatsache, dass)

consign [kən'saɪn] zusenden; **~ment** (Waren)Sendung *f*

consist [kən'sɪst]: **~ of** bestehen aus; **~ence, ~ency** [~əns, ~ənsɪ] Konsistenz *f,* Beschaffenheit *f;* Konsequenz *f;* **~ent** übereinstimmend; konsequent

consol|ation [kɑːnsə'leɪʃn] Trost *m;* **~e** [kən'soʊl] trösten

consonant ['kɑːnsənənt] Konsonant *m,* Mitlaut *m*

conspicuous [kən'spɪkjəəs] deutlich sichtbar; auffallend

conspira|cy [kən'spɪrəsɪ] Verschwörung *f;* **~e** [~'spaɪr] sich verschwören

constant ['kɑːnstənt] konstant, gleich bleibend; (be-)ständig, (an)dauernd

constipat|ed ['kɑːnstɪpeɪtɪd] *med.* verstopft; **~ion** [~'peɪʃn] *med.* Verstopfung *f*

constituen|cy [kən'stɪtjʊənsɪ] Wählerschaft *f;* Wahlkreis *m;* **~t** (wesent-

constitute

licher) Bestandteil; *pol.* Wähler(in)

constitute [ˈkɑːnstɪtjuːt] ernennen, einsetzen; bilden, ausmachen

constitution [kɑːnstɪˈtuːʃn] *pol.* Verfassung *f*; Konstitution *f*, körperliche Verfassung *f*; **~al** [~ʃənl] konstitutionell; *pol.* verfassungsmäßig

constrain|ed [kənˈstreɪnd] gezwungen, unnatürlich; **~t** [~t] Zwang *m*

construct [kənˈstrʌkt] bauen, konstruieren; **~ion** [~kʃn] Konstruktion *f*; Bau(werk *n*) *m*; **under ~** im Bau (befindlich); **~ion site** Baustelle *f*; **~ive** konstruktiv

consul [ˈkɑːnsəl] Konsul *m*; **~ general** Generalkonsul *m*; **~ate** [ˈ~sʊlət] Konsulat *n*; **~ general** Generalkonsulat *n*

consult [kənˈsʌlt] *v/t* konsultieren, um Rat fragen; in *e-m Buch* nachschlagen; *v/i* (sich) beraten; **~ant** [~] (fachmännische(r)) Berater(in); **~ation** [kɑːnsəlˈteɪʃn] Konsultation *f*, Beratung *f*

consume [kənˈsuːm] *Essen etc.* zu sich nehmen, verzehren; **~** verbrauchen; **~r** Verbraucher(in); **~r goods** *pl* Konsumgüter *pl*; **~r society** Konsumgesellschaft *f*; **~ption** [~ˈsʌmpʃn] Verbrauch *m*

contact [ˈkɑːntækt] **1.** Berührung *f*; Kontakt *m*; Verbindung *f*; **2.** sich in Verbin-

dung setzen mit; **~ lens** Kontaktlinse *f*, Haftschale *f*

contagious [kənˈteɪdʒəs] ansteckend (*a. fig.*)

contain [kənˈteɪn] enthalten; **~er** Behälter *m*; Container *m*

contaminat|e [kənˈtæmɪneɪt] verunreinigen; infizieren, vergiften, (*a.* radioaktiv) verseuchen; **~ion** [~ˈneɪʃn] Verunreinigung *f*; Infizierung *f*, Vergiftung *f*, Verseuchung *f*

contemplate [ˈkɑːntəmpleɪt] nachdenken über

contemporary [kənˈtempərərɪ] **1.** zeitgenössisch; **2.** Zeitgenoss|e *m*, -in *f*; Altersgenoss|e *m*, -in *f*

contempt [kənˈtempt] Verachtung *f*; **~ible** verabscheuungswürdig

content¹ [ˈkɑːntent] Gehalt *m* (**of** an); *mst pl* Inhalt *m*

content² [kənˈtent] **1.** zufrieden; **2.** zufrieden stellen; **o.s. with** sich begnügen mit

contest 1. [ˈkɑːntest] (Wett)Kampf *m*; Wettbewerb *m*; **2.** [kənˈtest] sich bewerben um; bestreiten; **~ant** [kənˈtestənt] (Wettkampf)Teilnehmer(in)

context [ˈkɑːntekst] Zs.-hang *m*

continent [ˈkɑːntɪnənt] Kontinent *m*, Erdteil *m*

continual [kənˈtɪnjʊəl] andauernd, ständig; immer

63 conventional

wiederkehrend; **~ation** [~'eɪʃn] Fortsetzung *f*; Fortbestand *m*, -dauer *f*; **~e** [~'tɪnjuː] *v/t* fortsetzen, -fahren mit: beibehalten; **to be ~d** Fortsetzung folgt; *v/i* fortfahren; andauern; (fort-) bestehen; (ver)bleiben; **~ity** [kɑːntɪ'njuːətɪ] Kontinuität *f*; **~ous** [kən'tɪnjuəs] ununterbrochen

contour ['kɑːntʊr] Kontur *f*, Umriss *m*

contraception [kɑːntrə'sepʃn] Empfängnisverhütung *f*; **~ive** [~tɪv] *adj u. s* empfängnisverhütend(es Mittel)

contract 1. ['kɑːntrækt] Vertrag *m*; **2.** [kən'trækt] (sich) zs.-ziehen; e-n Vertrag abschließen; sich vertraglich verpflichten; **~or** [kən'træktər] *a. building ~* Bauunternehmer *m*

contradict [kɑːntrə'dɪkt] widersprechen; **~ion** [~kʃn] Widerspruch *m*; **~ory** [~tərɪ] (sich) widersprechend

contrary ['kɑːntrərɪ] **1.** entgegengesetzt (*to dat*); gegensätzlich; **2.** Gegenteil *n*; *on the ~* im Gegenteil

contrast 1. [kɑːntræst] Gegensatz *m*; Kontrast *m*; **2.** [kən'træst] *v/t* gegenüberstellen, vergleichen; *v/i* im Gegensatz stehen (*with* zu)

contribute [kən'trɪbjuːt] beitragen, -steuern (*to* zu);

spenden (*to* für); **~ion** [kɑːntrɪ'bjuːʃn] Beitrag *m*

control [kən'troʊl] **1.** kontrollieren; beherrschen; überwachen; *tech.* steuern, regeln, regulieren; **2.** Kontrolle *f*, Herrschaft *f*, Macht *f*, Beherrschung *f*; *tech.* Reg(e)lung *f*, Regulierung *f*; *tech.* Regler *m*; *mst pl tech.* Steuerung *f*, Steuervorrichtung *f*; *be in ~ of et.* leiten *od.* unter sich haben; *bring* (*od. get*) *under ~* unter Kontrolle bringen; *get out of ~* außer Kontrolle geraten; *lose ~ of* die Kontrolle verlieren über; *lose ~ of o.s.* die (Selbst)Beherrschung verlieren; **~ler** Fluglotse *m*; **~ panel** Schalttafel *f*; **~ tower** *aviat.* Kontrollturm *m*, Tower *m*

controversial [kɑːntrə'vɜːrʃl] umstritten; **~y** ['kɑːntrəvɜːrsɪ] Kontroverse *f*, Streitfrage *f*

convenience [kən'viːnjəns] Annehmlichkeit *f*, Bequemlichkeit *f*; *all (modern)* **~s** aller Komfort; **~ce store** *etwa* Tante-Emma-Laden *m*; **~t** bequem; günstig, passend

convent ['kɑːnvənt] (Nonnen)Kloster *n*

convention [kən'venʃn] *Brauch*: Konvention *f*, Sitte *f*; Zs.-kunft *f*, Tagung *f*, Versammlung *f*; Abkommen *n*; **~al** [~ʃənl] konventionell

conversation [kɑːnvər-'seɪʃn] Konversation f, Gespräch n, Unterhaltung f; **~al** [~ʃənl]: **~ English** Umgangsenglisch n; **~ tone** Plauderton m

conversion [kən'vɜːrʃn] Um-, Verwandlung f; math. Umrechnung f; rel. Bekehrung f; **~ table** Umrechnungstabelle f

convert [kən'vɜːrt] um-, verwandeln; math. umrechnen; rel. bekehren; **~ible 1.** um-, verwandelbar; **2.** mot. Kabrio(lett) n

convey [kən'veɪ] befördern, transportieren; überbringen, -mitteln; Ideen etc. mitteilen; **~ance** Beförderung f, Transport m; Übermittlung f, Verkehrsmittel n; **~er (belt)** Förderband n

convict 1. [kən'vɪkt] jur. (of) überführen (gen); verurteilen (wegen); **2.** ['kɑːnvɪkt] Strafgefangene m, f; Verurteilte m, f; **~ion** [kən'vɪkʃn] jur. Verurteilung f; Überzeugung f

convince [kən'vɪns] überzeugen; **~ing** überzeugend

convoy ['kɑːnvɔɪ] Konvoi m

convulsion [kən'vʌlʃn] Krampf m, Zuckung f; **~ive** [~sɪv] krampfhaft

cook [kuk] **1.** Koch m; Köchin f; **2.** kochen; **~book** Kochbuch n; '**~ie** Keks m

cool [kuːl] **1.** kühl; fig.

kalt(blütig), gelassen; **2.** (sich) abkühlen; **~er** Kühltasche f; kühlendes Getränk; sl. Knast m

cooperate [kou'ɑːpəreɪt] zs.-arbeiten; mitwirken; **~ion** [~'reɪʃn] Zs.-arbeit f, Mitwirkung f, Hilfe f; **~ive** [~'ɑːpərətɪv] zs.-arbeitend; kooperativ, hilfsbereit; Genossenschafts...; Genossenschafts...

coordinate [kou'ɔːrdɪneɪt] koordinieren, abstimmen

cop [kɑːp] F Polizist(in): Bulle m

cope [koup]: **~ with** fertig werden mit

copier ['kɑːpɪər] Kopiergerät n, Kopierer m

copilot ['koupaɪlət] Kopilot m

copper ['kɑːpər] **1.** Kupfer n; Kupfermünze f; **2.** kupfern

copy ['kɑːpɪ] **1.** Kopie f; Abschrift f; Nachbildung f; Durchschlag m, -schrift f; Buch etc.: Exemplar n; print. (Satz)Vorlage f; **fair ~** Reinschrift f; **rough ~** Rohentwurf m; **2.** kopieren, abschreiben; e-e Kopie anfertigen von; nachbilden, -ahmen; '**~right** Urheberrecht n, Copyright n

cord [kɔːrd] **1.** Schnur f (a. electr.), Strick m; Cordsamt m; Leine m; **2.** ver-, zuschnüren; **cordial** ['kɔːrdʒəl] herzlich

'**cordless** schnurlos

65

cotton candy

cordon ['kɔ:rdn]: ~ off abriegeln, absperren

corduroy ['kɔ:rdərɔɪ] Cord(-samt) m

core [kɔ:r] 1. Kerngehäuse n; Kern m, fig. a. das Innerste; 2. entkernen

cork [kɔ:rk] 1. Kork(en) m; 2. zu-, verkorken; '~screw Korkenzieher m

corn¹ [kɔ:rn] Mais m

corn² [~] med. Hühnerauge n

corn³ [~] (ein)pökeln; ~ed beef gastr. Corned Beef n, gepökeltes Rindfleisch

corner ['kɔ:rnər] 1. Ecke f; Winkel m; bsd. mot. Kurve f; Ecke f; fig. schwierige Lage, Klemme f; Eck...; 3. fig. in die Enge treiben; ~ed ...eckig; ~ kick Fußball: Eckstoß m

coronary ['kɔ:rənerɪ] F, ~ thrombosis (pl -ses [~si:z]) Herzinfarkt m

corporate ['kɔ:rpərət] gemeinsam; Firmen...; ~ion [~'reɪʃn] jur. Körperschaft f; Gesellschaft f, Firma f; Aktiengesellschaft f; Stadtverwaltung f

corpse [kɔ:rps] Leiche f

corral [kə'ræl] Korral m, Hürde f, Pferch m

correct [kə'rekt] 1. korrekt, richtig; Zeit: a. genau; 2. korrigieren; berichtigen, verbessern; ~ion [~ʃn] Korrektur f; Berichtigung f

correspond [kɑ:rɪ'spɑ:nd]

(with, to) entsprechen (dat), übereinstimmen (mit); korrespondieren; ~ence Entsprechung f, Übereinstimmung f; Korrespondenz f; Briefwechsel m; ~ent Briefpartner(in); Korrespondent(in); ~ing entsprechend

corridor ['kɔ:rɪdər] Korridor m, Flur m, Gang m

corroborate [kə'rɑ:bəreɪt] bestätigen

corrode [kə'roʊd] zerfressen; rosten; ~sion [~ʒn] Korrosion f

corrugated ['kɔ:rəgeɪtɪd] gewellt

corrupt [kə'rʌpt] 1. korrupt; bestechlich; 2. bestechen; ~ion [~pʃn] Verdorbenheit f; Korruption f; Bestechung f

cosmetic [kɑ:z'metɪk] 1. kosmetisch; 2. Kosmetikartikel m; ~ian [~mə'tɪʃn] Kosmetikerin f

cost [kɑ:st] 1. Kosten pl; Preis m; 2. (cost) kosten; ~ of living Lebenshaltungskosten pl

costume ['kɑ:stu:m] Kostüm n; Tracht f; ~ jewelry Modeschmuck m

cot [kɑ:t] Campingliege f; Gästebett n

cottage ['kɑ:tɪdʒ] Cottage n, (kleines) Landhaus; ~ cheese Hüttenkäse m

cotton ['kɑ:tn] Baumwolle f; (Baumwoll)Garn n; ~ candy

3 Uni Amerikanisch

Zuckerwatte f; ~ **picker** Baumwollpflücker(in); **picking** sl. verdammt, Scheiß...; ♀ **State** Spitzname für Alabama; **'~tail** amerikanisches Wildkaninchen; ~ **tree** Baumwollbaum m

couch [kautʃ] Couch f; ~ **potato** j-d, der gerne viel Zeit vor dem Fernseher verbringt

cough [kɔːf] **1.** Husten m; **2.** husten

could [kʊd] pret von **can**[1]

council ['kaunsl] Rat(sversammlung f) m; Stadtrat m

counsel ['kaunsl] **1.** (Rechts)Anwalt m; Rat (-schlag); Beratung f; **2.** j-m raten; zu et. raten; **or** ['~slər] Berater(in); Anwalt m

count [kaunt] zählen; ~ **on** zählen auf, sich verlassen auf, rechnen mit

countdown ['kauntdaun] Count-down m, n (a. fig.)

counter[1] ['kauntər] Ladentisch m; Theke f; Schalter m

counter[2] ['~] entgegen (**to** dat); Gegen...

counter|act [kauntə'rækt] entgegenwirken; Wirkung neutralisieren; **'~balance 1.** ['~bæləns] Gegengewicht n; **2.** ['bæləns] v/t ein Gegengewicht bilden zu, ausgleichen; **~clockwise** [~'klɒkwaɪz] gegen den Uhrzeigersinn; **~culture** [~'kʌltʃər] Gegenkultur f; **~espionage**

[~'espɪɔnɑːʒ] Spionageabwehr f; **~feit** ['~fɪt] **1.** falsch, gefälscht; **2.** Fälschung f; **3.** Geld etc. fälschen; **'~man** (pl **-men**) Büfettier m; **'~part** Gegenstück n; genaue Entsprechung f; **'~top** Arbeitsplatte f

countless zahllos, unzählig

country ['kʌntrɪ] Land n; **in the** ~ auf dem Lande; ~ **club** Golfklub m; ~ **music** Country-Music f; ~ **road** Landstraße f (ländliche) Gegend; Landschaft f

county ['kauntɪ] etwa (Land-, Stadt)Kreis m; ~ **court** etwa Kreisgericht n; ~ **seat** Kreisstadt f

couple ['kʌpl] **1.** Paar n; **a** ~ **of** zwei; F ein paar; **2.** (zs.-) koppeln; verbinden

coupon ['kuːpɒn, 'kjuːpɒn] Gutschein m; Bestellzettel m

courage ['kʌrɪdʒ] Mut m; **~ous** [kə'reɪdʒəs] mutig

courier ['kʊrɪər] Eilbote m, Kurier m; Reiseleiter(in)

course [kɔːrs] Kurs m; (Renn)Bahn f, (-)Strecke f; (Golf)Platz m; (Ver)Lauf m; Speisen: Gang m; Kurs m, Lehrgang m; **of** ~ natürlich; **~ware** Lernsoftware f

court [kɔːrt] **1.** a. ~ **of law** jur. Gericht n; (Tennis- etc.)Platz m; **2.** werben um; miteinander gehen

courte|ous ['kɜːtɪəs] höf-

cranky

lich; **~sy** ['~tısı] Höflichkeit f
'**court**|**house** Gerichtsgebäu-
de n; **~ martial** Militärge-
richt n; **~ order** Gerichtsbe-
schluss m; **~room** Gerichts-
saal m; **~yard** Hof m

cousin ['kazn] Cousin m,
Vetter m; Cousine f

cove [kəʊv] kleine Bucht

cover ['kʌvər] 1. Decke f,
Deckel m; Decke m, Ein-
band m; (Schutz)Umschlag
m; Umschlagseite f, Hülle f,
Futteral m; Überzug m, Be-
zug m; Abdeck-, Schutzhau-
be f; mil. etc. Schutz m;
Schutz m; econ. Deckung f,
Sicherheit f; Gedeck n; 2.
(be-, zu)decken; sich er-
strecken über; Strecke zurücklegen; decken, schützen;
econ. (ab)decken; versi-
chern; Presse etc.: berichten
über; Sport: Gegenspieler
decken; **~ up** verheimlichen,
-tuschen; **~age** ['~ıdʒ] Versi-
cherungsschutz m, (Schadens)Deckung f; Presse etc.:
Berichterstattung f

cow [kaʊ] Kuh f; Rind n

coward ['kaʊərd] Feigling m;
~ice ['~ıs] Feigheit f; **~ly**
feig(e)

'**cow**|**boy** Cowboy m; **~girl**
Cowgirl m; **~hand** Cowboy
m; Cowgirl n

coy [kɔı] schüchtern

cozy ['kəʊzı] gemütlich

CPU [siːpiːˈjuː] Computer:
Abk. für **central processing**

unit CPU f, Zentraleinheit f

crab [kræb] Krabbe f; Ta-
schenkrebs m; **~meat** gastr.
Krebsfleisch n

crack [kræk] 1. s Knall m;
Sprung m, Riss m; Spalt(e f)
m; Ritze f; (heftiger) Schlag;
Rauschgift: Crack m; 2. adj F
erstklassig; 3. v/i krachen,
knallen; (zer)springen; Stimme: überschnappen; Eis:
~ up zs.-brechen; **get ~ing** F
loslegen; v/t knallen mit
(Peitsche); zerbrechen; Nuss,
F Kode, Safe etc. knacken;
Witz reißen; **~er** ungesüßter
Keks: Cracker m, Kräcker
m; Schwärmer m, Knall-
frosch m, Knallbonbon m, n;
~le ['~kl] knistern; **~pot** 1.
Spinner m; 2. verrückt

cradle ['kreıdl] 1. Wiege f; 2.
wiegen, schaukeln

craft [kraːft] Handwerk n;
Boot(e pl) n, Schiff(e pl) n,
Flugzeug(e pl) n; **~sman**
(pl **-men**) Handwerker m;
~y schlau

cram [kræm] (voll)stopfen,
büffeln, pauken

cramp [kræmp] Krampf m;
tech. Krampe f

cranberry ['krænbərı] Preis-
selbeere f

crane¹ [kreın] zo. Kranich m

crane² [~] tech. Kran m

crank [kræŋk] Kurbel f; F komischer Kauz, Spinner m; F
Miesepeter m; **~y** schlecht
gelaunt, F sauer

crash [kræʃ] **1.** zertrümmern; krachen, knallen; zs.-krachend einstürzen, zs.-krachen; *econ.* zs.-brechen; *mot.* verunglücken (mit); e-n Unfall haben (mit), zs.-stoßen; *aviat., Computer:* abstürzen; **~ a party** uneingeladen zu e-r Party kommen; **2.** Krach(en n) *econ.* Zs.-bruch m, (Börsen)Krach m; *mot.* Unfall m, Zs.-stoß m; *aviat., Computer:* Absturz m; **~ course** Schnell-, Intensivkurs m; **~ diet** radikale Schlankheitskur; **~ helmet** Sturzhelm m; **~ landing** Bruchlandung f; **~ pad** Ort, an dem man kostenlos übernachten od. kurzfristig wohnen kann

crate [kreɪt] (Latten)Kiste f

crater ['kreɪtər] Krater m

cravat [krə'væt] Halstuch n

crave [kreɪv] verlangen

crawl [krɔːl] **1.** kriechen; krabbeln; *Schwimmen:* kraulen

crayfish ['kreɪfɪʃ] Flusskrebs m; Languste f

crayon ['kreɪən] Buntstift m; Wachsmalstift m

craz|e [kreɪz] Manie f, Verrücktheit f; **the latest ~** der letzte Schrei; **'~y:** (*about*) verrückt (nach)

cream [kriːm] **1.** Rahm m, Sahne f, Creme f; *fig.* Auslese f, Elite f; **~** (milch)(farben); **'~er** Sahnekännchen m; Kaffeeweißer m; **'~y** sahnig

crease [kriːs] **1.** (Bügel)Falte f; falten; (zer)knittern

creat|e [kriː'eɪt] (er)schaffen; verursachen; **~ion** Schöpfung f; **~ive** schöpferisch, kreativ; **~or** Schöpfer m; **~ure** ['kriːtʃər] Geschöpf n, Kreatur f

credentials [krɪ'denʃlz] pl Ausweis(papiere pl) m

credible ['kredəbl] glaubwürdig; glaubhaft

credit ['kredɪt] **1.** *econ.* Kredit m; *econ.* Guthaben n, Haben n; Glaube(n) m; **2.** econ. Betrag zuschreiben, glauben (dat); **~ card** Kreditkarte f; **'~or** Gläubiger m

creed [kriːd] Glaubensbekenntnis n

creek [kriːk]. kleiner Fluss, Bach m

creep [kriːp] **1.** (*crept*) kriechen; schleichen; **2.** *sl.* Widerling m, Ekel n; **'~er** Kletterpflanze f; **'~y** grus(e)lig

cremat|e [krɪ'meɪt] einäschern; **~ion** Einäscherung f, Feuerbestattung f

crept [krept] pret u. pp von **creep 1**

crescent ['kresnt] **1.** Halbmond m, Mondsichel f; **2.** halbmondförmig

crest [krest] zo. Haube f; Bergrücken m, Kamm m

crevice ['krevɪs] Spalte f

crew [kruː] Besatzung f, Mannschaft f; **~ cut** Bürstenhaarschnitt m

crib [krɪb] Kinderbettchen n

cricket ['krɪkɪt] zo. Grille f

crime [kraɪm] Verbrechen n

criminal ['krɪmɪnl] **1.** kriminell; Straf...; **2.** Verbrecher(in), Kriminelle m, f

crimson ['krɪmzn] karmesin-, feuerrot

cringe [krɪndʒ] sich ducken

cripple ['krɪpl] **1.** Krüppel m; **2.** zum Krüppel machen, verkrüppeln; lähmen

crisis ['kraɪsɪs] (pl -ses ['∼siːz]) Krise f

crisp [krɪsp] knusp(e)rig; Gemüse: frisch, fest; Luft etc.: scharf, frisch

critic ['krɪtɪk] Kritiker(in); **∼al** kritisch; gefährlich; **∼ism** ['∼sɪzəm] Kritik f; **∼ize** ['∼saɪz] kritisieren

crochet ['krəʊʃeɪ] häkeln

crocus ['krəʊkəs] Krokus m

crony ['krəʊnɪ] Kumpel m; alter Freund

crook [krʊk] **1.** Krümmung f, Biegung f; F Gauner m; **2.** **∼ed** ['∼ɪd] gekrümmt, krumm

crop [krɒp] **1.** Ernte f; **2.** abschneiden, scheren

cross [krɒs] **1.** Kreuz n; biol. Kreuzung f; **2.** (sich) kreuzen; Straße überqueren; Plan etc. durchkreuzen; biol. kreuzen; **∼ off**, **∼ out** aus-, durchstreichen; **∼ o.s.** sich bekreuzigen; **∼ my heart!** Ehrenwort!: **∼ one's legs** die Beine übereinander schla-

gen; **keep one's fingers ∼ed** den Daumen drücken od. halten; **it ∼ed my mind** es fiel mir ein; **3.** adj brummig, ärgerlich; **∼bar** Sport: Tor-, Querlatte f; **∼breed** biol. Kreuzung f; **∼buck** Warnkreuz n (an Bahnübergängen); **∼country** Querfeldein...; **∼country skiing** Skilanglauf m; **∼examine** ins Kreuzverhör nehmen; **∼eyed: be ∼** schielen; **∼ing** (Straßen- etc.)Kreuzung f; Straßenübergang m; naut. Überfahrt f; **∼roads** pl od. sg (Straßen)Kreuzung f; fig. Scheideweg m; **∼'section** Querschnitt m; **∼walk** Fußgängerübergang m; **∼word (puzzle)** Kreuzworträtsel n

crotch [krɒtʃ] Hose, Körper: Schritt m

crouch [kraʊtʃ] sich bücken od. ducken

crow¹ [krəʊ] Krähe f

crow² [∼] **1.** krähen; **2.** Krähen n

crowd [kraʊd] **1.** (Menschen)Menge f; **2.** (zs.-)strömen, sich drängen; Straßen etc. bevölkern; **∼ed: (with)** überfüllt (mit), voll (von)

crown [kraʊn] **1.** Krone f; Kron...; **2.** krönen; **∼ cap** Kronenkorken m

crucial ['kruːʃl] entscheidend

crucifixion [kruːsɪ'fɪkʃn] Kreuzigung f; **∼fy** ['∼faɪ] kreuzigen

crude [kru:d] roh, unbearbeitet; *fig.* roh, grob; **~ (oil)** Rohöl *n*

crudités [kru:dɪ'teɪ] *pl* Rohkost *f*

cruel ['kru:əl] grausam; hart; **~ty** Grausamkeit *f*

cruise [kru:z] **1.** kreuzen, e-e Kreuzfahrt machen; **2.** Kreuzfahrt *f*

crumb [krʌm] Krume *f*, Krümel *m*; **~le** ['~bl] zerkrümeln

crummy ['krʌmɪ] schäbig, miserabel

crumple ['krʌmpl] (zer)knittern

crunch [krʌntʃ] (geräuschvoll) (zer)kauen; knirschen

crush [krʌʃ] **1.** Gedränge *n*, Gewühl *n*; **2.** sich drängen; zerquetschen; zerdrücken; zerkleinern, -mahlen; auspressen; *fig.* nieder-, zerschmettern; *Aufstand etc.* niederwerfen

crust [krʌst] Kruste *f*

crutch [krʌtʃ] Krücke *f*

cry [kraɪ] **1.** schreien, rufen (**for** nach); weinen; heulen; jammern; **2.** Schrei *m*, Ruf *m*; Geschrei *n*; Weinen *n*

crystal ['krɪstl] Kristall *m*; (*a.* **~ glass**) Kristall(glas) *n*; Uhrglas *n*; **~lize** ['~təlaɪz] kristallisieren

CT *Abk. für* Connecticut

cub [kʌb] (*Raubtier*)Junge *n*

cube [kju:b] Würfel *m*; Kubikzahl *f*

cubic ['kju:bɪk] Kubik...,

Raum...; **~le** ['~kl] Kabine *f*

cuckoo ['kuku:] Kuckuck *m*

cucumber ['kju:kʌmbər] Gurke *f*

cuddle ['kʌdl] an sich drücken, hätscheln, schmusen, kuscheln

cuddly ['kʌdlɪ] kuschelig

cue [kju:] Stichwort *n*; Wink *m*, Fingerzeig *m*

cuff [kʌf] Manschette *f*, (*Ärmel-, Hosen*)Aufschlag *m*; **~ link** Manschettenknopf *m*

cul-de-sac ['kʌldəsæk] Sackgasse *f*

culprit ['kʌlprɪt] Täter(in), Schuldige *m, f*

cult [kʌlt] Kult *m*

cultivate ['kʌltɪveɪt] anbauen, bebauen; kultivieren, fördern; **~ion** [~'veɪʃn] Anbau *m*, Bebauung *f*

cultural ['kʌltʃərəl] kulturell, Kultur...; **~e** ['~tʃər] Kultur *f*; Anbau *m*, Pflanzenzucht *f*

cumbersome ['kʌmbərsəm] lästig; unhandlich, sperrig

cunning ['kʌnɪŋ] **1.** schlau, listig; **2.** List *f*, Schlauheit *f*

cup [kʌp] Tasse *f*; Becher *m*; *Sport:* Cup *m*, Pokal *m*; **~board** ['kʌbərd] Schrank *m*; **~cake** *kleiner* Napfkuchen

curable ['kjʊərəbl] heilbar

curb [kɜ:rb] Bordstein *m*

cure [kjʊr] **1.** Kur *f*, Heilverfahren *n*; Heilung *f*;

(Heil)Mittel *n*; **2.** heilen; trocknen; (ein)pökeln

curi|osity ['kjʊrɪ'ɒsɪtɪ] Neugier *f*; Rarität *f*; Sehenswürdigkeit *f*; **~ous** ['~əs] neugierig; seltsam

curl [kɜːrl] **1.** Locke *f*; **2.** (sich) locken *od.* kräuseln; **~ up** sich zs.-rollen; **~er** Lockenwickler *m*; **~y** gelockt, lockig

currant ['kɜːrənt] Johannisbeere *f*; Korinthe *f*

curren|cy ['kɜːrənsɪ] *econ.* Währung *f*; **foreign ~** Devisen *pl*; **~t** ['~nt] **1.** Monat, Ausgabe *etc.*: laufend; gegenwärtig, aktuell; üblich, gebräuchlich; **~ events** *pl* Tagesereignisse *pl*; **2.** Strömung *f*, Strom *m* (*beide a. fig.*); *electr.* Strom *m*

curriculum [kə'rɪkjələm] (*pl -la* [~lə], *-lums*) Lehr-, Studienplan *m*

curse [kɜːrs] **1.** Fluch *m*; **2.** (ver)fluchen; **~d** ['~ɪd] verflucht

cursor ['kɜːrsər] *Computer:* Cursor *m*

curtain ['kɜːrtn] Vorhang *m*

curve [kɜːrv] Kurve *f*, Krümmung *f*, Biegung *f*

cushion ['kʊʃn] **1.** Kissen *n*; **2.** polstern; *Stoß* dämpfen

cuss [kʌs] fluchen

custard ['kʌstərd] Vanillesoße *f*

custody ['kʌstədɪ] Haft *f*, Obhut *f*; *jur.* Sorgerecht *n*

custom ['kʌstəm] Brauch *m*, Gewohnheit *f*; *econ.* Kundschaft *f*; **~ary** üblich; **~er** Kunde *m*, -in *f*

customs ['kʌstəmz] *pl* Zoll *m*; **~ clearance** Zollabfertigung *f*; **~ inspection** Zollkontrolle *f*; **~ officer** Zollbeamte *m*

cut [kʌt] **1.** Schnitt *m*; Schnittwunde *f*; (*Fleisch-*) Schnitte *f*, Stück *n*; *Holz:* Schnitt *m*; *Edelsteine:* Schliff *m*; Kürzung *f*, Senkung *f*; **cold ~s** *pl* Aufschnitt *m*; **2.** (*cut*) (ab-, an-, be-, durch-, zer)schneiden; *Edelsteine* schleifen; *mot.* Kurve schneiden; *Löhne etc.* kürzen; *Preise* herabsetzen, senken; *Karten* abheben; **~ a tooth** e-n Zahn bekommen, zahnen; **~ down** *Bäume* fällen; (sich) einschränken; **~ in on s.o.** *mot.* j-n schneiden; j-n unterbrechen; **~ off** abschneiden; unterbrechen, trennen; *Strom* sperren; **~ out** ausschneiden; *Kleid etc.* zuschneiden

cute [kjuːt] niedlich, süß

cuticle ['kjuːtɪkl] Nagelhaut *f*

cutlet ['kʌtlɪt] (*Kalbs-, Lamm*)Kotelett *n*

cut|off Abkürzungsweg *m*; **~-rate** ermäßigt, herabgesetzt

cutt|er ['kʌtər] Zuschneider(in); (*Glas-, Diamant-*) Schleifer *m*; Schneidewerkzeug *n*, -maschine *f*; *Film:*

Cutter(in); *naut.* Kutter *m*;
'~ing schneidend (*a. fig.*);
Schneid(e)...

Cy. *Abk. für* county Kreis *m*

cycl|e ['saikl] 1. Zyklus *m*; 2.
Rad fahren, radeln; '~ing
Radfahren *n*; '~ist Rad-,

Motorradfahrer(in)

cylinder ['silindər] Zylinder
m, Walze *f*, Trommel *f*

cynic ['sinik] Zyniker(in);
'~al zynisch

cypress ['saiprəs] Zypresse *f*

cyst [sist] Zyste *f*

D

D.A. [di:'ei] *Abk. für* District
Attorney *etwa* Staatsanwalt
m, Staatsanwältin *f*

dab [dæb] be-, abtupfen

dad [dæd] F, '~dy Papa *m*,
Vati *m*; '~dy 'longlegs *zo.*
Weberknecht *m*

daffodil ['dæfədil] gelbe Narzisse, Osterglocke *f*

dagger ['dægər] Dolch *m*

daily ['deili] 1. täglich; 2.
Tageszeitung *f*

dainty ['deinti] zierlich; wählerisch, verwöhnt

daiquiri ['daikəri] Daiquiri *m*
(*alkoholisches Mixgetränk
aus Rum und Fruchtsäften*)

dairy ['deəri] Molkerei *f*;
Milchgeschäft *n*

daisy ['deizi] Gänseblüm-
chen *n*; push up the daisies
sich die Radieschen von unten betrachten (*tot sein*)

dam [dæm] 1. (Stau)Damm
m; 2. *a.* ~ up stauen

damage ['dæmidʒ] 1. Scha-
den *m*; *pl. jur.* Schadenersatz
m; 2. beschädigen; schaden

dame [deim] *sl.* Frau *f*

damn [dæm] *a.* ~ed ver-
dammt; ~ it! F verflucht!

damp [dæmp] 1. feucht; 2.
Feuchtigkeit *f*; 3. *a.* ~en an-,
befeuchten; dämpfen

danc|e [dæns] 1. tanzen; 2.
Tanz *m*; Tanz(veranstaltung
f) *m*; '~er Tänzer(in); '~ing
Tanzen *n*; Tanz...

dandelion ['dændilaiən] *bot.*
Löwenzahn *m*

dandruff ['dændrʌf] (Kopf-)
Schuppen *pl*

danger ['deindʒər] Gefahr *f*;
~ous ['~dʒərəs] gefährlich

Danish ['deiniʃ] 1. Dänisch
n; Blätterteigstückchen *n*; 2.
dänisch

dar|e [der] es wagen; '~ing
kühn, wagemutig; gewagt,
verwegen

dark [dɑːrk] 1. dunkel; finster; *fig.* düster, trüb(e), finster; 2. Dunkel(heit *f*) *n*; after
~ nach Einbruch der Dun-
kelheit; '~en verdunkeln;
dunkel *od.* dunkler machen;
dunkel werden, sich verdunkeln; '~ness Dunkelheit *f*

darling ['dɑːrlɪŋ] **1.** Liebling *m*; **2.** lieb; F goldig

dash [dæʃ] **1.** schleudern, schmettern; *Hoffnungen etc.* zerstören, zunichte machen; stürmen, stürzen; ~ **off** davonstürzen; **2.** Schlag *m*, Schuss *m* (*Rum etc.*), Prise *f* (*Salz etc.*), Spritzer *m* (*Zitrone*); Gedankenstrich *m*; Sprint *m*; *make a* ~ *for* losstürzen auf; '~**board** Armaturenbrett *n*

data ['deɪtə] *pl* (*oft sg*) Daten *pl*, Angaben *pl*; *Computer*: Daten *pl*; ~ **base** Datenbank *f*; ~ **processing** Datenverarbeitung *f*

date¹ [deɪt] Dattel *f*

date² [~] **1.** Datum *n*; Zeit(punkt *m*) *f*; Termin *m*; F Verabredung *f*; F (Verabredungs)Partner(in); *out of* ~ veraltet, unmodern; *up to* ~ zeitgemäß, modern, auf dem Laufenden; **2.** datieren; F sich verabreden mit, gehen mit; '~**d** veraltet, altmodisch

daughter ['dɔːtə] Tochter *f*; '~**-in-law** Schwiegertochter *f*

davenport   ['dævənpɔːrt] (Bett)Couch *f*

dawn [dɔːn] **1.** (Morgen-) Dämmerung *f*; *at* ~ bei Tagesanbruch; **2.** dämmern

day [deɪ] Tag *m* (*a. Zeitraum*); *oft pl* (Lebens)Zeit *f*; ~ *off* (dienst)freier Tag; *by* ~ bei Tag(e); ~ *after* ~ Tag für Tag; ~ *in* ~ *out* tagaus, tagein; *in*

those ~*s* damals; *one* ~ e-s Tages; *the other* ~ neulich; *the* ~ *after tomorrow* übermorgen; *the* ~ *before yesterday* vorgestern; *let's call it a* ~*!* Feierabend!, Schluss für heute!; '~**break** Tagesanbruch *m*; '~**care center** Kindertagesstätte *f*; '~**dream** (mit offenen Augen) träumen; '~**light** Tageslicht *n*; *scare the* ~*s out of s.o.* j-n zu Tode erschrecken; '~**light saving time** Sommerzeit *f*

dazed [deɪzd] benommen

dazzle ['dæzl] blenden

DC [diː'siː] *Abk. für direct current* Gleichstrom *m*; *Abk. für District of Columbia* (*Gebiet der Bundeshauptstadt Washington*)

DE *Abk. für* Delaware

DEA [diːiː'eɪ] *Abk. für Drug Enforcement Administration* (*US-Behörde zur Bekämpfung der Drogenhandels*)

dead [ded] **1.** tot; gestorben; gefühllos; ~ *tired* todmüde; **2.** *the* ~ die Toten *pl*; *in the* ~ *of night* mitten in der Nacht; ~**en** ['dedn] dämpfen, abschwächen; abstumpfen (*to* gegen); ~ *end* Sackgasse *f* (*a. fig.*); ~ *heat* Sport: totes Rennen; '~**line** letzter Termin; Stichtag *m*; '~**lock** totaler Stillstand, toter Punkt; '~**ly** tödlich; Tod...

deaf [def] taub; schwerhörig;
~en ['defn] taub machen;
'~ening ohrenbetäubend;
~'mute taubstumm

deal [di:l] **1.** (*dealt*) Karten:
geben; *oft* **~ out** aus-, verteilen; **~ in** *econ.* handeln mit; **~
with** sich befassen mit; beschäftigen mit; handeln von;
mit *et. od. j-m* fertig werden;
econ. Geschäfte machen mit;
2. Abkommen *n*; F Geschäft
n, Handel *m*; Menge *f*; *it's a
~l* abgemacht!; *a good* **~** ein
gutes Geschäft, ein guter
Preis; (ziemlich) viel; *a
great* **~** sehr viel; *it's your
deal* Karten: du gibst; **'~er**
Händler(in); *Karten:* Ge-
ber(in); **~t** [delt] *pret u. pp
von deal* 1

dean [di:n] Dekan *m*

dear [dɪr] **1.** lieb; ♀ *Sir, in
Briefen:* Sehr geehrter Herr
(*Name*); **2.** Liebste *m*, *f*,
Schatz *m*

death [deθ] Tod(esfall *m*)

debat|able [dɪ'beɪtəbl] um-
stritten; **~e** [dɪ'beɪt] **1.** Debatte *f*, Diskussion *f*; **2.** de-
battieren, diskutieren

debit ['debɪt] *econ.* **1.** Soll *n*;
2. *Konto* belasten

debris [də'bri:] Trümmer *pl*

debt [det] Schuld *f*; *be in* **~**
Schulden haben, verschuldet
sein; **'~or** Schuldner(in)

debug [di:'bʌg] F entwanzen;
Computer: Fehler *im Programm* suchen u. beheben

decade ['dekeɪd] Jahrzehnt *n*

decaf ['di:kæf] **1.** koffeinfrei-
er Kaffee; **2.** koffeinfrei

decaffeinated [di:'kæfɪneɪ-
tɪd] koffeinfrei

decay [dɪ'keɪ] **1.** zerfallen;
verfaulen; *Zahn:* kariös *od.*
schlecht werden; verfallen;
schwach werden; **2.** Zerfall
m; Verfaulen *n*

deceit [dɪ'si:t] Betrug *m*

deceive [dɪ'si:v] *Person:* täuschen, *Sache: a.* trügen

December [dɪ'sembər] De-
zember *m*

decen|cy ['di:snsɪ] Anstand
m; **'~t** anständig

decept|ion [dɪ'sepʃn] Täu-
schung *f*; **~ive** täuschend,
trügerisch

decide [dɪ'saɪd] (sich) entscheiden; sich entschließen;
beschließen; **~d** entschieden

decimal ['desɪml] dezimal;
Dezimal...

decipher [dɪ'saɪfər] entziffern

decis|ion [dɪ'sɪʒn] Entschei-
dung *f*; Entschluss *m*; **~ive**
[dɪ'saɪsɪv] entscheidend;
entschieden, entschlossen

deck [dek] *naut.* Deck *n*; Veranda *f*; Spiel *n*, Pack *m*
(*Spielkarten*); *sl. kleines Paket Heroin*; **'~chair** Liegestuhl *m*

decline [dɪ'klaɪn] **1.** abnehmen, zurückgehen; (höflich)
ablehnen; **2.** Abnahme *f*,
Rückgang *m*, Verfall *m*

decorat|e ['dekəreɪt] (aus-) schmücken, verzieren; dekorieren; *mit Orden etc.* auszeichnen; **~ion** [~'reɪʃn] Schmuck *m*, Dekoration *f*, Verzierung *f*; Orden *m*; **~ive** ['~rətɪv] dekorativ, Zier...; **~or** ['~reɪtər] Dekorateur *m*; Maler *m* u. Tapezierer

decrease 1. [di:'kri:s] Abnahme *f*, **2.** [di:'kri:s] abnehmen, (sich) verringern

dedicat|e ['dedɪkeɪt] widmen; **~ion** [~'keɪʃn] Widmung *f*

deduct [dɪ'dʌkt] *Betrag* abziehen (*from* von); **~ion** [~kʃn] Abzug *m*; (Schluss-) Folgerung *f*, Schluss *m*

deed [di:d] Tat *f*

deep [di:p] tief (*a. fig.*); **~en** (sich) vertiefen, *fig. a.* (sich) steigern *od.* verstärken; **~ freeze** Gefriertruhe *f*; **~'freeze** (*-froze, -frozen*) tiefkühlen, einfrieren; **'~-fry** frittieren

defeat [dɪ'fi:t] **1.** besiegen, schlagen; zunichte machen, vereiteln; **2.** Niederlage *f*

defect [dɪ'fekt] Defekt *m*, Fehler *m*; Mangel *m*; **~ive** [dɪ'fektɪv] schadhaft, defekt

defend [dɪ'fend] verteidigen; **~ant** *jur.* Angeklagte *m*, *f*

defense [dɪ'fens] Verteidigung *f*

deficien|cy [dɪ'fɪʃnsɪ] Mangel *m*, Fehlen *n*; **~t** mangelhaft, unzureichend

deficit ['defɪsɪt] Defizit *n*, Fehlbetrag *m*

defin|e [dɪ'faɪn] definieren, erklären, bestimmen; **~ite** ['defənət] bestimmt, klar; endgültig, definitiv; **'~itely** bestimmt; **~ition** [~'nɪʃn] Definition *f*, Erklärung *f*, Bestimmung *f*; *phot.*, *TV etc.*: Schärfe *f*; **~itive** [dɪ'fɪnɪtɪv] endgültig, definitiv

defog [di:'fɒg] *mot. Windschutzscheibe* freimachen; **~ger** Gebläse *n*

defrost [di:'frɒst] entfrosten; *Gerät*: abtauen; *Essen*: auftauen; **~er** *mot.* Gebläse *n*; Heckscheibenheizung *f*

degenerate 1. *v/i* [dɪ'dʒenəreɪt] degenerieren; **2.** [~rət] *adj* degenerieren

degree [dɪ'gri:] Grad *m*; Stufe *f*; *univ.* (akademischer) Grad; *by ~s* allmählich

dejected [dɪ'dʒektɪd] niedergeschlagen

delay [dɪ'leɪ] **1.** aufschieben; verzögern; aufhalten; *be ~ed rail.*, *etc.* Verspätung haben; **2.** Aufschub *m*; Verzögerung *f*; *rail. etc.* Verspätung *f*

delegat|e 1. ['delɪgət] Delegierte *m*, *f*, **2.** [~geɪt] abordnen, delegieren; übertragen; **~ion** [~'geɪʃn] Abordnung *f*, Delegation *f*

delete [dɪ'li:t] (aus)streichen; *Computer*: löschen

deliberate [dɪ'lɪbərət] be-

wusst, absichtlich, vorsätzlich; bedächtig; **~ly** absichtlich

deli ['delɪ] etwa Sandwichbar
f; Geschäft, in dem man Aufschnitt, Käse, Salate und Fer-
tiggerichte kaufen kann

delica|**cy** ['delɪkəsɪ] Zartheit
f; Feingefühl n; Empfindlichkeit f; Delikatesse f; **~te**
['~ət] zart; fein; zierlich; zerbrechlich; delikat, heikel;
empfindlich; **~tessen** [~
'tesn] pl etwa Sandwichbar f;
Geschäft, in dem man Auf-
schnitt, Käse, Salate und Fer-
tiggerichte kaufen kann

delicious [dɪ'lɪʃəs] köstlich

delight [dɪ'laɪt] **1.** Vergnügen
n, Entzücken n; **2.** entzücken, erfreuen; **~ful** entzü-
ckend

delirious [dɪ'lɪrɪəs] im Deliri-
um, fantasierend

deliver [dɪ'lɪvər] aus-, (ab)lie-
fern; Briefe zustellen; Rede
halten; befreien, erlösen; **~y**
[~ɪ] Lieferung f; Post: Zu-
stellung f; Vortrag(sweise f)
m; med. Entbindung f: **~**
cash 1; **~y van** Lieferwagen
m

Delmonico [del'mɑːnɪkoʊ]
gastr. Clubsteak n

Dem 1. Abk. für **Democrat**
Demokrat(in); **2.** Abk. für
Democratic demokratisch

demand [dɪ'mænd] **1.** Forderung f (**for** nach); Anforde-
rung f (**on** an); Nachfrage f

(**for** nach); **on ~** auf Verlangen; **2.** verlangen, fordern;
(fordernd) fragen nach; **~ing**
anspruchsvoll

demi- [demɪ] Halb..., halb...

demo ['deməʊ] F Demo f

democra|**cy** [dɪ'mɑːkrəsɪ]
Demokratie f; **~t** ['demə-
kræt] Demokrat(in); **~s** die
Demokratische Partei;
~tic [~'krætɪk] demokratisch; **~**
Party Demokratische Partei

demolish [dɪ'mɑːlɪʃ] abreißen; fig. zunichte machen

demonstrat|**e** ['demənstreɪt]
demonstrieren; beweisen;
zeigen; vorführen; **~ion**
[~'streɪʃn] Demonstration f;
~or Demonstrant(in)

denial [dɪ'naɪəl] Leugnen n;
Ablehnung f

dense [dens] dicht; F blöde,
behämmert; **~ity** ['~ətɪ]
Dichte f

dent [dent] **1.** Beule f, Delle f;
2. ver-, einbeulen

dent|**al** ['dentl] Zahn...; **~al
floss** ['~flɑːs] Zahnseide f;
~al hygienist ['~haɪ-
'dʒiːnɪst] etwa Zahnarzthel-
ferin f; **~al treatment** Zahn-
behandlung f; **~ist** Zahnarzt
m, -ärztin f; **~ure** ['~tʃər] mst
pl (Zahn)Prothese f

deny [dɪ'naɪ] ab-, bestreiten,
(ab)leugnen, dementieren;
j-m et. abschlagen

deodorant [diː'oʊdərənt]
De(s)odorant n, Deo n

depart [dɪ'pɑːrt] abreisen;

abfahren; *aviat.* abfliegen; abweichen (**from** von)

department [dɪˈpɑːrtmənt] Abteilung *f*, *univ. a.* Fachbereich *m*; *pol.* Ministerium *n*; **~ store** Kauf-, Warenhaus *n*

departure [dɪˈpɑːrtʃər] Abreise *f*; Abfahrt *f*; Abflug *m*

depend [dɪˈpend] (**on**) sich verlassen (auf); abhängen (von); angewiesen sein (auf); *that* **~s** das kommt darauf an; **~able** zuverlässig; **~ant** (Familien)Angehörige *m*, *f*; Abhängigkeit (von); Vertrauen (auf); **~ent:** (**on**) abhängig (von); angewiesen (auf)

deposit [dɪˈpɑːzɪt] **1.** absetzen, abstellen, niederlegen; (sich) ablagern *od.* absetzen; deponieren; *Geld* einwerfen; *Bank:* Betrag einzahlen; *Betrag* anzahlen; **2.** *chem.* Geld einwerfen; **2.** *chem.* Ablagerung *f*; *Bank:* Einzahlung *f*; Anzahlung *f*

depress [dɪˈpres] (nieder)drücken; deprimieren, bedrücken; **~ed** deprimiert, niedergeschlagen; **~ed area** Notstandsgebiet *n*; **~ion** [~ʃn] Depression *f* (*a. econ.*), Niedergeschlagenheit *f*; Vertiefung *f*, Senke *f*; *meteor.* Tief(druckgebiet) *n*; *the* **2** die Depression, die Weltwirtschaftskrise (*in den dreißiger Jahren des 20. Jahrhunderts*)

depth [depθ] Tiefe *f*

deranged [dɪˈreɪndʒd] geistesgestört

derby [ˈdɜːrbɪ] Pferderennen *n*; Bowler *m*, Melone *f* (*Hut*)

derive [dɪˈraɪv]: **~ from** abstammen von; herleiten von; *Nutzen* ziehen aus

derogatory [dɪˈrɑːgətɔːrɪ] abfällig, geringschätzig

descend [dɪˈsend] hinuntergehen; abstammen (**from** von); **~ant** Nachkomme *m*

descent [dɪˈsent] Hinuntergehen *n*; Abstieg *m*; Gefälle *n*; *aviat.* Niedergehen *n*; Abstammung *f*, Herkunft *f*

describe [dɪˈskraɪb] beschreiben; **~ption** [~ˈskrɪpʃn] Beschreibung *f*

desert¹ [ˈdezərt] Wüste *f*

desert² [dɪˈzɜːrt] verlassen, im Stich lassen; *mil.* desertieren

deserve [dɪˈzɜːrv] verdienen

design [dɪˈzaɪn] **1.** entwerfen, *tech.* konstruieren; **2.** Design *n*, Entwurf *m*, (Konstruktions)Zeichnung *f*; Design *n*, Muster *n*; Gestaltung *f*

designer [dɪˈzaɪnər] Designer(in); *tech.* Konstrukteur(in); Modeschöpfer(in)

desirable [dɪˈzaɪrəbl] wünschenswert; begehrenswert; **~e** [~aɪr] **1.** wünschen; begehren; **2.** Wunsch *m*; Verlangen *n*, Begierde *f*

desk [desk] Schreibtisch *m*; *Hotel etc.:* Empfang *m*, Rezeption f; *Restaurant*: Kasse f

desperat|e ['despərət] verzweifelt; **~ion** [~'reɪʃn] Verzweiflung f

despise [dɪ'spaɪz] verachten

despite [dɪ'spaɪt] trotz

dessert [dɪ'zɜːrt] Nachtisch m, Dessert n

destin|ation [destɪ'neɪʃn] Bestimmungsort m; Reiseziel n; Ziel n; **~e** [~] bestimmen; **~y** Schicksal n

destitute ['destɪtuːt] mittellos, (völlig) verarmt

destroy [dɪ'strɔɪ] zerstören, vernichten; *Tier*: töten, einschläfern

destruct|ion [dɪ'strʌkʃn] Zerstörung f; **~ive** [~tɪv] zerstörend; schädlich

detach [dɪ'tætʃ] (ab-, los-) trennen, (los)lösen; **~ed** distanziert

detail ['diːteɪl] Detail n, Einzelheit f

detect [dɪ'tekt] entdecken; **~ion** Entdeckung f; Aufdeckung f; **~ive** Detektiv m, Kriminalbeamte m

detention [dɪ'tenʃn] *jur.* Haft f

detergent [dɪ'tɜːrdʒənt] Reinigungs-, Waschmittel n

determin|ation [dɪtɜːrmɪ'neɪʃn] Entschluss m; Bestimmtheit f, Entschlossenheit f; Feststellung f; **~e** [dɪ'tɜːrmɪn] *et.* beschließen, *Zeitpunkt etc.* bestimmen;

feststellen, ermitteln; (sich) entscheiden; sich entschließen; **~ed** entschlossen

detonate ['detəneɪt] *v/t* zünden; *v/i* detonieren

detour ['diːtʊr] **1.** Umweg m; (Verkehrs)Umleitung f; **make a ~** e-n Umweg machen; **2.** e-n Umweg machen

devastat|e ['devəsteɪt] verwüsten; **~ing** verheerend

develop [dɪ'veləp] (sich) entwickeln; erschließen; **~er** *phot.* Entwickler m; (Stadt-) Planer m; **~ment** Entwicklung f

deviate ['diːvɪeɪt] abweichen

device [dɪ'vaɪs] Vorrichtung f, Gerät n; Einfall m; Trick m

devil ['devl] Teufel m; **~ed** scharf (gewürzt); **~'s food cake** *Art* Schokoladentorte f

devious ['diːvɪəs] gewunden, krumm (*a. fig.*); unaufrichtig; *Mittel*: fragwürdig

devote [dɪ'voʊt] widmen (**to** *dat*); **~d** ergeben; hingebungsvoll; eifrig, begeistert

devour [dɪ'vaʊr] verschlingen

dew [duː] Tau m

dext|erity [dek'sterətɪ] Geschicklichkeit f; **~erous** ['~strəs] geschickt

diabetes [daɪə'biːtiːz] Diabetes m, Zuckerkrankheit f

diagonal [daɪ'ægənl] **1.** diagonal; **2.** Diagonale f

dime

diagram ['daɪəgræm] Diagramm *n*

dial [daɪl] **1.** *Uhr:* Ziffernblatt *n*; *Messinstrument:* Skala *f*; *tel.* Wählscheibe *f*; **2.** *tel.* wählen

dialect ['daɪəlekt] Dialekt *m*

dialog ['daɪəlɔːg] Dialog *m*

dial tone *tel.* Freizeichen *n*

diameter [daɪ'æmətər] Durchmesser *m*

diamond ['daɪmənd] Diamant *m*; *Karten:* Karo *n*; **be a ~ in the rough** *fig.* e-e raue Schale haben; **~ anniversary** diamantene Hochzeit

diaper ['daɪpər] Windel *f*

diarrhea [daɪə'riːə] *med.* Durchfall *m*

diary ['daɪrɪ] Tagebuch *n*; Taschen-, Terminkalender *m*

dice [daɪs] **1.** (*pl* ←) Würfel *m*; **no ~!** kommt nicht in Frage!; **2.** in Würfel schneiden

dicey ['daɪsɪ] heikel, prekär

dictate [dɪk'teɪt] diktieren; **~ion** Diktat *n*; **~or** Diktator *m*; **~orship** Diktatur *f*

dictionary ['dɪkʃənrɪ] Wörterbuch *n*

did [dɪd] *pret von* **do** 1

die [daɪ] sterben; eingehen, verenden; **~ of hunger/ thirst** verhungern/verdursten; **~ away** *Wind:* sich legen; *Ton:* verhallen; *Licht:* verlöschen; **~ down** → **~ away**; *Aufregung etc.:* sich legen; **~ out** aussterben

diet ['daɪət] **1.** Nahrung *f*, Ernährung *f*, Kost *f*; Diät *f*; **2.** Diät halten, Diät leben; **~ Coke®** Cola light®

differ ['dɪfər] sich unterscheiden; *Meinungen:* auseinander gehen; anderer Meinung sein; **~ence** ['dɪfrəns] Unterschied *m*; Differenz *f*; Meinungsverschiedenheit *f*; **~ent** verschieden; ander-; **~entiate** [-ʃə'renʃɪeɪt] (sich) unterscheiden

difficult ['dɪfɪkəlt] schwierig, schwer; **~y** Schwierigkeit *f*

dig [dɪg] (**dug**) graben

digit ['dɪdʒɪt] Ziffer *f* (*von 0–9*); **~al** digital; **~ize** digitalisieren

digest [dɪ'dʒest] verdauen; **2.** [daɪdʒest] Auslese *f*, Auswahl *f*; **~ible** [dɪ'dʒestəbl] verdaulich; **~ion** [dɪ'dʒestʃn] Verdauung *f*

digni|fied ['dɪgnɪfaɪd] würdevoll; **~ty** [-ətɪ] Würde *f*

dilapidated [dɪ'læpɪdeɪtɪd] verfallen, baufällig

diligent ['dɪlɪdʒənt] fleißig

dill pickle ['dɪl pɪkl] Salz-Dillgurke *f*

dilute [daɪ'luːt] verdünnen

dim [dɪm] **1.** (halb)dunkel, düster; *Licht:* schwach, trüb(e); undeutlich; **2.** (sich) verdunkeln *od.* trüben; **~ the headlights** *mot.* abblenden

dime [daɪm] Zehncentstück *n*; **they are a ~ a dozen** sie sind spottbillig; **this car can**

***stop on a* ~** dieser Wagen hat tolle Bremsen; **~ novel** Groschenroman *m*

dimension [dɪˈmenʃn] Dimension *f*, Maß *n*, Abmessung *f*; *pl oft fig.* Ausmaß *n*

dime store [ˈdaɪm stɔːr] Billigladen *m*

diminish [dɪˈmɪnɪʃ] vermindern *od.* verringern; **~ed responsibility** *jur.* verminderte Zurechnungsfähigkeit; **~utive** [~jʊtɪv] winzig

dimmer [ˈdɪmər] Dimmer *m*; *mot.* Abblendschalter *m*

dimple [ˈdɪmpl] Grübchen *n*

dine [daɪn] speisen, essen; **'~r** *im Restaurant:* Gast *m*; Speiselokal *n*; *rail.* Speisewagen *m*

dinette [daɪˈnet] Esseecke *f*

dining| car [ˈdaɪnɪŋ-] Speisewagen *m*; **~ room** Speise-, Esszimmer *n*; **~ table** Esstisch *m*

dinner [ˈdɪnər] (Mittag-, Abend)Essen *n*; Diner *n*, Festessen *n*; **~ party** Diner *n*, Abendgesellschaft *f*

dinosaur [ˈdaɪnəsɔːr] Dinosaurier *m*

Dip [daɪˈpiː] *Abk. für* **Dual in-line Package** *electr.* DIP *m* (*elektronischer Baustein*); **~switch** *electr.* DIP-Schalter *m*, F Mäuseklavier *n*

diploma [dɪˈpləʊmə] Diplom *n*

diplomacy [dɪˈpləʊməsɪ] Diplomatie *f*; **~t** [ˈdɪpləmæt] Diplomat *m*; **~tic** [~əˈmætɪk] diplomatisch

dipper [ˈdɪpər] Kelle *f*; Schöpflöffel *m*; → **big, little**

dipstick [ˈdɪpstɪk] *mot.* Ölmessstab *m*

dire [ˈdaɪr] schrecklich; äußerste(r, -s); höchste(r, -s)

direct [dɪˈrekt] **1.** richten, lenken; leiten; *Film etc.:* Regie führen bei; *j-m* den Weg zeigen (**to** zu, nach); **2.** direkt, gerade; **~ current** Gleichstrom *m*; **~ion** Richtung *f*; Leitung *f*; *Film etc.:* Regie *f*; Anweisung *f*, Anleitung *f*; Anordnung *f*; **~s** *pl* (**for use**) Gebrauchsanweisung *f*; **~ly** direkt; sofort; **~or** Direktor(in), Leiter(in); *Film etc.:* Regisseur(in); **~ory** [~tərɪ] Telefonbuch *n*

dirt [dɜːt] Schmutz *m*, Dreck *m*; Erde; **~ cheap** F spottbillig; **~ farmer** *Farmer, der sein Land selbst bestellt;* **~ poor** bettelarm; **~ road** unbefestigte Straße; **'~y 1.** schmutzig, dreckig; gemein; **2.** beschmutzen

dis [dɪs] *sl.* j-n beleidigen, fertig machen, niedermachen

disabled [dɪsˈeɪbld] behindert; invalid

disadvantage [dɪsədˈvæntɪdʒ] Nachteil *m*; **~ous** [dɪsædvænˈteɪdʒəs] nachteilig, ungünstig

disagree [dɪsəˈɡriː] nicht

übereinstimmen; anderer Meinung sein (**with** als); *Essen:* nicht bekommen (**with** *dat*); **~able** [~'gri:əbl] unangenehm; **~ment** [~'gri:mənt] Meinungsverschiedenheit *f*

disappear [disə'piə] verschwinden; **~ance** [~əns] Verschwinden *n*

disappoint [disə'pɔint] enttäuschen; **~ing** enttäuschend; **~ment** Enttäuschung *f*

disapprove [disə'pru:v] missbilligen (**of s.th.** et.)

disast|er [di'zɑːstə] Unglück *n*, Katastrophe *f*, **~rous** [~strəs] katastrophal

dis|belief [disbi'li:f] *in* ~ ungläubig; **~believe** [~bi'li:v] nicht glauben

disc [disk] → **disk**

discharge [dis'tʃɑːdʒ] **1.** *v/t* aus-, entladen; *Gewehr etc.* abfeuern; ausstoßen, *med.* absondern; entlassen; *Verpflichtungen* erfüllen, nachkommen; (*into* in); *med.* eitern; *electr.* sich entladen; **2.** Entladen *n*; Abfeuern *n*; Ausstoß *m* *med.* Absonderung *f*, Ausfluss *m*; *electr.* Entladung *f*; Entlassung *f*; Erfüllung *f* (*e-r Pflicht*)

discipline ['disiplin] Disziplin *f*

dis|claim [dis'kleim] ab-, bestreiten; **~close** aufdecken; enthüllen

dis|color [dis'kʌlə] (sich) verfärben; **~'comfort** Unbehagen *n*; **~connect** trennen; *Strom etc.* abstellen

discontent [diskən'tent] Unzufriedenheit *f*; **~ed** unzufrieden

discount ['diskaunt] Preisnachlass *m*, Rabatt *m*, Skonto *m*, *n*

discourage [dis'kʌridʒ] entmutigen; abschrecken, *j-m* abraten

discover [di'skʌvə] entdecken; **~er** [~ə] Entdecker(in) *f*; **~y** Entdeckung *f*

dis|credit [dis'kredit] **1.** in Verruf *od.* Misskredit bringen; **2.** Misskredit *m*; **~creet** [di'skri:t] diskret; besonnen; **~crepancy** [di'skrepənsi] Diskrepanz *f*, Widerspruch *m*; **~cretion** [di'skreʃn] Diskretion *f*; Ermessen *n*, Gutdünken *n*; **~criminate** [di'skrimineit] unterscheiden; **~ against** *j-n* benachteiligen, diskriminieren

discuss [di'skʌs] diskutieren, besprechen; **~ion** [~ʃn] Diskussion *f*, Besprechung *f*

disease [di'zi:z] Krankheit *f*

disgrace [dis'greis] **1.** Schande *f*; **2.** Schande bringen über

disguise [dis'gaiz] **1.** (**o.s.** sich) verkleiden *od.* maskieren; *Stimme etc.* verstellen; *et.* verbergen; **2.** Verkleidung *f*; Verstellung *f*

disgust [dɪsˈɡʌst] **1.** Ekel *m*, Abscheu *m*; **2.** anekeln; empören; **~ing** ekelhaft

dish [dɪʃ] (flache) Schüssel, Schale *f*; Gericht *n*, Speise *f*, F (Satelliten)Schüssel *f*; *the ~es pl* das Geschirr; **~ antenna** Satellitenschüssel *f*; **'~cloth** Spüllappen *m*

dishonest [dɪsˈɒnɪst] unehrlich; **~y** Unehrlichkeit *f*

dishonor [dɪsˈɒnə] **1.** Schande *f*; **2.** Schande bringen über

'dishtowel Geschirrtuch *n*; **'~washer** Geschirrspülmaschine *f*; **'~water** Spülwasser *n*

disinfect [dɪsɪnˈfekt] desinfizieren; **~ant** Desinfektionsmittel *n*

disinherit [dɪsɪnˈherɪt] enterben; **~integrate** (sich) auflösen; ver-, zerfallen; **~interested** uneigennützig; F un-, desinteressiert

disk [dɪsk] Scheibe *f*; (Schall)Platte *f*, anat. Bandscheibe *f*; *Computer:* Diskette *f*; **slipped ~** Bandscheibenvorfall *m*; **~ drive** Diskettenlaufwerk *n*; **~ette** [dɪˈsket] Diskette *f*

dislike [dɪsˈlaɪk] **1.** Abneigung *f*; **2.** nicht leiden können, nicht mögen; **'~locate** *med.* sich *den Arm etc.* verod. ausrenken; **~'loyal** treulos, untreu

dismal [ˈdɪzməl] trostlos

dismiss [dɪsˈmɪs] entlassen; wegschicken; *Thema etc.* fallen lassen; **~al** Entlassung *f*

disobedience [dɪsəˈbiːdɪəns] Ungehorsam *m*; **~obedient** ungehorsam; **~obey** nicht gehorchen

disorganized [dɪsˈɔːɡənaɪzd] in Unordnung; chaotisch, ohne System

disperse [dɪˈspɜːs] (sich) zerstreuen; sich verteilen

display [dɪˈspleɪ] **1.** zeigen; *Waren* auslegen, -stellen; **2.** (Schaufenster)Auslage *f*, Ausstellung *f*; Display *n*, Anzeige *f*; Bildschirm *m*

displease [dɪsˈpliːz] missfallen

disposable [dɪˈspəʊzəbl] Einweg..., Wegwerf...; **~al** Beseitigung *f*, Entsorgung *f*; *be/put at s.o.'s ~* j-m zur Verfügung stehen/stellen; **~e** [~z] anordnen; **~ of** beseitigen; **~ed** geneigt; **~ition** [~pəˈzɪʃn] Veranlagung *f*

disproportionate [dɪsprəˈpɔːʃnət] unverhältnismäßig; **~prove** widerlegen

dispute [dɪˈspjuːt] streiten (über *acc*); **2.** [ˈdɪspjuːt] Disput *m*; Streit *m*

disqualify [dɪsˈkwɒlɪfaɪ] disqualifizieren; **~regard** nicht beachten; **~respectful** respektlos; **~rupt** [~ˈrʌpt] unterbrechen, stören

dissatisfaction [ˈdɪssætɪsˈfækʃn] Unzufriedenheit *f*;

~fied [~'sætɪsfaɪd] unzufrieden

dissolve [dɪ'zɑːlv] (sich) auflösen

distance ['dɪstəns] Entfernung f; Ferne f; Strecke f; Distanz f; *in the ~* in der Ferne; *'~t* entfernt; fern

distinct [dɪ'stɪŋkt] verschieden (*from* von); deutlich, klar; *as ~ from* im Unterschied zu; **~ion** Unterscheidung f; Unterschied m; Auszeichnung f; Rang m; **~ive** unverwechselbar

distinguish [dɪ'stɪŋgwɪʃ] unterscheiden; kennzeichnen; **~ed** hervorragend, ausgezeichnet; vornehm

distort [dɪ'stɔːrt] verdrehen, *Gesicht* verzerren, *Tatsachen etc. a.* entstellen

distract [dɪ'strækt] ablenken; **~ed** beunruhigt, besorgt; außer sich; **~ion** Ablenkung f, *oft pl* Zerstreuung f; Wahnsinn m

distraught [dɪ'strɔːt] außer sich (*with* vor)

distress [dɪ'stres] **1.** Leid n, Sorge f; Schmerz m; Not(lage) f; **2.** beunruhigen, mit Sorge erfüllen; **~ed area** Notstandsgebiet n; **~ signal** Notsignal n

distribute [dɪ'strɪbjuːt] verteilen, austeilen; verbreiten; **~ion** [~'bjuːʃn] Verteilung f; Verbreitung f; **~or** [~'strɪbjutər] Verteiler m (*a. tech.,*

mot.); *econ.* Großhändler m; *Computer:* Distributor m

district ['dɪstrɪkt] Bezirk m; Gegend f, Gebiet n

distrust [dɪs'trʌst] **1.** Misstrauen n; **2.** misstrauen

disturb [dɪ'stɜːrb] stören; beunruhigen; **~ance** Störung f

ditch [dɪtʃ] Graben m

dive [daɪv] **1.** (*dove, dived*) (unter)tauchen; *e-n* Kopfsprung (*aviat.* Sturzflug) machen, springen; hechten (*for* nach); **2.** (Kopf)Sprung m; *aviat.* Sturzflug m; **'~r** Taucher(in)

diverse [daɪ'vɜːrs] verschieden; **~ion** [~ʃn] Ablenkung f; Zerstreuung f, Zeitvertreib m; **~ity** [~səti] Vielfalt f

divide [dɪ'vaɪd] **1.** v/t teilen; ver-, aufteilen; trennen; *math.* dividieren, teilen (*by* durch); entzweien; v/i sich teilen; sich aufteilen; *math.* sich dividieren *od.* teilen lassen (*by* durch); **2.** Wasserscheide f

divided highway Schnellstraße f

diving ['daɪvɪŋ] Tauchen n; *Sport:* Wasserspringen n; Taucher...; **~ board** Sprungbrett n

divisible [dɪ'vɪzəbl] teilbar; **~ion** [~ʒn] Teilung f; Trennung f; *mil., math.* Division f; Abteilung f

divorce [dɪ'vɔːrs] **1.** (Ehe-)Scheidung f; *get a ~* sich

scheiden lassen (**from** von);
2. jur. j-n, ehe scheiden; **get
~d** sich scheiden lassen; **~d**
geschieden

divorcee, divorcée [dɪvɔːrˈ
ˈsiː] Geschiedene m, f

Dixie [ˈdɪksɪ] F die Südstaaten
der USA; **Dixie**(**land**) m

dixieland [ˈdɪksɪlænd] Di-
xie(land) m

dizzy [ˈdɪzɪ] schwind(e)lig

DJ [diːˈdʒeɪ] Abk. für **Disk
Jockey** DJ m, Disk-, Disc-
jockey m

do [duː] **1.** (**did, done**) v/t tun,
machen; Speisen zubereiten;
Zimmer aufräumen, ma-
chen; Geschirr abwaschen;
Wegstrecke etc. zurücklegen,
schaffen; F Strafe absitzen; ~
Chicago F Chicago besichtigen; **have one's hair done**
sich die Haare machen od.
frisieren lassen; **have done
reading** fertig sein mit Lesen; v/i handeln, sich verhalten; genügen, reichen; **that
will ~** das genügt; **~ well** gut
abschneiden; s-e Sache gut
machen; bei der Vorstellung:
how ~ you ~ guten Tag;
v/aux in Fragesätzen: **you
know him?** kennst du ihn?;
in verneinten Sätzen: **I don't
know** ich weiß nicht; zur
Verstärkung: **~ be quick** be-
eil dich doch; v/t u. v/i Er-
satzverb zur Vermeidung von
Wiederholungen: **~ you like
New York? - I ~** gefällt dir

New York? – ja; in Frageanan-
hängseln: **he works hard,
doesn't he?** er arbeitet hart,
nicht wahr?; **~ away with** beseitigen, weg-, abschaffen;
I'm done in F ich bin ge-
schafft; **I could ~ with ...** ich
könnte ... vertragen; **~ without** auskommen ohne; **2. the
~s and don'ts** die (Spiel)Re-
geln pl

DOB [diːoʊˈbiː] Abk. für **Date
of Birth** Geburtsdatum n

DOC [diːoʊˈsiː] Abk. für **De-
partment of Commerce**
Handelsministerium n der
USA

doc [dɑːk] F → **doctor**

dock [dɑːk] **1.** Dock n; Kai m,
Pier m; pl Docks pl, Hafen-
anlagen pl; **2.** v/t Schiff
(ein)docken; Raumschiff
koppeln; v/i docken; im Hafen od. am Kai anlegen;
Raumschiff: andocken

doctor [ˈdɑːktər] Doktor m,
Arzt m, Ärztin f

document 1. [ˈdɑːkjəmənt]
Dokument n, Urkunde f, pl
Akten pl; **2.** [~ment] doku-
mentarisch od. urkundlich
belegen; **~ary** (**film**) [~
ˈmentərɪ] Dokumentarfilm
m

DOD [diːoʊˈdiː] Abk. für **Department of Defense** Ver-
teidigungsministerium n der
USA

dodge [dɑːdʒ] (rasch) zur
Seite springen; ausweichen;

sich drücken (vor)

DOE [diːˈoʊˈiː] _Abk. für_ **De-partment of Energy** Ener-gieministerium _n_ der USA

dog [dɒɡ] Hund _m_; Hotdog _n, m_; **~eared** mit Eselsoh-ren; **~ged** [ˈ~ɪd] verbissen, hartnäckig; **~gie.** → **gy** [ˈdɒɡɪ] Hündchen _n_; **~gy bag** (Plastik)Tüte _f_ für Es-sensreste

dog-'tired F hundemüde

DOI [diːoʊˈaɪ] _Abk. für_ **De-partment of the Interior** In-nenministerium _n_ der USA

do-it-yourself [duːɪtjərˈself] **1.** Heimwerken _n_; **2.** Heim-werker...

DOJ [diːoʊˈdʒeɪ] _Abk. für_ **De-partment of Justice** Jus-tizministerium _n_ der USA

DOL [diːoʊˈel] _Abk. für_ **De-partment of Labor** Arbeits-ministerium _n_ der USA

doll [dɑːl] Puppe _f_

dollar [ˈdɑːlər] Dollar _m_

dolphin [ˈdɑːlfɪn] Delphin _m_

dome [doʊm] Kuppel _f_

domestic [dəˈmestɪk] häus-lich; Haus(halts)...; inlän-disch, Inlands...; Binnen...; Innen...; **~ animal** Haustier _n_; **~ate** [ˈ~keɪt] Tier zähmen; **~ flight** Inlandsflug _m_; **~ trade** Binnenhandel _m_

dominant [ˈdɒmɪnənt] do-minierend, vorherrschend; **~ate** [ˈ~neɪt] beherrschen; dominieren; **~ation** [~ˈneɪʃn] (Vor)Herrschaft _f_;

~eering [~ˈnɪrɪŋ] herrisch

donate [ˈdoʊneɪt] spenden (_a. Blut etc._); **~ion** Spende _f_

done [dʌn] _pp von_ **do** 1; ge-tan; erledigt; fertig; _gastr._ gar; **well ~** durchgebraten

donor [ˈdoʊnər] Spender(in)

donut [ˈdoʊnʌt] → **dough-nut**

doohickey [ˈduːhɪkɪ] F Dings(bums) _n_

door [dɔːr] Tür _f_; **~bell** Tür-klingel _f_; **~knob** Türgriff _m_; **~mat** (Fuß)Abtreter _m_; **~step** Türstufe _f_; **~way** Türöffnung _f_

dope [doʊp] **1.** F _Rauschgift:_ Stoff _m_; Dopingmittel _n_; Be-täubungsmittel _n_; _sl._ Trottel _m_; **2.** F _j-m_ Stoff geben; do-pen

dorm [dɔːrm], **dormitory** [ˈdɔːrmətɔːrɪ] Studenten-wohnheim _n_

DOS [diːoʊˈes] **1.** _Abk. für_ **Department of State** Au-ßenministerium _n_ der USA; **2.** [dɑːs] _Abk. für_ **Disk Ope-rating System** _Computer:_ Betriebssystem _n_

dose [doʊs] Dosis _f_

DOT [diːoʊˈtiː] _Abk. für_ **De-partment of Transportation** Verkehrsministerium _n_ der USA

dot [dɑːt] **1.** Punkt _m_; **on the ~** F auf die Sekunde pünkt-lich; **2.** punktieren, tüpfeln; sprenkeln, übersäen; **~ted line** punktierte Linie

double

double ['dʌbl] **1.** *adj* doppelt, Doppel..., zweifach; **2.** *adv* doppelt; **3.** *s das* Doppelte; Doppelgänger(in); *Film, TV:* Double *n;* **4.** *vb* (sich) verdoppeln; **~ up with** sich krümmen vor (*dat*); **~bed** Doppelbett *n;* **~'check** genau nachprüfen; **~'cross** F ein doppeltes *od.* falsches Spiel treiben mit; **~ date** Doppelverabredung *f* (*Verabredung zweier Paare*); **~'digit** zweistellig; **~'park** in zweiter Reihe parken; **~ room** Doppel-, Zweibettzimmer *n;* **~s** (*pl ~*) *Tennis:* Doppel *n*

doubt [daʊt] **1.** zweifeln (**of** an); bezweifeln; **2.** Zweifel *m;* **no ~** zweifellos, fraglos, ohne Zweifel; **~ful** zweifelhaft; **~less** zweifellos, ohne Zweifel

dough [dəʊ] Teig *m;* F Kohle *f* (*Geld*); **~nut** ringförmiger Berliner *od.* Krapfen

dove[1] [dʌv] Taube *f* (*a. pol.*)

dove[2] [dəʊv] *pret von* **dive**[1]

down[1] [daʊn] **1.** *adv* nach unten, her-, hinunter; unten; **2.** *adj* nach unten (gerichtet), Abwärts...; niedergeschlagen, down; **3.** *prp* her-, hinunter; **4.** *v/t* niederschlagen, zu Fall bringen; F *Getränk* runterkippen

down[2] [~] Daunen *pl;* (*a.* Bart)Flaum *m*

down|cast niedergeschlagen; *Blick:* gesenkt; **~fall** *fig.*

Sturz *m;* **~'hearted** niedergeschlagen; **~hill** abwärts, bergab; abschüssig; *Skisport:* Abfahrts...; **~ payment** Anzahlung *f;* **~'pour** Regenguss *m;* **~right** völlig, ausgesprochen; **~stairs 1.** [daʊn'steəz] *adv* die Treppe her- *od.* hinunter, nach unten; unten; **2.** ['~steəz] *adj* im unteren Stockwerk (gelegen); **~to-earth** realistisch, praktisch; **~town 1.** [~'taʊn] in die *od.* der Innenstadt; im Geschäftsviertel; **2.** [~'taʊn] Geschäftsviertel *n*, Innenstadt *f, City f;* **~ward(s)** ['~wəd(z)] nach unten; abwärts

doz. *Abk. für* **dozen[s]** Dutzend(e *pl*) *pl*

doze [dəʊz] **1.** dösen; **~ off** einnicken, -dösen; **2.** Nickerchen *n*

dozen ['dʌzn] Dutzend *n*

DPH [di:pi:'eɪtʃ] *Abk. für* **Department of Public Health** Gesundheitsministerium *n* der USA

drab [dræb] trist, eintönig

draft[1] [dræft] Entwurf *m; econ.* Wechsel *m; mil.* Einberufung *f*

draft[2] [~] (Luft- *etc.*)Zug *m;* Zugluft *f;* Zug *m,* Schluck *m;* **~ (beer)** Bier *n* vom Fass, Fassbier *n*

drag [dræg] **1.** schleppen, ziehen, zerren, schleifen; **~ on** *fig.* sich in die Länge ziehen;

2. von Transvestiten getrage-
ne Frauenkleidung *f;* **in ~** in
Frauenkleidung

dragon ['drægən] Drache *m;*
'**~fly** Libelle *f*

drag queen Transvestit *m;* **~
race** Dragsterrennen *n;*
~ster ['drægstər] *mot.*
Dragster *m (hochgezüchte-
ter Spezialrennwagen)*

drain [dreın] **1.** *v/t* abfließen
lassen; entwässern; austrin-
ken, leeren; *v/i:* **~ off** *od.*
away abfließen, ablaufen; **2.**
Abfluss (*rohr n,* -kanal) *m;*
Entwässerungsgraben *m;*
~age (*rohr n,* -kanal) *m;*
Ablaufen *n;* Entwässerung *f;*
Kanalisation *f;* Abwasser *n;*
'**~pipe** Abflussrohr *n*

drama ['drɑːmə] Drama *n;*
~tic [drə'mætık] dramatisch;
~tist ['dræmətıst] Dramatiker *m;* **~tize** ['dræmətaız]
dramatisieren

drank [dræŋk] *pret von* **drink**
1

drape [dreıp] drapieren; **~s**
pl schwere Vorhänge *pl*

drastic ['dræstık] drastisch

draw [drɔː] (**drew, drawn**)
v/t ziehen; *Vorhänge* auf- *od.*
zuziehen; *fig.* Menge anziehen; *Sport:* unentschieden
spielen; **~ back** zurückweichen;
~ up Schriftstück aufsetzen; '**~back** Nachteil *m;*
'**~bridge** Zugbrücke *f*

drawer [drɔː] Schublade *f,*
-fach *n*

drawing ['drɔːıŋ] Zeichnen
n; Zeichnung *f;* **~ board**
Reißbrett *n*

drawn [drɔːn] *pp von* **draw**

dream [driːm] **1.** Traum *m;* **2.**
(**dreamed** *od.* **dreamt**) träumen; **~er** Träumer(in); '**~y**
verträumt

dreary ['drırı] trostlos;
trüb(e); F langweilig

drench [drentʃ] durchnässen

dress [dres] **1.** Kleidung *f;*
Kleid *n;* **2.** (sich) ankleiden
od. anziehen; zurechtmachen; *Wunde etc.* verbinden;
get ~ed sich anziehen

dressing ['dresıŋ] Ankleiden
n; med. Verband *m;* Salat-
soße; Dressing *n; gastr.* Füllung *f*

'**dressmaker** (*bsd.* Damen-)
Schneider(in); **~ rehearsal**
['~rı'hɜːrsl] Generalprobe *f*

drew [druː] *pret von* **draw**

dribble ['drıbl] sabbern; tropfen; *Sport:* dribbeln

drift [drıft] **1.** *v/i* getrieben
werden, treiben (*a. fig.*);
Schnee, Sand: wehen, sich
häufen; *fig.* sich treiben lassen; *v/t* (dahin)treiben; **2.**
Treiben *n; (Schnee-)*Verwe-
hung *f,* (Schnee-, Sand)Wehe
f; fig. Strömung *f,* Tendenz *f*

drill [drıl] **1.** Bohrer *m;* **2.**
bohren

drink [drıŋk] **1.** (**drank,
drunk**) trinken; **2.** Getränk
n; Drink *m;* '**~er** Trinker(in);
'**~ing water** Trinkwasser *n*

drip [drɪp] tropfen *od.* tröpfeln (lassen); '~pings Bratenfett *n*

drive [draɪv] **1.** (**drove**, **driven**) fahren; (an)treiben; ~ *s.o.* mad j-n verrückt machen; **2.** Fahrt *f;* Aus-, Spazierfahrt *f;* Zufahrt(sstraße) *f;* (private) Auffahrt *f; tech.* Antrieb *m; Computer:* Laufwerk *n; psych.* Trieb *m; fig.* Schwung *m,* Elan *m;* **left-/right-hand ~** Links-/ Rechtssteuerung *f*

'drive-in Auto..., Drive-in...

driven ['drɪvn] *pp von* drive I

driver ['draɪvər] Fahrer(in); ~'s license Führerschein *m*

'driveway Auffahrt *f,* Einfahrt *f*

drizzle ['drɪzl] **1.** nieseln; **2.** Niesel-, Sprühregen *m*

droop [druːp] (schlaff) herabhängen (lassen)

drop [drɔːp] Tropfen *m;* Bonbon *m, n; fig.* (Ab)Fall *m,* Sturz *m* (*a. Preise*); **2.** *v/i* (herab)tropfen; (herunter)fallen; ~ *Preise etc.*: sinken, fallen; *Wind:* sich legen; ~ *tropfen lassen;* fallen lassen; *Bemerkung etc.* fallen lassen; *Fahrgast etc.* absetzen; *Augen, Stimme* senken; ~ *s.o. a few lines* j-m ein paar Zeilen schreiben; ~ *in* (kurz) hereinschauen; ~ *out* die Schule/das Studium abbrechen; aussteigen; '~out (Schul-, Studien)Abbrecher *m;* Aus-

steiger *m*

drought [draʊt] Dürre *f*

drove [drouv] *pret von* drive 1

drown [draʊn] ertrinken; ertränken; *be ~ed* ertrinken

drowsy ['draʊzɪ] schläfrig

drug [drʌg] **1.** Arzneimittel *n,* Medikament *n,* Droge *f,* Rauschgift *n;* ~ *s* rauschgift-, drogensüchtig sein; **2.** *j-m* Medikamente geben; *j-n* unter Drogen setzen; ein Betäubungsmittel beimischen; betäuben; ~ **addict** Drogen-, Rauschgiftsüchtige *m, f;* Medikamentenabhängige *m, f;* ~**gist** ['~ɪst] Apotheker(in); Inhaber(in) e-s Drugstores; '~store Apotheke *f;* Drugstore *m*

drum [drʌm] **1.** Trommel *f; anat.* Trommelfell *n; pl mus.* Schlagzeug *n;* **2.** trommeln; '~mer Trommler *m;* Schlagzeuger *m;* '~stick Hähnchen *etc.*-Keule *f*

drunk [drʌŋk] **1.** *pp von* drink 1; **2.** betrunken; *get* ~ sich betrinken; **3.** Betrunkene *m, f;* → '~ard ['~ərd] Trinker(in), Säufer(in); '~en betrunken; ~ *driving* Trunkenheit *f am Steuer*

dry [draɪ] **1.** trocken; *Wein etc.*: trocken, herb; **2.** (ab)trocknen; dörren; trocknen, trocken werden; ~ *up* aus-, eintrocknen; versiegen

~'**clean** chemisch reinigen; ~ '**cleaner('s)** *Geschäft:* chemische Reinigung; ~ '**cleaning** chemische Reinigung; '**~er,** *a.* **drier** Trockner *m*

D.S.T. [diːesˈtiː] *Abk. für* **Daylight Saving Time** Sommerzeit *f*

dub [dʌb] synchronisieren

dubious [ˈdjuːbɪəs] zweifelhaft

duck [dʌk] Ente *f*

dude [duːd] F *Mann:* Typ *m;* ~ **ranch** Gäste-Ranch *f* (*Ranch, die zahlende Feriengäste aufnimmt*)

due [djuː] **1.** *adj* zustehend; gebührend; angemessen; *econ.* fällig; *zeitlich* fällig; ~ **to** wegen; **be** ~ **to** zurückzuführen sein auf; **2.** *adv* direkt, genau (*nach Osten etc.*); **3.** *s pl* Gebühren *pl*

dug [dʌg] *pret u. pp von* **dig**

D.U.I. [diːjuːˈaɪ] *Abk. für* **driving under the influence** (**of alcohol**) Fahren *n* unter Alkoholeinfluss

dull [dʌl] **1.** matt, glanzlos; dumpf; *Wetter etc.:* trüb; langweilig; schwer von Begriff, dumm; *Klinge etc.:* stumpf; **2.** abstumpfen; schwächen; *Schmerz* betäuben

dumb [dʌm] stumm; sprachlos; F doof, dumm

dumbfound [dʌmˈfaʊnd] verblüffen; **~ed** [~dɪd] verblüfft, sprachlos

dummy [ˈdʌmɪ] Attrappe *f;* Blödmann *m,* Idiot *m*

dump [dʌmp] **1.** (hin)plumpsen *od.* (-)fallen lassen, hinwerfen; *Schutt etc.* auskippen, abladen; **2.** Schutt-, Abfallhaufen *m* (Schutt-, Müll)Ablageplatz *m;* ~ **truck** *mot.* Kipper *m*

dune [duːn] Düne *f;* ~ **buggy** Strandbuggy *m*

dungarees [dʌŋgəˈriːz] Arbeitshose *f*

dunk [dʌŋk] eintunken; *Basketball:* den Ball in den Korb werfen

duplex [ˈduːpleks] **1.** Doppel...; ~ (**apartment**) Maison(n)ette(wohnung) *f;* **2.** Doppelhaushälfte *f*

duplicate 1. [ˈduːplɪkət] doppelt; genau gleich; **2.** [ˈ~] Duplikat *n;* **3.** [ˈ~keɪt] ein Duplikat anfertigen; kopieren, vervielfältigen; ~ **key** Zweit-, Nachschlüssel *m*

dura|ble [ˈdʊərəbl] haltbar; dauerhaft; **~tion** [~ˈreɪʃn] Dauer *f*

during [ˈdʊərɪŋ] während

dusk [dʌsk] (Abend)Dämmerung *f*

dust [dʌst] **1.** Staub *m;* **2.** *v/t* abstauben; (be)streuen; *v/i* Staub wischen; ~ **cover** Schutzumschlag *m;* '**~er** Staubtuch *n;* ~ **jacket** Schutzumschlag *m;* ~ '**pan** Kehrschaufel *f;* '**~y** staubig

Dutch [dʌtʃ] holländisch,

niederländisch; F deutsch;
go ~ sich (im Restaurant)
die Rechnung teilen

duty ['dju:tɪ] Pflicht *f*; *econ.*
Zoll *m*; Dienst *m*; *be on* ~
Dienst haben; *be off* ~
dienstfrei haben; ~'**free**
dienstfrei haben;

niederländisch; F deutsch; zollfrei

dye [daɪ] färben

dying ['daɪɪŋ] sterbend

dynamic [daɪ'næmɪk] dynamisch; ~*s mst sg* Dynamik *f*

dynamite ['daɪnəmaɪt] Dynamit *n*

E

ea. *Abk. für* → *each*

each [i:tʃ] **1.** *adj, pron* jede(r, -s); ~ *other* einander, sich; **2.** *adv* je, pro Person/Stück

eager ['i:gər] eifrig; begierig; ~ **beaver** Übereifrige, *m, f*

eagle ['i:gl] Adler *m*; ~ **scout** höchster Rang bei den Pfadfindern

ear¹ [ɪr] Ohr *n*; Gehör *n*

ear² [~] Ähre *f*; (Mais)Kolben *m*

ear|ache ['ɪreɪk] Ohrenschmerzen *pl*; ~ **candy** eingängige *od.* einschmeichelnde Melodie; ~ **drops** Ohrentropfen *pl*; '~**drum** Trommelfell *n*

early ['ɜːrlɪ] früh; bald; zu früh; ❧ **American style** amerikanischer Kolonialstil; ~ **bird** Frühaufsteher(in)

'earmark vorsehen (*for* für)

earn [ɜːrn] verdienen

earnest ['ɜːrnɪst] **1.** ernst (-haft); **2.** *in* ~ im Ernst

earnings ['ɜːrnɪŋz] *pl* Verdienst *m*, Einkommen *n*

'ear|phones *pl* Kopfhörer *pl*;

'~**piece** (Brillen)Bügel *m*; Ohrhörer *m*; '~**ring** Ohrring *m*; '~**shot**: *within/out of* ~ in/außer Hörweite

earth [ɜːrθ] Erde *f*; Welt *f*; '~**ly** irdisch; Ost...; '~**quake** Erdbeben *n*; '~**worm** Regenwurm *m*

ease [i:z] **1.** Leichtigkeit *f*; Bequemlichkeit *f*; (Gemüts)Ruhe *f*; Sorglosigkeit *f*; *at* (*one's*) ~ ruhig, entspannt; *be* od. *feel at* ~ sich wohl fühlen; *be* od. *feel ill at* ~ sich (in s-r Haut) nicht wohl fühlen; **2.** erleichtern; beruhigen; *Schmerzen* lindern

easel ['i:zl] Staffelei *f*

easily ['i:zɪlɪ] leicht, mühelos

east [i:st] **1.** Osten *m*; **2.** östlich, Ost...; **3.** nach Osten, ostwärts; '~**bound** in Richtung Osten; ❧ **Coast** Ostküste *f* (*der USA*)

Easter ['i:stər] Ostern *n*; Oster...); ~ **egg** Osterei *n*

Easterner ['i:stərnər] Oststaatler(in)

East Side [ˈiːstsaɪd] *der süd-östliche Teil Manhattans*

eastward [ˈiːstwəd] östlich, ostwärts, nach Osten

easy [ˈiːzɪ] leicht, mühelos; einfach; bequem; gemächlich, gemütlich; ungezwungen, natürlich; *take it ~!* immer mir der Ruhe!; *~ does it!* langsam!; *go ~ on the mayo* nicht so viel Mayonnaise, bitte; *be on ~ street* in angenehmen Verhältnissen leben; *~ chair* Sessel *m*; *~ going* gelassen

eat [iːt] (*ate, eaten*) essen; *Tier:* fressen; zerfressen; *~ like a bird* wie ein Spatz essen; *~ like a horse* wie ein Scheunendrescher essen; *~ out* essen gehen; *~ up* aufessen; *~en* [ˈiːtn] *pp von* **eat**

eatery [ˈiːtərɪ] F Speiselokal *n*

eaves [iːvz] *pl* Traufe *f*; *'~drop* lauschen; *~ on s.o.* j-n belauschen

ebony [ˈebənɪ] **1.** Ebenholz *n*; **2.** schwarz

echo [ˈekou] **1.** (*pl -oes*) Echo *n*; **2.** widerhallen

eclipse [ɪˈklɪps] (*Sonnen-, Mond-*)Finsternis *f*

ecolog|ical [iːkəˈlɔdʒɪkl] ökologisch, Umwelt...; *~ balance* ökologisches Gleichgewicht; *~y* [iːˈkɒlədʒɪ] Ökologie *f*

economic [iːkəˈnɒmɪk] (staats-, volks)wirtschaftlich, Wirtschafts...; rentabel, wirtschaftlich; *~al* wirtschaftlich, sparsam; *~s sg* Volkswirtschaft(slehre) *f*

econom|ist [ɪˈkɒnəmɪst] Volkswirt(schaftler) *m*; *~ize: ~ on* sparsam umgehen mit; *~y* Wirtschaft(ssystem *n*) *f*; Wirtschaftlichkeit *f*; *~y class* aviat. Economyklasse *f*

ecosystem [ˈiːkousɪstəm] Ökosystem *n*

ecstasy [ˈekstəsɪ] Ekstase *f*

ED *Abk. für Department of Education* Bildungsministerium *n* der USA

edg|e [edʒ] **1.** Rand *m*; Kante *f*; Schneide *f*; *on s.o. → edgy*; **2.** säumen, einfassen; *'~y* nervös; gereizt

edible [ˈedɪbl] essbar

edit [ˈedɪt] *Texte* herausgeben; *Zeitung etc.* als Herausgeber leiten; *Computer:* editieren; *~ion* [ɪˈdɪʃn] Ausgabe *f*; *~or* [ˈedɪtər] Herausgeber(in); Redakteur(in); *~orial* [edɪˈtɔːrɪəl] Leitartikel *m*; Redaktions...

EDT *Abk. für Eastern Daylight Time* Sommerzeit *f der* östlichen Zeitzone

educat|e [ˈedʒəkeɪt] erziehen, (aus)bilden; *'~ed* gebildet; *~ion* [~ˈkeɪʃn] Erziehung *f*; (Aus)Bildung *f*; Bildungs-, Schulwesen *n*; *~ional* pädagogisch, Unterrichts...

effect [ɪˈfekt] **1.** (Aus)Wirkung f; Effekt m, Eindruck m; **take ~** in Kraft treten; **2.** bewirken; **~ive** wirksam

efficien|cy [ɪ'fɪʃənsɪ] (Leistungs)Fähigkeit f; **~cy apartment** (Einzimmer-) Appartement m; **~t** tüchtig, (leistungs)fähig

effort [e'fət] Anstrengung f, Bemühung f; Mühe f; **'~less** mühelos

e.g. [i:'dʒi:] *Abk. für* **exempli gratia** (= **for example**) z.B., zum Beispiel

egg [eg] Ei n; **fried ~s** Spiegeleier pl; **scrambled ~s** Rühreier pl; **have ~ on one's face** dumm dastehen; **lay an ~** F *Theaterstück:* durchfallen

eight [eɪt] acht; **~een** [er'ti:n] achtzehn; **~h** [eɪtθ] **1.** achte(r, -s); **2.** Achtel n; **~ieth** ['eɪtɪθ] achtzigste(r, -s); '~y achtzig

either [i:'ðər, 'aɪðər] jede(r, -s), irgendeine(r, -s) *(von zweien)*; beides; **~ ... or** entweder ... oder; **not ~** auch nicht

eject [ɪ'dʒekt] *j-n* hinauswerfen; *tech.* ausstoßen

elaborate [ɪ'læbərət] sorgfältig *od.* kunstvoll (aus)gearbeitet

elastic [ɪ'læstɪk] elastisch, dehnbar

elated [ɪ'leɪtɪd] begeistert

elbow ['elbou] **1.** Ell(en)bogen m; Biegung f; *tech.* Knie

n; **2.** *mit dem Ellbogen* stoßen, drängen; **~ grease** F schwere Arbeit, Schufterei f; **~ room** Ellbogenfreiheit f *fig.* Bewegungsfreiheit f

elderly ['eldərlɪ] ältlich

elect [ɪ'lekt] **1.** *j-n* wählen; **2.** designiert, zukünftig; **~ion** [~kʃn] Wahl f; **~ion Day** *der Dienstag nach dem ersten Montag im November, an dem Bundeswahlen abgehalten werden;* **~ioneering** [ɪlekʃə'nɪrɪŋ] Wahlkampf m; **~oral college** [ɪ'lektərəl-] Wahlmännergremium n

electric [ɪ'lektrɪk] elektrisch; Elektro...; **~al** elektrisch; **~ blanket** Heizdecke f; **~ian** [~'trɪʃn] Elektriker m; **~ity** [~'trɪsətɪ] Elektrizität f

electronic [ɪlek'trɒnɪk] elektronisch; Elektronen...; **~s** sg Elektronik f

elegan|ce ['elɪgəns] Eleganz f; '~t elegant, geschmackvoll

element ['elɪmənt] Element n; pl Anfangsgründe pl; **~al** [~'mentl] elementar; **~ary** [~'mentərɪ] elementar, wesentlich; Anfangs...; **~ school** Grundschule f

elevate ['elɪveɪt] (hoch-, er)heben; **~ion** [~'veɪʃn] (Boden)Erhebung f, (An-) Höhe f; **~or** Aufzug m, Fahrstuhl m

eleven [ɪ'levn] elf; **~th** [~θ] elfte(r, -s)

eligible ['elɪdʒəbl] berechtigt

eliminat|e [ɪ'lɪmɪneɪt] beseitigen, entfernen; *Gegner* ausschalten; *be ~d Sport:* ausscheiden; **~ion** [~'neɪʃn] Beseitigung *f;* Ausschaltung *f (a. Sport)*

elk [elk] Wapitihirsch *m;* Elch *m*

elm [elm] Ulme *f*

else [els] sonst, weiter, außerdem; andere(r, -s); *anything ~?* sonst noch etwas?; *no one ~* sonst niemand; *or ~* sonst, andernfalls; **~'where** anderswo(hin)

e-mail, E-Mail ['i:meɪl] **1.** E-mail *f,* elektronische Post; **2.** *et.* per E-Mail verschicken; *e-e* E-Mail schicken

embankment [ɪm'bæŋkmənt] (Erd)Damm *m;* (Bahn-, Straßen)Damm *m;* Uferstraße *f*

embargo [em'bɑːrɡoʊ] *(pl -goes)* Embargo *n;* (Handels)Sperre *f,* (-)Verbot *n*

embark [ɪm'bɑːrk] an Bord gehen; *~ on et.* anfangen

embarrass [ɪm'bærəs] in Verlegenheit bringen; **~ed** verlegen; **~ing** peinlich; **~ment** Verlegenheit *f*

embassy ['embəsɪ] *pol.* Botschaft *f*

embers ['embərz] *pl* Glut *f*

embezzle [ɪm'bezl] unterschlagen, veruntreuen

embrace [ɪm'breɪs] **1.** (sich) umarmen; **2.** Umarmung *f*

embroider [ɪm'brɔɪdər] (be-)

sticken; *fig.* ausschmücken; **~y** [~ɪ] Stickerei *f*

emerald ['emərəld] **1.** Smaragd *m;* **2.** smaragdgrün

emerge [ɪ'mɜːrdʒ] auftauchen; *Wahrheit etc.:* sich herausstellen

emergency [ɪ'mɜːrdʒənsɪ] Notlage *f,* -fall *m;* Not...; *in an ~* im Ernst- od. Notfall; **~ brake** *mot.* Handbremse *f;* **~ call** Notruf *m;* **~ exit** Notausgang *m;* **~ landing** *aviat.* Notlandung *f;* **~ number** Notruf(nummer *f*) *m*

emigra|nt ['emɪɡrənt] Auswanderer *m,* Emigrant(in); **~te** [~eɪt] auswandern, emigrieren; **~tion** [~'ɡreɪʃn] Auswanderung *f,* Emigration *f*

eminent ['emɪnənt] berühmt

emotion [ɪ'moʊʃn] Emotion *f,* Gefühl *n;* Rührung *f,* Ergriffenheit *f;* **~al** emotional; gefühlsbetont; gefühlvoll

emphasi|s ['emfəsɪs] *(pl -ses* [~siːz]) Nachdruck *m,* Betonung *f;* **~size** betonen; **~tic** [ɪm'fætɪk] nachdrücklich

employ [ɪm'plɔɪ] beschäftigen; an-, einstellen; **~ee** [emˌplɔɪ'iː] Arbeitnehmer(in), Angestellte *m, f;* **~er** [ɪm'plɔɪər] Arbeitgeber(in); **~ment** Beschäftigung *f,* Arbeit *f;* (An)Stellung *f;* **~ment agency** Arbeitsvermittlung(sbüro *n*) *f*

empt|iness ['emptinis] Lee-re *f* (*a. fig.*); **~y 1.** leer; **2.** (aus)leeren; sich leeren

EMS [i:em'es] *Abk. für* **Emergency Medical Service** medizinischer Notfalldienst

EMT [i:em'ti:] *Abk. für* **Emergency Medical Technician** Rettungssanitäter *m*

enamel [ɪ'næml] Email(le *f*) *n*; Glasur *f*; Zahnschmelz *m*; Nagellack *m*

enclose [ɪn'kləʊz] einschließen, umgeben; *Brief:* beilegen, -fügen; **~ure** [~ʒər] Einzäunung *f*; Gehege *n*; *Brief:* Anlage *f*

encounter [ɪn'kaʊntər] **1.** begegnen, treffen; *auf Schwierigkeiten etc.* stoßen; **2.** Begegnung *f*; *mil.* Zs.-stoß *m*

encourage [ɪn'kɜːrɪdʒ] ermutigen; unterstützen; **~ment** Ermutigung *f*; Unterstützung *f*

end [end] **1.** Ende *n*, Schluss *m*; Zweck *m*, Ziel *n*; **in the ~** am Ende, schließlich; **stand on ~** *Haare:* zu Berge stehen; **2.** beenden; enden, aufhören; **~ up** enden; landen

endanger [ɪn'deɪndʒər] gefährden; **~ed species** bedrohte Tierart

endeavor [ɪn'devər] **1.** bemüht sein; **2.** Bemühung *f*

end game *Sport:* Schlussphase *f*; *Schach:* Endspiel *n*

'endless endlos

endorse [ɪn'dɔːrs] billigen, unterstützen; *Scheck* indossieren; **~ment** *econ.* Indossament *n*, Giro *n*

endur|ance [ɪn'dʊrəns] Ausdauer *f*; **~ test** Belastungsprobe *f*; **~e** [~ʊr] ertragen

enemy ['enəmɪ] **1.** Feind *m*; **2.** feindlich

energetic [enər'dʒetɪk] energisch; tatkräftig

energy ['enərdʒɪ] Energie *f*; **~-saving** energiesparend

enforce [ɪn'fɔːrs] durchsetzen

engage [ɪn'geɪdʒ] *v/t* j-n einanstellen, engagieren; (*o.s.*) sich verpflichten; *tech.* einrasten lassen, *Gang* einlegen; *j-s Aufmerksamkeit* auf sich ziehen; *v/i* sich verpflichten; *tech.* einrasten, ineinander greifen; **~ in** sich beschäftigen mit; **~d** beschäftigt; verlobt (*to* mit); **get ~** sich verloben (*to* mit); **~ment** Verlobung *f*; Verabredung *f*; Verpflichtung *f*

engine ['endʒɪn] Motor *m*; Lokomotive *f*

engineer [endʒɪ'nɪr] Ingenieur(in), Techniker(in); Maschinist *m*; Lokomotivführer *m*; **~ing** [~ɪŋ] Technik *f*, Ingenieurwesen *n*

English ['ɪŋglɪʃ] **1.** Englisch *n*; *in* auf Englisch; **the ~** die Engländer *pl*; **2.** a. englisch; **'~man** (*pl* **-men**) Englländer *m*; **~ muffin** *Art* Hefeteigbrötchen *n*

engrav|e [ɪnˈgreɪv] (ein)gravieren, (-)meißeln, einschnitzen; **~ing** (Kupfer-, Stahl)Stich *m*, Holzschnitt *m*

enjoy [ɪnˈdʒɔɪ] Vergnügen *od.* Gefallen finden *od.* Freude haben an; genießen; **~l** guten Appetit!; **did you ~ it?** hat es dir gefallen?; **~ o.s.** sich amüsieren *od.* gut unterhalten; **~able** angenehm, erfreulich; **~ment** Vergnügen *n*, Freude *f*, Genuss *m*

enlarge [ɪnˈlɑːrdʒ] (sich) vergrößern *od.* erweitern; **~ment** Vergrößerung *f*

enlighten [ɪnˈlaɪtn] aufklären, belehren

enormous [ɪˈnɔːrməs] enorm, ungeheuer, gewaltig

enough [ɪˈnʌf] genug

enroll [ɪnˈroʊl] (sich) einschreiben *od.* -tragen

ENT *Abk. für* **Ear, Nose, and Throat** HNO, Hals, Nasen, Ohren

entangle [ɪnˈtæŋgl] verwickeln, -wirren

enter [ˈentər] *v/t* (hinein-, herein)gehen, (-)kommen, (-)treten in, eintreten, -steigen in, betreten; einreisen in; eindringen in; *Namen etc.* eintragen, -schreiben; *Computer:* eingeben; *Sport:* melden, nennen; *v/i* eintreten in, beitreten; herein-, hineinkommen, -gehen; *thea.* auftreten; sich eintragen *od.* -schreiben *od.* anmelden; *Sport:* melden;

enterprise [ˈentərpraɪz] Unternehmen *n*; Betrieb *m*; Unternehmungsgeist *m*; **'~ing** unternehmungslustig

entertain [entərˈteɪn] unterhalten; bewirten; **~er** Unterhaltungskünstler(in), Entertainer(in); **~ment** Unterhaltung *f*, Entertainment *n*

enthusias|m [ɪnˈθuːziæzəm] Enthusiasmus *m*, Begeisterung *f*; **~t** [~st] Enthusiast(in); **~tic** [~ˈæstɪk] enthusiastisch, begeistert

entice [ɪnˈtaɪs] (ver)locken

entire [ɪnˈtaɪr] ganz; vollständig; **~ly** völlig

entrance [ˈentrəns] Eintreten *n*, -tritt *m*; Ein-, Zugang *m*; Zufahrt *f*; Einlass *m*, Ein-, Zutritt *m*; **~ fee** Eintritt(sgeld *n*) *m*; Aufnahmegebühr *f*

entree [ˈɑːntreɪ] *gastr.* Hauptgericht *n*

entrust [ɪnˈtrʌst] *et.* anvertrauen; *j-n* betrauen

entry [ˈentrɪ] Eintreten *n*, -tritt *m*; Einreise *f*; Eintritt *m*; Einlass *m*, Zutritt *m*; Zu-, Eingang *m*, Einfahrt *f*; Eintrag(ung *f*) *m*; *Lexikon:* Stichwort *n*; *Sport:* Nennung *f*, Meldung *f*; **~ form** Anmeldeformular *n*; **~ visa** Einreisevisum *n*

envelope ['envələup] (Brief-) Umschlag *m*

envi|able ['enviəbl] beneidenswert; **~ous** neidisch

environment [ɪn'vaɪərənmənt] Umgebung *f*; Milieu *n*; Umwelt *f*; **~al** [~'mentl] Umwelt...; **~ pollution** Umweltverschmutzung *f*; **~ protection** Umweltschutz *m*; **~alist** [~təlɪst] Umweltschützer(in)

envy ['envi] **1.** Neid *m* (**of** auf); **2.** beneiden (**s.o. sth.** j-n um et.)

EPA [i:pi:'eɪ] *Abk. für Environmental Protection Agency* Umweltschutzbehörde *f*

epidemic [epɪ'demɪk] Epidemie *f*, Seuche *f*

epidermis [epɪ'dɜ:rmɪs] Oberhaut *f*

epilepsy ['epɪlepsɪ] Epilepsie *f*

epilog ['epɪlɔ:g] Epilog *m*, Nachwort *n*

episode ['epɪsəud] Episode *f*; *Rundfunk, TV:* Folge *f*

epitaph ['epɪtæf] Grabinschrift *f*

equal ['i:kwəl] **1.** *adj* gleich; ebenbürtig; **to** gleichen; entsprechen; *e-r Aufgabe etc.* gewachsen sein; **2.** *s* Gleichgestellte *m*, *f*; **3.** *v/t* gleichen, gleichkommen; **~ity** [ɪ'kwɑ:lətɪ] Gleichheit *f*, -berechtigung *f*; **~ize** ['i:kwəlaɪz] gleichmachen, -setzen,

-stellen; ausgleichen; *Sport:* Rekord einstellen; **~izer** *Sport:* Ausgleich(streffer) *m*; **~ly** gleich

equate [ɪ'kweɪt] gleichsetzen, -stellen; **~ion** [~ʒn] *math.* Gleichung *f*

equator [ɪ'kweɪtər] Äquator *m*

equilibrium [i:kwɪ'lɪbrɪəm] Gleichgewicht *n*

equip [ɪ'kwɪp] ausrüsten, -statten; **~ment** Ausrüstung *f*, -stattung *f*; *tech.* Einrichtung *f*, Anlage *f*

equivalent [ɪ'kwɪvələnt] **1.** gleichbedeutend (**to** mit); gleichwertig, äquivalent; **be ~ to** entsprechen (*dat*); **2.** Äquivalent *n*, Gegenwert *m*

ERA [i:ɑ:r'eɪ] *Abk. für Equal Rights Amendment Zusatzartikel zur US-Verfassung zur Gleichberechtigung der Frau*

era ['ɪrə] Ära *f*, Zeitalter *n*

erase [ɪ'reɪz] ausstreichen, -radieren; *Tonband* löschen; **~r** Radiergummi *m*

erect [ɪ'rekt] **1.** aufgerichtet, aufrecht; **2.** aufrichten; errichten; aufstellen; **~ion** [~kʃn] Errichtung *f*; Aufstellung *f*; Bau *m*, Gebäude *n*; *physiol.* Erektion *f*

ero|de [ɪ'rəud] zer-, wegfressen; *geol.* erodieren; **~sion** [~ʒn] *geol.* Erosion *f*

erotic [ɪ'rɒtɪk] erotisch

errand ['erənd] Besorgung *f*,

Botengang *m*; **run ~s** Besorgungen machen

error ['erər] Irrtum *m*, Fehler *m*

erupt [ɪ'rʌpt] *Vulkan, Ausschlag, Streit etc.:* ausbrechen; **~ion** [~pʃn] Ausbruch *m*; *med.* Ausschlag *m*

escalate ['eskəleɪt] eskalieren; *Preise etc.:* steigen; **~ion** [~'leɪʃn] Eskalation *f*; **'~or** Rolltreppe *f*

escape [ɪ'skeɪp] **1.** *v/t* entfliehen, -kommen; *dem Gedächtnis* entfallen; *v/i* (ent)fliehen, entkommen; *sich retten; Flüssigkeit:* auslaufen; *Gas:* ausströmen; **2.** Entkommen *n*, Flucht *f*; **have a narrow ~** mit knapper Not davonkommen; **~chute** *aviat.* Notrutsche *f*

escort [e'skɔːt] Begleiter(in); Eskorte *f*

especially [ɪ'speʃlɪ] besonders

espionage ['espɪənɑːʒ] Spionage *f*

essay ['eseɪ] Essay *m, n,* Aufsatz *m*

essential [ɪ'senʃl] **1.** wesentlich; unentbehrlich; **2.** *mst pl* das Wesentliche, Hauptsache *f*; **~ly** im wesentlichen

EST [iːes'tiː] *Abk. für* ***Eastern Standard Time*** Normalzeit *f* für die östliche Zeitzone

establish [ɪ'stæblɪʃ] errichten, einrichten, gründen;

be-, nachweisen; **~ o.s.** sich etablieren *od.* niederlassen; **~ment** Er-, Einrichtung *f*, Gründung *f*; Unternehmen *n*, Firma *f*

estate [ɪ'steɪt] Landsitz *m*, Gut *n*, Gut: Besitz *m*; Nachlass *m*

estimate 1. ['estɪmeɪt] (ab-, ein)schätzen; beurteilen, bewerten; *e-n* Kostenvoranschlag machen; **2.** ['~ət] Schätzung *f*, Kostenvoranschlag *m*; **~ion** [~'meɪʃn] Achtung *f*, Wertschätzung *f*

ETA [iːtiː'eɪ] *Abk. für* ***Estimated Time of Arrival*** voraussichtliche Ankunftszeit

etch [etʃ] ätzen; in Kupfer stechen; radieren; **'~ing** Kupferstich *m*; Radierung *f*

ETD [iːtiː'diː] *Abk. für* ***Estimated Time of Departure*** voraussichtliche Abfahrtszeit *od.* Abflugzeit

eternal [ɪ'tɜːnl] ewig; **~ity** [~nətɪ] Ewigkeit *f*

ether ['iːθər] Äther *m*

ethical ['eθɪkl] ethisch; **~s** ['~ks] *sg* Ethik *f*; *pl* Moral *f*

ethnic ['eθnɪk] **1.** ethnisch; *e-r* ethnischen Minderheit angehörend; **2.** Angehörige(r) *e-r* ethnischen Minderheit

Euro ['jʊərəʊ] Euro *m*

Europe ['jʊərəp] Europa *n*

European [jʊərə'piːən] **1.** Europäer(in); **2.** europäisch

evacuate [ɪ'vækjʊeɪt] evakuieren; *Haus etc.* räumen

evaluate [ɪ'væljʊeɪt] (ab-) schätzen, bewerten

evaporate [ɪ'væpəreɪt] verdunsten *od.* verdampfen (lassen); **~d milk** Kondensmilch *f*

evasive [ɪ'veɪsɪv] ausweichend

eve [iːv] *mst* ♀ Vorabend *m*, -tag *m* (*e-s Festes*)

even ['iːvn] **1.** *adv* selbst, sogar; *not* ~ nicht einmal; ~ *if* selbst wenn; **2.** *adj* eben, flach, gerade; gleichmäßig; ausgeglichen; gleich, identisch; *Zahl*: gerade; *get* ~ *with s.o.* j-n heimzahlen

evening ['iːvnɪŋ] Abend *m*; *in the* ~ abends, am Abend; *this* ~ heute Abend; *good* ~ guten Abend; ~ *classes pl* Abendkurs *m*, -unterricht *m*

event [ɪ'vent] Ereignis *n*; Fall *m*; *Sport*: Disziplin *f*; Wettbewerb *m*

eventually [ɪ'ventʃʊəlɪ] schließlich

ever ['evər] immer (wieder); je(mals); ~ *since* seitdem; ~*lasting* ewig

every ['evrɪ] jede(r, -s); ~ *other day* jeden zweiten Tag, alle zwei Tage; ~ *now and then* ab u. zu, hin u. wieder; '~*body* → *everyone*; '~*day* (all)täglich; Alltags...; ~*one* jeder(mann), alle; '~*thing* alles; ~*where* überall(hin)

evict [ɪ'vɪkt] ausweisen

eviden|ce ['evɪdəns] *jur.* Beweis(e *pl*) *m*; (Zeugen)Aussage *f*; (An)Zeichen *n*, Spur *f*; *give* ~ aussagen; '~*t* augenscheinlich, offensichtlich

evil ['iːvl] **1.** übel, böse; **2.** Übel *n*; *das* Böse

evolution [ɪːvə'luːʃn] Entwicklung *f*; Evolution *f*

evolve [ɪ'vɒlv] (sich) entwickeln

ex- [eks] ex..., ehemalig

ex [eks] Exmann *m*; Exfreund *m*; Exfrau *f*; Exfreundin *f*

exact [ɪg'zækt] **1.** exakt, genau; **2.** fordern, verlangen; ~*ly* exakt, genau

exaggerate [ɪg'zædʒəreɪt] übertreiben; ~*ion* [~'reɪʃn] Übertreibung *f*

exam [ɪg'zæm] Examen *n*

examin|ation [ɪgzæmɪ'neɪʃn] Untersuchung *f*; Prüfung *f*, Examen *n*; ~*e* [~'zæmɪn] untersuchen

example [ɪg'zæmpl] Beispiel *n*; *for* ~ zum Beispiel

exasperated [ɪg'zæspəreɪtɪd] wütend, aufgebracht (*at, by* über)

excavat|e ['ekskəveɪt] ausgraben, -baggern; ~*ion* [~'veɪʃn] Ausgrabung *f*; ~*or* ['~veɪtər] Bagger *m*

exceed [ɪk'siːd] überschreiten; übertreffen; ~*ingly* äußerst, überaus

excel [ɪk'sel] übertreffen (*o.s.* sich selbst); sich auszeichnen; ~*lent* ausgezeichnet

except [ɪk'sept] **1.** ausnehmen; **2.** außer; **~ for** bis auf (acc); **~ion** [~pʃn] Ausnahme f; **~ional(ly)** außergewöhnlich

excerpt ['eksɜːrpt] Auszug m

excess [ɪk'ses] Übermaß n, -fluss m (**of** an); Überschuss m; pl Exzesse pl; **~ baggage** aviat. Übergepäck n; **~ive** übermäßig, -trieben

exchange [ɪks'tʃeɪndʒ] **1.** (aus-, ein-, um)tauschen (**for** gegen); Geld (um)wechseln; **2.** (Aus-, Um)Tausch m; econ. (Um)Wechseln n; econ. Börse f; Wechselstube f; (Fernsprech)Amt n, Vermittlung f; **~ rate** Wechselkurs m

excit|able [ɪk'saɪtəbl] reizbar, (leicht) erregbar; **~e** [~aɪt] er-, aufregen; anregen; **~ed** erregt, aufgeregt; **~ement** Auf-, Erregung f; **~ing** er-, aufregend, spannend

exclamation [eksklə'meɪʃn] Ausruf m; **~ mark** Ausrufezeichen n

exclu|de [ɪk'skluːd] ausschließen; **~sion** [~ʒn] Ausschluss m; **~sive** [~sɪv] ausschließlich; exklusiv

excursion [ɪk'skɜːrʃn] Ausflug m

excuse 1. [ɪk'skjuːz] entschuldigen; **~ me** entschuldige(n Sie)!, Verzeihung!; **2.** [~uːs] Entschuldigung f; Ausrede f

execut|e ['eksɪkjuːt] ausführen, durchführen; mus. etc. vortragen; hinrichten; **~ion** [~'kjuːʃn] Aus-, Durchführung f; mus. Vortrag m; Hinrichtung f; **~ive** [ɪg'zekjʊtɪv] Exekutive f; econ. leitende(r) Angestellte(r)

exempt [ɪg'zempt] befreit

exercise ['eksərsaɪz] **1.** Übung f; (körperliche) Bewegung; Übung(sarbeit) f, Schulaufgabe f; **2.** Macht etc. ausüben; üben, trainieren; sich Bewegung machen

exert [ɪg'zɜːrt] Einfluss etc. ausüben; **~ o.s.** sich anstrengen; **~ion** [~ʃn] Anstrengung f

exhaust [ɪg'zɔːst] **1.** erschöpfen; Vorräte ver-, aufbrauchen; **2.** Auspuff m; a. **~ fumes** pl Auspuff-, Abgase pl; **~ed** erschöpft; **~ion** Erschöpfung f; **~ pipe** Auspuffrohr n

exhibit [ɪg'zɪbɪt] **1.** ausstellen; fig. zeigen, zur Schau stellen; **2.** Ausstellungsstück n; jur. Beweisstück n; **~ion** [eksɪ'bɪʃn] Ausstellung f

exhilarating [ɪg'zɪləreɪtɪŋ] erregend, berauschend

exist [ɪg'zɪst] existieren; vorkommen; bestehen; leben (**on** von); **~ence** Existenz f; Vorkommen n; **~ent** existierend; **~ing** bestehend

exit ['eksɪt] Ausgang m; Ausfahrt f

exotic [ɪɡ'zɑːtɪk] exotisch

expand [ɪk'spænd] ausbreiten; (sich) ausdehnen od. erweitern; econ. a. expandieren; **~se** [~ns] weite Fläche; **~sion** Ausbreitung f; Ausdehnung f, Erweiterung f

expect [ɪk'spekt] erwarten; F vermuten, glauben, annehmen; *be ~ing* F in anderen Umständen sein; **~ant** erwartungsvoll; **~ mother** werdende Mutter; **~ation** [ekspek'teɪʃn] Erwartung f

expedient [ɪk'spiːdɪənt] **1.** zweckdienlich, -mäßig; **2.** (Hilfs)Mittel n

expedition [ekspɪ'dɪʃn] Expedition f

expel [ɪk'spel] (**from**) vertreiben (aus), ausweisen (aus); ausschließen (von, aus)

expenditure [ɪk'spendɪtʃər] Ausgaben pl, (Kosten)Aufwand m; **~se** [~ns] Ausgaben pl; pl Unkosten pl, Spesen pl; *at the ~ of* auf Kosten von; *at s.o.'s ~* auf j-s Kosten; **~sive** teuer, kostspielig

experience [ɪk'spɪrɪəns] **1.** Erfahrung f; Erlebnis n; **2.** erfahren; erleben; et. durchmachen; **~d** erfahren

experiment **1.** [ɪk'sperɪmənt] Experiment n, Versuch m; **2.** [~ment] experimentieren

expert ['eksp3ːrt] **1.** Experte m, -in f, Sachverständige m, f, Fachmann m, -frau f; **2.** erfahren; fachmännisch

expire [ɪk'spaɪr] ablaufen, erlöschen; verfallen

explain [ɪk'spleɪn] erklären; **~anation** [eksplə'neɪʃn] Erklärung f

explicit [ɪk'splɪsɪt] deutlich

explode [ɪk'sploʊd] explodieren; zur Explosion bringen; sprengen

exploit [ɪk'splɔɪt] ausbeuten

exploration [eksplə'reɪʃn] Erforschung f; Untersuchung f; **~e** [ɪk'splɔːr] erforschen; untersuchen; **~er** [~ər] Forscher(in)

explosion [ɪk'sploʊʒn] Explosion f; **~ive** [~sɪv] **1.** explosiv; **2.** Sprengstoff m

export **1.** [ɪk'spɔːrt] exportieren, ausführen; **2.** ['eksp3ːrt] Export m; pl Export(güter pl) m; **~ation** [eksp3ːr'teɪʃn] Ausfuhr f; **~er** [ɪk'spɔːrtər] Exporteur m

expose [ɪk'spoʊz] Waren ausstellen; phot. belichten; fig.: et. aufdecken; j-n entlarven, bloßstellen; **~ to** dem Wetter, e-r Gefahr etc. aussetzen

exposition [ekspoʊ'zɪʃn] Ausstellung f

exposure [ɪk'spoʊʒər] fig. Aussetzen n, Ausgesetztsein n (**to** dat); Unterkühlung n; phot. Belichtung f; Aufnahme f; Bloßstellung f, Enthüllung f, -larvung f

express [ɪk'spres] **1.** v/t ausdrücken, äußern; **~ o.s.** sich ausdrücken; **2.** *adj* Express..., Eil..., Schnell...; ausdrücklich; **~ion** [~ʃn] Ausdruck *m*; **~ive** [~sɪv] ausdrucksvoll; **~ lane** Schnellkasse *f* (*im Supermarkt*); **~way** Schnellstraße *f*; Autobahn *f*

expulsion [ɪk'spʌlʃn] Vertreibung *f*; Ausweisung *f*; Ausschluss *m*

extend [ɪk'stend] (aus)dehnen, (-)weiten; *Hand etc.* ausstrecken; *Betrieb etc.* vergrößern, ausbauen; *Frist, Pass etc.* verlängern; sich ausdehnen *od.* erstrecken; **~sion** [~ʃn] Ausdehnung *f*; Vergrößerung *f*, Erweiterung *f*; (Frist)Verlängerung *f*; *arch.* Erweiterung *f*, Anbau *m*; *tel.* Nebenanschluss *m*, Apparat *m*; **~sive** [~sɪv] ausgedehnt; *fig.*: umfassend; beträchtlich; **~t** Ausdehnung *f*; Umfang *m*, (Aus)Maß *n*

exterior [ɪk'stɪərɪə] **1.** äußere(r, -s), Außen...; **2.** *das* Äußere

exterminate [ɪk'stɜːmɪneɪt] ausrotten

external [ɪk'stɜːnl] äußere(r, -s), äußerlich, Außen...

extinct [ɪk'stɪŋkt] ausgestorben; *Vulkan:* erloschen

extinguish [ɪk'stɪŋgwɪʃ] (aus)löschen, ausmachen; **~er** (Feuer)Löscher *m*

extra ['ekstrə] **1.** zusätzlich,

Extra..., Sonder...; extra, besonders; **be ~** gesondert berechnet werden; **~ charge** Zuschlag *m*; **2.** Sonderleistung *f*; *bsd. mot.* Extra *n*; Zuschlag *m*; Extrablatt *n*; *Film:* Statist(in)

extract 1. [ɪk'strækt] herausziehen, -holen; *Zahn* ziehen; *tech. Öl etc.* gewinnen; **2.** ['ekstrækt] Extrakt *m*; (*Buch- etc.*) Auszug *m*

extraordinary [ɪkstrə'ɔːdnərɪ] außerordentlich, -gewöhnlich; ungewöhnlich

extravagance [ɪk'strævəgəns] Verschwendung *f*; Extravaganz *f*; **~t** verschwenderisch; extravagant

extreme [ɪk'striːm] **1.** äußerste(r, -s), größte(r, -s), höchste(r, -s); extrem; **2.** *das* Äußerste, Extrem *n*; **~ly** äußerst, höchst; **~ity** [~'stremɪtɪ] *das* Äußerste; (höchste) Not; *pl* Gliedmaßen *pl*, Extremitäten *pl*

extrovert ['ekstrouvɜːt] **1.** extrovertiert **2.** extrovertierter Mensch

eye [aɪ] **1.** Auge *n*; Öhr *n*; Öse *f*; *fig.* Blick *m*; **~s only** streng geheim!; **be ~ to ~** sich Auge in Auge gegenüberstehen; **2.** betrachten, mustern; **~ball** Augapfel *m*; **~brow** Augenbraue *f*; **~glasses** *pl* Brille *f*; **~lash** Augenwimper *f*; **~lid** Augenlid *n*; **~liner** Eyeliner *m*;

~ **opener** Überraschung *f*; F *alkoholischer* Muntermacher; *sl.* *Drogen*: der erste Schuss am Morgen; ~

shadow Lidschatten *m*; '**~sight** Augen(licht *n*) *pl*, Sehkraft *f*; '**~witness** Augenzeug|e *m*, -in *f*

F

F *Abk. für* **Fahrenheit**

FAA *Abk. für* **Federal Aviation Administration** Luftfahrtbehörde *f*

fabric ['fæbrɪk] Stoff *m*, Gewebe *n*; *fig.* Struktur *f*; ~ **conditioner** Weichspüler *m*

fabulous ['fæbjʊləs] sagenhaft

face [feɪs] **1.** Gesicht *n*; *das Äußere*; Vorderseite *f*; Zifferblatt *n*; ~ **to** ~ Auge in Auge; **2.** ansehen; gegenüberstehen, -liegen, -sitzen

face value Nennwert *m*; **take s.th. at** ~ et. für bare Münze nehmen

facil|itate [fə'sɪlɪteɪt] erleichtern; **~ity** Leichtigkeit *f*; Gewandtheit *f*; *pl* Einrichtungen *pl*, Anlagen *pl*

fact [fækt] Tatsache *f*; **in** ~, **as a matter of** ~ tatsächlich

factory ['fæktərɪ] Fabrik *f*

faculty ['fækltɪ] Fähigkeit *f*; Gabe *f*; *univ.* Lehrkörper *m*

fade [feɪd] (ver)welken (lassen); *Farben*: verblassen

fag [fæg] *sl.* Schwuler *m*

faggot ['fægət] *sl.* Schwuler *m*

Fahrenheit ['ferənhaɪt] Fah-

renheit (*Gradeinheit auf der Fahrenheitskala*)

fail [feɪl] versagen; misslingen, fehlschlagen; nachlassen; *Kandidat*: durchfallen (lassen); Prüfung: bestehen; im Stich lassen; **~ure** ['~jər] Versagen *n*; Fehlschlag *m*, Misserfolg *m*; Versager(in)

faint [feɪnt] **1.** schwach, matt; **2.** Ohnmacht *f*; **3.** ohnmächtig werden

fair¹ [fer] (Jahr)Markt *m*; *econ.* Messe *f*

fair² [~] gerecht, anständig, fair; recht gut, ansehnlich; *Wetter*: schön; *Himmel*: klar; *Haar*: blond; *Haut*: hell; **play** ~ fair spielen; *fig.* sich an die Spielregeln halten; '**~-haired** blond; ~ **boy** F Liebling *m* (*des Chefs etc.*); '**~ly** gerecht; ziemlich; '**~ness** Gerechtigkeit *f*, Fairness *f*

fairy ['ferɪ] Fee *f*; *sl.* Schwuler *m*; ~ **tale** Märchen *n*

faith [feɪθ] Glaube *m*; Vertrauen *n*; **~ful** treu; genau

fake [feɪk] **1.** Fälschung *f*; Schwindel *m*; Schwindler(in); **2.** fälschen; imitie-

ren; **3.** gefälscht; imitiert; ~
out sl. austricksen
falcon ['fɔːlkən] Falke m
fall [fɔːl] **1.** Fall(en) m;
Sturz m; Herbst m; pl Wasserfall m; **2.** (*fell, fallen*) fallen, stürzen; *Nacht:* herein-
brechen; sinken; ~ *back on*
zurückgreifen auf; ~ *for* he-
reinfallen auf; F sich in *j-n*
verknallen; ~ *in love with*
sich verlieben in; '~en *pp*
von fall 2; ~ *guy* F Sündenbock m
false [fɔːls] falsch
falsify ['fɔːlsɪfaɪ] fälschen
fame [feɪm] Ruhm m
familiar [fə'mɪljər] vertraut,
bekannt, gewohnt; *Ton etc.:*
ungezwungen; '~ity [~ɪ'ærə-
tɪ] Vertrautheit f; *oft pl*
(plumpe) Vertraulichkeit;
~ize [~'mɪljəraɪz] vertraut
machen
family ['fæmlɪ] Familie f; ~
doctor Hausarzt m, Haus-
ärztin f; ~ **name** Familien-,
Nachname m; ~ **room**
Wohnzimmer n
famous ['feɪməs] berühmt
fan[1] [fæn] Fächer m; Ventila-
tor m
fan[2] [~] (*Sport- etc.*)Fan m
fanatic [fə'nætɪk] Fanati-
ker(in); ~(**al**) fanatisch
fan belt *mot.* Keilriemen m
fang [fæŋ] Reiß-, Fangzahn
m; Giftzahn m; Hauer m
fanny ['fænɪ] F Po m; ~ **pack**
Gürteltasche f

fantastic [fæn'tæstɪk] fantastisch
fantasy ['fæntəsɪ] Fantasie f
fanzine ['fæn'ziːn] Fanzine n
(*Zeitschrift für Fans von Musik, Sport, Science-Fiction
etc.*)
far [fɑːr] **1.** *adj* fern, entfernt,
weit; **2.** *adv* fern, weit; ~
away, ~ *off* weit weg *od.* entfernt; *as ~ as* soweit
fare [fer] Fahrgeld n, -preis
m, Flugpreis m; Fahrgast m;
Kost f, Nahrung f
far-'fetched weit hergeholt
farm [fɑːrm] **1.** Bauernhof m,
Farm f; **2.** *Land* bewirtschaf-
ten; '~er Bauer m, Landwirt
m, Farmer m; '~house Bau-
ernhaus n; Farmhaus n;
'~yard Hofplatz m
far-'sighted *med.* weitsichtig
fart [fɑːrt] V **1.** Furz m; **2.** fur-
zen
farther ['fɑːrðər] *Komparativ
von* far
fascinate ['fæsɪneɪt] faszinieren; '~ing faszinierend;
~ion [~'neɪʃn] Faszination f
fashion ['fæʃn] Mode f; *in/
out of* ~ modern/unmodern;
'~able modisch, elegant; in
Mode; Mode...
fast [fæst] schnell; fest;
(wasch)echt; *be* ~ *Uhr:* vorgehen
fasten ['fɑːsn] befestigen,
festmachen, anschnallen,
anbinden, zuknöpfen, zu-,
verschnüren

fast food Schnellgericht(e *pl*) *n*; **~ place** *etwa* Schnellimbiss *m*

fast lane *mot.* Überholspur *f*; **live in the ~** F das süße Leben genießen; **~ train** Schnellzug *m*

fat [fæt] **1.** dick, *contp.* fett; fett(ig); **be in ~ city** sl. im Geld schwimmen; **2.** Fett *n*; **~ farm** *sl.* Gesundheits-, Schönheitsfarm *f*

fatal ['feɪtl] tödlich

fate [feɪt] Schicksal *n*

father ['fɑːðər] Vater *m*; **~hood** ['~hʊd] Vaterschaft *f*; **~-in-law** ['~ɪnlɔː] Schwiegervater *m*; '**~less** vaterlos; '**~ly** väterlich; **♀'s Day** Vatertag *m* (*3. Sonntag im Juni*)

fatigue [fə'tiːɡ] **1.** Ermüdung *f* (*a. tech.*); **2.** ermüden

fatty ['fætɪ] fettig, fetthaltig

faucet ['fɔːsɪt] (Wasser-) Hahn *m*

fault [fɔːlt] Fehler *m*; Defekt *m*; Schuld *f*; **find ~ with** et-was auszusetzen haben an; '**~y** fehlerhaft, *tech. a.* defekt

faux [fou] nachgemacht, imitiert, falsch

fava bean ['fɑːvə biːn] Saubohne *f*

favor ['feɪvər] **1.** Gunst *f*, Wohlwollen *n*; Gefallen *m*; **in ~ of** zugunsten von *od.* gen; **be in ~ of** für *et.* sein; *do* **s.o. a ~** j-m e-n Gefallen tun; **2.** begünstigen; vorziehen; unterstützen, für *et.* sein; fa-

vorisieren; **~able** ['~əbl] günstig; vorteilhaft; **~ite** ['~ɪt] **1.** Liebling *m*; Favorit(in); **2.** Lieblings...

fax [fæks] **1.** (Tele)Fax *n*; **2.** (tele)faxen; **~ machine** Fax(gerät) *n*

FBI [efbiː'aɪ] *Abk. für* **Federal Bureau of Investigation** *etwa* Bundeskriminalpolizei *f* der USA

FCC [efsiː'siː] *Abk. für* **Federal Communications Commission** US-Bundesbehörde *f* für das Fernmeldewesen

FDA [efdiː'eɪ] *Abk. für* **Food and Drug Administration** US-Bundesbehörde *f* für die Überwachung von Lebens- und Arzneimitteln

FDR [efdiː'ɑːr] *Abk. für* Franklin Delano Roosevelt (*US Präsident*)

fear [fɪr] **1.** Furcht *f*, Angst *f* (**of** vor); **2.** (be)fürchten; sich fürchten vor; '**~ful** furchtbar; '**~less** furchtlos

feast [fiːst] *rel.* Fest *n*; Festmahl *n*, -essen *n*

feather ['feðər] Feder *f*; *pl* Gefieder *n*

feature ['fiːtʃər] **1.** (Gesichts)Zug *m*; (charakteristisches) Merkmal; *Zeitung etc.:* Feature *n*; **a. ~ film** Haupt-, Spielfilm *m*; **2.** groß herausbringen *od.* -stellen

February ['febrʊərɪ] Februar *m*

fed¹ [fed] *pret u. pp von* **feed** 2

fed² [~] F Bundesbeamte *m*; FBI Agent *m*

Fed [fed]: *the* ~ F die Notenbank der USA

federal ['fedərəl] Bundes...; *the* ♀ **Republic of Germany** die Bundesrepublik Deutschland; *the* ♀ **Reserve Bank** die Notenbank der USA; ~ **tax** Bundessteuer *f*

fee [fi:] Gebühr *f*; Honorar *n*

feeble [fi:bl] schwach

feed [fi:d] **1.** Füttern *n*, Fütterung *f*; F Mahlzeit *f*; Futter *n*; **2.** *(fed) v/t* füttern; *Familie* ernähren; *tech. Maschine* speisen, *Computer:* eingeben; *be fed up with et.* satt haben; *v/i Tier:* fressen; *Mensch:* F füttern; sich ernähren (*on* von); '~**back** *electr.* Rückkopp(e)lung *f*; Feedback *n*, Rückkoppl(e)lung *f*; Feedback *n*, Zurückleitung *f* (*von Informationen*) (*to* an); '~**er** Zubringer *m* (*Straße*); *aviat.* Zubringerlinie *f*

feel [fi:l] *(felt)* (sich) fühlen; befühlen; anfühlen; '~**er** Fühler *m*; '~**ing** Gefühl *n*

feet [fi:t] *pl von* **foot**

fell [fel] **1.** *pret von* **fall** 2; **2.** niederschlagen; fällen

fellow ['feləʊ] Gefährt|e *m*, -in *f*; F Kerl *m*, Bursche *m*; ~ **citizen** Mitbürger(in)

felony ['feləni] Verbrechen *n*

felt¹ [felt] *pret u. pp von* **feel**

felt² [~] Filz *m*; '~**-tip**, ~**-tip(ped)** 'pen Filzschreiber *m*, -stift *m*

fem *Abk. für* **female** weiblich

female ['fi:meɪl] **1.** weiblich; **2.** *zo.* Weibchen *n*

feminine ['femɪnɪn] weiblich; '~**st** Feminist(in)

fenc|e [fens] **1.** Zaun *m*; **2.** *v/t:* a im ein-, umzäunen; *v/i* fechten; '~**ing** Fechten *n*

fender ['fendər] Kotflügel *m*; '~**-bender** leichter Unfall mit Blechschaden

fern [fɜːn] Farn(kraut *n*) *m*

ferocious [fə'rəʊʃəs] wild

ferris wheel ['ferɪs wi:l] Riesenrad *n*

ferry ['feri] **1.** Fähre *f*. **2.** (*in* e-r Fähre) übersetzen

fertil|e ['fɜːtl] fruchtbar; ~**ity** [fɜː'tɪlətɪ] Fruchtbarkeit *f*; ~**ize**['fɜːtəlaɪz] befruchten; düngen; '~**izer** (*bsd.* Kunst-) Dünger *m*

fess [fes] geschehen, zugeben; *come on,* ~ *up!* na komm, gib's schon zu!

festival ['festəvl] Fest *n*; Festival *n*, Festspiele *pl*; ~**e** ['~ɪv] festlich; ~**ity** [~'stɪvətɪ] Festlichkeit *f*

fever ['fi:vər] Fieber *n*; ~**ish** ['~ɪʃ] fieb(e)rig; *fig.* fieberhaft

few [fju:] wenige; *a* ~ ein paar, einige

fiancé [fɪ'ɑːnseɪ] Verlobte *m*; ~**ée** [~] Verlobte *f*

fib [fɪb] flunkern

fiber 106

fiber ['faɪbər] Faser f; **'~board** Holzfaserplatte f; **'~glass** Fiberglas n

fickle ['fɪkl] launenhaft, launisch; _Wetter:_ unbeständig

fiction ['fɪkʃn] Erfindung f; _Prosa-,_ Romanliteratur f

fictitious [fɪk'tɪʃəs] erfunden

fiddle ['fɪdl] **1.** Fiedel f, Geige f; **2.** _mus._ fiedeln

fidelity [fɪ'delətɪ] Treue f; Genauigkeit f

fidget ['fɪdʒɪt] nervös machen; (herum)zappeln

field [fiːld] Feld n; _Sport:_ Spielfeld n; Gebiet n; Bereich m; **~ events** pl _Sport:_ Sprung- u. Wurfdisziplinen pl; **~ hockey** _Sport:_ Hockey n

fierce [fɪrs] wild; heftig

fifteen [fɪf'tiːn] fünfzehn; **~th** [fɪfθ] **1.** fünfte(r, -s). **2.** Fünftel n; **a ~ of bourbon** etwa eine 0,75-Liter Flasche Bourbon; **~tieth** ['~tɪɪθ] fünfzigste(r, -s); **~ty** fünfzig; **~ty-fifty** F fifty-fifty, halbe-halbe

fig [fɪg] Feige f

fight [faɪt] **1.** Kampf m; Rauferei f, Schlägerei f; **2.** (fought) (be)kämpfen; kämpfen gegen _od._ mit; sich schlagen; **'~er** Kämpfer m; _Sport:_ Boxer m, Fighter m

figurative ['fɪgjərətɪv] bildlich

figure ['fɪgjər] **1.** Figur f; Gestalt f; Zahl f, Ziffer f; **2.** er-

scheinen, vorkommen; sich _et._ vorstellen; meinen, glauben; **~ out** herausbekommen; _Lösung_ finden; schlau werden aus; **~ skating** Eiskunstlauf m

file [faɪl] **1.** (Akten)Ordner m, Karteikasten m; Akte f; Akten pl, Ablage f; _Computer:_ Datei f; Reihe f; **on ~** bei den Akten; **2.** _a._ **~ away** _Briefe etc._ ablegen; **~ cabinet** Aktenschrank m

fill [fɪl] (sich) füllen; an-, ausfüllen, voll füllen; **~ in** _Namen_ einsetzen; **~ out** in _Formular_ ausfüllen; **~ up** voll füllen; voll tanken; sich füllen

filet [fɪ'leɪ] **1.** Filet n; **2.** filetieren

filling ['fɪlɪŋ] **1.** Füllung f; (Zahn)Plombe f; **2.** sättigend; **~ station** Tankstelle f

filly ['fɪlɪ] Stutenfohlen n

film [fɪlm] **1.** Film m; (Plastik)Folie f; **2.** (ver)filmen

filter ['fɪltər] **1.** Filter m, tech. n; **2.** Filter m; → **'~-tipped cigarette** Filterzigarette f

filth [fɪlθ] Schmutz m; **'~y** schmutzig; _fig._ unflätig

fin [fɪn] _zo._ Flosse f, Schwimmflosse f

finagle [fɪ'neɪgl] (sich) _et._ ergaunern; **~ s.o. out of s.th.** j-n um _et._ betrügen

final ['faɪnl] **1.** letzte(r, -s) End..., Schluss...; endgültig;

2. *Sport:* Finale *n*; *mst pl*
Schlussexamen *n*, -prüfung *f*;
'**~ly** ['~nəlɪ] endlich

financ|e [faɪ'næns] **1.** Finanz-
wesen *n*; *pl* Finanzen *pl*; **2.** fi-
nanzieren; **~ial** [~nʃl] finanziell

find [faɪnd] **1.** (*found*) finden;
(*a.* **~ out**) herausfinden; *jur.*
j-n für (nicht) *schuldig* erklären; **2.** Fund *m*

fine¹ [faɪn] **1.** *adj* fein; schön;
ausgezeichnet; dünn; *I'm* **~**
mir geht es gut; **2.** *adv* klein,
fein; F sehr gut, bestens

fine² [~] **1.** Geldstrafe *f*, Bußgeld *n*; **2.** mit e-r Geldstrafe
belegen

finger ['fɪŋgər] **1.** Finger *m*;
2. befühlen; *sl.* j-n verpfeifen; '**~nail** Fingernagel *m*;
'**~print** Fingerabdruck *m*;
'**~tip** Fingerspitze *f*

finish ['fɪnɪʃ] **1.** (be)enden,
aufhören (mit); *a.* **~ off** voll-
enden, zu Ende führen, erledigen; *a.* **~ up** **off** aufessen, austrinken; **2.** Ende *n*;
Vollendung *f*, letzter Schliff;
Sport: Endspurt *m*, Finish *n*;
Ziel *n*; '**~ing line** Ziellinie *f*

fink [fɪŋk] *sl.* **1.** Polizeispitzel
m; **2.** bei der Polizei singen; **~**
on j-n verpfeifen

fire ['faɪr] **1.** Feuer *n*, Brand
m; **be on** **~** in Flammen stehen, brennen; **catch ~** Feuer
fangen, in Brand geraten;
set on ~, **set ~ to** anzünden;
2. *v/t* anzünden; '**~ing** Line
Schusswaffe

abfeuern; *Schuss* (ab)feu-
ern, abgeben; F feuern, rausschmeißen; heizen; *v/i* feuern, schießen; **~ alarm** Feu-
eralarm *m*; Feuermelder *m*;
~ arms *pl* Feuer-, Schuss-
waffen *pl*; **~ department**
Feuerwehr *f*; **~ engine**
Löschfahrzeug *n*; **~ escape**
Feuerleiter *f*, -treppe *f*; **~ ex-**
tinguisher Feuerlöscher *m*;
~ fighter Feuerwehrmann
m, Feuerwehrfrau *f*; **~place**
(offener) Kamin; **~proof**
feuerfest; '**~works** Feuer-
werkskörper *m*; *pl* Feuer-
werk *n*

firm¹ [fɜːrm] Firma *f*

firm² [~] fest, hart; stand-
haft

first [fɜːrst] **1.** *adj* erste(r, -s);
beste(r, -s); **2.** *adv* zuerst;
(zu)erst (einmal); als Ers-
te(r, -s); **~ of all** zu allererst;
3. *s* at **~** zuerst; **~ aid** erste
Hilfe; **~'-aid kit** Verband(s)-
kasten *m*; **~ class** 1. Klasse *f*;
~'-class erstklassig; erster
Klasse; **~'-degree burn** Verbrennung *f* ersten Grades;
~'-degree murder *etwa*
Mord *m*; **~ floor** Erdge-
schoss *n*, öster. -geschoß *n*;
~'-hand aus erster Hand; **~**
name Vorname *m*

fish [fɪʃ] **1.** (*pl* **~**, **~es**) Fisch *m*;
2. fischen, an-
geln; **~ or cut bait** F tu endlich was oder halt die Klappe; '**~bone** Gräte *f*; **~erman**

['~ərmən] (pl **-men**) Fischer m, Angler m

'fishing Fischen n, Angeln n; ~ **line** Angelschnur f; ~ **rod** Angelrute f

fis|sion ['fɪʃn] Spaltung f; **~sure** ['~ʃər] Spalt(e f) m, Riss m

fist [fɪst] Faust f

fit[1] [fɪt] **1.** geeignet; richtig; angebracht; fit, in Form; **be ~ to be tied** F e-e Mordswut haben; **2.** passend machen, anpassen; ausrüsten, ausstatten; einrichten; zutreffen auf; tech. einpassen, -bauen, anbringen; Kleid etc.: passen, sitzen

fit[2] [~] Anfall m

'fit|ful Schlaf etc.: unruhig; '**~ness** Eignung f; Tauglichkeit f; Fitness f, (gute) Form; **~ting 1.** passend; schicklich; **2.** Montage f; Installation f; pl Ausstattung f

five [faɪv] fünf

fix [fɪks] **1.** befestigen, anbringen (**to** an); Preis festsetzen; fixieren; Blick etc. richten (**on** auf); Aufmerksamkeit etc. fesseln; reparieren; Essen zubereiten; **2.** F Klemme f; sl. Schuss Heroin etc.: Fix m; **~ed** fest; starr; '**~ing: the ~s** gastr. die Beilagen pl; '**~ture** ['~stʃər] fest angebrachtes Zubehörteil

fizz [fɪz] zischen, sprudeln

FL Abk. für Florida

flabby ['flæbɪ] schlaff

flag [flæg] **1.** Fahne f, Flagge f; **2.** beflaggen

flak|e [fleɪk] **1.** Flocke f; Schuppe f; **2.** a. ~ **off** abblättern; '**~y** flockig; blätt(e)rig; ~ **pastry** Blätterteig m

flame [fleɪm] **1.** Flamme f; **2.** flammen, lodern

flammable ['flæməbl] → **inflammable**

flank [flæŋk] **1.** Flanke f; **2.** flankieren

flap [flæp] **1.** Flattern n, (Flügel)Schlag m; Klappe f; **2.** mit den Flügeln etc. schlagen; flattern

flapjack ['flæpdʒæk] Pfannkuchen m

flare [fler] flackern; Nasenflügel: sich weiten

flash [flæʃ] **1.** Aufblitzen n, Blitz m; Rundfunk etc.: Kurzmeldung f; **2.** (auf)blitzen od. aufleuchten (lassen); rasen, flitzen; '**~back** Rückblende f; '**~er** mot. Blinker m; '**~light** Blitzlicht n; Taschenlampe f; '**~y** protzig; auffallend

flask [flæsk] Taschenflasche f; Thermosflasche® f

flat [flæt] **1.** flach, eben; schal; econ. flau; Reifen: platt; **2.** Flachland n, Niederung f; Reifenpanne f; **~bed (truck)** mot. Tieflader m

flatten ['flætn] (ein)ebnen; abflachen; a. ~ **out** flach(er) werden

flatter ['flætər] schmeicheln;

flush

~y [~əri] Schmeichelei(en pl) f

flatulence ['flætjuləns] Blähung(en pl) f

flatware ['flætwer] (Ess)Besteck n

flavor ['fleɪvər] **1.** a. (fig. Bei-)Geschmack m, Aroma n; **2.** würzen; **~ful** würzig; **~ing** Würze f, Aroma n

flaw [flɔː] Fehler m, tech. a. Defekt m; **~less** einwandfrei, makellos

flea [fliː] Floh m; **~bag** Absteige f

fled [fled] pret u. pp von **flee**

flee [fliː] (**fled**) fliehen, flüchten

fleet [fliːt] Flotte f

fleeting ['fliːtɪŋ] flüchtig

flesh [fleʃ] lebendiges Fleisch; **~y** fleischig; dick

flew [fluː] pret von **fly²**

flex [fleks] bsd. anat. biegen, beugen; **~ible** flexibel; elastisch; **~time** Gleitzeit f

flicker ['flɪkər] flackern, flimmern

flight [flaɪt] Flucht f; Flug m; Vögel: Schwarm m; **~ (of stairs)** Treppe f

flimsy ['flɪmzɪ] dünn, zart

fling [flɪŋ] **1.** Wurf m; Versuch m; kurze sexuelle Affaire f; **2.** (**flung**) werfen, schleudern; **~ o.s.** sich stürzen

flip [flɪp] schnipsen, schnippen; Münze f hochwerfen

float [fləʊt] **1.** tech. Schwimmer m; Floß n; **2.** schwimmen od. treiben (lassen); schweben

flood [flʌd] **1.** a. **~ tide** Flut f; Überschwemmung f, Hochwasser n; fig. Flut f, Strom m; **2.** überschwemmen, fluten; **~ the engine** den Motor absaufen lassen; **~light** Scheinwerfer-, Flutlicht n; **~lit** angestrahlt

floor [flɔːr] **1.** (Fuß)Boden m; Stock(werk n) m, Etage f; **2.** zu Boden schlagen; fig. F j-n umhauen; **~ it** mot. F das Gaspedal durchtreten; **~ lamp** Stehlampe f

florist ['flɔːrɪst] Blumenhändler(in)

flour ['flaʊər] Mehl n

flow [fləʊ] **1.** fließen; **2.** Fluss m, Strom m

flower ['flaʊər] **1.** Blume f; Blüte f (a. fig.); **2.** blühen

flown [fləʊn] pp von **fly²**

flu [fluː] F Grippe f

fluctuate ['flʌktʃʊeɪt] schwanken

fluent ['fluːənt] Sprache: fließend; Stil: flüssig; Rede: gewandt

fluff [flʌf] Flaum m; Staubflocke f; **~y** flaumig

fluid ['fluːɪd] **1.** flüssig; **2.** Flüssigkeit f

flung [flʌŋ] pret u. pp von **fling** 2

flunk [flʌŋk] F e-e Prüfung nicht bestehen, durchfallen bei od. in

flush [flʌʃ] **1.** (Wasser)Spülung *f*; Erröten *n*; Röte *f*; **2.** erröten, rot werden; *a.* **~ out** (aus)spülen; **~ down** hinunterspülen; **~ the toilet** spülen

flute [fluːt] Flöte *f*

flutter ['flʌtər] flattern

fly¹ [flaɪ] Fliege *f*

fly² [~] (*flew, flown*) fliegen (lassen); stürmen, stürzen; wehen; *Zeit:* (ver)fliegen; *Drachen* steigen lassen

foam [foum] **1.** Schaum *m*; **2.** schäumen; **~ rubber** Schaumgummi *m*; '**~y** schaumig

focus ['foukəs] **1.** Brenn-, *fig. a.* Mittelpunkt *m*; *opt., phot.* Scharfeinstellung *f*; **2.** *opt., phot.* scharf einstellen

fog [fɔg] (dichter) Nebel; '**~gy** neb(e)lig; **~ light** *mot.* Nebellampe *f*

foil [fɔil] Folie *f*

fold [fould] **1.** falten; *Arme* verschränken; einwickeln; *oft* **~ up** zs.-falten, zs.-legen; zs.-klappen; **2.** Falte *f*

'**fold|er** Aktendeckel *m*, Schnellhefter *m*; Faltprospekt *m*; '**~ing** zs.-legbar, zs.-faltbar; Klapp...; **~ chair** Klappstuhl *m*

foliage ['fouliɪdʒ] Laub (-werk) *n*, Blätter *pl*

folk [fouk] *pl* Leute *pl*; **my ~s** F m-e Leute

follow ['fɔlou] folgen (auf); befolgen; **as ~s** wie folgt; '**~er** Anhänger(in)

fond [fɔnd] zärtlich, liebe-

voll; **be ~ of** gern haben, mögen; '**~le** ['~dl] liebkosen, streicheln; '**~ness** Zärtlichkeit *f*; Vorliebe *f*

food [fuːd] Nahrung *f* (*a. fig.*), Essen *n*, Nahrungs-, Lebensmittel *pl*; Futter *n*; **that gave me ~ for thought** das gab mir zu denken; **~ poisoning** Lebensmittelvergiftung *f*; **~ processor** Küchenmaschine *f*

fool [fuːl] **1.** Narr *m*, Närrin *f*, Dummkopf *m*; **make a ~ of o.s.** sich lächerlich machen; **2.** zum Narren halten; betrügen; **~ around** herumtrödeln; Unsinn machen, herumalbern; '**~ish** töricht, dumm; '**~proof** *Plan etc.*: todsicher; idiotensicher

foot [fut] **1.** (*pl feet* [fiːt]) Fuß *m*; (*pl a. foot*) Fuß *m* (*30,48 cm*); Fußende *n*; **on ~** zu Fuß; **put one's ~ in it** ins Fettnäpfchen treten; **2. ~ the bill** F die Rechnung übernehmen; '**~ball** Football *m*; '**~hills** *pl* Vorgebirge *n*, Ausläufer *pl*; '**~hold** Stand *m*, Halt *m*; '**~ing** Stand *m*, Halt *m*; *fig.* Basis *f*, Grundlage *f*; '**~note** Fußnote *f*; '**~path** (Fuß)Pfad *m* (-)Weg *m*; '**~print** Fußabdruck *m*; Fußspuren *pl*; '**~step** Schritt *m*, Tritt *m*; Fußstapfe *f*

for [fɔːr] **1.** *prp* für; als; Zweck, Ziel, Richtung: zu; nach; *warten, hoffen etc.* auf;

sich sehnen etc. nach; *Grund:* aus, vor, wegen; *Mittel:* gegen; *Zeitdauer:* **~ three days** drei Tage lang; seit drei Tagen; *Entfernung:* **walk ~ a mile** e-e Meile (weit) gehen; **what ~?** wozu?; **2.** *cj* denn, weil

force [fɔːs] **1.** Stärke *f*, Kraft *f*; Gewalt *f*; **the (police)** ~ die Polizei; **(armed) ~s** *pl mil.* Streitkräfte *f*; **by ~** mit Gewalt; *j-n* zwingen; *et.* erzwingen; zwängen, drängen; **~ open** Tür etc. aufbrechen; **~d** erzwungen; gezwungen; **~ landing** Notlandung *f*; **~ful** energisch

forceps ['fɔːseps] (*pl* ~) *med.* Zange *f*

forcible ['fɔːsəbl] gewaltsam

fore [fɔː] vorder, Vorder...; **~arm** ['~ɑːm] Unterarm *m*; **~cast** (*-cast[ed]*) voraussagen, vorhersehen; *Wetter* vorhersagen; **~fathers** *pl* Vorfahren *pl*; **~ground** Vordergrund *m*

foreign ['fɔrən] fremd, ausländisch, Auslands..., Außen...; **~ affairs** *pl* Außenpolitik *f*; **~ currency** Devisen *pl*; **~er** Ausländer(in); **~ exchange** Devisen *pl*; **~ language** Fremdsprache *f*; **~ policy** Außenpolitik *f*

fore|leg Vorderbein *n*; **~man** (*pl* **-men**) Vorarbeiter *m*, *am Bau:* Polier *m*; *jur.* Geschworene: Sprecher *m*;

~most 1. *adj* vorderste(r, -s), erste(r, -s); **2.** *adv* zuerst; **~runner** *fig.:* Vorbote *m*; **~see** (*-saw, -seen*) vorher-, voraussehen; **~sight** Weitblick *m*

forest ['fɔrɪst] Wald *m* (*a. fig.*), Forst *m*; **~er** Förster *m*; **~ry** Forstwirtschaft *f*

forever [fə'revər] für immer

foreword Vorwort *n*

forge [fɔːdʒ] **1.** Schmiede *f*; **2.** schmieden; fälschen; **~r** Fälscher *m*; **~ry** ['~əri] Fälschen *n*; Fälschung *f*

forget [fər'get] (*-got, -gotten*) vergessen; **~ful** vergesslich; **~-me-not** Vergissmeinnicht *n*

forgive [fər'gɪv] (*-gave, -given*) vergeben, -zeihen

fork [fɔːk] Gabel *f*; Gab(e)lung *f*, Abzweigung *f*; **~lift (truck)** Gabelstapler *m*

form [fɔːm] **1.** Form *f*; Gestalt *f*; Formular *n*, Vordruck *m*; **2.** (sich) formen *od.* bilden

formal ['fɔːml] förmlich; formell; **~ity** [~'mælətɪ] Förmlichkeit *f*; Formalität *f*

format|ion [fɔː'meɪʃn] Formung *f*, Gestaltung *f*; Bildung *f*; Formation *f*; **~ive** ['~mətɪv] formend

former ['fɔːmər] **1.** früher; ehemalig; **2. the ~** der, die, das Erstere; **~ly** früher

formula ['fɔːmjʊlə] (*pl* **-las, -lae** ['~liː]) Formel *f*; Rezept *n*; **~te** [´~leɪt] formulieren

fort [fɔ:rt] Fort *n*

fortieth [´fɔ:rtɪɪθ] vierzigste(r, -s)

forti│fy [´fɔ:rtɪfaɪ] befestigen; verstärken, anreichern; **´~tude** [´~tju:d] (innere) Kraft *od.* Stärke

fortress [´fɔ:trɪs] Festung *f*

fortunate [´fɔ:rtʃnət] glücklich; **´~ly** glücklicherweise

fortune [´fɔ:rtʃən] Vermögen *n*; Glück *n*; Schicksal *n*; **~ cookie** chinesischer Keks, *der eine Weissagung enthält*

forty [´fɔ:rtɪ] vierzig

forward [´fɔ:rwərd] **1.** *adv a.* **~s** nach vorn, vorwärts; **2.** *adj* vordere(r, -s); Vorwärts...; Voraus...; fortschrittlich; vorlaut, dreist; **3.** *s Sport:* Stürmer *m*; **4.** *v/t* (be)fördern; (ver)senden, schicken; *Brief etc.* nachsenden

foster│ child [´fɑstərtʃaɪld] (*pl* **-children**) Pflegekind *n*; **~ parents** *pl* Pflegeeltern *pl*

fought [fɔ:t] *pret u. pp von* **fight** 2

found¹ [faʊnd] *pret u. pp von* **find** 1

found² [~] gründen; stiften; **the 2ing Fathers** Staatsmänner, die die amerikanische Unabhängigkeitserklärung und die Bill of Rights verfassten

foundation [faʊn´deɪʃn] Fundament *n*; Gründung *f*; Stif-

tung *f; fig.* Grundlage *f*

founder Gründer(in); Stifter(in)

fountain [´faʊntɪn] Springbrunnen *m*; Strahl *m*; **~ pen** Füllfederhalter *m*

four [fɔ:r] vier; **´~flusher** F Bluffer *m*; **´~teen** [´~ti:n] vierzehn; **´~th** [~θ] **1.** vierte(r, -s); **2.** Viertel *n*

fowl [faʊl] Geflügel *n*

fox [fɑ:ks] Fuchs *m*; **´~y** F sexy

fraction [´frækʃn] *math.* Bruch *m*; Bruchteil *m*; **~ure** [´~ktʃər] (*bsd.* Knochen-) Bruch *m*

FRG [efɑ:´dʒi:] *Abk. für* **Federal Republic of Germany** *die* Bundesrepublik Deutschland

fragile [´frædʒəl] zerbrechlich; gebrechlich

fragment [´frægmənt] Fragment *n*; Bruchstück *n*

fragran│ce [´freɪɡrəns] Wohlgeruch *m*, Duft *m*; **´~t** wohlriechend, duftend

frail [freɪl] gebrechlich; zart

frame [freɪm] **1.** Rahmen *m*; (Brillen- *etc.*) Gestell *n*; Körper(bau) *m*; **~ of mind** Gemütsverfassung *f*; **2.** (ein)rahmen; bilden, formen; formulieren; **~ s.o.** F j-m etwas anhängen; **´~work** *tech.* Gerüst *n; fig.* Struktur *f*

frank [fræŋk] offen, aufrichtig, frei(mütig); **´~ly** offen gesagt

frankfurter [´fræŋkfɜ:rtər]

(Wiener *od.* Frankfurter) Würstchen

frantic ['fræntɪk] außer sich

fraternal [frə'tɜːrnl] brüderlich

fraternity [frə'tɜːrnətɪ] *etwa* (Studenten)Verbindung *f*

fraud [frɔːd] Betrug *m*; Schwindel *m*; Betrüger(in); Schwindler(in); **~ulent** ['~jʊlənt] betrügerisch

freak [friːk] **1.** Missgeburt *f*; verrückter Einfall, Laune *f*; *in Zssgn*:F ...freak *m*, ...fanatiker *m*;F Freak *m*, irrer Typ; **2. ~ out** F ausflippen

freckle ['frekl] Sommersprosse *f*

free [friː] **1.** frei; ungehindert; ungebunden; kostenlos; freigebig; **~ and easy** ungezwungen; sorglos; **set ~** freilassen; **2.** (**freed**) befreien; freilassen; **~dom** Freiheit *f*; **~lance** freiberuflich (tätig); **~mason** Freimaurer *m*; **~way** Autobahn *f*

freeze [friːz] **1.** (**froze, frozen**) *v/i* (ge)frieren; *fig.* erstarren; *v/t* einfrieren; **~l** keine Bewegung!; **2.** Frost *m*, Kälte *f*; *econ., pol.* Einfrieren *n*; **wage ~** Lohnstopp *m*; **~-dry** gefriertrocknen; **~er** Gefriertruhe *f*; Gefrierschrank *m*; **~ing** eiskalt; **~ing point** Gefrierpunkt *m*

freight [freɪt] Fracht(gebühr) *f*; **~ car** Güterwagen *m*; **~er** Frachter *m*; Transportflug-zeug *n*; **~ train** Güterzug *m*

French [frentʃ] französisch; **the ~** *pl* die Franzosen *pl*; **~ fries** *pl* Pommes frites *pl*; **~ door** Terrassen-, Balkontür *f*; **'~man** (*pl* **-men**) Franzose *m*; **~ toast** *gastr.* arme Ritter (*in Milch und Ei getauchte und in heißem Fett gebackene Toastbrotscheiben*); **'~woman** (*pl* **-women**) Französin *f*

frequen|cy ['friːkwənsɪ] Häufigkeit *f*; *electr., phys.* Frequenz *f*; **~t** ['~nt] häufig

fresh [freʃ] frisch; neu; unerfahren; *~ Wind:* auffrischen; **~ (o.s.) up** sich frisch machen; **~man** (*pl* **-men**) *univ.* F Erstsemester *n*; **'~ness** Frische *f*; **'~water** Süßwasser...

Freudian slip ['frɔɪdɪən slɪp] freudsche Fehlleistung

friction ['frɪkʃn] Reibung *f*

Friday ['fraɪdeɪ] Freitag *m*

friend [frend] Freund(in); Bekannte *m*, *f*; **make ~s with** sich anfreunden mit; **~ly** freund(schaft)lich; **'~ship** Freundschaft *f*

fries *pl* Pommes *pl*

fright [fraɪt] Schreck(en) *m*; **~en** *j-n* erschrecken; **be ~ed** erschrecken; Angst haben

frill [frɪl] Krause *f*, Rüsche *f*; **no ~s** ohne Schnickschnack

frog [frɒg] Frosch *m*

frolic ['frɒlɪk] herumtoben

from [frəm] von; aus; von ...

aus *od.* her; von ... (an), seit; aus, vor (*dat*); **~ 9 to 5 (o'clock)** von 9 bis 5 (Uhr)

front [frʌnt] Vorderseite *f*; Front *f* (*a. mil.*); **in ~** vorn; **in ~ of** räumlich: vor; **~ door** Haus-, Vordertür *f*; **~ entrance** Vordereingang *m*; **~ page** Titelseite *f*; **~ row** vorder(st)e Reihe; **~seat passenger** *mot.* Beifahrer(in); **~-wheel drive** Vorderrad-, Frontantrieb *m*; **~yard** Vorgarten *m*

frost [frɒst] **1.** Frost *m*; Reif *m*; **2.** mit Reif überziehen; mattieren; glasieren, mit (Puder)Zucker bestreuen; **~bite** Erfrierung *f*; **~bitten** erfroren; **~ed glass** Matt-, Milchglas *n*; **~ing** Zuckerguss *m*; **~y** eisig, frostig

froth [frɒθ] Schaum *m*; **~y** schaumig, schäumend

frown [fraʊn] **1.** die Stirn runzeln; **2.** Stirnrunzeln *n*

froze [frəʊz] *pret von* **freeze** 1; **~n 1.** *pp von* **freeze** 1; **2.** (eis)kalt; (ein-, zu)gefroren; Gefrier...; **~ food** Tiefkühlkost *f*

fruit [fruːt] Frucht *f*; Früchte *pl*; Obst *n*; **~ful** erfolgreich

frustrate [frʌˈstreɪt] vereiteln; frustrieren

fry [fraɪ] braten; **fried eggs** *pl* **sunny-side up** Spiegeleier *pl*; **~ing pan** Bratpfanne *f*

ft. *Abk. für* **foot, feet** Fuß *m* (*Längenmaß*)

FTC *Abk. für* **Federal Trade Commission** *Kommission zur Bekämpfung des unlauteren Wettbewerbs*

FTP *Abk. für* **File Transfer Protocol** FTP (*Übertragungsprotokoll im Internet*)

fuck [fʌk] V: ficken, vögeln; **~ off!** verpiss dich!; **~ing** V Scheiß..., verflucht, -dammt

fuel [fjʊəl] **1.** Brennstoff *m*; *mot.* Treib-, Kraftstoff *m*; **2.** (auf)tanken

fugitive [ˈfjuːdʒətɪv] **1.** flüchtig; **2.** Flüchtige *m*, *f*

fulfill [fʊlˈfɪl] erfüllen; **~ment** Erfüllung *f*

full [fʊl] **1.** *adj* voll; Voll...; ganz; **~ of** voll von, voller; **~ (up)** (voll) besetzt; **2.** *adv* völlig, ganz; **~back** *football etc.*: Verteidiger *m*; **~-'grown** ausgewachsen; **~'length** in voller Größe *od.* Länge; **~'time** ganztägig, -tags

fumble [ˈfʌmbl] *a.* **~ around** (herum)fummeln; tastend suchen

fumes [fjuːmz] *pl* Dämpfe *pl*; Abgase *pl*

fun [fʌn] Spaß *m*; **for ~** aus *od.* zum Spaß; **make ~ of** sich lustig machen über

function [ˈfʌŋkʃn] **1.** Funktion *f*; Aufgabe *f*; Veranstaltung *f*; **2.** funktionieren

fund [fʌnd] Fonds *m*; Kapital *n*, Vermögen *n*

fundamental [fʌndəˈmentl]

grundlegend, fundamental

funeral ['fju:nərəl] Begräbnis n, Beerdigung f; **~ home** Beerdigungsinstitut n

funnel ['fʌnl] Trichter m

funny ['fʌnɪ] komisch, spaßig, lustig; sonderbar

fur [fɜːr] Pelz m, Fell n; auf der Zunge: Belag m

furious ['fjʊərɪəs] wütend

furnace ['fɜːrnɪs] Schmelz-, Hochofen m; Heizkessel m

furnish ['fɜːrnɪʃ] versorgen, ausrüsten, -statten; liefern; einrichten, möblieren

furniture ['fɜːrnɪtʃər] Möbel pl, Einrichtung f

furrow ['fɜːroʊ] **1.** Furche f; **2.** furchen

further ['fɜːrðər] **1.** adv fig.: mehr, weiter; ferner, weiter-

hin; **2.** adj fig.: weiter; **3.** v/t fördern, unterstützen

fury ['fjʊrɪ] Zorn m, Wut f

fuse [fju:z] **1.** Zünder m; electr. Sicherung f; **2.** phys., tech. schmelzen; electr. durchbrennen

fusion ['fju:ʒn] Verschmelzung f, Fusion f

fuss [fʌs] **1.** Aufregung f, Theater n; **2.** viel Aufhebens machen; **~y** aufgeregt, hektisch; heikel, wählerisch

future ['fju:tʃər] **1.** Zukunft f; gr. Futur n, Zukunft f; **2.** (zu)künftig

fuzz [fʌz] sl. die Bullen pl.; **~ buster** F Radarwarngerät n

fuzzy ['fʌzɪ] Haar: kraus; unscharf, verschwommen

G

G [dʒiː] F Abk. für **grand** Riese m ($ 1000)

GA Abk. für Georgia

gable ['ɡeɪbl] Giebel m

gadget ['ɡædʒɪt] F Apparat m, Gerät n; technische Spielerei

gag [ɡæɡ] **1.** Knebel m; F Gag m; **2.** knebeln

gage [ɡeɪdʒ] Messgerät n, Lehre f

gain [ɡeɪn] **1.** gewinnen; erreichen, bekommen, Erfahrungen sammeln; zunehmen (an); Uhr: vorgehen (um); **~**

speed schneller werden; **~ 10 pounds** 10 Pfund zunehmen; **2.** Gewinn m; Zunahme f

gal [ɡæl] F → **girl**

gale [ɡeɪl] Sturm m

gall bladder ['ɡɔːlblædər] Gallenblase f

gallery ['ɡælərɪ] Galerie f; Empore f

gallon ['ɡælən] Gallone f (3,79 Liter)

gallop ['ɡæləp] **1.** Galopp m; **2.** galoppieren

gallstone ['ɡɔːlstoʊn] Gallenstein *m*

galore [gəˈlɔːr] F in rauhen Mengen

gambl|e [ˈgæmbl] **1.** (um Geld) spielen; **2.** Glücksspiel *n*; **⁓er** (Glücks)Spieler(in); **⁓ing** Spiel...

game [geɪm] Spiel *n*; Wild(bret) *n*

gang [gæŋ] **1.** Gang *f*, Bande *f*; Clique *f*; (*Arbeiter*)Kolonne *f*, Trupp *m*; **2. ⁓ up** (**on** *od.* **against**) sich verbünden (*od.* verschwören) (**gegen**)

gangway [ˈgæŋweɪ] (Durch-)Gang *m*; Gangway *f*, Laufplanke *f*

gap [gæp] Lücke *f* (*a. fig.*); *fig.* Kluft *f*

gap|e [geɪp] gaffen, glotzen; **⁓ing** Wunde: klaffend; *Abgrund*: gähnend

garage [ˈgærɑːʒ] Garage *f*; (Auto)Reparaturwerkstatt *f* (*u.* Tankstelle *f*)

garbage [ˈgɑːbɪdʒ] Abfall *m*, Müll *m*; **⁓ can** Mülltonne *f*; **⁓ collector** Müllmann *m*; **⁓ disposal** Vorrichtung in der Küchenspüle, die organische Abfälle zerkleinert und mit dem Abwasser wegspült; **⁓ truck** Müllwagen *m*

garden [ˈgɑːdn] Garten *m*; **⁓er** Gärtner(in); **⁓ing** Gartenarbeit *f*

gargle [ˈgɑːgl] gurgeln

garland [ˈgɑːlənd] Girlande *f*, Kranz *m*

garlic [ˈgɑːlɪk] Knoblauch *m*

garment [ˈgɑːmənt] Kleidungsstück *n*

garnish [ˈgɑːnɪʃ] *gastr.* garnieren

garrison [ˈgærɪsn] Garnison *f*

garter [ˈgɑːtər] Straps *m*

gas [gæs] Gas *n*; Benzin *n*, Sprit *m*; **⁓ guzzler** [ˈ⁓gʌzlər] F (Benzin) Säufer *m*

gash [gæʃ] klaffende Wunde

gasket [ˈgæskɪt] Dichtung(sring *m*) *f*

gas(oline) [ˈgæs(ʊliːn)] Benzin *n*; **⁓ pump** Zapfsäule *f*

gasp [gɑːsp] keuchen; **⁓ for breath** nach Luft schnappen

gas pedal Gaspedal *n*; **⁓ station** Tankstelle *f*

gate [geɪt] Tor *n*; Schranke *f*, Sperre *f*; *aviat.* Flugsteig *m*

gather [ˈgæðər] *v/t* sammeln, *Informationen* einholen, -ziehen; *Personen* versammeln; ernten, pflücken; *fig.* folgern, schließen (**from** aus); **⁓ speed** schneller werden; *v/i* sich (ver)sammeln; sich (an)sammeln; **⁓ing** [ˈ⁓ɪŋ] Versammlung *f*

gaudy [ˈgɔːdɪ] bunt, grell

gaunt [gɔːnt] hager

gauze [gɔːz] Gaze *f*; Mull *m*

gave [geɪv] *pret von* **give**

gay [geɪ] **1.** F *homosexuell*: schwul; **2.** F Schwule *m*

gaze [geɪz] **1.** starren; **2.** (fester, starrer) Blick

gear [gɪr] *mot.* Gang *m*, *pl* Getriebe *n*; Vorrichtung *f*,

Gerät n; Kleidung f, Aufzug m; **~ shift** Schalthebel m

geek [gi:k] Langweiler m, komischer Typ

geese [gi:s] pl von **goose**

gel [dʒel] Gel n

gem [dʒem] Edelstein m

gender ['dʒendər] gr. Genus n, Geschlecht n

gene [dʒi:n] Gen n

general ['dʒenərəl] **1.** allgemein; Haupt..., General...; **~ delivery** post. postlagernd; **2.** mil. General m; **'~ize** verallgemeinern; **'~ly** im allgemeinen; allgemein; **~ practitioner** Arzt m/Ärztin f für Allgemeinmedizin, praktischer Arzt, praktische Ärztin; **~ store** etwa Gemischtwarenhandlung f (Geschäft, besonders in Kleinstädten, das eine Vielzahl von Waren anbietet)

generat|e ['dʒenəreɪt] erzeugen; **~ion** [~'reɪʃn] Generation f; Erzeugung f; **~or** ['~reɪtər] Generator m; mot. Lichtmaschine f

gener|osity [dʒenə'rɒsətɪ] Großzügigkeit f; **~ous** ['~rəs] großzügig; reichlich

genitals ['dʒenɪtlz] pl Genitalien pl, Geschlechtsteile pl

genius ['dʒi:njəs] Genie n

gentle ['dʒentl] sanft, zart; freundlich; **'~man** (pl **-men**) Gentleman m; Herr m

genuine ['dʒenjʊɪn] echt

geographic(al) [dʒɪə'græf-

ik(l)] geographisch; **~y** [~'ɒgrəfɪ] Geographie f, Erdkunde f

geolog|ic(al) [dʒɪəʊ'lɒdʒ-ik(l)] geologisch; **~ist** [~'ɒlədʒɪst] Geologe m, -in f; **~y** Geologie f

geometric(al) [dʒɪəʊmet-rik(l)] geometrisch; **~y** [~'ɒmətrɪ] Geometrie f

germ [dʒɜ:rm] Keim m; Bazillus m, Bakterie f

German ['dʒɜ:rmən] **1.** deutsch; **2.** Deutsch n; Deutsche m, f; **~ shepherd** [~'ʃepərd] Deutscher Schäferhund; **~y** Deutschland n

germinate ['dʒɜ:rmɪneɪt] keimen (lassen)

gesture ['dʒestʃər] Geste f

get [get] (**got, got** od. **gotten**) v/t bekommen, erhalten; sich et. verschaffen od. besorgen; erringen, erwerben, sich aneignen; holen; bringen; F erwischen; F kapieren, verstehen; j-n dazu bringen (**to do** zu tun); mit pp: lassen; **~ one's hair cut** sich die Haare schneiden lassen; **~ going** in Gang bringen; fig. Schwung bringen in; **~ s.th. ready** et. fertig machen; **have got** haben; **have got to** müssen; v/i kommen, gelangen; mit pp od. adj: werden; **~ tired** müde werden, ermüden; **~ going** in Gang kommen; **~ home** in Schwung kommen; **~ home**

nach Hause kommen; **~ to know** *et.* erfahren; kennen lernen; **~ along** auskommen, sich vertragen; vorwärts-, weiterkommen; **~ away** loskommen; entkommen; **~ away with** davonkommen mit; **~ back** zurückkommen; zurückbekommen; **~ down** Essen etc. runterkriegen; runterkommen, runtergehen; **~ down to** sich machen an; **~ in** hinein-, hereinkommen; **~ off** aussteigen (aus); absteigen (von); **~ on** einsteigen (in); vorwärts-, vorankommen; **~ out** aussteigen; *et.* herausbekommen; **~ over** hinwegkommen über; **~ to** kommen nach; **~ together** zs.-kommen; **~ up** aufstehen

ghetto ['getou] Elendsviertel *n*, Slum *m*; **~ blaster** F *großes tragbares Radiogerät mit Kassetten- und/oder CD-Abspielgerät*

ghost [goust] Geist *m*, Gespenst *n*; **~ly** geisterhaft; **~ town** Geisterstadt *f*

giant ['dʒaɪənt] **1.** riesig, Riesen... **2.** Riese *m*, Riesen...

giblets ['dʒɪblɪts] *pl* Innereien *pl (vom Geflügel)*

gift [gɪft] Geschenk *n*; Begabung *f*, Talent *n*; **free ~** Werbegeschenk *n*; **~ certificate** Warengutschein *m*; **~ed** begabt, talentiert

gigantic [dʒaɪ'gæntɪk] riesig

giggle ['gɪgl] **1.** kichern; **2.** Gekicher *n*

gill [gɪl] Kieme *f*; *bot.* Lamelle *f*

gimmick ['gɪmɪk] F Trick *m*, Dreh *m*; Spielerei *f*

gin [dʒɪn] Gin *m*

ginger ['dʒɪndʒər] **1.** Ingwer *m*; **2.** rötlich *od.* gelblich braun

gingerly ['dʒɪndʒərlɪ] behutsam, vorsichtig; zimperlich

girder ['gɜːrdər] *tech.* Träger *m*

girl [gɜːrl] Mädchen *n*; **~friend** Freundin *f*; **~ scout** Pfadfinderin *f*

gist [dʒɪst] das Wesentliche, Kern *m*

give [gɪv] *(gave, given)* v/t geben; schenken; spenden; *Leben* hingeben, opfern; *Befehl etc.* geben, erteilen; *Hilfe* leisten; *Schutz* bieten; *Grund etc.* (an)geben; *Konzert* geben; *Theaterstück* geben, aufführen; *Vortrag* halten; *Schmerzen* bereiten, verursachen; v/i geben, spenden; nachgeben; **~ away** herweggeben; verschenken; **~ back** zurückgeben; **~ in** nachgeben; aufgeben; **~ off** *Geruch* verbreiten, ausströmen; *Gas, Wärme aus-, verströmen*; **~ out** aus-, verteilen; bekannt geben; *Vorräte etc.*: zu Ende gehen; *Maschine etc.*: versagen; **~ up** aufgeben; aufhören mit; *j-n* ausliefern; **~ o.s. up** sich stellen (**to** *dat*); '**~n** *pp von* give; **~ name** Vorname *m*

glacier ['gleɪsjər] Gletscher *m*

glad [glæd] froh, erfreut; **be ~** sich freuen; '**~ly** gern(e)

glamor ['glæmər] Zauber *m*, Glanz *m*, Reiz *m*; '**~ous** ['~ərəs] bezaubernd, reizvoll

glance [glɑːns] **1.** (schnell, kurz) blicken (**at** auf); **2.** (schneller, kurzer) Blick

gland [glænd] Drüse *f*

glare [gler] **1.** grell scheinen *od.* leuchten; **~ at s.o.** j-n wütend anstarren; **2.** greller Schein; wütender Blick

glass [glæs] Glas *n*; Glas(waren *pl*) *n*; (Trink)Glas *n*; Glas(gefäß) *n*; (Fern-, Opern)Glas *n*; '**~es** *pl* Brille *f*; '**~y** gläsern; *Augen*: glasig

gleam [gliːm] **1.** schwacher Schein, Schimmer *m*; **2.** leuchten, schimmern

glide [glaɪd] **1.** gleiten; segeln; **2.** Gleiten *n*; *aviat.* Gleitflug *m*; '**~r** Segelflugzeug *n*

glimmer ['glɪmər] **1.** schimmern; **2.** Schimmer *m*

glimpse [glɪmps] **1.** (nur) flüchtig zu sehen bekommen; **2.** flüchtiger Blick

glisten ['glɪsn] glänzen

glitch [glɪtʃ] technischer Fehler; Panne *f*

glitter ['glɪtər] **1.** glitzern, funkeln; **2.** Glitzern *n*, Funkeln *n*

globe [gloʊb] Erdkugel *f*;

Globus *m*

glogg [glɔːg] *Art* Glühwein *m*

gloom [gluːm] Düsterkeit *f*, Dunkel *n*; düstere *od.* gedrückte Stimmung; '**~y** dunkel, düster; hoffnungslos; niedergeschlagen

glor|ify ['glɔːrɪfaɪ] verherrlichen; '**~ious** ruhm-, glorreich; herrlich, prächtig; '**~y** Ruhm *m*, Ehre *f*

gloss [glɑːs] Glanz *m*

glossary ['glɑːsərɪ] Glossar *n*

glossy ['glɑːsɪ] glänzend

glove [glʌv] Handschuh *m*; **~ compartment** *mot.* Handschuhfach *n*

glow [gloʊ] **1.** glühen; **2.** Glühen *n*; Glut *f*

glue [gluː] **1.** Leim *m*, Klebstoff *m*; **2.** leimen, kleben

glutton ['glʌtn] Vielfraß *m*; '**~ous** gefräßig, unersättlich

gnarled [nɑːrld] knorrig; *Finger*: knotig, gichtig

gnash [næʃ]: **~ one's teeth** mit den Zähnen knirschen

gnat [næt] (Stech)Mücke *f*

gnaw [nɔː] nagen (an); nagen (**at** an)

GNP [dʒiːenˈpiː] *Abk. für* **Gross National Product** Bruttosozialprodukt *n*

go [goʊ] **1.** (*pl* **goes**) Schwung *m*; *F* Versuch *m*; **2.** (**went, gone**) gehen, fahren, reisen (**to** nach); (fort)gehen; *Straße etc.*: gehen, führen (**to** nach); sich erstrecken, gehen (**to** bis); *Bus* *etc.:* verkehren, fahren; *tech.* gehen, laufen, funktionieren; *Zeit:* vergehen; harmonieren (**with** mit), passen (**with** zu); werden; **~ swimming** schwimmen gehen; *pizza to* **~** Pizza etc. zum Mitnehmen; *it is* **~ing** *to rain* es gibt Regen; *I must be* **~ing** ich muss gehen *od.* weg; **~ for a walk** e-n Spaziergang machen, spazieren gehen; **~ to bed** ins Bett gehen; **~ to school** zur Schule gehen; **~ to see** besuchen; *let* **~** loslassen; **~ ahead** vorangehen (*of s.o.* j-m); **~ ahead with** beginnen mit; fortfahren mit; **~ away** weggehen, -fahren; **~ back** zurückgehen, -fahren; *Zeit:* vergehen; *fig.* sich halten an, sich richten nach; **~ down** *Sonne:* untergehen; **~ for** holen; losgehen auf; **~ in** hineingehen; **~ off** explodieren, losgehen; *Licht:* ausgehen; **~ on** weitergehen, -fahren; *fig.* fortfahren (**doing** zu tun); *fig.* vor sich gehen; **~ out** hinausgehen; ausgehen (*a. Licht*); **~ through** durchgehen, -nehmen; durchmachen; **~ up** steigen

go-ahead ['gouəhed] **1.** fortschrittlich; **2. get the ~** grünes Licht bekommen

goal [goul] *Ziel n; Sport:* Tor *n;* **~keeper** Torwart *m*

gobble ['gɑbl] verschlingen;

~r F Truthahn *m*

go-between Vermittler *m*

god [gɑd] (*rel. 2*) Gott *m;* **~child** (*pl* **-children**) Patenkind *n;* **~dess** ['gɑdɪs] Göttin *f;* **~father** Pate *m;* **~forsaken** gottverlassen; **~less** gottlos; **~mother** Patin *f;* **~parent** Pate *m,* -in *f*

gofer ['goufər] Laufbursche *m,* Laufmädchen *n*

goggle ['gɑgl] glotzen; **~s** *pl* Schutzbrille *f*

goings-on ['gouɪŋz'ɑn] *pl* F Treiben *n,* Vorgänge *pl*

gold [gould] **1.** Gold *n;* **2.** golden, Gold...; **~en** golden; **~ anniversary** goldene Hochzeit; **~smith** Goldschmied (-in)

golf [gɑlf] Golf(spiel) *n;* **~** spielen; **~ club** Golfklub *m;* Golfschläger *m;* **~ course** Golfplatz *m;* **~er** Golfer(in), Golfspieler(in)

gone [gɑn] **1.** *pp von* **go; 2.** fort, weg

gonna ['gɑnə] F *für* **going to**

good [gud] **1.** gut; artig, lieb; geeignet; gut, richtig; **~ at** gut in, geschickt in; **2.** Nutzen *m,* Wert *m;* das Gute, Gutes *n;* **for ~** für immer; **~-by(e)** [⌄'baɪ] **1.** Auf Wiedersehen; **say ~ to s.o.** j-m Auf Wiedersehen sagen, sich von j-m verabschieden; **2.** *int* (auf) Wiedersehen!, *tel.* auf Wiederhören!; **~-'looking** gut aussehend; **~-'natured** gutmütig; **~-**

ness Güte f
goods [gʊdz] pl Güter pl, Ware(n pl) f

goodwill [gʊd'wɪl] guter Wille, gute Absicht

goof [gu:f] F versauen, Mist machen; **~y** F blöd, doof

goon [gu:n] bezahlter Schläger

goose [gu:s] (pl **geese** [gi:s]) Gans f; **~ bumps** pl Gänsehaut f

GOP [dʒi:oʊ'pi:] Abk. für **Grand Old Party** Republikanische Partei

gopher ['goʊfər] Taschenratte f

gorgeous ['gɔ:rdʒəs] prächtig; F großartig, wunderbar

gorilla [gə'rɪlə] Gorilla m

gospel ['gɑːspl] mst 2 Evangelium n

gossip ['gɑːsɪp] 1. Klatsch m; Schwatz m; Klatschbase f; 2. klatschen

got [gɑːt] pret u. pp von **get**

gotta ['gɑːtə] F für **have got to** müssen

gotten ['gɑːtn] pp von **get**

govern ['gʌvərn] regieren; verwalten; **'~ment** Regierung f; **~or** ['~ərnər] Gouverneur m

gown [gaʊn] Kleid n; Robe f

grab [græb] greifen, packen; **~ bag** Grabbelsack m

grace [greɪs] Anmut f; Frist f, Aufschub m; Gnade f; Tischgebet n; **'~ful** anmutig

gracious ['greɪʃəs] gnädig;

freundlich

grad [græd] Abk. für **graduate** graduierte(r) Student (-in)

grade [greɪd] 1. Grad m, Stufe f; Qualität f; Schule: Klasse f; Note f, Zensur f; Steigung f, Gefälle f; 2. sortieren, einteilen; Schule: zensieren, benoten; **~ crossing** schienengleicher Bahnübergang; **~ school** Grundschule f

gradual ['grædʒuəl] allmählich, stufenweise

graduate 1. ['grædʒuət] Akademiker(in), Hochschulabsolvent(in); Graduierte m, f; Schulabgänger(in); 2. ['~eɪt] graduieren; die Abschlussprüfung bestehen; einteilen; abstufen, staffeln; **~ion** [~'eɪʃn] Abstufung f, Staffelung f (Maß)Einteilung f; univ. Graduierung f; Absolvieren n (**from** e-r Schule)

grain [greɪn] (Samen-, bsd. Getreide)Korn n; Getreide n; (Sand- etc.) Körnchen n

gram [græm] Gramm n

grammar ['græmər] Grammatik f; **~tical** [grə'mætɪkl] grammatisch

grand [grænd] 1. großartig; groß; Groß..., Haupt...; 2. (pl **grand**) sl. Riese m ($ 1000)

grand|child ['græn-**children**] (pl **-children**) Enkelkind n; **'~dad** F Opa m; **'~daughter** Enkelin f; **'~father** Großvater *m*; **~ma** ['~nma:] F Oma *f*; **~mother** Großmutter *f*; **~pa** ['~npa:] F Opa *m*; **~parents** *pl* Großeltern *pl*; **~piano** [~nd pi'ænəʊ] *mus.* Flügel *m*; **~son** Enkel *m*; **~stand** Haupttribüne *f*

granite ['grænɪt] Granit *m*

granny ['grænɪ] F Oma *f*; **~ glasses** Nickelbrille *f*

grant [grænt] **1.** bewilligen, gewähren; *Erlaubnis etc.* geben; *Bitte etc.* erfüllen; zugeben; **take s.th. for ~ed** et. als selbstverständlich betrachten; **2.** Stipendium *n*; Unterstützung *f*

grape [greɪp] Weintraube *f*, **~beere** *f*; **~fruit** Grapefruit *f*; **~ juice** Traubensaft *m*

graph [græf] Diagramm *n*, Schaubild *n*; **~ic** ['græfɪk] **1.** grafisch; anschaulich; **2.** *pl* Grafik(en *pl*) *f*

grasp [græsp] **1.** (er)greifen, packen; *fig.* verstehen, begreifen; **2.** Griff *m*; *fig.:* Reichweite *f*; Verständnis *n*

grass [græs] Gras *n*; Rasen *m*; *sl. Marihuana:* Grass *n*; **~hopper** Heuschrecke *f*

grate¹ [greɪt] Gitter *n* (Feuer)Rost *m*

grate² [~] reiben, raspeln; knirschen, quietschen

grateful ['greɪtfʊl] dankbar

grater ['greɪtə] Reibe *f*

grating ['greɪtɪŋ] Gitter *n*

gratitude ['grætɪtu:d] Dankbarkeit *f*

gratuity [grə'tu:ətɪ] Gratifikation *f*

grave¹ [greɪv] Grab *n*

grave² [~] ernst

gravel ['grævl] Kies *m*

grave|stone Grabstein *m*; **~yard** Friedhof *m*; **~ shift** F Nachtschicht *f*

gravit|ation [grævɪ'teɪʃn] Gravitation *f*, Schwerkraft *f*; **~y** ['~vətɪ] Gravitation *f*, Schwerkraft *f*

gravy ['greɪvɪ] Bratensoße *f*

gray *bsd. Am.* [greɪ] grau; **~haired** grauhaarig

graze¹ [greɪz] (ab)weiden

graze² [~] **1.** streifen; sich *das Knie etc.* ab- *od.* aufschürfen; **2.** Abschürfung *f*, Schramme *f*

greas|e [gri:s] **1.** Fett *n*; *tech.* Schmierfett *n*, Schmiere *f*; **2.** [~z] (ein)fetten, *tech.* (ab)schmieren; **~y** ['~zɪ] fettig, schmierig, ölig; **~y spoon** billiges Speiselokal

great [greɪt] groß; *a.* groß, bedeutend, wichtig; F großartig, super; **~'grandchild (-children)** Urenkel(in); **~'grandfather** Urgroßvater *m*; **~'grandmother** Urgroßmutter *f*; **~'grandparents** *pl* Urgroßeltern *pl*; **~ly** sehr; **~ness** Größe *f*, Bedeutung *f*

greed [gri:d] Gier *f* (**for** nach); **~y** gierig; gefräßig

green [gri:n] **1.** grün; *fig.* grün, unerfahren; **2.** *pl* grünes Gemüse; '**∼back** Dollar(note f) m; ∼ **card** Arbeitserlaubnis f (für die USA); '**∼house** Gewächs-, Treibhaus n; '**∼ish** grünlich

greet [griːt] (be)grüßen; '**∼ing** Gruß m; Begrüßung f; pl Grüße pl; Glückwünsche pl

grew [gruː] pret von **grow**

grid [grɪd] Gitter n; electr. etc. Versorgungsnetz n; Kartographie: Gitter(netz) n; '**∼lock** Verkehrsstau m

grief [griːf] Kummer m

griev|ance ['griːvns] (Grund m zur) Beschwerde f; Missstand m; **∼e** [griːv] **∼ for** trauern um

grill [grɪl] **1.** grillen; **2.** Grill m; Gegrillte n; Grillroom m

grim [grɪm] grimmig; schrecklich

grim|e [graɪm] (dicker) Schmutz; '**∼y** schmutzig

grin [grɪn] **1.** grinsen; **2.** Grinsen n

grind [graɪnd] (**ground**) (zer)mahlen, zerreiben, -kleinern; Messer etc. schleifen; Fleisch durchdrehen

grip [grɪp] **1.** packen (a. fig.), ergreifen; **2.** Griff m (a. fig.)

grit [grɪt] Kies m; fig. Mut m; pl Grütze f

grizzly (bear) ['grɪzlɪ(ber)] Grizzly(bär) m

groan [grəʊn] **1.** stöhnen; **2.** Stöhnen n

grocer ['grəʊsər] Lebensmit-

telhändler m **∼ies** ['∼ɪz] pl Lebensmittel pl; **∼y store** ['∼ɪ stɔːr] Lebensmittelgeschäft n, Supermarkt m

groin [grɔɪn] anat. Leiste f

groom [gruːm] **1.** Pferdepfleger m; Bräutigam m; **2.** Pferde striegeln; **well ∼ed** gepflegt

groove [gruːv] Rinne f, Furche f; Rille f

grope [grəʊp] tasten

gross [grəʊs] Brutto...; Fehler etc.: schwer, grob, grob, derb; dick, fett

ground¹ [graʊnd] **1.** pret u. pp von **grind**; **2.** gemahlen; **∼ beef** Rinderhackfleisch n; **∼ meat** Hackfleisch n

ground² [∼] **1.** (Erd)Boden m, Erde f; Boden m, Gebiet n; Sport: (Spiel)Platz m; fig. (Beweg)Grund m; electr. Erdung f; pl: Grundstück n, Park m, Gartenanlage f; (Boden)Satz m; **2.** electr. erden; fig. gründen, stützen

ground| control aviat. Bodenstation f; **∼ crew** aviat. Bodenpersonal n; '**∼hog** Murmeltier m; ♀ **Day** 2. Februar; '**∼less** grundlos

group [gruːp] **1.** Gruppe f; **2.** sich gruppieren; (in Gruppen) einteilen od. anordnen

grow [grəʊ] (**grew, grown**) v/i wachsen; (allmählich) werden; **∼ up** auf-, heranwachsen; v/t anbauen

growl [graʊl] knurren

grown [groʊn] pp von grow;
~-up 1. [ˈ~ʌp] erwachsen; **2.**
[ˈ~ʌp] Erwachsene m, f

growth [groʊθ] Wachsen n,
Wachstum n; Wuchs m, Grö-
ße f; fig. Zunahme f, An-
wachsen n; med. Gewächs n.

grub [grʌb] Essen n; ~ **stake**
fig. finanzielle Starthilfe

grudge [grʌdʒ] **1.** missgön-
nen (**s.o. sth.** j-m et.); **2.**
Groll m; **~y** widerwillig

gruff [grʌf] schroff, barsch

grumble [ˈgrʌmbl] murren;
Donner: (g)rollen

grunt [grʌnt] grunzen

guarantee [gærənˈtiː] **1.** Garantie f; Kaution f, Sicherheit f; **2.** (sich) verbürgen
für; garantieren; **~y** [ˈ~tɪ]
Garantie f

guard [gɑːd] **1.** bewachen;
(be)schützen; **2.** Wache f;
Wächter m; Aufseher m;
~ed vorsichtig, zurückhaltend; **~ian** [ˈ~ɪən] jur. Vormund m; Schutz...

guess [ges] **1.** (er)raten;
schätzen; glauben, anneh-
men; **2.** Vermutung f;
~work (reine) Vermu-
tung(en pl)

guest [gest] Gast m; ~ **ranch**
Gäste-Ranch f (Ranch, die
zahlende Feriengäste auf-
nimmt); ~ **room** Gäste-,
Fremdenzimmer n

guidance [ˈgaɪdns] Führung
f; (An)Leitung f

guide [gaɪd] **1.** führen; len-

ken; **2.** (Reise-, Fremden-)
Führer(in); Buch: (Reise-)
Führer m; Handbuch n (**to**
gen); **~book** (Reise)Führer
m; **~d** (fern)gelenkt; ~ **tour**
Führung f (**of** durch); **~lines**
pl Richtlinien pl

guilt [gɪlt] Schuld f; **~y** schuldig (**of** gen); schuldbewusst

guitar [gɪˈtɑː] Gitarre f

gulf [gʌlf] Golf m; fig. Kluft f

gull [gʌl] Möwe f

gulp [gʌlp] **1.** oft ~ **down**
Getränk hinunterstürzen,
Speise hinunterschlingen; **2.**
(großer) Schluck m

gum¹ [gʌm] mst pl Zahn-
fleisch n

gum² [~] **1.** Kaugummi m;
~ball Kaugummikugel f

gun [gʌn] Gewehr n; Pistole f,
Revolver m; Kanone f;
~powder Schießpulver n;
~shot Schuss m

gurney [ˈgɜːrnɪ] Krankentra-
ge f

gush [gʌʃ] **1.** strömen, schießen (**from** aus); **2.** Schwall m

gust [gʌst] Windstoß m, Bö f

gut [gʌt] Darm m; pl Eingeweide pl; pl F Mumm m,
Schneid m

gutter [ˈgʌtər] Gosse f (a.
fig.), Rinnstein m; Dachrin-
ne f

guy [gaɪ] F Kerl m, Typ m; **Hi
~s!** Hallo Leute!

gym [dʒɪm] F → **gymnasium,
gymnastics; ~ shoes** pl
Turnschuhe pl; ~ **teacher**

Turnlehrer(in); **~nasium**
[~'neɪzɪəm] Turn-, Sporthal-
le f; **~nast** ['~næst] Tur-
ner(in); **~nastics** [~
'næstɪks] sg Turnen n, Gym-

nastik f
gynecologist [gaɪnə'kɒ-
lədʒɪst] Gynäkologe m, -in
f, Frauenarzt m, -ärztin f

H

H [eɪtʃ] sl. Heroin n
habit ['hæbɪt] (An)Gewohn-
heit f; ~able bewohnbar;
~at ['~tæt] bot. zo. Lebens-
raum m; **~ual** [hə'bɪtʃʊəl]
gewohnheitsmäßig
hack [hæk] **1.** hacken; **~ it** F es
schaffen; Taxi fahren; **2.** Taxi
n; Taxifahrer m; **~er** F Computer: Hacker(in)
had [hæd] pret u. pp von **have**
haddock ['hædək] Schell-
fisch m
haggle ['hægl] feilschen
hail¹ [heɪl] **1.** Hagel m; **2.** ha-
geln
hail² [~] an-, herbeirufen; **~ a
cab** ein Taxi herbeirufen
'hail·stone Hagelkorn n;
'**~storm** Hagelschauer m
hair [her] einzelnes Haar;
Haar n, Haare pl; '**~brush**
Haarbürste f; '**~cut** Haar-
schnitt m; '**~do** F Frisur f;
'**~dresser** Friseur(in); **at
the ~'s** beim Friseur;
'**~dryer,** a. **hairdrier**
Trockenhaube f; Haartrockner
m; Fön®, Föhn® m; '**~less**
unbehaart, kahl; '**~pin** Haar-
nadel f; '**~-raising** haar-

sträubend; '**~style** Frisur f
hake [heɪk] Seehecht m
half [hæf] **1.** s (pl **halves**
[hævz]) Hälfte f; **~ after/
past ten** halb elf (Uhr); **2.**
adj halb; **~ an hour** e-e halbe
Stunde; **~ a pound** ein hal-
bes Pfund; **3.** adv halb, zur
Hälfte; '**~-'hearted** halbherzig; **~ time** Halbzeit f
(Pause); **~'way** auf halbem
Weg od. halbwegs (liegend)
halibut ['hælɪbət] (pl ~) Heil-
butt m
hall [hɔːl] Halle f, Saal m;
(Haus)Flur m, Diele f
Halloween [hæloʊ'wiːn] 31.
Oktober
halter ['hɔːltər] Halfter m, n
halve [hæv] halbieren; **~s**
[~vz] pl von **half** 1
ham [hæm] Schinken m
hamburger ['hæmbɜːrgər]
gastr. Hamburger m; Hack-
fleisch n
hammer ['hæmər] **1.** Hammer m; **2.** hämmern
hammock ['hæmək] Hänge-
matte f
hamper¹ ['hæmpər] (Deckel-)
Korb m; Geschenk-, Freß-

korb m; Wäschekorb m
hamper² ['~] (be)hindern
hand [hænd] **1.** Hand f (a.
fig.); Handschrift f; (Uhr-)
Zeiger m; mst in Zssgn: Ar-
beiter(in) f; Fachmann m, Kartenspiel: Blatt n, Karten pl;
at ~ in Reichweite; nahe; bei
der od. zur Hand; **first** ~ aus
erster Hand; **by** ~ mit der
Hand; **on the one** ~..., **on
the other** ~ einerseits..., an-
dererseits; **on the right** ~
rechts; ~**s off!** Hände weg!;
~**s up!** Hände hoch!; **change
~s** den Besitzer wechseln;
shake ~**s with** j-m die Hand
schütteln od. geben; **2.** aus-
händigen, (über)geben,
(-)reichen; ~ **down** weiterge-
ben, überliefern; ~ **in** in Prü-
fungsarbeit etc. abgeben, Gesuch etc. einreichen; ~ **over**
übergeben (**to** dat); '~**bag**
Handtasche f; '~**bill** Hand-
zettel m, Flugblatt n; '~**book**
Handbuch n; Reiseführer m;
'~**cuffs** pl Handschellen pl
handicap ['hændɪkæp] **1.**
Handikap n, med. a. Behinderung f, Sport: a. Vorgabe f;
2. behindern, benachteili-
gen; **the ~ped** die Behinder-
ten
handi|craft ['hændɪkrɑːft]
(bsd. Kunst)Handwerk n;
'~**work** (Hand)Arbeit f; fig.
Werk n
handkerchief ['hæŋkɚtʃɪf]
Taschentuch n

handle ['hændl] **1.** Griff m;
Stiel m; Henkel m; (Tür-)
Klinke f; **2.** anfassen, berühren; hantieren od. umgehen
mit; behandeln; '~**bars** pl
Lenkstange f
'**handling charge** Bearbei-
tungsgebühr f
hand|'made handgearbeitet;
'~**shake** Händedruck m
handsome ['hænsəm] bsd.
Mann: gut aussehend; Sum-
me etc.: beträchtlich
'**hands-on training** praktische Ausbildung
hand|writing (Hand)Schrift
f; ~**written** handgeschrie-
ben; '~**y** praktisch; nützlich;
geschickt; nahe; zur Hand
hang [hæŋ] (**hung**) (auf-, be-,
ein)hängen; Tapete ankle-
ben; pret u. pp **hanged:** j-n
(auf)hängen; ~ **o.s.** sich er-
hängen; ~ **around** herum-
hängen, herumlungern, sich
herumtreiben; ~ **on** festhal-
ten (**to** acc); warten; ~ **out**
herumlungern; ~ **up** tel. auflegen
hangar ['hæŋə] Hangar m,
Flugzeughalle f
'**hanger** Kleiderbügel m
hang| glider (Hänge)Drachen
m; Drachenflieger(in); ~
gliding Drachenfliegen n;
'~**nail** Niednagel m; '~**out**
beliebter Treffpunkt, Stamm-
kneipe f
han|kie, ~ky ['hæŋkɪ] F Ta-
schentuch n

haphazard [hæp'hæzəd] planlos, willkürlich

happen ['hæpən] (zufällig) geschehen; sich ereignen, passieren, vorkommen; **~ing** ['hæpɪŋ] Ereignis *n*; Happening *n*

happily ['hæpɪlɪ] glücklich(erweise); **~iness** Glück *n*; '**~y** glücklich; **~y-go--'lucky** unbekümmert, sorglos; **~y hour** Happy Hour *f* (*Zeitraum am frühen Abend, an dem in Bars Getränke billiger ausgeschenkt werden*)

harass [hə'ræs] ständig belästigen; aufreiben; zermürben; **~ment** Belästigung *f*; Schikanierung *f*

harbor ['hɑːbər] **1.** Hafen *m*; Zufluchtsort *m*; **2.** *j-m* Unterschlupf gewähren; *Gedanken, Groll etc.* hegen

hard [hɑːd] hart; schwer, schwierig; heftig, stark; hart, streng (*a. Winter*); *Tatsachen etc.*: hart, nüchtern; *Droge*: hart, *Getränke*: *a.* stark; hart, fest; **~ of hearing** schwerhörig; **~ up** F in (Geld)Schwierigkeiten; **'~back** *Buch*: gebundene Ausgabe; '**~ball** *sport* Baseball *n*; *play ~* hart durchgreifen; **~'boiled** *Ei*: hart (gekocht); *fig.* hartgesotten; **~ copy** *Computer*: Ausdruck *m*; **~ core** *Bandenwesen etc.*: harter Kern; '**~cover** → **hardback**; '**~ disk** *Computer*: Festplatte *f*;

~en ['hɑːdn] härten; hart machen; erstarren; erhärten; (sich) abhärten; **~ hat** Schutzhelm *m*; Bauarbeiter *m*; '**~'headed** praktisch, nüchtern; **~ liquor** Schnaps *m*; '**~ly** kaum; '**~ness** Härte *f*; '**~ship** Not *f*; Härte *f*; '**~ware** Eisenwaren *pl*; Haushaltswaren *pl*; *Computer*: Hardware *f*

harm [hɑːm] **1.** Schaden *m*; **2.** schaden; **'~ful** schädlich; '**~less** harmlos

harmonious [hɑː'məʊnɪəs] harmonisch; **~ize** ['~ənaɪz] harmonieren; in Einklang sein *od.* bringen

harp [hɑːp] **1.** Harfe *f*; **2.** Harfe spielen; **~ on** (**about**) *fig.* herumreiten auf

harsh [hɑːʃ] rau; streng; grell; barsch, schroff

harvest ['hɑːvɪst] **1.** Ernte(zeit) *f*; Ertrag *m*; **2.** ernten

has [hæz] *er, sie, es* hat

hash¹ [hæʃ] *gastr.* Haschee *n*

hash² [~] *sl.* Hasch *n*; **~ browns** *etwa* Bratkartoffeln *pl*; **~ish** ['~iːʃ] Haschisch *n*

haste [heɪst] Eile *f*, Hast *f*; **~en** ['~sn] (sich be)eilen; *j-n* antreiben; *et.* beschleunigen; '**~y** eilig, hastig, übersteilt

hat [hæt] Hut *m*

hatch¹ [hætʃ] *a.* **~ out** ausbrüten; ausschlüpfen

hatch² [~] Luke *f*; Bodentür *f*; Durchreiche *f*

hatchet ['hætʃɪt] Beil *n*

hate [heɪt] **1.** hassen; **2.** Hass *m*; **~red** [~rɪd] Hass *m*

haul [hɔːl] **1.** ziehen, zerren; schleppen; befördern, transportieren; **2.** Ziehen *n*; Fischzug *m*, Fang *m* (*a. fig.*); Transport(weg) *m*

haunt [hɔːnt] **1.** spuken in; häufig besuchen; *fig.* verfolgen; **this place is ~ed** hier spukt es; **2.** häufig besuchter Ort; Schlupfwinkel *m*

have [hæv] (**had**) *v/t* haben; erhalten, bekommen; essen, trinken (**~ breakfast** frühstücken); *vor inf:* müssen (*I ~ to go now* ich muss jetzt gehen); *mit Objekt u. pp:* lassen (*I had my hair cut* ich ließ mir die Haare schneiden); **~ back** zurückbekommen; **~ on** Kleidungsstück anhaben, Hut aufhaben; *v/aux* haben, *bei v/i oft* sein; *I ~ come* ich bin gekommen

hawk [hɔːk] Habicht *m*, Falke *m* (*a. pol.*)

hay [heɪ] Heu *n*; **~ fever** Heuschnupfen *m*

hazard ['hæzəd] **1.** Gefahr *f*, Risiko *n*; **2.** riskieren, aufs Spiel setzen; **~ous** gewagt, gefährlich, riskant

haze [heɪz] Dunst *m*

hazmats Gefahrgut *n* (*Aufschrift auf Verkehrsschildern*)

hazy ['heɪzɪ] dunstig, diesig; *fig.* verschwommen

HBO *Abk. für* **home box office** TV-Kabelkanal

he [hiː] **1.** *pers pron* er; **2.** *s* Er *m*; Junge *m*, Mann *m*; *zo.* Männchen *n*; **3.** *adj zo. in Zssgn:* ...männchen *n*

head [hed] **1.** *s* Kopf *m*; (Ober)Haupt *n*; (An)Führer(in), Leiter(in); Spitze *f*; *Bett*: Kopf(ende *n*) *m*; Überschrift *f*; **$15 a** *od.* **per ~** fünfzehn Dollar pro Kopf *od.* Person; **~s or tails?** *Münze*: Kopf oder Zahl?; **at the ~ of** an der Spitze (*gen*); **~ over heels** kopfüber; bis über beide Ohren (*verliebt sein*); **lose one's ~** den Kopf *od.* die Nerven verlieren; **2.** *adj* Kopf...; Chef..., Haupt..., Ober...; **3.** *v/t* anführen; an der Spitze stehen von (*od. gen*); voran-, vorausgehen (*au*)führen, leiten; *Fußball*: köpfen; *v/i* (**for**) gehen, fahren (nach); lossteuern, -gehen (auf); Kurs halten (auf); **~ache** Kopfschmerz(en *pl*) *m*; **~band** Stirnband *n*; **~ing** Überschrift *f*, Titel *m*, Richtung *f*; **~light** Scheinwerfer *m*; **~line** Überschrift *f*; Schlagzeile *f*; **~ office** Hauptbüro *n*, -sitz *m*, Zentrale *f*; **~'on** frontal, Frontal...; **~phones** *pl* Kopfhörer *pl*; **~quarters** *pl, sg* mil. Hauptquartier *n*; Hauptsitz *m*, Zentrale *f*; (*Polizei*)Präsidium *n*; **~rest**

Kopfstütze f; '**~set** Kopfhörer pl; '**~strong** eigensinnig, halsstarrig; **~ waiter** Oberkellner m; **~ wind** Gegenwind m

heal [hi:l] heilen; **~ up, ~ over** (zu-, ver)heilen

health [helθ] Gesundheit f; **~ club** Fitnessklub m; **~ food** Reform-, Biokost f; '**~ful** gesund; **~ insurance** Krankenversicherung f; **~ maintenance organization** *privates Gesundheitsversorgungssystem*; **~ resort** Kurort m; '**~y** gesund

hear [hiər] (*heard*) (an-, ver-, zu-, *Lektion* ab)hören; **~d** [hɜːrd] *pret u. pp von* **hear**; '**~er** [ˈ~ər] (Zu)Hörer(in); **~ing** [ˈ~ɪŋ] Gehör n; Hören n; *bsd. pol.* Hearing n, Anhörung f; **~ing aid** Hörgerät n; '**~say** vom Hörensagen

hearse [hɜːrs] Leichenwagen m

heart [hɑːrt] Herz n (*a. fig.*); *fig.* Kern m; *Kartenspiel:* Herz(karte f) n, pl als Farbe: Herz n; **~ attack** Herzanfall m; Herzinfarkt m; '**~beat** Herzschlag m; '**~breaking** herzzerreißend; '**~burn** Sodbrennen n; **~ condition: to have a ~** es am Herzen haben; **~ failure** Herzversagen n; '**~felt** tief empfunden, aufrichtig; '**~less** herzlos; '**~rending** herzzerreißend; **~ transplant** Herzverpflan-

zung f; '**~y** herzlich; herzhaft

heat [hiːt] **1.** Hitze f; Heizung f; *phys.* Wärme f; *fig.* Eifer m; *zo.* Läufigkeit f, Brunst f; *Sport:* (Einzel)Lauf m; **2.** *v/t* heizen; *a.* **~ up** erhitzen, aufwärmen; *v/i* sich erhitzen (*a. fig.*); '**~ed** geheizt; *fig.* erregt, hitzig; '**~er** Heizgerät n

'**heat-resistant** hitzebeständig; '**~stroke** Hitzschlag m; **~ wave** Hitzewelle f

heaven ['hevn] Himmel m; '**~ly** himmlisch

heavy ['hevi] schwer; *Raucher, Regen, Verkehr etc.:* stark; *Geldstrafe, Steuern etc.:* hoch; *Nahrung etc.:* schwer (verdaulich); drückend, lastend; '**~weight** *Sport:* Schwergewicht(ler m) n

heckle ['hekl] durch Zwischenrufe stören

hectic ['hektɪk] hektisch

hedge [hedʒ] Hecke f

heel [hiːl] Ferse f; Absatz m

hefty ['heftɪ] kräftig, stämmig; gewaltig, *Preise, Geldstrafe etc.:* saftig

height [haɪt] Höhe f; (Körper)Größe f; *fig.* Höhe (-punkt m) f; '**~en** [ˈ~tn] erhöhen; vergrößern

heir [er] Erbe m; '**~ess** ['~ɪs] Erbin f

held [held] *pret u. pp von* **hold** 1

helicopter ['helɪkɒptər] Hubschrauber m; **~ pad** Hubschrauberlandeplatz m

5 Uni Amerikanisch

'helipad Hubschrauberlandeplatz m
hell [hel] Hölle f; **what the ~
...?** F was zum Teufel ...?
hello [he'lou] int hallo!
helmet ['helmɪt] Helm m
help [help] **1.** Hilfe f; **2.** (j-m)
helfen; **~ o.s.** sich bedienen,
sich nehmen; **I can't ~ it** ich
kann es nicht ändern; ich
kann nichts dafür; **I couldn't
~ laughing** ich musste einfach lachen; '**~er** Helfer(in);
'**~ful** hilfreich; hilfsbereit;
'**~ing** Essen; Portion f;
'**~less** hilflos
hem [hem] **1.** Saum m; **2.**
(ein)säumen
hemisphere   ['hemɪsfɪr]
Halbkugel f, Hemisphäre f
'hemline Rocklänge f
hemorrhage   ['hemərɪdʒ]
Blutung f
hemp [hemp] Hanf m
hen [hen] Henne f, Huhn n;
(Vogel)Weibchen n
'henpecked unter dem Pan-
toffel stehend; **~ husband**
Pantoffelheld m
hepatitis [hepə'taɪtɪs] Hepatitis f, Leberentzündung f
her [hɜːr] sie; ihr; ihr(e)
herb [ɜːrb] Kraut n
herd [hɜːrd] Herde f
here [hɪr] hier; (hier)her; **~'s
to you!** auf dein Wohl!; **~
you are!, ~ we are!** hier (bitte)! (da hast du es)
hereditary [hə'redɪterɪ] erblich, Erb...

heritage ['herɪtɪdʒ] Erbe n
hero ['hɪroʊ] (pl **-oes**) Held
m; langes, belegtes Bröt-
chen; **~ic** [hɪ'roʊɪk] heroisch
heroin ['heroʊɪn] Heroin n
heroine ['heroʊɪn] Heldin f
heron ['herən] Reiher m
herpes ['hɜːrpiːz] Herpes m
herring ['herɪŋ] (pl **~s, ~**) Hering m
hers [hɜːrz] ihrs, ihre(r, -s)
herself [hɜːr'self] pron sich
(selbst) (reflexiv); verstärkend: sie od. ihr selbst
hesitate ['hezɪteɪt] zögern,
Bedenken   haben;   **~ion**
[~'teɪʃn] Zögern n
hex [heks] **1.** Zauber m; **2.**
behexen, verzaubern
heyday ['heɪdeɪ] Höhepunkt
m, Gipfel m; Blüte(zeit) f
HI Abk. für Hawaii
hi [haɪ] int F hallo!, Guten
Tag!
hiccup ['hɪkʌp] **1.** Schluckauf
m; **2.** den Schluckauf haben
hick [hɪk] F Bauer m
hickey ['hɪkɪ] Knutschfleck m
hick town F Nest n, Kaff n
hid [hɪd] pret u. pp, '**~den** pp
von hide
hide [haɪd] (**hid, hidden** od.
hid) (sich) verbergen od.
verstecken; verheimlichen;
~-and-'seek Versteckspiel
n; '**~away** Versteck n
hideous ['hɪdɪəs] abscheulich
hiding ['haɪdɪŋ]: **be in ~**
versteckt halten; **go into ~**

untertauchen; **~ place** Versteck *n*

high [haɪ] **1.** hoch; *Hoffnungen etc.:* groß; F *betrunken:* blau, *Drogen:* high; **it is ~ time** es ist höchste Zeit; **2.** *meteor.* Hoch *n*; **'~ball** Highball *m* (*Whiskey mit Ginger-Ale*); **'~chair** (Kinder)Hochstuhl *m*; **'~class** erstklassig; **~ diving** Turmspringen *n*; **~'grade** erstklassig; hochwertig; **~'handed** anmaßend, eigenmächtig; **'~heeled** Schuhe: hochhackig; **~ jump** Hochsprung *m*; **'~light 1.** Höhepunkt *m*; **2.** hervorheben; **'~ly** *fig.* hoch; **think ~ of** viel halten von; **'~ness** *fig.* Höhe *f*; **2ness** *Titel:* Hoheit *f*; **~'pitched** *Ton:* schrill; *Dach:* steil; **~'powered** Hochleistungs...; *fig.* dynamisch; **~'pressure** *tech.,* *meteor.* Hochdruck...; **~ rise** Hochhaus *n*; **~ school** High School *f*; **'~tail:** **~ it** F (weg)rennen, (weg)jagen; **~ tech** [~'tek] High-Tech-...; **~ technology** Hochtechnologie *f*; **~'tension** *electr.* Hochspannungs...; **~ tide** Flut *f*; **~ water** Flut *f*; Hochwasser *n*; **'~way** Highway *m*; Haupt(verkehrs)straße *f*

hijack ['haɪdʒæk] *Flugzeug* entführen; *Geldtransport etc.* überfallen; **'~er** Flugzeugentführer *m*; Räuber *m*

hike [haɪk] **1.** wandern; **2.** Wanderung *f*; **'~r** Wanderer *m*, Wanderin *f*

hilarious [hɪ'leərɪəs] vergnügt, ausgelassen; sehr lustig

hill [hɪl] Hügel *m*, Anhöhe *f*; **'~side** Abhang *m*; **'~y** hügelig

him [hɪm] ihn; ihm; **'~self** *pron sich* (selbst) (*reflexiv*); *verstärkend:* er od. ihm od. ihn selbst

hinder ['hɪndər] *j-n, et.* aufhalten; behindern; hindern (**from** an); **~ance** ['~drəns] Behinderung *f*, Hindernis *n*

hinge [hɪndʒ] Scharnier *n*, (Tür)Angel *f*

hint [hɪnt] **1.** Wink *m*, Andeutung *f*; Tipp *m*; Anspielung *f*; **2.** andeuten

hip [hɪp] Hüfte *f*

hire ['haɪr] *j-n* anstellen; *j-n* engagieren, anheuern; **~d hand** Landarbeiter(in)

his [hɪz] sein(e); seins, seine(r, -s)

hiss [hɪs] **1.** zischen, *Katze:* fauchen; auszischen; **2.** Zischen *n*, Fauchen *n*

historian [hɪ'stɔːrɪən] Historiker(in); **~ic** [~'stɔrɪk] historisch; **~ical** historisch, geschichtlich; **~** Geschichte *f*

hit [hɪt] **1.** (*hit*) schlagen; treffen (*a. fig.*); *mot. etc.:* *j-n, et.* anfahren, *et.* rammen; **~ on** od. **upon** (zufällig) auf et. stoßen, *et.* finden; **2.** Schlag *m*; Treffer *m* (*a. fig.*); *Buch-*, *Schlager etc.*: Hit *m*; *Drogen*: *sl.* Schuss *m*; *sl.* Mord(auf-trag) *m*; **~-and-'run**: **~** *accident* Unfall *m* mit Fahrer-flucht; **~ driver** (unfall)flüch-tiger Fahrer

hitch [hɪtʃ] **1.** befestigen, festhaken (**to** an); **~** **up** hochziehen; **~** *a ride* F im Auto mitgenommen werden, trampen; F **→** *hitchhike*; **2.** Ruck *m*, Zug *m*; Schwierig-keit *f*, Haken *m*; **without a ~** glatt, reibungslos; **'~hike** per Anhalter fahren, trampen; **'~hiker** Anhalter(in), Tram-per(in)

hi-tech [haɪˈtek] **→** *high-tech*

hit man *sl.* Auftragskiller *m*

hive [haɪv] Bienenkorb *m*, -stock *m*; Bienenvolk *n*

HMO [eɪtʃemˈoʊ] *Abk.* **→** *health maintenance organization*

hoarse [hɔːrs] heiser, rau

hoax [hoʊks] Streich *m*

hobby ['hɒbɪ] Hobby *n*, Steckenpferd *n*; **'~horse** Steckenpferd *n* (*a. fig.*)

hobo ['hoʊboʊ] (*pl* **-bo**[*e*]*s*) Landstreicher *m*

hock [hɒk] *: ham ~* *gastr.* Haxe *f*, Eisbein *n*

hockey ['hɒkɪ] Eishockey *n*

hoe [hoʊ] **1.** Hacke *f*; **2.** Bo-den hacken

hog [hɒg] **1.** (Schlacht-) Schwein *n*; *go the whole ~* F aufs Ganze gehen; *road ~*

Verkehrsrowdy *m*; **2.** **~** *the road* rücksichtslos in der Fahrbahnmitte fahren; *go ~* *wild* F ausflippen

hoist [hɔɪst] **1.** hochziehen; hissen; **2.** (Lasten)Aufzug *m*

hold [hoʊld] **1.** (*held*) *v/t* (fest)halten; *Gewicht etc.* tragen, (aus)halten; zurück-abhalten (*from* von); *Wah-len*, *Versammlung etc.* abhal-ten; *mil.*, *fig.* Stellung halten; behaupten; *Aktien*, *Rechte etc.* besitzen; *Amt etc.* beklei-den; *Platz etc.* (inne)haben; *Rekord* halten; fassen, ent-halten; *Platz* bieten für; der Ansicht sein (*that* dass); hal-ten für; **~** *s.th.* **against** *s.o.* j-m et. vorhalten *od.* vorwer-fen; j-m et. übel nehmen *od.* nachtragen; **~** *one's own* sich behaupten (*with* ge-gen); **~** *responsible* verant-wortlich machen; **~** *the line* *tel.* am Apparat bleiben; *v/i* (aus)halten; (sich) festhal-ten (**to** an); *Wetter*, *Glück etc.*: anhalten, andauern; **~** *on* (sich) festhalten (**to** an); aus-, durchhalten; *tel.* am Apparat bleiben, warten; **~** *out* aus-, durchhalten; *Vor-räte etc.*: reichen; **~** *up* auf-halten, *et.* verzögern; j-n, *Bank etc.* überfallen; *fig.* hin-stellen (*as an example* als Beispiel); **2.** Griff *m*, Halt *m*; Stütze *f*; (*on, over, of*) Ge-walt *f*, Macht *f* (über), Einfluss m (auf); **have a (firm) ~ on s.o.** j-n in s-r Gewalt haben, j-n beherrschen; **catch (get, take) ~ of s.th.** et. ergreifen od. zu fassen bekommen; **~up** Verkehr: Stockung f; (bewaffneter) (Raub)Überfall

hole [houl] Loch n; Höhle f, Bau m

holiday ['hɔlədeɪ] Feiertag m

hollow ['hɔləu] 1. Mulde f, Senke f, Vertiefung f; flaches Tal; 2. hohl; 3. oft ~ **out** aushöhlen

holly ['hɔlɪ] Stechpalme f

holocaust ['hɔləkɔːst] Massenvernichtung f; **the ℒ** der Holocaust (Massenvernichtung der europäischen Juden durch die Nationalsozialisten)

home [houm] 1. s Heim n; Haus n; Wohnung f; Zuhause n; Heimat f; **at ~** zu Hause; **make o.s. at ~** es sich bequem machen; **~ and abroad** im In- u. Ausland; 2. adj häuslich; inländisch, Inlands...; Heimat...; Sport: Heim...; 3. adv heim, nach Hause, öster., schweiz. a. nachhause; zu Hause, öster., schweiz. a. zuhause; daheim; **~ address** Privatanschrift f; **~ base** Baseball: Heimbase f; **~coming** Heimkehr f; Zusammenkunft ehemaliger Studenten und Studentinnen e-r Hochschule; **'~less** heimatlos; obdachlos; **'~ly** unattraktiv, häßlich; **'~made** selbst gemacht; **'~maker** Hausfrau f; **'~ run** Baseball: Homerun m (Lauf über alle 4 Male); **~sick: be ~** Heimweh haben; **~ town** Heimatort m, Vaterstadt f; **~work** Hausaufgabe(n pl) f; **'~y** gemütlich, behaglich

homicide ['hɔmɪsaɪd] jur. Tötungsdelikt n, Mord m

homosexual [hɔməu-'seksjuəl] 1. homosexuell; 2. Homosexuelle m f

hon [hʌn] F Liebling m, Schatz m

honest ['ɔnɪst] ehrlich; aufrichtig; **~ Injun!** Ehrenwort!; **'~y** Ehrlichkeit f; Aufrichtigkeit f

honey ['hʌnɪ] Honig m; Liebling m, Schatz m; **'~comb** (Honig)Wabe f; **'~moon** Flitterwochen pl, Hochzeitsreise f

honk [hɔŋk] mot. hupen; **'~y** sl. contp. Weiße m

honor ['ɔnər] 1. Ehre f; Ehrung f; Ehren pl; 2. ehren; auszeichnen; Scheck etc. einlösen; **'~able** ['-ərəbl] ehrenwert; ehrenvoll, -haft; **~ary** ['-ərərɪ] Ehren...; ehrenamtlich

hooch [huːtʃ] schwarz gebrannter Schnaps

hood [hud] Kapuze f; (Motor)Haube *f*; *sl.* Gangster *m*

hoof [huːf] (*pl* **~s, hooves** [~vz]) Huf *m*

hook [hʊk] **1.** Haken *m*; **2.** an-, ein-, fest-, zuhaken; **~ up** Gerät anschließen

hooker ['hʊkər] Nutte *f*

'hook-up Anschluss *m* (*für Strom, Wasser, TV-Antenne etc. auf Campingplätzen*)

hoop [huːp] Reif(en) *m*

hootenanny ['huːtənənɪ] zwanglose Zs.-kunft von Country-Musikern und -Sängern, bei der oft unter Mitwirkung der Zuhörer gespielt wird

hooves [huːvz] *pl von* **hoof**

hop¹ [hɒp] **1.** hüpfen, hopsen; **2.** Sprung *m*; F Tanz *m*

hop² [~] Hopfen *m*

hope [hoʊp] **1.** hoffen (*for* auf); *I ~ so* hoffentlich; **2.** Hoffnung *f*; **~ful** hoffnungsvoll; **'~fully** hoffentlich; **'~less** hoffnungslos

horizon [hə'raɪzn] Horizont *m*; **~tal** [hɒrɪ'zɑːntl] horizontal, waag(e)recht

hormone ['hɔːrmoʊn] Hormon *n*

horn [hɔːrn] **1.** Horn *n*; *mot.* Hupe *f*; *pl* Geweih *n*; **2. ~ in on** stören, sich aufdrängen

hornet ['hɔːrnɪt] Hornisse *f*

horny ['hɔːrnɪ] schwielig; V geil

horoscope ['hɔːrəskoʊp] Horoskop *n*

horr|ible ['hɔːrəbl] schreck-

lich, entsetzlich, scheußlich; **'~ify** ['~ɪfaɪ] entsetzen; **'~or** Entsetzen *n*; Abscheu *m* (*of* vor); Schrecken *m*, Gräuel *m*; Horror...

horse [hɔːrs] Pferd *n*; **'~back: on ~** zu Pferde, beritten; **'~power** Pferdestärke *f*; **~ race** Pferderennen *n*; **'~radish** Meerrettich *m*; **'~shoe** Hufeisen *n*

horticulture ['hɔːrtɪkʌltʃər] Gartenbau *m*

hose¹ [hoʊz] Schlauch *m*

hose² [~] *pl* Strümpfe *pl*, Strumpfwaren *pl*

hospitable ['hɑːspɪtəbl] gast(freund)lich

hospital ['hɑːspɪtl] Krankenhaus *n*, Klinik *f*

hospitality [hɑːspɪ'tælətɪ] Gastfreundschaft *f*

host [hoʊst] Gastgeber *m*; (Gast)Wirt *m*; Moderator *m*

hostage ['hɑːstɪdʒ] Geisel *f*

hostess ['hoʊstɪs] Gastgeberin *f*; (Gast)Wirtin *f*; Betreuerin: Hostess *f*; *aviat.* Hostess *f*, Stewardess *f*

hostile ['hɑːstl] feindlich; feindselig; **~ity** [~'stɪlətɪ] Feindschaft *f*, Feindseligkeit *f*

hot [hɑːt] heiß; *Gewürze*: scharf; hitzig; heftig; **~ cake** Pfannkuchen *m*; *sell like ~s* sich gut verkaufen; **~ dog** F Hot Dog *n*, *m*; **2.** Trickski fahren

hotel [hoʊ'tel] Hotel *n*

'hot|head Hitzkopf *m*; '**~house** Treibhaus *n*; '**~plate** Koch-, Herdplatte *f*; '**~shot** F großartig

hound [haond] Jagdhund *m*

hour [aor] Stunde *f*, *pl* (Arbeits)Zeit *f*, (Geschäfts-) Stunden *pl*; '**~ly** stündlich

house [haos] **1.** (*pl houses* ['~zɪz]) Haus *n*; **2.** [~z] unterbringen; '**~hold** Haushalt *m*; Haushalts...; '**~keeping** Haushaltung *f*, -haltungsführung *f*; '**~warming (party)** Einzugsparty *f*; '**~wife** (*pl -wives*) Hausfrau *f*

housing ['haozɪŋ] Wohnungen *pl*; **~ conditions** *pl* Wohnverhältnisse *pl*; **~ development** Wohnsiedlung *f*; **~ project** Hochhauswohnungen *f* für sozial Bedürftige

hover ['hɑːvər] schweben; '**~craft** (*pl* **~[s]**) Luftkissenfahrzeug *n*

how [hao] wie; **~ are you?** wie geht es dir?; **~ about ...?** wie steht *od.* wäre es mit ...?; **~ much?** wie viele?; **~ many?** wie viele?; **~ much is it?** was kostet es?; **~ever** wie auch (immer); jedoch

howl [haol] **1.** Heulen *n*; **2.** heulen; brüllen, schreien

hub [hʌb] (Rad)Nabe *f*; '**~cap** Radkappe *f*

HUD [hʌd] *Abk. für Department of Housing and Urban Development* Ministerium *n* für Wohnungsbau u. Stadtentwicklung

huddle ['hʌdl]: **~ together** (sich) zs.-drängen; **~d up** zs.-gekauert

hug [hʌg] **1.** (sich) umarmen; **2.** Umarmung *f*

huge [hjuːdʒ] riesig

hulk [hʌlk] Koloss *m*; Klotz *m*

hull¹ [hʌl] **1.** *bot.* Schale *f*, Hülse *f*; **2.** enthülsen, schälen

hull² [~] (Schiffs)Rumpf *m*

hum [hʌm] summen

human ['hjuːmən] **1.** menschlich, Menschen...; **2.** *a.* **~ being** Mensch *m*; **~e** [~'meɪn] human, menschlich; **~itarian** [~mænɪ'terɪən] humanitär; **~ity** [~'mænətɪ] Humanität *f*, Menschlichkeit *f*; die Menschheit

humble ['hʌmbl] **1.** bescheiden; demütig; **2.** demütigen

humid ['hjuːmɪd] feucht, schwül; **~ifier** [~'mɪdɪfaɪr] (Luft)Befeuchter *m*; **~ify** [~faɪ] befeuchten; **~ity** [~'mɪdətɪ] Feuchtigkeit *f*; Schwüle *f*

humiliate [hjuː'mɪlɪeɪt] demütigen, erniedrigen; **~ion** [~mɪlɪ'eɪʃn] Demütigung *f*, Erniedrigung *f*

humility [hjuː'mɪlətɪ] Demut *f*

'humming|bird Kolibri *m*

humor ['hjuːmər] **1.** Humor *m*; Stimmung *f*; **2.** *j-m* s-n Willen tun *od.* lassen; '**~ous** ['~rəs] humorvoll, komisch

hunch [hʌntʃ] (Vor)Ahnung f; **~back** Buckel m; Bucklige m, f

hundred ['hʌndrəd] **1.** hundert; **2.** Hundert n; **~th** ['~dθ] hundertste(r, -s)

hung [hʌŋ] pret u. pp von **hang**

hunger ['hʌŋɡər] **1.** Hunger m (a. fig.); **2.** fig. hungern

hungry ['hʌŋɡrɪ] hungrig; **be ~** Hunger haben

hunt [hʌnt] **1.** jagen; verfolgen; suchen; **2.** Jagd f, Jagen n; Verfolgung f; Suche f; **~er** Jäger m; **~ing** Jagen n, Jagd f; Jagd...

hurdle ['hɜːdl] Hürde f (a. fig.); **~ race** Hürdenlauf m

hurl [hɜːl] schleudern

hurricane ['hʌrɪkən] Hurrikan m; Orkan m

hurried ['hʌrɪd] eilig, hastig, übereilt

hurry ['hʌrɪ] **1.** v/t schnell od. eilig befördern od. bringen; oft **~ up** j-n antreiben, hetzen; et. beschleunigen; v/i eilen, hasten; (**up**) sich beeilen; **~ up!** (mach) schnell!; **2.** Eile f, Hast f

hurt [hɜːt] (**hurt**) verletzen; schaden; schmerzen, wehtun

husband ['hʌzbənd] (Ehe-) Mann m

hush [hʌʃ] **1.** int still!, pst!; **2.** zum Schweigen bringen; beschwichtigen; **~ up** vertuschen; **3.** Stille f

husk [hʌsk] **1.** Hülse f, Scho-

te f, Schale f; **2.** enthülsen, schälen

husky ['hʌskɪ] Stimme: heiser, rau; F stämmig, kräftig

hustle ['hʌsl] **1.** bringen od. schicken; hasten, hetzen; **2.** mst **~ and bustle** Gedränge n; Gehetze n; Betrieb m

hustler ['hʌslər] Nutte f; Ganove m

hut [hʌt] Hütte f

hybrid ['haɪbrɪd] biol. Mischling m; Kreuzung f

hydrant ['haɪdrənt] Hydrant m

hydraulic [haɪ'drɔːlɪk] hydraulisch; **~s** sg Hydraulik f

hydro... ['haɪdrəʊ] Wasser...; **~carbon** Kohlenwasserstoff m; **~chloric acid** [~'klɔːrɪk] Salzsäure f; **~foil** Tragflächen-, Tragflügelboot n

hydrogen ['haɪdrədʒən] Wasserstoff m; **~ bomb** Wasserstoffbombe f

hygiene ['haɪdʒiːn] Hygiene f; **~ic** [~'dʒiːnɪk] hygienisch

hymn [hɪm] Kirchenlied n

hyper... ['haɪpər] hyper..., übermäßig...; **~tension** erhöhter Blutdruck

hyphen ['haɪfn] Bindestrich m

hypno|sis [hɪp'nəʊsɪs] (pl **-ses** [~siːz]) Hypnose f; **~tize** [~nətaɪz] hypnotisieren

hypo|crisy [hɪ'pɒkrəsɪ] Heuchelei f; **~crite** ['hɪpəkrɪt]

Heuchler(in); **~critical**
[~oʊ'krɪtɪkl] heuchlerisch

hypothesis [haɪ'pɒθɪsɪs] (*pl* **-ses** [~siːz]) Hypothese *f*

hysteri|a [hɪ'stɪrɪə] Hysterie *f*; **~cal** [~sterɪkl] hysterisch; **~cs** [~sterɪks] *mst sg* hysterischer Anfall

I

I [aɪ] ich

I [aɪ] *Abk. für* **Interstate: I-95** Interstate 95

IA *Abk. für* Iowa

IC [aɪ'siː] *Abk. für* **integrated circuit** IC, integrierter Schaltkreis

ice [aɪs] **1.** Eis *n*; **2.** *mst od. in* Eis kühlen; *gastr.* glasieren; *mst* **~ up** *od. over* zufrieren; vereisen; **~berg** ['~bɜːg] Eisberg *m*; **~berg lettuce** Eissalat *m*; **~ cream** (Speise)Eis *n*, Eiscreme *f*; **~-cream parlor** Eiscafé *n*; **~ cube** Eiswürfel *m*; **~d** eisgekühlt; gefroren; *gastr.* glasiert, mit Zuckerguss; **~ tea** Eistee *m*

icicle ['aɪsɪkl] Eiszapfen *m*

icing ['aɪsɪŋ] *gastr.* Glasur *f*, Zuckerguss *m*; *tech.* Vereisung *f*

ICU [aɪsiː'juː] *Abk. für* **intensive care unit** *med.* Intensivstation *f*

icy ['aɪsɪ] eisig (*a. fig.*); vereist

ID [aɪ'diː] *Abk. für* Idaho; *Abk. für* **identity** Identität *f*; **~ card** Ausweis *m*

idea [aɪ'dɪə] Idee *f*, Vorstellung *f*, Begriff *m*; Gedanke

m, Idee *f*

ideal [aɪ'dɪəl] ideal

identical [aɪ'dentɪkl] identisch (**to, with** mit); **~ twins** *pl* eineiige Zwillinge *pl*

identification [aɪdentɪfɪ'keɪʃn] Identifizierung *f*; **~ (papers** *pl*) Ausweis(papiere *pl*) *m*; **~fy** ['aɪdentɪfaɪ] identifizieren; **~ o.s.** sich ausweisen

identity [aɪ'dentɪtɪ] Identität *f*; **~ card** Ausweis *m*

idiom ['ɪdɪəm] Idiom *n*, idiomatischer Ausdruck, Redewendung *f*

idiot ['ɪdɪət] Schwachsinnige *m, f*; Dummkopf *m*; **~ic** [~ɒˈtɪk] idiotisch

idle ['aɪdl] **1.** untätig; faul, träge; nutzlos; *Geschwätz:* leer, hohl; *tech.* stillstehend; leer laufend; **2.** faulenzen; *tech.* leer laufen

idol ['aɪdl] Idol *n*; Götzenbild *n*; **~ize** ['~əlaɪz] abgöttisch verehren, vergöttern

i.e. [aɪ'iː] *Abk. für* **id est = that is** d.h., das heißt

if [ɪf] wenn, falls; ob; **~ I were you** wenn ich du wäre

ignite [ɪgˈnaɪt] anzünden;

(sich) entzünden; *mot.* zünden; **~ion** [~'nɪʃn] Zündung *f*; **~ key** Zündschlüssel *m*

ignor|ance ['ɪgnərəns] Unwissenheit *f*; Unkenntnis *f* (**of** *gen*); **'~ant** unwissend; **~e** [~'nɔ:r] ignorieren

iguana [ɪ'gwɑ:nə] Leguan *m*

IL *Abk. für* Illinois

ill [ɪl] **1.** krank; schlecht, schlimm; **fall ~**, **be taken ~** krank werden, erkranken; **2.** *oft pl* Übel *n*; **~-advised** schlecht beraten; unklug

illegal [ɪ'li:gl] **1.** verboten; illegal, ungesetzlich; **~ alien**, **~ immigrant** illegale(r) Einwanderer (Einwanderin); **2.** illegale(r) Einwanderer (Einwanderin)

il|legible unleserlich; **~legitimate** unrechtmäßig; unehelich; **~licit** [ɪ'lɪsɪt] unerlaubt, verboten; **~literate** [ɪ'lɪtərət] ungebildet

ill-'mannered ungehobelt, ungezogen; **~-'natured** boshaft

'illness Krankheit *f*

ill-'tempered schlecht gelaunt

illuminat|e [ɪ'lu:mɪneɪt] beleuchten; **~ion** [~'neɪʃn] Beleuchtung *f*

illus|ion [ɪ'lu:ʒn] Illusion *f*; Einbildung *f*; **~ive** [~sɪv] illusorisch, trügerisch

illustrat|e ['ɪləstreɪt] illustrieren; erläutern, veranschaulichen; bebildern; **~ion**

[~'streɪʃn] Illustration *f*; Bild *n*, Abbildung *f*; Erläuterung *f*, Veranschaulichung *f*

image ['ɪmɪdʒ] Bild *n*; Ebenbild *n*; Image *n*

imagin|able [ɪ'mædʒɪnəbl] vorstellbar, denkbar; **~ary** eingebildet; **~ation** [~'neɪʃn] Fantasie *f*, Einbildung(skraft) *f*; **~ative** [ɪ'mædʒɪnətɪv] fantasie-, einfallsreich; fantasievoll; **~e** [~n] sich *j-n* *od. et.* vorstellen; sich et. einbilden

IMF [aɪem'ef] *Abk. für **International Monetary Fund*** Internationaler Währungsfonds

imitat|e ['ɪmɪteɪt] nachahmen, nachmachen, imitieren; **~ion** [~'teɪʃn] Nachahmung *f*, Imitation *f*, Nachbildung *f*

im|maculate [ɪ'mækjʊlət] makellos; tadellos; **~material** [ɪmə'tɪrɪəl] unwesentlich; **~mature** unreif; **~measurable** [ɪ'meʒərəbl] unermesslich

immediate [ɪ'mi:dɪət] unmittelbar; sofortig, umgehend; *Verwandtschaft:* nächste(-s); **~ly** sofort; unmittelbar

immense [ɪ'mens] riesig

immerse [ɪ'mɜ:rs] (ein)tauchen (**in** in); **~ o.s. in** sich vertiefen in

immigra|nt ['ɪmɪgrənt] Einwanderer *m*, -in *f*, Immigrant(in); **~te** ['~eɪt] einwandern; **~tion** [~'greɪʃn] Einwanderung *f*, Immigration *f*

imminent ['ɪmɪnənt] nahe bevorstehend; drohend

immune [ɪ'mjuːn] immun (**to** gegen); geschützt (**from** vor, gegen); **~ity** Immunität f

impact ['ɪmpækt] Zs.-prall m; Aufprall m; fig. (Ein)Wirkung f, (starker) Einfluss

impatien|ce Ungeduld f; **~t** ungeduldig

impeach [ɪm'piːtʃ] den Präsidenten unter Amtsanklage stellen; **~ment** Impeachment n (Amtsanklage gegen den Präsidenten zwecks Amtsenthebung)

impeccable [ɪm'pekəbl] untadelig, einwandfrei

impede [ɪm'piːd] (be)hindern; **~iment** [~'pedɪmənt] Hindernis n (**to** für; bsd. angeborener) Fehler

impending [ɪm'pendɪŋ] nahe bevorstehend, Gefahr etc.: drohend; **~penetrable** [~'penɪtrəbl] undurchdringlich; fig. unergründlich

imperative [ɪm'perətɪv] **1.** unumgänglich, unbedingt erforderlich; **2.** gr. Imperativ m, Befehlsform f

imperceptible nicht wahrnehmbar, unmerklich

imperfect [ɪm'pɜːfɪkt] unvollkommen, mangel-, fehlerhaft

impermeable [ɪm'pɜːmɪəbl] undurchlässig

impersonal unpersönlich; **~ate** [ɪm'pɜːsəneɪt] j-n imi-

tieren, nachahmen

impertinen|ce [ɪm'pɜːtɪnəns] Unverschämtheit f; **~t** unverschämt, frech

impervious [ɪm'pɜːvɪəs] undurchlässig, fig. unzugänglich, unempfänglich (**to** für)

implant med. **1.** [ɪm'plænt] implantieren; **2.** [~] Implantat n

implicat|e ['ɪmplɪkeɪt] j-n verwickeln; **~ion** [~'keɪʃn] Verwicklung f; Folge f; Auswirkung f; Andeutung f

implicit [ɪm'plɪsɪt] vorbehalt-, bedingungslos; impliziert, (stillschweigend od. mit) inbegriffen; **~plore** [~'plɔːr] j-n anflehen; **~ply** [~'plaɪ] implizieren, (sinngemäß od. stillschweigend) beinhalten; andeuten; mit sich bringen; **~polite** unhöflich

import 1. [ɪm'pɔːrt] importieren, einführen; **2.** [~] Import m, Einfuhr f; pl Importgüter pl, Einfuhrware f

importan|ce [ɪm'pɔːrtəns] Wichtigkeit f, Bedeutung f; **~t** wichtig, bedeutend

importer [ɪm'pɔːrtər] Importeur m

impos|e [ɪm'pəʊz] auferlegen, aufbürden (**on** dat); Strafe verhängen (**on** gegen); et. aufdrängen, -zwingen (**on** dat); Maßnahme etc. einführen; **~ on s.o.** sich j-m aufdrängen; **~ing** eindrucksvoll, imponierend impossible unmöglich

imposter [ɪmˈpɑːstər] Hochstapler(in)

impotenlce [ˈɪmpətəns] Unvermögen *n*, Unfähigkeit *f*; Hilflosigkeit *f*; *med.* Impotenz *f*; **'~t** unfähig; hilflos; *med.* impotent

impoverish [ɪmˈpɑːvərɪʃ]: **be ~ed** verarmt sein

impregnate [ˈɪmpregneɪt] schwängern

impress [ɪmˈpres] (auf)drücken, (ein)drücken; *j-n* beeindrucken; **~ion** [~ˈpreʃn] Eindruck *m*; Abdruck *m*; **~ive** [~ˈpresɪv] eindrucksvoll

imprint **1.** [ɪmˈprɪnt] (auf)-drücken; *fig.* einprägen; **2.** [ˈ~] Ab-, Eindruck *m*

imprison [ɪmˈprɪzn] einsperren; **~ment** Freiheitsstrafe *f*

improbable unwahrscheinlich; **~'proper** unpassend; falsch; unanständig

improve [ɪmˈpruːv] verbessern; sich (ver)bessern; **~ment** (Ver)Besserung *f*; Fortschritt *m*

improvise [ˈɪmprəvaɪz] improvisieren; **~prudent** [~ˈpruːdənt] unklug; unvorsichtig; **~pudent** [ˈ~pjʊdənt] unverschämt

impulsle [ˈɪmpʌls] Impuls *m* (*a. fig.*); Anstoß *m*, Anreiz *m*; **~ive** [~ˈpʌlsɪv] impulsiv

im|punity [ɪmˈpjuːnətɪ]: **with ~** straflos, ungestraft; **~pure**

[~ˈpjʊr] unrein

IN *Abk. für* Indiana

in [ɪn] **1.** *prp räumlich:* (*wo?*) in (*dat*), an (*dat*), auf (*dat*): **~ Atlanta** in Atlanta; **~ the street** auf der Straße; - (*wohin?*) in (*acc*): **put it ~ your pocket** steck es in die Tasche; - *zeitlich:* in (*dat*), an (*dat*): **~ 1999** 1999; **~ two hours** in zwei Stunden; **~ the morning** am Morgen; *Zustand, Art u. Weise:* in (*dat*), auf (*acc*), mit: **~ English** auf Englisch; *Tätigkeit:* in (*dat*), bei, auf (*dat*): **~ crossing the road** beim Überqueren der Straße; *Autoren:* bei: **~ Shakespeare** bei Sh.; *Material:* in (*dat*), aus, mit: **dressed ~ blue** in Blau (gekleidet); *Zahl, Betrag:* in, von, aus, zu: **three ~ all** insgesamt od. im Ganzen drei; **one ~ ten** eine(r, -s) von zehn; nach, gemäß: **~ my opinion** m-r Meinung nach; **2.** *adv* (dr)innen; hinein, herein; da, (an)gekommen; da, zu Hause, *öster., schweiz. a.* zuhause; **3.** *adj* F in (Mode); **~ the ~ tray** *von Briefen etc.*: im Post- *etc.* Eingang

in. *Abk. für* **inch** Inch *m* (*2,54 cm*)

in|ability Unfähigkeit *f*; **~accessible** [~ækˈsesəbl] unzugänglich; **~'accurate** ungenau; unrichtig; **~'active** untätig; **~'adequate** unangemessen: unzulänglich; **~** **advisable** nicht ratsam *od.* empfehlenswert; **~'animate** leblos; *fig.* langweilig; **~appropriate** unpassend, ungeeignet

inaugural [ɪ'nɔːɡjʊrəl] Eröffnungs-, Einweihungs...; **~** Eröffnungs...; **~te** [~eɪt] (feierlich) einführen; einweihen, eröffnen

inbound ['ɪnbaʊnd] stadteinwärts

INC [ɪŋk] *Abk. für* **Incorporated** *etwa* AG, (Aktien-) Gesellschaft *f*

incapacitate [ɪnkə'pæsɪteɪt] unfähig *od.* untauglich machen

incense¹ ['ɪnsens] Weihrauch *m*

incense² [ɪn'sens] erbosen

incentive [ɪn'sentɪv] Ansporn *m*, Anreiz *m*

incest ['ɪnsest] Blutschande *f*, Inzest *m*

inch [ɪntʃ] Inch *m* (2.54 cm), Zoll *m*

incident ['ɪnsɪdənt] Vorfall *m*, Ereignis *n*; *pol.* Zwischenfall *m*; **~al** [~'dentl] beiläufig; nebensächlich; **~ally** übrigens

incinerator [ɪn'sɪnəreɪtə] Verbrennungsofen *m*, -anlage *f*

incision [ɪn'sɪʒn] (Ein-) Schnitt *m*; **~ive** [~'saɪsɪv] scharf, schneidend; *fig.* prägnant, treffend; **~or** [~'saɪzə] Schneidezahn *m*

inclin|ation [ɪnklɪ'neɪʃn] Neigung *f* (*a. fig.*); **~e** [~'klaɪn] **1.** (sich) neigen; *fig.* veranlassen; **2.** Gefälle *n*; (Ab)Hang *m*

inclu|de [ɪn'kluːd] einschließen; *in Liste etc.*: aufnehmen; **tax ~d** inklusive Steuer; **~ding** einschließlich; **~sive** einschließlich, inklusive (*of* gen); Pauschal...

incoherent (logisch) unzusammenhängend

income ['ɪnkʌm] Einkommen *n*; **~ tax** ['~əmtæks] Einkommensteuer *f*

in|comparable unvergleichlich; **~compatible** unvereinbar; unverträglich; inkompatibel

incompeten|ce Unfähigkeit *f*; **~t** unfähig

in|complete unvollständig; **~comprehensible** unverständlich; **~conceivable** undenkbar; **~conclusive** nicht überzeugend; ergebnislos; **~considerate** rücksichtslos; unüberlegt; **~consistent** unvereinbar; widersprüchlich; unbeständig, wechselhaft

inconvenience **1.** Unbequemlichkeit *f*; Unannehmlichkeit *f*, Ungelegenheit *f*; **2.** *j-m* lästig sein; *j-m* Umstände machen; **~t** unbequem; ungelegen, lästig

incorporate **1.** [ɪn'kɔːpəreɪt] *v/t* vereinigen, zs.-

schließen, (mit) einbeziehen; enthalten; *v/i* sich zs.-schließen; **2.** [~rət] *adj* → **~d** [~'reɪtɪd] *econ., jur.* als (Aktien)Gesellschaft eingetragen

in|**correct** unrichtig; **~corrigible** [~'kɔːrɪdʒəbl] unverbesserlich

increase 1. [ɪn'kriːs] vergrößern, -mehren, erhöhen; zunehmen, (an)wachsen; *Preise*: steigen; **~** *in value* wertvoller werden; **2.** ['ɪnkriːs] Vergrößerung *f*, Erhöhung *f*, Zunahme *f*, Zuwachs *m*, Steigerung *f*; **~ingly** immer mehr

incredible unglaublich

incriminate [ɪn'krɪmɪneɪt] belasten

incubator ['ɪnkjʊbeɪtə] Brutapparat *m*, *med.* Brutkasten *m*

incur [ɪn'kɜːr] sich *et.* zuziehen; *Schulden* machen; *Verluste* erleiden

in|**curable** unheilbar; *fig.* unverbesserlich; **~'debted** verschuldet; (zu Dank) verpflichtet (*to s.o.* j-m); **~'decent** unanständig

indeed [ɪn'diːd] **1.** in der Tat, tatsächlich, wirklich; allerdings; **2.** *int* ach wirklich?, was Sie nicht sagen!

indefinite [ɪn'defɪnət] unbestimmt; unbegrenzt; **~ly** auf unbestimmte Zeit, unbegrenzt

independen|ce Unabhängigkeit *f*, Selbständigkeit *f*; **~t** unabhängig, selbständig

in|**describable** [ɪndɪ'skraɪbəbl] unbeschreiblich; **~destructible** [~'strʌktəbl] unzerstörbar; **~determinate** [~'tɜːrmɪnət] unbestimmt; ungewiss

index ['ɪndeks] (*pl* -**dexes**, -**dices** ['~dɪsiːz]) Index *m*, (Stichwort- etc.)Verzeichnis *n*, (Sach)Register *n*; *card* **~** Kartei *f*; **~ card** Karteikarte *f*; **~ finger** Zeigefinger *m*

Indian ['ɪndɪən] Inder(in); *neg!* Indianer(in); **~ giver** *j-d, der ein Geschenk zurückverlangt*; **~ summer** *etwa* Spät-, Altweibersommer *m*

indicate ['ɪndɪkeɪt] deuten *od.* zeigen auf; *tech.* anzeigen; *mot.* blinken; *fig.* hinweisen *od.* -deuten auf; **~deuten**; **~ion** [~'keɪʃn] (*of*) (An)Zeichen *n* (für); Hinweis *m* (auf); Andeutung *f* (gen); **~ive** [~'dɪkətɪv] *gr.* Indikativ *m*; **~or** ['~dɪkeɪtər] *tech.* Zeiger *m*; *mot.* Blinker *m*; Anzeichen *n*

indict [ɪn'daɪt] *jur.* anklagen; **~ment** *jur.* Anklage *f*

indifferen|ce Gleichgültigkeit *f*; Mittelmäßigkeit *f*; **~t** gleichgültig; mittelmäßig

indigestible unverdaulich; **~ion** Magenverstimmung *f*

indiscreet [ɪn'diːdɪs] unbesonnen; indiskret; **~cretion** Unbesonnenheit *f;* Indiskretion *f*

in|**discriminate** [ɪndɪˈskrɪmɪnət] wahllos; kritiklos; **~dispensable** unentbehrlich; **~disputable** unbestreitbar; **~distinct** undeutlich; **~distinguishable** nicht zu unterscheiden(d)

individual [ɪndɪˈvɪdʒʊəl] **1.** individuell; einzeln, Einzel...; besonder; **2.** Individuum *n,* Einzelne *m, f;* **~ly** individuell; einzeln

indivisible unteilbar

indomitable [ɪnˈdɒmɪtəbl] unbezähmbar; unbeugsam

indoor [ˈɪndɔːr] Haus..., Zimmer..., Innen..., *Sport:* Hallen...; **~s** [ˌˈdɔːrz] im Haus, drinnen; ins Haus (hinein)

induce [ɪnˈduːs] veranlassen; verursachen

indulge [ɪnˈdʌldʒ] nachsichtig sein gegen; *e-r Neigung etc.* nachgeben, frönen; **~ in s.th.** sich et. gönnen *od.* leisten; **~nce** Nachsicht *f;* übermäßiger Genuss; Luxus *m;* **~nt** nachsichtig, -giebig

industrial [ɪnˈdʌstrɪəl] industriell, Industrie..., Gewerbe..., Betriebs...; **~ park** Gewerbegebiet *n,* Industriegebiet *n;* **~ist** Industrielle *m, f;* **~ize** industrialisieren

industrious [ɪnˈdʌstrɪəs] fleißig; **~y** [ˈɪndəstrɪ] Industrie *f;* Fleiß *m*

in|**effective** [ɪnɪˈfektɪv], **~effectual** [ɪnɪ-ˈfektʃʊəl] unwirksam, wirkungslos; untauglich; **~efficient** unwirtschaftlich; untüchtig; **~eligible** nicht berechtigt; **~ept** [ɪˈnept] unpassend; ungeschickt; **~equality** Ungleichheit *f;* **~escapable** unvermeidlich; unweigerlich; **~estimable** [ˈestɪməbl] unschätzbar; **~evitable** [ˈevɪtəbl] unvermeidlich; **~excusable** unverzeihlich; **~exhaustible** unerschöpflich; **~expensive** nicht teuer, preiswert; **~experienced** unerfahren; **~explicable** [ɪkˈsplɪkəbl] unerklärlich; **~fallible** [ɪnˈfæləbl] unfehlbar

infan|**cy** [ˈɪnfənsɪ] frühe Kindheit; **~t** Säugling *m;* kleines Kind, Kleinkind *n;* **~tile** [ˌˈaɪl] infantil, kindisch; kindlich; Kinder..., Kindes...

infatuated [ɪnˈfætjʊeɪtɪd]: **~ with** vernarrt in

infect [ɪnˈfekt] infizieren, anstecken (*a. fig.*); **~ion** [ˌˈkʃn] Infektion *f,* Ansteckung *f;* **~ious** ansteckend

infer [ɪnˈfɜːr] schließen, folgern (**from** aus); **~ence** [ˈɪnfərəns] Schlussfolgerung *f*

inferior [ɪnˈfɪrɪər] **1.** untergeordnet (**to** dat), niedriger (**to** als); weniger wert (**to** als); minderwertig; **be ~ to s.o.** j-m untergeordnet sein; j-m unterlegen sein; **2.** Untergebene *m, f;* **~ity** [~'ɑ:rətɪ] Unterlegenheit *f;* Minderwertigkeit *f*

infertile [ɪn'fɜ:rtl] unfruchtbar

infidelity Untreue *f*

infinite ['ɪnfɪnət] unendlich; gewaltig; **~ive** [~'fɪnətɪv] *gr.* Infinitiv *m;* **~y** [~ətɪ] Unendlichkeit *f*

inflame [ɪn'fleɪm] (sich) entzünden

inflamma|ble [ɪn'flæməbl] brennbar; feuergefährlich; **~tion** [~ə'meɪʃn] *med.* Entzündung *f*

inflat|able [ɪn'fleɪtəbl] aufblasbar; *Boot:* Schlauch...; **~e** [~eɪt] aufblasen; *Reifen etc.* aufpumpen; *Preise* hoch treiben; **~ion** *econ.* Inflation *f*

in|flexible [ɪn'fleksəbl] inflexibel; unbiegsam, starr; **~flict** [ɪn'flɪkt] (**on, upon**) *Leid, Schaden* zufügen (*dat*); *Wunde* beibringen (*dat*); *Strafe* verhängen (**über**)

influence ['ɪnfluəns] **1.** Einfluss *m;* **2.** beeinflussen; **~tial** [~'enʃl] einflussreich

influenza [ɪnflu'enzə] Grippe *f*

inform [ɪn'fɔ:rm] (**of, about**) benachrichtigen (von), unterrichten (von), informieren (über); **~ against** *od.* **on s.o.** j-n anzeigen; j-n denunzieren

informal [ɪn'fɔ:rml] zwanglos; inoffiziell

inform|ation [ɪnfər'meɪʃn] Auskunft *f,* Information *f;* Nachricht *f;* **~ative** [~'fɔ:rmətɪv] informativ, aufschlussreich; **~er** Denunziant(in); Spitzel *m*

infrared [ɪnfrə'red] infrarot

infrequent [ɪn'fri:kwənt] selten

infuriate [ɪn'fjurieɪt] wütend machen

infus|e [ɪn'fju:z] *Tee* aufgießen; **~ion** [~ʒn] *med.* Infusion *f;* Aufguss *m*

ingen|ious [ɪn'dʒi:nɪəs] genial; einfallsreich; **~uity** [~dʒɪ'nu:ətɪ] Genialität *f,* Einfallsreichtum *m*

ingredient [ɪn'gri:dɪənt] Bestandteil *m; gastr.* Zutat *f*

inhabit [ɪn'hæbɪt] bewohnen; **~able** bewohnbar; **~ant** Bewohner(in); Einwohner(in)

inhale [ɪn'heɪl] einatmen; inhalieren

inherent [ɪn'hɪrənt] innewohnend

inherit [ɪn'herɪt] erben; **~ance** Erbe *n,* Erbschaft *f*

inhibit [ɪn'hɪbɪt] hemmen; (ver)hindern; **~ion** [~'bɪʃn] *psych.* Hemmung *f*

inhospitable ungastlich; unwirtlich

inhuman [ɪn'hju:mən] unmenschlich; **~e** [~meɪn] inhuman, menschenunwürdig

initial [ɪ'nɪʃl] **1.** anfänglich,

Anfangs...; **2.** Initiale f, (großer) Anfangsbuchstabe; **3.** abzeichnen; **~ly** [~ʃəlɪ] am Anfang, anfänglich

initiate [ɪ'nɪʃɪeɪt] einleiten; j-n einführen; j-n einweihen; **~ion** [~'eɪʃn] Einleitung f; Einführung f; **~ive** [ɪ'nɪʃ~ətɪv] Initiative f

inject [ɪn'dʒekt] med. injizieren, einspritzen (a. tech.); **~ion** [~kʃn] med. Injektion f, Spritze f, Einspritzung f

Injun [ˈɪndʒən] F Indianer(in): → **honest**

injur|e [ˈɪndʒər] verletzen (a. fig.); fig.: kränken; schaden; **~ed 1.** verletzt; **2. the ~** pl die Verletzten pl; **~y** [~ərɪ] Verletzung f; Kränkung f

injustice Ungerechtigkeit f

ink [ɪŋk] Tinte f

inland 1. [ˈɪnlənd] adj binnenländisch, Binnen...; inländisch, einheimisch; **2.** [~ˈlænd] adv landeinwärts

inlay [ˈɪnleɪ] Einlegearbeit f

inlet [ˈɪnlet] schmale Bucht; Einlass m

inmate [ˈɪnmeɪt] Insasse m, -in f

inn [ɪn] Gasthaus n, -hof m

innate [ɪˈneɪt] angeboren

inner [ˈɪnər] innere(r, -s); Innen...; **~ tube** mot. Schlauch m

innocen|ce [ˈɪnəsəns] Unschuld f; **~t** [~snt] unschuldig

innovation [ɪnoʊˈveɪʃn] Neu-

erung f

innumerable [ɪˈnuːmərəbl] unzählig, zahllos

inoculate [ɪˈnɒkjuleɪt] impfen; **~ion** [~ˈleɪʃn] Impfung f

in|operable [ɪnˈɒːpərəbl] inoperabel; **~organic** unorganisch; chem. anorganisch

'input [econ., Computer: Input m, n, Eingabe f; Energiezufuhr f; Aufwand m; **2.** (-putted od. -put) Computer: Daten eingeben (**into** in)

inquire [ɪnˈkwaɪr] sich erkundigen (nach); (nach)fragen; **~ into** et. untersuchen, prüfen; **~y** [~] Erkundigung f, Nachfrage f; Untersuchung f

insane [ɪnˈseɪn] geisteskrank

insanitary unhygienisch

insanity Geisteskrankheit f, Wahnsinn m

insatiable [ɪnˈseɪʃəbl] unersättlich

inscription [ɪnˈskrɪpʃn] Inod. Aufschrift f

insect [ˈɪnsekt] Insekt n; **~icide** [~ˈsektɪsaɪd] Insektizid n

insecure ungesichert, nicht fest; fig. unsicher

inseparable untrennbar; unzertrennlich

insert 1. [ɪnˈsɜːrt] einsetzen; (hinein)stecken; Münze einwerfen; **2.** [ˈɪnsɜːrt] Inserat n; (Zeitungs)Beilage f, (Buch)Einlage f; **~ion** [~ˈsɜːrʃn] Einsetzen *n*, Einfügung *f*, *Münze*: Einwurf *m*

inside 1. [ɪnˈsaɪd, ˈɪnsaɪd] *s* Innenseite *f*; *das* Innere; **turn ~ out** umdrehen, umstülpen; *fig.* umkrempeln; **2.** [ˈ~] *adj* inner(r, -s), Innen...; **3.** [ˌ~ˈsaɪd] *adv im* Inner(e)n, (dr)innen; hin-, herein; **4.** [ˌ~ˈsaɪd] *prp* innerhalb, im Inner(e)n; **~ the house** im Hause; **~** [ˈ~saɪdər] Insider(in), Eingeweihte *m*, *f*

insidious [ɪnˈsɪdɪəs] hinterhältig, heimtückisch

insight [ˈɪnsaɪt] Verständnis *n*; Einblick *m* (**into** in)

insignificant unbedeutend; **~sincere** unaufrichtig; **~sinuate** [ɪnˈsɪnjʊeɪt] andeuten, anspielen auf

insist [ɪnˈsɪst] darauf bestehen; **~ on** bestehen auf; **~ent** beharrlich, hartnäckig

insolent [ˈɪnsələnt] unverschämt, frech; **~soluble** unlöslich; *fig.* unlösbar; **~solvent** zahlungsunfähig

insomnia [ɪnˈsɒmnɪə] Schlaflosigkeit *f*

inspect [ɪnˈspekt] untersuchen, prüfen, inspizieren; **~ion** [ˌ~kʃn] Prüfung *f*, Untersuchung *f*; Inspektion *f*; **~or** Kontrolleur *m*

inspiration [ɪnspəˈreɪʃn] Inspiration *f*, (plötzlicher) Einfall; **~e** [ˌ~ˈspaɪr] inspirieren, anregen

install [ɪnˈstɔːl] *tech.* installieren; **~stallation** [ˌ~ˈleɪʃn] *tech.* Installation *f*; *tech.* Anlage *f*

installment [ɪnˈstɔːlmənt] *econ.* Rate *f*; *Roman*: Fortsetzung *f*; *Rundfunk, TV*: Folge *f*; **~ plan: on the ~** auf Raten

instance [ˈɪnstəns] (*einzelner*) Fall; Beispiel *n*; **for ~** zum Beispiel

instant [ˈɪnstənt] **1.** Moment *m*, Augenblick *m*; **2.** sofortig, augenblicklich; **~ coffee** Pulverkaffee *m*; **~aneous** [ˌ~ˈteɪnɪəs] augenblicklich; **~ly** sofort

instead [ɪnˈsted] stattdessen; **~ of** anstatt, an Stelle von

instep Spann *m*

instinct [ˈɪnstɪŋkt] Instinkt *m*; Augenblick *m*; **~ive** [ˌ~ˈstɪŋktɪv] instinktiv

institute [ˈɪnstɪtuːt] Institut *n*; **~ion** [ˌ~ˈtuːʃn] Institution *f*, Einrichtung *f*; Institut *n*

instruct [ɪnˈstrʌkt] unterrichten; ausbilden, schulen; anweisen; informieren; **~ion** [ˌ~kʃn] Unterricht *m*; Ausbildung *f*, Schulung *f*; Anweisung *f*, Instruktion *f*; *Computer*: Befehl *m*; **~s pl for use** Gebrauchsanweisung *f*; **~or** Lehrer(in); Ausbilder(in)

instrument [ˈɪnstrəmənt] Instrument *n*; Werkzeug *n*

insubordinate aufsässig; **~sufferable** [ɪnˈsʌfərəbl] unerträglich; **~sufficient** ungenügend

insulate ['ɪnsəleɪt] *electr.*, *tech.* isolieren; **~ion** [~'leɪʃn] Isolierung *f*

insult 1. [ɪn'sʌlt] beleidigen; **2.** ['~] Beleidigung *f*

insurance [ɪn'ʃʊərəns] *econ.*: Versicherung *f*; Versicherungssumme *f* od. -prämie *f*; (Ab)Sicherung *f* (**against** gegen); **~ adjuster** Versicherungsgutachter *m*, -sachverständige *m*; **~ agent** Versicherungsvertreter *m*; **~ company** Versicherung(sgesellschaft) *f*; **~ policy** Versicherungspolice *f*

insure [ɪn'ʃʊr] versichern; **~d** (*pl* **~**) Versicherte *m*, *f*

insurmountable [ɪnsə'maʊntəbl] unüberwindlich

intact [ɪn'tækt] unversehrt

intake ['ɪnteɪk] Aufnahme *f*; Einlass(öffnung *f*) *m*

integrate ['ɪntɪɡreɪt] (sich) integrieren; zs.-schließen; eingliedern; **~d circuit** integrierter Schaltkreis

integrity [ɪn'teɡrətɪ] Integrität *f*

intellect ['ɪntəlekt] Intellekt *m*, Verstand *m*; **~ual** [~'lektʃʊəl] **1.** intellektuell, geistig; **2.** Intellektuelle *m*, *f*

intelligence [ɪn'telɪdʒəns] Intelligenz *f*; nachrichtendienstliche Informationen *pl*; *a.* **~ service** Nachrichten-, Geheimdienst *m*; **~ent**

intelligent, klug; **~ible** verständlich

intend [ɪn'tend] beabsichtigen, vorhaben; bestimmen

intense [ɪn'tens] intensiv, stark, heftig; *Person:* ernsthaft; **~ify** [~sɪfaɪ] (sich) verstärken; **~ity** Intensität *f*; **~ive** intensiv, gründlich; **~ care unit** Intensivstation *f*; **~ course** Intensivkurs *m*

intent [ɪn'tent] **1.** Absicht *f*; **2. be ~ on doing s.th.** fest entschlossen sein, et. zu tun; **~ion** Absicht *f*; **~ional** absichtlich

intercept [ɪntər'sept] *Brief etc.* abfangen

interchange 1. [ɪntər'tʃeɪndʒ] austauschen; **2.** ['~] Austausch *m*; *Autobahn:* Kreuz *n*

intercom ['ɪntərkɑːm] (Gegen)Sprechanlage *f*

intercourse ['ɪntərkɔːrs] (Geschlechts)Verkehr *m*

interest ['ɪntrəst] **1.** Interesse *n*; Bedeutung *f*; *econ.:* Anteil *m*, Beteiligung *f*; Zins(en *pl*) *m*; **take an ~ in** sich interessieren für; **2.** interessieren (**in** für); **~ed** interessiert (**in** an); **be ~ in** sich interessieren für; **~ing** interessant; **~ rate** Zinssatz *m*

'interface *Computer:* Schnittstelle *f*

interfere [ɪntər'fɪr] sich einmischen; eingreifen; **~ with** stören; **~nce** [~'fɪrəns] Einmischung f, Eingreifen n; Störung f

interior [ɪnˈtɪrɪər] **1.** innere(r, -s), Innen...; **2.** das Innere; ~ **decorator** Innenausstatter(in), a. ~ **designer** Innenarchitekt(in)

intermediary [ɪntərˈmiːdɪerɪ] Vermittler(in), Mittelsmann m; ~**te** [~ɪət] dazwischenliegend, Zwischen...; ped. für fortgeschrittene Anfänger

intermingle [ɪntərˈmɪŋgl] (sich) vermischen; ~**mission** Pause f

intern [ɪnˈtɜːrn] Assistenzarzt m, -ärztin f

internal [ɪnˈtɜːrnl] innere(r, -s), Innen...; Inlands...; intern; ℞ **Revenue Service** Finanzamt n; ~**ly** innen, innerlich

international [ɪntərˈnæʃənl] **1.** international; **2.** Sport: Nationalspieler(in); Länderkampf m, -spiel n

internist [ˈɪntɜːrnɪst] med. Internist(in)

interpret [ɪnˈtɜːrprɪt] interpretieren, auslegen; dolmetschen; ~**ation** [~ˈteɪʃn] Interpretation f, Auslegung f; Dolmetschen n; ~**er** [~ˈtɜːrprɪtər] Dolmetscher(in)

interrogate [ɪnˈterəʊgeɪt] verhören, -nehmen; (be)fragen; ~**ion** [~ˈgeɪʃn] Verhör n, -nehmung f; Frage f

interrupt [ɪntərˈrʌpt] unter-

brechen; ~**ion** [~pʃn] Unterbrechung f

intersect [ɪntərˈsekt] sich schneiden od. kreuzen; (durch)schneiden; ~**ion** [~kʃn] Schnittpunkt m; (Straßen)Kreuzung f

interstate 1. zwischenstaatlich; **2.** mot. Autobahn f

interval [ˈɪntərvl] Abstand m; Intervall n

intervene [ɪntərˈviːn] eingreifen, -schreiten, intervenieren; dazwischenkommen; ~**tion** [~ˈvenʃn] Eingreifen n, -schreiten n, Intervention f

interview [ˈɪntərvjuː] **1.** Interview n; Einstellungsgespräch n; **2.** interviewen; ein Einstellungsgespräch führen mit; ~**ee** [~əʊˈiː] Interviewte m, f; ~**er** Interviewer(in)

intestine [ɪnˈtestɪn] Darm m; **large/small ~** Dick-/Dünndarm m

intimacy [ˈɪntɪməsɪ] Intimität f, Vertrautheit f; (a. plumpe) Vertraulichkeit; intime (sexuelle) Beziehungen pl; ~**te** [~ət] intim; Freunde etc.: vertraut, eng; (a. contp. plump)vertraulich; Wünsche etc.: innere(r, -s); Kenntnisse: gründlich, genau

intimidate [ɪnˈtɪmɪdeɪt] einschüchtern

into [ˈɪntʊ] prp in (acc), in (acc) ... hinein

intolerable [ɪnˈtɑːlərəbl] unerträglich; **~ant** unduldsam, intolerant (**of** gegenüber)

intoxicated [ɪn'tɒksɪkeɪtɪd] berauscht; betrunken

intravenous [ɪntrə'viːnəs] intravenös

intricate ['ɪntrɪkət] verwickelt, kompliziert

intrigue [ɪn'triːg] **1.** faszinieren; interessieren; intriguieren; **2.** Intrige f

introduce [ɪntrə'djuːs] einführen; vorstellen (**to** dat); **~tion** [~'dʌkʃn] Einführung f; Einleitung f; Vorstellung f

introvert ['ɪntrəvɜːt] introvertiert

intru|de [ɪn'truːd] stören (**on s.o.** j-n); **~der** Eindringling m; Störenfried m; **~sion** [~ʒn] Störung f (**on** gen)

invade [ɪn'veɪd] einfallen od. eindringen in

invalid¹ ['ɪnvəlɪd] **1.** Kranke m, f; Invalide m, f; **2.** krank; invalid(e)

invalid² [ɪn'vælɪd] (rechts-) ungültig

invaluable unschätzbar

invariable unveränderlich; **~ly** immer; ausnahmslos

invasion [ɪn'veɪʒn] (**of**) Einfall m (in), Eindringen n (in), mil. a. Invasion f (gen)

invent [ɪn'vent] erfinden; **~ion** Erfindung f; **~ive** erfinderisch; einfallsreich; **~or** Erfinder(in)

invertebrate [ɪn'vɜːtɪbrət]

wirbelloses Tier

invest [ɪn'vest] investieren, anlegen

investigat|e [ɪn'vestɪgeɪt] untersuchen; erforschen; **~ion** [~'geɪʃn] Untersuchung f

invest|ment [ɪn'vestmənt] Investition f, Kapitalanlage f; **~or** Investor m, Kapitalanleger m

in|vincible [ɪn'vɪnsəbl] unbesiegbar; fig. unüberwindlich; **~visible** unsichtbar

invit|ation [ɪnvɪ'teɪʃn] Einladung f; Aufforderung f; **~e** [~'vaɪt] einladen; auffordern

invoice ['ɪnvɔɪs] **1.** (Waren)Rechnung f; **2.** in Rechnung stellen, berechnen

involve [ɪn'vɒlv] verwickeln, hineinziehen; j-n, et. angehen, betreffen; zur Folge haben

inward ['ɪnwəd] **1.** adj innerlich, innere(r, -s), Innen...; **2.** **~ly** adv innerlich, im Inner(e)n; **~s** [~z] adv einwärts, nach innen

iodine ['aɪədiːn] Jod n

IOU [aɪəʊ'juː] Abk. für **I owe you** Schuldschein m

iridescent [ɪrɪ'desnt] schillernd

iron ['aɪən] **1.** Eisen n; Bügeleisen n; **2.** eisern, Eisen...; **3.** bügeln

ironic [aɪ'rɒnɪk] ironisch

'ironing Bügeln n; Bügel...; **~ board** Bügelbrett n

irony ['aɪərənɪ] Ironie f

ir|**radiate** [ɪˈreɪdɪeɪt] bestrahlen; **~rational** irrational, unvernünftig; **~reconcilable** unversöhnlich; unvereinbar; **~recoverable** unersetzlich; **~regular** unregelmäßig; ungleichmäßig; regel- *od.* vorschriftswidrig; **~relevant** unerheblich, belanglos, irrelevant; **~reparable** [ɪˈrepərəbl] nicht wieder gutzumachen(d); **~replaceable** unersetzlich; **~resistible** unwiderstehlich; **~respective:** **~ of** ohne Rücksicht auf; **~responsible** unverantwortlich; verantwortungslos; **~retrievable** unwiederbringlich, unersetzlich; **~reverent** [ɪˈrevərənt] respektlos; **~revocable** [ɪˈrevəkəbl] unwiderruflich

irrigate [ˈɪrɪgeɪt] bewässern; **~ion** [~ˈgeɪʃn] Bewässerung *f*

irrit|**able** [ˈɪrɪtəbl] reizbar; **~ate** [~eɪt] reizen (*a. med.*), (ver)ärgern; **~ation** [~ˈteɪʃn] Ärger *m*, Verärgerung *f*; *med.* Reizung *f*

IRS [aɪɑːˈres] *Abk. für* **Internal Revenue Service** Finanzamt *n*

is [ɪz] *er, sie, es ist*

island [ˈaɪlənd] Insel *f*

isle [aɪl] Insel *f*

isn't [ˈɪznt] *für* **is not**

isolat|**e** [ˈaɪsəleɪt] isolieren; **~ed** isoliert; abgeschieden;

Einzel...; **~ion** [~ˈleɪʃn] Isolierung *f*, Absonderung *f*

issue [ˈɪʃuː] **1.** *s Zeitung etc.:* Ausgabe *f*; (Streit)Frage *f*, Streitpunkt *m*, Problem *n*; Ausgang *m*, Ergebnis *n*; **2.** *v/t Zeitung etc.* herausgeben; *Banknoten etc.* ausgeben; *Dokument etc.* ausstellen; *Befehle etc.* erteilen; *v/i* heraus-, hervorkommen

it [ɪt] *es; bezogen auf bereits Genanntes:* es, er, ihn, sie

itch [ɪtʃ] **1.** Jucken *n*, Juckreiz *m*; **2.** jucken

item [ˈaɪtəm] Punkt *m* (*der Tagesordnung etc.*), *auf e-r Liste:* Posten *m*; Artikel *m*, Gegenstand *m*; (*Presse-, Zeitungs*)Notiz *f*, (*a. Rundfunk, TV*) Nachricht *f*, Meldung *f*

itinerary [aɪˈtɪnərərɪ] Reiseroute *f*

its [ɪts] sein(e), ihr(e)

it's [ɪts] *für* **it is, it has**

itself [ɪtˈself] *pron* sich (selbst) (*reflexiv*); *verstärkend:* selbst

IUD [aɪjuːˈdiː] *Abk. für* **intra-uterine device** *med.* Intrauterinpessar *n*

IV [aɪˈviː] *Abk. für* **intra-venous injection** intravenöse Injektion

I've [aɪv] *für* **I have**

ivy [ˈaɪvɪ] Efeu *m*; ♀ **League** *eine Gruppe von Elitehochschulen an der Ostküste*

J

jab [dʒæb] stechen, stoßen

jack [dʒæk] **1.** Wagenheber *m*; Kartenspiel: Bube *m*; *electr.* Buchse *f*; *sl.* Kohle *f* (Geld); **2. ~ up** Auto aufbocken

jacket ['dʒækɪt] Jacke *f*, Jackett *n*; *tech.* Mantel *m*; (Schutz)Umschlag *m*

jack|hammer Presslufthammer *m*; **'~knife 1.** (pl **-knives**) Klappmesser *n*; **2.** *LKW*: sich querstellen; **'~pot** Jackpot *m*, Haupttreffer *m*

jagged ['dʒæɡɪd], **~gy** (aus)gezackt, zackig

jail [dʒeɪl] **1.** Gefängnis *n*; **2.** einsperren

jalapeño [hɑːləˈpeɪnjəʊ] Chili(pfeffer) *m*

jam¹ [dʒæm] Marmelade *f*

jam² [dʒæm] **1.** *v/t* (hinein)pressen, (-)quetschen, (-)zwängen; (ein)klemmen, (-)quetschen; **~ up** blockieren, verstopfen; *Funkempfang* stören; *v/i* sich (hinein)drängen od. (-)quetschen; *tech.* sich verklemmen, *Bremsen*: blockieren; **2.** Gedränge *n*; *tech.* Blockierung *f*; **traffic ~** Verkehrsstau *m*; **be in a ~** *F* in der Klemme stecken

jambalaya [dʒʌmbəˈlaɪə] *gastr.* stark gewürztes Reisgericht mit Fleisch, Gemüse und Meeresfrüchten

jam session zwanglose Zs.-kunft von Jazzmusikern, bei der improvisiert wird

jammed *Raum etc.*: überfüllt, proppenvoll

Jane Doe [dʒeɪnˈdəʊ] *jur.* fiktiver weibl. Name für e-e unbekannte Partei in e-m Rechtsstreit

janitor ['dʒænɪtər] Hausmeister *m*

January ['dʒænjʊərɪ] Januar *m*

jar [dʒɑːr] Gefäß *n*, Krug *m*; (Marmelade- etc.)Glas *n*

jargon ['dʒɑːrɡən] Jargon *m*, Fachsprache *f*

jaundice ['dʒɔːndɪs] *med.* Gelbsucht *f*

javelin ['dʒævlɪn] *Sport*: Speer *m*

jaw [dʒɔː] *anat.* Kiefer *m*; **~ breaker** Zungenbrecher *m*; großer Bonbon

jaycee [dʒeɪˈsiː] Mitglied e-r Gruppe von jungen Geschäftsleuten und Lokalpolitikern

jaywalk ['dʒeɪwɔːk] die Straße vorschriftswidrig überqueren

jazz [dʒæz] **1.** Jazz *m*; **2. ~ up** *j-n, et.* aufmöbeln

jct(n). *Abk.* für **junction** Kreuzung *f*

jealous ['dʒeləs] (of) eifer-

süchtig (auf); neidisch (auf);
'**~y** Eifersucht f; Neid m

jeans ['dʒiːnz] pl Jeans pl

jeep® [dʒiːp] Jeep m

jel|lied ['dʒelɪd] in Aspik od. Sülze; '**~y** Gallert(e)f) n; Gelee n; Aspik m; Sülze f; Götterspeise f; **~ bean** Gelee-, Gummibonbon m, n; **~ fish** Qualle f; **~ roll** Biskuitrolle f

jeopardize ['dʒepərdaɪz] gefährden

jerk [dʒɜːrk] **1.** ruckartig ziehen an; sich ruckartig bewegen; (~)zucken; **2.** Ruck m; Sprung m, Satz m; med. Zuckung f; F Idiot m; '**~y** ruckartig; Fahrt: rüttelnd, schüttelnd

jet [dʒet] **1.** (Wasser- etc.) Strahl m; Düse f; aviat. Jet m; **2.** (heraus-, hervor)schießen (from aus); aviat. F jetten; **~ engine** Düsentriebwerk n; **~ lag** Probleme durch die Zeitverschiebung bei langen Flugreisen

jewel ['dʒuːəl] Juwel m, n, Edelstein m; '**~ry** [' ~lrɪ] Juwelen pl; Schmuck m; '**~ry store** Schmuckgeschäft n, Juwelierladen m

JFK [dʒeɪef'keɪ] Abk. für **John F. Kennedy** ehemaliger Präsident der USA; Flughafen in New York

jiffy ['dʒɪfɪ] F Augenblick m

jigsaw (puzzle) ['dʒɪgsɔː] Puzzle(spiel) n

jimmy ['dʒɪmɪ] Brechstange f

jingle ['dʒɪŋgl] **1.** klimpern (mit); bimmeln; **2.** Klimpern n; Bimmeln f

jitter ['dʒɪtər]: **the ~s** pl F Bammel m, e-e Heidenangst

job [dʒɑːb] **1.** (einzelne) Arbeit; Stellung f, Arbeit f, Job m; Arbeitsplatz m; Aufgabe f, Sache f, Angelegenheit f; Computer: Job m; **by the ~** im Akkord; **out of a ~** arbeitslos; **2.** Gelegenheitsarbeiten machen, jobben; (im) Akkord arbeiten; '**~ hopping** häufiger Arbeitsplatzwechsel; '**~ hunt:** be **~ing** auf Arbeitssuche sein; '**~less** arbeitslos

jock [dʒɑːk] neg! Sportler(in)

jockey ['dʒɑːkɪ] Jockei m

jog [dʒɑːg] **1.** Sport: joggen; **2.** Stoß m; Trott m; Sport: Trimmtrab m

john [dʒɑːn] F Klo n; sl. Freier m (Kunde e-r Prostituierten); **2 Doe** [~ 'doʊ] m fiktiver männl. Name für e-e unbekannte Partei in e-m Rechtsstreit; **2 Hancock** ['~ hænkɑːk] F Kaiser Wilhelm m (Unterschrift)

join [dʒɔɪn] v/t verbinden, vereinigen, zs.-fügen; sich anschließen (dat od. an); eintreten in, beitreten; teilnehmen an, mitmachen bei; v/i sich vereinigen; **~ in** teilnehmen, mitmachen; '**~er** Tischler m, Schreiner m

joint [dʒɔɪnt] **1.** Verbindungs-, Nahtstelle f; Gelenk n; gastr. Braten m; sl. Kneipe f; Haschisch- od. Marihuanazigarette: Joint m; **2.** gemeinsam, gemeinschaftlich; **~ venture** econ. Gemeinschaftsunternehmen n

jok|e [dʒouk] **1.** Scherz m, Spaß m; Witz m; **practical ~** Streich m; **play a ~ on s.o.** j-m e-n Streich spielen; **~** scherzen, Witze od. Spaß machen; '**~er** Spaßvogel m, Witzbold m; Spielkarte: Joker m; '**~ingly** im Spaß, scherzhaft

jolt [dʒoult] **1.** e-n Ruck od. Stoß geben; durchrütteln, -schütteln; Fahrzeug: rütteln, holpern; **2.** Ruck m, Stoß m; fig. Schock m

jostle [dʒɔsl] (an)rempeln

jot [dʒɔt]: **~ down** sich schnell et. notieren

journal ['dʒɜːrnl] Tagebuch n; Journal n, Zeitschrift f; **~ism** ['~əlɪzəm] Journalismus m; '**~ist** Journalist(in)

journey ['dʒɜːrnɪ] Reise f

joy [dʒɔɪ] Freude f; '**~stick** Computer: Joystick m

Jr. Abk. für **Junior** Junior m

judge [dʒʌdʒ] **1.** Richter(in); **2.** (be)urteilen; beurteilen, einschätzen; '**~ment** Urteil n; Urteilsvermögen n; Meinung f, Ansicht f

judicial [dʒuː'dɪʃl] gerichtlich, Justiz...; richterlich

judicious [dʒuː'dɪʃəs] vernünftig, klug, umsichtig

jug [dʒʌɡ] Krug m

juggle ['dʒʌɡl] jonglieren (mit); '**~r** Jongleur m

juic|e [dʒuːs] Saft m (a. electr. F); mot. F Sprit m; '**~y** saftig

jukebox ['dʒuːkbɒks] Jukebox f, Musikautomat m

July [dʒuː'laɪ] Juli m

jumble ['dʒʌmbl] **1.** a. **~ up** durcheinander werfen; Fakten durcheinander bringen; **2.** Durcheinander n

jump [dʒʌmp] **1.** v/i springen; hüpfen; zs.-zucken (at bei); v/t springen über; **2.** Sprung m

'jumper electr. Brücke f; **~ cables** pl mot. Starthilfekabel n

jump-'start e-m Auto Starthilfe geben

'jumpy nervös; schreckhaft

junction ['dʒʌŋkʃn] (Straßen)Kreuzung f

June [dʒuːn] Juni m

junior ['dʒuːnjər] **1.** junior; jüngere(r, -s); untergeordnet; Sport: Junioren..., Jugend...; **2.** Jüngere m, f; Sport: Junior(in)

junk [dʒʌŋk] Trödel m; Schrott m; Abfall m; sl. Stoff m (bsd. Heroin); **~ food** minderwertige(s) Nahrungsmittel; '**~ie** sl. Junkie m, Fixer(in); '**~yard** Schrottplatz m

juris|diction [dʒʊrɪs'dɪkʃn]

Gerichtsbarkeit *f;* Zuständigkeit(sbereich *m*) *f;* **~prudence** [~'pruːdəns] Rechtswissenschaft *f*

juror ['dʒʊərər] Geschworene *m, f*

jury ['dʒʊrɪ] *die* Geschworenen *pl;* Jury *f,* Preisgericht *n*

just [dʒʌst] **1.** *adj* gerecht; angemessen; rechtmäßig; berechtigt; **2.** *adv* gerade, (so)eben; gerade, genau, eben; gerade (noch); nur; ~ *about* ungefähr, etwa; ~ *like*

that einfach so

justice ['dʒʌstɪs] Gerechtigkeit *f;* Richter *m*

justi|fication [dʒʌstɪfɪ'keɪʃn] Rechtfertigung *f;* **~fy** ['~faɪ] rechtfertigen

jut [dʒʌt]: ~ *out* vorspringen, herausragen

juvenile ['dʒuːvənəl] **1.** jugendlich; Jugend...; ~ *delinquency* Jugendkriminalität *f;* **2.** Jugendliche *m, f*

j-walk ['dʒeɪwɔːk] → *jaywalk*; *No ~ing!* Bitte Fußgängerübergang benutzen

K

K [keɪ] *Abk. für* **Kilo-** *Computer:* 1024, 2¹⁰; 1 000; *$50K* 50000 Dollar

KB *Computer:* KB, Kilobyte *n*

Kb *Computer:* Kb, Kilobit *n*

K.C. [keɪ'siː] *Abk. für* Kansas City

keel [kiːl] Kiel *m*

keen [kiːn] scharf (*a. fig.*); *Interesse:* stark, lebhaft; begeistert, leidenschaftlich; ~ *on* F versessen *od.* scharf auf

keep [kiːp] **1.** (Lebens)Unterhalt *m; for ~s* F für immer; **2.** (**kept**) *v/t* (be)halten; *j-n, et.* lassen, *in e-m bestimmten Zustand* (er)halten (~ *closed* Tür *etc.* geschlossen halten); *im Besitz* behalten; *j-n* aufhalten; aufheben, aufbewahren; *Ware* führen; *La-*

den *etc.* haben; *Tiere* halten; *Versprechen, Wort* halten; *Buch* führen; ernähren *etc.,* unterhalten; *v/i* bleiben; sich halten; *mit ger:* weiter...; ~ *smiling!* immer nur lächeln!; ~ (*on*) *talking* weitersprechen; ~ (*on*) *trying* es weiterversuchen; as immer wieder versuchen; ~ *s.o. waiting* j-n warten lassen; ~ *time* Uhr: richtig gehen; Takt *od.* Schritt halten; ~ *away* (sich) fern halten (*from* von); ~ *from* abhalten von; bewahren vor; *j-m et.* vorenthalten, verschweigen; vermeiden (*acc*); ~ *off* (sich) fern halten von; sich fern halten; ~ *off!* Betreten verboten!; ~ *on Kleidungsstück* anbehalten, anlassen, *Hut* aufbehalten; *Licht* brennen lassen; weitermachen (→ *keep v/i mit ger*); ~ **out** nicht hinein- *od.* hereinlassen; ~ **out!** Zutritt verboten!; ~ *s.th. to o.s.* et. für sich behalten; ~ **up** *fig.* aufrechterhalten, *fig.* sich halten; *Mut* nicht sinken lassen; ~ **up with** Schritt halten mit; '**~er** Wächter(in), Aufseher(in); *mst in Zssgn:* Inhaber(in), Besitzer(in)

keg [keg] kleines Faß

kennel ['kenl] Hundehütte *f*; *oft pl* (*sg konstr.*) Hundezwinger *m*; Hundepension *f*

kept [kept] *pret u. pp von* **keep** 2

kernel ['kɜːrnl] Kern *m*

ketchup ['ketʃəp] Ketchup *n*

kettle ['ketl] Kessel *m*; '**~drum** (Kessel)Pauke *f*

key [kiː] **1.** Schlüssel *m* (*a. fig.*); Taste *f*; *mus.* Tonart *f*; Schlüssel...; **2.** ~ **in** *Computer:* Daten eintippen, -geben; '**~board 1.** Tastatur *f*; **2.** *Computer:* Daten über e-e Tastatur eingeben; '**~hole** Schlüsselloch *n*

kick [kɪk] **1.** (mit dem Fuß) stoßen, treten, e-n Tritt geben *od.* versetzen; *Fußball:* schießen; strampeln; *Pferd:* ausschlagen; ~ **out** F rausschmeißen; **2.** (Fuß)Tritt *m*, Stoß *m*; *(just) for ~s* F (nur

so) zum Spaß; '**~off** *Fußball:* Anstoß *m*

kid [kɪd] **1.** F Kind *n*; **2.** F Spaß machen; *no* ~**ding!** wirklich?, im Ernst?

kidnap ['kɪdnæp] (*kidnap[p]ed*) kidnappen, entführen; '**~per** Kidnapper (-in), Entführer(in); '**~ping** Kidnapping *n*, Entführung *f*

kidney ['kɪdnɪ] Niere *f*; ~ **bean** rote Bohne

kill [kɪl] töten; umbringen, ermorden; '**~er** Mörder(in), Killer(in); ~ **whale** Schwert-, Mörderwal *m*

kiln [kɪln] Brennofen *m*

kilo ['kiːloʊ] Kilo *n*; ~**gram** ['kɪloʊgræm] Kilogramm *n*; '**~meter** Kilometer *m*

kin [kɪn] (*pl konstr.*) (Bluts-)Verwandtschaft *f*, Verwandte *pl*, Familie *f*

kind¹ [kaɪnd] freundlich, nett

kind² [~] Art *f*, Sorte *f*; *all ~s of* alle möglichen; *nothing of the* ~ nichts dergleichen; ~ *of* F ein bißchen

kindergarten ['kɪndərgɑːrtn] Vorschule *f*

kind-hearted [kaɪnd'hɑːrtɪd] gütig

kindle ['kɪndl] anzünden, (sich) entzünden; *fig.* entfachen, *Interesse etc.* wecken

kinfolk ['kɪnfoʊk] Verwandtschaft *f*

king [kɪŋ] König *m*; '**~dom** (König)Reich *n*; '**~fisher**

Eisvogel m; **'~-size(d)** Riesen...

kiss [kɪs] **1.** Kuss m; **2.** (sich) küssen

kissing ˈcousin entfernte(r) Verwandte(r)

kit [kɪt] Ausrüstung f; Arbeitsgerät n, Werkzeug(e pl) n

kitchen [ˈkɪtʃɪn] Küche f; Küchen...; **~ cabinet** Küchenschrank m; pol. Küchenkabinett n (inoffizieller Beraterstab des amerikanischen Präsidenten); **~ette** [~ˈnet] Kochnische f; Kleinküche f; **~ sink** Spüle f

kite [kaɪt] Drachen m

kitten [ˈkɪtn] Kätzchen n

kitty-corner [ˈkɪtɪːˈrnər] schräg gegenüber

KKK [keɪkeɪˈkeɪ] Abk. für **Ku Klux Klan** rassistischer Geheimbund

klansman [ˈklænzmən] (pl **-men**) Mitglied n des Ku-Klux-Klan

Kleenex® [ˈkliːneks] Papiertaschentuch n

klutz [klʌts] Tollpatsch m; **~y** tollpatschig, ungeschickt

knead [niːd] kneten; massieren

knee [niː] Knie n; **'~cap** Kniescheibe f; **~ joint** Kniegelenk n

kneel [niːl] (**knelt** od. **kneeled**) knien

knelt [nelt] pret u. pp von **kneel**

knew [nuː] pret von **know**

knick-knacks [ˈnɪknæks] pl Nippes pl

knife [naɪf] (pl **knives** [~vz]) Messer n

knight [naɪt] **1.** Ritter m; Schach: Springer m; **2.** zum Ritter schlagen

K-9 [ˈkeɪnaɪn] Polizei: Hunde... (Staffel etc.)

knit [nɪt] (**knitted** od. **knit**) stricken; a. **~ together** zs.-fügen, verbinden

knives [naɪvz] pl von **knife**

knob [nɑːb] Knopf m, Knauf m, runder Griff

knobby [ˈnɑːbɪ] knorrig

knock [nɑːk] **1.** Schlag m, Stoß m; Klopfen n; **2.** schlagen, stoßen; klopfen; **~ down** Gebäude etc. abreißen; umstoßen, -werfen; niederschlagen; an-, umfahren; überfahren; dem Preis heruntergehen; schlecht machen; **~ off** aufhören; **~ it off!** hör auf damit!; **~ out** bewusstlos schlagen; Boxen: k.o. schlagen; betäuben; **~ over** umwerfen, umstoßen; überfahren; **~ up sl.** schwängern; **'~er** (Tür)Klopfer m; **'~out** Boxen: K.O. m; **~ wurst** [ˈnɑːkwɜrst] Knackwurst f

knot [nɑːt] **1.** Knoten m; **2.** (ver)knoten, (-)knüpfen

know [nou] (**knew, known**) wissen; können; verstehen; kennen; erkennen; unterscheiden (können); **~ all about it** genau Bescheid wissen; **'~ing** klug; schlau; verständnisvoll, wissend; **'~ing-ly** wissentlich, absichtlich; **~ledge** ['nɒlɪdʒ] Kenntnis(se *pl*) *f*; Wissen *n*; *to my* **~** meines Wissens; *have a good* **~** *of* viel verstehen von, sich gut auskennen in;

~n **1.** *pp von* **know**; **2.** bekannt

knuckle ['nʌkəl] Knöchel *m*; **'~head** Blödmann *m*

kook [ku:k] F Spinner *m*

KS *Abk. für* Kansas

Ku Klux Klan [ku:klʌks-'klæn] Ku-Klux-Klan *m* (*rassistischer Geheimbund*)

KY *Abk. für* Kentucky

L

LA *Abk. für* Louisiana

L.A. [el'eɪ] *Abk. für* Los Angeles

lab [læb] F Labor *n*

label ['leɪbl] **1.** Etikett *n*, (Klebe- *etc.*)Zettel *m*, (-)Schild(chen) *n*; **2.** etikettieren, beschriften

labor ['leɪbər] **1.** (schwere) Arbeit; Mühe *f*; Arbeiter(schaft *f*) *pl*, Arbeitskräfte *pl*; Arbeiter...; Arbeits...; *med.* Wehen *pl*; **2.** (schwer) arbeiten; sich be- *od.* abmühen, sich anstrengen; 2 **Day** Tag *m* der Arbeit (*1. Montag im September*); **'~er** (*bsd.* Hilfs)Arbeiter(in); **~ union** Gewerkschaft *f*

lace [leɪs] **1.** *Textil:* Spitze *f*; Schnürsenkel *m*; **2.** *a.* **~ up** (zu)schnüren

lack [læk] **1.** Mangel *m* (*of* an); **2.** nicht haben, Mangel haben an; *be* **~ing** fehlen

ladder ['lædər] Leiter *f*

ladies' room ['leɪdɪzru:m] Damentoilette *f*

ladle ['leɪdl] Schöpflöffel *m*, -kelle *f*

lady ['leɪdɪ] Dame *f*; **'~bird**, **'~bug** Marienkäfer *m*; **'~finger** Löffelbiskuit *m*

lag [læg]: **~ behind** zurückbleiben

lager ['lɑ:gər] Lagerbier *n*

lagoon [lə'gu:n] Lagune *f*

laid [leɪd] *pret u. pp von* **lay²**

lain [leɪn] *pp von* **lie¹**

lake [leɪk] See *m*

lam [læm]: **on the ~** auf der Flucht (*vor der Polizei etc.*)

lamb [læm] Lamm *n*

lame [leɪm] **1.** lahm (*a. fig.*); **2.** lähmen

laminated ['læmɪneɪtɪd] laminiert, ge-, beschichtet; **~ glass** Verbundglas *n*

lamp [læmp] Lampe *f*; **'~post** Laternenpfahl *m*; **'~shade** Lampenschirm *m*

land [lænd, *in Zssgn mst* lənd]
1. Land *n*; Boden *m*; *by ~* auf dem Landweg; **2.** landen; *Güter* ausladen

landing ['lændɪŋ] *aviat.* Landung *f*, Landen *n*; Treppenabsatz *m*; **~ gear** *aviat.* Fahrgestell *n*, -werk *n*; **~ strip** Landeplatz *m*, -bahn *f*

land|lady ['lændleɪdɪ] (Haus-) Wirtin *f*, Vermieterin *f*; **~lord** (Haus)Wirt *m*, Vermieter *m*; Grundbesitzer *m*; **~mark** Wahrzeichen *n*, fig. Meilenstein *m*; **~scape** ['~skeɪp] Landschaft *f*; **~slide** Erdrutsch *m* (*a. pol.*)

lane [leɪn] (Feld)Weg *m*; Gasse *f*; Sträßchen *n*; *mot.* (Fahr)Spur *f*; *Sport:* einzelne Bahn; **fast ~** *mot.* Schnellspur *f*; Überholspur *f*; **slow ~** *mot.* Kriechspur *f*

language ['læŋgwɪdʒ] Sprache *f*; Ausdrucksweise *f*

lantern ['læntərn] Laterne *f*

lap[1] [læp] Schoß *m*; *Computer:* Laptop *m*

lap[2] [~] *Sport:* Runde *f*; **2.** (sich) überlappen, hinausragen über; *Sport: Gegner* überrunden

lapel [lə'pel] Revers *n*, *m*, Aufschlag *m*

laptop ['læptɒp] *Computer:* Laptop *m*

larceny ['lɑːsənɪ] *jur.* Diebstahl *m*

large [lɑːdʒ] **1.** *adj* groß; beträchtlich, reichlich; umfas-

send, weitgehend; **2.** *s: at ~* in Freiheit, auf freiem Fuße; (sehr) ausführlich; **~ly** großen-, größtenteils

lariat ['lærɪət] Lasso *n*

laryn|gitis [lærɪn'dʒaɪtɪs] Kehlkopfentzündung *f*; **~x** ['~ɪŋks] (*pl* **-ynges** [lə'rɪn-dʒiːz], **-ynxes**) Kehlkopf *m*

laser ['leɪzər] Laser *m*

lasso ['læsoʊ] Lasso *n*

last[1] [lɑːst] **1.** *adj* letzte(r, -s); vorige(r, -s); **~ night** gestern Abend, letzte Nacht; **2.** *adv* zuletzt, das letzte Mal; an letzter Stelle; **~ but not least** nicht zuletzt; **the ~** *das, die, das* Letzte; *at ~* endlich; **~ name** Nachname *m*

last[2] [~] (an-, fort)dauern; (sich) halten; (aus)reichen

latch [lætʃ] **1.** Schnappriegel *m*; Schnappschloss *n*; **2.** ein-, zuklinken

late [leɪt] spät; ehemalig; neueste(r, -s); verstorben; **be ~** zu spät kommen, sich verspäten; *Zug etc.:* Verspätung haben; *of ~* kürzlich; *on ~* später; **~ly** in letzter Zeit; **~st** *s: the ~* das Neu(e)ste; *at the ~* spätestens

lather ['læðər] **1.** (Seifen-) Schaum *m*; **2.** einseifen; schäumen

Latina [læ'tiːnə], **Latino** [~noʊ] Amerikaner(in) lateinamerikanischer Abstammung

latitude ['lætɪtuːd] *geogr.* Breite *f*

latter ['lætər] **1.** Letztere(r, -s) *(von zweien)*; **2.** letzte(r, -s)

lattice ['lætɪs] Gitter *n*

laugh [læf] **1.** lachen; ~ **at** lachen über; *j-n* auslachen; Lachen *n*, Gelächter *n*; '~**ingstock: make s.o. the** ~ **of** j-n zum Gespött *(gen)* machen; '~**ter** Lachen *n*

launch [lɔːntʃ] **1.** *Schiff* vom Stapel lassen; *Rakete etc. a.* starten; *Projekt etc.* in Gang setzen, starten; **2.** Stapellauf *m*; Abschuss *m*, Start *m*; '~**(ing) pad** Abschussrampe *f*

launder ['lɔːndər] *Wäsche* waschen (u. bügeln); ~**romat** ['~drəmæt] Waschsalon *m*; '~**ry** ['~drɪ] Wäscherei *f*; Wäsche *f*; ~ **detergent** Waschmittel *n*

lavish ['lævɪʃ] (sehr) freigebig, verschwenderisch

law [lɔː] Gesetz *n*; Recht(ssystem) *n*; Rechtswissenschaft *f*, Jura; Gesetz *n*, Vorschrift *f*; '~**firm** Anwaltskanzlei *f*; '~**ful** gesetzlich; rechtmäßig; '~**less** gesetzlos; rechtswidrig

lawn [lɔːn] Rasen *m*

law school *etwa* juristische Fakultät; '~**suit** Prozess *m*

lawyer ['lɔːjər] (Rechts)Anwalt *m*, (-)Anwältin *f*; Jurist(in)

lax [læks] locker, lasch; ~**ative** ['~tɪv] Abführmittel *n*

lay¹ [leɪ] *pret von* **lie¹**

lay² [~] *(laid)* v/t legen; *Tisch* decken; ~ **aside** beiseite legen, zurücklegen; ~ **off** *Arbeiter (bsd. vorübergehend)* entlassen; ~ **out** ausbreiten, -legen; planen, entwerfen; *Garten etc.* anlegen

'**layer** Schicht *f*, Lage *f*

'**lazy** ['leɪzɪ] faul, träg(e)

lead¹ [liːd] **1.** *(led)* führen; (an)führen, leiten; ~ **on** j-m et. vor- *od.* weismachen; ~ **to** *fig.* führen zu; ~ **up to** *fig.* (allmählich) führen zu; **2.** Führung *f*; Leitung *f*; Spitze(nposition) *f*; *thea.*: Hauptrolle *f*; Hauptdarsteller(in); (Hunde)Leine *f*; Vorsprung *m* (a. *Sport*); Vorbild *n*, Beispiel *n*; Hinweis *m*, Tip *m*; Anhaltspunkt *m*

lead² [led] Blei *n*; Lot *n*; (Bleistift)Mine *f*; '~**ed** verbleit

leader ['liːdər] (An)Führer(in); Leiter(in) '~**ship** Führung *f*, Leitung *f*

lead-free [led'friː] bleifrei

leading ['liːdɪŋ] führend; leitend; Haupt...

leaf [liːf] **1.** *(pl* **leaves** [~vz]) Blatt *n*; *(Tisch)*Klappe *f*; Ausziehplatte *f*; **2.** ~ **through** durchblättern

league [liːg] Liga *f*; Bund *m*

leak [liːk] **1.** Leck *n*; undichte

Stelle; **2.** leck sein; tropfen; **~ out** auslaufen; *fig.* durchsickern; **~age** ['~ɪdʒ] Auslaufen *n*; **'~y** leck, undicht

lean[1] [liːn] (**leant** *od.* **leaned**) (sich) lehnen; sich neigen; **~ on** sich stützen auf

lean[2] [~] mager

leant [lent] *pret. u. pp von* **lean**[1]

leap [liːp] **1.** (**leapt** *od.* **leaped**) springen; **2.** Sprung *m*; **~t** [lept] *pret. u. pp von* **leap** 1; **~ year** Schaltjahr *n*

learn [lɜːn] (er)lernen; erfahren, hören; **'~ing** Gelehrsamkeit *f*

lease [liːs] **1.** Pacht *f*, Miete *f*; Pacht-, Mietvertrag *m*; **2.** pachten, mieten; leasen; *a.* **~ out** verpachten, -mieten

leash [liːʃ] (Hunde)Leine *f*

least [liːst] **1.** *adj* geringste(r, -s), mindeste(r, -s); wenigste(r, -s); **2.** *s das* Mindeste, *das* Wenigste; **at ~** mindestens, wenigstens; **3.** *adv am* wenigsten

leather ['leðər] Leder *n*

leave [liːv] **1.** (**left**) (hinter-, über-, ver-, zurück)lassen; übrig lassen; hängen *od.* liegen *od.* stehen lassen, vergessen; vermachen, -erben; (fort-, weg)gehen; abreisen; abfahren; **~ alone** allein lassen; *j-n, et.* in Ruhe lassen; **be left** übrig bleiben od. übrig sein; **2.** Erlaubnis *f*; *mil.* Urlaub *m*; Abschied *m*; **on ~**

auf Urlaub

leaves [liːvz] *pl von* **leaf** 1; Laub *n*

lecture ['lektʃər] **1.** Vortrag *m*; *univ.* Vorlesung *f*; Strafpredigt *f*; **2.** e-n Vortrag *od.* Vorträge halten; *univ.* e-e Vorlesung *od.* Vorlesungen halten; *j-m* e-e Strafpredigt halten; **'~r** *univ.*: Lehrbeauftragte *m, f*; Dozent(in)

LED [eliːˈdiː] *Abk. für* **light-emitting Diode** *electr.* LED *f*, Leuchtdiode *f*

led [led] *pret u. pp von* **lead**[1] **lee**k [liːk] Lauch *m*, Porree *m*

left[1] [left] *pret. u. pp von* **leave** 1

left[2] [~] **1.** *adj* linke(r, -s); Links...; **2.** *s* die Linke, linke Seite; **on the ~** links, auf der linken Seite; **to the ~** (nach) links; **keep to the ~** sich links halten; *mot.* links fahren; **3.** *adv* links; **turn ~** (sich) nach links wenden; *mot.* links abbiegen; **'~hand** link; **~ curve** Linkskurve *f*; **~ turn** links Abzweigung *f*; **~-'handed** linkshändig; **'~overs** *pl* Reste *pl*

leg [leg] Bein *n*; (*Lammetc.*)Keule *f*; **stretch one's ~s** sich die Beine vertreten

legacy ['legəsɪ] Vermächtnis *n*, Erbschaft *f*

legal ['liːgl] gesetzlich, rechtlich; legal, gesetzmäßig; **~ pad** *etwa* Notizblock *m*

legend ['ledʒənd] Legende f (a. fig.), Sage f

legible ['ledʒəbl] leserlich

legislate ['ledʒəsleɪt] Gesetze erlassen; **~ion** [ˌ'leɪʃn] Gesetzgebung f; **~ive** ['ˌleɪtɪv] gesetzgebend; **~or** ['ˌleɪtər] Gesetzgeber m; **~ure** ['ˌleɪtʃər] Legislative f

legitimate [lɪ'dʒɪtɪmət] legitim, rechtmäßig; ehelich

leisure ['liːʒər] freie Zeit; Muße f, Freizeit...; **~ly** gemächlich, gemütlich

lemon ['lemən] Zitrone f; Zitronen...; **~ade** [ˌ'neɪd] Zitronenlimonade f

lend [lend] (**lent**) (ver-, aus)leihen; **~ing library** Leihbücherei f

length [leŋθ] Länge f; (Zeit)Dauer f; **at ~** ausführlich; **~en** verlängern, länger machen; längen

lenient ['liːnɪənt] mild(e)

lens [lenz] anat., opt. Linse f; phot. Objektiv n

lent [lent] pret u. pp von **lend**

lentil ['lentɪl] bot. Linse f

less [les] **1.** adv weniger; **2.** adj geringer, kleiner, weniger; **3.** prp weniger, minus; **~en** ['ˌn] (sich) vermindern od. verringern

lesson ['lesn] Lektion f (a. fig.); (Unterrichts)Stunde f; pl Unterricht m; fig. Lehre f

let [let] (**let**) lassen; **~ alone** in Ruhe lassen; geschweige

denn; **~ down** j-n im Stich lassen, enttäuschen; **~ go** loslassen

lethal ['liːθl] tödlich

letter ['letər] Buchstabe m; Brief m

lettuce ['letɪs] (Kopf)Salat m

leukemia [luː'kiːmɪə] Leukämie f

level ['levl] **1.** adj Straße etc.: eben; gleich (a. fig.); **~ with** auf gleicher Höhe mit; parallel zu; **2.** s Wasserwaage f; Ebene f (a. fig.), ebene Fläche; Höhe f (a. geogr.), (Wasser- etc.)Spiegel m, (-)Stand m; fig. Niveau n; **3.** v/t (ein)ebnen, planieren; dem Erdboden gleichmachen; **4.** v/i: **be ~ with s.o.** j-m gegenüber ehrlich sein; **~'headed** vernünftig

lever ['levər] Hebel m

lewd [luːd] geil, lüstern

liability [ˌlaɪə'bɪlətɪ] Verpflichtung f, Verbindlichkeit f; Haftung f, Haftpflicht f; Anfälligkeit f (**to** für)

liable ['laɪəbl] haftbar, -pflichtig; **be ~ to** neigen zu

liar ['laɪər] Lügner(in)

libel ['laɪbl] **1.** jur. Verleumdung f; **2.** verleumden

liberal ['lɪbərəl] liberal, aufgeschlossen; großzügig

liberty ['lɪbərtɪ] Freiheit f; **at ~** frei

librarian [laɪ'brerɪən] Bibliothekar(in); **~y** ['ˌbrərɪ] Bibliothek f; Bücherei f

lice [laɪs] pl von **louse**

license ['laɪsns] **1.** Lizenz f, Konzession f; (Führer- etc.) Schein m; **2.** konzessionieren, behördlich genehmigen od. zulassen; ~ **number** mot. Kennzeichen n; ~ **plate** mot. Nummernschild n

lick [lɪk] (ab)lecken; F verdreschen; '~ing F Dresche f

licorice ['lɪkərɪs] Lakritze f

lid [lɪd] Deckel m; Lid n

lie¹ [laɪ] (lay, lain) liegen; ~ **down** sich hin- od. niederlegen

lie² [~] **1.** (lied) lügen; **2.** Lüge f

lieutenant [lʊ'tenənt] Leutnant m

life [laɪf] (pl **lives** [~vz]) Leben n; **all her** ~ ihr ganzes Leben lang; '~**boat** Rettungsboot n; '~**guard** Rettungsschwimmer(in); ~ **insurance** Lebensversicherung f; ~ **jacket** Schwimmweste f; '~**less** leblos; matt; '~**like** lebensecht; '~**line** fig. Rettungsanker m; '~**long** lebenslang; '~**saving** lebensrettend; '~**time** Lebenszeit f

lift [lɪft] **1.** (hoch-, auf-, er)heben; sich heben; ~ **off** Rakete: starten; Flugzeug: abheben; **2.** (Hoch-, Auf)Heben n; phys., aviat. Auftrieb m; give s.o. a ~ j-n (im Auto) mitnehmen; '~**off** aviat. Start m

light¹ [laɪt] **1.** s Licht n (a. fig.); Beleuchtung f; Kerze etc.: Schein m; Feuer n (zum Anzünden); fig. Aspekt m; **in** ~ **of** in Anbetracht (gen); **2.** adj hell; licht; **3.** (lighted od. lit) v/t an-, erleuchten, erhellen; a. ~ **up** anzünden; v/i mst ~ **up** Augen etc.: aufleuchten

light² [~] leicht

light bulb Glühbirne f

lighten¹ ['laɪtn] sich aufhellen, hell(er) werden; blitzen; erhellen

lighten² ['~] leichter machen od. werden; erleichtern

lighter Feuerzeug n; ~ **fuel** Feuerzeugbenzin n

light-'hearted unbeschwert

light'**house** Leuchtturm m; '~**ing** Beleuchtung f

lightly leicht

lightness¹ Helligkeit f

lightness² Leichtigkeit f

lightning ['laɪtnɪŋ] Blitz m; ~ **rod** Blitzableiter m

lightweight Sport: Leichtgewicht(ler m) n

likable ['laɪkəbl] liebenswert

like¹ [laɪk] **1.** gleich; wie; ähnlich; **what is she** ~? wie ist sie?; **2.** der, die, das Gleiche

like² [~] mögen; gern haben; wollen; **I** ~ **it** es gefällt mir; **I** would ~ **to know** ich möchte gern wissen; **if you** ~ wenn Sie wollen; '~**able** → **likable**

like|**lihood** ['laɪklɪhʊd] Wahrscheinlichkeit f; '~**ly** wahrscheinlich; geeignet; '**~ness** Ähnlichkeit f

limb [lɪm] (Körper)Glied n; Ast m; pl Gliedmaßen pl

lime [laɪm] Limone f

'**limelight** fig. Rampenlicht n

limit ['lɪmɪt] **1.** Limit n, Grenze f; **off ~s** Zutritt verboten; **within ~s** in (gewissen) Grenzen; **2.** begrenzen, beschränken (**to** auf); **~ation** [~'teɪʃn] fig. Grenze f; Beschränkung f

limo ['lɪmoʊ] große Limousine f

limp¹ [lɪmp] hinken

limp² [~] schlaff; welk

line¹ [laɪn] **1.** Linie f, Strich m; Falte f, Runzel f; Zeile f; pl thea. etc. Rolle f, Text m; Richtung f, Reihe f; (Menschen)Schlange f; tel. (Abstammungs)Linie f; Fach n, Gebiet n, Branche f (Verkehrs-, Eisenbahn- etc.)Linie f; Strecke f; (Flug- etc.)Gesellschaft f; tel. Leitung f; Leine f; Schnur f; **the ~ is busy** tel. die Leitung ist besetzt; **hold the ~** tel. bleiben Sie am Apparat; **draw the ~** fig. die Grenze ziehen, haltmachen (**at** bei); **stand in ~** Schlange stehen; **2.** lini(er)en; Gesicht zeichnen, (zer)furchen; Straße etc. säumen, einfassen; **~ up** sich in e-r Reihe od. Linie aufstellen; Schlange stehen; sich anstellen

line² [~] Kleid etc. füttern; tech. auskleiden, -schlagen

linen ['lɪnɪn] Leinen n; (Bettetc.)Wäsche f

liner ['laɪnər] Linienschiff n; Verkehrsflugzeug n

linger ['lɪŋgər] verweilen

lingerie ['lænʒəriː] Damenunterwäsche f

'**lining** Futter(stoff m) n; tech.: Auskleidung f; (Bremsetc.)Belag m

link [lɪŋk] **1.** (Ketten)Glied n; fig. (Binde)Glied n; Verbindung f; Würstchen n; **2.** a. **~ up** (sich) verbinden

lion ['laɪən] Löwe m

lip [lɪp] Lippe f; '**~stick** Lippenstift m

liquid ['lɪkwɪd] **1.** Flüssigkeit f; **2.** flüssig

liquor ['lɪkər] Spirituosen pl, Schnaps m; '**~store** Spirituosengeschäft n

list [lɪst] **1.** Liste f, Verzeichnis n; **2.** in e-e Liste eintragen

listen ['lɪsn] hören; **~ to** zu-, anhören; hören auf

lit [lɪt] pret u. pp von **light**¹ 3

lite [laɪt] Bier etc. → **light**²

liter ['liːtər] Liter m

literal ['lɪtərəl] wörtlich

litera|ry ['lɪtərərɪ] literarisch, Literatur...; **~ture** [~rətʃər] Literatur f

litter ['lɪtər] (bsd. Papier)Abfall m; Streu f; zo. Wurf m; Trage f; Sänfte f; **~ basket** Abfallkorb m

little ['lɪtl] **1.** adj klein; wenig; **the ~ ones** pl die Kleinen pl;

the 2 **Dipper** der Kleine Wagen, der Kleine Bär (*Sternbild*); 2. *adv* wenig, kaum; 3. s: **a ~** ein wenig; **~ by ~** (ganz) allmählich, nach u. nach

live¹ [lıv] leben; wohnen (**with** bei); **~ on** leben von; weiterleben; **~ up to** *den Erwartungen etc.* entsprechen

live² [laıv] 1. *adj* lebend, lebendig; Strom führend; bebendig; *Rundfunk*, *TV*: Direkt..., Original..., Live-...; 2. *adv* direkt, original, live

live|lihood ['laıvlıhʊd] Lebensunterhalt *m*; '**~ly** lebhaft; lebendig

liver ['lıvər] Leber *f*

lives [laıvz] *pl von* **life**

livestock Vieh(bestand *m*) *n*

living ['lıvıŋ] 1. lebend; 2. Lebensunterhalt *m*; Leben *n* (-sweise *f*); **earn** *a* **~**. **make a ~** sich s-n Lebensunterhalt verdienen; **~ room** Wohnzimmer *n*

lizard ['lızərd] Eidechse *f*

load [loʊd] 1. Last *f* (*a. fig.*); Ladung *f*; Belastung *f*; überhäufen (**with** mit); *Schusswaffe* laden; *a.* **~ up** (auf-, be-, ein)laden

loaf¹ [loʊf] (*pl* **loaves** [~vz]) Laib *m* (*Brot*)

loaf² [~] *a.* **~ around** herumlungern; faulenzen

loan [loʊn] 1. Anleihe *f*; Darlehen *n*; (Ver)Leihen *n*; Leihgabe *f*; **on ~** leihweise;

2. (aus)leihen, verleihen

loaves [loʊvz] *pl von* **loaf¹**

lobby ['lɒbı] Vorhalle *f*; Wandelhalle *f*; Lobby *f*

lobster ['lɒbstər] Hummer *m*

local ['loʊkl] 1. örtlich, lokal; Orts..., ansässig; 2. *mst pl* Ortsansässige *m*, *f*, Einheimische *m*, *f*; **~ call** *tel.* Ortsgespräch *n*; '**~ity** [~'kælətı] Ort *m*; '**~ly** örtlich; am Ort; **~ time** Ortszeit *f*

locat|e [loʊ'keıt] finden, ausfindig machen; **be ~d** gelegen sein; **~ion** Lage *f*; Standort *m*, Platz *m*; **on ~** *Film*: auf Außenaufnahme

lock [lɒk] 1. (*Tür-, Gewehr- etc.*) Schloss *n*; Schleuse (-nkammer) *f*; 2. *v/t* zu-, verschließen, zu-, versperren (*a.* **~ up**); umschlingen, -fassen; *tech.* sperren; **~ away** wegschließen; **~ in, ~ up** einschließen; (ein)sperren; **~ out** ausschließen; *v/i* schließen; ab- *od.* verschließbar sein; *mot. etc.* Räder: blockieren

lock|er Schließfach *n*; Spind *m*, *n*; **~et** ['~ıt] Medaillon *n*; '**~smith** Schlosser *m*

lodg|e [lɒdʒ] 1. Portierloge *f*; Pförtnerhaus *n*; (*Jagd- etc.*) Hütte *f*; Sommer-, Gartenhaus *n*; 2. *v/i* logieren, (in Untermiete) wohnen; *Kugel, Bissen etc.*: stecken (bleiben); *v/t* aufnehmen, (für die

Nacht) unterbringen; *Beschwerde etc.* einreichen; **'~ing** Unterkunft *f*; *pl* möbliertes Zimmer

loft [lɔːft] (Dach)Boden *m*; Dachgeschosswohnung *f*; Empore *f*; **'~y** hoch; hochmütig

log [lɒg] (Holz)Klotz *m*; (*gefällter*) Baumstamm; (Holz-) Scheit *n*; → **'~book** *naut.* Logbuch *n*; *aviat.* Bordbuch *n*; *mot.* Fahrtenbuch *n*; **~ cabin** Blockhaus *n*

logic ['lɒdʒɪk] Logik *f*; **'~al** logisch

loiter ['lɔɪtər] bummeln, trödeln; herumlungern

lone|liness ['ləʊnlɪnɪs] Einsamkeit *f*; **'~ly** einsam

long¹ [lɒŋ] **1.** *adj* lang; *Entfernung, Weg:* lang; langfristig; **2.** *adv* lang(e); **as ~ as** solange wie; vorausgesetzt, dass; **so ~!** F bis dann!; **3.** *s* (e-e) lange Zeit; **before ~** bald; **for ~** lange (Zeit); **take ~** lange brauchen *od.* dauern

long² [~] sich sehnen (**for** nach)

long-'distance Fern...; Langstrecken...; **~ 'call** Ferngespräch *n*

longing ['lɒŋɪŋ] Sehnsucht *f*

longitude ['lɒndʒɪtuːd] *geogr.* Länge *f*

long| jump Weitsprung *m*; **~-'range** Langstrecken...; **~-'standing** alt; **~-'term** langfristig

---

look [lʊk] **1.** Blick *m* (**at** auf); Miene *f*, (Gesichts)Ausdruck *m*; *oft pl* Aussehen *n*; **2.** sehen, blicken, schauen (**at** on auf, nach); (nach-) schauen, nachsehen; *Zimmer etc.* liegen *od.* (hinaus)gehen nach; ausschauen, -sehen (*a. fig.*); aussehen wie; **~ after** aufpassen auf, sich kümmern um, sorgen für; **~ around** sich umsehen; **~ at** ansehen, betrachten; **~ back** *fig.* zurückblicken; **~ down on** *fig.* herabsehen auf; **~ for** suchen (nach); **~ forward to** sich freuen auf; **~ in** F Besucher: vorbeischauen (**on** bei); **~ into** untersuchen, prüfen; zusehen, -schauen; **~ out** aufpassen; Ausschau halten (**for** nach); **~ out!** pass auf!; **~ over** (sich *et.*) ansehen *od.* -schauen, *et.* (flüchtig) überprüfen; **~ through** *et.* durchsehen; **~ up** aufblicken, -sehen (*fig.* **to** zu); *Wort etc.* nachschlagen; *j-n* aufsuchen

'lookout: **be on the ~ for** Ausschau halten nach

loop [luːp] **1.** Schlinge *f*, Schleife *f*; Schlaufe *f*; Öse *f*; *Computer:* Programmschleife *f*; **2.** (sich) schlingen

loose [luːs] los(e), locker; weit; frei; **~n** [~sn] (sich) lösen *od.* lockern

lose [luːz] (**lost**) verlieren; *Uhr:* nachgehen; **~ o.s.** sich verirren; **~r** Verlierer(in)

loss [lɔs] Verlust m; **be at a ~** in Verlegenheit sein (**for** um)

lost [lɔst] **1.** pret u. pp von **lose**; **2.** verloren; fig. versunken, -tieft; **~ and found** Fundbüro n

lot [lɔt] Los n; Parzelle f; Grundstück n; (Waren)Posten m; Gruppe f, Gesellschaft f; F Menge f, Haufen m; Los n, Schicksal n; **a ~ of**, **~s of** viel, e-e Menge; **parking ~** Parkplatz m

lotion ['ləʊʃn] Lotion f, (Haut-, Rasier)Wasser n

loud [laʊd] laut; fig. grell, auffallend, Farben: schreiend; **~'speaker** Lautsprecher m

lounge [laʊndʒ] **1.** Hotel, Schiff: Gesellschaftsraum m, Salon m; Flughafen: Wartehalle f; **2. ~ around** herumlümmeln

lousje [laʊs] (pl **lice** [laɪs]) Laus f; **~y** ['~zɪ] verlaust; F miserabel

lovable ['lʌvəbl] liebenswert, reizend

love [lʌv] **1.** Liebe f, Anrede, oft unübersetzt: Liebling m, Schatz m; bsd. Tennis: null; **be in ~** verliebt sein (**with** in); **fall in ~** sich verlieben (**with** in); **make ~** sich (körperlich) lieben; **~ s.th.** gerne mögen; **~ to do s.th.** et. sehr gern tun; **~'able ~~** f; **lovable: ~ letter** Liebesbrief m; **~'ly** (wunder)schön; nett,

reizend; F prima, großartig; **~'r** Liebhaber m, Geliebte m, f; pl Liebende pl, Liebespaar n; (Musik- etc.)Liebhaber(in)

loving ['lʌvɪŋ] liebevoll, liebend

low [ləʊ] **1.** niedrig (a. fig.); tief (a. fig.); Vorräte etc.: knapp; Ton etc.: tief; Ton, Stimme etc.: leise; gering (-schätzig); ordinär; fig. niedergeschlagen, deprimiert; **2.** Tief n (a. meteor.)

'low-'calorie kalorienarm

lower ['ləʊər] **1.** niedriger; tiefer; untere(r, -s), Unter...; **2.** niedriger machen; herunter-, herablassen; senken; fig. erniedrigen

'low-'fat fettarm; **~'land** Flachland n; **~'noise** Tonband etc.: rauscharm; **~'pressure area** Tief(-druckgebiet) n; **~ season** Vor- od. Nachsaison f; **~ tide** Ebbe f

lox [lɔks] geräucherter Lachs

loyal ['lɔɪəl] loyal; treu

lozenge ['lɔzɪndʒ] Raute f, Rhombus m; Pastille f

lubricjant ['lu:brɪkənt] Schmiermittel n; **~ate** ['~eɪt] (ab)schmieren; **~ation** [~'keɪʃn] (Ab)Schmieren n

luck [lʌk] Glück n; Schicksal n, Zufall m; **bad ~** Unglück n, Pech n; **good ~** Glück n; **good ~!** viel Glück!; **~ily**

zum Glück; **'~y** Glücks...; **be ~** Glück haben

ludicrous ['luːdɪkrəs] lächerlich

lug [lʌg] zerren, schleppen

luggage ['lʌgɪdʒ] (Reise)Gepäck n; **~ rack** Gepäckträger m

lukewarm [luːk'wɔːrm] lau (-warm); halbherzig, lau

lumbago [lʌm'beɪgoʊ] Hexenschuss m

lumber ['lʌmbər] Bau-, Nutzholz n; Gerümpel n

luminous ['luːmɪnəs] leuchtend, Leucht...

lump [lʌmp] Klumpen m; Schwellung f, Geschwulst f, Knoten m; Stück n Zucker etc.; **~ sugar** Würfelzucker m; **~ sum** Pauschalsumme f; **'~y** klumpig

lunar ['luːnər] Mond...

lunatic ['luːnətɪk] **1.** verrückt; **2.** Verrückte m, f

lunch [lʌntʃ] **1.** Mittagessen n, Lunch m; **2.** zu Mittag essen; **~ hour** Mittagspause f; **'~time** Mittagszeit f

lung [lʌŋ] Lungenflügel m; **the ~s** pl die Lunge

lunge [lʌndʒ] sich stürzen (**at** auf)

lure [lʊr] **1.** Köder m; fig. Lockung f, Reiz m; **2.** ködern, (an)locken

lurk [lɜːrk] lauern (a. fig.)

lust [lʌst] Begierde f; Gier f

luster ['lʌstər] Glanz m (a. fig.); Kronleuchter m

luxur|ious [lʌg'ʒʊriəs] luxuriös, Luxus...; **~y** ['lʌkʃəri] Luxus m; Luxusartikel m

lying ['laɪɪŋ] **1.** pres p von **lie¹** u. **lie²**; **2.** verlogen

lyrics ['lɪrɪks] pl (Lied)Text m

M

m Abk. für **mile** Meile f

MA Abk. für Massachusetts

ma'am [mæm] höfliche Anrede für e-e Frau, meist nicht übersetzt: **can I help you, ~?** kann ich Ihnen helfen?

Mac [mæk] F Meister!

Mac [mæk] F (umgangssprachliche Anrede für e-n unbekannten Mann)

machine [məˈʃiːn] Maschine f; **~-made** maschinell hergestellt

machinery [məˈʃiːnəri] Ma-

schinen pl

macho ['mætʃoʊ] Macho m

mad [mæd] wahnsinnig, verrückt; F wütend; wild, versessen (**about** auf), verrückt (**about** nach); tollwütig; **drive s.o. ~** j-n verrückt machen; **go ~** verrückt werden; **like ~** wie verrückt

made [meɪd] pret u. pp von **make** 1; **~-to-order** Maß...

'mad|man (pl **-men**) Verrückte m; **'~ness** Wahnsinn

m; '**~woman** (*pl* **-women**) Verrückte *f*

magazine [mægə'zi:n] Magazin *n*, Zeitschrift *f*

magic ['mædʒɪk] **1.** Magie *f*, Zauberei *f*; *fig.* Zauber *m*; **2.** magisch, Zauber...; **~ian** [mə'dʒɪʃn] Magier *m*, Zauberer *m*; Zauberkünstler *m*

magnet ['mægnɪt] Magnet *m*; **~ic** [~'netɪk] magnetisch

magnificen|ce [mæg'nɪfɪsns] Großartigkeit *f*, Pracht *f*; **~t** [~snt] großartig, prächtig

magnify ['mægnɪfaɪ] vergrößern; '**~ing glass** Vergrößerungsglas *n*, Lupe *f*

maid [meɪd] Zimmermädchen *n*; **~en name** Mädchenname *m*

mail [meɪl] **1.** Post(sendung) *f*; **2.** (mit der Post) schicken, aufgeben; '**~box** Briefkasten *m*; '**~man** (*pl* **-men**) Postbote *m*, Briefträger *m*

'**mail-order** catalog Versandhauskatalog *m*; '**~ house** Versandhaus *n*

main [meɪn] **1.** Haupt..., wichtigste(r, -s); **2.** *mst pl:* (Strom)Netz *n*; Haupt(gas-, -wasser-, -strom)leitung *f*; **~land** ['~lənd] Festland *n*; '**~ly** hauptsächlich; **~ road** Haupt(verkehrs)straße *f*; **~ street** Hauptstraße *f*

maintain [meɪn'teɪn] (aufrecht)erhalten; instand halten, pflegen, *tech. a.* warten;

Familie etc. unterhalten, versorgen; behaupten

maintenance ['meɪntənəns] (Aufrecht)Erhaltung *f*; Instandhaltung *f*, *tech. a.* Wartung *f*; Unterhalt *m*

major ['meɪdʒər] **1.** *adj* größere(r, -s); bedeutend, wichtig; *jur.* volljährig; *mus.* Dur...; **C ~** C-Dur *n*; **2.** *s* Major *m*; *jur.* Volljährige *m*, *f*; *mus.* Dur *n*; *univ.* Hauptfach *n*; **he's an English ~** er studiert Englisch als Hauptfach; **~ity** [mə'dʒɒrətɪ] Mehrheit *f*, Mehrzahl *f*; *jur.* Volljährigkeit *f*; **~ league** *Sport:* oberste Spielklasse; **~ road** Haupt(verkehrs)straße *f*

make [meɪk] **1.** (**made**) machen; anfertigen, herstellen; erzeugen; (zu)bereiten; (er)schaffen; ergeben, bilden; verursachen; machen zu, ernennen zu; *Person:* sich erweisen als, abgeben; schätzen auf; *Fehler* machen; *Friede etc.* schließen; *e-r Rede* halten; F *Strecke* zurücklegen; *Geschwindigkeit* erreichen; *mit inf: j-n* lassen, veranlassen *od.* bringen zu; **~ it** es schaffen; **~ do with s.th.** mit et. auskommen; **what do you ~ of it?** was halten Sie davon?; **~ friends with** sich anfreunden mit; **~ believe** vorgeben; **~ into** verarbeiten zu; **~ out**

Scheck, Rechnung etc. ausstellen; erkennen; aus *j-m*, *e-r Sache* klug werden; **~ up** sich et. ausdenken, erfinden; *et. zs.-stellen;* (sich) zurechtmachen od. schminken; **~ up one's mind** sich entschließen; *be made up of* bestehen aus; **~ up for** nach-, aufholen; wieder gutmachen; **~ it up** sich versöhnen *od.* wieder vertragen; **2.** Machart *f,* Ausführung *f;* Fabrikat *n,* Marke *f;* **~-believe** Fantasie *f;* Fantasie..., Schein...; **~-shift 1.** Notbehelf *m;* **2.** behelfsmäßig, Behelfs...; **~-up** Schminke *f,* Make-up *n*

male [meɪl] **1.** männlich; **2.** Mann *m;* *zo.* Männchen *n;* **~ nurse** Krankenpfleger *m*

malic|e ['mælɪs] Bosheit *f,* Gehässigkeit *f;* Groll *m;* **~ious** [mə'lɪʃəs] böswillig

malignant [mə'lɪgnənt] *bsd. med.* bösartig

mall [mɔːl] Einkaufszentrum *n*

malnutrition [mælnjuːˈtrɪʃn] Unterernährung *f;* Fehlernährung *f*

malt [mɔːlt] Malz *n;* Milchmixgetränk *n (aus Milch mit Malz, Eiscreme und Schokolade etc.);* **~ liquor** starkes Bier

mammal ['mæml] *zo.* Säugetier *n*

man 1. [mæn, *in Zssgn:* mən] *(pl* **men** [men]) Mann *m;*

Mensch(en *pl)* *m;* **2.** [mæn] *Schiff etc.* bemannen

manage ['mænɪdʒ] *Betrieb etc.* leiten, führen; *Künstler etc.* managen; *et.* zustande bringen; umgehen (können) mit *(Werkzeug etc.);* mit *j-m, et.* fertig werden; *Arbeit etc.* bewältigen, schaffen; auskommen *(with* mit); F es schaffen, zurechtkommen; **'~able** handlich; lenk-, fügsam; **'~ment** Verwaltung *f;* *econ.:* Management *n,* Unternehmensführung *f;* Geschäftsleitung *f,* Direktion *f;* **~ consultant** Betriebs-, Unternehmensberater(in); **'~r** Verwalter(in); *econ.:* Manager(in); Führungskraft *f;* Geschäftsführer(in), Leiter(in), Direktor(in); Manager(in) *(e-s Künstlers etc.)*

mane [meɪn] Mähne *f*

mania ['meɪnɪə] Wahn(sinn) *m;* Sucht *f,* Manie *f;* **~c** ['meɪnɪæk] Wahnsinnige *m*

manicure ['mænɪkjʊər] **1.** Maniküre *f;* **2.** maniküren

manifest ['mænɪfest] **1.** offenkundig; **2.** offenbaren

man|kind [mænˈkaɪnd] die Menschheit, die Menschen *pl;* **'~ly** männlich; **~'made** künstlich, Kunst...

manner ['mænər] Art *f* (u. Weise *f);* *pl* Benehmen *n,* Umgangsformen *pl,* Manieren *pl*

'manpower Arbeitskräfte *pl*

'manslaughter *jur.* Totschlag *m*

mantel(piece) ['mæntl(pi:s)] Kaminsims *m*

manual ['mænjʊəl] **1.** Hand..., manuell; **2.** Handbuch *n*

manufacture [mænju'fæktʃər] **1.** herstellen, erzeugen; **2.** Herstellung *f*; ~*r* [~ərər] Hersteller *m*, Erzeuger *m*

manure [mə'njʊər] **1.** Dünger *m*, Mist *m*; **2.** düngen

manuscript ['mænjʊskrɪpt] Manuskript *n*

many ['menɪ] viele; ~ times oft; *a great* ~ sehr viele

map [mæp] (Land- *etc.*) Karte *f*; (Stadt- *etc.*) Plan *m*

maple ['meɪpl] Ahorn *m*; ~ *sugar* Ahornzucker *m*; ~ *syrup* Ahornsyrup *m*

marble ['mɑːrbl] **1.** Marmor *m*; Murmel *f*; **2.** marmorn

March [mɑːrtʃ] März *m*

march [~] **1.** marschieren; **2.** Marsch *m*

mare [mer] Stute *f*

margarine ['mɑːrdʒərən] Margarine *f*

margin ['mɑːrdʒɪn] Rand *m*; *fig.:* Grenze *f*, Spielraum *m* (*Gewinn-, Verdienst*)Spanne *f*; ~*al* Rand...; geringfügig

marijuana *a.* **marihuana** [mærɪ'hwɑːnə] Marihuana *n*

marina [mə'riːnə] Boots-, Jachthafen *m*

marin|ade [mærɪ'neɪd] Mari-

nade *f*; ~ate ['~neɪt] marinieren

marine [mə'riːn] Marine *f*; Marineinfanterist *m*

marital ['mærɪtl] ehelich

maritime ['merɪtaɪm] See...

marjoram ['mɑːrdʒərəm] Majoran *m*

mark [mɑːrk] **1.** Marke *f*, Markierung *f*, Bezeichnung *f*; Zeichen *n* (*a. fig.*); Merkmal *n*; (*Körper*)Mal *n*; Ziel *n* (*a. fig.*); (*Fabrik-, Waren-*)Zeichen *n*, (*Schutz-, Handels*)Marke *f*, *econ.* Preisangabe *f*; Punkt *m*; *Laufsport:* Startlinie *f*; *fig.* Norm *f*; *hit the ~* (*fig.* ins Schwarze) treffen; *miss the ~* danebenschießen; *fig.* das Ziel verfehlen; **2.** markieren, anzeichnen; kennzeichnen; *Waren* auszeichnen; *Preis* festsetzen; Spuren hinterlassen auf; Flecken machen auf; *Sport:* Gegenspieler decken; ~ *down* notieren; im *Preis* herabsetzen; ~ *off* abgrenzen; *auf e-r* Liste abhaken; ~ *up* im *Preis* heraufsetzen

marke|d [mɑːrkt] deutlich, ausgeprägt; '~*r* Markierstift *m*; Lesezeichen *n*

market ['mɑːrkɪt] **1.** Markt *m*; Markt(platz) *m*; **2.** auf den Markt bringen; verkaufen, -treiben

marquee [mɑːr'kiː] Markise *f* (*über Hoteleingang etc.*)

marriage ['mærɪdʒ] Heirat f, Hochzeit f (**to** mit); Ehe f; **~ certificate** Trauschein m

married ['mærɪd] verheiratet

marry ['mærɪ] v/t (ver)heiraten; trauen; v/i a. **get married** heiraten

marsh [mɑːʃ] Sumpfland m, Marsch f

marshal ['mɑːʃl] mil. Marschall m; Bezirkspolizeichef m; (**city**) ~ Polizeidirektor m; (**fire**) ~ Branddirektor m

'marshmallow Marshmallow n (Süßigkeit)

martial ['mɑːʃl] kriegerisch; Kriegs..., Militär...

martyr ['mɑːtər] Märtyrer(in)

marvel ['mɑːvl] **1.** Wunder n; **2.** sich wundern (**at** über); '**~ous** wunderbar; fabelhaft, fantastisch

mascara [mæˈskærə] Wimperntusche f

mascot ['mæskət] Maskottchen n

masculine ['mæskjolɪn] männlich

mash [mæʃ] **1.** zerdrücken, -quetschen; **2.** Brei m; **~ed potatoes** pl Kartoffelbrei m

mask [mæsk] **1.** Maske f; **2.** maskieren; **~ing tape** Abklebeband n

mason ['meɪsn] Maurer m; ♀-Dixon line [~ 'dɪksən laɪn] Grenze zwischen Pennsylvanien und Maryland, gesehen als Grenze zwischen Nord-

und Südstaaten; '**~ry** Mauerwerk n

masquerade [mæskəˈreɪd] **1.** Maskerade f; **2.** sich verkleiden (**as** als)

mass [mæs] **1.** rel. Messe f; Masse f; Mehrzahl f; überwiegender Teil; **2.** sich (an)sammeln od. (an)häufen

massage ['mæsɑːʒ] **1.** Massage f; **2.** massieren

massive ['mæsɪv] massiv; enorm, riesig

mass| media sg, pl Massenmedien pl; '**~-produce** serienmäßig herstellen; ~ **production** Massen-, Serienproduktion f

mast [mɑːst] Mast m

master ['mɑːstər] **1.** s Meister m; Herr m; Original(kopie f) n; paint. etc. Meister m; univ. Magister m; ~ **of ceremonies** Conférencier m; Showmaster m; **2.** adj meisterhaft; Meister...; Haupt...; **3.** v/t meistern; beherrschen; ~ **key** Hauptschlüssel m; '**~ly** meisterhaft; '**~mind** Genie n; (führender) Kopf; '**~piece** Meisterstück n, -werk n; '**~y** ['~ərɪ] Herrschaft f, Gewalt f; Beherrschung f (e-r Sprache etc.)

masturbate ['mæstərbeɪt] masturbieren, onanieren

mat [mæt] Matte f; Untersetzer m

match¹ [mætʃ] Streichholz n

match² [~] **1.** der, die, das

Gleiche *od.* Ebenbürtige; (passendes) Gegenstück; *(Fußball- etc.)*Spiel *n*, *(Boxetc.)*Kampf *m*; Heirat *f*; *Person:* gute *etc.* Partie; **be a (no) ~ for s.o.** j-m (nicht) gewachsen sein; **find** *od.* **meet one's ~** s-n Meister finden; **2.** j-m, e-r *Sache* ebenbürtig *od.* gewachsen sein, gleichkommen; entsprechen, passen zu; zs.-passen

match box Streichholzschachtel *f*

mate [meɪt] (Ehe)Partner(in), Kamerad(in); Genosse *m*, Genossin *f*; Gegenstück *n (von Schuhen etc.)*

material [məˈtɪrɪəl] **1.** materiell; leiblich; wesentlich; **~ damage** Sachschaden *m*; **2.** Material *n*; Stoff *m*

maternal [məˈtɜːrnl] mütterlich, Mutter...

maternity [məˈtɜːrnətɪ] Mutterschaft *f*; **~** Umstandskleid *n*; **~ leave** Mutterschaftsurlaub *m*; **~ ward** Entbindungsstation *f*

math [mæθ] F Mathe *f*

mathematic|al [mæθəˈmætɪkl] mathematisch; Mathematik...; **~ian** [ˌmæθəˈtɪʃn] Mathematiker(in); **~s** [ˌmæθəˈmætɪks] *pl (mst sg konstr.)* Mathematik *f*

matinée [ˈmætɪneɪ] Nachmittagsvorstellung *f*

matrimony [ˈmætrəmoʊnɪ] Ehe(stand *m*) *f*

matron [ˈmeɪtrən] (Gefängnis)Aufseherin *f*

matter [ˈmætər] **1.** Materie *f*, Material *n*, Stoff *m*; *med.* Eiter *m*; *Sache f*, Angelegenheit *f*; **as a ~ of course** selbstverständlich; **as a ~ of fact** tatsächlich, eigentlich; **a ~ of time** e-e Frage der Zeit; **what's the ~ (with you)?** was ist los (mit dir)?; **no ~ what she says** ganz gleich, was sie sagt; **no ~ who** gleichgültig, wer; **2.** von Bedeutung sein; **it doesn't ~** es macht nichts; **~-of-'fact** sachlich, nüchtern

mattress [ˈmætrəs] Matratze *f*

mature [məˈtʊr] **1.** reif; **2.** reifen, reif werden

maverick [ˈmævərɪk] Rind *n* ohne Brandzeichen; Außenseiter *m*, Einzelgänger *m*

May [meɪ] Mai *m*

may [~] *v/aux (pret* **might)** *ich* kann/mag/darf, *du* kannst/magst/darfst *etc.*; **~be** vielleicht; **'~day** SOS *n*

mayor [ˈmeɪər] Bürgermeister *m*

maze [meɪz] Irrgarten *m*, Labyrinth *n*

MB [em'bi:] *Abk. für* **megabyte** MB

Mb [em'bi:] *Abk. für* **megabit** Mb

MC [em'si:] *Abk. für* **Master of Ceremonies** Showmaster *m*, Conférencier *m; Abk. für*

Member of Congress Kongressmitglied *n*
MD [em'di:] *Abk. für medicinae doctor (doctor of medicine)* Dr. med.; *Abk. für* Maryland
ME [em'i:] *Abk. für* Maine
me [mi:] mich; mir
meadow ['medou] Wiese *f*
meager ['mi:gər] mager, dürr; dürftig
meal [mi:l] Essen *n*; '**~time** Essenszeit *f*
mean[1] [mi:n] geizig; gemein; F ausgezeichnet
mean[2] [~] **1.** Mitte *f*, Mittel *n*, Durchschnitt *m*; *pl (a. sg konstr.)* Mittel *n od. pl*; *pl* Mittel *pl*, Vermögen *n*; *by all* **~s!** selbstverständlich!; *by no* **~s** keinesfalls; *by* **~s** *of* mittels, durch; **2.** durchschnittlich, Durchschnitts...
mean[3] [~] (*meant*) bedeuten; meinen; beabsichtigen, vorhaben; *be* **~t for** bestimmt sein für; **~ well** es gut meinen
'**meaning** Sinn *m*, Bedeutung *f*; '**~ful** bedeutungsvoll; sinnvoll; '**~less** sinnlos
meant [ment] *pret u. pp von* **mean**[3]
'**mean**|**time 1.** inzwischen; **2.** *in the* **~** → 1; '**~while** inzwischen
measles ['mi:zlz] *sg* Masern *pl*
measure ['meʒər] **1.** Maß *n (a. fig.); mus.* Takt *m*; Maß-

nahme *f*; **2.** (ab-, aus-, ver)messen; '**~ment** Messung *f*; Maß *n*; *pl a.* Abmessungen *pl*
measuring cup Messbecher *m*; **~ tape** Maßband *n*
meat [mi:t] Fleisch *n*; '**~ball** Fleischklößchen *n*; **~ grinder** Fleischwolf *m*; **~ loaf** *etwa* Hackbraten *m*; **~ market** Fleischerei *f*; **~ packing: ~ industry** Fleisch verarbeitende Industrie; '**~y** Fleisch-... (*a. Geschmack*)
mechanic [mə'kænik] Mechaniker *m*; **~al** mechanisch; Maschinen...; **~ pencil** Drehbleistift *m*
mechan|**ism** ['mekənizəm] Mechanismus *m*; '**~ize** mechanisieren
medal ['medl] Medaille *f*; Orden *m*; '**~ist** Medaillengewinner(in)
meddle ['medl] sich einmischen (*with. in*)
media ['mi:diə] **1.** *pl von* **medium** 1; **2.** *sg, pl* Medien *pl*
median ['mi:diən] *a.* **~ strip** *mot.* Mittelstreifen *m*
Medicaid ['medikeid] *staatliches Gesundheitsfürsorgeprogramm für Bedürftige*
medical ['medikl] medizinisch, ärztlich
Medicare ['medikær] *staatliches Gesundheitsfürsorgeprogramm für über 65-Jährige*

medicated ['medɪkeɪtɪd] medizinisch

medicin|al [mə'dɪsɪnl] medizinisch, Heil...; **~e** ['medəsən] Medizin f, Arznei f; Medizin f, Heilkunde f

medieval [medɪ'iːvl] mittelalterlich

mediocre [miːdɪ'oʊkər] mittelmäßig

meditat|e ['medɪteɪt] nachdenken, grübeln; meditieren; **~ion** ['teɪʃn] Meditation f

medium ['miːdɪəm] **1.** (pl **-dia** ['dɪə], **-diums**) Mitte f; Mittel n; Medium n, Träger m; **2.** mittlere(r, -s), Mittel...; gastr. Steak: medium, halb gar

medley ['medlɪ] Gemisch n; mus. Medley n, Potpourri n

meet [miːt] (met) v/t treffen, sich treffen mit; begegnen; treffen auf; stoßen auf; j-n abholen; j-n kennen lernen; Wunsch entgegenkommen, entsprechen; Verpflichtung etc. nachkommen; v/i zusammenkommen, zs.-treten; sich treffen od. begegnen; sich kennen lernen; **~ with** zs.-treffen mit; sich treffen mit; stoßen auf (Schwierigkeiten etc.); erleben, -leiden; **'~ing** Begegnung f, (Zs.-)Treffen n; Versammlung f, Sitzung f, Tagung f; Sport: Veranstaltung f; **~ house** Andachtshaus n (bsd. der Quäker)

melancholy ['melənkəlɪ] **1.** Melancholie f, Schwermut f; **2.** schwermütig; traurig

mellow ['meloʊ] **1.** reif; weich; sanft, mild; fig. gereift; **2.** reifen (lassen); **~ out** F sich entspannen

melod|ious [mɪ'loʊdɪəs] melodisch; **~y** ['melədɪ] Melodie f

melon ['melən] Melone f

melt [melt] (zer)schmelzen; **~ down** einschmelzen

member ['membər] Mitglied n, Angehörige m, f; anat.: Glied(maße f) n; (männliches) Glied; **'~ship** Mitgliedschaft f; Mitglieds...

membrane ['membreɪn] Membran(e) f

memo ['memoʊ] Memo n

memoirs ['memwɑːrz] Memoiren pl

memorial [mə'mɔːrɪəl] Denkmal n, Gedenkstätte f; Gedenk...; **2 Day** etwa Volkstrauertag m (letzter Montag im Mai)

memor|ize ['memərɑɪz] auswendig lernen, sich et. einprägen; **'~y** Gedächtnis n; Erinnerung f, Andenken n; Computer: Speicher m; **in ~ of** zum Andenken an

men [men] pl von man 1

menace ['menəs] **1.** (be)drohen; **2.** (Be)Drohung f

mend [mend] ausbessern, flicken, reparieren

meningitis [menɪn'dʒaɪtɪs]

Hirnhautentzündung f

menopause ['menoʊpɔːz] Wechseljahre pl

men's room Herrentoilette f

menstruation [menstroʊ'eɪʃn] Menstruation f

menswear ['menzwer] Herrenbekleidung f

mental ['mentl] geistig, Geistes...; **~ cruelty** seelische Grausamkeit; **~ hospital** psychiatrische Klinik, Nervenheilanstalt f; **~ity** [ˌ~'tælɪtɪ] Mentalität f; **~ly** ['~əlɪ] geistig, geistes...; **~ handicapped** geistig behindert; **~ ill** geisteskrank

mention ['menʃn] 1. erwähnen; **don't ~ it** bitte (sehr)!, gern geschehen!; 2. Erwähnung f

menu ['menjuː] Speise(n)karte f; Computer: Menü n

merchan|dise ['mɜːrtʃəndaɪz] Ware(n pl) f; **~t** ['~ənt] (Groß)Händler(in), (Groß-)Kaufmann m, -frau f; Einzelhändler(in); Handels...

mercury ['mɜːrkjʊrɪ] Quecksilber n; ♀ astr. Merkur m

mercy ['mɜːrsɪ] Barmherzigkeit f, Erbarmen n, Gnade f

merge [mɜːrdʒ] verschmelzen (into mit); econ. fusionieren; **~r** econ. Fusion f; ♀ Traffic! Straßeneinmündung!

merry ['merɪ] lustig, fröhlich; ♀ Christmas! fröhliche od. frohe Weihnachten

mesa ['meɪsə] geol. Tafelberg m

mess [mes] 1. Unordnung f, Durcheinander n; Schmutz m; fig. Patsche f, Klemme f; 2. **~ around** herumpfuschen (with an); **~ up** in Unordnung bringen; fig. verpfuschen

message ['mesɪdʒ] Mitteilung f, Nachricht f; Anliegen n, Aussage f; **get the ~** F kapieren

messenger ['mesəndʒər] Bote m

messy ['mesɪ] schmutzig (a. fig.); unordentlich

Met [met]: **the Met** F Abk. für **the Metropolitan Opera Company** berühmtes Opernhaus in New York City

met [met] pret u. pp von **meet**

metal ['metl] Metall n; **~lic** [məˈtælɪk] metallisch; Metall...

meter ['miːtər] Messgerät n, Zähler m; **~ maid** Politesse f

method ['meθəd] Methode f; **~ical** [mɪ'θɑːdɪkl] methodisch, systematisch

meticulous [mə'tɪkjʊləs] peinlich genau

metric ['metrɪk] metrisch

metropolitan [metrə'pɑːlɪtən] ... der Hauptstadt

mezzanine ['mezəniːn] Mezzanin n, Zwischengeschoss n, öster. -geschoß n

MI Abk. für Michigan

mice [maɪs] *pl von* **mouse**

micro... ['maɪkrəʊ] Mikro..., (sehr) klein; '**~brewery** Hausbrauerei *f*; '**~chip** Mikrochip *m*; '**~computer** Mikrocomputer *m*; '**~film** Mikrofilm *m*

microphone ['maɪkrəfəʊn] Mikrofon *n*

microprocessor ['maɪkrəʊprəʊsesər] Mikroprozessor *m*

micro|scope ['maɪkrəskəʊp] Mikroskop *n*; '**~wave 1.** Mikrowelle *f*; **2.** im Mikrowellenherd garen; **~ oven** Mikrowellenherd *m*

mid [mɪd] mittlere(r, -s), Mittel...; **~'air: in ~** in der Luft; '**~day** Mittag *m*

middle ['mɪdl] **1.** mittlere(r, -s), Mittel...; **2.** Mitte *f*; **in the ~ of** in der Mitte, mitten in; **~-'aged** mittleren Alters; ♀ **America** der Mittlere Westen; die amerikanische Mittelschicht; **~ class(es** *pl***)** Mittelstand *m*; **~ initial** Anfangsbuchstabe *m* des zweiten Vornamens; '**~man** (*pl* **-men**) Zwischenhändler *m*; **~ name** zweiter Vorname

'mid|night Mitternacht *f*; '**~summer** Hochsommer *m*; Sommersonnenwende *f*; **~'way** auf halbem Wege; '**~wife** (*pl* **-wives**) Hebamme *f*

might [maɪt] *pret von* **may**

'mighty mächtig, gewaltig

migrat|e [maɪ'greɪt] (ab-, aus)wandern, (fort)ziehen; **~ory** ['~grətərɪ] Zug..., Wander...; **~ bird** Zugvogel *m*

mild [maɪld] mild, sanft, leicht

mildew ['mɪldjuː] Mehltau *m*; Schimmel *m*

mile [maɪl] Meile *f* (*1,609 km*); **~age** ['~lɪdʒ] zurückgelegte Meilenzahl; Fahrleistung *in Meilen* pro Gallone Treibstoff; **what kind of ~ do you get with your car?** wie viel verbraucht dein Wagen?

military ['mɪlɪtərɪ] militärisch

milk [mɪlk] **1.** Milch *f*; **it's no use crying over spilled ~** geschehen ist geschehen; **2.** melken; **~ chocolate** Vollmilchschokolade *f*

Milky Way *astr.* Milchstraße *f*

mill [mɪl] Mühle *f*; Fabrik *f*

milli|gram ['mɪlɪgræm] Milligramm *n*; '**~meter** Millimeter *m, n*

million ['mɪljən] Million *f*; **~aire** [~'neə] Millionär(in)

mim|e [maɪm] **1.** Pantomime *f*; Pantomime *m*; **2.** mimen, nachahmen; **~ic** ['mɪmɪk] nachahmen

mind [maɪnd] **1.** Sinn *m*, Gemüt *n*, Herz *n*; Verstand *m*, Geist *m*; Gedächtnis *n*; Ansicht *f*, Meinung *f*; Absicht *f*, Neigung *f*, Lust *f*; **be out of one's ~** nicht (recht) bei Sinnen sein; **bear** *od.* **keep s.th.**

in ~ an et. denken; **change one's** ~ es sich anders überlegen, s-e Meinung ändern; **give s.o. a piece of one's** ~ j-m gründlich die Meinung sagen; **make up one's** ~ sich entschließen; **2.** acht geben auf; aufpassen auf, sehen nach; et. haben gegen; **do you** ~ **if I smoke?, do you** ~ **my smoking?** stört es Sie, wenn ich rauche?; **would you** ~ **opening the window?** würden Sie bitte das Fenster öffnen?; ~ **your own business!** kümmern Sie sich um Ihre eigenen Angelegenheiten!; **never** ~! macht nichts!; **I don't** ~ meinetwegen, von mir aus; '~**ed** ...gesinnt

mine¹ [main] meins, meine(r, -s)

mine² [~] **1.** Bergwerk n; mil. Mine f; fig. Fundgrube f; **2.** schürfen, graben; Erz, Kohle abbauen; '~**r** Bergmann m

mineral ['minərəl] Mineral n; Mineral...; ~ **water** Mineralwasser n

mingle ['mingl] (ver)mischen; sich mischen od. mengen (**with** unter)

mini... ['mini] Mini..., Klein(st)...; '~**bar** Minibar f; '~**bus** Kleinbus m; '~**skirt** Minirock m; '~**van** Kleinbus m

miniature ['minitʃər] Miniatur(gemälde n) f

minimal ['miniml] minimal;

'~**mize** auf ein Minimum herabsetzen; bagatellisieren

mining ['mainiŋ] Bergbau m

minister ['ministər] Geistliche m, Pfarrer m; Minister(in)

mink [miŋk] Nerz m

minor ['mainər] **1.** kleinere(r, -s); unbedeutend; jur. minderjährig; mus. Moll...; D ~ D-Moll f; **2.** jur. Minderjährige m, f; univ. Nebenfach n; mus. Moll n; '~**ity** [~'nɔːrəti] Minderheit f; Minderjährigkeit f; **~ity leader** parl. Fraktionsführer(in) der Minderheitspartei; '~**ity league** Sport: untere Spielklasse

mint¹ [mint] Minze f; Pfefferminz(bonbon) n

mint² [~] **1.** Münze f, Münzanstalt f; **2.** prägen

mint julep [mint 'dʒuːlip] alkoholisches Erfrischungsgetränk aus Bourbon-Whiskey, Zucker, Eis und Pfefferminze

minus ['mainəs] minus

minute ['minit] Minute f; Augenblick m; pl Protokoll n; **in a** ~ gleich, sofort; **just a** ~ e-n Augenblick, Moment mal!

miracle ['mirəkl] Wunder n; '~**ulous** [mi'rækjuləs] wunderbar; ~**ulously** wie durch ein Wunder

mirror ['mirər] **1.** Spiegel m; **2.** (wider)spiegeln

mis... [mis] miss..., falsch; ~**behave** sich schlecht be-

nehmen, F sich danebenbe-
nehmen; **~'calculate** falsch
berechnen; sich verrechnen
miscarr|**iage** *med.* Fehlge-
burt *f*; **~y** e-e Fehlgeburt haben
miscellaneous [mɪsə'leɪ-
nɪəs] ge-, vermischt; verschieden
mischie|**f** ['mɪstʃɪf] Unheil *n*,
Schaden *m*; Unfug *m*; Über-
mut *m*; **~vous** ['~vəs] boshaft; spitzbübisch
mis|**conception** Missver-
ständnis *n*; **~demeanor**
[~dɪ'miːnə] *jur.* Vergehen *n*
miser|**able** ['mɪzərəbl] elend,
erbärmlich; unglücklich; **~y**
Elend *n*, Not *f*
mis|**fortune** Unglück(sfall
m) *n*; Missgeschick *n*; **~**
guided irrig, unangebracht;
~hap ['~hæp] Missgeschick
n
misinterpret falsch auffassen
od. auslegen; **~ation** falsche
Auslegung
mis|**judge** falsch beurteilen;
falsch einschätzen; **~lead**
(**-led**) irreführen, täuschen;
verleiten
mismanage schlecht verwalten *od.* führen; **~ment** Miss-
wirtschaft *f*
mis|**place** *et.* verlegen; an
e-e falsche Stelle legen *od.*
setzen; **~d** unangebracht, de-
platziert; **~print 1.** ['~prɪnt]
verdrucken; **2.** [~'prɪnt]
Druckfehler *m*; **~pro-**

nounce falsch aussprechen;
~'read (**-read** [red]) falsch
lesen; falsch deuten; **~**
represent falsch darstellen
miss[1] [mɪs] (*mit nachfolgen-
dem Namen* 2) Fräulein *n*
miss[2] [~] **1.** verpassen, -säu-
men, -fehlen; auslassen,
übergehen; überhören; übersehen; vermissen; nicht treffen; misslingen; **2.** Fehl-
schuss *m*, -wurf *m etc.*
missile ['mɪsaɪl] Rakete *f*;
(Wurf)Geschoss *n*, *öster.*
(-)Geschoß *n*
missing ['mɪsɪŋ] fehlend;
vermisst; **be ~** fehlen; verschwunden *od.* weg sein
mistake [mɪ'steɪk] **1.** (**-took,
-taken**) verwechseln (**for**
mit); falsch verstehen, missverstehen; sich irren in; **2.**
Irrtum *m*, Versehen *n*; Fehler *m*; **by ~** aus Versehen;
be ~ sich irren **~n** [~ən]
irrig, falsch; **be ~** sich irren
mister ['mɪstə] → *Abkürzung Mr.*; *sl.* Anrede für e-n
Unbekannten: Sie da!, Meister!, Chef!
mistrust 1. misstrauen; **2.**
Misstrauen *n*
misty ['mɪstɪ] (leicht)
neb(e)lig, dunstig; unklar
misunderstand (**-stood**)
missverstehen, falsch verstehen; **~ing** Missverständnis *n*;
Meinungsverschiedenheit *f*
mitigate ['mɪtɪgeɪt] mildern
mitten ['mɪtn] Fausthand-
schuh *m*, Fäustling *m*; *ohne*

Finger: Halbhandschuh *m*

mix [mɪks] **1.** (ver)mischen, vermengen, *Getränke* mixen; sich (ver)mischen; sich mischen lassen; verkehren (**with** mit); **~ up** durcheinander bringen; verwechseln (**with** mit); **be ~ed up** verwickelt sein *od.* werden (**in** in); **2.** Mischung *f*; **~ed** gemischt (*a.* Gefühl *etc.*); vermischt; **'~er** Mixer *m*; **'~ture** ['~tʃər] Mischung *f*; Gemisch *n*; **'~-up** F Durcheinander *n*

MN *Abk. für* Minnesota

MO *Abk. für* Missouri

mo. *Abk. für* **month** Monat *m*

moan [məʊn] **1.** Stöhnen *n*; **2.** stöhnen

mob [mɑːb] Mob *m*, Pöbel *m*; **the ℒ** die Mafia

mobile ['məʊbəl] beweglich; fahrbar; **~ home** Wohnwagen *m*, -mobil *n*; **~ity** ['~blətɪ] Beweglichkeit *f*

mobster ['mɑːbstər] Gangster *m*

mocha ['məʊkə] *heißes Getränk aus Kaffee und Schokolade*

mode [məʊd] (Art *f u.*) Weise *f*; *Computer:* Modus *m*, Betriebsart *f*

model ['mɑːdl] **1.** Modell *n*; Muster *n*; Vorbild *n*; Mannequin *n*; Model *n*, Fotomodell *n*; *tech.* Modell *n*, Typ *m*; Muster..., Modell...; **male ~** Dressman *m*; **2.** modellie-

ren, *a. fig.* formen; *Kleider etc.* vorführen

moderat|e **1.** ['mɑːdərət] (mittel)mäßig; gemäßigt; **2.** ['~et] (sich) mäßigen; **~ion** [~'reɪʃn] Mäßigung *f*

modern ['mɑːdərn] modern, neu; **~ize** modernisieren

modest ['mɑːdɪst] bescheiden; **'~y** Bescheidenheit *f*

modi|fication [mɑːdɪfɪ'keɪʃn] (Ab-, Ver)Änderung *f*; **~fy** ['~faɪ] (ab-, ver)ändern

moist [mɔɪst] feucht; **~en** ['~sn] an-, befeuchten; feucht werden; **~ure** ['~stʃər] Feuchtigkeit *f*; **~urizer** ['~ərɑɪzər] Feuchtigkeitscreme *f*

mold [məʊld] Schimmel *m*; Moder *m*; **~y** verschimmelt, schimmlig; mod(e)rig

mom [mɑːm] F Mutter *f*

moment ['məʊmənt] Augenblick *m*, Moment *m*; **at the ~** im Augenblick; **'~ary** momentan

momma ['mɑːmə] F Mama *f*

Monday ['mʌndeɪ] Montag *m*

monetary ['mʌnətərɪ] Währungs...; Geld...

money ['mʌnɪ] Geld *n*; **~ order** Post- *od.* Zahlungsanweisung *f*

monitor ['mɑːnɪtər] **1.** Monitor *m*, Kontrollgerät *n*, -schirm *m*; **2.** abhören; überwachen

monkey ['mʌŋkɪ] Affe *m*; **~**

wrench *tech.* verstellbarer Schraubenschlüssel

mono... ['mɑːnoʊ] ein..., mono...; **~log** ['~əlɑːɡ] Monolog *m*

monopol|ize [mə'nɑːpəlaɪz] monopolisieren; *fig.* an sich reißen; **~y** Monopol *n*

monoton|ous [mə'nɑːtənəs] monoton, eintönig; **~y** [~tənɪ] Monotonie *f*

monster ['mɑːnstər] Monster *n*, Ungeheuer *n*

monstr|osity [mɑːn'strɑːsətɪ] Monstrum *n*; Ungeheuerlichkeit *f*; **~ous** ['~strəs] ungeheuer(lich); grässlich

month [mʌnθ] Monat *m*; **~ly 1.** monatlich, Monats...; **2.** Monatsschrift *f*

monument ['mɑːnjʊmənt] Monument *n*, Denkmal *n*

mooch [muːtʃ] F schnorren

mood [muːd] Stimmung *f*, Laune *f*; **be in the ~ for** aufgelegt sein zu; **~y** launisch, launenhaft; schlecht gelaunt

moon [muːn] Mond *m*; **once in a blue ~** F alle Jubeljahre (einmal); **~light 1.** Mondlicht *n*, -schein *m*; **2.** F schwarzarbeiten; **~lit** mondhell; **~shine** geschmuggelter *od.* schwarzgebrannter Whiskey

moose [muːs] (*pl* ~) Elch *m*; **~ test** *mot.* Elchtest *m*

mop [mɑːp] **1.** Mop *m*; (Haar)Wust *m*; **2.** (auf-, ab)wischen; **~ up** aufwischen

mope [moʊp] den Kopf hängen lassen

moral ['mɔːrəl] **1.** moralisch, sittlich; tugendhaft; Moral..., Sitten...; **2.** Moral *f* (*e-r Geschichte etc.*); *pl* Moral *f*, Sitten *pl*; **~e** [mə'ræl] Moral *f*, Stimmung *f* (*e-r Truppe etc.*); **~ity** [mə'rælətɪ] Ethik *f*, Moral *f*; **~ize** ['mɔːrəlaɪz] moralisieren; ☺ **Majority** fundamentalistische protestantische Bewegung

morbid ['mɔːrbɪd] krankhaft

more [mɔːr] **1.** *adj* mehr; noch (mehr); **some ~ coffee** noch etwas Kaffee; **2.** *adv* mehr; noch; **~ important** wichtiger; **~ often** öfter; **and ~** immer mehr; **~ or less** mehr oder weniger; **once ~** noch einmal; **a little ~** etwas mehr

morgue [mɔːrg] Leichenschauhaus *n*

morning ['mɔːrnɪŋ] Morgen *m*; Vormittag *m*; Morgen...; Vormittags...; Früh...; **in the ~** morgens, am Morgen; vormittags, am Vormittag; **this ~** heute Morgen *od.* Vormittag; **tomorrow ~** morgen früh *od.* Vormittag; **good ~** guten Morgen

morsel ['mɔːrsl] Bissen *m*; **a ~ of** ein bisschen

mortal ['mɔːrtl] **1.** sterblich; tödlich; Tod(es)...; **2.** Sterbliche *m*, *f*; **~ity** [~'tælətɪ] Sterblichkeit *f*

mortgage ['mɔːɡɪdʒ] **1.** Hypothek f; **2.** e-e Hypothek aufnehmen auf

mortician [mɔːˈtɪʃən] Leichenbestatter m

mortuary ['mɔːtʃʊərɪ] Leichenhalle f

mosaic [mouˈzeɪk] Mosaik n

mosey ['mouzɪ] F schlendern

mosquito [məsˈkiːtou] (pl **-to[e]s**) Moskito m; Stechmücke f

moss [mɔːs] Moos n; **~y** moosig, bemoost

most [moust] **1.** adj meiste(r, -s), größte(r, -s); die meisten; **~ people** die meisten Leute; **2.** adv am meisten; **~ of all** am allermeisten; vor adj: höchst, äußerst; **the ~ important point** der wichtigste Punkt; **3.** s das meiste; der größte Teil; die meisten pl; **at (the) ~** höchstens; **make the ~ of** et. nach Kräften od. möglichst ausnützen; **'~ly** hauptsächlich

motel [mouˈtel] Motel n

moth [mɔːθ] Nachtfalter m, Motte f

mother ['mʌðər] **1.** Mutter f; **2.** bemuttern; **~hood** ['~hud] Mutterschaft f; **~-in-law** ['~ɪnlɔː] Schwiegermutter f; **~ly** mütterlich; **~-of-pearl** ['~əv'pɜːl] Perlmutt n, Perlmutter f, n; **ℒ's Day** Muttertag m

motif [mouˈtiːf] Kunst: Motiv n

motion ['mouʃn] **1.** Bewegung f; parl. Antrag m; **put od. set in ~** in Gang bringen (a. fig.); **2.** winken; j-m ein Zeichen geben; **~less** regungslos; **~ picture** Film m

motivate ['moutɪveɪt] motivieren; **~e** [~ɪv] Motiv n

motor ['moutər] Motor m; Motor...; **~bike** Motorrad n; **~boat** Motorboot n; **~cycle** Motorrad n; **~cyclist** Motorradfahrer(in); **~ist** [~ɪst] Autofahrer(in); **~ scooter** Motorroller m

mound [maund] Erdhügel m

mount [maunt] **1.** v/t Berg, Pferd etc. besteigen, steigen auf; montieren; anbringen, befestigen; Bild etc. aufkleben; Edelstein fassen; v/i Reiter: aufsitzen; steigen, fig. a. (an)wachsen; **~ up to** sich belaufen auf; **2.** Gestell n; Fassung f; Reittier n

mountain ['mauntən] Berg m; pl a. Gebirge n; Berg..., Gebirgs...; **~eering** [~ˈnɪrɪŋ] Bergsteigen n; **~ous** bergig, gebirgig

mourn [mɔːrn] trauern (**for**, **over** um); betrauern, trauern um; **~er** Trauernde m; **~ful** traurig; **~ing** Trauer f

mouse [maus] (pl **mice** [maɪs]) Maus f (a. Computer)

mouth [mauθ] (pl **~s** [~ðz]) Mund m; Maul n, Schnauze

mouthful   182

f, Rachen *m*; *Fluss etc.*: Mündung *f*; *Flasche etc.*: Öffnung *f*; **~ful** *ein Mund voll*, Bissen *m*; **~piece** Mundstück *n*; *fig.* Sprachrohr *n*; **~wash** Mundwasser *n*

move [muːv] **1.** *v/t* bewegen; (weg)rücken; transportieren; *parl. etc.* beantragen; *Schach*: e-n Zug machen mit; *fig.* bewegen, rühren; umziehen (**to** nach); *Schach*: e-n Zug machen mit; **~ in** (**out**, **away**) ein-(aus-, weg)ziehen; **~ on** weitergehen; **2.** Bewegung *f*; Umzug *m*; *Schach*: Zug *m*; *fig.* Schritt *m*; **get a ~ on!** F Tempo!, mach(t) schon!; **~ment** Bewegung *f*

movie [muːvi] Film *m*; Kino *n*; Film...; **~s** *pl* Kino...; **~ theater** Kino *n*

moving [muːviŋ] beweglich; *fig.* rührend

mow [moʊ] (**mowed, mowed** *od.* **mown**) mähen; **~er** Mähmaschine *f*, *bsd.* Rasenmäher *m*; **~n** *pp von* **mow**

mph [empiː'eɪtʃ] *Abk. für* **miles per hour** Meilen pro Stunde

Mr. *Abk. für* **Mister** Herr

Mrs. ['mɪsɪz] Frau (*Anrede für eine verheiratete Frau*)

MS *Abk. für* **Mississippi**

Ms. [mɪz] Frau (*Anrede für Frauen, besonders im Geschäftsleben*)

MT *Abk. für* **Montana**

MT. *Abk. für* **Mount** Berg *m* (*als Namensbestandteil*)

much [mʌtʃ] **1.** *adj* viel; **2.** *adv* sehr; viel; **very ~** sehr; **3.** *s*: **nothing ~** nichts Besonderes

mud [mʌd] Schlamm *m*

muddle ['mʌdl] **1.** Durcheinander *n*; **2.** *a.* **~ up** durcheinander bringen

muddy ['mʌdɪ] schlammig; trüb(e)

muffin ['mʌfɪn] Muffin *m n* (*kleines, süßes Brötchen*)

muffle ['mʌfl] Ton *etc.* dämpfen; **~r** Auspufftopf *m*

mug¹ [mʌg] Krug *m*; Becher *m*

mug² [~] (*bsd. auf der Straße*) überfallen u. ausrauben; **~ger** F (Straßen)Räuber *m*; **~ging** Raubüberfall *m*

mule [mjuːl] Maultier *n*

multi... ['mʌltɪ] viel..., mehr..., Mehrfach..., Multi...; **~lingual** [~'lɪŋgwəl] mehrsprachig

multiple ['mʌltɪpl] vielmehrfach; mehrere

multiplication [mʌltɪplɪ'keɪʃn] Vermehrung *f*; Multiplikation *f*; **~ table** Einmaleins *n*; **~ply** ['~plaɪ] (sich) vermehren *od.* vervielfachen; multiplizieren, malnehmen (**by** mit); **~story** vielstöckig

multitude ['mʌltɪtjuːd] Vielzahl *f*; **the ~(s** *pl*) die Masse

mumble ['mʌmbl] murmeln

munch [mʌntʃ] geräuschvoll essen; **~ies** ['mʌntʃiz]: *have the* **~** F Hunger haben

municipal [mjuˈnisipl] städtisch, Stadt..., kommunal, Gemeinde...

mural ['mjʊərəl] **1.** Mauer..., Wand...; **2.** Wandgemälde *n*

murder['mɜːrdər] **1.** Mord *m* (*of* an), Ermordung *f* (*of gen*); **2.** ermorden; **~er** ['~ər] Mörder(in)

murmur ['mɜːrmər] **1.** Murmeln *n*; Murren *n*; **2.** murmeln; murren

muscle ['mʌsl] Muskel *m*; **~ular** ['~kjʊlər] Muskel...; muskulös

museum [mjuˈziːəm] Museum *n*

mushroom ['mʌʃrʊm] Pilz *m*, *bsd.* Champignon *m*

music ['mjuːzɪk] Musik *f*; Noten *pl*; **'~al 1.** Musik...; musikalisch; wohlklingend; **2.** Musical *n*; **~ian** [~'zɪʃn] Musiker(in)

mussel ['mʌsl] (Mies)Muschel *f*

must [mʌst] **1.** *v/aux* ich muss, *du* musst, *er, sie, es*

muss *etc.*; **2.** Muss *n*

mustache ['mʌstæʃ] Schnurrbart *m*

mustard ['mʌstərd] Senf *m*

musty ['mʌsti] mod(e)rig, muffig

mute [mjuːt] **1.** stumm; **2.** Stumme *m, f*

mutilate ['mjuːtɪleɪt] verstümmeln

mutiny ['mjuːtɪni] **1.** Meuterei *f*; **2.** meutern

mutual ['mjuːtʃʊəl] gegenwechselseitig; gemeinsam

muzzle ['mʌzl] **1.** Maul *n*, Schnauze *f*; Maulkorb *m* (*Gewehr- etc.*)Mündung *f*; **2.** e-n Maulkorb anlegen; *fig.* mundtot machen

my [maɪ] mein(e)

myself [maɪˈself] *pron* mich (selbst) (*reflexiv*); *verstärkend:* ich *od.* mich *od.* mir selbst

mysterious [mɪˈstɪrɪəs] mysteriös, geheimnisvoll; **~y** ['~stəri] Geheimnis *n*; Rätsel *n*; Krimi *m*

myth [mɪθ] Mythos *m*; **~ology** [~ˈθɑːlədʒi] Mythologie *f*

N

nab [næb] F schnappen

nag [næg] nörgeln: **~** (*at*) herumnörgeln an; **'~ging** Nörgelei *f*

nail [neɪl] **1.** Nagel *m*; Na-

gel...; **2.** (an)nageln; **~ polish**, **~ varnish** Nagellack *m*

naked ['neɪkɪd] nackt; kahl

name [neɪm] **1.** Name *m*; Bezeichnung *f*; Ruf *m*; *what's*

your ~? wie heißen Sie?; **call s.o. ~s** j-n beschimpfen; **2.** (be)nennen; erwähnen; ernennen zu; **'~ly** nämlich; **'~sake** Namensvetter(in)

nap [næp] **1.** Nickerchen *n*; **take a ~** → **2.** ein Nickerchen machen

napkin ['næpkɪn] Serviette *f*

narc [nɑːrk] *sl.* Drogenfahnder(in)

narcotic [nɑːr'kɑːtɪk] **1.** Betäubungsmittel *n*; *oft pl* Rauschgift *n*; **2.** betäubend

narra|te ['næreɪt] erzählen; berichten, schildern; **~ion** [nə'reɪʃn] Erzählung *f*; **~ive** ['nærətɪv] Erzählung *f*; Bericht *m*, Schilderung *f*; **~or** ['næreɪtər] Erzähler(in)

narrow ['nærou] **1.** eng, schmal; beschränkt; *fig.* knapp; **2.** enger *od.* schmäler werden *od.* machen, (sich) verengen; **'~ly** mit knapper Not; **~'minded** engstirnig

NASA ['næsə] *Abk. für* ***National Aeronautics and Space Administration*** NASA *f* (*US Raumfahrtbehörde*)

nasty ['næstɪ] widerlich; bös, schlimm; gemein, fies

nation ['neɪʃn] Nation *f*; Volk *n*

national ['næʃənl] **1.** national, National..., Landes..., Volks...; **2.** Staatsangehörige *m*, *f*; **2 Guard** Nationalgarde *f*; **~ity** [~'nælətɪ] Nationalität

f; Staatsangehörigkeit *f*; **~ monument** Nationaldenkmal *n*; **~ park** Nationalpark *m*

native ['neɪtɪv] **1.** einheimisch..., Landes...; heimatlich, Heimat...; Eingeborenen...; angeboren; **2.** Einheimische *m*, *f*; **2 American** Indianer(in), amerikanische(r) Ureinwohner(in); **~ country** Heimat *f*, Vaterland *n*; **~ language** Muttersprache *f*; **~ speaker** Muttersprachler(in)

NATO ['neɪtou] *Abk. für* ***North Atlantic Treaty Organization*** NATO *f*

natural ['nætʃrəl] natürlich; Natur...; Roh...; angeboren; **~-born: a ~ piano player** der geborene Klavierspieler; **~ gas** Erdgas *n*; **~ize** naturalisieren, einbürgern

nature ['neɪtʃər] Natur *f*

naughty ['nɔːtɪ] ungezogen

nausea ['nɔːzɪə] Übelkeit *f*

nauseous ['nɔːzɪəs] übel; ekelhaft, Übelkeit erregend

nautical ['nɔːtɪkl] nautisch; **~ mile** Seemeile *f*

naval ['neɪvl] See...; Flotten..., Marine...; **~ base** Flottenstützpunkt *m*

navel ['neɪvl] Nabel *m*

naviga|te ['nævɪgeɪt] navigieren; steuern, lenken; **~tion** [~'geɪʃn] Navigation *f*

navy ['neɪvɪ] Marine *f*

NBA [enbiː'eɪ] *Abk. für*

185

neurosis

National Basketball Association Basketballverband

NBC [enbi:'si:] *Abk. für National Broadcasting Company* US Fernsehgesellschaft

NC *Abk. für* North Carolina

ND *Abk. für* North Dakota

NE *Abk. für* Nebraska

near [nɪr] **1.** *adj* nahe; eng (befreundet); knapp; **2.** *adv* nahe, in der Nähe; fast, beinahe; **3.** *prp* nahe, in der Nähe von (*od. gen*); **4.** *v/t u. v/i* sich nähern, näher kommen; **~by 1.** ['~baɪ] *adj* nahe (gelegen); **2.** [~'baɪ] *adv* in der Nähe; **~ly** fast, beinahe; annähernd; **~'sighted** kurzsichtig

neat [ni:t] ordentlich; sauber; F *Whiskey etc.*: pur

necessarily [nesə'serɪlɪ] notwendigerweise; **not ~** nicht unbedingt; **~y** ['~serɪ] notwendig, nötig

necessitate [nə'sesɪteɪt] erfordern; **~y** [~'sesətɪ] Notwendigkeit *f*; Bedürfnis *n*

neck [nek] **1.** Hals *m*; Genick *n*; **2.** F knutschen, schmusen; **~lace** ['~lɪs] Halskette *f*; **'~line** *Kleid etc.*: Ausschnitt *m*; **~tie** [~'taɪ] Krawatte *f*

need [ni:d] **1.** benötigen, brauchen; müssen; **2.** Bedürfnis *n*, Bedarf *m*; Mangel *m*; Notwendigkeit *f*; Not *f*; *if be* nötigenfalls; *in ~* in Not; *in ~ of help* hilfsbedürftig

needle ['ni:dl] Nadel *f*; **'~work** Handarbeit *f*

needy ['ni:dɪ] bedürftig

negative ['negətɪv] **1.** negativ; verneinend; abschlägig; **2.** Verneinung *f*; *phot.* Negativ *n*

neglect [nɪ'glekt] vernachlässigen; versäumen

negotiate [nɪ'gəʊʃɪeɪt] verhandeln (über); **~ion** [~'eɪʃn] Verhandlung *f*; **~or** [~'gəʊʃɪeɪtər] Unterhändler(in)

neighbor ['neɪbər] Nachbar(in); **'~hood** Nachbarschaft *f*; Umgebung *f*; (Stadt)Viertel *n*; *in the ~ of $500* ungefähr 500 Dollar

neither ['niːðər, 'naɪðər] **1.** *adj. pron* keine(r, -s) (von beiden); **2.** *cj* **~ ... nor** weder ... noch; **3.** *adv* auch nicht

nephew ['nefju:] Neffe *m*

nerd [nɜːrd] *sl.* Langweiler *m*; Streber *m*; **computer ~** Computerfreak *m*

nerve [nɜːrv] Nerv *m*; Mut *m*; *bot.* Blatt: Rippe *f*, Ader *f*; F Frechheit *f*; **'~racking** F nervenaufreibend

nervous ['nɜːrvəs] nervös

nest [nest] **1.** Nest *n*; **2.** nisten

net¹ [net] Netz *n*; *the ~* das Internet

net² [~] netto, Netto..., Rein...

nettle ['netl] **1.** *bot.* Nessel *f*; **2.** ärgern

neurosis [nʊ'rəʊsɪs] (*pl -ses*

[~si:z])) Neurose f; **~tic**
[~'rɑːtɪk] neurotisch

never ['nevər] nie(mals);
durchaus nicht; '**~ending**
endlos; **~theless** [~ðə'les]
dennoch, trotzdem

new [nju:] neu; **nothing ~**
nichts Neues; **what's ~** was
gibts Neues?; '**~born** neuge-
boren; '**~comer** Neuan-
kömmling m; Neuling m;
~'fangled neumodisch

news [nu:z] sg Neuigkeit(en
pl) f, Nachricht(en pl) f; **~
agency** Nachrichtenagen-
tur f; **~ bulletin** Radio, TV:
Kurzmeldung f; '**~cast**
Nachrichtensendung f;
'**~caster** Nachrichtenspre-
cher(in); '**~paper** Zeitung f;
'**~stand** Zeitungskiosk m,
-stand m

new year das neue Jahr;
Happy New Year! Gutes
neues Jahr!, Prosit Neujahr!;
New Year's Day Neu-
jahr(stag m) n; **New Year's
Eve** Silvester(abend m) m, n

next [nekst] **1.** adj nächste(r,
-s); **~ door** nebenan; **2.** adv
als Nächste(r, -s); das näch-
ste Mal; dann; **~ to** neben; **3.** s
der, die, das Nächste;
~'door (von) nebenan

NH Abk. für New Hampshire

nibble ['nɪbl] knabbern

nice [naɪs] nett, freundlich;
nett, hübsch, schön; fein;
'**~ly** gut, ausgezeichnet

nickel ['nɪkl] min. Nickel n;

Fünfcentstück n; **~-and-
-'dime** unbedeutend

nickname ['nɪkneɪm] **1.**
Spitzname m; **2.** j-m den
Spitznamen ... geben

niece [ni:s] Nichte f

night [naɪt] Nacht f; Abend
m; **at ~** bei Nacht, nachts;
good ~ gute Nacht; '**~cap**
Schlummertrunk m; '**~club**
Nachtklub m, -lokal n; '**~fall:
at ~** bei Einbruch der Dunkelheit; '**~gown** Nachthemd
n; '**~ie** F (bsd. Damen- od.
Kinder)Nachthemd n; '**~ly 1.**
adj (all)nächtlich; **2.** adv
jede Nacht; jeden Abend;
~mare ['~mer] Alptraum m;
~ school Abendschule f;
~ shift Nachtschicht f; '**~time:
at ~** nachts

nimble ['nɪmbl] flink, gewandt; fig. beweglich

nine [naɪn] neun; **~teen**
[~'ti:n] neunzehn; **~tieth**
['~tɪəθ] neunzigste(r, -s);
'**~ty** neunzig

ninth [naɪnθ] **1.** neunte(r, -s);
2. Neuntel n

nipple ['nɪpl] Brustwarze f;
Sauger m (e-r Babyflasche)

nite [naɪt] → **night**

nitpicking ['nɪtpɪkɪŋ] pingelig

nitrogen ['naɪtrədʒən] Stick-
stoff m

nitty-gritty [nɪti'grɪti]: **get
down to the ~** zur Sache
kommen

nix [nɪks] **1.** nein **2.** ablehnen,

verbieten

NJ *Abk. für* New Jersey

NM *Abk. für* New Mexico

no [noʊ] **1.** *adv* nein; nicht; **2.** *adj* kein(e); **~ one** keiner, niemand

noble ['noʊbl] *adlig*; edel, nobel

nobody ['noʊbədɪ] niemand, keiner

nod [nɑːd] **1.** nicken (mit); **~ off** einnicken; **2.** Nicken *n*

no-fault ['noʊfɔːlt] *mot.* Vollkaskoversicherung *f*

noise [nɔɪz] Krach *m*, Lärm *m*; Geräusch *n*; *Radio etc.*: Rauschen *n*; **~y** laut

non... [nɑːn] nicht..., Nicht..., un...; **~alcoholic** alkoholfrei

none [nʌn] **1.** *pron* (*sg od. pl*) keine(r, -s); **2.** *adv* in keiner Weise

non|**existent** nicht existierend; **~fiction** Sachbücher *pl*; **~(in)flammable** nicht brennbar

no-'nonsense nüchtern, sachlich

nonsense ['nɑːnsəns] Unsinn *m*, dummes Zeug

non|**'skid** rutschfest, -sicher; **~smoker** Nichtraucher(in); **~stick** Pfanne *etc.*: mit Antihaftbeschichtung; **~stop** *Zug etc.*: durchgehend, *Flug*: ohne Zwischenlandung, nonstop, ohne Unterbrechung; **~violent** gewaltlos

noodle ['nuːdl] Nudel *f*

noon [nuːn] Mittag(szeit *f*) *m*; **at ~** um 12 Uhr (mittags)

'no place F nirgendwo(hin)

norm [nɔːrm] Norm *f*; **~al** normal; **~alize** normalisieren; **~ally** normal(erweise)

north [nɔːrθ] **1.** Norden *m*; **2.** nördlich, Nord-; **3.** nach Norden, nordwärts; **~bound** in Richtung Norden; **~east 1.** Nordosten *m*; **2.** ~**ern** nordöstlich; **~erly** ['ˌðlɪ], **~ern** ['ˌðrn] nördlich, Nord-; **~ward(s)** ['ˌwərd(z)] nordwärts; nach Norden; **~west 1.** Nordwesten *m*; **2.** nordwestlich

nose [noʊz] **1.** Nase *f*; **2.** *Auto etc.*: vorsichtig fahren; **~ around** herumschnüffeln; **~bleed** Nasenbluten *n*

nostril ['nɑːstrəl] Nasenloch *n*, *bsd. zo.* Nüster *f*

nosy ['noʊzɪ] F neugierig

not [nɑːt] nicht; **~ a** kein(e)

notary ['noʊtərɪ] *mst* **~ public** Notar(in)

note [noʊt] **1.** *oft pl* Notiz *f*, Aufzeichnung *f*; Anmerkung *f*; Nachricht *f*; (diplomatische) Note; Banknote *f*, Geldschein *m*; *mus.* Note *f*; **take ~ of** sich Notizen machen (über); **2.** (besonders) beachten *od.* achten auf; bemerken; **~book** Notizbuch *n*; Notebook-Computer *m*; **~d** bekannt; **~pad** Notizblock *m*

nothing ['nʌθɪŋ] nichts; **~ but**

notice

notice 188

nichts als, nur; ~ **much** nicht viel; **for** ~ umsonst

notice ['nɒʊtɪs] **1.** Ankündigung f, Bekanntgabe f, Mitteilung f, Anzeige f; Kündigung(sfrist) f; Beachtung f; **at short** ~ kurzfristig; **until further** ~ bis auf weiteres; **without** ~ fristlos; **give s.o.** (**his** od. **her**) ~ j-m kündigen; **give s.o. one's** ~ dem Arbeitgeber etc. kündigen; **four weeks'** ~ vierwöchige Kündigungsfrist; **take (no)** ~ **of** (keine) Notiz nehmen von, (nicht) beachten; **2.** (es) bemerken; (besonders) beachten od. achten auf; '**~able** erkennbar; beachtlich

notify ['nɒʊtɪfaɪ] benachrichtigen

notion ['nɒʊʃn] Vorstellung f, Ahnung f; Idee f

notorious [nɒʊ'tɔːrɪəs] berüchtigt (**for** für)

noun [naʊn] gr. Substantiv n, Hauptwort n

nourish ['nʌrɪʃ] (er)nähren; fig. hegen; '**~ing** nahrhaft; '**~ment** Nahrung f

novel ['nɒvl] **1.** Roman m; **2.** neu(artig); **~ist** ['~ɔlɪst] Romanschriftsteller(in); '**~ty** Neuheit f

November [nɒʊ'vembər] November m

novice ['nɒvɪs] Anfänger(in); rel. Novize m, -in f

now [naʊ] nun, jetzt; ~ **and then** von Zeit zu Zeit, dann

u. wann; **by** ~ inzwischen; **from** ~ **on** von jetzt an

nowadays ['nɒʊədeɪz] heutzutage

nowhere ['nɒʊweər] nirgends

nozzle ['nɒzl] tech.: Stutzen m; Düse f

nuclear ['nuːklɪər] Kern..., Atom...; ~ **energy** Kernenergie f; ~ **power** Atom-, Kernkraft f; ~ **power station** Atom-, Kernkraftwerk n; ~ **reactor** Atom-, Kernreaktor m; ~ **waste** Atommüll m; ~ **weapons** pl Atom-, Kernwaffen pl

nude [nuːd] **1.** nackt; **2.** Kunst: Akt m; **in the** ~ nackt

nudge [nʌdʒ] j-n anstoßen, stupsen

nuisance ['nuːsns] Plage f; Nervensäge f, Quälgeist m; **make a ~ of o.s.** den Leuten auf die Nerven gehen od. fallen; **what a ~!** wie ärgerlich!

nuke [nuːk] F **1.** Atom-, Kernwaffe f; **2.** mit Kernwaffen zerstören; in der Mikrowelle erwärmen od. garen

numb [nʌm] **1.** starr (**with** vor), taub; fig. wie betäubt (**with** vor); **2.** starr od. taub machen; betäuben

number ['nʌmbər] **1.** Zahl f, Ziffer f; Nummer f; (An-)Zahl f; Zeitung etc.: Nummer f, Ausgabe f; **2.** nummerieren; sich belaufen auf

nurse [nɜːrs] **1.** (Kranken-) Schwester f; Kindermädchen n; **2.** Kranke pflegen; Krankheit auskurieren; stillen

nursery ['nɜːrsərɪ] (Kinder)Tagesheim n, (-)Tagesstätte f; Kinderzimmer n; Baum-, Pflanzschule f; **rhyme** Kinderreim m; **school** Kindergarten m; **teacher** Kindergärtner(in)

nursing ['nɜːrsɪŋ] Stillen n; Krankenpflege f; **home** Pflegeheim n

nut [nʌt] Nuss f; (Schrauben)Mutter f; F Verrückte m, f; **meg** ['meg] Muskat-nuss f

nutrient ['nuːtrɪənt] Nährstoff m; **tion** [ʌ'trɪʃn] Ernährung f; **tious** [ʌ'trɪʃəs] nahrhaft

nuts [nʌts] F verrückt 'nutshell Nussschale f; in a ~ kurz gesagt; **ty** nussartig; F verrückt

NV Abk. für Nevada

NY Abk. für den Staat New York

NYC Abk. für die Stadt New York (City)

nylon ['naɪlɒn] Nylon n

NYSE [enwaɪe'siː] Abk. für **New York Stock Exchange** New Yorker Börse

O

o [oʊ] **1.** oh!; ach!; **2.** tel., Typenbezeichnung: Null f

oak [oʊk] Eiche f; Eichenholz n

oar [ɔːr] **1.** Ruder n; **2.** rudern

oasis [oʊ'eɪsɪs] (pl -ses [ʌ'siːz]) Oase f (a. fig.)

oat [oʊt] mst pl Hafer m; **meal** ['oʊtmiːl] Hafermehl n, Haferflocken pl

obedien|ce [ʌ'biːdɪəns] Gehorsam m; **t** gehorsam

obey [ʌ'beɪ] gehorchen; Befehl etc. befolgen

obituary [oʊ'bɪtʃuərɪ] Todesanzeige f; Nachruf m

object 1. ['ɑːbdʒɪkt] Gegenstand m; Ziel n, Zweck m,

Absicht f; Objekt n (a. gr.); **2.** [ɑːb'dʒekt] v/t einwenden; v/i etwas dagegen haben; **ion** [ɑːb'dʒekʃn] Einwand m, -spruch m; **ionable** nicht einwandfrei; anstößig; unangenehm; **ive 1.** objektiv, sachlich; **2.** Ziel n; opt. Objektiv n

obligation [ɑːblɪ'geɪʃn] Verpflichtung f; econ. Schuldverschreibung f

oblig|e [ʌ'blaɪdʒ] zwingen; (zu Dank) verpflichten; j-m e-n Gefallen tun; **much ~d!** herzlichen Dank!; **ing** zuvorkommend, gefällig

oblivi|on [ʌ'blɪvɪən] Vergessen(heit f) n; **~ous: be ~ of s.th.** sich e-r Sache nicht bewusst sein

oblong ['ɑ:blɒŋ] länglich

obnoxious [ɑ:b'nɒkʃəs] widerlich

obscene [ɑ:b'si:n] obszön; unanständig

obscenity [ɑ:b'senətɪ] Obszönität f; Unanständigkeit f

obscure [ɑ:b'skjur] dunkel (a. fig.); obskur

observa|tion [ɑ:bzər'veɪʃn] Beobachtung f; Bemerkung f; **~tory** [əb'zɜ:rvətɔ:rɪ] Observatorium n, Stern-, Wetterwarte f

observe [əb'zɜ:rv] beobachten; *Brauch* einhalten; *Gesetz* befolgen; bemerken; **~r** Beobachter(in)

obsess [ɑ:b'ses]: **~ed with** besessen von; **~ion** Besessenheit f

obsolete ['ɑ:bsəli:t] veraltet

obstacle ['ɑ:bstəkl] Hindernis n; **~ race** Hindernislauf m

obstruction [ɑ:b'strʌkʃn] Verstopfung f; Blockierung f; Behinderung f; Hindernis n

obtain [ɑ:b'teɪn] erlangen, erhalten, erreichen, bekommen; **~able** erhältlich

obvious ['ɑ:bvɪəs] offensichtlich, augenfällig, klar

occasion [ə'keɪʒn] f. Gelegenheit f; Anlass m; Veranlassung f; (festliches) Ereig-

nis; **2.** veranlassen; **~al** adj, **~ally** adv gelegentlich

occup|ant ['ɑ:kjupənt] Besitzer(in); Bewohner(in); Insasse m, -in f; **~ation** [~'peɪʃn] Beruf m; Beschäftigung f; mil. Besetzung f, Besatzung f; **~y** ['~paɪ] einnehmen; mil. besetzen; innehaben; bewohnen; in Anspruch nehmen; beschäftigen

occur [ə'kɜ:r] vorkommen; sich ereignen; **it ~red to me** mir fiel ein; **~rence** [ə'kɜ:rəns] Vorkommen n; Vorfall m, Ereignis n

ocean ['ouʃn] Ozean m, Meer n

o'clock [ə'klɑ:k]: **(at) five ~** (um) fünf Uhr

October [ɑ:k'toubər] Oktober m

octopus ['ɑ:ktəpəs] Krake m; Tintenfisch m

OD [ou'di:] sl. Abk. für **overdose 1.** Überdosis f (Drogen); j-d, der e-e Überdosis Drogen genommen hat; **2.** e-e Überdosis Drogen nehmen; an e-r Überdosis Drogen sterben

odd [ɑ:d] sonderbar; *Zahl*: ungerade; einzeln; '**~ball 1.** F komischer Kauz; **2.** kauzig, verschroben; **~s** pl (Gewinn)Chancen pl; **~ and ends** Krimskrams m

odometer [ou'dɑ:mɪtər] mot. Meilenzähler m

odor ['oʊdər] Geruch *m*

of [ɑːv, əv] von; *Herkunft:* von, aus; *Material:* aus; *Urzeit:* vor; an (**die** ~); *auf* (**afraid** ~); auf (**proud** ~); nach (**smell** ~); an (**think** ~); *the city* ~ *Charleston* die Stadt Charleston; *the novels* ~ *Updike* Updikes Romane; *your letter* ~ ... Ihr Schreiben vom...; *it's 10* ~ *9* es ist 10 vor 9

off [ɑːf] **1.** *adv* fort, weg; ab, herunter(...), los(...); entfernt; *Licht etc.:* aus(-), ab(geschaltet); *Hahn etc.:* zu, *Knopf etc.:* ab(-), los(gegangen); frei (*von Arbeit*); ganz, zu Ende; *econ.* flau; *fig.* aus, vorbei. **2.** *prp* fort von, weg von; von (... ab, weg, herunter); abseits von, entfernt von; frei von (*Arbeit*); **3.** *adj* (weiter) entfernt; Seiten...; Neben...; (arbeits-, dienst)frei; *econ.* flau, tot; **4.** *v/t sl.* umlegen (*töten*); '~-'**color** schmutzig (*Witz etc.*)

offen|se [əˈfens] Vergehen *n*; *jur.* Straftat *f*; Beleidigung *f*; ~**d** [∧nd] beleidigen, verletzen; verstoßen; ~**sive** **1.** beleidigend; anstößig; ekelhaft; Angriffs...; **2.** Offensive *f*

offer ['ɑːfər] **1.** Angebot *n*; **2.** anbieten; (sich) bieten

office ['ɑːfɪs] Büro *n*; Geschäftsstelle *f*; Amt *n*; *Arzt:*

Praxis *f*; ~ **building** Bürogebäude *n*; ~ **hours** *pl* Dienstzeit *f*

officer ['ɑːfɪsər] Beamte *m*, -in *f*; Polizist(in), Polizeibeamte *m*, *f*; *mil.* Offizier *m*

official [əˈfɪʃl] **1.** offiziell, amtlich, Amts..., Dienst...; **2.** Beamte *m*, -in *f*; Funktionär(in)

off-ramp (Autobahn)Ausfahrt *f*; ~ **season** Nebensaison *f*; ~-**the-'rack** von der Stange, Konfektions...; ~-**the-'record** nicht für die Öffentlichkeit bestimmt

often ['ɑːfn] oft, häufig

OH *Abk. für* Ohio

oil [ɔɪl] **1.** Öl *n*; **2.** ölen; '~**er** *tech.* Ölkanne *f*; ~ **painting** Ölgemälde *n*; ~ **rig** Bohrturm *m*; ~ **slick** Ölteppich *m*; ~ **well** Ölquelle *f*; '~**y** ölig; fettig; schmierig

ointment ['ɔɪntmənt] Salbe *f*

O.J. [oʊˈdʒeɪ] *Abk. für **orange juice*** O-Saft *m* (*Orangensaft*)

OK 1. *Abk. für* Oklahoma; **2.** → *okay*

okay [oʊˈkeɪ] **1.** O.K., o.k., okay, in Ordnung, richtig, genehmigt; **2.** Genehmigung *f*, O.K. *n*; **3.** genehmigen

okey-dokey [oʊkiːˈdoʊkiː] o.k., in Ordnung

old [oʊld] alt; *the* ~ *country* die alte Heimat; Europa *n*; ~ **age** (das) Alter; '~-**age** Alters...; ~-'**fashioned** altmo-

disch; ♀ **Glory** die amerikanische Fahne; ~ **timer** alter
Mann

olive ['ɑːlɪv] Olive *f;* Olivgrün
n

Olympic Games [oʊ'lɪm-
pɪk-] *pl* Olympische Spiele
pl

omelette ['ɒmlət] Ome-
lett(e *f) n*

ominous ['ɑːmɪnəs] unheil-
voll

omi|ssion [oʊ'mɪʃn] Unter-
lassung *f;* Auslassung *f;* **~t**
unterlassen; auslassen

on [ɑːn] **1.** *prp* auf (~ **the table**, ~ **the street**); an (~ **the
wall**); in (~ **TV**); *Richtung,
Ziel:* auf ... (hin), an; *fig.* auf
... (hin) (~ **demand**); *gehörig
zu, beschäftigt* bei; *Zustand:*
in, auf, zu (~ **duty,** ~ **fire**);
Thema: über; *Zeitpunkt:* an
(~ **Sunday,** ~ **the 1st of
April**); **2.** *adv, adj* Licht *etc.:*
an(geschaltet), eingeschal-
tet; auf(legen, -schrauben
etc.); *Kleidung:* an(haben,
-ziehen), auf(behalten); wei-
ter(gehen, -sprechen *etc.*);
and so ~ und so weiter; **~
and ~** immer weiter; *thea.*
gespielt werden; *Film:* laufen

once [wʌns] **1.** einmal;
je(mals); einst; ~ **again,** ~
more noch einmal; **at ~** sofort; zugleich; **all at ~** plötzlich; **for ~** diesmal, aus-
nahmsweise; **2.** sobald

one [wʌn] *adj, pron, s* ein(e);
einzig; man; eins; Eins *f;* ~
day eines Tages; ~ **of these
days** demnächst; ~ **by** ~ einer nach dem andern; ~
another einander; **which ~?**
welche(r), ~s die welche(r), ~s
die Kleinen; **~-night stand**
einmaliges Gastspiel (*a. se-
xuelles Abenteuer*); **~'self**
pron sich (selbst); **'~-shot**
einmalig; **~'sided** einseitig;
~-track mind: *he has a ~* er
denkt immer nur an das eine; **'~-way street** Einbahnstraße *f;* **~-way ticket** ein-
fache Fahrkarte

onion ['ʌnjən] Zwiebel *f;*
'~skin Postpapier *n*

on|line ['ɒnlaɪn] *Computer:*
online...; **'~looker** Zuschau-
er(in)

only ['oʊnlɪ] **1.** *adj* einzig; **2.**
adv nur; bloß; erst; ~ **just** gerade erst

'on-ramp Autobahnauffahrt *f*

onto ['ɒntʊ, '~ə] auf

onward ['ɒnwəd] vorwärts
gerichtet; **'~(s)** vorwärts,
weiter; **from ... ~** von ... an

oodles ['uːdlz] F Unmengen
pl; ~ **of money** ein Haufen
Geld

ooze [uːz] sickern

opaque [oʊ'peɪk] undurch-
sichtig

op-ed ['ɑːped] *Abk. für*
Opposite Editorial page
Meinungsseite *f (e-r Zei-
tung)*

open ['oupən] **1.** offen; geöffnet; auf; *Feld etc.*: frei; öffentlich; aufgeschlossen (**to** für); freimütig; *in the ~ air* im Freien; **2.** (er)öffnen; sich öffnen, aufgehen; *Fenster*: hinausgehen (**onto** auf); *Tür*: sich öffnen (**onto**, **into** zum, zur); beginnen; **~-'air** Freilicht..., Freiluft...; **~ bar** *Bar, bei der kostenlose Getränke ausgegeben werden, z.B. auf e-m Empfang*; **~-faced** belegtes Brot; **~ house** Tag *m* der offenen Tür; **'~ing** Eröffnung *f*; Öffnung *f*; freie Stelle; Möglichkeit *f*; **'~ly** offen; **~-'minded** aufgeschlossen

operate ['ɑːpəreit] funktionieren, laufen; *med.* operieren (**on s.o.** j-n); *Maschine* bedienen; betätigen; **'~ing room** *med.* Operationssaal *m*; **'~ing system** *Computer*: Betriebssystem *n*; **~ion** [~'reiʃn] Operation *f*; Unternehmen *n*; *tech.* Betrieb *m*; **'~or** *econ.* Bedienungsperson *f*; *Computer*: Operator *m*; *tel.* Vermittlung *f*

opinion [ə'pinjən] Meinung *f*; *in my ~* meines Erachtens

opossum [ə'pɑːsəm] Opossum *n*, Beutelratte *f*

opponent [ə'pounənt] Gegner *m*, Gegenspieler *m*

opportune [ɑːpə'tuːn] günstig; **~ity** [~'tuːnəti] (günstige) Gelegenheit

oppose [ə'pouz] ablehnen; bekämpfen; **be ~d to ...** gegen ... sein; *as ~d to* im Gegensatz zu; **~ite** ['ɑːpəzit] **1.** *adj* gegenüberliegend; entgegengesetzt; **2.** *adv* gegenüber; **3.** *s* Gegenteil *n*; **~ition** [ɑːpə'ziʃn] Widerstand *m*; Gegensatz *m*; Opposition *f*

optician [ɑːp'tiʃn] Optiker(in)

optimism ['ɑːptimizəm] Optimismus *m*

option ['ɑːpʃn] Wahl *f*; *econ.* Option *f*; **~al** ['ɑːpʃənl] freiwillig; wahlfrei

OR *Abk. für* Oregon

or [ɔːr] oder; **~ else** sonst

oral ['ɔːrəl] mündlich; Mund...

orange ['ɔːrindʒ] **1.** Orange *f*, Apfelsine *f*; **2.** orange(farben)

orbit ['ɔːrbit] **1.** (die Erde) umkreisen; **2.** Umlaufbahn *f*

orchard ['ɔːrtʃərd] Obstgarten *m*

orchestra ['ɔːrkəstrə] Orchester *n*

orchid ['ɔːrkid] Orchidee *f*

ordeal [ɔːr'diːl] Qual *f*

order ['ɔːrdər] **1.** Ordnung *f*; Reihenfolge *f*; Befehl *m*; *econ.*: Bestellung *f*; Auftrag *m*; Klasse *f*, Rang *m*; Zustand *m*; Orden *m* (*a. rel.*); *in ~ to* um zu; *in ~ that* damit; *out of ~* außer Betrieb; **2.** (an-, *med.* ver)ordnen; befehlen; bestellen; *j-n* schicken; '**~ly 1.** ordentlich; *fig.* ruhig; **2.** *mil.* Sanitäter *m*

ordinary ['ɔːdnərɪ] gewöhnlich; üblich; normal

organ ['ɔːgən] Orgel *f*; Organ *n*; **~ic** [ɔːˈgænɪk] organisch; biologisch-dynamisch; Bio...

organiz|ation [ɔːgənaɪˈzeɪ-ʃn] Organisation *f*; **~e** ['~naɪz] organisieren

origin ['ɒrɪdʒɪn] Ursprung *m*; Anfang *m*; Herkunft *f*; **~al** [əˈrɪdʒənl] **1.** ursprünglich; originell; Original...; **2.** Original *n*; **~ality** [ərɪdʒəˈnælətɪ] Originalität *f*; **~ate** [əˈrɪdʒəneɪt] hervorbringen, schaffen; entstehen

ornate [ɔːˈneɪt] reich verziert

orphan ['ɔːfn] Waise *f*; '**~age** Waisenhaus *n*

other ['ʌðə] andere(r, -s); **the ~ day** neulich; **every ~ day** jeden zweiten Tag; **~wise** ['~waɪz] sonst; anders; anderweitig

ouch [aʊtʃ] autsch, au

ought [ɔːt] *v/aux ich, du etc.:* sollte(st) *etc.;* **you ~ to have done it** Sie hätten es tun sollen

ounce [aʊns] Unze *f* (28,35 *g*)

our ['aʊə] unser(e); '**~s** unsere(r, -s); **~selves** [~'selvz] uns (selbst); wir selbst

out [aʊt] **1.** *adv* aus; heraus; aus(...); außen, draußen; nicht zu Hause; *Sport:* aus; aus der Mode; vorbei; erloschen; aus(gegangen), verbraucht; bis zu Ende; **2.** *prp:* **~ of** aus ... (heraus); hinaus; außer(halb); (hergestellt) aus; aus *Furcht etc.;* **be ~ of s.th.** et. nicht mehr haben

out|age ['aʊtɪdʒ] (*Strom- etc.*)Ausfall *m*; '**~asight** super; **~bid** (*-bid*) überbieten...; '**~board 1.** Außenbord...; **2.** Außenbordmotor *m*; Boot *n* mit Außenbordmotor; '**~break**, '**~burst** Ausbruch *m*; '**~cast** Ausgestoßene *m*, *f*; '**~come** Ergebnis *n*; **~dated** überholt, veraltet; '**~do** (*-did, -done*) übertreffen; '**~door** *adj* im Freien; '**~doors** *adv* draußen, im Freien

outer ['aʊtə] äußere(r, -s); '**~ space** Weltraum *m*

out|fit Ausrüstung *f*; Kleidung *f*; '**~grow** (*-grew, -grown*) herauswachsen aus; *Gewohnheit* ablegen; '**~house** Außentoilette *f*; '**~ing** Ausflug *m*; '**~let** Abzug *m*, Abfluss *m*; *electr.* Anschluss *m*, Steckdose *f*; *fig.* Ventil *n*; '**~line 1.** Umriss *m*; **2.** umreißen, skizzieren; '**~live** überleben; '**~look** Ausblick *m* (*a. fig.*); Einstellung *f*; **~of-'date** veraltet; '**~-of-sight** → **outa-sight**; **~-of-the-'way** abge-

legen; '~**patient** ambulanter
Patient; '~**put** Produktion f;
Computer: (Daten)Ausgabe
f

outrage ['aʊtreɪdʒ] **1.** Ver-
brechen n; **2.** gröblich verletzen; ~**ous** [~'reɪdʒəs] abscheulich; unerhört

out|right 1. [aʊt'raɪt] adv so-
fort; gerade heraus; **2.** ['~]
adj völlig; glatt; '~**set** Anfang m; ~**side 1.** [~'saɪd] s
Außenseite f; Äußere n; **2.**
['aʊt~] adj äußere(r, -s), äu-
ßen...; **3.** [~'saɪd] adv draußen; her-, hinaus; **4.** [~'saɪd]
prp außerhalb; ~**sider** Au-
ßenseiter(in); '~**skirts** pl
Stadtrand m; ~**spoken** offen, unverblümt; ~**standing**
hervorragend; Schulden:
ausstehend; ~**ward** [~'wɔːd]
1. adj äußere(r, -s); äußerlich; **2.** adv mst ~**s** (nach)
auswärts, nach außen;
~**weigh** überwiegen; ~**wit**
überlisten

oval ['oʊvl] **1.** oval; **2.** Oval n;
♀ Office Büro des Präsiden-
ten im Weißen Haus

ovary ['oʊvəri] Eierstock m

oven ['ʌvn] Backofen m

over ['oʊvər] **1.** prp über;
über ... hin(weg); über ...
hinüber; darüber; herüber;
drüben; über(kochen etc.);
um(fallen, -werfen etc.); he-
rum(drehen etc.); durch(denken etc.); (gründlich) über
(-legen etc.); übrig; zu Ende,

vorüber, vorbei, aus; all ~
überall; typisch für (all)
again noch einmal, (ganz)
von vorn

over|all ['oʊvərɔːl] **1.** Ge-
samt...; allgemein; insgesamt; **2.** Arbeitsanzug m;
'~**board** über Bord; ~**cast**
bewölkt, bedeckt; ~**charge**
zu viel verlangen; überbe-
lasten; ~**coat** Mantel m;
~**come** (-came, -come)
überwinden; -wältigen;
übermannen; ~**crowded**
überfüllt; ~**do** (-did, -done)
übertreiben; ~**done** zu lange gekocht od. gebraten;
'~**dose** Überdosis f; ~**draft**
(Konto)Überziehung f;
~**draw** (-drew, -drawn)
Konto überziehen; ~**due**
überfällig; ~**easy** Spiegelei:
auf beiden Seiten leicht gebraten; ~**estimate** [oʊvər-
'estɪmət] überschätzen;
überbewerten; ~**expose**
[oʊvərɪk'spoʊz] überbelich-
ten; ~**flow** überfluten; überlaufen; übergroß; ~**grown**
überwachsen; übergroß; ~**haul** tech.
überholen; ~**head 1.** [~'hed]
adv oben; **2.** ['~hed] adj
Hoch..., Ober...; ~**hear**
(-heard) mit anhören;
~**joyed** überglücklich; ~**lap**
sich überschneiden; überlappen; ~**load** überladen;
~**look** Fehler übersehen;
überblicken; ~**ing** ... mit
Blick auf ...; ~**medium**

Spiegelei: auf beiden Seiten gebraten; **~'night 1.** *adj* Nacht..., Übernachtungs...; **2.** *adv* über Nacht; **stay ~** übernachten; **~'pass** überwältigen; **~'rate** überschätzen; **~'rule** ablehnen; **~'run (-ran, -run)** Zeit überziehen; **~'seas** *od.* nach Übersee; **Übersee...; ~'see (-saw, -seen)** beaufsichtigen; **~'sight** Versehen *n*; **~'sleep (-slept)** verschlafen; **~throw 1.** [~'θrou] **(-threw, -thrown)** stürzen; **2.** ['~θrou] Sturz *m*; **~time** Überstunden *pl*; **~'turn** umwerfen, umkippen; **'~weight** Übergewicht *n*; **~'well** *Spiegelei*: auf beiden Seiten durchgebraten; **~whelm** [~'welm] überwältigen; **~work**

1. ['ouvər-] Überarbeitung *f*; **2.** [~'wɜːrk] sich überarbeiten

owe [ou] schulden; verdanken

owl [aul] Eule *f*

own [oun] **1.** eigen; **on one's ~** allein; selbst; **2.** besitzen; zugeben

owner ['ounər] Eigentümer(in); **'~ship** Eigentum(srecht) *n*

oxford ['ɑːksfərd] *Art* Baumwolloberhemd *n*; **~** (Schnür)Halbschuhe *pl*

oxygen ['ɑːksɪdʒən] Sauerstoff *m*

oyster ['ɔɪstər] Auster *f*

oz *Abk. für* **ounce, ounces** Unze *f*, Unzen *pl*

ozone ['ouzoun] Ozon *m, n*; **~ hole** Ozonloch *n*; **~ layer** Ozonschicht *f*; **~ levels** Ozonwerte *pl*

P

PA *Abk. für* Pennsylvania; *Abk. für* **public address system** Lautspecheranlage *f*

pace [peɪs] **1.** Schritt *m*; Tempo *n*; **2.** (ab-, durch)schreiten; **'~maker** (*med.* Herz-) Schrittmacher *m*

Pacific [pə'sifik] Pazifik *m*

pacifier ['pæsɪfaɪr] Schnuller *m*

pacify ['pæsɪfaɪ] beruhigen; befrieden

pack [pæk] **1.** Pack(en) *m*, Päckchen *n*, Paket *n*; Karten: Spiel *n*; Zigaretten etc.: Packung *f*. Schachtel *f*; **2.** (ver-ein)packen; F Waffe bei sich tragen; **~age** Paket *n*; Computer: Programmpaket *n*; **~ store** Spirituosengeschäft *n*; **~ tour** Pauschalreise *f*; **~ rat** zo. Packratte *f*; leidenschaftlicher Sammler

pad [pæd] **1.** Polster *n*;

Schreib-, Zeichenblock m; F (Studenten- etc.) Bude f; **2.** (aus)polstern; *in betrügerischer Absicht höhere Rechnung ausstellen*; '**~ding** Polsterung f

paddle ['pædl] **1.** Paddel n; Tischtennisschläger n: paddeln; **~ wheel** Schaufelrad n

paddy wagon ['pædiwægən] Gefangenentransportwagen m (der Polizei)

padlock ['pædlɔk] Vorhängeschloss n

page [peidʒ] (Buch)Seite f; (Hotel)Page m; '**~r** Funkrufempfänger m, F Piepser m

paid [peid] pret u. pp von **pay** 2

pail [peil] Eimer m

pain [pein] Schmerz(en pl) m; pl große Mühe; **he is a ~ in the ass** er nervt mich; '**~ful** schmerzhaft; schmerzlich; peinlich; '**~less** schmerzlos; '**~staking** [~zteikiŋ] gewissenhaft

paint [peint] **1.** Farbe f; Anstrich m; **2.** (an-, be)malen; (an)streichen; **~ the town red** F e-n draufmachen; '**~brush** (Maler)Pinsel m; '**~er** Maler(in); '**~ing** Malen n, Malerei f; Gemälde n, Bild n

pair [per] Paar n; **a ~ of** ein Paar ...; ein(e) ...

pajamas [pəˈdʒɑːməz] pl Schlafanzug m

pal [pæl] F Kumpel m, Kamerad m, Freund m

palate ['pælət] Gaumen m

pale [peil] blass, bleich; hell

palm [pɑːm] Handfläche f; Palme f; **~etto** Zwergpalme f

pamper ['pæmpər] verwöhnen; verhätscheln

pamphlet ['pæmflit] Broschüre f

pan [pæn] Pfanne f; Backblech n; '**~cake** Pfannkuchen m

panel ['pænl] (Tür)Füllung f, (Wand)Täfelung f; Diskussionsteilnehmer pl; **~ truck** mot. Lieferwagen m; '**~ing** Täfelung f

panhandle ['pænhændl] **1.** Pfannenstiel m; schmaler Fortsatz (e-s Staatsgebiets); **2.** betteln, schnorren

panic ['pænik] **1.** Panik f; **2.** in Panik geraten

pansy ['pænzi] Stiefmütterchen n

panther ['pænθər] Puma m; Leopard m

panties ['pæntiz] pl (Damen)Slip m

panti|hose ['pæntihouz] Strumpfhose f; '**~liner** Slipeinlage f

pantry ['pæntri] Speise-, Vorratskammer f

pants [pænts] pl Hose f

papa ['pɑːpə] Papa m

paper ['peɪpər] **1.** Papier *n*; Zeitung *f*; Aufsatz *m*, Referat *n*; *pl* (Ausweis)Papiere *pl*; **2.** tapezieren; **~back** Taschenbuch *n*; **~ bag** Tüte *f*; **~ clip** Büroklammer *f*; **~ cup** Pappbecher *m*; **~weight** Briefbeschwerer *m*; **~work** Schreibarbeit(en *pl*) *f*

paprika [pə'priːkə] Paprika *m* (*Gewürz*)

Pap test ['pæptest] **, ~ smear** *med.* Abstrich *m*

parachute ['pærəʃuːt] Fallschirm *m*; **~ist** Fallschirmspringer(in)

parade [pə'reɪd] **1.** Parade *f*; Zurschaustellung *f*; **2.** vorbeimarschieren; zur Schau stellen

paragraph ['pærəgræf] *print.* Absatz *m*; Zeitungsnotiz *f*

paralegal ['pærəli:gəl] Anwaltsgehilfe *m*, -in *f*

parallel ['pærəlel] **1.** parallel; **2.** Parallele *f*; Breitenkreis *m*

paralysis [pə'rælɪsɪs] (*pl* **-ses** [~siːz]) Lähmung *f*; **~ze** ['pærəlaɪz] lähmen

paramedic [pærə'medɪk] medizinische(r) Assistent (-in), Sanitäter *m*

paraphernalia [pærəfər'neɪlɪə] Zubehör *n*; Drum u. Dran *n*

parasite ['pærəsaɪt] Schmarotzer *m*

pardner ['pɑːrdnər] *humor.* F Freund *m*, Kumpel *m*; **howdy ~** hallo Kumpel!

pardon ['pɑːrdn] **1.** verzeihen; begnadigen; Verzeihung *f*; Begnadigung *f*; **I beg your ~** entschuldigen Sie bitte!; wie bitte?; erlauben Sie mal!

parent ['perənt] Elternteil *m*; *pl* Eltern *pl*; **~al** [pə'rentl] elterlich

park [pɑːrk] **1.** Park *m*, Anlagen *pl*; **2.** parken

parking ['pɑːrkɪŋ] Parken *n*; **no ~** Parken verboten; **~ garage** Parkhaus *n*; **~ lot** Parkplatz *m*; **~ meter** Parkuhr *f*; **~ place** Parkplatz *m*; **~ ticket** Strafzettel *m*

parlay [pɑːr'leɪ] aus *et.* Kapital schlagen

parlor ['pɑːrlər] Salon *m*; **~ car** *rail.* Salonwagen *m*

parquet [pɑːr'keɪ] Parkett *n*

parrot ['pærət] Papagei *m*

parsley ['pɑːrslɪ] Petersilie *f*

part [pɑːrt] **1.** trennen; *Haar* scheiteln; sich trennen (**with** von); **2.** (An-, Bestand)Teil *m*; Seite *f*, Partei *f*; *thea.*, *fig.* Rolle *f*; *tech.* Teil *n*; Scheitel *m*; **take ~ in** teilnehmen an

partial ['pɑːrʃl] teilweise, Teil...; parteiisch; **be ~ to** eine Schwäche haben für; **~ity** [pɑːrʃɪ'ælətɪ] Parteilichkeit *f*; Vorliebe *f*, Schwäche *f*

participant [pɑːr'tɪsɪpənt] Teilnehmer(in), **~ate** [~peɪt] teilnehmen; **~ation** [~'peɪʃn] Teilnahme *f*

particle ['pɑːrtɪkl] Teilchen *n*

particular [pər'tɪkjələr] **1.** besondere(r, -s); genau, eigen; wählerisch; **in ~** besonders; **2.** Einzelheit f; pl: Einzelheiten pl; Personalien pl; **~ly** besonders

partition [pɑː'tɪʃn] Teilung f; Trennwand f

'**partly** zum Teil

'**partner** [-tnər] Partner(in); '**~ship** Partnerschaft f

'**part-time** Teilzeit..., Halbtags...

party ['pɑːtɪ] Partei f; Party f, Gesellschaft f; Gruppe f

pass [pæs] **1.** vorbeigehen an, -fahren an, -kommen an, -ziehen an; überholen (a. mot.); überschreiten; durchqueren; reichen, geben; Zeit verbringen; Ball abspielen; Prüfung bestehen; v/i vorbeigehen, -fahren, -kommen, -ziehen (**by** an); (die Prüfung) bestehen; übergehen (**to** auf); Zeit: vergehen; **~ around** herumreichen; **~ away** sterben; **~ for** gelten als; **~ out** ohnmächtig werden; **2.** (Gebirgs)Pass m; Passierschein m; Sport: Pass m; Bestehen n (e-s Examens)

passage ['pæsɪdʒ] Durchgang m; Durchfahrt f; (Über)Fahrt f; Korridor m, Gang m; (Text)Stelle f

passbook ['pæsbʊk] Kontobuch n; Sparbuch n

passenger ['pæsɪndʒər] Passagier m, Reisende m, f

passer-by [pɑːsər'baɪ] (pl **passers-by**) Passant(in)

passion ['pæʃn] Leidenschaft f; '**~ate** [-ət] leidenschaftlich

passive ['pæsɪv] passiv; teilnahmslos; untätig

pass|port ['pɑːspɔːt] (Reise)Pass m; '**~word** Parole f, Losung(swort n) f, Computer: Kennwort n

past [pɑːst] **1.** s Vergangenheit f; **2.** adj vergangen, vorüber; **3.** adv vorbei, vorüber; **4.** prp zeitlich: nach; an ... vorbei; über ... hinaus

pasta ['pæstə] Teigwaren pl

paste [peɪst] **1.** Teig m; Paste f; Kleister m; **2.** (auf-, an-) kleben

pastime ['pɑːstaɪm] Zeitvertreib m

pastrami [pə'strɑːmɪ] geräuchertes Rindfleisch

pastry ['peɪstrɪ] (Fein)Gebäck n

pasture ['pɑːstʃər] Weide(land n) f

patch [pætʃ] **1.** Fleck m; Flicken m; **2.** flicken; '**~work** Patchwork n; Flickwerk n

patent ['peɪtnt] **1.** Patent n; **2.** patentieren lassen; **3.** patentiert; Patent..., Spezial...; **~ leather** Lackleder n

path [pɑːθ] (pl **~s** [-ðz]) Pfad m; Weg m

pathetic [pə'θetɪk] Mitleid

erregend; kläglich; erbärmlich

patien|ce ['peɪʃns] Geduld f;
'~t 1. geduldig; 2. Pati-
ent(in)

patrol [pəˈtrəʊl] 1. Patrouille
f; (Polizei)Streife f; 2. (ab-)
patrouillieren; ~ car Strei-
fenwagen m; ~man (pl
-men) Streifenpolizist m; ~
wagon Gefangenentrans-
portwagen m (der Polizei)

pattern ['pætərn] Muster n

patty ['pætɪ] verformte
Portion Rinderhack (für
Hamburger)

pause [pɔːz] 1. Pause f; 2. e-e
Pause machen

pave [peɪv] pflastern; fig. Weg
ebnen; '~ment Pflaster n

paw [pɔː] Pfote f, Tatze f

pawn [pɔːn] 1. Pfand n; 2.
verpfänden; '~broker
Pfandleiher m; '~shop Leih-
haus n

pay [peɪ] 1. (Be)Zahlung f;
Lohn m; Sold m; 2. (paid)
(be)zahlen; (be)lohnen; sich
lohnen; Besuch abstatten;
Aufmerksamkeit schenken;
~ for (für j-n, et.) büßen,
büßen müssen für; '~able
zahlbar; fällig; '~check
Lohn-, Gehaltsscheck m;
'~day Zahltag m; '~ hike Gehaltserhöhung f; '~ment (Be-)
Zahlung f; ~ phone Münzete-
lefon n; ~ roll Lohnliste f

PC [piːˈsiː] Abk. für personal

computer PC m; Abk. für
politically correct politisch
korrekt; Abk. für Peace
Corps Peace Corps n

PD Abk. für Police Department Polizeidirektion f

pdq [piːdiːˈkjuː] Abk. für
pretty damn quick sl. auf
die Schnelle

pea [piː] Erbse f

peace [piːs] Friede(n) m;
Ruhe f; '~ful friedlich

peach [piːtʃ] Pfirsich m

peacock ['piːkɒk] Pfau m

peak [piːk] Spitze f; Gipfel m;
Höhepunkt m; Mützen-
schirm m; Spitzen...,
Höchst...; ~ hours pl Haupt-
verkehrs-, Stoßzeit f

peanut [piːnʌt] Erdnuss f; ~
butter Erdnussbutter f; ~s
Kleinigkeit f

pear [peə] Birne f

pearl [pɜːl] Perle f

pebble ['pebl] Kiesel(stein)
m

peculiar [pɪˈkjuːljər] ei-
gen(tümlich); besondere(r,
-s); seltsam; ~ity [~lɪˈærətɪ]
Eigenheit f, Eigentümlich-
keit f

pedal ['pedl] 1. Pedal n; 2.
(mit dem Rad) fahren

peddle ['pedl] hausieren gehen (mit); '~r Hausierer m

pedestrian [pɪˈdestrɪən]
Fußgänger m; ~ mall Fuß-
gängerzone f

pedigree ['pedɪgriː] Stamm-
baum m

ped xing [pɪ'destrɪən-
'kra:sɪŋ] *Abk. für* **pedestrian crossing** Fußgänger-
übergang *m*

pee [pi:] F Pipi *n*

peel [pi:l] **1.** Schale *f*; **2.** (sich)
(ab)schälen

peg [peg] Pflock *m*; Zapfen
m; Kleiderhaken *m*

pelvis ['pelvɪs] (*pl* **~es, pel-
ves** [~vi:z]) *anat.* Becken *n*

pen [pen] (Schreib)Feder *f*;
Federhalter *m*; Füller *m*; Ku-
gelschreiber *m*

penal ['pi:nl] Straf...; **~ize**
['~əlaɪz] bestrafen; **~ty**
['penltɪ] Strafe *f; Sport:*
Strafpunkt *m*; **~ (kick)** Straf-
stoß *m*

pencil ['pensl] Bleistift *m*;
Farbstift *m*; **~ pusher** F Bü-
rohengst *m*

pendant ['pendənt]
(*Schmuck*)Anhänger *m*

pending ['~ɪŋ] **1.** *adj jur.* schwebend;
2. *prp* während; bis zu

penetrate ['penɪtreɪt]
durch-, vordringen; eindringen (in); **~ion** [~'treɪʃn]
Durch-, Eindringen *n*

peninsula [pə'nɪnsələ] Halb-
insel *f*

penitentiary [penɪ'tenʃərɪ]
Strafvollzugsanstalt *f*

penniless ['penɪlɪs] mittellos

penny ['penɪ] Centstück *n*; **~
ante** ['~æntɪ] F kleine Fische

pen pal Brieffreund(in)

pension ['penʃn] **1.** Rente *f*;
Pension *f*; **2. ~ off** pensionie-

ren; **~er** ['~ʃənər] Rent-
ner(in)

pensive ['pensɪv] nachdenklich

Pentagon ['pentəgɑːn] *das*
Pentagon (*Verteidigungsmi-
nisterium der USA*)

Pentecost ['pentɪkɔːst]
Pfingsten *n*

penthouse ['penthaʊs]
Dachterrassenwohnung *f*,
Penthouse *n*

people ['pi:pl] *mst pl konstr.:*
Volk *n*, Nation *f; pl konstr.:*
(die) Leute *pl*; man

pepper ['pepər] **1.** Pfeffer *m*;
2. pfeffern; **~mint** Pfefferminze *f*; Pfefferminzbonbon
m, n

perceive [pər'si:v] (be)mer-
ken, wahrnehmen; erkennen

per| cent [pər'sent] Prozent
n; **~'centage** Prozentsatz *m*

perch [pɜːrtʃ] *Vogel:* sitzen

percussion [pər'kʌʃn] *mus.*
Schlagzeug *n*; **~ instrument**
Schlaginstrument *n*

perfect **1.** ['pɜːrfɪkt] vollkommen, vollendet, perfekt;
völlig; **2.** [pər'fekt] vervoll-
kommnen; **~ion** [~'fekʃn]
Vollendung *f*, Vollkommen-
heit *f*

perform [pər'fɔːrm] ausführen, tun; *thea., mus.* aufführen,
spielen, vortragen;
~ance *thea., mus.* Aufführung *f*, Vorstellung *f*, Vortrag
m; Leistung *f*; **~er** Künst-
ler(in)

perfume 202

perfume ['pɜːrfjuːm] Duft m;
Parfüm n
perhaps [pərˈhæps] vielleicht
perimeter [pəˈrɪmɪtər] math.
Umkreis m
period ['pɪrɪəd] Periode f (a.
physiol.); Zeitraum m;
Punkt m; (Unterrichts-)Stun-
de f; ~ic [~ˈɑːdɪk] periodisch; ~ical 1. periodisch;
2. Zeitschrift f
perish ['perɪʃ] umkommen;
verderben, schlecht werden;
'~able leicht verderblich
perjury ['pɜːrdʒərɪ] Meineid
m

perk [pɜːrk] mst pl (zusätzli-
che) Vergünstigung
permanent ['pɜːrmənənt]
dauernd, ständig; dauerhaft
permi|ssion [pərˈmɪʃn] Er-
laubnis f; ~t 1. [~t] erlauben;
2. ['pɜːrmɪt] Genehmigung f
perpendicular [pɜːrpən-
ˈdɪkjələr] senkrecht
perpetual [pərˈpetʃʊəl] fort-
während, ewig
persecut|e ['pɜːrsɪkjuːt] ver-
folgen; ~ion [~ˈkjuːʃn] Verfolgung f
persnickety [pərˈsnɪkətɪ] F
pingelig, pedantisch
person ['pɜːrsn] Person f;
Mensch m; ~al persönlich;
privat; ~ computer Perso-
nalcomputer m, PC m; ~
stereo Walkman® m; ~ality
[~səˈnælətɪ] Persönlichkeit
f; ~ify [pərˈsɑːnɪfaɪ] verkör-
pern; personifizieren

personnel [pɜːrsəˈnel] Personal n, Belegschaft f; ~ manager Personalchef m
persua|de [pərˈsweɪd] über-
reden; ~sion [~ʒn] Überredung(skunst) f;
~sive überzeugend
pesky ['peskɪ] F verdammt,
vertrackt
pest [pest] Plage f; Nervensäge f; Schädling m; ~ control
Schädlingsbekämpfung f;
~er belästigen, plagen
pesticide ['pestɪsaɪd] Schäd-
lingsbekämpfungsmittel n
pet [pet] 1. Haustier n; Liebling m; Lieblings...; 2. streicheln, liebkosen, schmusen
petal ['petl] Blütenblatt n
petition [pəˈtɪʃn] 1. Bitt-
schrift f; Gesuch n; 2. ersuchen; ein Gesuch einreichen
pet shop Zoohandlung f
petting zoo Streichelzoo m
petty ['petɪ] geringfügig, unbedeutend; kleinlich; ~ cash
Portokasse f
pewter ['pjuːtər] Zinn n
pharmacy ['fɑːrməsɪ] Apo-
theke f
phase [feɪz] Phase f
Ph.D. [piːeɪtʃˈdiː] Abk. für
Doctor of Philosophy etwa
Dr. phil.
pheasant ['feznt] Fasan m
phenomenon [fəˈnɑːmɪnən]
(pl -na [~nə]) Phänomen n,
Erscheinung f
philosoph|er [fɪˈlɑːsəfər]

Philosoph m; **~y** Philosophie
f

phone [foun] **1.** Telefon n; **2.**
telefonieren, anrufen; **~
card** Telefonkarte f

phony ['founi] F **1.** falsch, gefälscht, unecht; **2.** Schwind-
ler(in); Fälschung f

photo ['foutou] Foto n

photograph ['foutəgræf] **1.**
Fotografie f, Aufnahme f; **2.**
fotografieren; **~er** [fə'tɔː-
grəfər] Fotograf(in); **~y**
[~'tɑːgrəfi] Fotografie f

phrase [freiz] **1.** Redewendung f, idiomatischer Ausdruck; **2.** formulieren;
'**~book** Sprachführer m

physic|al ['fizikl] **1.** physisch,
körperlich; physikalisch; **~
handicap** Körperbehinde-
rung f; **2.** ärztliche Untersuchung; **~ian** [fi'ziʃn] Arzt m,
Ärztin f; **~ist** ['~sist] Physi-
ker(in); '**~s** sg Physik f

piano [pi'ænou] Klavier n

pick [pik] **1.** (Aus)Wahl f; **2.**
(auf)picken; auflesen,
-nehmen; pflücken; Knochen
abnagen; bohren in, sto-
chern in; aussuchen; **~ out**
(sich) et. auswählen; herausfinden; **~ up** aufheben, -le-
sen, -nehmen; aufpicken; F
et. aufschnappen; j-n (im Auto) mitnehmen; j-n abholen;
F   Mädchen   aufreißen;
'**~ax(e)** Spitzhacke f, Pickel
m

picket ['pikit] **1.** Pfahl m;

1. Streik-
posten m; **2.** Streik-
posten stehen; Streikposten
aufstellen

pickle ['pikl] **1.** saure Gurke,
Salzgurke f; **2.** (in Essig oder
Salz) einlegen

'**pick|pocket**   Taschen-
dieb(in); '**~-up** Kleinlastwa-
gen m

picnic ['piknik] Picknick n

picture ['piktʃər] **1.** Bild n;
Gemälde n; Bilder...; **2.** darstellen; sich et. vorstellen; **~
book** Bilderbuch n; **~ postcard** Ansichtskarte f

picturesque   [piktʃə'resk]
malerisch

pie [pai] Pastete f; gedeckter
Obstkuchen

piece [piːs] Stück n; (Einzel)Teil n; **by the ~** im Akkord; '**~meal** stückweise;
'**~work** Akkordarbeit f

pier [piər] Pfeiler m; Pier m,
Landungsbrücke f

pierce [piərs] durchbohren,
-stechen; durchdringen

pig [pig] Schwein n

pigeon ['pidʒin] Taube f;
'**~hole 1.** (Ablage)Fach n; **2.**
ablegen; zurückstellen

piggybank ['pigibæŋk] Spar-
schwein n

'**pig|headed**   dickköpfig;
'**~pen** Schweinestall m (a.
fig.); '**~skin** Schweinsleder
n; American Football; F Ball
m; '**~tail** Zopf m

pile [pail] **1.** Haufen m; Stapel
m, Stoß m; **2.** oft **~ up** (an-,

auf)häufen, (auf)stapeln, aufschichten; sich anhäufen
pile-up [ˈpaɪlʌp] F Massenkarambolage f
pill [pɪl] Pille f; Tablette f; **the ~** die (Antibaby)Pille
pillow [ˈpɪloʊ] (Kopf)Kissen n; '**~case** (Kopf)Kissenbezug m
pilot [ˈpaɪlət] **1.** Pilot m; Lotse m; Versuchs..., Pilot...; **~ project** Pilotprojekt n; **2.** lotsen; steuern
pimp [pɪmp] Zuhälter m
pimple [ˈpɪmpl] Pickel m
pin [pɪn] **1.** (Steck)Nadel f; tech. Stift m, Bolzen m; Kegel m; Brosche f; **2.** (an)heften, (an)stecken, befestigen; '**~ball machine** Flipper m
pinch [pɪntʃ] **1.** Kneifen n; Salz etc.: Prise f; **2.** kneifen, zwicken; Schuh: drücken; F klauen; '**~-hit** einspringen (**for** für)
pine [paɪn] **1.** Kiefer f; **2.** **~ for** sich sehnen nach; '**~apple** Ananas f
pink [pɪŋk] rosa(farben); '**~ie** der kleine Finger
'**pin|point** genau festlegen; '**~stripe** Nadelstreifen m
pint [paɪnt] Pint n (0,47 Liter); Milch, Bier: etwa halber Liter
'**pinwheel** Windrädchen n (Spielzeug)
pioneer [paɪəˈnɪr] Pionier m
pipe [paɪp] **1.** Rohr n; Pfeife f; (Rohr)Leitung f; **2.** Wasser

etc. leiten; **~d music** Musikberieselung f; '**~line** Rohr-, Ölleitung f, Pipeline f
pirate [ˈpaɪrət] **1.** Pirat m, Seeräuber m; **2.** unerlaubt nachdrucken od. vervielfältigen
pistachio [pɪˈstæʃioʊ] Pistazie f
piston [ˈpɪstən] Kolben m
pit [pɪt] Grube f; thea. (Orchester)Graben m; (Obst)Stein m
pitch [pɪtʃ] **1.** min. Pech n; Wurf m; Dach: Neigung f; mus. Tonhöhe f; Grad m, Stufe f; **2.** Zelt, Lager aufschlagen; werfen, schleudern; mus. stimmen; **~-'black** pechschwarz; stockdunkel
pitcher [ˈpɪtʃər] Krug m; Baseball: Werfer m
'**pitfall** fig. Falle f
pitiful [ˈpɪtɪfʊl] Mitleid erregend; erbärmlich (a. contp.)
pity [ˈpɪtɪ] **1.** Mitleid n; **it's a ~** es ist schade; **what a ~!** wie schade!; **2.** Mitleid haben mit
pizza [ˈpiːtsə] Pizza f; **~ parlor** Pizzeria f
pj's [piːˈdʒeɪz] Abk. für **pajamas** Pyjama m
place [pleɪs] **1.** Platz m; Ort m; Stelle f; **in ~ of** an Stelle von; **out of ~** fehl am Platz; **take ~** stattfinden; **in the first/second ~** erstens/zweitens; **2.** stellen, legen, setzen;

Auftrag erteilen; **~ mat** Platzdeckchen *n*, Set *m*, *n*

placid ['plæsid] sanft; ruhig

plague [pleig] **1.** Pest *f*; Plage *f*; **2.** plagen, quälen

plain [plein] **1.** einfach; unscheinbar; offen, ehrlich; klar, deutlich; **2.** Ebene *f*; **'~-clothes: in ~** in Zivil

plan [plæn] **1.** Plan *m*; **2.** planen; entwerfen; beabsichtigen

plane [plein] **1.** flach, eben; **2.** *math.* Ebene *f*; (ebene) Fläche; Flugzeug *n*; Hobel *m*; *fig.* Stufe *f*, Niveau *n*

planet ['plænit] Planet *m*

plank [plæŋk] Planke *f*, Bohle *f*, Diele *f*, Brett *n*

plant [plænt] **1.** Pflanze *f*; *tech.*: Anlage *f*; Fabrik *f*; **2.** (an-, ein-, be)pflanzen; (auf)stellen, postieren; **~ation** [plæk'teiʃn] Plantage *f*

plaque [plæk] Gedenktafel *f*; *med.* Zahnbelag *m*

plaster ['plæstər] **1.** Gips *m*; *med.* Pflaster *m*; (Ver)Putz *m*; **2.** verputzen; *fig.* vollkleistern, bepflastern; **'~ed** voll, zu (*betrunken*); **~ cast** Gipsabdruck *m*; *med.* Gipsverband *m*; **~ of Paris** Gips *m*

plastic ['plæstik] **1.** Plastik *n*, Kunststoff *m*; Plastik...; **2.** plastisch; **~ bag** Plastiktüte *f*; **~ money** Kreditkarten *pl*; **~ surgery** plastische Chirurgie

plate [pleit] **1.** Teller *m*, Platte *f*; (Bild)Tafel *f*; Schild *n*; **2.** plattieren; panzern

plateau [plæ'tou] Plateau *n*, Hochebene *f*

platform ['plætfɔːm] Plattform *f*; Bahnsteig *m*; Podium *n*; Parteiprogramm *n*

platinum ['plætinəm] Platin *n*

plausible ['plɔːzəbl] glaubhaft; *Lügner:* geschickt

play [plei] **1.** Spiel *n*; Schauspiel *n*, (Theater)Stück *n*; *tech.* Spiel *n*; *fig.* Spielraum *m*; **2.** spielen; *Sport:* spielen gegen; **~ down** *et.* herunterspielen; **'~act** *contp.* schauspielern; **'~back** Playback *n*; Wiedergabe *f*; **'~er** Spieler(in); (*Platten*)Spieler *m*; **'~ful** verspielt; **'~ground** Spielplatz *m*; Schulhof *m*; **'~ing field** Sportplatz *m*; **'~mate** Spielkamerad(in); **'~pen** Laufstall *m*; **'~thing** Spielzeug *n*; **~wright** ['~rait] Dramatiker *m*

plea [pliː] dringende Bitte; Appell *m*

plead [pliːd] bitten, ersuchen

pleasant ['pleznt] angenehm, erfreulich; freundlich

please [pliːz] (*j-m*) gefallen; zufrieden stellen; **~!** bitte!; **~d** erfreut; zufrieden

pleasure ['pleʒər] Vergnügen *n*, Freude *f*; **it's a ~** gern (geschehen)

pleat [pliːt] (Plissee)Falte *f*

pledge [pledʒ] **1.** Pfand *n*; *fig.* Unterpfand *n*; Versprechen *n*; **2.** verpfänden; versprechen, zusichern

plentiful ['plentifʊl] reichlich; '**~y** Fülle *f*, Überfluss *m*; **~ of** reichlich, e-e Menge; *that's* **~** das ist reichlich

pliers ['plaɪəz] *pl* (*a.* **a pair of ~**) (e-e) Zange

plot [plɒt] **1.** Stück *n* (Land); Plan *m*; Komplott *n*, Anschlag *m*; *Roman etc.*: Handlung *f*; **2.** planen; (Zünd)Kerze *f* *Computer*: Plotter *m*, Kurvenschreiber *m*, -zeichner *m*

plow [plaʊ] **1.** Pflug *m*; **2.** (um)pflügen

pluck [plʌk] **1.** Mut *m*; **2.** pflücken; rupfen; (aus)reißen

plug [plʌg] **1.** Dübel *m*, Stöpsel *m*, Zapfen *m*; *electr.* Stecker *m*; *mot.* (Zünd)Kerze *f*; F Schleichwerbung *f*; **2.** F Schleichwerbung machen für; **~ in** *electr.* einstöpseln, -stecken; **~ up** zu-, verstopfen

plum [plʌm] Pflaume *f*; Zwetsch(g)e *f*

plumb [plʌm] **1.** Lot *n*, Senkblei *n*; **2.** loten; '**~er** Klempner *m*, Installateur *m*; '**~ing** Installationen *pl*

plump [plʌmp] mollig

plunge [plʌndʒ] (ein-, unter-) tauchen; (sich) stürzen

plural ['plʊərəl] *gr.* Plural *m*, Mehrzahl *f*

plus [plʌs] **1.** plus, und; **2.** Plus *n*

plush [plʌʃ] **1.** Plüsch *m*; **2.** F vornehm, Nobel...

plywood ['plaɪwʊd] Sperrholz *n*

p.m. [pi:'em] *Abk. für post meridiem* = *after noon* bei *Uhrzeit*: nachmittags

pneumatic [nju:'mætɪk] pneumatisch, (Press)Luft...; **~ drill** Presslufthammer *m*

pneumonia [nju:'məʊnɪə] Lungenentzündung *f*

poach [pəʊtʃ] wildern; **~ed egg** pochiertes *od.* verlorenes Ei

P.O. Box [pi:əʊ'bɒks] *Abk. für* **Post Office Box** Postfach *n*

pocket ['pɒkɪt] **1.** (*Hosen etc.*)Tasche *f*; **2.** einstecken (*a. fig.*); '**~book** (Damen)Handtasche *f*; **~ calculator** Taschenrechner *m*; '**~knife** (*pl* **-knives**) Taschenmesser *n*

poem ['pəʊɪm] Gedicht *n*

poet ['pəʊɪt] Dichter *m*; **~ic** [~'etɪk] dichterisch; '**~ry** ['~ɪtrɪ] Dichtkunst *f*; Dichtung *f*; Gedichte *pl*

point [pɔɪnt] **1.** Spitze *f*; Punkt *m*, *math.* (Dezimal) Punkt *m*, Komma *n*; Kompassstrich *m*; Punkt *m*, Stelle *f*, Ort *m*; Zeitpunkt *m*, Augenblick *m*; springender Punkt; Pointe *f*; Zweck *m*, Ziel *n*; *pl rail.* Weiche *f*, *beside the* ~ nicht zur Sache gehörig; *to the* ~ zur Sache (gehörig), sachlich; *win on* ~s nach Punkten siegen; **2.** (zu)spitzen; ~ *at Waffe* richten auf; zeigen auf; ~ *out* zeigen, hinweisen auf; ~ *to* nach e-r Richtung weisen *od.* liegen; zeigen auf; hinweisen auf; '~ed spitz; *fig.*: scharf; deutlich; '~er Zeiger *m*; Zeigestock *m*; Vorstehhund *m*; '~less sinnlos; ~ *of view* Stand-, Gesichtspunkt *m*

poise [pɔız] **1.** Haltung *f*, (innere) Ausgeglichenheit; **2.** balancieren

poison ['pɔızn] **1.** Gift *n*; **2.** vergiften; '~ing Vergiftung *f*; ~ *ivy* Giftsumach *m*; '~ous giftig

poke [pouk] stoßen; schüren; stecken; stechen; stochern; '~r Schürhaken *m*

pol [pɑl] *Abk. für* **politician** F Politiker(in) *f*

polar ['poulər] polar, Polar...; ~ *bear* Eisbär *m*

pole [poul] Stange *f*, Mast *m*; (Sprung)Stab *m*; '~cat Stinktier *m*

police [pə'li:s] Polizei *f*; ~ *court erstinstanzliches Gericht für kleine Strafsachen*; ~man (*pl* -men) Polizist *m*; ~ *officer* Polizeibeamt|e *m*, -in *f*; ~ *station* Polizeiwache *f*, -revier *n*; ~woman (*pl* -women) Polizistin *f*

policy ['pɑləsı] Politik *f*;

Taktik *f*; (Versicherungs)Police *f*

polio ['pouliou] Polio *f*, Kinderlähmung *f*

polish ['pɑlıʃ] **1.** Politur *f*; Schuhcreme *f*; *fig.* Schliff *m*; **2.** polieren; *Schuhe* putzen

polite [pə'laıt] höflich; ~ness Höflichkeit *f*

politic|al [pə'lıtıkl] politisch; ~ian [pɑlı'tıʃn] Politiker(in); ~s ['pɑlıtıks] *sg, pl* Politik *f*

poll [poul] **1.** Umfrage *f*; Abstimmung *f*, *pol.* Wahl *f*; Wahlbeteiligung *f*; *pl* Wahllokale *pl*; **2.** befragen; *Stimmen* erhalten

pollen ['pɑlən] Blütenstaub *m*, Pollen *m*; ~ *count* Pollenkonzentration *f*

polliwog, pollywog ['pɑlıwɑg] Kaulquappe *f*

pollut|e [pə'lu:t] verschmutzen, -unreinigen; ~ion (Umwelt)Verschmutzung *f*

polyunsaturated [pɑlıʌn'sætʃəreıtıd] *Fettsäuren*: mehrfach ungesättigt

poncho ['pɑntʃou] Poncho *m*, Regenumhang *m*

pond [pɑnd] Teich *m*

ponder ['pɑndər] nachdenken (über)

pone [poun] Maisbrot *n*

pony ['pouni] Pony *n*; '~tail *Frisur:* Pferdeschwanz *m*

poodle ['pu:dl] Pudel *m*

pool [pu:l] **1.** Schwimmbad *n*; Swimmingpool *m*; (Gesamt)Einsatz *m*; **2.** zusammenlegen

pooped [puːpt] F völlig fertig, k.o., erledigt

poor [puə] **1.** arm(selig); dürftig; schlecht; **2.** *the ~ pl* die Armen *pl*; **~ boy** langes, belegtes Brötchen; '**~ly** ärmlich; schlecht

pop [pɒp] **1.** Knall *m*; Popmusik *f*; Pop...; F Limo *f*; F Paps (*Vater*); **2.** knallen; schnell *wohin* stecken; flitzen; **~ out** Feder *etc.*: herausspringen

poppy ['pɒpɪ] Mohn *m*

popul|ar ['pɒpjələr] volkstümlich; populär, beliebt; **~arity** [\~'lærətɪ] Popularität *f*, **~ation** [\~'leɪʃn] Bevölkerung *f*

porch [pɔːtʃ] Veranda *f*

porcupine ['pɔːkjʊpaɪn] Stachelschwein *n*

pore [pɔː] **1.** Pore *f*; **2.** *~ over et.* eifrig studieren

pork [pɔːk] Schweinefleisch *n*; **~ barrel** *politisch* berechnete Geldzuwendung der Regierung

porous ['pɔːrəs] porös

port [pɔːt] Hafen(stadt *f*) *m*; *Computer:* Anschluss(kanal) *m*, Port *m*

portable ['pɔːtəbl] tragbar

porter ['pɔːtər] (Gepäck-) Träger *m*; Schlafwagenschaffner *m*

portion ['pɔːʃn] (An)Teil *m*; *Essen:* Portion *f*

portrait ['pɔːtrət] Porträt *n*, Bild(nis) *n*

portray [pɔː'treɪ] darstellen

pose [pəʊz] **1.** Pose *f*; **2.** posieren; *Frage* aufwerfen; *Problem* darstellen; **~ as** sich ausgeben als

position [pə'zɪʃn] **1.** Position *f*; Lage *f*; Stelle *f*, Stellung *f*; Standpunkt *m*; **2.** aufstellen

positive ['pɒzətɪv] positiv; bestimmt; sicher; eindeutig

possess [pə'zes] besitzen; **~ion** Besitz *m*; **~ive** Besitz ergreifend

possib|ility [pɒsə'bɪlətɪ] Möglichkeit *f*; **~le** ['pɒsəbl] möglich; '**~ly** vielleicht

possum ['pɒsəm] Opossum *n*, Beutelratte *f*; *play ~* sich schlafend *od.* tot stellen

post [pəʊst] **1.** Pfosten *m*; Posten *m*: (An)Stellung *f*, Amt *n*; **2.** Brief *etc.* aufgeben; *Plakat etc.* anschlagen; postieren; '**~age** Porto *n*; '**~al** Post...; '**~card** Postkarte *f*; **~'date** vordatieren

poster ['pəʊstər] Plakat *n*

posterior [pɒ'stɪrɪər] F Hintern *m*

'**post|mark 1.** Poststempel *m*; **2.** (ab)stempeln: **~ mortem** [\~'mɔːrtəm] Autopsie *f*; **~ office** Post®(amt *n*) *f*

postpone [pəʊst'pəʊn] veraufschieben

posture ['pɒstʃər] (Körper)Haltung *f*; Stellung *f*

'postwar Nachkriegs...

pot [pɑːt] **1.** Topf m; Kanne f; sl. Marihuana n; **2.** eintopfen

potato [pə'teɪtou] (pl **-toes**) Kartoffel f; ~ **chips** pl Kartoffelchips pl

potent ['poʊtənt] stark

potential [pou'tenʃl] **1.** potentiell; **2.** Potential n

'pothole Schlagloch n

potluck [pɑːt'lʌk] Essen, zu dem jeder Gast ein Gericht mitbringt

potted plant ['pɑːtəd 'plænt] Topfpflanze f

pottery ['pɑːtərɪ] Töpferei f; Töpferwaren pl

potty ['pɑːtɪ] Töpfchen n; '~-trained sauber (Kleinkind)

pouch [paʊtʃ] Beutel m

poultry ['poʊltrɪ] Geflügel n

pound [paʊnd] **1.** Gewicht: Pfund n (454 g); **2.** hämmern; schlagen; (zer)stampfen; ~ **cake** reichhaltiger Früchtekuchen

pour [pɔːr] gießen; schütten; **it's ~ing (with rain)** es gießt in Strömen

poverty ['pɑːvərtɪ] Armut f

powder ['paʊdər] **1.** Pulver n; Puder m; **2.** pudern; ~ **room** Damentoilette f

power ['paʊər] **1.** Kraft f, Stärke f, Macht f; Fähigkeit f; electr. Strom m; **2.** antreiben; '~ful mächtig; stark; '~less macht-, kraftlos; ~ **plant** Kraftwerk n

PR [piː'ɑːr] Abk. für **public relations** PR, Public Relations pl, Öffentlichkeitsarbeit f

practical ['præktɪkl] praktisch; ~**ce** [~tɪs] **1.** Praxis f; Übung f; Brauch m; **2.** ausüben, praktizieren; üben

practitioner [præk'tɪʃənər]: **general ~** praktischer Arzt

prairie ['prerɪ] Prairie f; ~ **dog** Prairiehund m; ~ **oyster** Prairieauster f (scharf gewürztes Mixgetränk aus Eigelb und Weinbrand)

praise [preɪz] **1.** Lob n; **2.** loben; '~**worthy** lobenswert

prank [præŋk] Streich m

pray [preɪ] beten; ~**er** [prer] Gebet n; Andacht f

pre... [priː] vor..., Vor...

preach [priːtʃ] predigen; ~**er** ['priːtʃər] Prediger(in)

precarious [prɪ'kerɪəs] unsicher, bedenklich

precaution [prɪ'kɔːʃn] Vorsichtsmaßnahme f; ~**ary** vorbeugend

precede [priː'siːd] vorausgehen; ~**nce** ['presɪdəns] Vorrang m; ~**nt** Präzedenzfall m

precinct ['priːsɪŋkt] (Wahl-) Bezirk m; (Polizei)Revier n

precious ['preʃəs] kostbar; Edel...

precipit|ate [prɪ'sɪpɪteɪt] (hinab)stürzen; beschleunigen; ~**ation** [~'teɪʃn] meteor. Regen m; ~**ous** [~'sɪpɪtəs] steil; überstürzt

precis|e [prɪˈsaɪs] genau;
~ion [~ˈsɪʒn] Genauigkeit f;
Präzision f

precocious [prɪˈkoʊʃəs]
frühreif; altklug

preconceived [ˌpriːkənˈsiːvd]
vorgefasst

precondition [ˌpriːkənˈdɪʃn]
Voraussetzung f

predecessor [ˈpriːdɪsesər]
Vorgänger(in)

predicament [prɪˈdɪkəmənt]
missliche Lage

predict [prɪˈdɪkt] vorhersagen; ~ion Vorhersage f

predominant [prɪˈdɑːmɪ-
nənt] vorherrschend

preemie [ˈpriːmɪ] Frühchen n
(Frühgeborene)

prefab [ˈpriːfæb] F Fertighaus
n; ~ricated [~ˈfæbrɪkeɪtɪd]
vorgefertigt, Fertig...

prefer [prɪˈfɜːr] vorziehen,
lieber mögen; ~ to do lieber
tun; ~able [ˈprefərəbl] be ~
(to) vorzuziehen sein (dat);
~ably lieber; wenn möglich;
~ence [ˈprefərəns] Vorliebe
f; Vorzug m

pregnan|cy [ˈpregnənsɪ]
Schwangerschaft f; ~t
schwanger

prejudice [ˈpredʒədɪs] 1.
Vorurteil n; 2. für od. gegen
j-n einnehmen; beeinträchti-
gen; ~d voreingenommen

preliminary [prɪˈlɪmɪnerɪ]
einleitend; Vor...

premarital [priːˈmærɪtl] vor-
ehelich

premature [ˌpriːməˈtʊr] vor-
zeitig, Früh...; vorschnell

premeditated [priːˈmedɪ-
teɪtɪd] Mord etc.: vorsätzlich

premium [ˈpriːmɪəm] Prämie
f

preoccupied [priːˈɑːkjəpaɪd]
(anderweitig) beschäftigt;
geistesabwesend

prepaid [priːˈpeɪd] frankiert

prepar|ation [ˌprepəˈreɪʃn]
Vorbereitung f; ~e [prɪˈper]
(sich) vorbereiten; zubereiten; be ~d to do s.th. bereit
sein, et. zu tun

prerogative [prɪˈrɑːgətɪv]
Vorrecht n

prescri|be [prɪˈskraɪb] vor-
schreiben; med. verschrei-
ben; ~ption [~ˈskrɪpʃn] med.
Rezept n

presence [ˈprezns] Gegen-
wart f; Anwesenheit f; ~ of
mind Geistesgegenwart f

present¹ [ˈpreznt] 1. anwesend; vorhanden; gegenwärtig; jetzig; 2. Gegenwart f;
Geschenk n; at ~ jetzt

present² [prɪˈzent] überrei-
chen; schenken; vorlegen;
präsentieren; vorstellen

presentation [ˌprezənˈteɪʃn]
Überreichung f; Präsentati-
on f; Vorlage f

present-day [ˌpreznt ˈdeɪ]
heutig; ~ly bald; zur Zeit

preserv|ation [ˌprezərˈveɪʃn]
Bewahrung f; Erhaltung f;
~e [prɪˈzɜːrv] 1. erhalten;
(be)wahren; konservieren;

einkochen, -machen; **2.** *pl* Eingemachte *n*

preside [prɪˈzaɪd] den Vorsitz haben *od.* führen

president [ˈprezɪdənt] Präsident(in); **~s' Day** der dritte Montag im Februar

press [pres] **1.** (*Wein- etc.*)Presse *f*; (Drucker)Presse *f*; Druckerei *f*; **the ~** die Presse; **2.** drücken (auf); (aus)pressen; plätten, bügeln; (be)drängen; sich drängen; '**~ing** dringend

pressure [ˈpreʃər] Druck *m*

presum|able [prɪˈzuːməbl] vermutlich; **~e** [~m] annehmen, vermuten; **~ing** anmaßend

pretend [prɪˈtend] vortäuschen, so tun als ob; **~se** Vorwand *m*; Vortäuschung *f*

pretty [ˈprɪtɪ] **1.** *adj* hübsch, niedlich; nett; **2.** *adv* ziemlich

prevail [prɪˈveɪl] (vor)herrschen; siegen; '**~ing** vorherrschend

prevent [prɪˈvent] verhindern; *j-n* hindern; **~ion** *f*; **~ive** vorbeugend

previous [ˈpriːvɪəs] vorhergehend, Vor...; **~ to** bevor, vor; '**~ly** vorher

'**prewar** Vorkriegs...

price [praɪs] Preis *m*; '**~less** unbezahlbar

pride [praɪd] Stolz *m*, Hochmut *m*

primar|ily [praɪˈmerəlɪ] in

erster Linie; '**~y** ursprünglich; hauptsächlich; Grund...

prime [praɪm] **1.** erste(r, -s), wichtigste(r, -s), Haupt...; erstklassig; **2.** *fig.* Blüte(zeit) *f*; **~ time** *TV* Haupteinschaltzeit *f*

primitive [ˈprɪmɪtɪv] primitiv

principal [ˈprɪnsəpl] **1.** wichtigste(r, -s), Haupt...; **2.** (Schul)Direktor *m*, Rektor *m*

principle [ˈprɪnsəpl] Prinzip *n*, Grundsatz *m*; **in ~** aus Prinzip

print [prɪnt] **1.** Druck *m*; Abdruck *m*; Druck *m*, Stich *m*; *phot.* Abzug *m*; **out of ~** vergriffen; **2.** (ab-, auf-, be)drucken; in Druckschrift schreiben; *phot.* abziehen; **~ out** Computer: ausdrucken; '**~ed circuit** gedruckte Schaltung; '**~ed matter** Drucksache *f*; '**~er** Drucker *m* (*a. Computer*); '**~out** Computer: Ausdruck *m*

prior [ˈpraɪr] **1.** *adj* früher; **2.** *adv*: **~ to** vor; **~ity** [~ˈɑːrətɪ] Priorität *f*, Vorrang *m*

prison [ˈprɪzn] Gefängnis *n*; '**~er** Gefangene *m, f*, Häftling *m*

privacy [ˈpraɪvəsɪ] Zurückgezogenheit *f*; Privatleben *n*

private [ˈpraɪvɪt] **1.** privat, Privat...; persönlich; vertraulich; **2.** (einfacher) Soldat

privilege [ˈprɪvɪlɪdʒ] Vorrecht *n*; Privileg *n*; '**~d** bevorzugt, privilegiert

prize [praɪz] **1.** (Sieges)Preis *m*; Prämie *f*; (Lotterie)Gewinn *m*; **2.** preisgekrönt; Preis...; **3.** (hoch) schätzen; '∼**fight** Profiboxkampf *m*; '∼**fighter** Profiboxer *m*; '∼**winner** Preisträger(in)

pro¹ [prou] **1.** für; **2. the ∼s and cons** *pl* das Für und Wider

pro² [prou] **1.** Profi *m*; **2.** berufs..., profi...

pro... [~] für, pro...

probabil|ity [prɔbə'bɪlətɪ] Wahrscheinlichkeit *f*; '∼**le**, '∼**ly** wahrscheinlich

probation [prou'beɪʃn] Probe(zeit) *f*; *jur.* Bewährung *f*; ∼ **officer** Bewährungshelfer *m*

problem ['prɔbləm] Problem *n*; *math.* Aufgabe *f*

procedure [prə'siːdʒər] Verfahren *n*; Handlungsweise *f*

proceed [prou'siːd] weitergehen; fortfahren; vorgehen; sich begeben (**to** nach); **∼s** ['prousiːdz] *pl* Erlös *m*

process ['prɔses] **1.** Vorgang *m*; Prozess *m*; Verfahren *n*; **2.** bearbeiten; *Computer:* verarbeiten; *phot.* entwickeln; **∼ed cheese** Schmelzkäse *m*; **∼ion** [prə'seʃn] Prozession *f*; Umzug *m*; **∼or** ['prɔsesər] *Computer:* Prozessor *m*

prochoice [prou'tʃɔɪs] das

Recht auf Abtreibung befürwortend

prodigy ['prɔdɪdʒɪ] Wunder *n* (*a.* Person); *mst* **child** *od.* **infant ∼** Wunderkind *n*

produce 1. [prə'djuːs] produzieren; erzeugen; herstellen; hervorbringen; (vor)zeigen; *fig.* hervorrufen; *Film* produzieren; *thea.* inszenieren; **2.** ['prɔdjuːs] *agr.* Produkt(e *pl*) *n*; Erzeug *m*; **∼r** [prə'djuːsər] Hersteller *m*; *Film*, *thea.:* Produzent *m*

product ['prɔdʌkt] Produkt *n*, Erzeugnis *n*; **∼ion** [prə'dʌkʃn] Produktion *f*; Erzeugung *f*; Herstellung *f*; *thea.* Inszenierung *f*; **∼ive** [∼'dʌktɪv] produktiv; ertragreich

profess [prou'fes] (sich) bekennen (zu); erklären; behaupten; bekunden; **∼ion** Beruf *m*; **∼ional 1.** Berufs..., beruflich; fachmännisch, professionell; **2.** Fachmann *m*; Berufssportler(in); Profi *m*; **∼or** Professor(in)

proficien|cy [prə'fɪʃnsɪ] Können *n*, Tüchtigkeit *f*; **∼t** tüchtig, erfahren

profile ['proufaɪl] Profil *n*

profit ['prɔfɪt] **1.** Gewinn *m*, Profit *m*; Nutzen *m*; **2. ∼ by, ∼ from** profitieren von, Nutzen ziehen aus; '∼**able** Gewinn bringend

profound [prou'faund] tief; tiefgründig; *Wissen:* profund

program ['proʊgræm] **1.** Programm n (*a. Computer*); **2.** programmieren (*a. Computer*); '**~mer** Programmierer(in)

progress **1.** ['praːgres] Fortschritt(e *pl*) m; **2.** [prəʊ'gres] fortschreiten; Fortschritte machen; **~ive** [~'gresɪv] progressiv; fortschreitend; fortschrittlich

prohibit [prəʊ'hɪbɪt] verbieten; **~ion** [prəʊɪ'bɪʃn] Verbot n

project **1.** ['praːdʒekt] Projekt n, Vorhaben n; **~s** *pl etwa* Sozialbauwohnungen *pl*; **2.** [prə'dʒekt] planen, entwerfen; projizieren; vorstehen, vorspringen; **~ion** [~'dʒekʃn] *arch.* Vorsprung m; Projektion f; **~or** [~'dʒektər] Projektor m

pro-life [prəʊ'laɪf] gegen das Recht auf Abtreibung eingestellt

prolong [prəʊ'laːŋ] verlängern

prominent ['praːmɪnənt] vorstehend; prominent

promis|e ['praːmɪs] **1.** Versprechen n; **2.** versprechen; '**~ing** viel versprechend

promote [prə'məʊt] befördern; fördern; *econ.* werben für; **~er** Förderer m; Veranstalter m; **~tion** Beförderung f; Förderung f; Werbung f

prompt [praːmpt] **1.** prompt, schnell; pünktlich; **2.** *j-n* ver-

anlassen; *thea.* soufflieren

prone [prəʊn] **be ~ to** neigen zu

prong [praːŋ] Zinke f

pron|ounce [prə'naʊns] aussprechen; **~unciation** [~nʌnsɪ'eɪʃn] Aussprache f

proof [pruːf] **1.** Beweis m; Probe f; Korrekturfahne f; *print., phot.* Probeabzug m; *Alkohol:* Normalstärke f; **2.** fest; (*wasser*)dicht; (*kugel*-)sicher; **100 ~ Alkohol:** 50%

prop [praːp] **1.** Stütze f (*a. fig.*); **2. ~ (up)** (ab)stützen

propel [prə'pel] (an)treiben; **~lant** Treibstoff m; Treibgas n; **~ler** Propeller m

proper ['praːpər] richtig; anständig, schicklich; eigentlich; F ordentlich, gehörig; '**~ty** Eigentum n, (Grund-)Besitz m; Eigenschaft f

proportion [prə'pɔːrʃn] Verhältnis n; (An)Teil m; *pl* (Aus)Maße *pl*; **~al** proportional

propos|al [prə'pəʊzl] Vorschlag m; (Heirats)Antrag m; **~e** [~z] vorschlagen; e-n Heiratsantrag machen (**to** *dat*); **~ition** [praːpə'zɪʃn] Vorschlag m; Behauptung f

propriet|or [prə'praɪətər] Eigentümer m; Inhaber m; **~tress** [~trɪs] Eigentümerin f, Inhaberin f

propulsion [prə'pʌlʃn] Antrieb m

prosecute ['praːsɪkjuːt]

strafrechtlich verfolgen; **~ion** [~ˈkjuːʃn] strafrechtliche Verfolgung; Anklage *f*; '**~or** (An)Kläger *m*

prospect [ˈprɑːspekt] Aussicht *f* (*a. fig.*); **~ive** [~ˈspektɪv] (zu)künftig; voraussichtlich; **~us** [~təs] (Werbe)Prospekt *m*

prosper [ˈprɑːspər] Erfolg haben, blühen, gedeihen; **~ity** [~ˈsperətɪ] Wohlstand *m*; **~ous** [ˈ~rəs] erfolgreich; wohlhabend

prostitute [ˈprɑːstɪtuːt] Prostituierte *f*; **male ~** Strichjunge *m*

protect [prəˈtekt] (be)schützen; **~ion** Schutz *m*; **~ive** (be)schützend, Schutz...; **~or** Beschützer(in); Schutz *m*

protein [ˈproutiːn] Protein *n*, Eiweiß *n*

protest 1. [ˈproutest] Protest *m*; **2.** [prəˈtest] protestieren; beteuern

protrude [prouˈtruːd] (her)vorstehen

proud [praud] stolz (**of** auf)

prove [pruːv] (**proved, proven**) *v/t.* nachweisen; sich herausstellen *od.* erweisen als

proven [ˈpruːvn] *pp von* **prove**

proverb [ˈprɑːvɜːrb] Sprichwort *n*

provide [prəˈvaɪd] (zur Verfügung) stellen, liefern; versehen, ausstatten; beschaffen, besorgen; **~ against** sich sichern gegen; **~ for** sorgen für; **~d (that)** vorausgesetzt(, dass)

provision [prəˈvɪʒn] Beschaffung *f*; Vorsorge *f*; Vorkehrung *f*; *pl* Vorrat *m*, Lebensmittel *pl*, Proviant *m*; **~al** provisorisch

provoc|ative [prəˈvɑːkətɪv] herausfordernd; **~ke** [prəˈvouk] provozieren, reizen, herausfordern; hervorrufen

prud|ence [ˈpruːdns] Klugheit *f*; Umsicht *f*; **~ent** klug; umsichtig; '**~ish** prüde

prune [pruːn] **1.** Backpflaume *f*; **2.** *Bäume etc.* beschneiden

pseudonym [ˈsuːdənɪm] Pseudonym *n*, Deckname *m*

psychiatr|ist [saɪˈkaɪətrɪst] Psychiater(in); **~y** Psychiatrie *f*

psychic(al) [ˈsaɪkɪk(l)] psychisch, seelisch; übersinnlich

psycho|analysis [saɪkou-ˈnæləsɪs] Psychoanalyse *f*; **~logical** [~kəˈlɑːdʒɪkl] psychologisch; **~logist** [~ˈkɑːlədʒɪst] Psychologe *m*, -in *f*; **~logy** [ˈkɑːlədʒɪ] Psychologie *f*; **~path** [ˈ~koupæθ] Psychopath(in); '**~therapy** Psychotherapie *f*

puberty [ˈpjuːbərtɪ] Pubertät *f*

public [ˈpʌblɪk] **1.** öffentlich; staatlich, Staats...; **2.** Öffentlichkeit *f*; Publikum *n*; **in ~**

öffentlich; **~ation** [~'keɪʃn] Veröffentlichung f; Bekanntgabe f

publicity [pʌb'lɪsətɪ] Publicity f, Werbung f, Reklame f

public school staatliche Schule; **~ transport** öffentliche Verkehrsmittel pl

publish ['pʌblɪʃ] veröffentlichen; Buch etc. herausgeben, verlegen; **'~er** Herausgeber m, Verleger m; **'~ing** Verlagswesen n; **~ company**, **~ house** Verlag m

pudding ['pudɪŋ] Pudding m; Nachtisch m

puddle ['pʌdl] Pfütze f

puff [pʌf] **1.** an e-r Zigarette: Zug m; (Dampf-, Rauch-) Wölkchen n; Puderquaste f; **2.** schnaufen, keuchen; pusten; paffen; **~ pastry** Blätterteig m; **'~y** (an)geschwollen

pull [pʊl] **1.** Ziehen n; Zug m; Ruck m; F Beziehungen pl, Einfluss m; **2.** ziehen, zerren; reißen; zupfen; **~ down** ab-, niederreißen; **~ out** Auto: ausscheren; **~ o.s. together** sich zu·sammen-nehmen; **~ up** Auto: anhalten

pulley ['pʊlɪ] tech.: Rolle f; Flaschenzug m

puls|ate [pʌl'seɪt] pulsieren, pochen; **'~e** [pʌls] Puls m

pulverize ['pʌlvəraɪz] pulverisieren, zermahlen

pump [pʌmp] **1.** Pumpe f; Schuh: Pumps m; **2.** pumpen

pumpkin ['pʌmpkɪn] Kürbis m

pun [pʌn] Wortspiel n

punch [pʌntʃ] **1.** (Faust-) Schlag m; Lochzange f; Locher m; Punsch m; **2.** mit der Faust schlagen; boxen; (aus)stanzen; lochen; **~ line** Pointe f

punctual ['pʌŋktʃʊəl] pünktlich

punctuat|e ['pʌŋktʃʊeɪt] Satzzeichen setzen in; fig. unterbrechen; **~ion** [~'eɪʃn] Interpunktion f, Zeichensetzung f

pungent ['pʌndʒənt] scharf, stechend, beißend

punish ['pʌnɪʃ] (be)strafen; **'~ment** Strafe f; Bestrafung f

pupil ['pjuːpl] Pupille f; junge(r) Schüler(in)

puppet ['pʌpɪt] Marionette f (a. fig.); (Hand)Puppe f

puppy ['pʌpɪ] Welpe m, junger Hund

purchase ['pɜːtʃəs] **1.** Kauf m; Einkauf m; Anschaffung f; **2.** kaufen; fig. erkaufen

pure [pjʊə] rein

puri|fy ['pjʊərɪfaɪ] reinigen (a. fig.); **~ty** [~'rɪtɪ] Reinheit f

purple ['pɜːpl] violett

purpose ['pɜːpəs] Absicht f; Zweck m; **on ~** absichtlich; **'~ful** entschlossen; **'~ly** absichtlich

purr [pɜː] schnurren (a. fig.)

purse [pɜːs] (Damen)Handtasche f; Geldbörse f, Portemonnaie n

pursue [pər'su:] verfolgen (a. fig.); streben nach; Beruf nachgehen; fortsetzen; **~er** Verfolger(in); **~it** ['~'su:t] Verfolgung f; Streben n

push [puʃ] **1.** Stoß m, Schubs m; Anstoß m, Anstrengung f; Schwung m; Tatkraft f; **when ~ comes to shove** wenn es hart auf hart geht; **2.** stoßen, schieben, schubsen; Knopf drücken; drängen; (an)treiben; **'~-button** tech. (Druck)Tasten...; **'~-up** Liegestütz m; **'~y** streberisch; aufdringlich

put [put] (put) legen, setzen, stellen, stecken, tun; Frage stellen; ausdrücken, sagen; **~ back** zurückstellen (a. Uhr); fig. zurückwerfen; **~ down** hinlegen, -stellen, -setzen; aussteigen lassen; in Liste: eintragen; aufschreiben; zuschreiben; Tier einschläfern; **~ in** hineinlegen, -setzen, -stellen, -stecken; Gesuch

einreichen; Bemerkung einwerfen; **~ off** auf-, verschieben; vertrösten; j-n abbringen; **~ on** Kleider anziehen, Hut etc. aufsetzen; an-, einschalten; vortäuschen; aufführen; **~ on weight** zunehmen; **~ out** hinauslegen, -setzen, -stellen; (her)ausstrecken; Feuer löschen; j-n aus der Fassung bringen; **~ through** tel. j-n verbinden (to mit); **~ together** zs.-setzen; **~ up** v/t Zelt aufstellen; Gebäude errichten; Gast unterbringen; Widerstand leisten; **~ up (for sale)** (zum Verkauf) anbieten; v/i: **~ up with** sich abfinden mit

putty ['pʌtɪ] **1.** Kitt m; **2.** (up) (ver)kitten

puzzle ['pʌzl] **1.** Rätsel n (a. fig.); Geduld(s)spiel n, Puzzle(spiel) n; **2.** verwirren; sich den Kopf zerbrechen; **'~ing** rätselhaft; verwirrend

pyramid ['pɪrəmɪd] Pyramide f

Q

quack [kwæk] a. **~ doctor** Quacksalber m

quadruped ['kwɑ:druped] Vierfüß(l)er m; **~ple** ['~pl] **1.** vierfach; **2.** (sich) vervierfachen; **~plets** ['~plɪts] pl Vierlinge pl

quaint [kweɪnt] malerisch; drollig; putzig

quake [kweɪk] **1.** beben, zittern; **2.** F Erdbeben n

qualification [kwɑ:lɪfɪ-'keɪʃn] Qualifikation f, Befähigung f; Voraussetzung f;

217   **quotient**

Einschränkung *f*; **~fied** ['~faɪd] qualifiziert, befähigt; eingeschränkt, bedingt; **~fy** ['~faɪ] (sich) qualifizieren; befähigen; einschränken; mildern; '**~ty** Qualität *f*; Eigenschaft *f*

Q & A [kjuːən'eɪ] *Abk. für* ***questions and answers*** Fragen und Antworten

quantity ['kwɒntɪtɪ] Quantität *f*, Menge *f*

quarantine ['kwɒrəntiːn] Quarantäne *f*

quarrel ['kwɒrəl] **1.** Streit *m*; **2.** (sich) streiten; '**~some** zänkisch

quarter ['kwɔːrtər] **1.** Viertel *n*; Viertelpfund *n*; Vierteldollar *n*; Vierteljahr *n*, Quartal *n*; (Stadt)Viertel *n*; (Himmels)Richtung *f*; *pl* Unterkunft *f*, Quartier *n* (*a. mil.*); *pl fig.* Kreise *pl*; *a* **~ of an hour** e-e Viertelstunde; *a* **~ of/after** *Uhrzeit:* (ein) Viertel vor/nach; **2.** vierteln, vierteilen; '**~ly 1.** vierteljährlich; **2.** Vierteljahresschrift *f*

queen [kwiːn] Königin *f*; *Kartenspiel, Schach:* Dame *f*; F Tunte *f*

queer [kwɪr] sonderbar, seltsam; komisch; wunderlich

quench [kwentʃ] löschen

question ['kwestʃən] **1.** (be)fragen; *jur.* vernehmen; -hören; *et.* bezweifeln; **2.** Frage *f*; Problem *n*; *in* **~** fraglich; ***that is out of the* ~** das kommt nicht in Frage; '**~able** fraglich; fragwürdig; '**~ing** fragend; **~ mark** Fragezeichen *n*; **~naire** [~'ner] Fragebogen *m*

quick [kwɪk] schnell, rasch; prompt; *Verstand:* wach, aufgeweckt; lebhaft; *Temperament:* aufbrausend; *Auge, Gehör:* scharf; '**~sand** Treibsand *m*

quiet ['kwaɪət] **1.** ruhig, still; leise; **2.** Ruhe *f*; **3.** beruhigen; *mst* **~ down** ruhiger werden; sich beruhigen

quilt [kwɪlt] Steppdecke *f*; Tagesdecke *f*

quit [kwɪt] (*quit*) verlassen; F aufhören (mit); kündigen

quite [kwaɪt] ganz, völlig; ziemlich, recht

quiz [kwɪz] **1.** Quiz *n*; Prüfung *f*; Test *m*; **2.** ausfragen

quota ['kwoʊtə] Quote *f*; Anteil *m*; Kontingent *n*

quotation [kwoʊ'teɪʃn] Zitat *n*; Kostenvoranschlag *m*; *econ.* (Börsen-, Kurs)Notierung *f*; **~ marks** *pl* Anführungszeichen *pl*

quote [kwoʊt] zitieren; *Preis* nennen; *Börse:* notieren

quotient ['kwoʊʃnt] Quotient *m*

R

R *Abk. für* **Republican** Republikaner(in) (*Mitglied der Republikanischen Partei*); **2.** republikanisch (*zur Republikanischen Partei gehörend*)

rabbit ['ræbɪt] Kaninchen *n*

rabies ['reɪbiːz] Tollwut *f*

raccoon [ræ'kuːn] Waschbär *m*

race¹ [reɪs] **1.** Rennen *n*; (Wett)Lauf *m*; *fig.* Wettlauf *m*; *the ~s pl* Pferderennen *n*; **2.** rennen, rasen; um die Wette laufen *od.* fahren (mit)

race² [~] Rasse *f*

'**race| car** Rennwagen *m*; '~**course** Rennbahn *f*; '~**horse** Rennpferd *n*; '~**track** Rennstrecke *f*

racial ['reɪʃl] Rassen...; ~ **equality** Rassengleichheit *f*

racing ['reɪsɪŋ] (Pferde-)Rennsport *m*; Renn...

racism ['reɪsɪzəm] Rassismus *m*; '~**t 1.** Rassist(in); **2.** rassistisch

rack [ræk] **1.** Gestell *n*; (*Kleider- etc.*)Ständer *m*; (*Gepäck*)Träger *m*; **2.** quälen; ~ **one's brains** sich den Kopf zerbrechen

racket¹ ['rækɪt] (Tennis-)Schläger *m*

racket² [~] Krach *m*; F Schwindel(geschäft *n*) *m*

Gaunerei *f*

racoon → **raccoon**

radar ['reɪdɑːr] Radar *m, n*

radi|ant ['reɪdɪənt] strahlend; ~**ate** ['~eɪt] ausstrahlen; ~ **from** strahlenförmig ausgehen von; ~**ation** [~'eɪʃn] (Aus)Strahlung *f*; radioaktive Strahlung; ~**ator** ['~eɪtər] *mot.* Kühler *m*

radical ['rædɪkl] radikal

radio ['reɪdɪəʊ] **1.** Radio *n*, Rundfunk *m*; Radiogerät *n*; Funk *m*; **2.** funken; ~**active** radioaktiv; ~ **alarm** Radiowecker *m*; ~ **station** Rundfunkstation *f*

radish ['rædɪʃ] Rettich *m*; Radieschen *n*

radius ['reɪdɪəs] Radius *m*

radwaste ['rædweɪst] *Abk. für* **radioactive waste** Atommüll *m*

raffle ['ræfl] Tombola *f*

raft [ræft] Floß *n*; Schlauchboot *n*; '~**ing** Rafting *n*, Schlauchbootfahren *n*

rag [ræg] Lumpen *m*; Lappen *m*

rage [reɪdʒ] **1.** toben, wüten; **2.** Wut(anfall *m*) *f*, Zorn *m*

ragged ['rægɪd] zerlumpt; zottig; gezackt; stümperhaft

raid [reɪd] **1.** (feindlicher) Überfall; (Luft)Angriff *m*; Razzia *f*; **2.** überfallen; eine

Razzia durchführen in; einbrechen in; plündern

rail [reɪl] Schiene *f*, Stange *f*; Geländer *n*; *naut.* Reling *f*; **'~ing(s** *pl*) Geländer *n*; Zaun *m*; **'~road** Eisenbahn *f*; **~ guide** Kursbuch *n*; **~ station** Bahnhof *m*

rain [reɪn] **1.** regnen; **2.** Regen *m*; **'~check: may I take a ~ on it?** darf ich später darauf zurückkommen?; **'~coat** Regenmantel *m*; **'~drop** Regentropfen *m*; **'~fall** Niederschlag(smenge *f*) *m*; **~ forest** Regenwald *m*; **'~y** regnerisch, Regen...; *save it for a ~ day* für schlechte Zeiten zurücklegen

raise [reɪz] **1.** (auf-, hoch)heben; erheben; aufrichten; *Miete etc.* erhöhen; *Geld* beschaffen; *Kinder* aufziehen; *Familie* gründen; *Tiere* züchten; *Getreide etc.* anbauen; **2.** Lohn- *od.* Gehaltserhöhung *f*

raisin ['reɪzn] Rosine *f*

rake [reɪk] **1.** Rechen *m*, Harke *f*; **2.** rechen, harken

rally ['rælɪ] **1.** Kundgebung *f*, Massenversammlung *f*; *mot.* Rallye *f*; *Tennis:* Ballwechsel *m*; **2.** (sich) sammeln; sich erholen

RAM [ræm] *Abk. für* **random access memory** Computer: RAM, Arbeitsspeicher *m*

ram [ræm] **1.** *zo.* Widder *m*; *tech.* Ramme *f*; **2.** (fest)rammen

ramble ['ræmbl] **1.** Wanderung *f*; **2.** wandern; weitschweifig erzählen; **'~ing** weitschweifig; *Haus etc.:* weitläufig; *bot.* Kletter...

ramp [ræmp] Rampe *f*; (Auto)bahn)Auffahrt *f*; (Autobahn)Ausfahrt *f*

rampage [ræm'peɪdʒ]: **go on a ~** randalieren

rampant ['ræmpt] baufällig

ran [ræn] *pret von* **run** 1

ranch [rɑːntʃ] Ranch *f*, Viehfarm *f*; Farm *f*; **'~er** Rancher *m*; Bungalow *m*

R and B [ɑːr ænd biː] *mus. Abk. für* **rythm and blues** Rythm and Blues *m* (*Mix aus Blues und Jazz*)

R and D [ɑːr ænd diː] *Abk. für* **research and development** Forschung und Entwicklung(sabteilung) *f*

random ['rændəm] **1.** *at ~* aufs Geratewohl; **2.** ziel-, wahllos; willkürlich; **~ access** Computer: direkter Zugriff

rang [ræn] *pret von* **ring** 2

range [reɪndʒ] **1.** Reihe *f*; (Berg)Kette *f*; Entfernung *f*; Reichweite *f*; Bereich *m*; *econ.:* Sortiment *n*; Auswahl *f*; **2.** reichen, sich bewegen

rank [ræŋk] **1.** Rang *m* (*a. mil.*), Stand *m*; Reihe *f*; **2.** einordnen, -stufen; e-n Rang od. e-e Stelle einnehmen; **~ among** gehören zu; **~ as** gelten als

ransom ['rænsəm] Lösegeld n

rape [reip] **1.** Vergewaltigung f; **2.** vergewaltigen

rapid ['ræpid] schnell, rasch; rapide; **~ity** [rə'pidəti] Schnelligkeit f; **~s** pl Stromschnelle(n pl) f; **~ transit system** öffentliches Nahverkehrssystem

rappel [ræ'pel] sich abseilen

rar|e [rer] selten; *Steak:* englisch; F einmalig; **~ity** ['~əti] Seltenheit f

rascal ['ræskəl] Schuft m; Schlingel m

rash¹ [ræʃ] hastig, überstürzt; unbesonnen

rash² [~] (Haut)Ausschlag m

raspberry ['ræzberi] Himbeere f

rat [ræt] Ratte f

rate [reit] **1.** Rate f; Gebühr f; econ. Satz m, Kurs m; Tempo n

rather ['ræðər] eher, lieber; vielmehr, besser gesagt; ziemlich

ration ['ræʃn] **1.** Ration f, Zuteilung f; **2.** rationieren

rational ['ræʃənl] vernünftig, rational; **~ize** ['~ʃnəlaiz] rationalisieren

rattle ['rætl] **1.** Gerassel n; Geklapper n; (Baby)Rassel f; **2.** rasseln (mit); klappern;

rattern; **~ off** herunterrasseln; '~r, '~snake Klapperschlange f

rat trap heruntergekommenes Haus

ravage ['rævidʒ] verwüsten

rave [reiv] fantasieren; rasen, toben; schwärmen

raven ['reivn] Rabe m

ravenous ['rævənəs] ausgehungert; heißhungrig

raving ['reiviŋ] **1.** wahnsinnig; F toll; F hinreißend; **2.** pl irres Gerede; Delirien pl

ravish ['ræviʃ] entzücken; '~ing hinreißend

raw [rɔ:] roh; Roh...; wund; *Wetter:* nasskalt, rau; unerfahren; '~hide Rohleder n; **~ material** Rohmaterial n, -stoff m

ray [rei] Strahl m

rayon ['reiɑn] Kunstseide f

razor ['reizər] Rasierapparat m, -messer n; **~ blade** Rasierklinge f

razz [ræz] F aufziehen, hänseln

RC [ɑ:r'si:] Abk. für *Roman Catholic* römisch-katholisch

rc [ɑ:r'si:] Abk. für *remote control* Fernsteuerung f

Rd. Abk. für *Road* Straße f

re [ri:] econ. betreffs

re... [ri:] wieder

reach [ri:tʃ] **1.** v/t (hin-, her)reichen; (hin-, her)langen; erreichen, erzielen; ankommen in; v/i langen, greifen (**for** nach); sich erstre-

rebellious

cken; **~ out** ausstrecken; **2.**
Reichweite f; **out of ~** unerreichbar; *within easy ~*
leicht zu erreichen

react [rɪˈækt] reagieren; **~ion**
Reaktion f; **~or** (Kern)Reaktor m

read **1.** [riːd] (*read* [red]) lesen; *Instrument:* (an)zeigen;
lauten; studieren; deuten;
verstehen; **~ to s.o.** j-m vorlesen; *do you ~ me?* verstehst du mich?; **2.** [red] *pret
u. pp von* **read** 1

readi|ly [ˈredɪlɪ] bereitwillig;
'**~ness** Bereitschaft f; Bereitwilligkeit f

reading [ˈriːdɪŋ] Lesen n;
Lektüre f; Interpretation f

readjust [riːəˈdʒʌst] *tech.* neu
einstellen; nachstellen;
(sich) wieder anpassen

ready [ˈredɪ] fertig; bereit;
schnell bei der Hand; reisefertig; *Geld:* bar; **get ~** (sich)
fertig machen; **~-'made** Fertig...; Konfektions...

real [rɪəl] wirklich, richtig;
tatsächlich; eigentlich; wahr;
echt, rein; *bsd. phls.* real;
sehr; *that was ~ nice of you!*
das war sehr nett von dir!; **~
estate** Grundbesitz m, **~ estate agent**
Immobilienmakler(in)

real|ism [ˈrɪəlɪzəm] Realismus m; **~ist** Realist(in);
~istic [~ˈlɪstɪk] realistisch

reality [rɪˈælətɪ] Realität f,
Wirklichkeit f

real|ization [rɪələˈzeɪʃn]
Realisierung f (*a. econ.*);
Verwirklichung f; Erkenntnis f; '**~ize** sich klar sein
über; erkennen; begreifen;
realisieren; verwirklichen;
'really wirklich, tatsächlich

real time *Computer:* Echtzeit
f

realtor [ˈrɪəltər] Immobilienmakler(in)

reappear [riːəˈpɪr] wiederauftauchen

rear [rɪr] **1.** auf-, großziehen;
(er)heben; *Pferd:* sich aufbäumen; **2.** Rückseite f; hinterer Teil; *mot.* Heck n; **3.**
hintere(r, -s); Rück...

rearrange [riːəˈreɪndʒ] umordnen; umstellen

rear-view mirror *mot.*
Rückspiegel m

reason [ˈriːzn] **1.** Grund m;
Verstand m; Vernunft f; **2.**
logisch denken; argumentieren; **~ with** vernünftig reden
mit; '**~able** vernünftig; angemessen; billig; passabel

reassure [riːəˈʃʊr] beruhigen; versichern

rebate [ˈriːbeɪt] Rückzahlung
f

rebel **1.** [ˈrebl] Rebell(in),
Aufständische m, f; Konföderierte m (*im amer. Bürgerkrieg*); **2.** [rɪˈbel] rebellieren,
sich auflehnen; **~lion**
[rɪˈbeljən] Rebellion f,
~lious [rɪˈbeljəs] aufständisch; aufsässig

rebound [rɪ'baʊnd] zurück-
prallen

rebuild [riː'bɪld] (**-built**) wieder aufbauen

recall [rɪ'kɔːl] zurückrufen;
(sich) erinnern an

receipt [rɪ'siːt] Empfang *m*;
Quittung *f; pl* Einnahmen *pl*

receive [rɪ'siːv] erhalten, be-
kommen; *Gäste* empfangen;
Vorschlag etc. aufnehmen; **~r**
Empfänger *m; tel.* Hörer *m*

recent ['riːsnt] neueste(r, -s),
jüngste(r, -s); **~ly** kürzlich,
vor kurzem, neulich

reception [rɪ'sepʃn] Empfang *m (a. Funk);* Aufnahme
f; **~ desk** *Hotel:* Rezeption *f;*
~ist Empfangsdame *f,* -chef
m; Sprechstundenhilfe *f*

recess [rɪ'ses] **1.** Nische *f;*
(Schul)Pause *f;* **2.** e-e Pause
machen; **~ion** Rezession *f,*
Konjunkturrückgang *m*

recipe ['resɪpɪ] Rezept *n*

recipient [rɪ'sɪpɪənt] Emp-
fänger(in)

recital [rɪ'saɪtl] *mus.* (Solo-)
Vortrag *m,* Konzert *n;* Bericht *m;* Aufzählung *f;* **~e**
[~'saɪt] vortragen; aufsagen;
erzählen; aufzählen

reckless ['reklɪs] leichtsin-
nig; rücksichtslos; fahrlässig

reckon ['rekən] (be-, er)rech-
nen; glauben, schätzen; halten für

reclaim [rɪ'kleɪm] zurückfor-
dern; *Land* (ab)gewinnen;
tech. aus Abfall: zurückge-

winnen

recline [rɪ'klaɪn] sich zurück-
lehnen

recognition [rekəg'nɪʃn]
Anerkennung *f;* (Wie-
der)Erkennen *n;* **~ze**
['~naɪz] anerkennen; (wieder) erkennen; zugeben, ein-
gestehen

recommend [rekə'mend]
empfehlen; **~ation** [~'deɪʃn]
Empfehlung *f*

reconcile ['rekənsaɪl] aus-,
versöhnen; in Einklang bringen; **~iation** [~sɪlɪ'eɪʃn]
Ver-, Aussöhnung *f*

recondition [riːkən'dɪʃn]
tech. (general)überholen;
~ed engine Austauschmotor
m

reconsider [riːkən'sɪdər]
noch einmal überlegen *od.*
überdenken

reconstruct [riːkən'strʌkt]
wieder aufbauen; rekonstruieren; **~ion** Wiederaufbau *m*

record **1.** ['rekərd] Aufzeichnung *f;* Protokoll *n;* Urkunde *f;* Unterlage *f,* Akte *f;* Register *n,* Verzeichnis *n;* Straf-
register *n,* Vorstrafen *pl;*
Leistung *(en pl)* *f;* (Schall-)
Platte *f; Sport:* Rekord *m;* **2.**
[rɪ'kɔːrd] aufzeichnen;
schriftlich niederlegen; *auf
Tonband etc.* aufnehmen;
~er [~'k-] *(Kassetten)*Rekorder *f;* Blockflöte *f;*
~ing [~'k-] *TV etc.* Aufzeichnung *f,* Aufnahme *f*

recover [rɪˈkʌvər] wiedererlangen, -bekommen; *Schiff etc.* bergen; wieder gesund werden; sich erholen; ~y [~ərɪ] Bergung *f*; Genesung *f*, Erholung *f*

recreation [rekrɪˈeɪʃn] Erholung *f*; Freizeitbeschäftigung *f*

recruit [rɪˈkruːt] 1. Rekrut *m*; *fig.* Neue *m*, *f*; 2. rekrutieren; einstellen

rectangle [ˈrektæŋɡl] Rechteck *n*

recuperate [rɪˈkuːpəreɪt] sich erholen

recycle [riːˈsaɪkl] wieder verwerten; ~ing Recycling *n*, Wiederverwertung *f*

red [red] rot; ♀ **Cross** das Rote Kreuz; ~dish rötlich

redeem [rɪˈdiːm] einlösen; *rel.* erlösen; ~ing ausgleichend; aussöhnend

red|-eye [ˈredaɪ] F Nachtflug *m*; ~-ˈhanded: **catch** ~ auf frischer Tat ertappen; ~head Rothaarige *m*, *f*

red tape Papierkrieg *m*; Bürokratismus *m*

reduce [rɪˈdjuːs] reduzieren; herabsetzen; verringern; ermäßigen; ~tion [~ˈdʌkʃn] Herabsetzung *f*; Verringerung *f*; Ermäßigung *f*

reef [riːf] (Felsen)Riff *n*

reek [riːk] stinken, (unangenehm) riechen (**of** nach)

reel [riːl] (Garn-, Film-

etc.)Rolle *f*, Spule *f*

refer [rɪˈfɜːr]: ~ **to** verweisen an/auf; sich beziehen auf; erwähnen; nachschlagen in

referee [refəˈriː] Schiedsrichter *m*; *Boxen*: Ringrichter *m*

reference [ˈrefrəns] Referenz *f*, Zeugnis *n*; Verweis *m*; Erwähnung *f*, Anspielung *f*; Bezugnahme *f*; Aktenzeichen *n*; Nachschlagen *n*; **with ~ to** bezüglich; ~ **book** Nachschlagewerk *n*

refill 1. [ˈriːfɪl] Nachfüllpackung *f*, Ersatz...; 2. [ˌ~ˈfɪl] auf-, nachfüllen

refine [rɪˈfaɪn] raffinieren, veredeln; verfeinern, verbessern; kultivieren; ~d raffiniert, Fein...; fein, vornehm; ~ry [~ərɪ] Raffinerie *f*

reflect [rɪˈflekt] reflektieren, zurückwerfen, spiegeln; *fig.* widerspiegeln; nachdenken (**on** über); ~ion Reflexion *f* Spiegelbild *n*; Überlegung *f*

reform [rɪˈfɔːrm] 1. Reform *f*; 2. reformieren, verbessern; (sich) bessern; ~atory [~ərɪ], ~ **school** Heim *n* für Schwererziehbare

refrain [rɪˈfreɪn] 1. unterlassen (**from** *acc*); 2. Refrain *m*

refresh [rɪˈfreʃ]: ~ (**o.s.** sich) erfrischen; auffrischen; ~er **course** Auffrischungskurs *m*; ~ment Erfrischung *f*

refrigerator [rɪˈfrɪdʒəreɪtər] Kühlschrank *m*

refuel [riː'fjʊəl] (auf)tanken

refund 1. [riː'fʌnd] zurückzahlen, (-)erstatten; **2.** ['riːfʌnd] Rückzahlung *f*; (Rück)Erstattung *f*

refus|al [riː'fjuːzl] Ablehnung *f*; Weigerung *f*; **~e** [riː'fjuːz] verweigern; abweisen; ablehnen; sich weigern

regain [riː'geɪn] wieder-, zurückgewinnen

regard [riː'gɑːrd] **1.** Achtung *f*; Rücksicht *f*; **with ~ to** hinsichtlich; **(kind) ~s** (herzliche) Grüße; **2.** ansehen; betreffen; **~ as** halten für; **as ~s** was ... betrifft; **~ing** hinsichtlich; **~less: ~ of** ohne Rücksicht auf

region [riː'dʒən] Gegend *f*, Gebiet *n*; Bereich *m*

register ['redʒɪstər] **1.** Register *n* (*a. mus.*), Verzeichnis *n*; **2.** (sich) eintragen (lassen), einschreiben (lassen) (*a. Postsache*); (an)zeigen; sich (an)melden (**with** *bei der Polizei etc.*); **~ed letter** Einschreibebrief *m*

registration [redʒɪ'streɪʃn] Erfassung *f*; Eintragung *f*; Anmeldung *f*; *mot.* Kraftfahrzeugbrief *m*; **~ number** *mot.* Kennzeichen *n*

regret [riː'gret] **1.** Bedauern *n*; **2.** bedauern; **~table** bedauerlich

regular ['regjʊlər] **1.** regelmäßig; normal; geregelt, geordnet; richtig; **2.** F Stamm-

kund|e *m*, -in *f*; Normal(benzin) *n*

regulat|e ['regjʊleɪt] regeln; regulieren; **~ion** [.'leɪʃn] Regulierung *f*; Vorschrift *f*

rehabilitation [riːəbɪlɪ'teɪʃn] Rehabilitation *f*; Resozialisierung *f*; Sanierung *f*

rehears|al [riː'hɜːrsl] Probe *f*; **~e** [.s] proben

reimburse [riːɪm'bɜːrs] *j-n* entschädigen; *Kosten* erstatten

reinforce [riːɪn'fɔːrs] verstärken; **~d concrete** Stahlbeton *m*

reject [riː'dʒekt] zurückweisen; ablehnen; **~ion** Zurückweisung *f*, Ablehnung *f*

relapse [riː'læps] Rückfall *m*

relate [riː'leɪt] erzählen; in Beziehung bringen; sich beziehen (**to** auf); **~d** verwandt *m, f*; Beziehung *f*; Verhältnis *f*; **~ship** Beziehung *f*; Verwandtschaft *f*

relative ['relətɪv] **1.** Verwandte *m, f*; **2.** relativ; verhältnismäßig

relax [riː'læks] lockern; (sich) entspannen

release [riː'liːs] **1.** Entlassung *f*; Freilassung *f*; Befreiung *f*; Freigabe *f*; (*Presse- etc.*)Verlautbarung *f*; *tech., phot.* Auslöser *m*; **2.** entlassen; freilassen; befreien; freigeben; bekannt geben, verlautbaren; *tech., phot.* auslösen

relevan|ce ['reləvəns] Bedeutung f, Relevanz f; **~t** relevant, wichtig; sachdienlich

reliab|ility [rɪlaɪə'bɪlɪti] Zuverlässigkeit f; **~le** [rɪ'laɪəbl] zuverlässig

relief [rɪ'liːf] Erleichterung f; Unterstützung f, Hilfe f; Ablösung f; Relief n; **~ve** [~v] erleichtern; lindern; ablösen; befreien, entlasten

relish ['relɪʃ] **1.** Genuss m; Gefallen m; Würze f; **2.** genießen; Gefallen finden an

reluctan|ce [rɪ'lʌktəns] Widerstreben n; **~t** widerstrebend, widerwillig

rely [rɪ'laɪ]: ~ **on** sich verlassen auf

remain [rɪ'meɪn] **1.** bleiben; übrig bleiben; **2.** pl (Über-)Reste pl; **~der** Rest m

remark [rɪ'mɑːrk] **1.** Bemerkung f; **2.** bemerken; **~able** bemerkenswert

remedy ['remədɪ] **1.** (Heil-, Gegen)Mittel n; Abhilfe f; **2.** beheben; bereinigen

remember [rɪ'membər] sich erinnern an; denken an, nicht vergessen; **~ me to her** grüße sie von mir; **~rance** [~brəns] Erinnerung f; Gedenken n; Andenken n

remind [rɪ'maɪnd] erinnern; **~er** Mahnung f

remit [rɪ'mɪt] Schuld etc. erlassen; Geld überweisen; **~tance** (Geld)Überweisung f

remorse [rɪ'mɔːrs] Gewissensbisse pl, Reue f; **~less** unbarmherzig

remote [rɪ'moʊt] **1.** fern; entlegen, abgelegen; Chance etc.: gering; **2.** F Fernsteuerung f, -bedienung f; **~ control** Fernsteuerung f, -bedienung f

remov|al [rɪ'muːvl] Entfernen n, Beseitigung f; Umzug m; **~e** [~v] v/t entfernen; wegräumen; beseitigen; v/i (aus-, um-, ver)ziehen; **once/twice ~d** Cousinen ersten/zweiten Grades; **~er** (Flecken- etc.) Entferner m

rename [riː'neɪm] umbenennen

renew [rɪ'nuː] erneuern; verlängern; **~al** Erneuerung f; Verlängerung f

renovate ['renoʊveɪt] renovieren; restaurieren

rent [rent] **1.** Miete f; Pacht f; **2.** mieten; pachten; Auto etc. mieten; a. ~ **out** vermieten; verpachten

rental [rentl] Miete f; Pacht f; Leihgebühr f

rep [rep] Abk. für **representative** F Vertreter(in); Abk. für **reputation** Ruf m; ♀ Abk. für **Republican 1.** Republikaner(in); **2.** republikanisch

repair [rɪ'per] **1.** reparieren; wieder gutmachen; **2.** Reparatur f; **in good ~** in gutem Zustand

repay [riˈpeɪ] (*-paid*) zurückzahlen; *et.* vergelten

repeat [rɪˈpiːt] **1.** wiederholen; **2.** *TV* Wiederholung *f*

repel [rɪˈpel] *Feind etc.* zurückschlagen; *fig.:* abweisen;
j-n abstoßen; **2. ~lent** [~lənt]
1. abstoßend; **2. insect ~** Mittel *n*
gegen Insektenstiche

repercussion [riːpəˈkʌʃn]
mst pl Auswirkungen *pl*

repetition [repɪˈtɪʃn] Wiederholung *f*

replace [rɪˈpleɪs] ersetzen;
j-n ablösen; zurückstellen;
~ment Ersatz *m*

replenish [rɪˈplenɪʃ] (wieder)
auffüllen, ergänzen

replica [ˈreplɪkə] Kopie *f*

reply [rɪˈplaɪ] **1.** antworten,
erwidern; **2.** Antwort *f*

report [rɪˈpɔːt] **1.** Bericht *m*;
Gerücht *n*; (Schul)Zeugnis
n; Knall *m*; **2.** berichten
(über); (sich) melden; anzeigen; **~ card** (Schul)Zeugnis
n; **~er** Reporter(in), Be-
richterstatter(in)

represent [reprɪˈzent] darstellen (*a. thea.*); vertreten;
~ation [~teɪʃn] Darstellung
f (*a. thea.*); Vertretung *f*;
~ative [~ˈzentətɪv] **1.** reprä-
sentativ; typisch; **2.** Vertre-
ter(in); *parl.* Abgeordnete
m, *f*

reprimand [ˈreprɪmænd] **1.**
Verweis *m*; **2.** *j-m* e-n Verweis erteilen

reproduce [riːprəˈdjuːs]

(sich) fortpflanzen; wieder-
geben, reproduzieren; **~tion**
[~ˈdʌkʃn] Fortpflanzung *f*;
Reproduktion *f*

reptile [ˈreptaɪl] Reptil *n*

republic [rɪˈpʌblɪk] Republik
f; **~an 1.** Republikaner(in);
♀ Republikaner(in) (*Ange-
hörige(r) der Republikanischen Partei*); **♀s** *pl* die Re-
publikaner *pl* (*Republikanische Partei*); **2.** republikanisch; **♀ Party** Republikanische Partei

repulse [rɪˈpʌls] **1.** Abfuhr
f; Zurückweisung *f*; **2.** zurück-
abweisen; **~ive** abstoßend,
widerwärtig

reputable [ˈrepjʊtəbl] angesehen; **~ation** [~teɪʃn] Ruf
m

request [rɪˈkwest] **1.** Gesuch
n; Bitte *f*; **by ~** auf Wunsch;
2. bitten (um); ersuchen um

require [rɪˈkwaɪə] erfordern;
brauchen; verlangen; **~d** erforderlich; **~ment** Anforde-
rung *f*; Bedürfnis *n*; Erfor-
dernis *n*; *pl* Bedarf *m*

rescue [ˈreskjuː] **1.** Rettung
f; Befreiung *f*; Rettungs...; **2.**
retten; befreien

research [rɪˈsɜːtʃ] **1.** Forschung *f*, Untersuchung *f*;
Forschung betreiben; erforschen; **~er** Forscher *m*

resemblance [rɪˈzembləns]
Ähnlichkeit *f* (**to** mit); **~e**
[~bl] gleichen, ähnlich sein

resent [rɪˈzent] übel nehmen;

~ment Ärger *m*
reservation [rezər'veɪʃn]
Reservierung *f*, Vorbestellung *f*; Vorbehalt *m*; Reservat(ion *f*) *n*
reserve [rɪ'zɜːrv] **1.** Reserve *f*; Vorrat *m*; Reservat *n*; Zurückhaltung *f*; **2.** aufsparen, aufheben; (sich) zurückhalten mit; vorbehalten; reservieren (lassen), vorbestellen; **~d** zurückhaltend, reserviert
reservoir ['rezərvwɑːr] Reservoir *n* (*a. fig.*); Speicher *m*; Staubecken *n*
reside [rɪ'zaɪd] s-n Wohnsitz haben; **~nce** ['rezɪdəns] Wohnsitz *m*; Aufenthalt *m*; Residenz *f*; **~nt** **1.** wohnhaft; ansässig; **2.** Bewohner(in); Einwohner(in); *etwa* Arzt *m*/ Ärztin *f* im Praktikum, AiP
residue ['rezɪdjuː] Rest *m*
resign [rɪ'zaɪn] zurücktreten; aufgeben; verzichten auf; *Amt* niederlegen; **~ o.s. to** sich abfinden mit; **~ation** [rezɪg'neɪʃn] Verzicht *m*; Rücktritt(sgesuch *n*) *m*; Resignation *f*; **~ed** resigniert
resin ['rezɪn] Harz *n*
resist [rɪ'zɪst] widerstehen; Widerstand leisten; sich widersetzen; **~ance** Widerstand *m*; **~ant** widerstandsfähig; **~or** Widerstand *m* (*electr. Bauteil*)
resolute ['rezəluːt] entschlossen; **~ion** [.'luːʃn] Entschluss *m*, Vorsatz *m*;

Entschlossenheit *f*; Beschluss *m*, Resolution *f*
resolve [rɪ'zɒlv] *Problem* lösen; *Zweifel* zerstreuen; beschließen; (sich) auflösen
resort [rɪ'zɔːrt] (Urlaubs-, Erholungs)Ort *m*
resource [rɪ'sɔːrs] *pl: natürliche* Reichtümer *pl*, Mittel *pl*; Reserven *pl*; Bodenschätze *pl*; *sg:* Mittel *n*, Ausweg *m*; Findigkeit *f*; **~ful** findig
respect [rɪ'spekt] **1.** Beziehung *f*, Hinsicht *f*; Achtung *f*, Respekt *m*; Rücksicht *f*; *pl* Grüße *pl*, Empfehlungen *pl*; **with ~ to** was ... betrifft; **2.** achten; schätzen; respektieren; **~able** ehrbar; anständig; angesehen; *Summe:* ansehnlich; **~ful** respektvoll, ehrerbietig; **~ive** jeweilig; **~ively** beziehungsweise
respiration [respə'reɪʃn] Atmung *f*; **~or** ['.reɪtər] Atemschutzgerät *n*; *med.* Atemgerät *n*
respond [rɪ'spɒnd] antworten, erwidern; reagieren
response [rɪ'spɒns] Antwort *f*, Erwiderung *f*; Reaktion *f*
responsib|ility [rɪspɒnsə-'bɪlətɪ] Verantwortung *f*; **~le** [.'spɒnsəbl] verantwortlich; verantwortungsvoll
rest [rest] **1.** Rest *m*; Ruhe(pause) *f*; Rast *f*; *tech.* Stütze *f*; **2.** ruhen; (sich) ausruhen, rasten; (sich) stützen

od. lehnen; **~ area** Rastplatz *m*

restaurant ['restərɑːnt] Restaurant *n*, Gaststätte *f*

rest|ful ruhig; erholsam; **'~less** ruhe-, rastlos; unruhig

restore [rɪ'stɔːr] wiederherstellen; wieder einsetzen (*to* in); zurückgeben; restaurieren

restrain [rɪ'streɪn] zurückhalten; bändigen; **~ o.s.** sich beherrschen; **~t** Beschränkung *f*, Zwang *m*; Beherrschung *f*, Zurückhaltung *f*

restrict [rɪ'strɪkt] be-, einschränken; **~ed** beschränkt; begrenzt; **~ion** Be-, Einschränkung *f*

rest room (öffentliche) Toilette

result [rɪ'zʌlt] **1.** Ergebnis *n*, Resultat *n*; Folge *f*; **2.** sich ergeben (*from* aus); **~ in** zur Folge haben

resume [rɪ'zuːm] wieder aufnehmen; fortsetzen

résumé ['rezuːmeɪ] Lebenslauf *m*

resuscitate [rɪ'sʌsɪteɪt] wieder beleben

retail ['riːteɪl] Einzelhandel *m*; **~er** Einzelhändler(in)

retain [rɪ'teɪn] behalten; zurück(be)halten; beibehalten

retard [rɪ'tɑːrd] verzögern; **~ed** *Kind:* zurückgeblieben

retire [rɪ'taɪr] sich zur Ruhe setzen; in den Ruhestand

treten; sich zurückziehen; **~d** pensioniert, im Ruhestand; **~ment** Pensionierung *f*; Ruhestand *m*; **~ plan** private Altersvorsorge

retool [rɪ'tuːl] umgestalten, neu gestalten

retrace [rɪ'treɪs] zurückverfolgen; rekonstruieren

retreat [rɪ'triːt] **1.** sich zurückziehen; **2.** Rückzug *m*

retrieve [rɪ'triːv] wiederbekommen; *hunt.* apportieren

retro... [retroʊ] (zu)rück...; **~active** rückwirkend; **~spect** ['~spekt]: **in ~** im Rückblick; **~'spective** (zu)rückblickend; rückwirkend

return [rɪ'tɜːrn] **1.** *v/i* zurückkommen, -kehren; *v/t* zurückgeben; zurückbringen; zurückstellen, -legen; zurückschicken, -senden; erwidern; vergelten; *Gewinn* abwerfen; **2.** Rück-, Wiederkehr *f*; Rückgabe *f*; Erwiderung *f*; *pl econ.* Ertrag *m*; *Tennis:* Rückschlag *m*; Rück...; *by ~ mail* postwendend; **~able** Pfand...

Reuben sandwich [ruːbɪn'sændwɪtʃ] *Sandwich belegt mit gepökeltem Rindfleisch, Schweizer Käse und Sauerkraut*

reunion [riːˈjuːnjən] Wiedervereinigung *f*; Treffen *n*

rev [rev] **1.** *Abk. für* **revolution** Umdrehung *f*; **2.** *a.* **~**

up *Motor*: aufheulen (lassen)

reveal [rɪ'viːl] zum Vorschein bringen; enthüllen; ~**ing** aufschlussreich

revenge [rɪ'vendʒ] **1.** Rache *f*; Revanche *f*; **2.** rächen

revenue ['revǝnuː] Einnahmen *pl*, Einkünfte *pl*

reversal [rɪ'vɜːrsl] Umkehrung *f*; ~**e** [~s] **1.** Gegenteil *n*; Rückseite *f*; *fig*. Rückschlag *m*; *mot*. Rückwärtsgang *m*; **2.** umgekehrt; **3.** umkehren; *Meinung etc.* ändern; *Urteil* aufheben; *mot*. rückwärts fahren

revert [rɪ'vɜːrt] zurückkehren; ~ **to** zurückfallen in; zurückkommen auf

review [rɪ'vjuː] **1.** (Über-)Prüfung *f*, Revision *f*; Rückblick *m*; Rezension *f*; (Buch)Besprechung *f*; *mil*. Inspektion *f*; **2.** (über-, nach)prüfen; rezensieren, besprechen; *mil*. inspizieren; *fig*. zurückblicken auf

revise [rɪ'vaɪz] revidieren; überarbeiten; ~**ion** [~'vɪʒn] Revision *f*; Überarbeitung *f*

revoke [rɪ'vook] widerrufen; aufheben

revolt [rɪ'voolt] **1.** Revolte *f*, Aufstand *m*; **2.** revoltieren, sich auflehnen; *fig*. abstoßen; ~**ing** widerlich

revolve [rɪ'vɒlv] sich drehen; kreisen

reward [rɪ'wɔːrd] **1.** Beloh-

nung *f*; **2.** belohnen; ~**ing** lohnend

rewind [riː'waɪnd] (**-wound**) *Film etc.* zurückspulen

rheumatism ['ruːmǝtɪzǝm] Rheumatismus *m*

rhyme [raɪm] **1.** Reim *m*; Vers *m*; **2.** (sich) reimen

rhythm ['rɪðǝm] Rhythmus *m*

RI *Abk. für* Rhode Island

rib [rɪb] Rippe *f*

ribbon ['rɪbǝn] Band *n*

rice [raɪs] Reis *m*

rich [rɪtʃ] reich (**in** an); *Boden*: fruchtbar; *Speise*: schwer

rid [rɪd] (**rid** *od*. **ridded**) befreien (**of** von); **get** ~ **of** loswerden

ridden ['rɪdn] *pp von* ride 2

riddle ['rɪdl] Rätsel *n*

ride [raɪd] **1.** Fahrt *f*; Ritt *m*; **2.** (**rode**, **ridden**) fahren; reiten

ridge [rɪdʒ] (Gebirgs)Kamm *m*, Grat *m*; (Dach)First *m*

ridicule ['rɪdɪkjuːl] **1.** Spott *m*; **2.** verspotten; ~**ous** [~'dɪkjʊlǝs] lächerlich

riding ['raɪdɪŋ] Reiten *n*; Reit...

rifle ['raɪfl] Gewehr *n*

rig [rɪg] Bohrinsel *f*; F Sattelschlepper *m*

right [raɪt] **1.** *adj* recht; richtig; rechte(r, -s); *all* ~ in Ordnung!, gut!; *that's all* ~ das macht nichts!, schon gut!, bitte!; *that's* ~ richtig!, ganz recht!, stimmt!; *be* ~ Recht

haben; **make ~** in Ordnung
bringen; **2.** adv (nach)
rechts; recht, richtig; gera-
de(wegs), direkt; völlig,
ganz; genau; **~ away** sofort;
turn ~ rechts abbiegen; **3.** s
Recht n; rechte Hand, Rech-
te f; **on the ~** rechts; **to the ~**
(nach) rechts; **'~ful** rechtmäßig; **'~hand** rechte(r, -s);
~'handed rechtshändig; **~ of
'way** Vorfahrt(srecht n) f

rigid ['rɪdʒɪd] starr, steif; fig.
streng

rim [rɪm] Rand m; Felge f

ring [rɪŋ] **1.** Ring m; Kreis m;
Geläut(e) n; Klang m; Klin-
geln n; **2.** (*rang, rung*) läuten; klingeln; klingen; anrufen; **~ the bell** klingeln

rink [rɪŋk] Eisbahn f; Roll-
schuhbahn f

rinse [rɪns] spülen

riot ['raɪət] **1.** Aufruhr m;
Krawall m; **2.** randalieren

RIP [ɑːraɪˈpiː] Abk. für **Rest
in Peace** Ruhe in Frieden

rip [rɪp] **1.** Riss m; **2.** (zer)rei-
ßen

ripe [raɪp] reif; **'~n** reifen (lassen); **'~ness** Reife f

rip-off ['rɪpɒf] F: Nepp m;
Beschiss m

ripple ['rɪpl] kleine Welle;
Kräuselung f

rise [raɪz] **1.** Anstieg m, Steig-
en n; Zunahme f; fig. Auf-
stieg m; Steigung f; Anhöhe
f; **2.** (*rose, risen*) sich erheben; aufstehen; (an-, auf-)

steigen; Sonne etc.: aufgehen; Fluss: entspringen;
Volk: sich erheben; **'~n**
['rɪzn] pp von **rise** 2

risk [rɪsk] **1.** riskieren, wagen;
2. Gefahr f, Risiko n; **'~y** riskant, gewagt

rival ['raɪvl] **1.** Rivale m, -in f,
Konkurrent(in); **2.** wettei-
fern mit; **'~ry** Rivalität f,
Konkurrenz f

river ['rɪvə] Fluss m, Strom
m; **'~bed** Flussbett n;
'~bank Flussufer n

rivet ['rɪvɪt] tech. **1.** Niet m; **2.**
(ver)nieten

roach [rəʊtʃ] Schabe f

road [rəʊd] Straße f; **'~block**
Straßensperre f; **~ hog** F:
Verkehrsrowdy m; **~ map**
Straßenkarte f; **'~side** Straßenrand m; **~ sign** Verkehrsschild n, -zeichen n;
'~worthy verkehrstüchtig

roam [rəʊm] umherstreifen,
(-)wandern; durchstreifen

roar [rɔː] **1.** brüllen; brausen, toben; **2.** Gebrüll n;
Brausen n, Toben n

roast [rəʊst] **1.** rösten, braten; **2.** Braten m; **3.** gebraten, Brat...; **~ pork** Schwei-
nebraten m

rob [rɒb] (be)rauben; ausrauben; **'~ber** Räuber m;
'~bery Raub(überfall) m

robin ['rɒbɪn] Wanderdros-
sel f

robot ['rəʊbɒt] Roboter m

robust [rəʊˈbʌst] kräftig

rock [rɔk] **1.** Fels(en) *m*; Gestein *n*; Felsbrocken *m*; Stein *m*; Zuckerstange *f*; *mus.* Rock *m*; F Diamant *m*; **on the** ~**s** *Drink*: mit Eis(würfeln); *Ehe*: kaputt; **2.** schaukeln; wiegen; ~ **bottom** *fig.* Tiefpunkt *m*; '~**ing chair** Schaukelstuhl *m*

rocky ['rɔkɪ] felsig

rod [rɔd] Rute *f*; Stab *m*; Stange *f*

rode [rəʊd] *pret von* **ride** 2

rodent ['rəʊdənt] Nagetier *n*

role [rəʊl] *thea.* Rolle *f*

roll [rəʊl] **1.** Rolle *f*; Brötchen *n*, Semmel *f*; (Namens)Liste *f*; (Donner)Rollen *n*; **2.** rollen; schlingern; (g)rollen, dröhnen; (sich) wälzen; walzen; drehen; ~ **over** (sich) umdrehen; ~ **up** Zs.-rollen, aufrollen; hochkrempeln; ~ **call** Namensaufruf *m*; '~**er** Rolle *f*; Walze *f*; Lockenwickler *m*; '~**er skate** Achterbahn *f*; '~**er skate** Rollschuh *m*

ROM [rɔm] *Abk. für* **read-only memory** *Computer*: ROM, Festspeicher *m*

romance [rəʊˈmæns] Romanze *f*; Romantik *f*; ~**tic** romantisch

roof [ruːf] Dach *n*; ~ **rack** *mot.* Dachgepäckträger *m*

room [ruːm, *in Zssgn*: rʊm] Raum *m*; Zimmer *n*; Platz *m*; ~ **and board** Kost u. Logis *pl*, Wohnung u. Verpflegung

pl; '~**er** Untermieter(in); '~**mate** Zimmergenosse *m*, -genossin *f*; '~**y** geräumig

rooster ['ruːstər] Haushahn *m*

root [ruːt] **1.** Wurzel *f*; **2.** Wurzeln schlagen; ~ **around** herumwühlen; ~ **for** für *e-e* Sportmannschaft Stimmung machen; ~ **beer** Kräuterlimonade *f*

rope [rəʊp] **1.** Seil *n*, Strick *m*; Tau *n*; **2.** verschnüren; festbinden; anseilen; ~ **off** (durch ein Seil) absperren

rose[1] [rəʊz] Rose *f*

rose[2] [~] *pret von* **rise** 2

rosy ['rəʊzɪ] rosig

rotten ['rɔtn] verfault, faul; morsch; F: mies; saumäßig

rough [rʌf] **1.** rau; roh; grob; *Schätzung*: ungefähr; *Weg*: holp(e)rig; *Leben*: hart, unbequem; **2.** ~ **it** F primitiv leben; ~**age** ['~ɪdʒ] Ballaststoffe *pl*

round [raʊnd] **1.** *adj* rund; **2.** ~ **off** abrunden; ~ **up** *Preis* aufrunden; *Leute* zs.-trommeln; '~**about: in a ~ way** *fig.* auf Umwegen; ~ **trip** Hin- u. Rückfahrt *f*; ~·'**trip** ~ **ticket** Rückfahrkarte *f*

route [ruːt] Route *f*, Weg *m*; Strecke *f*; *etwa* Bundesstraße *f*, Autobahn *f*

routine [ruːˈtiːn] Routine *f*

row[1] [rəʊ] Reihe *f*; ~ **house** Reihenhaus *n*

row[2] [rəʊ] rudern; ~**boat** Ruderboot *n*

rub [rʌb] reiben; frottieren; ~
down abreiben, abfrottie-
ren; ~ **in** einreiben; ~ **off**
wegreiben

rubber ['rʌbər] Gummi *n, m*;
F *Kondom:* Gummi *m*; ~
band Gummiband *n*; ~
plant Gummibaum *m*

rubble ['rʌbl] Schutt *m*

ruby ['ruːbɪ] Rubin(rot *n*) *m*

rude [ruːd] unhöflich; grob;
unanständig; *Schock etc.:*
bös

ruffle ['rʌfl] **1.** Rüsche *f*; **2.**
kräuseln; *Federn* sträuben;
Haar zerzausen; *Stoff* zerknittern; (ver)ärgern

rug [rʌg] (Reise-, Woll)De-
cke *f*; Vorleger *m*, Teppich
m; F Toupet *n*

rugged ['rʌgɪd] rau; zerklüf-
tet; *Gesicht:* markig

ruin ['ruɪn] **1.** Ruin *m*; *pl* Rui-
ne(n *pl*) *f*, Trümmer *pl*; **2.**
zerstören; verderben; ruinie-
ren

rule [ruːl] **1.** Regel *f*; Vorschrift *f*; Herrschaft *f*; Zoll-
stock *m*; *as a* ~ in der Regel;
2. (be)herrschen; herrschen
über; entscheiden; verfügen;
~ **out** ausschließen; **'~r** Herr-
scher(in); Lineal *n*

rum [rʌm] Rum *m*

rumble ['rʌmbl] rumpeln;
Donner etc.: grollen

rumor ['ruːmər] **1.** Gerücht *n*;
2. *it is ~ed that* es geht das
Gerücht, dass

rump [rʌmp] Hinterteil *n*

rumple ['rʌmpl] zerknittern
-knüllen; zerzausen

run [rʌn] **1.** (*ran, run*) *v/i* laufen; rennen; eilen; *Zug, Bus:*
fahren, verkehren; fließen;
Grenze etc.: verlaufen; *tech.*
laufen, in Gang sein; *Uhr:*
gehen; *Film etc.:* laufen; *Farbe:* auslaufen; kandidieren;
v/t laufen lassen; *Geschäft*
betreiben, leiten; *Hand etc.*
gleiten lassen; ~ *a red light*
bei Rot über die Kreuzung
fahren; *can I tby you
again?* soll ich Ihnen das
noch einmal wiederholen?; ~
across zufällig treffen, stoßen auf; ~ *down* an-, überfahren; heruntwirtschaf-
ten; *j-n* schlecht machen; ~
into prallen gegen; *j-n* zufällig treffen; ~ *off* weglaufen; ~
out knapp werden, ausgehen; ~ *out of ...* kein ... mehr
haben; ~ *over Flüssigkeit:*
überlaufen; überfahren; → ~
through Liste etc. (flüchtig)
durchgehen; ~ *up Schulden*
anwachsen (lassen); **2.**
Lauf(en *n*) *m*; Rennen *n*;
Laufmasche *f*; Serie *f*; *econ.*
Ansturm *m*; *thea., Film:*
Laufzeit *f*; (Ski)Hang *m*; *in
the long* ~ auf die Dauer

runner ['rʌnər] Läufer(in);
~-**up** [ˌ~'ʌp] Zweite *m, f*

running (fort)laufend; *Wasser:* fließend; *for two days* ~
zwei Tage hintereinander

runway *aviat.* Start-, Lande-, Rollbahn *f*

rupture ['rʌptʃər] Bruch *m*, Riss *m* (*beide a. med.*)

rural ['rʊrəl] ländlich

rush [rʌʃ] **1.** Eile *f*; Hetze *f*; Andrang *m*; **2.** *v/i* eilen; stürzen, stürmen; *v/t* hetzen; drängen; schnell(stens) (hin)bringen; **~ hour** Hauptverkehrszeit *f*

rust [rʌst] **1.** Rost *m*; **2.** rosten

rustic ['rʌstɪk] ländlich, rusti-

kal

rusty ['rʌstɪ] rostig, verrostet; *fig.* eingerostet

rut [rʌt] (Wagen)Spur *f*; *fig.* Trott *m*; *zo.* Brunft *f*

ruthless ['ruːθlɪs] unbarmherzig; rücksichts-, skrupellos

RV [ɑːr'viː] *Abk. für **recreational vehicle*** Wohnmobil *n*

rye [raɪ] Roggen *m*; Roggenwhiskey *m*

S

sabotage ['sæbətɑːʒ] **1.** Sabotage *f*; **2.** sabotieren

sack [sæk] **1.** Sack *m*; *sl.* Bett *n*; **get the ~** *F* entlassen werden; **hit the ~** *F* sich aufs Ohr hauen; *2.* in Säcke abfüllen; *F j-n* rausschmeißen (*entlassen*); **~ out** sich aufs Ohr hauen, einschlafen

sacrifice ['sækrɪfaɪs] **1.** Opfer *n*; **2.** opfern

saddle ['sædl] **1.** Sattel *m*; **2.** satteln

'**sadness** Traurigkeit *f*

safe [seɪf] **1.** sicher; unversehrt; zuverlässig; **2.** Safe *m*, *n*, Geldschrank *m*; **~guard 1.** Schutz *m*; Vorsichtsmaßnahme *f*; **2.** sichern, schützen; **~keeping** sichere Verwahrung; Gewahrsam *m*

safety ['seɪftɪ] Sicherheit *f*; **~ belt** Sicherheitsgurt *m*; **~ island** Verkehrsinsel *f*; **~ pin** Sicherheitsnadel *f*; **~ valve** Sicherheitsventil *n* (*a. fig.*)

sag [sæg] sich senken; durchsacken; herunterhängen

said [sed] *pret u. pp von* **say** 1

sail [seɪl] **1.** Segel *n*; **2.** segeln, fahren; **'~boat** Segelboot *n*; **'~or** Seemann *m*, Matrose *m*

sake [seɪk]: **for the ~ of** um ... willen, wegen; **for my ~** meinetwegen; mir zuliebe

salad ['sæləd] Salat *m*

salary ['sælərɪ] Gehalt *n*

sale [seɪl] Verkauf *m*; Schlussverkauf *m*; **for ~** zu verkaufen; **on ~** im Angebot

'**sales|clerk** Verkäufer(in); '**~man** (*pl* **-men**) Verkäufer *m*; Vertreter *m*; **~ manager**

Verkaufsleiter(in); Vertreter(in); **~ slip** Kassenzettel *m*; **~ tax** *etwa* Umsatzsteuer *f*; **'~woman** (*pl* **-women**) Verkäuferin *f*

saliva [sə'laɪvə] Speichel *m*

salmon ['sæmən] Lachs *m*

salsa ['sɑːlsə] mexikanische Würzsoße; lateinamerikanische Musikrichtung

salt [sɔːlt] **1.** Salz *n*; *fig.* Würze *f*; **2.** salzig; (ein)gesalzen; **3.** salzen; pökeln; **~ lake** Salzsee *m*; **~ pork** gepökeltes Schweinefleisch; **~ shaker** Salzstreuer *m*; **~ water** Salzwasser *n*, Meerwasser *n*; **'~y** salzig

salvation [sæl'veɪʃn] Rettung *f*; Heil *n*; ♀ **Army** Heilsarmee *f*

same [seɪm] *the* **~** der-, die-, dasselbe; der/die/das gleiche *... od.* substantiviert Gleiche; *all the* **~** trotzdem; *it is all the* **~ to me** es ist mir ganz gleich

sample ['sæmpl] **1.** Probe *f*, Muster *n*; **2.** probieren

sanctuary ['sæŋktʃuərɪ] Schutzgebiet *n*; **bird ~** Vogelschutzgebiet *n*

sand [sænd] **1.** Sand *m*; **2.** schmirgeln, schleifen

sandal ['sændl] Sandale *f*

'sand|blast *tech.* sandstrahlen; **'~box** Sandkasten *m*; **'~paper 1.** Schmirgelpapier *n*; **2.** schmirgeln, schleifen; **'~stone** Sandstein *m*

sandwich ['sændwɪtʃ] **1.** Sandwich *n*; **2.** einklemmen

sandy ['sændɪ] sandig; *Haar:* rotblond

sane [seɪn] geistig gesund, normal; vernünftig

sang [sæŋ] *pret von* **sing**

sanitarium [sænɪ'teərɪəm] Sanatorium *n*

sanit|ary ['sænɪtərɪ] hygienisch, Gesundheits...; **~ napkin** Damenbinde *f*; **~ation** [sænɪ'teɪʃn] Abfall- u. Abwasserentsorgung *f*; **~ engineer** Abfall- u. Abwasserentsorger *m*; **~y** ['~ətɪ] gesunder Verstand

sank [sæŋk] *pret von* **sink** 1

Santa Claus ['sæntəklɔːz] Nikolaus *m*; Weihnachtsmann *m*

sap [sæp] *bot.* Saft *m*

sapphire ['sæfaɪr] Saphir *m*

sarcastic [sɑːr'kæstɪk] sarkastisch

sardine [sɑːr'diːn] Sardine *f*

SASE [eɪes'iː] *Abk. für* *self-addressed stamped envelope* adressierter Freiumschlag

sash [sæʃ] Schärpe *f*; **~ window** Schiebefenster *n*

sass [sæs] frech antworten

sassy ['sæsɪ] frech; forsch

sat [sæt] *pret u. pp von* **sit**

satellite ['sætəlaɪt] Satellit *m*; Satelliten...; **~ dish** Satellitenschüssel *f*

satin ['sætɪn] Satin *m*

satire ['sætaɪr] Satire *f*; **~ical**

[sə'tɪrəkl] satirisch

satis|faction [sætɪs'fækʃn] Befriedigung f; Genugtuung f; Zufriedenheit f; **~factory** befriedigend, zufrieden stellend; **~fy** [´-faɪ] befriedigen, zufrieden stellen; überzeugen

Saturday ['sætərdeɪ] Sonnabend m, Samstag m; **~ night special** billige kleine Pistole

sauce [sɔːs] Soße f; **'~r** Untertasse f

sausage ['sɔːsɪdʒ] Wurst f; Würstchen n

savage ['sævɪdʒ] **1.** wild; grausam; **2.** Wilde m, f

save [seɪv] **1.** retten; bewahren; (er)sparen; aufsparen; Computer: abspeichern, sichern; **2.** außer

saving ['seɪvɪŋ] Sparen n; pl Ersparnisse pl; **~s account** Sparkonto n

savor ['seɪvər] **1.** schmecken; genießen; Geschmack m; **~y** [´-əri] **1.** schmackhaft, pikant; **2.** Bohnenkraut n

saw¹ [sɔː] pret von **see**

saw² [~] **1.** (sawed, sawn od. sawed) sägen; Säge f; **'~bones** F Arzt m, Chirurg m; **'~ dust** Sägespäne pl

say [seɪ] **1.** (said) sagen; aufsagen; Gebet sprechen; **that is to ~** das heißt; **when you say so** halt; **~s who?** wer sagt das?; **2.** Mitspracherecht n; **'~ing** Sprichwort n, Redensart f

SC Abk. für South Carolina

scab [skæb] Schorf m

scaffold(ing) ['skæfəld(ɪŋ)] (Bau)Gerüst n

scald [skɔːld] **1.** verbrühen; Milch abkochen; **2.** Verbrühung f, Brandwunde f

scale [skeɪl] Schuppe f; Tonleiter f, Skala f; Maßstab m; Waagschale f; pl Waage f

scallop ['skæləp] Kammmuschel f

scalp [skælp] **1.** Kopfhaut f; Skalp m; **2.** skalpieren; F Eintrittskarten zu Wucherpreisen weiterverkaufen

scam [skæm] Betrug m

scan [skæn] **1.** absuchen; Computer: scannen; Radar, TV: abtasten; fig. überfliegen; **2.** med. Ultraschalluntersuchung f

scandal ['skændl] Skandal m; **~ous** [´-dələs] skandalös

scanner ['skænər] Computer: Scanner m

scant [skænt] knapp, wenig; **→ '~y** spärlich, dürftig

scapegoat ['skeɪpɡoʊt] Sündenbock m

scar [skɑːr] Narbe f

scarc|e [skers] knapp; selten; **'~ely** kaum; **'~ity** Mangel m

scare [sker] **1.** Schreck(en) m; Panik f; **2.** erschrecken; **~ away** verjagen, -scheuchen; **be ~d of** Angst haben vor; **'~crow** Vogelscheuche f scarf [skɑːrf] (*pl* **~s**, **scarves** [~vz]) Schal *m*; Hals-, Kopf-, Schultertuch *n*

scarlet ['skɑːrlɪt] scharlachrot; **~ fever** Scharlach *m*

scarves [skɑːrvz] *pl von* **scarf**

scary ['skerɪ] gruselig, unheimlich

scatter ['skætər] (sich) zerstreuen; aus-, verstreuen; **'~brained** F schusselig

scene [siːn] Szene *f*; Schauplatz *m*; **~ry** ['~ərɪ] Szenerie *f*; Bühnenbild *n*; Landschaft *f*

scent [sent] Geruch *m*, Duft *m*

schedule ['skedʒʊl] **1.** Zeitplan *m*; Liste *f*; Fahr-, Flugplan *m*; Programm *n*; **on ~** (fahr)planmäßig, pünktlich; **behind ~** mit Verspätung; **2.** festsetzen; planen; **~d flight** Linienflug *m*

scheme [skiːm] **1.** Schema *n*; Plan *m*; Projekt *n*; Programm *n*; Intrige *f*; **2.** Pläne schmieden; intrigieren

schlep [ʃlep] F tragen, schleppen

schmaltzy ['ʃmɔːltsɪ] F schmalzig (*Musik etc.*)

schmooze [ʃmuːz] F schwatzen, plaudern

schmuck [ʃmʌk] F Trottel *m*

schnook [ʃnʊk] F Trottel *m*

schnozzle ['ʃnɑːzəl] F Rüssel *m* (*Nase*)

scholar ['skɑːlər] Gelehrte *m*, *f*; Stipendiat(in); **'~ship** Stipendium *n*

school [skuːl] **1.** Schule *f*; *Fische:* Schwarm *m*; **2.** schulen; **'~ing** (Schul)Ausbildung *f*; **'~mate** Mitschüler(in); **'~teacher** Lehrer(in)

scien|ce ['saɪəns] Wissenschaft *f*; Naturwissenschaft(en *pl*) *f*; **~tific** [~'tɪfɪk] (natur)wissenschaftlich; **'~tist** (Natur)Wissenschaftler(in)

scissors ['sɪzərz] *pl* (*a.* **a pair of ~** e-e) Schere *f*

scold [skoʊld] (aus)schelten; schimpfen

scoop [skuːp] **1.** Schöpfkelle *f*; Schaufel *f*; Knüller *m*; (Eiskrem)Kugel *f*; **2.** schöpfen; schaufeln

scooter ['skuːtər] (Kinder-) Roller *m*; (Motor)Roller *m*

scope [skoʊp] Bereich *m*; Spielraum *m*

scorch [skɔːrtʃ] versengen, -brennen

score [skɔːr] **1.** *Sport:* Spielstand *m*, Punktzahl *f*; (Spiel)Ergebnis *n*; Rechnung *f* (*a. fig.*); **2.** *Sport:* Punkte erzielen, *Tore* schießen; die Punkte zählen

Scotch [skɑːtʃ] schottischer Whisky, Scotch *m*; **~ tape**® Klebstreifen *m*

scot-free [skɑːt'friː] ungestraft; ungeschoren

scout [skaʊt] **1.** Pfadfinder(in); **2.** auskundschaften; erkunden

scraggly ['skrægli] F struppig

scram [skræm] F abhauen

scramble ['skræmbl] klettern; sich raufen (**for** um); **~d eggs** pl Rührei pl

scrap [skræp] **1.** Stückchen n, Fetzen m; Abfall m; Schrott m; **2.** Plan etc. fallen lassen

scrape [skreɪp] **1.** Kratzen n, Schramme f; F Schwulitäten pl; **2.** kratzen; schaben; scharren; (entlang)streifen

scrap|**heap** Schrotthaufen m; **~ iron** Alteisen n, Schrott m

scrappy ['skræpɪ] F streitsüchtig

scratch [skrætʃ] **1.** (zer)kratzen; sich kratzen; **2.** Kratzer m, Schramme f; **from ~** ganz von vorn

scream [skri:m] **1.** Schrei m; **2.** schreien

screen [skri:n] **1.** Wand-, Schutzschirm m; (Film)Leinwand f; Bildschirm m; Fliegengitter n; **2.** abschirmen, (be)schützen; Film zeigen; j-n überprüfen; **~ window** Fliegenfenster n

screw [skru:] **1.** Schraube f; **2.** schrauben; V vögeln; **~ball** F Spinner m; **2.** verrückt; **~driver** Schraubenzieher m; **~ top** Schraubverschluss m

scribble ['skrɪbl] **1.** Gekritzel

n; **2.** kritzeln

script [skrɪpt] Manuskript n; Drehbuch n; **~ure** ['~tʃər]: **the (Holy) ~s** pl die Heilige Schrift

scroll [skrəʊl] **1.** Schriftrolle f; **2.** Computer: rollen

scrub [skrʌb] **1.** Gestrüpp n; Schrubben n, Scheuern n; **2.** schrubben, scheuern

scruffy ['skrʌfɪ] schmudd(e)lig

scrutin|**ize** ['skru:tɪnaɪz] (genau) prüfen; **~y** (genaue) Prüfung

scuba ['sku:bə] Tauchgerät n; **~ diving** (Sport)Tauchen n

scuffle ['skʌfl] raufen

sculptor ['skʌlptər] Bildhauer m; **~ure** ['~tʃər] Bildhauerei f; Skulptur f, Plastik f

scum [skʌm] Schaum m; fig. Abschaum m

S-curve ['eskɜːrv] S-Kurve f

SD Abk. für South Dakota

sea [si:] die See, das Meer; **~board** Küste f; **~food** Meeresfrüchte pl; **~going** Hochsee...; **~gull** (See)Möwe f

seal[1] [si:l] Seehund m, Robbe f

seal[2] [~] **1.** Siegel n; tech. Dichtung f; **2.** versiegeln; fig. besiegeln

sea level Meeresspiegel m

seam [si:m] Saum m, Naht f

seamstress ['semstrɪs] Näherin f

'sea|plane Wasserflugzeug n;
'~port Hafenstadt f

search [sɜːtʃ] **1.** durchsuchen; *Gewissen* erforschen; suchen (**for** nach); durchsuchen; *Gewissen* erforschen; **2.** Suche f, Durchsuchung f; Suchaktion f; in ~ **of** auf der Suche nach; '~ing prüfend; '~light Suchscheinwerfer m; ~ **party** Suchmannschaft f; ~ **warrant** Durchsuchungsbefehl m

'sea|shore Meeresküste f; '~sick seekrank

season ['siːzn] **1.** Jahreszeit f; Saison f; **2.** würzen; '~ing Gewürz n; fig. Würze f; ~ **ticket** rail. etc. Zeitkarte f; thea. Abonnement n

seat [siːt] **1.** (Sitz)Platz m; Sitz m; Sitzfläche f; Hosenboden m; **2.** (hin)setzen; Sitzplätze haben für; ~ **belt** Sicherheitsgurt m

seclu|ded [sɪˈkluːdɪd] abgelegen; *Leben:* zurückgezogen; ~**sion** [~ʒn] Abgeschiedenheit f

second ['sekənd] **1.** adj zweite(r, -s); **2.** adv als Zweite(r, -s); an zweiter Stelle; **3.** s der, die, das Zweite; Sekunde f; Augenblick m; zweiter Gang; **4.** v/t unterstützen; '~ary sekundär; untergeordnet; zweitrangig; ~ **education** höhere Schulbildung; ~ **class** zweite Klasse; ~**class mail** Zeitungspost f; ~'**hand** aus zweiter Hand;

gebraucht; antiquarisch; '~**ly** zweitens; ~'**rate** zweitklassig; ~ **thought** Bedenken n; **on** ~ wenn ich es mir recht überlege

secre|cy ['siːkrəsɪ] Heimlichkeit f; Verschwiegenheit f; ~**t** ['~ɪt] **1.** geheim, heimlich; Geheim...; **2.** Geheimnis n

secretary ['sekrətrɪ] Sekretär(in); Minister(in); ♀ **of State** in den USA: Außenminister(in)

secret|e [sɪˈkriːt] med. absondern; ~**ion** [~ʃn] med. Absonderung f; ~**ive** ['siːkrətɪv] verschlossen; heimlichtuerisch

section ['sekʃn] Teil m; Abschnitt m; Text: Absatz m; math. Schnitt m; Abteilung f

secur|e [sɪˈkjʊə] **1.** sicher; fest; gesichert; **2.** sichern; fest zumachen; schützen; sich et. sichern; befestigen; ~**ity** [~rətɪ] Sicherheit f; pl Wertpapiere pl

sedan [sɪˈdæn] Limousine f

sedative ['sedətɪv] Beruhigungsmittel n

seduc|e [sɪˈdjuːs] verführen; ~**tion** [~ˈdʌkʃn] Verführung f; ~**tive** verführerisch

see [siː] (saw, seen) v/i sehen; nachsehen; einsehen; sich abzeichnen; I ~ ich verstehe; ach so; ~ **about** sich kümmern um; ~ **through** j-n, et. durchschauen; ~ **to it** dafür sorgen; v/t sehen; (sich) an-

sehen; besuchen; aufsuchen;
konsultieren; begleiten; einsehen; **~ a doctor** zum Arzt
gehen; **~ s.o. home** j-n nach
Hause bringen; **~ s.o. out** j-n
hinausbegleiten; *live to* ~ erleben

seed [siːd] Samen *m*; Saat-
(gut *n*) *f*; *fig.* Keim *m*; '**~y**
schäbig; heruntergekommen

seeing eye dog Blinden-
hund *m*

seek [siːk] (**sought**) suchen

seem [siːm] (er)scheinen

seen [siːn] *pp von* **see**

seesaw ['siːsɔː] Wippe *f*

'**see-through** durchsichtig

segment ['segmənt] Teil *m*,
Abschnitt *m*; Segment *n*

seiz|e [siːz] ergreifen, fassen;
~ure ['~ʒər] Ergreifung *f*;
med. Anfall *m*

seldom ['seldəm] selten

select [sɪ'lekt] **1.** auswählen;
2. erlesen; **~ion** Auswahl *f*,
Wahl *f*; *biol.* Selektion *f*,
Auslese *f*

self [self] (*pl* **selves** [~vz])
Selbst *n*, Ich *n*; **~-ad-
dressed envelope** adres-
sierter Rückumschlag; **~-ad-
hesive** selbstklebend;
~-assured selbstbewusst,
-sicher; **~-'confidence**
Selbstbewusstsein *n*; **~-'conscious** befangen, gehemmt;
~-contained *Wohnung*: in
sich abgeschlossen; *Person*:
distanziert;   **~-control**
Selbstbeherrschung   *f*;

~-defense Selbstverteidi-
gung *f*; Notwehr *f*; **~-em-
ployed** selbstständig; **~-'evi-
dent** offensichtlich; '**~ish**
selbstsüchtig; '**~less** selbst-
los; **~-'made** selbst gemacht;
~-respect Selbstachtung *f*;
~-'righteous selbstgerecht;
~-rising flour Mehl *n*, das
Backpulver enthält; **~-'satisfied** selbstzufrieden;
~-'service Selbstbedie-
nungs...

sell [sel] (**sold**) verkaufen;
sich verkaufen (lassen), gehen; '**~er** Verkäufer(in)

selves [selvz] *pl von* **self**

semi... [semɪ] halb..., Halb...

semi ['semɪ] Sattelschlepper
m; **~circle** Halbkreis *m*;
~conductor *electr.* Halblei-
ter *m*; **~final** *Sport*: Halb-
finale *n*; **~skilled** angelernt

senate ['senət] Senat *m*; **~or**
['~ətər] Senator *m*

send [send] (**sent**) senden,
schicken; **~ for** kommen *od.*
holen lassen; **~ in** einsenden;
'**~er** Absender(in)

senile ['siːnaɪl] senil; Alters...

senior ['siːnjər] **1.** älter;
dienstälter; ranghöher; **~
citizen** Senior(in); **2.** Ältere
m, *f*; Ranghöhere *m*, *f*

sensation [sen'seɪʃn] Emp-
findung *f*, Gefühl *n*; Aufsehen *n*; Sensation *f*; **~al** sensationell, Sensations...

sense [sens] **1.** Sinn *m*; Gefühl *n*; Verstand *m*; Vernunft

f; Bedeutung *f*; **in a ~** in gewissem Sinne; **talk ~** vernünftig reden; **2.** spüren, fühlen; **'~less** bewusstlos; sinnlos

sensib|ility [sensɪ'bɪlətɪ] Empfindlichkeit *f*; **~le** ['sensəbl] vernünftig

sensitive ['sensɪtɪv] empfindlich; sensibel, feinfühlig

sensu|al ['senʃʊəl], **'~ous** sinnlich

sent [sent] *pret u. pp von* **send**

sentence ['sentəns] **1.** Satz *m*; *jur.* Urteil *n*; **2.** verurteilen

sentimental [sentɪ'mentl] sentimental, gefühlvoll

separat|e 1. ['sepəreɪt] (sich) trennen; **2.** ['seprət] getrennt; separat; verschieden; **~ion** [~ə'reɪʃn] Trennung *f*

September [sep'tembər] September *m*

sequel ['siːkwəl] Folge *f*; Nachspiel *n*; *Buch*: Fortsetzung *f*; Folge *f*

serene [sɪ'riːn] heiter; klar; ruhig; gelassen

serial ['sɪərɪəl] **1.** serienmäßig; Serien..., Fortsetzungs...; *Computer*: seriell; **~ number** laufende Nummer; **2.** Fortsetzungsroman *m*; *TV* Serie *f*; *Rundfunk*: Sendereihe *f*

series ['sɪəriːz] (*pl* **~**) Reihe *f*; Serie *f*; Folge *f*

serious ['sɪərɪəs] ernst; ernsthaft; schwer; schlimm

serum ['sɪərəm] (*pl* **~s, sera** ['~rə]) Serum *n*

serve [sɜːv] dienen; bedienen; *Speisen* servieren; *Zweck* erfüllen; *Tennis*: aufschlagen

service ['sɜːvɪs] **1.** Dienst *m*; Bedienung *f*; Betrieb *m*; *tech.* Wartung *f*, Kundendienst *m*; *mot.* Inspektion *f*; Verkehrsverbindung *f*; Gottesdienst *m*; Service *n*; *Tennis*: Aufschlag *m*; Nutzen *m*; **2.** *tech.* warten, pflegen; **~ charge** Bedienung(szuschlag *m*) *f*; **'~man** (*pl* **-men**) Soldat *m*; **~ station** Tankstelle *f* (mit Reparaturwerkstatt); **'~woman** (*pl* **-women**) Soldatin *f*

session ['seʃn] Sitzung *f*

set [set] **1.** Satz *m*, Garnitur *f*; Service *n*; Sammlung *f*, Reihe *f*, Serie *f*; Clique *f*; *thea.* Bühnenbild *n*; *Tennis*: Satz *m*; **2.** fest(gelegt, -gesetzt); bereit; entschlossen; **3.** (*set*) *v/t* setzen, stellen, legen; *Wecker*, *Aufgabe* stellen; *tech.* einstellen; *Knochenbruch* einrichten; *Tisch* decken; *Haar* legen; *Edelstein* fassen; *Zeitpunkt* festsetzen; *Beispiel* geben; *v/i Sonne*: untergehen; fest werden, erstarren; **~ eyes on** sehen; **~ free** freilassen; **~ aside** beiseite legen; *v/t* aufbrechen; *v/t* auslösen; hervorheben; **~ out** aufbrechen;

~ up aufstellen; errichten; sich niederlassen; **'~back** Rückschlag *m*

setting ['setɪŋ] (*Gold-* etc.) Fassung *f*; Hintergrund *m*, Umgebung *f*; Schauplatz *m*

settle ['setl] *v/t* vereinbaren, festlegen; klären, entscheiden, regeln; erledigen; *Streit* beilegen; *Rechnung* begleichen; besiedeln; *v/i* sich setzen; sich niederlassen; sich einleben; sich beruhigen; **'~ment** Vereinbarung *f*; Entscheidung *f*; Regelung *f*; Klärung *f*; Schlichtung *f*; Übereinkunft *f*; (Be-, An-)Siedlung *f*; **'~r** Siedler(in)

'set-up Zustände *pl*; F abgekartete Sache

seven ['sevn] sieben; **~teen** [~'ti:n] siebzehn; **~th** [~'θ] **1.** sieb(en)te(r, -s); **2.** Sieb(en)tel *n*; **~tieth** [~'tɪəθ] siebzigste(r, -s); **'~ty** siebzig

several ['sevrəl] mehrere; verschiedene; einige

sever|e [sɪ'vɪr] streng; hart; scharf; *Wetter*: rau; *Schmerz etc.*: heftig; *Krankheit etc.*: schwer; **~ity** [~'verɪtɪ] Strenge *f*, Härte *f*

sew [sou] (*sewed, sewn od. sewed*) nähen

sewage ['su:ɪdʒ] Abwasser *n*; **~r** ['suər] Abwasserkanal *m*

sewing ['souɪŋ] Nähen *n*; Näharbeit *f*; Näh...; **~n** *pp von* **sew**

sex [seks] Geschlecht *n*; Sexualität *f*; Sex *m*; Geschlechtsverkehr *m*

sex|ual ['sekʃuəl] geschlechtlich, Geschlechts..., sexuell, Sexual...; **~y** [~'sɪ] sexy, attraktiv

SF *Abk. für* **science fiction** Science-Fiction *f*

shabby ['ʃæbɪ] schäbig

shack [ʃæk] **1.** Hütte *f*, Bude *f*; **2. ~ up** F zs.-leben (**with** mit)

shade [ʃeɪd] **1.** Schatten *m* (*Lampen-* etc.)Schirm *m*; Schattierung *f*; Rouleau *n*; **2.** abschirmen, schützen; **~s** Sonnenbrille *f*

shadow ['ʃædou] **1.** Schatten *m*; **2.** beschatten

shady ['ʃeɪdɪ] schattig; *fig.* fragwürdig

shaggy ['ʃægɪ] zott(el)ig

shak|e [ʃeɪk] (*shook, shaken*) *v/t* schütteln; rütteln; erschüttern; *j-n od. et.*gründlich durchsuchen; ~ *s.o. down* F: j-n erpressen; j-n durchsuchen; ~ *hands* sich die Hand geben; *v/i* zittern; beben; schwanken; **~en 1.** *pp von* **shake**; **2.** erschüttert; **'~y** wack(e)lig; zitt(e)rig

shall [ʃæl] *v/aux* (*pret should*) ich, du etc. soll(st) etc.

shallow ['ʃælou] **1.** seicht; flach; *fig.* oberflächlich; **2.** *pl* Untiefe *f*

shame [ʃeɪm] **1.** beschämen; *j-m* Schande machen; **2.** Scham *f*; Schande *f*; *what a* ~ wie schade; ~ *on you!* schäm dich!; '~**ful** schändlich; '~**less** schamlos

shampoo [ʃæmˈpuː] **1.** Shampoo *n*, Schampon *n*; Haarwäsche *f*; **2.** *Haare* waschen; *Teppich etc.* schamponieren

shape [ʃeɪp] **1.** Gestalt *f*; Form *f*; Verfassung *f*; **2.** formen; gestalten; '~**less** formlos; '~**ly** wohlgeformt

share [ʃer] **1.** teilen; teilhaben (*in* an); **2.** (An)Teil *m*; Aktie *f*; '~**-cropper** kleiner Farmpächter

shark [ʃɑːrk] (*pl* ~, ~**s**) Hai(fisch) *m*

sharp [ʃɑːrp] **1.** *adj* scharf; spitz; schlau; heftig; modisch, elegant, schick; **2.** *adv* pünktlich, genau; '~**en** schärfen; spitzen; '~**ener** [ˈ~pnər] (*Bleistift*)Spitzer *m*

shatter [ˈʃætər] zerschmettern; *fig.* zerstören

shave [ʃeɪv] **1.** (*shaved, shaved od. shaven*) (sich) rasieren; haarscharf vorbeikommen an; **2.** Rasur *f*; '~**n** *pp von* **shave 1;** '~**r** (elektrischer) Rasierapparat

shaving [ˈʃeɪvɪŋ] Rasieren *m*; Rasier...; *pl* (Hobel)Späne *pl*

shawl [ʃɔːl] Umhängetuch *n*; Kopftuch *m*

she [ʃiː] **1.** *pers pron* sie; **2.** *s* Sie *f*; Mädchen *n*, Frau *f*; *zo.* Weibchen *n*; **3.** *adj zo.* in *Zssgn:* ...weibchen *n*

shebang [ʃɪˈbæŋ] F: Laden *m*; Kram *m*; *the whole* ~ der ganze Plunder

shed¹ [ʃed] (**shed**) *Blätter etc.* abwerfen; *Kleider etc.* ablegen; *Blut, Tränen* vergießen

shed² [~] Schuppen *m*; Stall *m*

sheep [ʃiːp] (*pl* ~) Schaf(e *pl*) *n*; '~**dog** Schäferhund *m*; '~**ish** einfältig

sheer [ʃɪr] rein; bloß; glatt; steil; senkrecht; hauchdünn

sheet [ʃiːt] Betttuch *n*, (Bett)Laken *n*; (*Glas-etc.*)Platte *f*; *Papier:* Blatt *n*, Bogen *m*

shelf [ʃelf] (*pl* **shelves** [~vz]) Brett *n*, Bord *n*; Regal *n*; Fach *n*

shell [ʃel] **1.** Schale *f*; Hülse *f*; Muschel *f*; Granate *f*; **2.** schälen; enthülsen; beschießen; '~**fish** (*pl* ~) Schalentier(e *pl*) *n*; *gastr.* Meeresfrüchte *pl*

shelter [ˈʃeltər] **1.** Schutz *m*; Unterkunft *f*; Schutzhütte *f*; **2.** (be)schützen; sich unterstellen

shelves [ʃelvz] *pl von* **shelf**

shepherd [ˈʃepərd] Schäfer *m*, Schafhirt *m*

sherbet [ˈʃɜːrbət] Fruchteis *n*

sheriff [ˈʃerɪf] Sheriff *m* (ge-

wählter höchster Exekutivbe-
amter e-s Bezirks)

shield [ʃiːld] **1.** (Schutz)-
Schild *m*; **2.** (be)schützen

shift [ʃift] **1.** Veränderung *f*;
Verschiebung *f*; Wechsel *m*;
(Arbeits)Schicht *f*; List *f*;
Kniff *m*; Notbehelf *m*; **2.**
(um-, aus)wechseln; (um)-
schalten; verändern; (sich)
verlagern *od.* -schieben; **∼key** Umschalttaste *f*; **∼work**
Schichtarbeit *f*; **∼y** unzuver-
lässig; verschlagen

shimmer [ˈʃimər] schimmern

shin(bone) [ˈʃin(boun)]
Schienbein *n*

shine [ʃain] **1.** Schein *m*;
Glanz *m*; **2.** (*shone*) scheinen; leuchten; glänzen,
strahlen; (*shined*) polieren,
putzen

shingle [ˈʃiŋgl] Schindel *f*

shingles [ˈʃiŋglz] *med.* Gür-
telrose *f*

shinny [ˈʃini] klettern

shiny [ˈʃaini] glänzend

ship [ʃip] **1.** Schiff *n*; **2.** ver-
schiffen; *econ.* versenden;
∼ment Verschiffung *f*;
Schiffsladung *f*; Versand *m*;
(Waren)Sendung *f*; **∼owner**
Reeder *m*; **∼ping** Verschiffung *f*; Schiffahrt *f*; Versand
m; **∼ping company** Reede-
rei *f*; **∼wreck** schiffbrüchig;
∼yard Werft *f*

shirt [ʃɜːrt] (Herren)Hemd *n*;
∼waist Hemdblusenkleid *n*

shit [ʃit] V **1.** Scheiße *f*; *fig.*
Scheiß *m*; *sl.* Heroin *n*;
Scheißkerl *m*; **2.** (*shat*)
scheißen; *sl.* belügen; **∼less:
be scared ∼** V sich vor Angst
in die Hosen scheißen; **∼list:
be on s.o.'s ∼** V bei j-m
verschissen haben

shiver [ˈʃivər] **1.** Schauer *m*;
2. zittern; frösteln

shock [ʃɑːk] **1.** Stoß *m*, Erschütterung *f*; Schock *m*;
electr. Schlag *m*; Stoßdämpfer *m*; **2.** schockieren, empören; *j-n* entsetzen; **∼ab-
sorber** Stoßdämpfer *m*;
∼ing schockierend, empö-
rend; anstößig; **∼pink** pink

shoe [ʃuː] Schuh *m*; **∼lace**,
∼string Schnürsenkel *m*

shone [ʃɑːn] *pret u. pp von*
shine 2

shoo-in [ˈʃuːin] F sicherer
Gewinner, aussichtsreicher
Kandidat

shook [ʃʊk] *pret von* **shake**

shoot [ʃuːt] **1.** *bot.* Schössling
m; **2.** (*shot*) (ab)schießen;
erschießen; *Film* drehen;
Würfel spielen; schießen, rasen; **∼ing gallery** Schieß-
stand *m*, -bude *f*; **∼ing star**
Sternschnuppe *f*

shop [ʃɑːp] **1.** Laden *m*, Geschäft *n*; Werkstatt *f*; **talk ∼**
fachsimpeln; **2.** *mst* **go ∼ping**
einkaufen gehen; **∼keeper**
Ladeninhaber(in); **∼lifter**
Ladendieb(in); **∼ping** Einkauf *m*, Einkaufen *n*; **do**

one's ~ (-e) Einkäufe ma-
chen; ~**ping center**, ~**ping
mall** Einkaufszentrum n; ~
steward gewerkschaftlicher
Vertrauensmann; ~ **window**
Schaufenster n

shore [ʃɔːr] Küste f; Ufer n;
Strand m; **on** ~ an Land
short [ʃɔːrt] **1.** adj kurz;
klein; knapp; kurz angebun-
den; ~ **of** knapp an; **2.** adv
plötzlich, abrupt; **3.** s F Kurzschluss m; **in** ~ kurz(um); ~
age ['~ɪdʒ] Knappheit f; ~
circuit electr. Kurzschluss m;
'~**coming** Unzulänglichkeit
f; ~ **cut** Abkürzung f; ~**en**
(ab-, ver)kürzen; kürzer machen; '~**hand** Stenografie f;
'~**ly** bald; ~**s** pl Shorts pl,
kurze Hose; ~**order cook**
Koch m für Schnellgerichte;
'~**sighted** fig. kurzsichtig; ~
story Kurzgeschichte f;
'~**term** kurzfristig; ~ **wave**
Kurzwelle f

shot [ʃɑːt] **1.** pret u. pp von
shoot 2; **2.** Schuss m;
Schrot(kugeln pl) m, n; guter
etc. Schütze m; phot. Aufnahme f; med. F Spritze f; Drogen:
Schuss m; fig. Versuch
m; '~**gun** Schrotflinte f; ~
wedding Mussheirat f
should [ʃʊd] pret von **shall**
shoulder ['ʃəʊldər] Schulter
f; Straßenrand m; Bankette f
shout [ʃaʊt] **1.** Ruf m; Schrei
m; **2.** rufen, schreien
shove [ʃʌv] schieben, sto-

ßen, schubsen; **2.** Stoß m,
Schubs m
shovel ['ʃʌvl] **1.** Schaufel f; **2.**
schaufeln
show [ʃəʊ] **1.** (**showed,
shown** od. **showed**) zeigen;
ausstellen; erweisen; beweisen; zu sehen sein; ~ **off** angeben, prahlen; ~ **up** F auftauchen, erscheinen; **2.**
Schau f; Ausstellung f; Vorstellung f; Aufführung f;
Show f; leerer Schein; ~ **biz**
F, ~ **business** Showbusiness
n, -geschäft n; '~**down** F
Kraftprobe f
shower ['ʃaʊər] **1.** (Regen-
etc.)Schauer m; Dusche f;
Party für e-e Braut od. junge
Mutter; **take a** ~ duschen; **2.**
j-n mit et. überschütten od.
-häufen
shown [ʃəʊn] pp von **show** 1
'**showroom** Ausstellungs-
raum m
shrank [ʃræŋk] pret von
shrink[1]
shred [ʃred] **1.** Fetzen m; **2.**
zerfetzen; Gemüse raspeln,
hobeln; '~**der** Gemüse-
schneider m; Reißwolf m
shrewd [ʃruːd] klug, clever
shrimp [ʃrɪmp] Garnele f,
Krabbe f; ~ **cocktail** gastr.
Krabbencocktail m; '~**er**
Krabbenfischer m; Krabben-
kutter m
shrink[1] [ʃrɪŋk] (**shrank** od.
shrunk, **shrunk**) (ein-, zs.-)
schrumpfen (lassen); einlau-

fen; zurückschrecken

shrink² [ʌ] F Psychiater(in), Psychoanalytiker(in)

'shrink-wrap einschweißen

shrub [ʃrʌb] Strauch m, Busch m; '~bery Gebüsch n

shrug [ʃrʌg] **1.** *die Achseln zucken;* **2.** Achselzucken n

shrunk [ʃrʌŋk] pret u. pp von **shrink¹**

shuck [ʃʌk] schälen, enthülsen; **~ off** Kleidung abwerfen

shuffle ['ʃʌfl] Karten: mischen; schlurfen

shut [ʃʌt] (**shut**) schließen, zumachen; sich schließen (lassen); **~ down** Betrieb schließen; **~ up** F den Mund halten; '**~ter** Fensterladen m; phot. Verschluss m; '**~terbug** F begeisterter Amateurfotograf

shuttle ['ʃʌtl] **1.** Pendelverkehr m; **2.** pendeln; '**~cock** Federball m; **~ service** Pendelverkehr m

shy [ʃaɪ] scheu; schüchtern

shyster ['ʃaɪstər] F Winkeladvokat m, Rechtsverdreher m

sic [sɪk] F: **~ one's dog on s.o.** s-n Hund auf j-n hetzen; **~ 'em!** Fass!

sick [sɪk] krank; überdrüssig; **be ~** sich übergeben; **be ~ of** et. satt haben; **I feel ~** mir ist schlecht; '**~ening** ekelhaft

sick| leave: **be on ~** krankgeschrieben sein; '**~ly** kränk-

lich; ekelhaft; '**~ness** Krankheit f; Übelkeit f; **~ pay** Krankengeld n

side [saɪd] **1.** Seite f; Seiten...; **take ~s (with)** Partei ergreifen (für); **2.** Partei ergreifen; '**~board** Anrichte f, Sideboard n; '**~burns** Koteletten pl (Backenbart); **~ dish** Beilage f; **~ effect** Nebenwirkung f; **~ order** Beilage f; **~ street** Nebenstraße f; '**~swipe** ['~swaɪp] ein Auto seitlich streifen; '**~track** ablenken; '**~walk** Bürgersteig m; **~ café** Straßencafé n; '**~ways** adj seitlich; **2.** adv seitwärts; '**~wheeler** Raddampfer m

sift [sɪft] sieben; fig. sichten

sigh [saɪ] **1.** Seufzer m; **2.** seufzen

sight [saɪt] **1.** Sehvermögen n, -kraft f; Anblick m; Sicht f; pl Sehenswürdigkeiten pl; **catch ~ of** erblicken; **know by ~** vom Sehen kennen; **(with)in ~** in Sicht(weite); **2.** sichten; '**~seeing: go ~** die Sehenswürdigkeiten besichtigen; **~ tour** (Stadt)Rundfahrt f; '**~seer** Tourist(in)

sign [saɪn] **1.** Zeichen n; Wegweiser m; Schild n; Zeichensprache f; **2.** unterschreiben; **~ in/out** sich ein-/ austragen

signal ['sɪgnl] **1.** Signal n; **2.** signalisieren; (ein) Zeichen geben

signature ['sɪgnətʃər] Unterschrift f

signifi|cance [sɪg'nɪfɪkəns] Bedeutung f; **~cant** bedeutend; bezeichnend (**of** für); vielsagend

signify ['sɪgnɪfaɪ] bedeuten; andeuten, erkennen lassen

sign language Zeichensprache f

silence ['saɪləns] **1.** (Still-)Schweigen n; Stille f; Ruhe f; **2.** zum Schweigen bringen

silent ['saɪlənt] still; schweigend; schweigsam; stumm; **~ majority** schweigende Mehrheit; **~ partner** econ. stiller Teilhaber

silk [sɪlk] Seide f; **~y** seidig

sill [sɪl] Fensterbrett n

silly ['sɪlɪ] dumm; albern

silver ['sɪlvər] **1.** Silber n; **2.** silbern; Silber...; **3.** versilbern; **~ware** ['~wer] (Ess-)Besteck n; **~y** ['~ərɪ] silbern

similar ['sɪmɪlər] ähnlich; **~ity** [~'lærətɪ] Ähnlichkeit f

simmer ['sɪmər] leicht kochen od. sieden (lassen)

simpatico [sɪm'pætɪkoʊ] sympathisch

simple ['sɪmpl] einfach; schlicht; einfältig

simpli|city [sɪm'plɪsətɪ] Einfachheit f; Schlichtheit f; Einfalt f; **~fy** ['~faɪ] vereinfachen

simply ['sɪmplɪ] einfach; bloß

simulate ['sɪmjʊleɪt] vortäuschen; simulieren

simultaneous [saɪməl'teɪnɪəs] gleichzeitig

since [sɪns] **1.** prp seit; **2.** adv seitdem; **3.** cj seit; da

sincer|e [sɪn'sɪr] aufrichtig; **~ly Yours** Mit freundlichen Grüßen; **~ity** [~'serətɪ] Aufrichtigkeit f

sing [sɪŋ] (**sang, sung**) singen

singer ['sɪŋər] Sänger(in)

single ['sɪŋgl] **1.** einzig; einzeln; Einzel...; einfach; allein; ledig; **in ~ file** hintereinander; **~ parent** allein erziehende Mutter, allein erziehender Vater, Alleinerziehende m, f; **2.** Schallplatte: Single f; Single m, Unverheiratete m, f; **3.** **~ out** auswählen; **~-'handed** allein; **~-'minded** zielstrebig; **~s** (pl ~) Tennis: Einzel n

singular ['sɪŋgjʊlər] **1.** einzigartig; eigentümlich; seltsam; **2.** gr. Singular m, Einzahl f

sinister ['sɪnɪstər] unheimlich

sink [sɪŋk] **1.** (**sank** od. **sunk**, **sunk**) v/i sinken; ein-, versinken; sich senken; v/t versenken; **2.** Spülbecken n; Waschbecken n

sip [sɪp] **1.** Schlückchen n; **2.** a. **~ at** nippen an

sir [sɜːr] Anrede: mein Herr (mst im Deutschen unübersetzt)

sirloin ['sɜːrlɔɪn] gastr. Lendenstück n; **~ steak** gastr. Lendensteak n

sister ['sɪstər] Schwester f; **~-in-law** ['ɪnlɔː] Schwägerin f

sit [sɪt] (**sat**) sitzen; tagen; setzen; **~ down** (sich hin)setzen; **~ up** aufrecht sitzen; sich aufsetzen; aufbleiben

site [saɪt] Platz m; Stelle f; Bauplatz m

sitting ['sɪtɪŋ] Sitzung f

situate|d ['sɪtjʊeɪtɪd] gelegen; **be ~** liegen; **~ion** [ˌ~'eɪʃn] Lage f; Situation f

six [sɪks] sechs; **'~-pack** Sechserpack m (Bier); **~teen** [ˌ~'tiːn] sechzehn; **~th** [~θ] **1.** sechste(r, -s); **2.** Sechstel n; **~tieth** [ˌ~ˈtɪɪθ] sechzigste(r, -s); **'~ty** sechzig

size [saɪz] Größe f; Format n

sizzle ['sɪzl] brutzeln

skat|e [skeɪt] **1.** Schlittschuh m; Rollschuh m; **2.** Schlittschuh laufen, Eis laufen; Rollschuh laufen; **'~ing** Schlittschuhlaufen n, Eislauf(en n) m; Rollschuhlaufen n

skeleton ['skelɪtn] Skelett n

skeptic ['skeptɪk] Skeptiker(in) f; **'~al** skeptisch

sketch [sketʃ] **1.** Skizze f; Entwurf m; thea. Sketch m; **2.** skizzieren; entwerfen

ski [skiː] **1.** Ski m; **2.** Ski laufen od. fahren

skid [skɪd] mot. rutschen; schleudern

skier ['skiːər] Skiläufer(in), -fahrer(in); **'~ing** Skilauf(en n) m, -fahren n

ski lift Skilift m

skill [skɪl] Geschicklichkeit f, Fertigkeit f; **~ed** geschickt; gelernt, Fach...; **~ worker** Facharbeiter m; **'~ful** geschickt

skillet ['skɪlɪt] Bratpfanne f

skim [skɪm] abschöpfen; entrahmen; **~ (through)** fig. überfliegen; **~ milk** Magermilch f

skin [skɪn] **1.** Haut f; Fell n; Schale f; **2.** (ent)häuten; schälen; **~ diving** Sporttauchen n; **'~ny** mager; dünn; **'~ny-dip** nackt baden; **~'tight** hauteng

skip [skɪp] **1.** Sprung m, Hüpfer m; **2.** v/i hüpfen, springen; seilspringen; v/t überspringen, auslassen

ski pole Skistock m

skipper ['skɪpər] Kapitän m

skirt [skɜːrt] Rock m; **2.** herumgehen um; sich entlangziehen an

ski run Skiabfahrt f

skull [skʌl] Schädel m

skunk [skʌŋk] Stinktier n

sky [skaɪ] oft **skies** pl Himmel m; **'~jacker** [ˌ~dʒækər] Luftpirat(in) f; **'~light** Oberlicht n; Dachfenster n; **'~line** Horizont m; (Stadt- etc.)Silhouette f; **'~scraper** Wolkenkratzer m

slab [slæb] Platte f, Fliese f

slack [slæk] schlaff; locker; (nach)lässig; *econ.* flau; '**~en** (sich) verringern; (sich) lockern; (sich) verlangsamen

slacks pl Hose f

slam [slæm] Tür etc. zuschlagen, zuknallen; et. auf den Tisch etc. knallen

slander ['slɑːndər] **1.** Verleumdung f; **2.** verleumden

slang [slæŋ] Slang m; Jargon m

slant [slɑːnt] **1.** Schräge f, Neigung f; Tendenz f; **2.** sich neigen; schräg liegen od. legen; '**~ing** schräg

slap [slæp] **1.** Klaps m, Schlag m; **2.** schlagen

slash [slæʃ] Schrägstrich m

slate [sleɪt] Schiefer m

slaughter ['slɔːtər] **1.** Schlachten n; Gemetzel n; **2.** schlachten; niedermetzeln

slaw [slɔː] Krautsalat m

sled [sled] **1.** Schlitten m; **2.** Schlitten fahren

sledge(hammer) ['sledʒ(-hæmər)] Vorschlaghammer m

sleek [sliːk] glatt, glänzend; geschmeidig; schnittig

sleep [sliːp] **1.** (*slept*) schlafen; **~ in** ausschlafen; **~ on s.th.** et. überschlafen; **2.** Schlaf m; **go to ~** einschlafen; Schlafwagen m; '**~ing bag** Schlafsack m; '**~ing car** Schlafwagen m; '**~ing pill** Schlaftablette f; '**~less**

schlaflos; '**~walker** Schlafwandler(in); '**~y** schläfrig; verschlafen

sleet [sliːt] Schneeregen m

sleeve [sliːv] Ärmel m; (Schutz)Hülle f; *tech.* Muffe f

slender ['slendər] schlank; gering, dürftig

slept [slept] *pret u. pp von sleep* 1

slice [slaɪs] **1.** Schnitte f, Scheibe f; **2.** in Scheiben schneiden; *it's the greatest thing since **~d bread*** F das ist eine ganz tolle Sache

slick [slɪk] **1.** Ölteppich m; **2.** glatt; '**~er** Regenmantel m

slid [slɪd] *pret u. pp von slide* 1

slide [slaɪd] **1.** (*slid*) gleiten (lassen); rutschen; schlittern; schieben; **2.** Rutschbahn f, Rutsche f; *phot.* Dia(positiv) n

slight [slaɪt] **1.** gering(fügig); *Person:* schmächtig; **2.** Beleidigung f, Kränkung f; **3.** beleidigen, kränken

slim [slɪm] schlank; *Buch:* dünn; gering

slimy ['slaɪmɪ] schleimig (*a. fig.*)

sling [slɪŋ] **1.** *med.* Schlinge f; Tragegurt m; Tragriemen m; (Stein)Schleuder f; **2.** (*slung*) schleudern, werfen, F schmeißen; auf-, umhängen

slip [slɪp] **1.** *v/i* (aus)rutschen;

v/t gleiten lassen; **~ *away***
sich fortstehlen; **~ *by*** Zeit:
verstreichen; **2.** (Flüchtig-
keits)Fehler *m*; Unterrock
m; Zettel *m*; **'~cover** *Buch:*
Schutzumschlag *m*; **~ped
disk** *m* Bandscheiben-
vorfall *m*; **'~per** Hausschuh
m; **'~pery** schlüpfrig, glatt; **~
when wet** Rutschgefahr bei
Nässe

slit [slɪt] **1.** Schlitz *m*; **2.** (*slit*)
(auf-, zer)schlitzen

slobber ['slɑːbər] sabbern

slogan ['sloʊgən] Schlagwort
n, (Werbe)Slogan *m*

slope [sloʊp] **1.** (Ab)Hang *m*;
Neigung *f*, Gefälle *n*; **2.** ab-
fallen, sich neigen; **~ *down/
up*** abfallen/ansteigen

sloppy ['slɑːpɪ] schlampig; F
rührselig; **~ *joe*** *gastr.* ge-
würzte, gebratene Hack-
fleischmasse auf e-m Brötchen

slot [slɑːt] Schlitz *m*; **~ machine** (Geldspiel)Automat *m*

slow [sloʊ] langsam; schwer-
fällig; begriffsstutzig; **be ~**
Uhr: nachgehen; **~ *down***
verlangsamen; langsamer
werden; **'~down** Bummel-
streik *m*; **~ motion** Zeitlupe
f; **'~poke** F Lahmarsch *m*

slug [slʌg] Nacktschnecke *f*;
(*Pistolen:*)Kugel *f*; **'~gish**
träge; schleppend

slum [slʌm] **~s** *pl* Elendsviertel *n*, Slums *pl*; **'~lord**
Eigentümer *e-s* bewohnten

abbruchreifen Wohnhauses

slung [slʌŋ] *pret u. pp von*
sling 2

slur [slɜːr] undeutliche Aussprache; Verunglimpfung *f*;
~red undeutlich

slush [slʌʃ] (Schnee)Matsch
m

slut [slʌt] Schlampe *f*; Nutte *f*

sly [slaɪ] **1.** schlau; verschlagen; verschmitzt; **2. on the ~**
F (klamm)heimlich

smack [smæk] **1.** Klaps *m*; F
Heroin *n*; **2.** e-n Klaps geben

small [smɔːl] klein; gering;
wenig; **~ change** Kleingeld
n; **~pox** ['~pɑːks] Pocken *pl*;
~ print *das* Kleingedruckte;
~ talk oberflächliche Konversation

smart [smɑːrt] clever, gewitzt; gescheit; **~ ass** Klugscheißer *m*

smash [smæʃ] *v/t* zerschlagen, -trümmern; (zer-)
schmettern; *fig.* vernichten;
v/i zerbrechen; krachen;
prallen; **~ed** voll, zu (*betrunken*); **get ~ed** sich voll laufen lassen

smattering ['smætərɪŋ]
oberflächliche Kenntnis

smear [smɪr] **1.** (be-,
ver)schmieren; **2.** Fleck *m*

smell [smel] **1.** Geruch *m*;
Gestank *m*; Duft *m*; **2.**
(**smelt** *od.* **smelled**) riechen;
stinken; duften; **'~y** stinkend

smile [smaɪl] **1.** Lächeln *n*; **2.**
lächeln

smirk [smɜːrk] (selbstgefällig od. schadenfroh) grinsen

smock [smɑːk] Kittel m

smog [smɑːg] Smog m

smoke [smouk] **1.** Rauch m; **2.** rauchen; räuchern; '**~r** Raucher(in)

smoking ['smoukɪŋ] Rauchen n; **no ~** Rauchen verboten; **~ compartment** Raucherabteil n; **~ section** Raucherzone f

smoky ['smoukɪ] rauchig; verräuchert

smolder ['smouldər] glimmen, schwelen

smooch [smuːtʃ] knutschen

smooth [smuːð] **1.** glatt; ruhig (a. tech.); sanft, weich; **2.** a. **~ out** glätten; glatt streichen

smother ['smʌðər] ersticken

smudge [smʌdʒ] **1.** (be-, ver)schmieren; **2.** Schmutzfleck m

smug [smʌg] selbstgefällig

smuggle ['smʌgl] schmuggeln; '**~r** Schmuggler(in)

snack [snæk] Imbiss m; **~ bar** Imbissstube f

snail [sneɪl] Schnecke f; **~ mail** normale Post (im Gegensatz zu E-Mail)

snake [sneɪk] Schlange f

snap [snæp] **1.** (zer)brechen; schnappen (at nach); Finger: schnippen mit; (an)schnauzen; phot. F knipsen; **2.** (vor)schnell, Blitz...; **3.** Druckknopf m; '**~shot**

Schnappschuss m

snarl [snɑːrl] wütend knurren

snatch [snætʃ] schnappen; an sich reißen; ergattern

sneak [sniːk] (**sneaked** od. a. **snuck**) schleichen; F stibitzen; **~ers** ['~ərz] pl Turnschuhe pl

sneeze [sniːz] niesen

sniff [snɪf] schnüffeln, schnuppern; schniefen; fig. die Nase rümpfen (at über)

snob [snɑːb] Snob m; '**~bish** versnobt, snobistisch

snoop [snuːp] **~ around** F herumschnüffeln

snooty ['snuːtɪ] F hochnäsig

snooze [snuːz] ein Nickerchen machen, dösen

snore [snɔːr] schnarchen

snorkel ['snɔːrkl] **1.** Schnorchel m; **2.** schnorcheln

snort [snɔːrt] schnauben; sl. Kokain etc. schnupfen

snout [snaut] Schnauze f; Schwein: Rüssel m

snow [snou] **1.** Schnee m; **2.** schneien; '**~ball** Schneeball m; '**~bird** F Einwohner aus den nördlichen Bundesstaaten, der den Winter in den wärmeren südlichen Staaten verbringt; sl. Kokainabhängige m, f; '**~bound** eingeschneit; **~ chains** pl Schneeketten pl; '**~drift** Schneewehe f; '**~flake** Schneeflocke f; '**~y** schneereich; verschneit

snuck [snʌk] pret u. pp von **sneak**

sometimes

snug [snʌg] behaglich; '**~gle** sich anschmiegen *od.* kuscheln

so [soʊ] so; deshalb; also; **I hope ~** hoffentlich; **~ am I** ich auch; **~ far** bisher; **~ what?** na und?

soak [soʊk] einweichen; durchnässen; **~ up** aufsaugen

soap [soʊp] Seife f; **~ opera** Seifenoper f; **~ suds** pl Seifenschaum m; '**~y** seifig

sob [sɑːb] schluchzen

sober ['soʊbər] **1.** nüchtern; **2. ~ up** nüchtern werden

so-'called so genannt

soccer ['sɑːkər] Fußball m (Spiel)

sociable ['soʊʃəbl] gesellig

social ['soʊʃl] sozial; Sozial...; gesellschaftlich; gesellig; **~ worker** Sozialarbeiter(in)

society [sə'saɪətɪ] Gesellschaft f; Verein m

sock [sɑːk] Socke f

socket ['sɑːkɪt] Augenhöhle f; *electr.* Steckdose f

soda ['soʊdə] Soda(wasser) n; Limo f

sofa ['soʊfə] Sofa n

soft [sɑːft] weich; mild; sanft; leise; gedämpft; gutmütig; nachgiebig; *Arbeit etc.:* bequem; **~ drink** alkoholfreies Getränk; **~en** ['sɑːfn] weich werden *od.* machen; dämpfen; mildern; '**~ware** Computer: Software f

soggy ['sɑːgɪ] durchnässt; matschig

soil [sɔɪl] **1.** Boden m, Erde f; **2.** schmutzig machen, beschmutzen

solar ['soʊlər] Sonnen...; **~ panel** Sonnenkollektor m

sold [soʊld] pret u. pp von **sell**

solder ['sɑːdər] tech. **1.** löten; **2.** Lot n

soldier ['soʊldʒər] Soldat m

sole¹ [soʊl] einzig, Allein...

sole² [~] **1.** Sohle f; **2.** besohlen

solemn ['sɑːləm] feierlich; ernst

solid ['sɑːlɪd] fest; massiv; stabil; kräftig; voll, ganz; *fig.* gründlich, solid(e)

solid|arity [sɑːlɪ'dærətɪ] Solidarität f; **~ify** [sə'lɪdɪfaɪ] fest werden

solit|ary ['sɑːlɪterɪ] einsam; einzeln; **~ude** ['~tuːd] Einsamkeit f

solu|ble ['sɑːljʊbl] löslich; **~tion** [sə'luːʃn] Lösung f

solve [sɑːlv] lösen; '**~nt** zahlungsfähig

somber ['sɑːmbər] düster

some [sʌm, səm] (irgend-) ein(e); etwas; *vor pl:* einige, ein paar; manche; etwa; '**~body** (irgend)jemand; '**~day** eines Tages; '**~how** irgendwie; '**~one** (irgend)jemand; '**~place** irgendwo; '**~thing** (irgend)etwas; '**~time** irgendwann; '**~times**

manchmal; '**~way** F irgendwie; '**~what** etwas; ziemlich;
'**~where** irgendwo(hin)

son [sʌn] Sohn *m*

song [sɒŋ] Lied *n*

sonic ['sɒnɪk] Schall...

son-in-law Schwiegersohn
m

soon [suːn] bald; früh; *as ~
as possible* so bald wie od.
als möglich; '**~er** eher, früher; lieber

soothe [suːð] beruhigen, besänftigen; lindern

sophisticated [səˈfɪstɪkeɪ-
tɪd] kultiviert; intellektuell;
anspruchsvoll; gepflegt, elegant; *tech.* hoch entwickelt,
differenziert; ausgeklügelt

sophomore ['sɒfəmɔːr] Stu-
dent(in) im 2. Jahr

sopping ['sɒpɪŋ] F *a.* **~ wet**
klitsch-, pitschnass

sordid ['sɔːrdɪd] schmutzig;
schäbig, gemein

sore [sɔːr] entzündet; wund;
~ throat Halsschmerzen *pl*;
'**~head** F grantiger Kerl

sorrow ['sɒroʊ] Kummer *m*,
Leid *n*

sorry ['sɒrɪ] traurig; *I'm (so)
~!* es tut mir (sehr) Leid!; *~!*
Verzeihung!, Entschuldi-
gung!; *I feel ~ for her* sie tut
mir Leid

sort [sɔːrt] **1.** Art *f*; Sorte *f*; **~
of ...** F irgendwie ...; **2.** sortieren; **~ out** aussortieren; *fig.*
in Ordnung bringen

sought [sɔːt] *pret u. pp von*

seek

soul [soʊl] Seele *f*

sound [saʊnd] **1.** gesund; sicher, solide; vernünftig;
gründlich; *Schlaf:* fest, tief;
tüchtig, gehörig; *econ.* solide; **2.** Geräusch *n*; Klang *m*;
Ton *m*; Laut *m*; *phys.* Schall
m; **3.** *v/i* erklingen, ertönen;
klingen, sich anhören; *v/t
med.* abklopfen, abhorchen;
~ barrier Schallmauer *f*;
'**~proof** schalldicht; '**~track**
Tonspur *f*; Filmmusik *f*; '**~
wave** Schallwelle *f*

soup [suːp] Suppe *f*

sour ['saʊr] sauer; *fig.* mürrisch

source [sɔːrs] Quelle *f*; Ursprung *m*

south [saʊθ] **1.** Süden *m*; **2.**
südlich, Süd...; **3.** nach Süden, südwärts; '**~bound** in
Richtung Süden; '**~east 1.**
Südosten *m*; **2.** → '**~eastern**
südöstlich

souther|ly ['sʌðərlɪ], **~n**
['~ən] südlich, Süd...

southward(s) ['saʊθwərd(z)]
südwärts, nach Süden

southwest [saʊθˈwest] **1.**
Südwesten *m*; **2.** südwestlich

souvenir [suːvəˈnɪr] (Reise-)
Andenken *n*, Souvenir *n*

soy|bean ['sɔɪ] Sojabohne *f*;
~ sauce Sojasauce *f*

spa [spaː] Heilbad *n*; Kurort
m

space [speɪs] **1.** Platz *m*,
Raum *m*; Weltraum *m*, All *n*;

Zwischenraum *m*, Lücke *f*; Zeitraum *m*; **2.** *mst* ~ **out** Zwischenraum *m*: Abstand lassen zwischen; ~ **bar** Leertaste *f*; ~**craft** (*pl* ~**craft**) Raumfahrzeug *n*; ~**lab** Raumlabor *n*; ~**ship** Raumschiff *n*; ~ **shuttle** Raumfähre *f*; ~ **station** Raumstation *f*; ~**suit** Raumanzug *m*

spacious ['speɪʃəs] geräumig; weitläufig

spade [speɪd] Spaten *m*; ~(**s** *pl*) *Kartenspiel*: Pik *n*

span [spæn] **1.** Spannweite *f*; Spanne *f*; **2.** überspannen

spank [spæŋk] versohlen

spare [speə] **1.** (ver)schonen; ersparen; entbehren; (übrig) haben; scheuen; **2.** übrig; Ersatz...; Reserve...; ~ (**part**) Ersatzteil *n*; ~**rib** Sparerib *n*, Rippchen *n*; ~ **room** Gästezimmer *n*; ~ **time** Freizeit *f*; ~ **tire** Reserverad *n*

spark [spɑːk] **1.** Funke(n) *m*; **2.** Funken sprühen; ~**le** **1.** Funke(n) *m*; Funkeln *n*; **2.** funkeln, glitzern; sprühend, fig. geistreich; ~**ling** Mineralwasser *n* mit Kohlensäure; ~ **wine** Sekt *m*; ~ **plug** *mot.* Zündkerze *f*

sparrow ['spærəu] Spatz *m*

spatter ['spætə] (be)spritzen

spatula ['spætjələ] *gastr.* (Teig)Schaber *m*

speak [spiːk] (**spoke, spok-**

en) *v/i* sprechen, reden (**to** mit); *v/t* Sprache sprechen; *Wahrheit etc.* sagen; *Gedanken etc.* aussprechen; ~ **up** lauter sprechen; ~**er** Sprecher(in), Redner(in); Lautsprecher *m*

spear [spɪə] Speer *m*; ~**mint** Grüne Minze

special ['speʃl] **1.** besondere(r, -s); speziell; Spezial...; Sonder...; **2.** Sonderausgabe *f*; *econ.* Sondersendung *f*; Sonderzug *m*; *econ.* Sonderangebot *n*; **be on** ~ *econ.* im Angebot sein; ~**ist** [~ʃəlɪst] Spezialist(in); Fachmann *m*; *med.* Facharzt *m*, -ärztin *f*; ~**ty** *gastr.* Spezialität *f*; Spezialgebiet *n*; *econ.* Sondergebiet *n*; ~**ize** [~ʃəlaɪz] sich spezialisieren

species ['spiːʃiːz] (*pl* ~) Art *f*, Spezies *f*

specific [spɪ'sɪfɪk] bestimmt, speziell; genau; spezifisch; ~**fy** ['spesɪfaɪ] spezifizieren, einzeln angeben; ~**men** [~mən] Exemplar *n*; Probe *f*; Muster *n*

speck [spek] Fleck(chen) *n*; ~**led** gesprenkelt

spectacular [spek'tækjulə] spektakulär, sensationell

spectator [spek'teɪtə] Zuschauer(in)

speculate ['spekjuleɪt] Vermutungen anstellen; *econ.* spekulieren

sped [sped] *pret u. pp von* **spedd** 2

speech [spi:tʃ] Sprache *f*;
Rede *f*; Rede-, Ausdrucksweise *f*; **~less** sprachlos

speed [spi:d] **1.** Geschwindigkeit *f*, Schnelligkeit *f*;
mot. Gang *m*; *phot.* Licht-
empfindlichkeit *f*; **2.** (*sped*)
rasen; **~ by** *Zeit*: wie im Flu-
ge vergehen; **3.** (*speeded*)
mot. zu schnell fahren; **~ up**
beschleunigen; schneller machen; **'~boat** Renn-, Schnell-
boot *n*; **'~ing** Geschwindig-
keitsüberschreitung *f*; **~ limit**
Geschwindigkeitsbeschrän-
kung *f*; Tempolimit *n*;
~ometer [spi'dɔmɪtə] Tachometer *m*; **~ trap** Radar-
falle *f*; **'~y** schnell

spell [spel] **1.** Weile *f*, Weil-
chen *n*; *Wetter*: Periode *f*,
Anfall *m*; Zauber *m*; **2.**
buchstabieren; (richtig)
schreiben; **'~bound** (wie)
gebannt; **'~ing** Rechtschreibung *f*

spend [spend] (*spent*) *Geld*
ausgeben, *Zeit* verbringen

sperm [spɜːrm] Sperma *n*

sphere [sfɪr] Kugel *f*; *fig.*
Sphäre *f*, Gebiet *n*

spic|e [spaɪs] **1.** Gewürz *n*;
fig. Würze *f*; **2.** würzen; **'~y**
würzig; *fig.* pikant

spider ['spaɪdər] Spinne *f*;
'~web Spinnennetz *n*

spike [spaɪk] Spitze *f*; Stachel
m; *pl* Spikes *pl*; *bot.* Ähre *f*

spill [spɪl] (*spilt od. spilled*)
verschütten; sich ergießen

spin [spɪn] **1.** (*spun*) spinnen;
(herum)wirbeln; (sich) dre-
hen; **2.** Drehung *f*; *F* Spritz-
tour *f*

spinach ['spɪnɪtʃ] Spinat *m*

spinal ['spaɪnl] Rückgrat...; **~
column** Wirbelsäule *f*; **~
cord** Rückenmark *n*

spine [spaɪn] *anat.* Rückgrat
n; Stachel *m*

spiral ['spaɪrəl] **1.** Spirale *f*; **2.**
gewunden; **~ staircase**
Wendeltreppe *f*

spirit ['spɪrɪt] Geist *m*;
Schwung *m*, Elan *m*; Mut *m*;
Stimmung *f*; *pl* Spirituosen
pl; **2.** geistig; geistlich; **2.** *mus.*
Spiritual *n*, *m*
pl; **~ed** temperamentvoll,
lebhaft; mutig; **~ual** ['~tʃuəl]

spit¹ [spɪt] **1.** Speichel *m*,
Spucke *f*; **2.** (*spit*) (aus-)
spucken; fauchen

spit² [~] (*Brat*)Spieß *m*

spite [spaɪt] **1.** Bosheit *f*; **in ~
of** trotz; **2.** *j-n* ärgern; **'~ful**
gehässig, boshaft

splash [splæʃ] **1.** Spritzer *m*;
Platschen *n*; **2.** (be)spritzen;
klatschen; planschen; **~
guard** *mot.* Schmutzfänger
m

spleen [spliːn] *anat.* Milz *f*

splint [splɪnt] *med.* **1.** Schiene
f; **2.** schienen; **'~er 1.** Splitter
m; **2.** (zer)splittern

split [splɪt] **1.** Spalt *m*, Riss *m*;
fig. Spaltung *f*; **2.** (*split*) sich
(zer)teilen; zerreißen; (auf-)
spalten; (auf)teilen; *v/i* sich

sprout

teilen; sich spalten; (auf-)platzen; ~ (**up**) sich trennen; '**~-level house** Halbgeschosshaus n; '**~ting** Kopfschmerz: rasend

spoil [spɔɪl] verderben; verwöhnen; *Kind a.* verziehen; '**~sport** Spielverderber(in)

spoke¹ [spəʊk] Speiche f

spoke² [~] pret, **~n** pp von **speak**

'**spokes**|**man** (pl **-men**) Sprecher m; '**~person** Sprecher(in); '**~woman** (pl **-women**) Sprecherin f

sponge [spʌndʒ] **1.** Schwamm m; **2.** (mit e-m Schwamm) (ab)wischen; schmarotzen; '**~ cake** Biskuitkuchen m

sponsor ['spɒnsə] **1.** Geldgeber(in), Sponsor(in); Förderer m, -in f; Bürge m, -in f; **2.** bürgen für; fördern; sponsern

spontaneous [spɒn'teɪnɪəs] spontan

spoon [spuːn] Löffel m; '**~ful** (ein) Löffel (voll) m

sport [spɔːt] **1.** Sport(art f) m; F feiner Kerl; **2.** protzen mit; '**~ing** fair; '**~s...** Sport...; '**~sman** (pl **-men**) Sportler m; '**~swoman** (pl **-women**) Sportlerin f; '**~y** sportlich

spot [spɒt] **1.** Fleck(en) m; Tupfen m; Stelle f; Pickel m; Makel m; **2.** entdecken, erkennen; erspähen; **~ check** Stichprobe f; '**~less** makel-

los (sauber); '**~light** thea. Scheinwerfer(licht n) m; '**~ted** gefleckt; gepunktet; '**~ty** fleckig; pickelig

spout [spaʊt] **1.** Tülle f, Schnabel m; (Wasser)Strahl m; **2.** (heraus)spritzen

sprain [spreɪn] **1.** Verstauchung f; **2.** sich et. verstauchen

sprang [spræŋ] pret von **spring** 2

sprawl [sprɔːl] ausgestreckt daliegen

spray [spreɪ] **1.** Gischt m, f; Spray m, n; **2.** (be)sprühen; spritzen; sprayen

spread [spred] **1.** (**spread**) (sich) aus- od. verbreiten; (sich) ausdehnen; *Butter etc.* streichen; **2.** Aus-, Verbreitung f; Spannweite f; (Brot-)Aufstrich m; '**~sheet** Computer: Tabellenkalkulation f

spree [spriː]: **go** (**out**) **on a shopping** ~ groß einkaufen gehen

sprig [sprɪg] kleiner Zweig

spring [sprɪŋ] **1.** Frühling m; (Sprung)Feder f; Quelle f; **2.** (**sprang** od. **sprung**, **sprung**) springen; '**~time** Frühling m; '**~y** federnd, elastisch

sprinkle ['sprɪŋkl] (be)streuen; sprenkeln; (be)sprengen; '**~r** Berieselungsanlage f, Sprinkler m; Rasensprenger m

sprout [spraʊt] **1.** sprießen;

keimen; **2.** Sproß *m*; (**Brussels**) ~s *pl* Rosenkohl *m*

sprung [sprʌŋ] *pret u. pp von* **spring** 2

spun [spʌn] *pret u. pp von* **spin** 1

spy [spaɪ] **1.** Spion(in); *f.* **2.** spionieren; ~ **on** *j-n* bespitzeln; *j-m* nachspionieren

squabble ['skwɒbl] **1.** sich zanken; **2.** Zank *m*

squad [skwɒd] (*Überfall-etc.*)Kommando *n*

squall [skwɔːl] Bö *f*

squalor ['skwɒlər] Schmutz *m*; Verwahrlosung *f*

squander ['skwɒndər] verschwenden

square [skwer] **1.** quadratisch, Quadrat...; viereckig; rechtwink(e)lig; *fig.* ehrlich, fair; **2.** Quadrat *n*; Viereck *n*; öffentlicher Platz; Brettspiel: Feld *n*; **3.** quadratisch machen; *Zahl* ins Quadrat erheben; *Schulden* begleichen; *Schultern* straffen; in Einklang bringen *od.* stehen; ~ **root** *math.* Quadratwurzel *f*

squash [skwɒʃ] **1.** Gedränge *n*; *Sport:* Squash *n*; **2.** zerquetschen

squat [skwɒt] **1.** untersetzt; **2.** hocken, kauern

squawk [skwɔːk] kreischen

squeak [skwiːk] quieken; quietschen

squeal [skwiːl] kreischen

squeamish ['skwiːmɪʃ] empfindlich; zimperlich

squeeze [skwiːz] **1.** (aus-) drücken, (-)pressen, (-)quetschen; *od.* zwängen *od.* quetschen; **2.** Druck *m*; Gedränge *n*; *econ.* Engpaß *m*; '~**r** (*Frucht*)Presse *f*

squid [skwɪd] Tintenfisch *m*

squint [skwɪnt] schielen; blinzeln

squirm [skwɜːm] sich winden

squirrel ['skwɪrəl] Eichhörnchen *n*

squirt [skwɜːrt] spritzen

Sr. *Abk. für* **senior** Senior *m*

St. *Abk. für* **street** Str., Straße *f*; *Abk. für* **saint** St., Sankt

stab [stæb] **1.** Stich *m*; **2.** (er)stechen

stabil|**ity** [stə'bɪlətɪ] Stabilität *f*; Beständigkeit *f*; ~**ze** ['steɪbəlaɪz] stabilisieren

stable[1] ['steɪbl] stabil, fest; *Charakter:* gefestigt

stable[2] [~] Stall *m*

stack [stæk] **1.** Stapel *m*; **2.** (auf)stapeln

stadium ['steɪdɪəm] (*pl* ~s) *Sport:* Stadion *n*

staff [stæf] Mitarbeiterstab *m*; Personal *n*, Belegschaft *f*; Stab *m*

stage [steɪdʒ] **1.** Bühne *f*; Stadium *n*; Phase *f*; Etappe *f*; (*Raketen*)Stufe *f*; **2.** aufführen; inszenieren

stagger ['stægər] (sch)wanken, taumeln; sprachlos machen; umwerfen; ~**ing** ['~ərɪŋ] unglaublich

stagna|nt ['stægnənt] *Wasser:* stehend; stagnierend; **~te** [~'neɪt] stagnieren

stag party ['stæg pɑːrtɪ] Herrenabend *m*

stain [steɪn] **1.** Fleck *m; fig.* Makel *m;* **2.** beschmutzen, beflecken; **~ed-'glass window** farbiges Glasfenster; **'~less** rostfrei; **~ remover** Fleckentferner *m*

stair [ster] Stufe *f; pl* Treppe *f;* **'~case, '~way** Treppe(nhaus *n) f*

stake [steɪk] **1.** Geld setzen; *fig.* aufs Spiel setzen; **2.** Pfahl *m;* (Spiel)Einsatz *m;* **be at ~** auf dem Spiel stehen

stale [steɪl] *air:* schal, abgestanden; verbraucht

stall [stɔːl] **1.** *im Stall:* Box *f;* (Verkaufs)Stand *m.* (Markt)Bude *f;* **2.** abwürgen; *Motor:* absterben

stallion ['stæljən] Hengst *m*

stamina ['stæmɪnə] Ausdauer *f,* Durchhaltevermögen *n*

stammer ['stæmər] **1.** stottern, stammeln; **2.** Stottern *n*

stamp [stæmp] **1.** Stempel *m;* (Brief)Marke *f;* **2.** stampfen; aufstampfen (mit); trampeln; stempeln; frankieren

stand [stænd] **1.** (*stood*) stehen; stellen; aushalten, (v)ertragen; sich *et.* gefallen lassen; *Probe* bestehen; **~** (*still*) stehen bleiben, still stehen; **~ back** zurücktreten; **~ by** dabeistehen; bereitste-

hen; zu j-m halten *od.* stehen; **~ for** bedeuten; **~ in for** einspringen für; **~ out** hervortreten; *fig.* abstechen; **~ up** aufstehen; **~ up for** eintreten für **2.** (Stand)Platz *m;* (Taxi)Stand(platz) *m;* Ständer *m;* Gestell *n;* Tribüne *f;* (Verkaufs)Stand *m*

standard ['stændəd] Standarte *f;* Standard *m,* Norm *f;* Maßstab *m;* Niveau *n;* Normal...; **'~ize** normen

standing ['stændɪŋ] **1.** stehend; (be)ständig; **2.** Stellung *f,* Rang *m,* Ruf *m;* Dauer *f;* **~ order** Dauerauftrag *m;* **~ room** Stehplätze *pl*

stand|offish [stænd'ɒfɪʃ] hochnäsig; **'~point** Standpunkt *m;* **'~still** Stillstand *m*

stank [stæŋk] *pret von* **stink²**

staple ['steɪpl] Heftklammer *f;* Haupterzeugnis *n;* Haupt...; **'~r** Hefter *m*

star [stɑːr] **1.** Stern *m; Person:* Star *m;* **2.** die Hauptrolle spielen; **~ring ...** mit ... in der Hauptrolle

starch [stɑːrtʃ] **1.** (Wäsche)Stärke *f;* **2.** stärken

stare [ster] **1.** starrer Blick; **2.** (**~ at** an)starren

stark [stɑːrk]: **~ naked** splitternackt

starling ['stɑːrlɪŋ] *zo.* Star *m*

Stars and Stripes Sternenbanner *n (Nationalflagge der USA)*

start 258

start [stɑːrt] **1.** Beginn *m*, Anfang *m*; Aufbruch *m*; Abfahrt *f*; *aviat.* Abflug *m*; *Sport:* Start *m*; Vorsprung *m*; Auffahren *n*, Zs.-fahren *f*; **2.** beginnen, anfangen; aufbrechen; *Zug:* abfahren; *Schiff:* auslaufen; *aviat.* abfliegen, starten; *Sport:* starten; *mot.* anspringen; auffahren, zs.-fahren; *et.* in Gang setzen, *tech.* anlassen; '**~er** *Sport:* Starter *m*; Läufer(in); *mot.* Anlasser *m*

startl|e ['stɑːrtl] erschrecken; aufschrecken; '**~ing** überraschend; erschreckend; Aufsehen erregend

starv|ation [stɑːr'veɪʃn] (Ver)Hungern *n*; Hungertod *m*; '**~e** [~v] (ver)hungern (lassen); *I'm starving* ich sterbe vor Hunger

state [steɪt] **1.** Zustand *m*; Stand *m*; Staat *m*; F Aufregung *f*; **2.** staatlich, Staats...; **3.** erklären, darlegen; angeben; feststellen; festsetzen; **Department** *in den USA:* Außenministerium *n*; '**~ly** stattlich; würdevoll; '**~ment** Erklärung *f*; Behauptung *f*; Aussage *f* (*Konto*)Auszug *m*; '**2side** *in den Staaten* (*USA*)

station ['steɪʃn] **1.** Bahnhof *m*; Station *f*; (*Polizei-etc.*)Wache *f*; (*TV-*, *Rundfunk*)Sender *m*; **2.** aufstellen; *mil.* stationieren; '**~ary**

Fahrzeug etc.: stehend; '**~ery** Schreibwaren *pl*; Briefpapier *n*; **~ wagon** *mot.* Kombiwagen *m*

statistics [stə'tɪstɪks] *pl* (*sg konstr.*) Wissenschaft: Statistik *f*; (*pl konstr.*) Statistik(en *pl*) *f*

statue ['stætʃuː] Statue *f*

status ['steɪtəs] Stellung *f*; Status *m*; **(marital) ~** Familienstand *m*

staunch [stɔːntʃ] treu, zuverlässig

stay [steɪ] **1.** Aufenthalt *m*; **2.** bleiben; sich aufhalten, wohnen; **~ put** F sich nicht vom Fleck rühren; **~ away** wegbleiben; sich fern halten; **~ up** aufbleiben

steady ['stedɪ] **1.** fest; gleichmäßig, (be)ständig; zuverlässig; ruhig, sicher; **2.** (sich) festigen; (sich) beruhigen; F feste Freundin, fester Freund

steak [steɪk] Steak *n*

steal [stiːl] (*stole, stolen*) stehlen; sich stehlen, schleichen

steam [stiːm] **1.** Dampf *m*; Dampf...; **2.** dampfen; *Speisen* dünsten, dämpfen; **~ up** *Glas etc.* (sich) beschlagen; '**~er** Dampfer *m*; '**~ iron** Dampfbügeleisen *n*; '**~ship** Dampfer *m*

steel [stiːl] **1.** Stahl *m*; **2.** stählern; Stahl...; **~ wool** Stahlwolle *f*; '**~works** (*pl ~*)

sg. pl Stahlwerk *n*

steep [sti:p] **1.** steil; *fig.* F unverschämt; *Preis a.* gepfeffert; **2.** einweichen

steer [stɪr] steuern, lenken; **~ing** [~ɪŋ] Steuerung *f*; **~ wheel** Steuer-, Lenkrad *n*

stein [staɪn] Bierkrug *m*

stem [stem] **1.** Stamm *m*; Stiel *m*; Stängel *m*; **2.** aufhalten; eindämmen; **~ from** stammen *od.* herrühren von

stench [stentʃ] Gestank *m*

step[1] [step] **1.** Schritt *m*; (Treppen)Stufe *f*; **2.** treten, gehen; **~ up** steigern

step[2] [~] *in Zssgn:* Stief...

stereo ['sterɪoʊ] Stereo *n*

steril|e ['sterəl] unfruchtbar; steril; **~ize** ['~laɪz] sterilisieren

stew [stu:] **1.** schmoren; dünsten; **2.** Eintopf(gericht *n*) *m*

stick [stɪk] **1.** Stock *m*; (*Besen- etc.*)Stiel *m*; (dünner) Zweig; Stange *f*; Stück *n*; **2.** (*stuck*) stechen; stecken; kleben; hängen bleiben; stecken bleiben; klemmen; haften; F stellen; F ausstehen; **~ out** ab-, hervorstehen; herausst(r)ecken; **~ to** bei j-m *od.* et. bleiben; **~er** Aufkleber *m*; **~y** klebrig; schwül; stickig

stiff [stɪf] steif; schwierig; *alkoholisches Getränk:* stark; **~en** steif werden

stifl|e ['staɪfl] ersticken; *fig.*

unterdrücken; **~ing** drückend; beengend

still [stɪl] **1.** *adj* still; **2.** *adv* (immer) noch

stimul|ant ['stɪmjʊlənt] Anregungsmittel *n*; Anreiz *m*; **~ate** anregen; **~ating** anregend; **~ation** ['~'leɪʃn] Anreiz *m*; *med.* Reiz(ung *f*) *m*; **~us** ['~əs] (*pl* **-li** ['~laɪ]) Anregung *f*; (An)Reiz *m*

sting [stɪŋ] **1.** Stachel *m*; Stich *m*; **2.** (*stung*) stechen; brennen; **~er** [~ŋər] Stachel *m*

stingy ['stɪndʒɪ] geizig

stink [stɪŋk] **1.** Gestank *m*; **2.** (*stank od.* **stunk, stunk**) stinken

stipulat|e ['stɪpjʊleɪt] festsetzen, ausbedingen; **~ion** [~'leɪʃn] Bedingung *f*

stir [stɜ:r] **1.** (um)rühren; (sich) rühren *od.* bewegen; *fig.* erregen; **~ up** Streit entfachen; **2.** Aufsehen *n*; **~ring** ['~ɪŋ] aufwühlend; mitreißend

stirrup ['stɜ:rəp] Steigbügel *m*

stock [stɑ:k] **1.** Vorrat *m*; (Waren)Lager *n*; Ware(n *pl*) *f*; Vieh(bestand *n*) *m*; Brühe *f*; Herkunft *f*; *econ. a. pl*: Aktien *pl*; Staatspapiere *pl*; **in** (**out of**) **~** (nicht) vorrätig; **2.** gängig, Standard...; **3.** ausstatten, versorgen; *Waren* führen, vorrätig haben; **~breeder** Viehzüchter *m*; **~broker** Börsenmakler *m*;

~ exchange Börse *f*;
'**~holder** Aktionär(in)

stocking ['stɒkɪŋ] Strumpf
m

stock market Börse *f*

'**stocky** stämmig

stole [stəʊl] *pret*, '**~n** *pp von*
steal

stomach ['stʌmək] **1.** Magen
m; Bauch *m*; **2.** (v)ertragen;
'**~ache** Magenschmerzen *pl*,
Bauchweh *n*

stone [stəʊn] **1.** Stein *m*;
(Obst)Stein *m*, (-)Kern *m*; **2.**
steinern, Stein...; **3.** entstei-
nen, -kernen; '**~y** steinig; *fig.*
steinern

stood [stʊd] *pret u. pp von*
stand 1

stool [stu:l] Schemel *m*, Ho-
cker *m*; *med.* Stuhlgang *m*;
'**~ie**, **~ pigeon** F Polizeispitzel *m*

stop [stɒp] **1.** *v/t* aufhören
(mit); an-, aufhalten, stoppen; hindern; *Zahlungen etc.*
einstellen; *Blutung* stillen;
v/i (an)halten, stehen bleiben, stoppen; F bleiben; **~ off**
F kurz Halt machen; **~ over**
die Fahrt unterbrechen; *aviat.* zwischenlanden; **2.**
Halt *m*; Pause *f*; Aufenthalt
m; Station *f*, Haltestelle *f*;
tech. Anschlag *m*; *ling.* Punkt
m; '**~gap** Notbehelf *m*;
'**~over** Zwischenstation *f*;
aviat. Zwischenlandung *f*;
'**~per** Stöpsel *m*; '**~ping**
med. Plombe *f*

storage ['stɔːrɪdʒ] Lagerung
f; Speicherung *f* (*a. Computer*); Lagergeld *n*

store [stɔːr] **1.** Vorrat *m*; Lagerhaus *n*; Laden *m*, Geschäft *n*; Kauf-, Warenhaus
n; **2.** (ein)lagern; einen Vorrat von ... anlegen; *Computer*: speichern; '**~house** Lagerhaus *n*; '**~keeper** Laden-
besitzer(in); '**~room** Lager-
raum *m*

stork [stɔːrk] Storch *m*

storm [stɔːrm] **1.** Sturm *m*;
Gewitter *n*; **2.** stürmen; toben; '**~y** stürmisch

story ['stɔːrɪ] Geschichte *f*;
Erzählung *f*

stove [stəʊv] Ofen *m*, Herd
m

stow [stəʊ] verstauen;
'**~away** blinder Passagier

straight [streɪt] **1.** *adj* gerade; *Haar*: glatt; offen, ehrlich; in Ordnung; *Whisk(e)y
etc.*: pur; **2.** *adv* gerade(aus);
direkt, geradewegs; '**~ ahead**
geradeaus; '**~en** gerade machen; gerade werden (*Straße*) richten; **~ o.s.** sich aufrichten; **~ out** in Ordnung
bringen; klären; **~'forward**
ehrlich; einfach

strain [streɪn] **1.** überan-
strengen; anspannen; *Muskel etc.* zerren; *fig.* strapazieren; überfordern; durchsie-
hen, filtern; abgießen; sich
anstrengen *od.* abmühen; **2.**
Spannung *f*; Belastung *f*;

striped

med. Zerrung *f;* Überanstrengung *f;* **'∼er** Sieb *n*

strait [streit] *(in Eigennamen oft ∼s pl)* Meerenge *f; pl* Notlage *f*

strand [strænd] Strang *m;* Strähne *f;* Faden *m*

strange [streindʒ] fremd; seltsam, merkwürdig; **'∼r** Fremde *m, f*

strangle ['stræŋgl] erwürgen

strap [stræp] **1.** Riemen *m,* Gurt *m,* Band *m; Kleid:* Träger *m;* **2.** fest-, umschnallen

strategic [strə'ti:dʒik] strategisch; **∼y** ['strætidʒi] Strategie *f*

straw [strɔ:] Stroh *n;* Strohhalm *m;* **'∼berry** Erdbeere *f*

stray [strei] **1.** sich verirren; (herum)streunen; **2.** verirrt; streunend; vereinzelt

streak [stri:k] **1.** Streifen *m;* Strähne *f;* **2.** Streifen: flitzen; **'∼y** streifig; *Speck:* durchwachsen

stream [stri:m] **1.** Bach *m;* Strom *m,* Strömung *f; fig.* Strom *m;* **2.** strömen; flittern; **'∼er** Wimpel *m;* Luftschlange *f;* (flatterndes) Band

street [stri:t] Straße *f;* **'∼car** Straßenbahn *f*

strength [streŋθ] Kraft *f;* Stärke *f* *(a. fig.);* **'∼en** *v/t* (ver)stärken; *fig.* bestärken; *v/i* stärker werden

strenuous ['strenjuəs] anstrengend; unermüdlich

stress [stres] **1.** Belastung *f,* Stress *m;* Betonung *f;* Nachdruck *m;* **2.** betonen; *be* **∼ed** *out* gestresst sein

stretch [stretʃ] **1.** (sich) strecken; (sich) dehnen; sich erstrecken; spannen; **2.** Strecke *f;* Zeit(raum *m*) *f;* **'∼er** (Kranken)Trage *f* *(Schuh- etc.)*Spanner *m;* **∼ limo** Großraumlimousine *f*

strict [strikt] streng; genau

strike [straik] **1.** Streik *m* *(Öl- etc.)*Fund *m;* Angriff *m;* Schlag *m;* **2.** (struck) schlagen; stoßen gegen; treffen; *Streichholz* anzünden; stoßen auf; *Blitz:* einschlagen (in); *Zelt* abbrechen; *Uhrzeit* schlagen; *j-m* einfallen *od.* in den Sinn kommen; *j-m* auffallen; streiken; zuschlagen; **'∼r** Streikende *m, f*

striking ['straikiŋ] auffallend, eindrucksvoll; verblüffend

string [striŋ] **1.** Schnur *f;* Bindfaden *m;* Band *m;* Faden *m,* Draht *m;* Reihe *f,* Kette *f;* Saite *f; pl* Streichinstrumente *pl;* **2.** (strung) bespannen; *Perlen* aufreihen; **∼ed instrument** Saiten-, Streichinstrument *n*

strip [strip] **1.** (sich) ausziehen; abziehen, abstreifen; berauben *(a. fig.); tech.* zerlegen; **2.** Streifen *m*

stripe [straip] Streifen *m;* **∼d** gestreift

stripper ['strɪpər] Stripper(in)

strive [straɪv] (**strove**, **striven**) ~ (**for**) streben (nach), ringen (um); ~n ['strɪvn] pp von **strive**

stroke [stroʊk] **1.** streichen über; streicheln; **2.** Schlag m; tech.: Hub m; Takt m; (Schwimm)Zug m; med. Schlag(anfall) m; ~ **of luck** Glücksfall m

stroll [stroʊl] **1.** schlendern; **2.** Bummel m, Spaziergang m; '~er Spaziergänger(in); (Falt)Sportwagen m, Buggy m

strong [strɒŋ] stark; kräftig; fest; '~box (Stahl)Kassette f

strove [stroʊv] pret von **strive**

struck [strʌk] pret u. pp von **strike** 2

structure ['strʌktʃər] Struktur f; Bau(werk n) m

struggle ['strʌgl] **1.** sich abmühen; kämpfen; sich winden, zappeln; **2.** Kampf m

strum [strʌm] auf e-r Gitarre etc. klimpern; Melodie klimpern

strung [strʌŋ] pret u. pp von **string** 2

strut [strʌt] **1.** stolzieren; **2.** Strebe f, Stütze f

stubble ['stʌbl] Stoppeln pl

stubborn ['stʌbərn] eigensinnig; stur; hartnäckig

stuck [stʌk] pret u. pp von **stick** 2

student ['stuːdnt] Student(in); Schüler(in)

studio ['stuːdɪoʊ] Atelier n; Studio n; Einzimmerwohnung f

studious ['stuːdɪəs] fleißig

study ['stʌdɪ] **1.** Studium n; Arbeitszimmer n; Studie f; Untersuchung f; **2.** studieren; untersuchen; prüfen

stuff [stʌf] **1.** F Zeug n; Sachen pl; **2.** (aus)stopfen; füllen; (sich) voll stopfen; '~ing Füllung f (a. gastr.); '~y stickig; prüde; spießig

stumble ['stʌmbl] stolpern

stump [stʌmp] Stumpf m; Stummel m

stun [stʌn] betäuben

stung [stʌŋ] pret u. pp von **sting** 2

stunk [stʌŋk] pret u. pp von **stink** 2

stunning ['stʌnɪŋ] F toll, fantastisch

stupid ['stuːpɪd] dumm; ~ity [~'pɪdɪtɪ] Dummheit f

stupor ['stuːpər] Benommenheit f

sturdy ['stɜːrdɪ] robust, kräftig

stutter ['stʌtər] **1.** stottern; **2.** Stottern n

style [staɪl] **1.** Stil m; Mode f; **2.** entwerfen; '~ish stilvoll; elegant

suave [swɑːv] verbindlich

sub [sʌb] U-boot n; langes, belegtes Brötchen n; ~**conscious** [sʌbˈkɑːnʃəs] the ~

das Unterbewusstsein; '**~-division** Unterteilung *f*; Unterabteilung *f*

subject 1. ['sʌbdʒɪkt] Thema *n*, Gegenstand *m*; (Lehr-, Schul-, Studien)Fach *n*; *gr.* Subjekt *n*, Satzgegenstand *m*; **2.** [səb'dʒekt] unterwerfen; aussetzen; **3.** ['sʌbdʒɪkt]: *be* **~ to** unterliegen (*dat*); abhängen von; **~ive** [səb'dʒektɪv] subjektiv

submerge [səb'mɜːrdʒ] (ein-, unter)tauchen

submiss|ion [səb'mɪʃn] Unterwerfung *f*; **~ive** unterwürfig

submit [səb'mɪt]: **~** (*to*) (sich) unterwerfen (*dat*); unterbreiten (*dat*); sich fügen (*dat, in*)

subscribe [səb'skraɪb] spenden; **~ to** *Zeitung* abonnieren; **~r** Abonnent(in); *tel.* Teilnehmer(in); Spender(in)

subscription [səb'skrɪpʃn] Abonnement *n*; (Mitglieds)Beitrag *m*; Spende *f*

subsequent ['sʌbsɪkwənt] (nach)folgend, später; '**~ly** hinterher; später

subsidiary [səb'sɪdɪərɪ] **1.** untergeordnet, Neben...; **2.** Tochtergesellschaft *f*

subsid|ize ['sʌbsɪdaɪz] subventionieren; '**~y** Subvention *f*

subsist [səb'sɪst] leben (*on* von); **~ence** (Lebens)Unterhalt *m*, Existenz *f*; **~ level**

Existenzminimum *n*

substance ['sʌbstəns] Substanz *f*, Stoff *m*; *das* Wesentliche

substantial [səb'stænʃl] beträchtlich; kräftig, solide; *Mahlzeit:* reichlich; wesentlich

substitut|e ['sʌbstɪtuːt] **1.** ersetzen; **2.** Stellvertreter(in), Vertretung *f*; Ersatz *m*; **~ion** [‿'tuːʃn] Ersatz *m*

subtitle ['sʌbtaɪtl] Untertitel *m*

subtle ['sʌtl] fein; subtil; raffiniert

subtract [səb'trækt] abziehen, subtrahieren

suburb ['sʌbɜːrb] Vorort *m*; **~an** [sə'bɜːrbən] vorstädtisch, Vorort(s)...; **~ia** [‿bɪə] Stadtrand *m*

subway ['sʌbweɪ] U-Bahn *f*

succeed [sək'siːd] Erfolg haben; gelingen; (nach)folgen

success [sək'ses] Erfolg *m*; **~ful** erfolgreich; **~ion** (Aufeinander)Folge *f*; *in* **~** nacheinander; **~ive** aufeinander folgend; **~or** Nachfolger(in)

succulent ['sʌkjʊlənt] saftig

such [sʌtʃ] solche(r, -s); so, derartig; **~ a** so ein, ein solcher; **~ as** wie (zum Beispiel)

suck [sʌk] saugen (an); lutschen (an); **s.th. ~s** F et. ist Scheiße; '**~er** Lutscher *m*; F Trottel *m*

sudden ['sʌdn] plötzlich; *all*

of a **~** ganz plötzlich; **'~ly** plötzlich

suds [sʌdz] *pl* Seifenschaum *m*

sue [suː] (ver)klagen

suède [sweɪd] Wildleder *n*

suffer ['sʌfər] (er)leiden

sufficient [sə'fɪʃnt] genügend, genug, ausreichend

suffocate ['sʌfəkeɪt] ersticken

sugar ['ʃʊɡər] **1.** Zucker *m*; **2.** zuckern; **~ cane** Zuckerrohr *n*

suggest [sə'dʒest] vorschlagen, anregen; hindeuten auf; andeuten; unterstellen; **~ion** Vorschlag *m*, Anregung *f*; Hinweis *m*; Andeutung *f*; Unterstellung *f*; **~ive** zweideutig; anzüglich

suicide ['sʊɪsaɪd] Selbstmord *m*

suit [suːt] **1.** Anzug *m*; Kostüm *n*; *Kartenspiel*: Farbe *f*; *jur.* Prozess *m*, Klage *f*; **2.** passen; *j-m* zusagen, bekommen; *j-m* stehen, passen zu; sich eignen für *od.* zu; anpassen; **~ yourself** mach, was du willst; **'~able** passend, geeignet; **'~case** Koffer *m*

suite [swiːt] Zimmerflucht *f*, Suite *f*; (Möbel)Garnitur *f*

sulfur ['sʌlfər] Schwefel *m*

sultry ['sʌltrɪ] schwül

sum [sʌm] Summe *f*; Betrag *m*; Rechenaufgabe *f*; **~ up** zs.-fassen; *j-n* abschätzen

summarize ['sʌməraɪz] zs.-fassen; **'~y** (kurze) Inhaltsangabe; Zs.-fassung *f*

summer ['sʌmər] Sommer *m*; **~ camp** Ferienlager *n*

summit ['sʌmɪt] Gipfel *m*

summon ['sʌmən] zitieren; einberufen

sun [sʌn] Sonne *f*; **'~bathe** sich sonnen; **'~beam** Sonnenstrahl *m*; **'~burn** Sonnenbrand *m*

sundae ['sʌndeɪ] Eisbecher *m* mit Früchten

Sunday ['sʌndeɪ] Sonntag *m*

sundial Sonnenuhr *f*

sung [sʌŋ] *pp von* **sing**

sunglasses *pl* Sonnenbrille *f*

sunk [sʌŋk] *pret u. pp von* **sink** 1; **'~en** versunken; eingefallen

sunny sonnig; **~-side 'up** nur auf einer Seite gebraten (*Ei*)

'sun|rise Sonnenaufgang *m*; **'~set** Sonnenuntergang *m*; **'~shine** Sonnenschein *m*; **'~stroke** Sonnenstich *m*; **'~tan** Bräune *f*; **get a ~** braun werden

super ['suːpər] **1.** F super, toll; **2.** *Abk. für* **superintendent** Hausmeister *m*

super... [suːpər] Über..., über...; Ober..., ober...; Super...

superb [suː'pɜːrb] hervorragend, ausgezeichnet

Super Bowl ['suːpərboʊl] Super Bowl *m* (*jährliches End-spiel der beiden Football-Ligen National Football Conference und American Football Conference*)

super|ficial [su:pər'fɪʃl] oberflächlich; **~fluous** [su:'pɜːrfluəs] überflüssig; **~'human** übermenschlich; **~intendent** [~ɪn'tendənt] Hausmeister *m*

superior [su:'pɪriər] **1.** höhere(r, -s); vorgesetzt; besser; hervorragend; überlegen; **2.** Vorgesetzte *m, f*

super|market ['su:pərmɑːrkɪt] Supermarkt *m*; **~'natural** übernatürlich; **'~power** Weltmacht *f*; **~'sonic** Überschall...; **~stition** [~'stɪʃn] Aberglaube *m*; **~stitious** [~'stɪʃəs] abergläubisch; **~vise** [~'vaɪz] beaufsichtigen, überwachen; **~visor** ['~vaɪzər] Aufseher(in)

supper ['sʌpər] Abendessen *n*

supple ['sʌpl] geschmeidig

supplement 1. ['sʌplɪmənt] Ergänzung *f*; Nachtrag *m*; (*Zeitungs- etc.*)Beilage *f*; ['~ment] ergänzen; **~ary** [~'mentəri] zusätzlich

suppli|er [sə'plaɪər] Lieferant(in); **~y** [~aɪ] **1.** liefern; versorgen; **2.** Lieferung *f*; Versorgung *f*; *econ.* Angebot *n*; *mst pl* Vorräte *pl*

support [sə'pɔːrt] **1.** Stütze *f*; *tech.* Träger *m*; Unterstützung *f*; (Lebens)Unterhalt

m; **2.** tragen; (ab)stützen; unterstützen; *Familie* unterhalten

suppos|e [sə'pouz] annehmen; vermuten; glauben, denken; *be ~d to* ... sollen; **~ed** [~zd] vermeintlich; **~edly** [~zɪdli] angeblich; **~ition** [sʌpə'zɪʃn] Voraussetzung *f*; Annahme *f*, Vermutung *f*

suppress [sə'pres] unterdrücken; **~ion** Unterdrückung *f*

supremacy [su'preməsɪ] Oberhoheit *f*; Vorherrschaft *f*; Überlegenheit *f*; Vorrang *m*

supreme [su'priːm] höchste(r, -s); oberste(r, -s); äußerste(r, -s); ♀ **Court** oberstes Bundesgericht

sure [ʃʊr] sicher; gewiss; überzeugt; *make ~ that* sich (davon) überzeugen, dass; *~ enough* tatsächlich; *~!* klar!, bestimmt!; *~ly* sicher(lich)

surf [sɜːrf] **1.** surfen; **2.** Brandung *f*; *~ and turf* Steak *n* mit Hummer

surface ['sɜːrfɪs] **1.** Oberfläche *f*; **2.** auftauchen (*a. fig.*)

surf|board ['sɜːrfbɔːrd] Surfbrett *n*; **'~er** Surfer(in), Wellenreiter(in); **'~ing** Surfen *n*, Wellenreiten *n*

surgeon ['sɜːrdʒən] Chirurg *m*; ♀ **General** *in den USA*: *etwa* Gesundheitsminister(in)

surg|ery ['sɜːrdʒərɪ] Chirurgie *f*; Operation *f*; '**~ical** chirurgisch

surname ['sɜːrneɪm] Familien-, Nachname *m*

surplus ['sɜːrpləs] **1.** Überschuss *m*; **2.** überschüssig

surprise [sər'praɪz] **1.** Überraschung *f*; **2.** überraschen

surrogate ['sʌrəgeɪt] Ersatz *m*; **~ mother** Leihmutter *f*

surround [sə'raʊnd] umgeben; umringen; '**~ing** umliegend; **~ings** *pl* Umgebung *f*

survey [sər'veɪ] überblicken; sorgfältig prüfen; begutachten; *Land* vermessen; **2.** ['sɜːrveɪ] Überblick *m*; sorgfältige Prüfung; Gutachten *n*; Untersuchung *f*; Umfrage *f*; Vermessung *f*

surviv|al [sər'vaɪvl] Überleben *n*; **~e** [~aɪv] überleben; erhalten bleiben; **~or** Überlebende *m*, *f*

susceptible [sə'septəbl]: **~ to** empfänglich *f*; anfällig für

suspect 1. [sə'spekt] verdächtigen; vermuten; befürchten; **2.** ['sʌspekt] Verdächtige *m*, *f*; **3.** ['~] verdächtig, suspekt

suspend [sə'spend] (auf-)hängen; aufschieben; *Zahlung* einstellen; *j-n* suspendieren; *Sport:* sperren; **~ed** hängend, Hänge...; schwebend

suspens|e [sə'spens] Spannung *f*; **~ion** Aufschub *m*;

Einstellung *f*; Suspendierung *f*; *Sport:* Sperre *f*; *mot.* Aufhängung *f*; **~ion bridge** Hängebrücke *f*

suspici|on [sə'spɪʃn] Verdacht *m*; Misstrauen *n*; **~ous** verdächtig; misstrauisch

swab [swɑːb] *med.:* Tupfer *m*; Abstrich *m*

swallow[1] ['swɑːloʊ] Schwalbe *f*

swallow[2] [~] schlucken

swam [swæm] *pret von* **swim** 1

swamp [swɑːmp] **1.** Sumpf *m*; **2.** überschwemmen (*a. fig.*)

swan [swɑːn] Schwan *m*

swap [swɑːp] tauschen

swarm [swɔːrm] **1.** Schwarm *m*; **2.** wimmeln

swear [swer] (*swore, sworn*) schwören; fluchen; **~ s.o. in** *j-n* vereidigen; '**~word** Fluch *m*, Kraftausdruck *m*

sweat [swet] **1.** Schweiß *m*; **2.** *-(eng)* schwitzen; '**~er** Pullover *m*; '**~y** verschwitzt

sweep [swiːp] (*swept*) **1.** fegen (*a. fig.*), kehren; *Person:* rauschen; **2.** Schwung *m*; '**~ing** durchgreifend; pauschal

sweet [swiːt] **1.** süß; niedlich; lieb, reizend; **2.** **~s** *pl* Süßigkeiten *pl*; '**~en** (ver)süßen; '**~ener** Süßstoff *m*; '**~heart** Schatz *m*, Liebste *m*, *f*

sweltering ['sweltərɪŋ] drückend, schwül

swept [swept] *pret u. pp von* **sweep** 1

swerve [swɜːrv] ausscheren

swim [swɪm] **1.** (**swam**, **swum**) (durch)schwimmen; *go* **~ming** schwimmen gehen; *my head is* **~ming** mir dreht sich alles; **2.** Schwimmen *n*; *go for a* **~** schwimmen gehen; Schwimm...; **~ming pool** Schwimmbecken *n*; Schwimmbad *n*; Schwimmingpool *m*; **~suit** Badeanzug *m*

swing [swɪŋ] **1.** (**swung**) schwingen; schwenken; schlenkern; baumeln (lassen); schaukeln; *Tür:* sich (*in den Angeln*) drehen; **2.** Schwung *m*; Schaukel *f*; *pol. etc.* Wende *f*; *mus.* Swing *m*

swirl [swɜːrl] **1.** (herum)wirbeln; **2.** Wirbel *m*

switch [swɪtʃ] **1.** *electr.* Schalter *m*; Wechsel *m*; Änderung *f*; **2.** *electr.* (um-)schalten; wechseln; **~ off** ab-, ausschalten; **~ on** einschalten; **~board** *electr.* Schaltbrett *n*, -tafel *f*; *tel.* Zentrale *f*

swivel [ˈswɪvl] (sich) drehen

swollen [ˈswəʊlən] *pp von* **swell** 1

swor|e [swɔːr] *pret*, **~n** *pp von* **swear**

swum [swʌm] *pp von* **swim** 1

swung [swʌŋ] *pret u. pp von* **swing** 1

syllable [ˈsɪləbl] Silbe *f*

symbol [ˈsɪmbl] Symbol *n*, Sinnbild *n*; **~ic** [~ˈbɒlɪk] symbolisch, sinnbildlich; **~ize** [ˈ~bəlaɪz] symbolisieren

symmetr|ic(al) [sɪˈmetrɪk(l)] symmetrisch, ebenmäßig; **~y** [ˈsɪmətrɪ] Symmetrie *f*; *fig. a.* Ebenmaß *n*

sympath|etic [sɪmpəˈθetɪk] mitfühlend; **~ize** [ˈ~θaɪz] mitfühlen; sympathisieren; **~y** Mitgefühl *n*; Verständnis *n*; *bei Tod:* Beileid *n*

symphony [ˈsɪmfənɪ] Symphonie *f*

symptom [ˈsɪmptəm] Symptom *n*; **~atic** [~ˈmætɪk] bezeichnend

synchronize [ˈsɪŋkrənaɪz] synchronisieren; synchron gehen; gleichzeitig ablaufen

synonym [ˈsɪnənɪm] Synonym *n*; **~ous** [sɪˈnɒnɪməs] synonym, gleichbedeutend

synthetic [sɪnˈθetɪk] synthetisch

syringe [ˈsɪrɪndʒ] Spritze *f*

syrup [ˈsɪrəp] Sirup *m*

system [ˈsɪstəm] System *n*; Organismus *m*, Körper *m*; **~atic** [~ˈmætɪk] systematisch

T

tab [tæb] Aufhänger *m*; Lasche *f*; Aufreißring *m* (*an Getränkedosen*)

table ['teɪbl] **1.** Tisch *m*; Tabelle *f*; **2.** Gesetzesvorlage zurückstellen; **'~cloth** Tischtuch *n*; **'~spoon** Esslöffel *m*; **~ tennis** Tischtennis *n*

taboo [tə'bu:] **1.** tabu; **2.** Tabu *n*

tack [tæk] **1.** Reißzwecke *f*; **2.** heften

tackle ['tækl] **1.** Gerät *n*, Ausrüstung *f*; Flaschenzug *m*; **2.** (an)packen, in Angriff nehmen; *Sport:* angreifen

tacky ['tækɪ] schäbig; F billig

taco ['tɑːkəʊ] Taco *m* (*Maisfladen mit e-r scharfen Füllung aus Hackfleisch, Tomaten, Käse, Salat etc.*)

tact [tækt] Takt *m*, Feingefühl *n*; **'~ful** taktvoll

taffy ['tæfɪ] Toffee *n*; Sahnebonbon *y*

tag [tæg] Anhänger *m*, Schildchen *n*, Etikett *n*; *Kinderspiel:* Fangen *n*

tail [teɪl] **1.** Schwanz *m*; (hinteres) Ende, Schluss *m*; *sl.* Hintern *m*; *a.* **~s** Rückseite *f* (*e-r Münze*); **2.** beschatten; **'~gate** *mot.* **1.** hintere Ladeklappe *f*; **2.** dicht auffahren; **'~light** Rücklicht *n*

tailor ['teɪlər] Schneider *m*; **'~-made** maßgeschneidert

(a. fig.)

tail | **pipe** Auspuffrohr *n*; **'~wind** Rückenwind *m*

tainted ['teɪntɪd] *Lebensmittel:* verdorben

take [teɪk] **1.** Einnahmen *pl*; **be on the ~** *sl.* bestechlich sein, korrupt sein; **2.** (*took, taken*) nehmen; an-, ein-, ent-, entgegen-, heraus-, hin-, mit-, wegnehmen; fassen, ergreifen; fangen; (hin-, weg)bringen; halten (**for** für); auffassen; annehmen; ertragen, aushalten; fassen; Platz haben für; *Speisen zu* sich nehmen; *Platz* einnehmen; *Fahrt, Spaziergang, Ferien* machen; *Zug, Bus etc.* nehmen, benutzen; *Temperatur* messen; *phot.* Aufnahme machen; *Prüfung* machen, ablegen; *Notiz* machen; *Gelegenheit, Maßnahmen* ergreifen; *Eid* ablegen; *Zeit, Geduld* erfordern, brauchen; *Zeit* dauern; *Zeitung* beziehen; *Kleidergröße* haben, tragen; **~ care!** tschüss!, pass auf dich auf!; **~ five** e-e kurze Pause machen; **~ after** nachschlagen, ähneln; **~ down** abreißen; notieren, aufschreiben; **~in** *Gast* (bei sich) aufnehmen; *et.* kürzer *od.* enger machen; *fig.* verstehen, erfassen; *j-n*

tasteless

reinlegen; **~ off** ab-, wegnehmen; *Hut etc.* abnehmen;
Kleidungsstück ablegen,
ausziehen; *e-n Tag etc.* Urlaub machen; *aviat.* starten;
~ out heraus-, entnehmen;
j-n ausführen; *Versicherung*
abschließen; **~ over** *Amt,
Aufgabe etc.* übernehmen; **~
up** auf-, hochheben; aufnehmen; sich befassen mit; *Idee*
aufgreifen; *Platz* einnehmen; *Zeit etc.* in Anspruch
nehmen; '**~n 1.** *pp von* **take**
2; **2.** *Platz:* besetzt; '**~off**
aviat. Start *m*

take-out ['teɪkaʊt] **1.** zum
Mitnehmen; **2.** Restaurant *n*
mit Straßenverkauf

talc [tælk], **talcum powder**
['tælkəm] Talkum-, Körper-
puder *m*

tale [teɪl] Erzählung *f*; Geschichte *f*

talent ['tælənt] Talent *n*, Begabung *f*; '**~ed** begabt

talk [tɔːk] **1.** Gespräch *n*; Unterhaltung *f*; Unterredung *f*;
Gerede *n*; Vortrag *m*; **2.**
sprechen, reden; sich unterhalten; **~ s.o. into s.th.** *j-n zu*
et. überreden; **~ s.th. over** *et.*
besprechen; **~ative** ['~ətɪv]
gesprächig; geschwätzig

tall [tɔːl] groß; hoch

tame [teɪm] **1.** zahm; *fig.*
lahm, fad(e); **2.** zähmen

tamper ['tæmpər] **~ with**
sich zu schaffen machen an

tan [tæn] **1.** (Sonnen)Bräune

f; **2.** bräunen; braun werden

tangerine [tændʒə'riːn]
Mandarine *f*

tank [tæŋk] Tank *m*; Wasser-
behälter *m*; *mil.* Panzer *m*; *sl.*
(Haft)Zelle *f*; Knast *m*

tanker ['tæŋkər] Tanker *m*;
Tankwagen *m*

tanned [tænd] braun (ge-
brannt)

tantrum ['tæntrəm] Wutan-
fall *m*

tap [tæp] **1.** leichtes Klopfen;
2. klopfen; *tel.* abhören; anzapfen

tape [teɪp] schmales Band,
Streifen *m*; Kleb(e)streifen
m; *Sport:* Zielband *n*; (Ton-
etc.)Band *n*; **~ measure**
Maßband *n*

taper ['teɪpər] **~ off** spitz zu-
laufen; allmählich aufhören

tapestry ['tæpɪstrɪ] Gobelin
m, Wandteppich *m*

tar [tɑːr] **1.** Teer *m*; **2.** teeren

target ['tɑːrgət] Ziel *n*; Ziel-
scheibe *f* (*a. fig.*)

tarnish ['tɑːrnɪʃ] matt *od.*
stumpf werden (lassen); *Metall:* anlaufen

tarragon ['terəgən] *gastr.*
Estragon *m*

tartar ['tɑːrtər] Zahnstein *m*;
Weinstein *m*

task [tæsk] Aufgabe *f*

taste [teɪst] **1.** Geschmack *m*;
Kostprobe *f*; **2.** schmecken;
kosten, probieren; '**~ful** ge-
schmackvoll; '**~less** ge-
schmacklos

tasty ['teɪstɪ] schmackhaft

tattoo [tə'tuː] **1.** Tätowierung f; mil. Zapfenstreich m; **2.** tätowieren

taught [tɔːt] pret u. pp von **teach**

taunt [tɔːnt] **1.** Spott m; **2.** verhöhnen, -spotten

tax [tæks] **1.** Steuer f; Abgabe f; **2.** besteuern; strapazieren; **~ation** [~'seɪʃn] Besteuerung f; Steuern pl; **~-exempt** econ. steuerfrei

taxi ['tæksɪ] **1.** Taxe f, Taxi n; **2.** aviat. rollen; **'~cab** Taxi n; **'~driver** Taxifahrer m; **'~meter** Taxameter n, m; **~ stand** Taxistand m

'tax|payer Steuerzahler m; **~ return** Steuererklärung f

Tb [tiː'biː] Abk. für **tuberculosis** TB, Tuberkulose f

tba [tiːbiː'eɪ] Abk. für **to be announced** wird noch bekannt gegeben

T-bone steak [tiːbəʊn'steɪk] T-Bone-Steak n (aus dem Rippenstück mit anhängendem Filet)

tbs. Abk. für **tablespoon** Esslöffel m (Mengenangabe)

tea [tiː] Tee m; **'~bag** Teebeutel m

teach [tiːtʃ] (**taught**) lehren, unterrichten; j-m et. beibringen; **'~er** Lehrer(in)

teak [tiːk] Teakholzbaum m; Teakholz n

team [tiːm] Team n, (Arbeits)Gruppe f; Sport: Team

n, Mannschaft f; **make the ~** in die Mannschaft aufgenommen werden; **'~ster** LKW-Fahrer m; **'~work** Zs.-arbeit f, Teamwork n

tear¹ [teə] **1.** (**tore, torn**) zerren; (zer)reißen; rasen; **2.** Riss m

tear² [tɪə] Träne f; **'~ful** tränenreich; weinend; **'~jerker** Schnulze f

tease [tiːz] necken, hänseln; ärgern, reizen

tea| service, ~ set Teeservice n; '~spoon Teelöffel m

teat [tiːt] zo. Zitze f

techie ['tekɪ] F Techniker m

techni|cal ['teknɪkl] technisch; Fach...; **~cality** [~'kælətɪ] technische Einzelheit; jur. Formsache f; **~cian** [~'nɪʃn] Techniker(in); **~que** [~'niːk] Technik f, Verfahren n

technology [tek'nɑːlədʒɪ] Technologie f

tedious ['tiːdɪəs] langweilig

teen [tiːn] Teenager m, Jugendliche m, f

teenage ['tiːneɪdʒ] Teenager...; **~r** Teenager m, Jugendliche m, f

teens [tiːnz] pl Teenageralter n

teetertotter ['tiːtərtɑːtər] Wippe f

teeth [tiːθ] pl von **tooth**; **~e** [tiːð] zahnen

teetotaler [tiːtoʊtlər] Abstinenzler(in)

tele|cast ['teləkæst] Fernsehsendung f; **~communications** [~kəmjuːnɪ'keɪʃnz] Fernmeldewesen n; **~gram** ['~græm] Telegramm n

telephone ['teləfəʊn] **1.** Telefon n, Fernsprecher m; **2.** telefonieren; anrufen; **~ booth** Telefonzelle f; **~ call** Telefongespräch n, Anruf m; **~ directory** Telefonbuch n

televise ['teləvaɪz] im Fernsehen übertragen

television ['teləvɪʒn] Fernsehen n; **on ~** im Fernsehen; **watch ~** fernsehen; **~ (set)** Fernsehapparat m

telex ['teleks] **1.** Telex n, Fernschreiben n; **2.** telexen

tell [tel] (**told**) sagen; erzählen; erkennen; sagen, befehlen; sich auswirken; **~ s.o. off** j-n schelten; **~ on s.o.** j-n verpetzen; **'~er** (Bank)Kassierer(in); **'~tale** verräterisch

temper ['tempər] Wesen n, Naturell n; Laune f; Wut f; **keep one's ~** sich beherrschen; **lose one's ~** in Wut geraten; **~ament** ['~rəmənt] Temperament n; Veranlagung f; **~ature** ['~prətʃər] Temperatur f; Fieber n

temple ['templ] Tempel m; anat. Schläfe f; Brillenbügel m

temporary ['tempərərɪ] **1.** vorübergehend; provisorisch; **2.** Aushilfskraft f

tempt [tempt] in Versuchung führen; verlocken, verleiten; **~ation** [~'teɪʃn] Versuchung f; **~ing** verführerisch; verlockend

ten [ten] zehn

tenacious [tɪ'neɪʃəs] zäh, hartnäckig

tenant ['tenənt] Mieter(in); Pächter(in)

tend [tend] v/i tendieren, neigen (**to** zu); v/t sich kümmern um; pflegen; **~ency** ['~ənsɪ] Tendenz f; Neigung f

tender ['tendər] zart; weich; empfindlich; Thema: heikel; liebevoll, zärtlich

'tender|loin Filet n; Vergnügungsviertel n; **'~ness** Zartheit f; Zärtlichkeit f

tendon ['tendən] Sehne f

ten-gallon 'hat F breitrandiger Cowboyhut

tennis ['tenɪs] Tennis n; **~ court** Tennisplatz m; **~ elbow** med. Tennisarm m

tens|e [tens] gespannt, straff; (an)gespannt; verkrampft; nervös; **~ion** [~ʃn] Spannung f; (An)Gespanntheit f

tent [tent] Zelt n

tentative ['tentətɪv] vorläufig; vorsichtig, zögernd

tenth [tenθ] **1.** zehnte(r, -s); **2.** Zehntel n; **'~ly** zehntens

tequila [tə'kiːlə] Tequila m (mexikanischer Agavenschnaps); **~ sunrise** Cocktail aus Tequila, Orangensaft und Grenadine

term [tɜ:rm] **1.** Zeit(raum *m*) *f*, Dauer *f*; Amtszeit *f*; Frist *f*; Semester *n*; Quartal *n*; Trimester *n*; (Fach)Ausdruck *m*, Bezeichnung *f*; *pl*: (Vertrags- *etc.*)Bedingungen *pl*; Beziehungen *pl*; **be on good/bad ~s with s.o.** gut/nicht gut mit j-m auskommen; **2.** nennen, bezeichnen

termin|al ['tɜ:rmɪnl] **1.** Endstation *f*; *aviat.* Terminal *m*, *n*, (Flughafen)Abfertigungsgebäude *n*; *Computer*: Terminal *n*; **2.** *med.* unheilbar; **~ate** ['~eɪt] beenden; **~ation** [~'neɪʃn] Beendigung *f*; Ende *n*

terri|ble ['terəbl] schrecklich; **~fic** [tə'rɪfɪk] fantastisch; sagenhaft; irre; **~fy** ['terɪfaɪ] *j-m* Angst einjagen

territor|ial [terɪ'tɔ:rɪəl] territorial, Gebiets...; **~y** ['~tɔ:rɪ] Territorium *n*, (Hoheits-, Staats)Gebiet *n*

terror ['terər] panische Angst; Schrecken *m*; Terror *m*; **~ist** ['~rɪst] Terrorist(in); **~ize** ['~raɪz] terrorisieren

terrycloth ['terɪklɒ:θ] Frottee *n*, *m*, *öster.* Frotté *n*, *m*

test [test] **1.** Probe *f*; Versuch *m*; Test *m*; Untersuchung *f*; (Eignungs)Prüfung *f*, Klassenarbeit *f*; **2.** prüfen, testen

testicle ['testɪkl] Hoden *m*

testify ['testɪfaɪ] bezeugen; (als Zeuge) aussagen

testimon|ial [testɪ'məʊnɪəl]

Referenz *f*, Zeugnis *n*; **~y** ['~məʊnɪ] Zeugenaussage *f*

test| tube Reagenzglas *n*; '**~tube baby** Retortenbaby *n*

testy ['testɪ] gereizt

Tex-mex ['teksmeks] *F* texanisch-mexikanisch

text [tekst] Text *m*; Wortlaut *m*; '**~book** Lehrbuch *n*

textile ['tekstaɪl] Stoff *m*, Gewebe *n*; *pl* Textilien *pl*

texture ['tekstʃər] Beschaffenheit *f*; Struktur *f*

TGIF [ti:dʒi:aɪ'ef] *F Abk. für* **Thank God it's Friday** Gott sei Dank ist heute Freitag

than [ðæn, ðən] als

thank [θæŋk] **1.** danken; **(no.) ~ you** (nein,) danke; **2.** *pl* Dank *m*; **~s!** vielen Dank!, danke!; **~s to** dank; '**~ful** dankbar; '**~fully** zum Glück; '**~less** undankbar; **~sgiving (Day)** Erntedankfest *n* (*4. Donnerstag im November*)

that [ðæt, ðət] **1.** *pron u. adj* (*pl* **those** [ðoʊz]) jene(r, -s), der, die, das, der-, die-, dasjenige; solche(r, -s); *ohne pl*: das; **2.** *adv F* so, dermaßen; **~ s the way the cookie crumbles** F so ist nun mal das Leben; **~ much** so viel; **3.** *rel pron* (*pl* **that**) der, die, das, welche(r, -s); **4.** *cj* dass

thaw [θɔ:] **1.** Tauwetter *n*; **2.** tauen; auftauen (lassen)

the [ðə, *vor Vokalen:* ðɪ, *betont* ði:] **1.** der, die, das; *pl*

die; **2.** *adv* desto, um so; **~ ...
~** je ... desto

theater [ˈθiːətər] Theater *n*;
Kino *n*

theft [θeft] Diebstahl *m*

their [ðer] *pl* ihr(e); **~s** [~z]
ihre(r, -s), der, die, das
ihr(ig)e

them [ðem, ðəm] *pron pl* sie
(*acc*); ihnen

theme [θiːm] Thema *n*; **~
song** Titelmelodie *f*

themselves [ðəmˈselvz]
pron pl sich (selbst) (*reflexiv*); *verstärkend:* sie *od.* sich
selbst

then [ðen] **1.** *adv* dann; da;
damals; **by ~** bis dahin; **2.** *adj*
damalig

theoretic(al) [θiːəˈretɪk(l)]
theoretisch; **~y** [~ˈrtɪ] Theorie
f

therapeutic [θerəˈpjuːtɪk]
therapeutisch; **~ist** [~ˈpɪst]
(Psycho)Therapeut(in); **~y**
[~ˈpɪ] (Psycho)Therapie *f*

there [ðer] da, dort; da-,
dort-hin; *fig.* da(rin); **~ is,**
pl **~ are** es gibt, es ist, es
sind; **~ you are** hier (,bitte);
~ and back hin und zurück;
~! na also!; **~about** [ˈðerəbaʊt] da
irgendwo; so ungefähr; **~fore**
[ˈðerfɔːr] darum, deshalb

thermos® [ˈθɜːrməs], **~ bottle** Thermosflasche® *f*

these [ðiːz] *pl von* **this**

thesis [ˈθiːsɪs] (*pl* **-ses**
[~siːz]) These *f*; Dissertati-
on *f*

they [ðeɪ] *pl* sie; man

thick [θɪk] dick; dicht; dick-
(flüssig); F dumm, doof; **~en**
dick(er) werden; dichter
werden; sich verdichten;
Sauce andicken; **~set** untersetzt; **~skinned** dickfellig

thief [θiːf] (*pl* **thieves** [θiːvz])
Dieb(in)

thigh [θaɪ] (Ober)Schenkel *m*

thimble [ˈθɪmbl] Fingerhut *m*

thin [θɪn] **1.** dünn; mager;
schwach; spärlich; **2.** verdünnen; dünner werden

thing [θɪŋ] Ding *n*; Sache *f*

thingamajig [ˈθɪŋəmədʒɪg] F
Dings *n*

think [θɪŋk] (**thought**) *v/i*
denken; überlegen; nach-
denken; *v/t* denken; meinen,
glauben; halten für; **~ of**
denken an; sich erinnern an;
sich *et.* ausdenken; sich vorstellen; halten von; **~ s.th.
over** sich et. überlegen, et.
überdenken; **~ up** sich ausdenken

thinner [ˈθɪnər] Verdünner *m*

third [θɜːrd] **1.** dritte(r, -s); **2.**
Drittel *n*; **~ly** drittens;
~party insurance Haft-
pflichtversicherung *f*; **~-
rate** drittklassig; minderwertig

thirst [θɜːrst] Durst *m*; **~y**
durstig; **be ~** Durst haben

thirteen [θɜːrˈtiːn] dreizehn;
~ieth [ˈ~tɪəθ] dreißigste(r,
-s); **~y** dreißig

this [ðɪs] (*pl* **these** [ðiːz])

diese(r, -s); dies, das

thong [θɒːŋ] Zehensandale *f*; Tanga *m*

thorn [θɔːrn] Dorn *m*; '**~y** dornig; *fig.* heikel

thorough ['θɜːrou] gründlich; vollkommen; '**~bred** Vollblut(pferd) *n*; Vollblut...

those [ðouz] *pl von that* 1

though [ðou] **1.** *cj* obgleich, obwohl, wenn auch; **as ~** als ob; **2.** *adv* trotzdem

thought [θɔːt] **1.** *pret u. pp von think*. **2.** Gedanke *m*; Denken *n*; Überlegung *f*; '**~ful** nachdenklich; rücksichtsvoll; '**~less** gedankenlos, unüberlegt; rücksichtslos

thousand ['θaʊznd] tausend; **~th** ['~ntθ] **1.** tausendste(r, -s); **2.** Tausendstel *n*

thrash [θræʃ] verdreschen, -prügeln; *Sport*: F *j-m* e-e Abfuhr erteilen; **~ (about)** um sich schlagen; sich *im Bett* herumwerfen; *Fische*: zappeln; '**~ing** (Tracht *f*) Prügel *pl*

thread [θred] **1.** Faden *m* (*a. fig.*); Zwirn *m*, Garn *n*; *tech.* Gewinde *n*; **2.** einfädeln; '**~bare** fadenscheinig

threat [θret] Drohung *f*; Bedrohung *f*; '**~en** (be-, an-) drohen; '**~ening** drohend; bedrohlich

three [θriː] drei; **the ~ R's (reading, [w]riting, [a]rith-** **metic)** Lesen, Schreiben und Rechnen; **~-'quarter** drei viertel

threshold ['θreʃhould] Schwelle *f*

threw [θruː] *pret von throw* 2

thrift| shop ['θrɪftʃɑːp] Secondhandshop *m*; '**~y** sparsam

thrill [θrɪl] **1.** erregen; begeistern; **be ~ed** sich freuen; **2.** Erregung *f*; Nervenkitzel *m*; '**~er** Reißer *m*, Thriller *m*; '**~ing** spannend; aufregend

throat [θrout] Kehle *f*, Gurgel *f*; Hals *m*

throb [θrɑːb] pochen, klopfen

throng [θrɒːŋ] **1.** (Menschen)Massen *pl*; **2.** sich drängen (in)

throttle ['θrɑːtl] **1.** erwürgen, erdrosseln; *fig.* abwürgen; **~ back**, **~ down** *tech.* drosseln; *Gas* wegnehmen; **2.** *tech.* Drosselklappe *f*; *mot.* Gashebel *m*

through [θruː] **1.** *prp u. adv* durch; *zeitlich*: hindurch; bis (einschließlich) (**Monday ~ Friday**); **2.** *adj* durchgehend; Durchgangs...; fertig (*a. fig. with* mit); *tel.* verbunden; **~'out 1.** *prp* überall in; *zeitlich*: während; **2.** *adv* ganz; die ganze Zeit über

throw [θrou] **1.** Wurf *m*; **2.** (**threw, thrown**) werfen; würfeln; **~ off** abwerfen; abschütteln; loswerden; **~ out** hinauswerfen; wegwerfen; **~ up** hochwerfen; (sich) erbrechen; **'~away** Wegwerf...; Einweg...; **'~-in** Einwurf *m*; **~ pp von throw** 2

thru [θruː] → **through**

thrust [θrʌst] **1.** (*thrust*) stoßen; **2.** Stoß *m*; *tech.*: Druck *m*; Schub(kraft *f*) *m*

thud [θʌd] **1.** dumpf (auf-) schlagen; **2.** dumpfer (Auf-) Schlag

thug [θʌg] Schläger(typ) *m*

thumb [θʌm] **1.** Daumen *m*; **2. ~ a ride** F trampen; **~ through** *Buch etc.* durchblättern; **'~tack** Reißzwecke *f*

thump [θʌmp] **1.** (dumpfer) Schlag; Bums *m*; **2.** schlagen, hämmern, pochen

thunder ['θʌndər] **1.** Donner *m*; **2.** donnern; **'~storm** Gewitter *n*

Thursday ['θɜːrzdeɪ] Donnerstag *m*

thyroid (gland) ['θaɪrɔɪd] Schilddrüse *f*

tick [tɪk] Zecke *f*

ticket ['tɪkɪt] (Eintritts-, Theater- *etc.*)Karte *f*; Fahrkarte *f*, -schein *m*; *aviat.* Flugschein *m*, Ticket *n*; (Preis- *etc.*)Schildchen *n*, Etikett *n*; (Gepäck-, Park*etc.*)Schein *m*; (Lotterie)Los *n*; Strafzettel *m*; **~ machine** Fahrkartenautomat *m*; **~ office** Fahrkartenschalter *m*; Theaterkasse *f*

tickle ['tɪkl] kitzeln; **'~ish** kitz(e)lig (*a. fig.*)

tidbit ['tɪdbɪt] Leckerbissen *m*

tide [taɪd] Gezeiten *pl*, Ebbe *f* u. Flut *f*; **high ~** Flut *f*; **low ~** Ebbe *f*; **'~water** Gezeitenwasser *n*; Meeresküste *f*; **~ Virginia** die Küstenregion Virginias; **'~way** Priel *m*

tie [taɪ] **1.** Krawatte *f*, Schlips *m*; *fig.* Band *n*, Bindung *f*; Beziehung *f*; *fig.* Fessel *f*; Last *f*; *Sport:* Unentschieden *n*; *rail.* Schwelle *f*; **2.** (an-, fest-, zu)binden; *fig.* verbinden; **~ down** *fig.*: j-n binden; j-n festlegen

tiger ['taɪgər] Tiger *m*

tight [taɪt] **1.** *adj* eng; knapp (sitzend); fest (sitzend); dicht; straff; streng; knapp; F geizig, knick(e)rig; F blau; **2.** *adv* fest; **'~en** fest-, an-, nachziehen; *Gürtel* enger schnallen; (sich) zs.-ziehen; **~ up** verschärfen; **'~fisted** F geizig, knick(e)rig; **'~rope** (Draht)Seil *n* (*der Artisten*); **'~wad** ['~wɑːd] Geizhals *m*

tile [taɪl] **1.** (Dach)Ziegel *m*; Kachel *f*, Fliese *f*; **2.** (mit Ziegeln) decken; kacheln, fliesen

till[1] [tɪl] **1.** *prp* bis (zu); **not ~** nicht vor; erst; **2.** *cj* bis

till[2] [~] (Laden)Kasse *f*

till[3] [~] *Boden* bestellen

tilt [tɪlt] kippen; (sich) neigen

timber ['tɪmbər] (Bau-,

Nutz)Holz n; **~ wolf** grauer Wolf

time [taɪm] **1.** Zeit f; Uhrzeit f; Mal n; pl mal, ...mal; mus. Takt m; **~ is up** die Zeit ist um od. abgelaufen; **for the ~ being** vorläufig; **have a good ~** sich gut unterhalten od. amüsieren; **what's the ~?, what ~ is it?** wie viel Uhr ist es?; wie spät ist es?; **the first ~** das erste Mal; **four ~s** viermal; **all the ~** ständig, immer; **at a ~** auf einmal, zusammen; **at any ~, at all ~s** jederzeit; **at the same ~** gleichzeitig; **in ~** rechtzeitig; **in no ~** im Nu; **on ~** pünktlich; **2.** zeitlich abstimmen; timen (a. Sport); (ab)stoppen, messen; **'~-lag** Zeitunterschied m; Verzögerung f; **'~less** immer während; **~ limit** Frist f; **'~ly** rechtzeitig; **~ planner** Terminkalender m, Zeitplaner m; **'~er** Schaltuhr f; **'~-saving** zeitsparend; **'~table** Fahr-, Flugplan m; Stundenplan m; Programm n; **~ zone** Zeitzone f

timid ['tɪmɪd] ängstlich; schüchtern

tin [tɪn] Blech n; **'~foil** Aluminiumfolie f; Stanniol(papier) n

tingle ['tɪŋgl] prickeln

tint [tɪnt] **1.** (Farb)Ton m, Schattierung f; **2.** tönen

tiny ['taɪnɪ] winzig

tip [tɪp] **1.** Spitze f; Filter m, Mundstück n; Trinkgeld n; Tip m, Wink m; **2.** (um)kippen; j-m ein Trinkgeld geben; **~ (off)** j-m e-n Wink geben

tipsy ['tɪpsɪ] F angeheitert

tiptoe ['tɪptəʊ] **1.** auf Zehenspitzen gehen; **2. on ~** auf Zehenspitzen

tire¹ ['taɪə] Reifen m

tire² ['~] ermüden; müde werden od. machen; **~ of** müde; erschöpft; **be ~ of** et. satt haben; **'~less** unermüdlich; **'~some** lästig

tissue ['tɪʃuː] Gewebe n; Papiertaschentuch n; → **~ paper** Seidenpapier n

title ['taɪtl] Titel m; Überschrift f

TLC [tiːel'siː] F Abk. für **tender loving care** liebevolle Aufmerksamkeit

TM Abk. für **Trademark** Warenzeichen n; Abk. für **transcendental meditation** Transzendentale Meditation

TN Abk. für Tennessee

to [tʊ, tə, tuː] **1.** prp zu; nach; bis; Uhrzeit: vor; pro; befestigt etc.: an; **~ me** mir etc.; **2.** mit inf zu; um zu; **3.** adv zu, geschlossen; **come ~** (wieder) zu sich kommen; **~ and fro** hin u. her, auf u. ab

toast [təʊst] **1.** Toast m; Trinkspruch m; **2.** toasten, rösten; fig. trinken auf

tobacco [tə'bækəʊ] Tabak

m; **~nist** [~ənɪst] Tabak(waren)händler(in)

today [təˈdeɪ] heute

toddle [ˈtɑːdl] unsicher gehen, watscheln; '**~r** Kleinkind n

toe [toʊ] Zehe f; (Schuhetc.)Spitze f

together [təˈɡeðər] zusammen; gleichzeitig

toggle [ˈtɑːɡəl] tech. Knebel m; **~ switch** electr. Kippschalter m

toilet [ˈtɔɪlɪt] Toilettenbecken n; **~ paper** Toilettenpapier n; **~ries** [ˈ~rɪz] pl Toilettenartikel pl; **~ tissue** Toilettenpapier n

token [ˈtoʊkən] Zeichen n; Andenken n; Gutschein m; Metallmarke f (Fahrausweis) **(subway ~)**; Alibi... **(~ woman)**

told [toʊld] pret u. pp von **tell**

tolerable [ˈtɑːlərəbl] erträglich; leidlich; **~nce** Toleranz f; **~nt** tolerant (of gegen); **~te** [ˈ~eɪt] dulden; ertragen

toll [toʊl] Straßenbenutzungsgebühr f, Maut f; fig. Tribut m, (Zahl f der) Todesopfer pl; **~free** Telefon: gebührenfrei; **~gate** Schlagbaum m; **~ road** gebührenpflichtige Straße, Mautstraße f

tomato [təˈmeɪtoʊ] (pl **-toes**) Tomate f

tomb [tuːm] Grab(mal) n; **~stone** Grabstein m

tomcat [ˈtɑːmkæt] zo. Kater m

tomorrow [təˈmɔːroʊ] morgen; **the day after ~** übermorgen

ton [tʌn] Gewicht: Tonne f

tone [toʊn] Ton m, Klang m

tongs [tɑːŋz] pl (a. **a pair of ~** e-e) Zange

tongue [tʌŋ] Zunge f; Sprache f; (Schuh)Lasche f; **it's on the tip of my ~** es liegt mir auf der Zunge; **~-depressor** med. Spatel m; **~-in-cheek** ironisch; **~ twister** Zungenbrecher m

tonic [ˈtɑːnɪk] Stärkungsmittel n; **~ (water)** Tonic n

tonight, tonite [təˈnaɪt] heute Abend; heute Nacht

tonsil [ˈtɑːnsl] anat. Mandel f; **~litis** [~slˈlaɪtɪs] Mandelentzündung f

tony [ˈtoʊnɪ] schick, in

too [tuː] zu, allzu; nachgestellt: auch

took [tʊk] pret von **take 2**

tool [tuːl] Werkzeug n

tooth [tuːθ] (pl **teeth** [tiːθ]) Zahn m; '**~ache** Zahnschmerzen pl; '**~brush** Zahnbürste f; '**~less** zahnlos; '**~paste** Zahnpasta f, -creme f; '**~pick** Zahnstocher m

tootsie [ˈtuːtsɪ] oft neg! Schätzchen n (Anrede für e-e Frau)

top [tɑːp] **1.** ober(st)es Ende; Oberteil n, -seite f; Spitze f

(a. fig.); Gipfel m (a. fig.);
Wipfel m, (Baum)Krone f;
Kopf(ende n) m; Deckel m,
Verschluss m, Hülle f; mot.
Verdeck n; mot. höchster
Gang; Spielzeug: Kreisel m;
on ~ of (oben) auf; **2.** oberste(r, -s); höchste(r, -s),
Höchst..., Spitzen...; **~ se-
cret** streng geheim; **3.** be-
decken; übertreffen; **~-
-'heavy** kopflastig

topic ['tɒpɪk] Thema n; **'~al**
aktuell

'top|less oben ohne; '~most
höchste(r, -s), oberste(r, -s)

topping ['tɒpɪŋ] (Pizza
etc.)Belag m

topple ['tɒpl] mst ~ over
umkippen

tore [tɔːr] pret von tear¹ 1

torment 1. ['tɔːrment] Qual
f; **2.** [~'ment] quälen

torn [tɔːrn] pp von tear¹ 1

tornado [tɔːr'neɪdoʊ] (pl
-does, -dos) Wirbelsturm m

torrential [təˈrenʃl] sintflut-
artig

tortoise ['tɔːrtəs] (Land-)
Schildkröte f

torture ['tɔːrtʃər] **1.** Folter f;
fig. Qual f; **2.** foltern; fig.
quälen, peinigen

toss [tɒːs] werfen; **~ around**
(sich) hin u. her werfen; **~ up**
hochwerfen; **~ (up)**, **~ a coin**
(durch Münzwurf) losen;
~ed salad gastr. gemischter
Salat

total ['toʊtl] **1.** völlig, absolut, total; ganz, gesamt, Gesamt...; **2.** Gesamtbetrag m,
-menge f; **3.** mot. F Totalschaden verursachen; **I ~ed
my dad's car** ich habe den
Wagen m-s Vaters zu Schrott
gefahren

tote (bag) ['toʊt(bæg)] Tragetasche f

touch [tʌtʃ] **1.** Berührung f;
Tastsinn m, -gefühl n; leichter Anfall; Anflug m, Spur f;
mus. Anschlag m; **keep in ~**
in Verbindung bleiben; **2.**
(sich) berühren; anrühren,
anfassen; fig. rühren; **~
down** aviat. aufsetzen; **~ on
Thema** berühren, streifen; **~
up** auffrischen; **~-and go**
riskant, prekär; **it's ~** es steht
auf des Messers Schneide;
'~down aviat. Aufsetzen n;
'~ing rührend; **'~y** empfindlich; heikel

tough [tʌf] zäh (a. fig.); robust; hart, schwierig; grob,
brutal

tour [tʊr] **1.** Tour f, Reise f;
(Rund)Fahrt f; Rundgang m;
Tournee f; **2.** (be)reisen;
eine Tournee machen

tourist ['tʊrəst] Tourist(in f)
Touristen...; **~ class** Touris-
tenklasse f; **~ information**
Verkehrsverein m; **~ trap**
Touristenfalle f

tournament ['tʊrnəmənt]
Turnier n

tow [toʊ] **1.** Schleppen n; **2.**
abschleppen

toward(s) [tɔːrd(z)] auf ...
zu, in Richtung; *zeitlich:* gegen; *j-m:* gegenüber; *als Beitrag:* zu

'tow-away zone Halteverbotszone *f* (*in der geparkte Wagen von der Polizei abgeschleppt werden*)

towel ['taʊəl] Handtuch *n*

tower ['taʊər] **1.** Turm *m*; **2.** (hoch)ragen, sich erheben

town [taʊn] Stadt *f;* Stadt...; ~ **council** *Versammlung:* Stadtrat *m;* ~ **hall** Rathaus *n;* ~ **house** Reihenhaus *n;* ~ **meeting** Gemeindeversammlung *f*

'tow|rope Abschleppseil *n;* '~ **truck** Abschleppwagen *m*

toy [tɔɪ] **1.** Turm *m; pl* Spielsachen *pl,* -waren *pl;* Spielzeug...; Zwerg...; **2.** ~ **with** spielen mit

trace [treɪs] **1.** Spur *f;* **2.** nachspüren; verfolgen; ausfindig machen; (nach)zeichnen, durchpausen

track [træk] **1.** Spur *f,* Fährte *f, rail.* Gleis *n;* Pfad *m; Tonband etc.:* Spur *f;* (Renn-, Aschen)Bahn *f; live on the wrong side of the ~s* im schlechten Viertel der Stadt wohnen; **2.** verfolgen; ~ **down** aufspüren; ~ **and field** Leichtathletik *f;* '~**suit** Trainingsanzug *m*

tractor ['træktər] Traktor *m,* Trecker *m;* ~ **trailer** Sattelschlepper *m*

trade [treɪd] **1.** Handel *m;* Gewerbe *n;* Handwerk *n;* Branche *f;* die Geschäfte *pl;* **2.** Handel treiben, handeln (*in* mit); '~**mark** Warenzeichen *n;* '~**r** Händler *m,* Kaufmann *m*

tradition [trəˈdɪʃn] Tradition *f;* ~**al** traditionell

traffic ['træfɪk] **1.** Verkehr *m;* Handel *m;* **2.** handeln (*in* mit); ~ **circle** Verkehrskreisel *m;* ~ **cop** Verkehrspolizist *m;* ~ **court** Schnellgericht *n* (*für Vergehen im Straßenverkehr*); ~ **jam** Verkehrsstau *m;* ~ **light**(*s pl*) Verkehrsampel *f;* ~ **sign** Verkehrszeichen *n*

trag|edy ['trædʒədɪ] Tragödie *f;* ~**ic** tragisch

trail [treɪl] **1.** Fährte *f,* Spur *f;* Pfad *m;* (Wander)Weg *m;* **2.** hinter sich herziehen; verfolgen; schleifen; *Sport:* zurückliegen (hinter); *bot.* sich ranken; '~**er** *mot.:* Anhänger *m;* Wohnwagen *m;* ~**er park** Wohnwagensiedlung *f,* -park *m*

train [treɪn] **1.** Zug *m,* (Eisen)Bahn *f;* Kolonne *f;* **2.** schulen; abrichten; ausbilden; trainieren; ausgebildet werden; ~**ee** [~ˈniː] *m* Auszubildende *m;* '~ *m* Praktikant(in) *m;* '~**er** Ausbilder *m;* Trainer(in); '~**ing** Ausbildung *f;* Training *n* traitor ['treɪtər] Verräter m

tranquil ['træŋkwɪl] ruhig, friedlich; **~ity** [træŋ'kwɪlətɪ] Ruhe f, Frieden m; '**~ize** beruhigen; '**~izer** Beruhigungsmittel n

transact [træn'sækt] abwickeln; **~ion** Geschäft n, Transaktion f; Abwicklung f

transcript ['trænskrɪpt] Abschrift f

transfer **1.** [træns'fɜːr] versetzen; verlegen; übertragen; abtreten; Geld überweisen; transferieren; umsteigen; **2.** ['~] Übertragung f; Versetzung f; Verlegung f; Abtretung f; Überweisung f; Transfer m; Umsteigen n; Umsteigefahrschein m; **~able** [~'fɜːrəbl] übertragbar

transform [træns'fɔːrm] umwandeln; verändern; **~ation** [~fər'meɪʃn] Umwandlung f; Veränderung f

transfusion [træns'fjuːʒn] (Blut)Transfusion f

transit ['trænsɪt] Durchgangs-, Transitverkehr m; econ. Transport m; **in ~** unterwegs; auf dem Transport; **~ion** [~'zɪʒn] Übergang m

translat|e [træns'leɪt] übersetzen; **~ion** Übersetzung f; **~or** Übersetzer(in)

trans|mission [træns'mɪʃn] Übermittlung f; Übertragung f; Rundfunk, TV: Sendung f; mot. Getriebe n;

~mit [~s'mɪt] übermitteln; übertragen; senden; **~ mitter** Sender m

transparent [træns'pærənt] durchsichtig; offensichtlich

transplant **1.** [træns'plɑːnt] umpflanzen; med. verpflanzen; **2.** ['~] Transplantation f, Verpflanzung f; Transplantat n

transport **1.** [træn'spɔːrt] befördern, transportieren; **2.** ['~] Beförderung f, Transport m; **~ation** [~'teɪʃn] → **transport** 2; Transportkosten pl; **public ~** öffentliche Verkehrsmittel pl

trap [træp] **1.** (in e-r Falle) fangen; **2.** Falle f (a. fig.); sl. Klappe f, Schnauze f; '**~door** Falltür f

trash [træʃ] Schund m, Mist m; Quatsch m, F Blech m; Abfall m; '**~can** Mülleimer m; '**~y** wertlos, kitschig

travel ['trævl] **1.** reisen; fahren; sich bewegen; bereisen; zurücklegen; **2.** das Reisen; pl Reisen pl; **~ agency** Reisebüro n; '**~er** Reisende m, f; '**~er's check** Reisescheck m

tray [treɪ] Tablett n; Ablage(korb m) f

treasure ['treʒər] **1.** Schatz m (a. fig.); Kostbarkeit f; F Perle f; **2.** sehr schätzen; '**~r** Schatzmeister m

treat [triːt] **1.** behandeln; betrachten; **~ s.o. to s.th.** j-m et. spendieren; **2.** Vergnügen *n*, (Hoch)Genuss *m*; **it's my ~** ich lade Sie dazu ein; **'~ment** Behandlung *f*; **'~y** Vertrag *m*

tree [tri:] Baum *m*

trellis ['trelɪs] Gitter *n*; Spalier *m*

tremble ['trembl] zittern

tremendous [trɪ'mendəs] gewaltig; enorm; F prima, toll

tremor ['tremər] Zittern *n*; Beben *n*

trend [trend] Tendenz *f*, Trend *m*; **'~y** modern; **be ~ in** sein

trespass ['trespæs]: **~ on** *jur.* widerrechtlich betreten; **no ~ing** Betreten verboten

trial ['traɪəl] Versuch *m*, Probe *f*; *jur.* Verhandlung *f*, Prozess *m*; **on ~** auf Probe

triang|le ['traɪæŋgl] Dreieck *n*; **~ular** [~'æŋgjʊlər] dreieckig

tributary ['trɪbjətərɪ] Nebenfluss *m*

trick [trɪk] **1.** List *f*, Trick *m*; Kunststück *n*; Streich *m*; Freier *m* (*Kunde e-r Prostituierten*); **play a ~ on s.o.** j-m e-n Streich spielen; **2.** überlisten, hereinlegen; **'~ery** Tricks *pl*

trickle ['trɪkl] tröpfeln; rieseln

trick|ster ['trɪkstər] Schwindler(in); **'~y** schwierig; heikel

tricycle ['traɪsɪkl] Dreirad *n*

trigger ['trɪgər] **1.** *Gewehr:*

Abzug *m*; *phot.* Auslöser *m*; **2.** *a.* **~ off** auslösen

trim [trɪm] **1.** sauber, adrett, gepflegt; **2.** (guter) Zustand; Form *f*; **3.** schneiden; stutzen; trimmen; beschneiden; *Kleid etc.* besetzen; schmücken; *Etat etc.* kürzen; **'~ming** Besatz *m*; *pl:* Verzierung(en *pl*) *f*; Zubehör *n*; *gastr.* Beilagen *pl*; Abfälle *pl*; Schnipsel *pl*

trinket ['trɪŋkɪt] kleines Schmuckstück

trip [trɪp] **1.** (kurze) Reise, Fahrt *f*; Ausflug *m*, Tour *f*; Stolpern *n*; *fig.* Fehler *m*, Ausrutscher *m*; *sl. unter Drogen:* Trip *m*; **2.** stolpern; trippeln; *a.* **~ up** j-m ein Bein stellen (*a. fig.*)

triple ['trɪpl] dreifach; **~ts** ['~ɪts] *pl* Drillinge *pl*

tripod ['traɪpɔd] Dreifuß *m*; *phot.* Stativ *n*

trite [traɪt] banal

triumph ['traɪəmf] **1.** Triumph *m*; **2.** triumphieren; **~ant** [~'ʌmfənt] triumphierend

trivial ['trɪvɪəl] unbedeutend; trivial, alltäglich

trolley ['trɔlɪ] Straßenbahn *f*

trombone [trɔm'boun] Posaune *f*

trooper ['tru:pər] berittener Polizist; Polizist *m* e-s Bundesstaates

trophy ['troufɪ] Trophäe *f*

tropic ['trɔpɪk] *geogr.* Wendekreis *m*; *pl* Tropen *pl*; '**~al** tropisch

trot [trɒt] **1.** Trab *m*; **2.** traben

trouble ['trʌbl] **1.** Schwierigkeiten *pl*, Ärger *m*; Mühe *f*; Sorge *f*; *pol.* Unruhe *f*; *tech.* Störung *f*; *med.* Beschwerden *pl*; **2.** beunruhigen; belästigen, stören; (sich) bemühen; '**~-free** problemlos; *tech.* störungsfrei; '**~maker** Unruhestifter(in); '**~some** lästig

trough [trɒf] Trog *m*

trout [traʊt] (*pl* ~, ~s) Forelle *f*

truce [truːs] Waffenstillstand *m*

truck [trʌk] **1.** Last(kraft)wagen *m*; **2.** *et.* mit e-m Lkw transportieren; '**~er** Trucker *m*; Fernfahrer *m*; **~ farm** Gemüsegärtnerei *f*; **~ farmer** Gemüsegärtner *m*; '**~ stop** Fernfahrerraststätte *f*

trudge [trʌdʒ] stapfen

true [truː] wahr; echt, wirklich; genau; treu

truly ['truːlɪ] wirklich; aufrichtig; *Yours* ~ Hochachtungsvoll

trump [trʌmp] Trumpf *m*

trumpet ['trʌmpɪt] Trompete *f*

trunk [trʌŋk] (Baum)Stamm *m*; Rumpf *m*; *mot.* Kofferraum *m*; *pl* Badehose(n *pl*) *f*

trust [trʌst] **1.** Vertrauen *n*; Glaube *m*; *jur.* Treuhand

(-schaft) *f*; Treuhandvermögen *n*; *econ.* Trust *m*, Konzern *m*; **2.** (ver)trauen; sich verlassen auf; hoffen; **~ee** [~'tiː] Sach-, Verwalter(in), Treuhänder(in); '**~ing** vertrauensvoll; '**~worthy** vertrauenswürdig

truth [truːθ] (*pl* ~**s** [~ðz]) Wahrheit *f*; '**~ful** ehrlich; wahrheitsliebend

try [traɪ] **1.** versuchen, probieren; *vor Gericht stellen*; verhandeln (über); *Geduld* auf die Probe stellen; **~ on** anprobieren; **~ out** ausprobieren; **2.** Versuch *m*; *have a* ~ e-n Versuch machen; '**~ing** anstrengend

T-shirt ['tiːʃɜːt] T-Shirt *n*

tsp. *Abk. für* **teaspoon** Teelöffel *m* (*Mengenangabe*)

tub [tʌb] Fass *n*; Zuber *m*, Kübel *m*; F Badewanne *f*

tube [tjuːb] Rohr *n*; *tech.* Röhre *f*; Tube *f*; (Gummi-) Schlauch *m*; *the* ~ F die Glotze; '**~less** schlauchlos

tuberculosis [tjuːbɜːkjə'ləʊsəs] Tuberkulose *f*

tuck [tʌk] stecken; **~ away** weg-, verstecken; **~ in** (warm) zudecken; **~ s.o. in** (*bed*) j-n ins Bett packen

Tuesday ['tjuːzdeɪ] Dienstag *m*

tug [tʌg] **1.** Zug *m*, Ruck *m*; *naut.* Schlepper *m*; **2.** ziehen, zerren; *naut.* schleppen

tuition [tuˈiʃn] Unterricht m; Schulgeld n; Studiengebühren pl

tulip [ˈtuːlɪp] Tulpe f

tumble [ˈtʌmbl] **1.** fallen, stürzen, purzeln; **2.** Sturz m; '**~down** baufällig; '**~r** (Wasser-, Whisky- etc.)Glas n; '**~weed** trockene Pflanzenteile, die vom Wind durch die Wüste getrieben werden

tummy [ˈtʌmɪ] F Bäuchlein n

tuna [ˈtuːnə] (pl **~, ~s**) T(h)unfisch m

tune [tuːn] **1.** Melodie f; **out of ~** verstimmt; **2.** mus. stimmen; **~ in** Radio etc. einstellen; **~ out** sich aus einem Gespräch etc. ausklinken; **~ up** (die Instrumente) stimmen; mot. tunen

tunnel [ˈtʌnl] Tunnel m

turbine [ˈtɜːbaɪn] Turbine f

turbulent [ˈtɜːbjələnt] stürmisch, turbulent

tureen [təˈriːn] Terrine f

turf [tɜːf] Rasen m; Torf m

turkey [ˈtɜːkɪ] Truthahn m, -henne f, Pute f, Puter m

turmoil [ˈtɜːmɔɪl] Aufruhr m; Durcheinander n

turn [tɜːn] **1.** (Um)Drehung f; Biegung f; Kurve f; Wende f; Reihe(nfolge) f; Hang m, Neigung f; Dienst m, Gefallen m; Zweck m; F Schrecken m, Schock m; Anfall m; **it's my ~** ich bin an der Reihe; **take ~s** sich abwechseln; **2.** (sich) (um-, her-

um)drehen; wenden; umblättern; zukehren, -wenden; kehren, richten; Holz drechseln; Metall drehen; (sich) verwandeln; sich (ab-, hin-, zu)wenden; ab-, einbiegen; Straße: e-e Biegung machen; grau etc. werden; Laub: sich verfärben; Milch: sauer werden; Wetter: umschlagen; **~ away** (sich) abwenden; abweisen; **~ back** umkehren; j-n zurückschicken; Uhr zurückstellen; **~ down** zurückschlagen; Gas kleiner stellen; Radio leiser stellen; ablehnen; **~ in** zurückgeben; F ins Bett gehen; **~ off** Wasser, Gas abdrehen; Licht, Radio etc. ausschalten, -machen; abbiegen; j-m die Lust nehmen; **~ on** Gas, Wasser etc. aufdrehen; Gerät anstellen; Licht, Radio etc. einschalten; F j-n antörnen, anmachen; **~ out** ausschalten, -machen; Waren produzieren; gut etc. ausfallen od. ausgehen; sich herausstellen; sich zuwenden; **~ to** sich zuwenden; sich an j-n wenden; **~ up** nach oben drehen od. biegen; Kragen hochschlagen; Gas aufdrehen; Radio etc. lauter stellen; auftauchen; '**~coat** Überläufer(in), Abtrünnige m, f

'**turning point** fig. Wendepunkt m

turnip ['tɜːnɪp] Rübe f

turnkey ['tɜːnkiː] schlüssel-fertig

'turn|out Besucher(zahl f) pl; F Aufmachung f; econ. Gesamtproduktion f; '~over econ. Umsatz m; '~pike ['~paɪk] gebührenpflichtige Schnellstraße; '~stile ['~staɪl] Drehkreuz n; '~table Plattenteller m

turpentine ['tɜːrpəntaɪn] Terpentin n

turquoise ['tɜːrkwɔɪz] Türkis m

turtle ['tɜːrtl] (See)Schildkröte f; '~dove Turteltaube f; '~neck (sweater) Rollkragenpullover m

tux [tʌks] F Smoking m

tuxedo [tʌkˈsiːdoʊ] Smoking m

TV [tiːˈviː] Fernsehen n; Fernsehapparat m; '~ dinner Fertiggericht n

twang [twæŋ] Näseln n

tweezers ['twiːzərz] pl (a. a pair of ~ e-e) Pinzette f

twelfth [twelfθ] zwölfte(r, -s)

twelve [twelv] zwölf

twentieth ['twentɪɪθ] zwanzigste(r, -s); '~y zwanzig

twice [twaɪs] zweimal

twig [twɪg] (dünner) Zweig

twilight ['twaɪlaɪt] Zwielicht n; Dämmerung f

twin [twɪn] Zwilling m; pl Zwillinge pl; Zwillings...; Doppel...; ~ beds pl zwei (gleiche) Einzelbetten pl

twinkle ['twɪŋkl] funkeln, blitzen

twirl [twɜːrl] 1. Wirbel m; 2. (herum)wirbeln

twist [twɪst] 1. Drehung f; Kurve f; 2. (sich) drehen od. winden; wickeln; verdrehen; (sich) verzerren od. -ziehen; '~er Wirbelsturm od. Tornado m

twitch [twɪtʃ] 1. zucken (mit); 2. Zucken n, Zuckung f

two [tuː] adj u. s zwei; ~ bits 25 Cents; cut in ~ in zwei Teile schneiden; the ~ of them die beiden; '~piece zweiteilig; '~way: ~ adapter Doppelstecker m; ~ traffic Verkehrsschild: Gegenverkehr m

TX Abk. für Texas

tycoon [taɪˈkuːn] Industriemagnat m

type [taɪp] 1. Typ m; Art f; Sorte f; print. Type f, Buchstabe m; 2. mit der Maschine schreiben, tippen; Maschine schreiben; '~writer Schreibmaschine f; '~written maschinegeschrieben

typhoid (fever) ['taɪfɔɪd] Typhus m

typhoon [taɪˈfuːn] Taifun m

typhus ['taɪfəs] Fleckfieber n, -typhus m

typical ['tɪpɪkl] typisch

typist ['taɪpɪst] Stenotypist(in)

tyrant ['taɪrənt] Tyrann(in)

U

UFO [ju:ef'oʊ] *Abk. für* **unidentified flying object** UFO *n*, Ufo *n*

ugly ['ʌglɪ] hässlich; schlimm

ulcer ['ʌlsər] Geschwür *n*

ultimate ['ʌltɪmət] äußerste(r, -s); End...; **~ly** letzten Endes

ultra... [ʌltrə] ultra...; **~sound** Ultraschall *m*; **~violet** ultraviolett

umbilical cord [ʌm'bɪlɪkl] Nabelschnur *f*

umbrella [ʌm'brelə] Regenschirm *m*

ump [ʌmp] F Schiedsrichter(in)

umpire ['ʌmpaɪər] Schiedsrichter(in)

umpteen [ʌmp'ti:n] zig

UN [ju:'en] *Abk. für* **United Nations** UNO *f*, die Vereinten Nationen *pl*

un... [ʌn] un..., Un...

unable ['ʌneɪbl] unfähig, außerstande; **~acceptable** unannehmbar; **~accustomed** ungewohnt; nicht gewöhnt (**to** an); **~adulterated** unverfälscht, rein

unanimous [ju:'nænɪməs] einmütig; einstimmig

unarmed unbewaffnet; **~attached** ungebunden; **~attended** unbewacht; **~'authorized** unberechtigt; unbefugt; **~avoidable** un-

vermeidlich

unaware [ʌnə'weər]: **be ~ of et.** nicht bemerken, sich *e-r* Sache nicht bewußt sein; **catch s.o. ~s** j-n überraschen

unbalanced unausgeglichen; *Geist:* gestört; **~'bearable** unerträglich; **~believable** unglaublich; **~biased** unvoreingenommen; unparteiisch; **~born** (noch) ungeboren; **~'button** aufknöpfen; **~called-for** unerwünscht; unnötig; **~canny** unheimlich; **~'certain** unsicher, ungewiss; unbeständig; **~'checked** unbehindert

uncle ['ʌŋkl] Onkel *m*; **say od. cry ~** aufgeben; **talk to s.o. like a Dutch ~** j-m e-e Standpauke halten; **♀ Sam** die (Regierung der) USA; **♀ Tom** *Schwarzer, der Weißen gegenüber zu unterwürfig ist*

uncomfortable unbequem, unbehaglich, ungemütlich; **~'common** ungewöhnlich; **~concerned** unbekümmert; gleichgültig; **~conditional** bedingungslos; **~conscious** bewusstlos; unbewusst; **~controllable** unkontrollierbar; **~'cork** entkorken; **~'cover** aufdecken; **~'damaged** unbeschädigt; **~decided** unentschlossen; unentschieden, offen; **~**

deniable [ʌndɪˈnaɪəbl] unbestreitbar

under [ˈʌndər] **1.** prp unter; **2.** adv unten; darunter; **~'age** minderjährig; **~'bid** (-bid) unterbieten; **'~brush** Unterholz n; **'~carriage** aviat. Fahrwerk n; mot. Fahrgestell n; **~'cover** Geheim...; geheim; **~'cut** (-cut) unterbieten; **~'developed** unterentwickelt; **'~dog** Benachteiligte m, f; **~'done** nicht gar; nicht durchgebraten; **~'estimate** unterschätzen; **~exposed** phot. unterbelichtet; **~'fed** unterernährt; **~'go** (-went, -gone) durchmachen; sich unterziehen; **'~ground** unterirdisch; Untergrund...; **'~line** unterstreichen; **'~mine** unterminieren; fig. untergraben; **~neath** [ˌʌndəˈniːθ] **1.** prp unter(halb); **2.** adv darunter; **'~pants** pl Unterhose f; **'~pass** Unterführung f; **~'privileged** benachteiligt; **'~secretary** Staatssekretär(in); **~'served** vernachlässigt; **'~shirt** Unterhemd n; **~'staffed** unterbesetzt; **~'stand** (-stood) verstehen; (als sicher) annehmen; erfahren od. gehört haben; **~'standable** verständlich; **~'standing 1.** verständnisvoll; **2.** Verständnis n; Abmachung f; **~'statement** Understatement n, Unter-

treibung f; **~'take** (-took, -taken) übernehmen; unternehmen; sich verpflichten; **'~taker** Leichenbestatter m; Bestattungsinstitut n; **~ taking** Unternehmung f; **~'value** unterschätzen; **'~wear** Unterwäsche f; **'~world** Unterwelt f

un|deserved unverdient; **~desirable** unerwünscht; **~developed** unentwickelt; unerschlossen; **~dies** [ˈʌndɪz] F Unterwäsche f; **~disputed** unbestritten; **~do** (-did, -done) aufmachen; ungeschehen machen; vernichten; **~'doubtedly** zweifellos, ohne Zweifel; **~'dress** (sich) ausziehen; **~'due** übermäßig; unangebracht; **~economic** unwirtschaftlich; **~'earth** ausgraben; fig. aufstöbern; zutage bringen; **~'easy** unbehaglich; unruhig; unsicher; **~'educated** ungebildet

unemploy|ed 1. arbeitslos; **2.** the **~** pl die Arbeitslosen pl; the long-term **~** pl die Langzeitarbeitslosen pl; **~ment** Arbeitslosigkeit f; **~ compensation** Arbeitslosenunterstützung f

un|ending [ʌnˈendɪŋ] endlos; nie endend; **~'equal** ungleich; **be ~ to** nicht gewachsen sein; **~'even** uneben; ungleich(mäßig); Zahl: ungerade; **~eventful** ereignislos;

~**expected** unerwartet; ~**fair** ungerecht; unfair; ~**faithful** untreu, treulos; ~**familiar** unbekannt; nicht vertraut; ~**fasten** aufmachen; lösen; ~**favorable** günstig; ~**finished** unfertig; unvollendet; *tech.* unbearbeitet; ~**fit** ungeeignet, untauglich; nicht fit; ~**fold** (sich) entfalten *od.* öffnen; ausbreiten; *fig.* enthüllen; ~**foreseen** unvorhergesehen; ~**forgettable** unvergesslich

unfortunate unglücklich; bedauerlich; ~**ly** unglücklicherweise, leider

un|**founded** unbegründet; ~**friendly** unfreundlich; ungünstig; ~**furnished** unmöbliert; ~**glued** [ʌnˈɡluːd] F außer sich, rasend, wütend; **come** ~ F ausflippen, durchdrehen; ~**guarded** unvorsichtig; ~**happy** unglücklich; ~**harmed** unversehrt; ~'**healthy** ungesund; ~**heard-of** noch nie dagewesen; ~'**hoped-for** unverhofft; ~'**hurt** unverletzt

unification [juːnɪfɪˈkeɪʃn] Vereinigung *f*

uniform ['juːnɪfɔːrm] **1.** gleich; einheitlich; **2.** Uniform *f*

unify ['juːnɪfaɪ] vereinigen

unilateral [juːnɪˈlætərəl] einseitig

unimaginab|le [ʌnɪˈmædʒə-nəbl] unvorstellbar; ~**tive** einfallslos

unimportant unwichtig

uninhabit|able unbewohnbar; ~**ed** unbewohnt

un|**injured** unbeschädigt; unverletzt; ~**intelligible** unverständlich; ~**intentional** unabsichtlich; ~**interesting** uninteressant; ~**interrupted** ununterbrochen anhaltend; ungestört

union ['juːnjən] Vereinigung *f*; *pol.* Union *f*; Gewerkschaft *f*

unique [juːˈniːk] einzigartig, einmalig

unit ['juːnɪt] Einheit *f*; ~**e** [~ˈnaɪt] (sich) vereinigen; verbinden; ~**ed** vereint, -einigt

univers|al [juːnɪˈvɜːrsl] allgemein; Universal...; ~**e** ['~vɜːrs] (Welt)All *n*, Universum *n*; ~**ity** [~ˈvɜːrsɪti] Universität *f*

un|**just** ungerecht; ~**kempt** [ʌnˈkempt] ungepflegt; ungekämmt; ~'**kind** unfreundlich; lieblos; ~'**known** unbekannt; ~**leaded** [ʌnˈledɪd] bleifrei

unless [ən'les] wenn ... nicht, es sei denn

unlike [ʌn'laɪk] anders als; im Gegensatz zu; unähnlich; ~**ly** unwahrscheinlich

un|**limited** unbegrenzt, unbeschränkt; ~'**listed**: *be* ~

nicht im Telefonbuch stehen; **~load** ab-, aus-, entladen; **~lock** aufschließen; **~lucky** unglücklich; *be* ~ Pech haben; **~manned** [ʌnˈmænd] unbemannt; **~married** unverheiratet, ledig; **~mistakable** unverkennbar; **~natural** unnatürlich; **~necessary** unnötig; **~noticed** unbemerkt; **~occupied** *Platz:* frei; *Haus:* unbewohnt; *Person:* unbeschäftigt; **~official** nichtamtlich, inoffiziell; **~pack** auspacken; **~pleasant** unangenehm, unerfreulich; unliebsam; unfreundlich; **~plug** den Stecker (*gen*) herausziehen; **~precedented** [~ˈpresɪdentɪd] beispiellos, noch nie dagewesen; **~predictable** unvorhersehbar; **~pretentious** [ʌnprɪˈtenʃəs] bescheiden, schlicht; **~qualified** unqualifiziert, ungeeignet; uneingeschränkt; **~questionable** unzweifelhaft, fraglos; **~ravel** [ʌnˈrævl] auftrennen; *fig.* enträtseln; **~real** unwirklich; **~realistic** unrealistisch; **~reasonable** unvernünftig; unmäßig; übertrieben; **~reliable** unzuverlässig; **~rest** *pol.* Unruhen *pl;* **~restrained** ungehemmt, unkontrolliert; **~roll** ent-, aufrollen; **~ruly** [ʌnˈruːlɪ]

ungebärdig; widerspenstig; **~safe** nicht sicher; gefährlich; **~said** unausgesprochen; **~satisfactory** unbefriedigend; unzulänglich; **~savory** widerlich, -wärtig; **~screw** ab-, los-, aufschrauben; **~settled** ungeklärt, offen; ~ **~shaven** unrasiert; **~sightly** hässlich; **~skilled** [*attr* ‘~] ungelernt; **~sociable** ungesellig; **~sophisticated** einfach, schlicht; unkompliziert; **~sound** krank; unsicher, schwach; nicht stichhaltig; **~speakable** unsagbar, unbeschreiblich; abscheulich; **~stable** nicht stabil; unsicher; unbeständig; labil; **~steady** unsicher; wackelig; schwankend; **~suitable** unpassend; ungeeignet; **~suspecting** nichts ahnend, ahnungslos; **~swerving** unbeirrbar; **~tangle** entwirren; ungenutzt; **~thinkable** unvorstellbar; **~tie** aufknoten; lösen; auf-, losbinden

until [ənˈtɪl] bis; *not* ~ erst, nicht vor; erst wenn

un|'timely vorzeitig; ungelegen, unpassend; **~tiring** unermüdlich; **~told** unermesslich; **~touched** unberührt; *fig.* ungerührt; **~troubled** ungestört; ruhig; **~true** unwahr; untreu; **~used** unbenutzt; **~usual** ungewöhnlich; **~'veil** enthüllen; **~'well: be** od. **feel ~** sich nicht wohl fühlen; **~'willing** widerwillig; **be ~ to do s.th.** nicht bereit sein, et. zu tun; **~'wind (-wound)** ab·schalten; *fig.* ab·schalten; **~'wrap** auspacken, -wickeln; *fig.* den Reißverschluß öffnen von (*od. gen*)

up [ʌp] **1.** *adv* (her-, hin)auf, aufwärts, nach oben, in die Höhe; oben; auf ... zu; **~ to** bis (zu); **be ~ to** *et.* vorhaben; abhängen von; *e-r Sache* gewachsen sein; **2.** *prp* auf ... (hinauf, hinauf; oben an *od.* auf; **3.** *adj* oben; hoch; auf(gestanden) *Preise:* gestiegen; *Zeit:* abgelaufen, um; **~ and about** wieder auf den Beinen; **~ and coming** viel versprechend; **what's ~?** ist los?; **4. ~s and downs** *pl* Höhen und Tiefen *pl*; **be on the ~ and ~** ehrlich sein; **5.** *v/t* erhöhen

'up|bringing Erziehung *f*; **~'date** auf den neuesten Stand bringen; **~'grade** befördern; höher einstufen; **~'hill** bergauf; *fig.* mühsam; **~'hold (-held)** unterstützen; **~holster** [ʌp'houlstər] polstern; **~'holstery** Polsterung *f*; **~'keep** Unterhalt(skosten *pl*) *m*; Instandhaltung(skosten *pl*) *f*; **~'load** *Computer:* herauf·laden

upon [ə'pɑːn] auf

upper ['ʌpər] **1.** obere(r, -s); höhere(r, -s); Ober...; **2.** *sl.* Aufputschmittel *n*; **~ class** Oberschicht *f*; **'~most** oberste(r, -s); höchste(r, -s); an erster Stelle

uppity ['ʌpəti] hochnäsig; unverschämt

'up|right aufrecht; **'~rising** Aufstand *m*; **'~roar** Aufruhr *m*; **'~scale** anspruchsvoll; vornehm; **~'set 1.** (*-set*) umwerfen, -stoßen; *Plan etc.* durcheinander bringen; *Magen* verderben; *j-n* aus der Fassung bringen; aufregen; verärgern; beleidigen; **2.** aufgeregt; verärgert; beleidigt; *Magen:* verdorben. **3.** Störung *f*; Aufregung *f*; (*a. Magen*)Verstimmung *f*; **'~side: ~ down** verkehrt herum; *fig.* drunter u. drüber; **~'stairs** (nach) oben; **'~state: ~ New York** im Norden des Staates New York; **~'stream** stromaufwärts; **'~tight** gestresst; **~·to-'date** modern; auf dem neuesten Stand; auf dem Laufenden; **'~town** im nördlichen Teil der Stadt; in den besseren Wohngegend der Stadt; **~'ward(s)** ['ʌwərd(z)] aufwärts; nach oben

urban ['ɜːrbən] städtisch, Stadt...; **~ renewal** Stadterneuerung *f*; Stadtsanierung *f*; **~ 'sprawl** Ausbreitung des Stadtgebietes

urge [ɜːrdʒ] **1.** drängen; **~ on**

(an)treiben; **2.** Drang *m*; Bedürfnis *n*; Trieb *m*; '**∼nt** dringend; dringlich; eilig; **be ∼** eilen

urin|ate ['jʊərəneɪt] urinieren; **∼e** ['∼rɪn] Urin *m*

urn ['ɜːrn] Urne *f*

USA [juː'es] *Abk. für **United States*** USA *pl*, Vereinigte Staaten *pl*

us [ʌs, əs] uns

USA [juː'es'eɪ] *Abk. für **United States of America*** USA *pl*, Vereinigte Staaten von Amerika *pl*

usage ['juːzɪdʒ] Gebrauch *m*; Brauch *m*; *ling.* Sprachgebrauch *m*; Behandlung *f*

USDA [juː'esdiː'eɪ] *Abk. für **United States Department of Agriculture*** US-Landwirtschaftsministerium *n*

use **1.** [juːs] Gebrauch *m*; Benutzung *f*, Verwendung *f*; *of* ∼ nützlich; *it's no ∼* es hat keinen Zweck; **2.** [∼z] gebrauchen, benutzen, anwenden, verwenden; **∼ up** auf-, verbrauchen

used[1] [juːzd] gebraucht

used[2] [juːst]: *be ∼ to s.th.* an et. gewöhnt sein; *be ∼ to doing s.th.* gewohnt sein, et. zu tun; *get ∼ to s.th.* sich an et. gewöhnen

used[3] [juːst]: *I etc. ∼ to ...* ich *etc.* pflegte zu ...

use|ful ['juːsfʊl] brauchbar, nützlich; '**∼less** nutz-, zwecklos, unnütz

user ['juːzər] Benutzer(in); **∼'friendly** benutzerfreundlich

usher ['ʌʃər] **1.** Platzanweiser *m*; **2.** ∼ *in* (hinein)führen

USPS [juːespiː'es] *Abk. für **United States Postal Services*** US Post *f*

usual ['juːʒl] gewöhnlich, üblich; *as ∼* wie gewöhnlich; **∼ly** ['∼ʒəlɪ] gewöhnlich, meist(ens)

UT *Abk. für* Utah

utensil [juː'tensl] Gerät *n*

uterus ['juːtərəs] Gebärmutter *f*

utili|ty [juː'tɪlətɪ] Nützlichkeit *f*, Nutzen *m*; **∼ze** ['juːtəlaɪz] nutzen; verwerten

utmost ['ʌtməʊst] äußerst(r, -s)

utter ['ʌtər] **1.** total, vollkommen; **2.** von sich geben; äußern; *Seufzer etc.* ausstoßen; '**∼ly** äußerst; total, völlig

U-turn [juː'tɜːrn] *mot.* Wende *f*; *fig.* Kehrtwendung *f*; *no ∼!* wenden verboten!; *make a ∼* wenden

V

VA *Abk. für* Virginia

vacan|cy ['veɪkənsɪ] Leere *f*; *Hotel*: freies Zimmer; freie *od.* offene Stelle; **'~t** leer; *Zimmer, Sitzplatz etc.*: frei; *Stelle*: offen, frei; *Haus*: leer stehend, unbewohnt

vacation [vəˈkeɪʃn] **1.** Urlaub *m*, Ferien *pl*; **2.** den Urlaub verbringen; **~er** Urlauber(in)

vaccin|ate ['væksɪneɪt] impfen; **~ation** [~ˈneɪʃn] (Schutz)Impfung *f*; **~e** ['~iːn] Impfstoff *m*

vacuum ['vækjʊəm] Vakuum *n*; **~ flask** Thermosflasche® *f*; **~ cleaner** Staubsauger *m*; **'~-packed** vakuumverpackt

vagina [vəˈdʒaɪnə] Vagina *f*, Scheide *f*

vague [veɪɡ] vage, verschwommen; unklar

vain [veɪn] eitel; vergeblich; **in ~** vergeblich, umsonst

valet parking [væˈleɪ-] Parkservice *m*

valiant ['væljənt] tapfer

valid ['vælɪd] gültig; stichhaltig

valley ['vælɪ] Tal *n*

valuable ['væljʊəbl] **1.** wertvoll; kostbar; nützlich; **2.** *pl* Wertsachen *pl*

value ['væljuː] **1.** Wert *m*; Nutzen *m*; **be good ~** preisgünstig sein; **2.** schätzen,

veranschlagen; *fig.* schätzen, achten; **'~-added tax** (*Abk.* **VAT**) Mehrwertsteuer *f*

valve [vælv] Ventil *n*; Klappe *f*

van [væn] Lieferwagen *m*; Minibus *m*

vandal ['vændl] Rowdy *m*; **~ism** ['~dəlɪzəm] Vandalismus *m*

vanilla [vəˈnɪlə] Vanille *f*

vanish ['vænɪʃ] verschwinden

vanity ['vænɪtɪ] Eitelkeit *f*; **~ case** Kosmetikkoffer *m*; **~ plate** *mot.* Nummernschild, *dessen Zahlen und Buchstaben vom Autobesitzer ausgewählt wurden*

vantage point ['vɑːntɪdʒ-] günstiger Aussichtspunkt

vapor ['veɪpər] Dampf *m*; Dunst *m*; **~ trail** *aviat.* Kondensstreifen *m*

vari|able ['veərɪəbl] veränderlich; wechselhaft; regulierbar; **~ation** [~ˈeɪʃn] Schwankung *f*, Abweichung *f*; Variation *f*

varicose vein ['værɪkoʊs-] Krampfader *f*

varied ['veərɪd] unterschiedlich; bunt, mannigfaltig; abwechslungsreich

variety [vəˈraɪətɪ] Abwechslung *f*; Vielfalt *f*; *econ.* Auswahl *f*; Sorte *f*; Varieté *n*; **a ~**

of ... die verschiedensten ...; **~ meat** Innereien *pl*; **~ store** Kleinkaufhaus *n*

various ['veərəs] verschiedenten; mehrere

varnish ['va:nɪʃ] **1.** Firnis *m*; Lack *m*; Glasur *f*; **2.** firnissen; lackieren; glasieren

varsity (team) ['va:sɪtɪ] *Sport:* Universitäts-, College- *od.* High-Schoolmannschaft *f*

vary ['veərɪ] (sich) (ver)ändern; *Preise:* schwanken; abweichen, sich unterscheiden

vase [va:z] Vase *f*

vast [va:st] gewaltig, riesig; weit, ausgedehnt

vat [væt] Fass *n*, Bottich *m*

VAT [vi:eɪ'ti:, væt] *Abk. für* **Value-Added Tax** MwSt, Mehrwertsteuer *f*

vault [vɔ:lt] (Keller)Gewölbe *n*; Gruft *f*; Tresorraum *m*

VCR [vi:si:'a:r] *Abk. für* **video cassette recorder** Videorecorder *m*

VD [vi:'di:] *med. Abk. für* **venereal disease** Geschlechtskrankheit *f*

veal [vi:l] Kalbfleisch *n*

veep [vi:p] F Vizepräsident *m*

vegeta|ble ['vedʒətəbl] Gemüse(sorte *f*) *n*; *pl* Gemüse *n*; **~rian** [ˌ-ˈterɪən] **1.** Vegetarier(in); **2.** vegetarisch

veggie ['vedʒɪ] Vegetarier(in); Gemüse *n*

vehicle ['vɪəkl] Fahrzeug *n*

veil [veɪl] **1.** Schleier *m*; **2.**

verschleiern

vein [veɪn] Ader *f*; Stimmung *f*

velvet ['velvɪt] Samt *m*

vending machine ['vendɪŋ-] (Verkaufs)Automat *m*; **~or** ['~dər] Verkäufer(in)

veneer [vəˈnɪər] Furnier *n*; *fig.* äußerer Anstrich, Fassade *f*

venereal [vəˈnɪərɪəl] *med.* Geschlechts...; **~ disease** Geschlechtskrankheit *f*

Venetian blind [vɪˈniːʃn] Jalousie *f*

vengeance ['vendʒəns] Rache *f*; **with a ~** F gewaltig

venison ['venɪzn] *gastr.* Wild *n*

venom ['venəm] Gift *n*; Gehässigkeit *f*; **~ous** giftig; gehässig

vent [vent] **1.** (Abzugs)Öffnung *f*, (Luft)Loch *n*; Schlitz *m* **2.** abreagieren

ventilat|e ['ventɪleɪt] (be-, ent-, durch)lüften; **~ion** [ˌ-ˈleɪʃn] Ventilation *f*, Lüftung *f*

ventriloquist [venˈtrɪləkwɪst] Bauchredner *m*

venture ['ventʃər] **1.** Unternehmen *n*, Projekt *n*; **2.** riskieren; aufs Spiel setzen; (sich) wagen

venue ['venju:] Treffpunkt *m*; Tagungs-, Austragungsort *m*

verb [vɜ:rb] Verb *n*, Zeitwort *n*; **~al** wörtlich; mündlich; verbal

verdict ['vɜːrdɪkt] jur. Urteilsspruch m (der Geschworenen); fig. Urteil n

verify ['verɪfaɪ] (nach)prüfen; bestätigen; beweisen

vermouth [vər'muːθ] Wermut m

vernacular [vər'nækjələr] Landessprache f; Mundart f

versatile ['vɜːrsətəl] vielseitig; flexibel

vers|e [vɜːrs] Vers(e pl) m; Strophe f; Dichtung f; **~ed** bewandert; **~ion** ['~ʒn] Version f; Fassung f; Lesart f; Ausführung f

versus ['vɜːrsəs] jur., Sport: gegen

verte|bra ['vɜːrtɪbrə] (pl **-brae** ['~briː]) anat. Wirbel m; **~brate** ['~brət] Wirbeltier n

vertical ['vɜːrtɪkl] vertikal, senkrecht

vertigo ['vɜːrtɪgoʊ] Schwindel(gefühl n) m

very ['veri] **1.** adv sehr; vor sup: aller...; **the ~ best ...** das allerbeste ...; **2.** adj genau; bloß; äußerst(r, -s)

vessel ['vesl] Gefäß n (a. anat., bot.); Schiff n

vest [vest] Weste f

vet [vet] F Tierarzt m, -ärztin f

veteran ['vetərən] **1.** Veteran m; ehemaliger Kriegsteilnehmer; **2.** erfahren; altgedient; **~s Day** Veteranentag m (11. November)

veterinarian [vetərə'neriən] Tierarzt m, -ärztin f

veto ['viːtoʊ] **1.** (pl **-toes**) Veto n; **2.** sein Veto einlegen gegen

via ['vaɪə] über, via

viable ['vaɪəbl] durchführbar; lebensfähig; econ. rentabel

vibrate [vaɪ'breɪt] vibrieren; zittern; schwingen; **~ion** [~ʃn] Zittern n, Vibrieren n; Schwingung f

vice [vaɪs] Laster n; Schraubstock m; **Vize...**

vice versa [vaɪsɪ'vɜːrsə] umgekehrt

vicinity [vɪ'sɪnəti] Nachbarschaft f, Nähe f

vicious ['vɪʃəs] lasterhaft; bösartig; boshaft; gemein

victim ['vɪktɪm] Opfer n

victory ['vɪktəri] Sieg m

video ['vɪdioʊ] **1.** Video(kassette f, -film m) n; Video...; **2.** auf Video aufnehmen, aufzeichnen; **~ camera** Videokamera f; **~ game** Videospiel n; **~ cassette** Videokassette f; **~ recorder** Videorekorder m; **~ recording** Videoaufnahme f

view [vjuː] **1.** ansehen, besichtigen; betrachten; **2.** Sicht f; Aussicht f, (Aus-)Blick m; Ansicht f, Meinung f; Absicht f; **in ~ of** angesichts; **on ~** zu besichtigen; **~er** Fernsehzuschauer(in); Diabetrachter m, Gucki m; **~finder** phot. (Bild)Sucher m; '**~point** Gesichts-, Standpunkt m

vigo|rous ['vɪgərəs] kräftig; energisch; '**~r** Kraft f, Vitalität f; Energie f

village ['vɪlɪdʒ] Dorf n; '**~r** Dorfbewohner(in)

villain ['vɪlən] Schurke m; Verbrecher m; Bösewicht m

vindictive [vɪn'dɪktɪv] rachsüchtig; nachtragend

vine [vaɪn] Wein(stock) m, (Wein)Rebe f

vinegar ['vɪnɪgər] Essig m

vineyard ['vɪnjərd] Weinberg m

vintage ['vɪntɪdʒ] **1.** Wein: Jahrgang m; Weinlese f; **2.** edel, erlesen; hervorragend

violate ['vaɪəleɪt] verletzen; übertreten, verstoßen gegen; Eid etc. brechen; **~ion** [~'leɪʃn] Verletzung f; Übertretung f, Verstoß m; Bruch m

violen|ce ['vaɪələns] Gewalt(tätigkeit) f, Brutalität f; Heftigkeit f; '**~t** gewalttätig, brutal; heftig; gewaltsam

violet ['vaɪələt] **1.** Veilchen n; **2.** violett

violin [vaɪə'lɪn] Violine f, Geige f

viral ['vaɪərəl] Virus...

virgin ['vɜːrdʒɪn] **1.** Jungfrau f; **2.** jungfräulich; unberührt

virile ['vɪrəl] männlich; kraftvoll; **~ity** [~'rɪlətɪ] Männlichkeit f

virtual ['vɜːrtʃʊəl] eigentlich; '**~ly** praktisch, fast

virtue ['vɜːrtʃuː] Tugend f; Vorzug m; **~ous** ['~tʃʊəs] tugendhaft

virus ['vaɪərəs] Virus n, m (a. Computer); **~ scanner** Virensuchprogramm n

visa ['viːzə] Visum n

vise [vaɪs] Schraubstock m

visib|ility [vɪzə'bɪlətɪ] Sicht (-verhältnisse pl, -weite) f; '**~le** sichtbar

vision ['vɪʒn] Sehvermögen n, Sehkraft f; Weitblick m; Vision f

visit ['vɪzɪt] **1.** besuchen; besichtigen; e-n Besuch machen; zu Besuch sein; **~ with** plaudern mit; **2.** Besuch m; Besichtigung f; **pay a ~ to** j-n besuchen; '**~ing hours** pl Besuchszeiten pl; '**~or** Besucher(in), Gast m

visor ['vaɪzər] Visier n; (Mützen)Schirm m; mot. Sonnenblende f

visual ['vɪʒʊəl] Seh...; visuell; **~ aid** Anschauungsmaterial n; '**~ize** sich vorstellen

vital ['vaɪtl] Lebens...; lebenswichtig; unerlässlich; wichtig; **~ity** [~'tælətɪ] Lebenskraft f, Vitalität f; '**~ly**: **~ important** äußerst wichtig

vitamin ['vaɪtəmɪn] Vitamin n

vivaci|ous [vɪ'veɪʃəs] lebhaft; **~ty** [~'væsətɪ] Lebhaftigkeit f vivid ['vɪvɪd] lebhaft, lebendig; *Farben:* leuchtend

V-neck ['viːnek] V-Ausschnitt *m*

vocabulary [voʊˈkæbjʊlərɪ] Wortschatz *m*; Wörterverzeichnis *n*

vocal ['voʊkl] Stimm...; *mus.* Vokal..., Gesang(s)...; **~cords** *pl* Stimmbänder *pl*

vocation [voʊˈkeɪʃn] Berufung *f*; Beruf *m*

vogue [voʊg] Mode *f*

voice [vɔɪs] **1.** Stimme *f*; **2.** äußern; **~ mail** Voice mail *f (elektronischer Anrufbeantworter)*

void [vɔɪd] **1.** leer; *jur.* ungültig; **~ of** ohne; **2.** Leere *f*

volatile ['vɒlətaɪl] *chem.* flüchtig; *Person:* leicht aufbrausend; *Situation:* brisant

volcano [vɒlˈkeɪnoʊ] *(pl* **-noes, -nos)** Vulkan *m*

volley ['vɒlɪ] Salve *f*; *(Steine etc.)* Hagel *m*; *fig.* Schwall *m*; *Tennis:* Flugball *m*; **~ball** Volleyball *m*

volt [voʊlt] *electr.* Volt *n*; **~age** Spannung *f*

volume ['vɒljəm] *Buch:* Band *m*; Volumen *n*, Rauminhalt *m*; Umfang *m*; Ausmaß *n*; Lautstärke *f*

volunt|ary ['vɒləntərɪ] freiwillig; **~eer** [~ˈtɪr] **1.** Freiwillige *m, f*; **2.** sich freiwillig melden; anbieten

voluptuous [vəˈlʌptʃʊəs] sinnlich; üppig

vomit ['vɒmɪt] brechen; (sich) erbrechen

voracious [vəˈreɪʃəs] gefräßig, gierig

vote [voʊt] **1.** (Wahl)Stimme *f*; Abstimmung *f*, Wahl *f*; Wahlrecht *n*; Wahlergebnis *n*; **2.** wählen; **~ for** stimmen für; **~ on** abstimmen über; **'~r** Wähler(in)

vouch [vaʊtʃ]: **~ for** (sich ver)bürgen für; **'~er** Gutschein *m*

vow [vaʊ] **1.** Gelöbnis *n*; *rel.* Gelübde *n*; **2.** geloben; schwören

vowel ['vaʊəl] Vokal *m*, Selbstlaut *m*

voyage ['vɔɪdʒ] *längere* (See-, Flug)Reise *f*

VP [viːˈpiː] *Abk. für* **Vice President** Vizepräsident *m (der USA)*

vs. ['vɜːrsəs] *Abk. für* **versus** gegen

VT *Abk. für* Vermont

vulgar ['vʌlgər] gewöhnlich, vulgär

vulnerable ['vʌlnərəbl] verwundbar; anfällig; wehrlos; *fig.* verletzlich

vulture ['vʌltʃər] Geier *m*

W

WA *Abk. für* Washington (*Bundesstaat*)

wack [wæk] Spinner *m*; **~y** überspannt

wad [wɑ:d] (*Watte*)Bausch *m*; *Banknoten:* Bündel *n*; *Papier:* Stoß *m*

wad|e [weɪd] (durch)waten; **~ing pool** Plantschbecken *n*

wafer ['weɪfər] Waffel *f*; Oblate *f*; *rel.* Hostie *f*; *electr.* hauchdünnes Siliziumplättchen

waffle ['wɑ:fl] Waffel *f*; **~ iron** Waffeleisen *n*; **~ stomper** F schwerer Wanderstiefel

wag [wæg] wedeln (mit)

wage [weɪdʒ] *mst pl* Lohn *m*

'wage-earner Lohnempfänger(in); **~ freeze** Lohnstopp *m*

wager ['weɪdʒər] **1.** Wette *f*; **2.** wetten

waggle ['wægl] wackeln (mit)

wagon ['wægən] Wagen *m*; **be on the ~** F wieder trocken sein (*keinen Alkohol mehr trinken*); **fall off the ~** F wieder anfangen zu trinken

wail [weɪl] klagen, jammern

waist [weɪst], **'~line** Taille *f*

wait [weɪt] **1.** warten (**for** auf); abwarten; erwarten; **~ and see** abwarten; **~ on** *j-n* bedienen; **2.** Wartezeit *f*;

'~er Kellner *m*, Ober *m*; **~!** Herr Ober!; **'~ing** Warten *n*; **no ~** *mot.* Halteverbot *n*; **'~ing room** Wartezimmer *n*; *rail.* Wartesaal *m*; **~ress** ['~trɪs] Kellnerin *f*

waive [weɪv] *jur.* verzichten auf; **~r** *jur.* Verzicht(serklärung *f*) *m*

wake¹ [weɪk] (**woke** *od.* **waked, woken** *od.* **waked**) *a.* **~ up** aufwachen; (auf-)wecken

wake² [~] Kielwasser *n*; **follow in the ~ of** *fig.* folgen auf

walk [wɔ:k] **1.** gehen; zu Fuß gehen, laufen; spazieren gehen; wandern; begleiten; *Hund* ausführen; *sl.* freigesprochen werden; **~ heavy** *sl.* e-e wichtige Person sein; **~ soft** *sl.* bescheiden, unterwürfig sein; *sl.* **~ on the wild side** alle Vorsicht außer Acht lassen; **~ out** streiken; **~ out on** F *j-n* im Stich lassen; **2.** (*Spazier*)Gang *m*; (*Spazier*)Weg *m*; Wanderung *f*; Gang *m*; **'~er** Spaziergänger(in)

walkie-talkie [wɔ:kɪ'tɔ:kɪ] tragbares Funksprechgerät

'walking distance: **be within ~** leicht zu Fuß zu erreichen sein; **'~ papers: give s.o. his ~** *j-n* entlassen den Laufpass geben; '~ **stick** Spazierstock *m*; '~ **tour** Wanderung *f*

'**walkout** Streik *m*

wall [wɔːl] Wand *f*; Mauer *f*; **~-to-~ carpeting** Teppichboden *m*

wallet ['wɔlit] Brieftasche *f*

'**wall-eyed**: **be** ~ schielen; '**~flower** *f* Mauerblümchen *n*; '**~paper 1.** Tapete *f*; **2.** tapezieren

wal|nut ['wɔːlnʌt] Walnuss(baum *m*) *f*; **~rus** ['~rəs] (*pl* **-ruses, -rus**) Walross *n*; **⌂ Street** Wall Street *f* (*Straße in New York*; *US Finanzzentrum*)

waltz [wɔːlts] **1.** Walzer *m*; **2.** Walzer tanzen

wampum ['wɑːmpəm] *sl.* Geld *n*

wander ['wɑːndər] umherwandern; *fig.* abschweifen

want [wɔnt] Mangel *m* (**of** an); *pl* Bedürfnisse *pl*; **for** ~ **of** in Ermangelung (*gen*); mangels; **2.** brauchen; wollen, mögen; nicht haben; wünschen; ~ **ad** Kleinanzeige *f*; '**~ed** gesucht; '**~ing**: **be** ~ fehlen; es fehlen lassen (**in** an); unzulänglich sein

wanton ['wɔntən] mutwillig

war [wɔːr] Krieg *m*; Kriegs...

ward [wɔːrd] **1.** (Krankenhaus)Station *f*; (Stadt)Bezirk *m*; **2.** ~ **off** abwehren

wardrobe ['wɔːrdroub] Kleiderschrank *m*; Garderobe *f*

ware [wer] *in Zssgn* (*Glas- etc.*)Waren *pl*; '**~house** Lagerhaus *n*

warm [wɔːrm] **1.** warm (*a. fig.*); *fig.* herzlich; *fig.* hitzig; **2.** ~ (**up**) (auf-, an-, er)wärmen; sich erwärmen, warm werden; ~ **over** Speisen, *etc.* alte Geschichten *etc.* aufwärmen; **~-hearted** warmherzig; **~th** [~θ] Wärme *f*; Herzlichkeit *f*

warn [wɔːrn] warnen (**of**, **against** vor); '**~ing** Warnung *f*; ohne Warnung *f* ~ unerwartet

warp [wɔːrp] *Holz*: sich verziehen; *fig.* verzerren

warrant ['wɔrənt] **1.** (Haft-, Durchsuchungs- *etc.*)Befehl *m*; **2.** rechtfertigen; Garantie *f*; '**~y** Garantie *f*

wart [wɔːrt] Warze *f*

wary ['weri] vorsichtig

was [wʌz, wɔz] *ich, er, sie, es war*; *ich, er, sie, es wurde*

wash [wɔʃ] **1.** (sich) waschen; ~ **up** sich die Hände waschen; **2.** Wäsche *f*; '**~able** waschbar; **~-and-'wear** bügelfrei; pflegeleicht; '**~basin** Waschbecken *n*; '**~cloth** Waschlappen *m*; **~ed-'out** *Farben* ausgebleicht; '**~er** Waschmaschine *f*; *tech.* Unterlegscheibe *f*, Dichtungsring *m*; '**~ing** Wasch...; '**~ing machine** Waschmaschine *f*

wasp [wɑːsp] Wespe *f*

WASP [wɑːsp] *Abk. für* **White Anglo-Saxon Protes-**

tant Amerikaner(in) nordeuropäischer Abstammung, Angehörige(r) der privilegierten Schicht

waste [weɪst] **1.** überflüssig; Abfall...; Land: verödet; **2.** Verschwendung f, Vergeudung f; Abfall m; Ödland n, Wüste f; **3.** verschwenden, vergeuden; sl. töten; **~ away** dahinsiechen, verfallen; **'~ful** verschwenderisch; **'~land** Ödland n; **~ paper** Papierabfall m; Altpapier n; **~ basket** Papierkorb m

watch [wɒtʃ] **1.** (Armband)Uhr f; Wache f; **2.** beobachten; sich et. ansehen; Acht geben auf; zusehen, zuschauen; Wache halten; **~ for** warten auf; **~ out** F aufpassen; **~ out!** Achtung!, Vorsicht!; **~ out for** Ausschau halten nach; **~ TV** fernsehen; **'~band** Uhrenarmband n; **'~dog** Wachhund m (a. fig.); **'~ful** wachsam; **'~maker** Uhrmacher(in); **'~man** (pl **-men**) (Nacht)Wächter m

water ['wɔːtə] **1.** Wasser n; pl Gewässer pl; **2.** v/t (be-)gießen; bewässern; sprengen; Tier tränken; v/i Mund: wässern; Augen: tränen; **~ (down)** verwässern (a. fig.); **'~bed** Wasserbett n; **~ bird** Wasservogel m; **~ bottle** Wasserflasche f; **'~color** Aquarell(malerei f) n; Wasserfarbe f; **'~fall** Wasserfall m

'watering can Gießkanne f; '**~ hole** F Kneipe f, Bar f

water level Wasserspiegel m; Wasserstand(slinie f) m; **~ lily** Seerose f; '**~line** Wasserlinie f; '**~mark** Wasserzeichen n; **~ mocassin** [-'mɑːkəsn] zo. Mokassinschlange f; **~ polo** Wasserball m; '**~proof 1.** wasserdicht; **2.** imprägnieren; '**~-repellent** Wasser abstoßend; '**~side** Fluss-, Seeufer m; '**~ ski 1.** Wasserski m; **2.** Wasserski fahren; '**~tight** wasserdicht; fig. hieb- u. stichfest; '**~way** Wasserstraße f; '**~wings** pl Schwimmflügel pl; '**~y** wässrig

watt [wɒt] electr. Watt n

wave [weɪv] **1.** Welle f; Winken n; **2.** schwingen, schwenken; winken; winken mit; Haare: (sich) wellen; wogen; wehen; **~ to** od. **at** j-m (zu)winken; '**~length** phys. Wellenlänge f

waver ['weɪvə] flackern; schwanken

wavy ['weɪvɪ] wellig, gewellt

wax [wæks] **1.** Wachs n; Ohrenschmalz n; Siegellack m; **2.** wachsen, bohnern; **~ paper** Butterbrotpapier n

way [weɪ] Weg m; Straße f; Strecke f; Richtung f; Art u. Weise f; Methode f; (Eigen)Art f; Hinsicht f; **no ~,** **José!** niemals!, auf keinen Fall!; **this ~** hierher, hier entlang; **the other ~ around**

umgekehrt; **by the ~** übrigens; **by ~ of** örtlich: über; als; **in a ~** in gewisser Weise; **give ~** nachgeben; *mot.* die Vorfahrt lassen (**to** *dat*): abgelöst werden; *Tränen etc.* freien Lauf lassen; **have one's (own)** ~ s-n Willen durchsetzen; **lead the ~** vorangehen; **lose one's ~** sich verirren; **make** ~ Platz machen; **~ back** Rückweg *m*, -fahrt *f*; **~ in** Eingang *m*, fig. Ausweg *m*; **~ward** ['~wərd] eigensinnig

we [wi:] wir
weak [wi:k] schwach; *Getränk:* dünn; **'~en** schwächen; schwächer werden; *fig.* schwach *od.* weich werden; **'~ling** Schwächling *m*; **'~ness** Schwäche *f*
wealth [welθ] Reichtum *m*; *fig.* Fülle *f*; **'~y** reich
wean [wi:n] entwöhnen
weapon ['wepən] Waffe *f*
wear [wer] **1.** (**wore, worn**) *am Körper* tragen; anhaben, *Hut etc.* aufhaben; halten, haltbar sein; sich *gut etc.* tragen; ~ (**away, down, out**) (sich) abnutzen *od.* abtragen; verschleißen; *Reifen* abfahren; **~ down** *j-n* zermürben; **2.** (Be)Kleidung *f*; Abnutzung *f*; **~ and tear** Verschleiß *m*
weary ['wɪrɪ] müde; lustlos

weasel ['wi:zl] Wiesel *n*
weather ['weðər] Wetter *n*; Witterung *f*; **'~-beaten** verwittert; *Gesicht:* vom Wetter gegerbt; **~ chart** Wetterkarte *f*; **'~ forecast** Wetterbericht *m*, -vorhersage *f*
weave [wi:v] (**wove, woven**) weben; flechten
web [web] Gewebe *n*; Netz *n*; **the 2** das Internet; **on the 2** im Internet
wedding ['wedɪŋ] Hochzeit *f*; Hochzeits...; **~ ring** Ehe-, Trauring *m*
wedge [wedʒ] **1.** Keil *m*; **2.** verkeilen, festklemmen; *fig.* einkeilen, -zwängen
Wednesday ['wenzdeɪ] Mittwoch *m*
wee [wi:] winzig; **the ~ hours** die frühen Morgenstunden
weed [wi:d] **1.** Unkraut *n*; **2.** jäten; **'~killer** Unkrautvertilgungsmittel *n*
week [wi:k] Woche *f*; **a ~ from tomorrow** morgen in einer Woche; **'~day** Wochentag *m*; **'~end** Wochenende *n*; **on the ~** am Wochenende; **'~ly** wöchentlich; Wochen...
weenie ['wi:nɪ] F Würstchen *n*
weep [wi:p] (**wept**) weinen; **'~ing willow** Trauerweide *f*
weigh [weɪ] wiegen; *fig.* abwägen; **~ down** niederdrücken; **~ on** lasten auf
weight [weɪt] Gewicht *n*; *fig.:*

Last f; Bedeutung f; '~less schwerelos; '~lessness Schwerelosigkeit f; '~lifting Sport: Gewichtheben n; '~y schwer; fig. gewichtig

weird [wɪəd] unheimlich; F sonderbar; ~o ['wɪrdou] komischer Typ

welcome ['welkəm] **1.** Willkommen n; Empfang m; **2.** willkommen; **(you're)** ~ nichts zu danken, bitte sehr; **3.** willkommen heißen; begrüßen (a. fig.)

weld [weld] schweißen

welfare ['welfeə] Wohl(ergehen) n; Sozialhilfe f; **be on ~** Sozialhilfe beziehen; ~ **state** Wohlfahrtsstaat m; ~ **work** Sozialarbeit f; ~ **worker** Sozialarbeiter(in)

well¹ [wel] Brunnen m; tech. Quelle f (a. fig.); Bohrloch n

well² [~] **1.** adv gut; **as ~** auch; **as ~ as** sowohl als auch; **2.** adj gut, gesund; **be od. feel ~** sich wohl fühlen; **get ~ soon!** gute Besserung!; **3.** int na, nun, also; **very then** also gut; ~-'balanced ausgeglichen; ausgewogen; ~-'being Wohl(ergehen) (-befinden) n

well-'known bekannt; ~-'mannered mit guten Manieren; ~ness Gesundheit f; ~-'off wohlhabend; ~-'read belesen; ~-'timed (zeitlich) günstig, im richtigen Augenblick; ~-to-'do wohlhabend

~-'worn abgetragen; fig. abgedroschen

went [went] pret von **go 2**

wept [wept] pret u. pp von **weep**

were [wɜː] du warst, Sie waren, wir, sie waren, ihr wart

west [west] **1.** Westen m; **2.** westlich, West...; **3.** nach Westen, westwärts; ~bound in Richtung Westen; ~ **Coast** Westküste f (der USA); '~erly westlich, West...; '~ern **1.** westlich, West...; **2.** Western m; '2erner Weststaatler(in) (der USA); ~ward ['~wəd] westwärts, nach Westen

wet [wet] **1.** nass; feucht; ~ **paint** frisch gestrichen; **2.** nass machen, anfeuchten

whack [wæk] **1.** schlagen; **2.** (knallender) Schlag

whale [weɪl] Wal m

wharf [wɔːf] (pl **wharves** [~vz], ~s) Kai m

what [wɒt] **1.** was; wie; **2.** was für (ein, eine), welche(r, -s); ~ **about ...?** wie wärs mit ...?; ~ **for?** wofür?, wozu?; **so ~?** na und?; ~'ever **1.** was (auch immer); egal was; **2.** welche(r, -s) auch (immer)

wheat [wiːt] Weizen m

wheel [wiːl] **1.** Rad n; Steuer(rad) n, Lenkrad n; **2.** schieben; '~chair Rollstuhl m

whelp [welp] Welpe m

when [wen] **1.** wann; **2.** wenn; als; **3.** wo ... doch; ~'ever

immer, wenn; wann immer
where [wer] wo; wohin; **~ ...
from?** woher?; **~abouts**
[werə'bauts] **1.** wo ungefähr;
2. Aufenthaltsort *m*; **~as**
[wer'æz] während; **~upon**
[~rə'pɒn] worauf(hin)
wherever [wer'evər] wo(hin)
(auch) immer
whether ['weðər] ob
which [wɪt∫] **1.** welche(r, -s);
2. der, die, das; was; **~ever**
welche(r, -s) (auch) immer
whiff [wɪf] Hauch *m*; Geruch
m
while [waɪl] **1.** während; **2.**
Weile *f*, Zeit *f*; **for a ~** e-e
Zeit lang; **3. ~ away** sich die
Zeit vertreiben; **~U-I'wait**
Sofort...
whim [wɪm] Laune *f*
whimper ['wɪmpər] wimmern
whimsical ['wɪmzɪkl] wunderlich; spleenig; neckisch;
launig
whine [waɪn] **1.** Winseln *n*;
Gejammer *n*; **2.** winseln;
jammern
whip [wɪp] Peitsche *f*; **2.**
peitschen; verprügeln; schlagen; **~lash (injury)** *med.*
Schleudertrauma *n*; **~ped
cream** Schlagsahne *f*;
~ping Prügel *pl*
whirl [wɜːrl] **1.** wirbeln, sich
drehen; **2.** Wirbel *m*; Strudel
m; **~pool** Strudel *m*; Whirlpool *m*; **~wind** Wirbelwind

whisk [wɪsk] **1.** Schneebesen
m; **2.** schlagen; huschen, flitzen; **~ broom** Kleiderbürste
f
whisker ['wɪskər] *zo.* Bart-,
Schnurrhaar *n*; *pl* Backenbart *m*
whisper ['wɪspər] **1.** flüstern;
2. Geflüster *n*, Flüstern *n*
whistle ['wɪsl] **1.** pfeifen; **2.**
Pfeife *f*; Pfiff *m*; **~-stop**
Kleinstadt *f*; Provinznest *n*
white [waɪt] **1.** weiß; **2.**
Weiße(r) *m*, Weiße *m*, *f*;
~'collar worker Angestell-
te *m*, *f*; **~ heat** Weißglut *f*; **⚲
House** das Weiße Haus
(*Amts- und Wohnsitz des
Präsidenten der USA*); **~ lie**
Notlüge *f*; **~ lightning** *sl.*
schwarz gebrannter Whis-
key; **~n** weißen, weiß machen; weiß werden; **~ sale**
econ. Ausverkauf *m* von
Haushaltswäsche; **~wash 1.**
Tünche *f*; **2.** weißen, tün-
chen; *fig.* rein waschen; **~y**
neg! Weiße *m*, *f* (*von
Schwarzen gebraucht*)
whiz [wɪz] zischen, sausen,
schwirren; **~kid** F Senk-
rechtstarter *m*; Wunderkind
n
who [huː, hʊ] **1.** wer; *dat*
wem; *acc* wen; **2.** der, die,
das
whoever [huː'evər] wer
(auch) immer; jeder, der
whole [hoʊl] **1.** ganz; **2.** Ganze *n*; **on the ~** im Großen

und Ganzen; **~·'hearted** uneingeschränkt; **~ milk** Vollmilch f; **~·'wheat bread** Vollkornbrot n; **'~sale** Großhandel m; **'~saler** Großhändler(in); **'~some** gesund

wholly ['houlɪ] völlig

whom [huːm] dat wem; acc wen; den, die, das

whooping cough ['huːpɪŋ-] Keuchhusten m

whore [hɔːr] Hure f

whose [huːz] wessen; dessen, deren

why [waɪ] warum, weshalb; **that's ~** deshalb

WI Abk. für Wisconsin

wick [wɪk] Docht m

wicked ['wɪkɪd] böse; schlecht; gemein

wicker ['wɪkər] Korb...; **~ basket** Weidenkorb m; **~ chair** Korbstuhl m

wide [waɪd] breit; weit; fig. groß; (umfang)reich; vielfältig; vom Ziel: daneben; **~ awake** hellwach; fig. aufgeweckt, gewitzt; **'~'angle** phot. Weitwinkel...; **'~ly** weit; allgemein; **'~n** (sich) verbreitern; (sich) erweitern; **~·'open** weit geöffnet; **'~spread** weit verbreitet

widow ['wɪdou] Witwe f; **'~ed** verwitwet; **'~er** Witwer m

width [wɪdθ] Breite f; Weite f

wife [waɪf] (pl **wives** [~vz]) (Ehe)Frau f, Gattin f

wig [wɪg] Perücke f

wild [waɪld] **1.** wild; verwildert; wütend, rasend; unbändig; verrückt; maßlos, kühn; **~ about** scharf od. versessen auf; **run ~** wild aufwachsen, verwildern; **2. the ~** die Wildnis f; **2.** Wildkatze f; **2.** als selbstständiger Ölsucher nach Erdöl suchen; **3.** ungehemmt; **'~ strike** wilder Streik; **'~erness** ['wɪldərnɪs] Wildnis f; fig. Wüste f; **'~·fire: spread like ~** sich wie ein Lauffeuer verbreiten; **'~life** Tier- u. Pflanzenwelt f

will [wɪl] **1.** Wille m; Wunsch m; Testament n; **2.** v/aux (pret **would**) ich, du etc. will(st) etc.; ich, du etc. werde, wirst etc.; v/t wollen

willful ['wɪlful] eigensinnig; vorsätzlich

willing ['wɪlɪŋ] gewillt, willens, bereit; **'~ly** gern, bereitwillig

willow ['wɪlou] bot. Weide f

willpower Willenskraft f

wilt [wɪlt] (ver)welken

win [wɪn] **1. (won)** gewinnen; erlangen; siegen; **2.** Sieg m

wince [wɪns] (zs.-)zucken

winch [wɪntʃ] tech. Winde f

wind¹ [wɪnd] Wind m; Blähung(en pl) f

wind² [waɪnd] (**wound**) sich winden od. schlängeln; wickeln; winden; kurbeln; **~ up** Uhr aufziehen winding ['waɪndɪŋ] **1.** gewunden; **~ staircase** Wendeltreppe f; **2.** Windung f

wind instrument ['wɪnd-] Blasinstrument n; **~mill** ['wɪnmɪl] Windmühle f

window ['wɪndoʊ] Fenster n; Schaufenster n; Schalter m; **~ box** Blumenkasten m; **'~pane** Fensterscheibe f; **~ shade** Rouleau n, Rollo n, Jalousie f; **'~-shop:** go **~ping** e-n Schaufensterbummel machen; **'~sill** Fensterbank f, -brett n

wind|pipe Luftröhre f; **'~shield** Windschutzscheibe f; **'~shield wiper** Scheibenwischer m; **~y** windig

wine [waɪn] Wein m; **~ cooler** Weinkühler m; weinhaltiges Erfrischungsgetränk

wing [wɪŋ] Flügel m; aviat. Tragfläche f

wink [wɪŋk] **1.** Zwinkern n; **2.** zwinkern

winner ['wɪnər] Gewinner(in); Sieger(in); **'~ing** siegreich; fig. einnehmend; **'~ings** pl Gewinn m.

wino ['waɪnoʊ] F Wermutbruder m

wintry ['wɪntrɪ] winterlich; fig. frostig

wipe [waɪp] (ab-, auf)wischen; (ab)trocknen; **~ off** ab-, wegwischen; tilgen; **~ out** auswischen; ausrotten

wire [waɪr] **1.** Draht m; **2.** verdrahten; **~ cutters** Sei-

tenschneider m

wisdom ['wɪzdəm] Weisheit f; Klugheit f; **~ tooth** Weisheitszahn m

wise [waɪz] weise, klug, erfahren; **'~crack** F witzige Bemerkung; **~ guy** F Klugscheißer m

wish [wɪʃ] **1.** Wunsch m; **best ~es** alles Gute; **2.** wünschen; wollen; **~ s.o. well** j-m alles Gute wünschen; **~ for** (sich) et. wünschen; **'~ful:** **~ thinking** Wunschdenken n; **~ list** Wunschliste f

wishy-washy ['wɪʃɪwɑːʃɪ] labb(e)rig, wässrig; fig. saft- und kraftlos; lasch

wit [wɪt] a. pl Verstand m; Geist m, Witz m; **be at one's ~s end** mit s-r Weisheit am Ende sein

witch [wɪtʃ] Hexe f; **'~craft** Hexerei f

with [wɪð] mit; bei; **are you ~ me?** verstehst du?

withdraw [wɪð'drɔː] (-drew, -drawn) (sich) zurückziehen; Truppen etc. abziehen; Geld abheben; **~al** econ. Abhebung f; med. Entzug m; **~ symptoms** Entzugserscheinungen pl

wither ['wɪðər] (ver)welken; verdorren (lassen)

withhold [wɪð'hoʊld] (-held) vorenthalten; verweigern; **~ing tax** econ. einbehaltene Lohnsteuer

with|in [wɪ'ðɪn] in(nerhalb);

~ *reach* in Reichweite; ~*out* [ˌ~ˈðaʊt] ohne

withstand [wɪðˈstænd] widerstehen

witness [ˈwɪtnɪs] **1.** Zeuge *m*, -in *f*; Zeugnis *n*; **2.** Zeuge sein von; (mit)erleben; mit ansehen; bezeugen, bestätigen; ~ *stand* Zeugenstand *m*

wives [waɪvz] *pl von* **wife**

wizard [ˈwɪzərd] Zauberer *m*; Genie *n*

wobble [ˈwɑːbl] schwanken; wackeln

woe [woʊ] Leid *n*, Kummer *m*

woke [woʊk] *pret*, '~**n** *pp von* **wake**¹

wolf [wʊlf] **1.** (*pl* **wolves** [ˌ~vz]) Wolf *m*; **2.** ~ (*down*) *F* (gierig) verschlingen

wolves [wʊlvz] *pl von* **wolf** 1

woman [ˈwʊmən] (*pl* **women** [ˈwɪmɪn]) Frau *f*; ~ **doctor** Ärztin *f*; '~**ly** fraulich, weiblich

womb [wuːm] Gebärmutter *f*, Mutterleib *m*; *fig.* Schoß *m*

women [ˈwɪmɪn] *pl von* **woman**; ~**'s lib** [lɪb], ~**'s movement** Frauen(emanzipations)bewegung *f*

won [wʌn] *pret u. pp von* **win** 1

wonder [ˈwʌndər] **1.** Wunder *n*; Verwunderung *f*; Staunen *n*; **2.** gern wissen mögen, sich fragen; sich wundern; '~**ful** wunderbar, -voll

won't [woʊnt] *Kurzform für* **will not**

wood [wʊd] Holz *n*; *oft pl* Wald *m*, Gehölz *n*; '~**cut** Holzschnitt *m*; '~**cutter** Holzfäller *m*; ~**ed** [ˌ~ɪd] bewaldet; ~**en** hölzern (*a. fig.*); Holz...; '~**pecker** [ˈpekər] Specht *m*; ~**sy** [ˈwʊdzɪ] waldartig; '~**wind** Holzblasinstrument(e *pl*) *n*; *die* Holzbläser *pl*; '~**work** Tischlern *n*; Tischlerarbeit(en *pl*) *f*; *arch.* Gebälk *n*

wool [wʊl] Wolle *f*; '~**en 1.** wollen, Woll...; **2.** *pl* Wollsachen *pl*; '~**y** wollig; Woll...; *fig.* wirr, konfus

word [wɜːrd] **1.** Wort *n*; Nachricht *f*; *pl*: (*Lied*)Text *m*; *fig.* Auseinandersetzung *f*; **have a** ~ **with s.o.** kurz mit j-m sprechen; **2.** ausdrücken; formulieren; abfassen; '~**ing** Wortlaut *m*; Formulierung *f*; ~ **processing** Textverarbeitung *f*; ~ **processor** Textverarbeitung(sprogramm *n*) *f*

wore [wɔːr] *pret von* **wear**

work [wɜːrk] **1.** Arbeit *f*; Werk *n*; Getriebe *n*; Uhrwerk *n*; ~**s** *sg* Werk *n*, Fabrik *f*; ~ **of art** Kunstwerk *n*; **at** ~ bei der Arbeit; **out of** ~ arbeitslos; **2.** *v/i* arbeiten; *tech.* funktionieren; gehen; wirken; *fig.* gelingen, klappen; *v/t* ver-, bearbeiten; *Maschine etc.* bedienen;

(an-, be)treiben; *fig.* bewirken; **~ off** abarbeiten; **~ out** *v/t* ausrechnen; *Aufgabe* lösen; *Plan* ausarbeiten; *v/i* aufgehen; klappen; **~ (o.s.) up** (sich) aufregen; **'~aholic** [~ə'hɑ:lɪk] Arbeitssüchtige *m, f;* **'~er** Arbeiter(in); **'~ing** Tätigkeit *f;* Arbeitsweise *f;* **~ girl** *sl.* Prostituierte *f;* **~ papers** Arbeitspapiere *pl;* **'~load** Arbeitspensum *n*

'workman (*pl -men*) Handwerker *m;* **'~like** fachmännisch; **'~ship** Kunstfertigkeit *f, gute etc.* Ausführung

work|out *Sport:* (Konditions)Training *n;* **'~shop** Werkstatt *f;* **'~station** (Computer-, Bildschirm)Arbeitsplatz *m;* **'~study** Arbeitsstudie *f*

world [wɜːrld] Welt *f;* **'~ly** weltlich; **~ power** *pol.* Weltmacht *f;* **~ war** Weltkrieg *m;* **'~wide** weltweit; **⊵ Web** das Internet

worm [wɜːrm] Wurm *m;* **'~-eaten** wurmstichig

worn [wɜːrn] *pp von* **wear** 1; **~-'out** abgenutzt, abgetragen; erschöpft

worr|ied ['wɜːrɪd] besorgt, beunruhigt; **'~y 1.** (sich) beunruhigen; (sich) Sorgen *od.* Gedanken machen; stören, plagen; belästigen; **don't ~!** keine Angst!, keine Sorge!; **2.** Sorge *f;* **'~ying** beunruhigend

worse [wɜːrs] schlechter, schlimmer; **~ luck!** (so ein) Pech!; **'~n** ['wɜːrsn] schlechter werden; sich verschlechtern

worst [wɜːrst] **1.** *adj* schlechteste(r, -s), schlimmste(r, -s); **2.** *adv* am schlechtesten, am schlimmsten; **3. the ~** das Schlimmste *n;* **at (the) ~** schlimmstenfalls

worth [wɜːrθ] **1.** wert; **~ reading** lesenswert; **~ seeing** sehenswert; **2.** Wert *m;* **'~less** wertlos; **'~while** der Mühe wert; **be ~** sich lohnen; **'~y** ['~ðɪ] würdig; wert

would [wʊd] *pret von* **will** 2; **~ you like ...?** möchten Sie ...?

wound¹ [wuːnd] **1.** Wunde *f,* Verletzung *f;* **2.** verwunden, -letzen (*a. fig.*)

wound² [waʊnd] *pret u. pp von* **wind²**

wove [woʊv] *pret,* **'~n** *pp von* **weave**

wow [waʊ] *int* F hui!, Mann!, Mensch!

wrangler ['ræŋɡlər] Cowboy *m*

wrap [ræp] **1.** wickeln; *a.* **~ up** einwickeln, -packen; **2.** Umhang *m;* Schal *m;* **'~per** Verpackung *f; Buch:* (Schutz-) Umschlag *m;* **'~ping** Verpackung *f;* **~ paper** Pack-, Geschenkpapier *n*

wreath [riːθ] Kranz *m*

wreck [rek] **1.** Wrack *n* (*a.*

fig.); Schiffbruch *m*; *fig.* Ruine *f*; Trümmer *pl*; **nervous ~** Nervenbündel *n*; **2.** vernichten, zerstören; **be ~ed** Schiffbruch erleiden; e-n Totalschaden verursachen; **I ~ed my father's car** ich habe den Wagen m-s Vaters zu Bruch gefahren; **'~age** Trümmer *pl*; Wrack(teile *pl*) *n*; **~'er** Abschleppwagen *m* wrecking company Abbruchfirma *f*

wrench [rentʃ] **1.** reißen, zerren, zerren; entreißen; *med.* verrenken; **2.** Ruck *m*; *med.* Verrenkung *f*; Schraubenschlüssel *m*

wrestle ['resl] ringen (mit); '~ing Ringen *n*

wrinkle ['rɪŋkl] **1.** Runzel *f*; Falte *f*; **2.** sich runzeln, runz(e)lig werden; knittern

wrist [rist] Handgelenk *n*; '~watch Armbanduhr *f*

write [raɪt] (**wrote**, **written**) schreiben; **~ down** auf-, niederschreiben; **~ off** abschreiben; **~ out** *Scheck* ausstellen; '~r Schreiber(in); (Hand)Schrift *f*; **~ in ~** schriftlich; **~ paper** Schreibpapier *n*

written ['rɪtn] **1.** *pp von* **write**; **2.** *adj* schriftlich

wrong [rɔŋ] **1.** falsch, verkehrt; unrecht; **be ~** falsch sein; Unrecht haben; nicht stimmen; *Uhr:* falsch gehen; **what's ~ with you?** was ist los mit dir?; **go ~** e-n Fehler machen; *Plan etc.:* schief gehen; **2.** Unrecht *n*; **3.** *j-m* unrecht tun; '~ful ungerecht; unrechtmäßig; '~ly zu Unrecht

wrote [rout] *pret von* **write**

wrought| iron [rɔːt] Schmiedeeisen *n*; **~-'iron** schmiedeeisern

WV *Abk. für* West Virginia

WY *Abk. für* Wyoming

X

X-ing ['krɔːsɪŋ] Übergang *m*, Überweg *m*; *Ped.* **~** Fußgängerüberweg *m*; **Deer ~** Wildwechsel *m*

Xmas ['krɪsməs, 'eksməs] F Weihnachten *n od. pl*

X-ray ['eksreɪ] **1.** Röntgenaufnahme *f*; Röntgenstrahl *m*; **2.** röntgen

Xtra ['ekstrə] zusätzlich, Extra..., Sonder...; extra, besonders

Y

Y [waɪ] *Abk. für* **YMCA** *od.* **YWCA** *etwa* CVJM *m*

yacht [jɑːt] (Segel-, Motor-) Jacht *f*; Segelboot *n*; '~ing Segeln *n*; Segelsport *m*

Yankee ['jæŋkɪ] Nordstaatler(in)

yard¹ [jɑːrd] Garten *m*; Hof *m*; ~ **sale** privater Verkauf von gebrauchten Gegenständen

yard² [~] Yard *n* (0,914 m); '~stick Maßstab *m*

yarn [jɑːrn] Garn *n*; F Seemannsgarn *n*

yawn [jɔːn] **1.** gähnen; **2.** Gähnen *n*

year [jɪr] Jahr *n*; ~book Jahrbuch *n*; '~ly jährlich

yearn [jɜːrn] sich sehnen

yeast [jiːst] Hefe *f*

yell [jel] **1.** (gellend) schreien; **2.** (gellender) Schrei

yellow ['jeloʊ] gelb; ~ **jacket** Wespe *f*; ♀ **Pages** *pl* tel. die Gelben Seiten *pl*, Branchenverzeichnis *n*

yelp [jelp] (auf)jaulen

yes [jes] **1.** ja; doch; **2.** Ja *n*

yesterday ['jestərdɪ] gestern; **the day before ~** vorgestern

yet [jet] **1.** *adv* noch; bis jetzt; schon; **as ~** bis jetzt; **not ~** noch nicht; **2.** *cj* (aber) dennoch, doch

yield [jiːld] **1.** (ein-, hervor)bringen; *Gewinn* abwerfen; *agr.* tragen; *Vorfahrt* gewähren; **2.** Ertrag *m*

YMCA [waɪemsiː'eɪ] *Abk. für Young Men's Christian Association* CVJM *m*

yogurt ['joʊgərt] Joghurt *m*

yolk [joʊk] (Ei)Dotter *m*, *n*, Eigelb *n*

you [juː, jʊ] du, ihr, Sie; *dat* dir, euch, Ihnen; *acc* dich, euch, Sie; man; *dat* einem, *acc* einen

young [jʌŋ] **1.** jung; **2.** *pl* (Tier)Junge *pl*; **~ster** ['~stər] Junge *m*

your [jʊr] dein(e), euer(e), Ihr(e); **~s** [~z] deine(r, -s), euer, eure(s), Ihre(r, -s); **~self** (*pl* **-selves** [~vz]) *verstärkend*: (du, ihr, Sie) selbst; *reflexiv*: dir, dich, euch, sich; **by ~** allein

youth [juːθ] (*pl* **~s** [~ðz]) Jugend(zeit) *f*; junger Mann, Jugendliche *m*; *sg od. pl konstr. die* Jugend; '~ful jugendlich; ~ **hostel** Jugendherberge *f*

YWCA [waɪdʌbljuːsiː'eɪ] *Abk. für Young Women's Christian Association* CVJM *m*

Z

zap [zæp] *sl.* töten; *TV* zappen; *Speise* in der Mikrowelle erhitzen; '**~per** *TV* F Fernbedienung *f*; elektronischer Insektenvernichter

zero ['zɪroʊ] (*pl* **-ros**, **-roes**) Null *f*; Nullpunkt *m*; **~ growth** Nullwachstum *n*; **~ option** Nulllösung *f*

zest [zest] Begeisterung *f*

zigzag ['zɪgzæg] Zickzack *m*

zilch [zɪltʃ] nichts, null; überhaupt nichts

zinc [zɪŋk] Zink *n*

zip [zɪp] flitzen, eilen; **~ code** Postleitzahl *f*

zipper ['zɪpər] **1.** Reißverschluss *m*; **2.** *mit Reißverschluss* schließen; **~ your lip!** halts Maul!

zodiac ['zoʊdɪæk] Tierkreis *m*

zone [zoʊn] Zone *f*

zoo [zuː] Zoo *m*

zoolog|ical [zoʊə'lɑːdʒɪkl] zoologisch; **~y** [zoʊ'ɑːlədʒɪ] Zoologie *f*

zoom [zuːm] **1.** F sausen; *phot.* zoomen; *Preis, Kurs etc.*: in die Höhe schnellen; **2.** → **~ lens** *phot.* Zoom(objektiv) *n*

A

Aal *m* eel

ab *prp u. adv örtlich*: from; *zeitlich*: from ... (on); *fort, weg*: off; **~ und zu** now and then

Abart *f* variety

ab|bauen mine; *fig.* reduce; **~beißen** bite* off; **~biegen** turn (off); **nach rechts (links)** ~ turn right (left)

abbild|en show*, depict; **ℒung** *f* picture, illustration

ab|blenden *mot.* dim the headlights; **ℒblendlicht** *n* low-beams *pl*; **~brechen** break* off (*a. fig.*); *Gebäude*: pull down, demolish; **~bremsen** slow down; **~bringen**: *j-n ~ von* talk s.o. out of (doing) *s.th.*; **ℒbruch** *m* breaking off; *Haus etc.*: demolition; **~bürsten** brush (off); **~decken** uncover; *zudecken*: cover (up); **~dichten** make* tight, insulate; **~drehen** *v/t* turn off

Abdruck *m* print, mark; **ℒen** print

Abend *m* evening; *heute* ~ tonight; *morgen (gestern)* ~ tomorrow (last) night; **~essen** *n* supper, dinner; **~kleid** *n* evening dress *od.*

gown; **~kurs** *m* evening classes *pl*; **~mahl** *n rel. the* (Holy) Communion, *the* Lord's Supper; **ℒs** *in the* evening, at night; *8 Uhr* = 8 p.m.

Abenteuer *n* adventure; **ℒlich** adventurous

aber but; *oder ...* or else

Aber|glaube *m* superstition; **ℒgläubisch** superstitious

ab|fahr|en leave*, depart, start (*alle*: *nach* for); **ℒt** *f* departure; *Ski*: downhill run; **ℒtslauf** *m* downhill (race); **ℒtszeit** *f* departure time

Abfall *m* garbage, trash; **~beseitigung** *f* garbage disposal; **ℒen** fall* *od.* drop off; **~produkt** *n* waste product

ab|fangen catch*, intercept; **~fassen** write*, compose; **~fertigen** *Zoll*: clear; *Flug-, Hotelgast*: check in

abfind|en *entschädigen*: compensate; **ℒung** *f* compensation

ab|fliegen leave*, depart; → **starten**; **~fliessen** flow off

Abflug *m* departure; → *Start*

Abfluss *m tech.* drain; **~rohr** *n* waste pipe, drainpipe

abführ|en lead* away; **~end,**

⚲mittel n laxative

abfüllen in Flaschen: bottle; in Dosen: can

Abgabe f Sport: pass; Gebühr: rate; Zoll: duty

Abgang m departure

Abgas n waste gas; ⚲e pl emission(s pl); mot. exhaust fumes pl; ⚲frei emission-free; ⚲untersuchung f emissions test

abgearbeitet worn out

abgeben leave (bei with); Gepäck: a. check; Ball: pass; Wärme etc.: give* off, emit; verkaufen: sell; sich ⚲ mit concern o.s. with

abge|griffen worn; ⚲härtet hardened (gegen to)

abgehen leave*; Post, Ware: get* off; Weg: branch off; Knopf etc.: come* off; econ. be* deducted

abge|hetzt, ⚲kämpft exhausted; ⚲legen remote, distant; ⚲macht: ⚲! o.k.!, it's a deal!; ⚲nutzt worn out

Abgeordnete m, f representative, congress(wo)man

abge|packt prepack(ag)ed; ⚲schlossen completed; ⚲e Wohnung self-contained apartment; ⚲sehen: ⚲ von apart from; ⚲standen stale; ⚲tragen, ⚲wetzt worn; stärker: shabby

abgewöhnen: sich et. ⚲ give* up s.th.

Abgrund m abyss, chasm

ab|hacken chop od. cut* off;

⚲haken check off; ⚲halten Versammlung etc.: hold*; j-n ⚲ von keep* s.o. from (doing) s.th.

Abhandlung f treatise

Abhang m slope

abhängen Bild etc.: take* down; Anhänger: uncouple; F j-n: shake* off; ⚲ von depend on

abhängig: ⚲ von dependent on; ⚲keit f dependence (von on)

ab|härten harden (sich o.s.) (gegen to); ⚲hauen cut* off, chop off; F make* off (mit with), run* (away) (with); hau ab! sl. get* lost!; ⚲heben lift od. take* off; Geld: (with)draw*; rel. answer the phone; Hörer: pick up; Karten: aviat. take* off; sich ⚲ von stand* out among od. from; ⚲heften file (away); ⚲hetzen: sich ⚲ wear* o.s. out

Abhilfe f remedy

ab|holen pick up; j-n vom Flugplatz ⚲ meet* s.o. at the airport; ⚲horchen med. auscultate, sound

Abitur n etwa high-school diploma

ab|kaufen buy* s.th. from s.o. (a. fig.); ⚲klingen Schmerz etc.: ease off; ⚲knicken snap off; ⚲kochen boil

Abkommen n agreement

abkommen: von der Straße ⚲ skid off the road; vom

Thema ~ stray from the point; **vom Wege** ~ lose* one's way

ab|koppeln uncouple; **~kratzen** scrape off; F *sterben:* kick the bucket; **~kühlen** cool down (*a. fig. u. sich* ~)

abkürz|en shorten; *Wort etc.:* abbreviate; **den Weg** ~ take* a short cut; **2ung** f abbreviation; short cut

abladen unload

ab|lagern *Holz:* season; *Wein etc.:* (let*) age; *sich* ~ settle, be* deposited; **~lassen** drain (off); *Dampf:* let* off (*a. fig.*); *vom Preis:* take* s.th. off; **von et.** ~ stop doing s.th.

Ablauf m *Verlauf:* course; *Vorgang:* process; *Frist etc.:* expiration; → *Abfluss;* **2en** *Wasser etc.:* run* off; *Frist, Pass:* expire; *verlaufen:* go*; *enden:* (come* to an) end

ab|lecken lick (off); **~legen** v/t *Kleidung:* take* off; *Gewohnheit etc.:* give* up; *Eid, Prüfung:* take*; v/i take* off one's coat; *Schiff:* sail

Ableger m shoot

ablehn|en refuse; *höflich:* decline; *ab-, zurückweisen:* reject (*a. parl.*); *dagegen sein:* be* opposed to; **2ung** f refusal; rejection

ableiten derive (**von** from)

ablenk|en divert (**von** from); **2ung** f diversion

ab|lesen *Gerät:* read*; **~lie-**

fern deliver (**bei** to)

ab|lösen *entfernen:* remove; *j-n:* take* over from; *ersetzen:* replace; *sich* ~en take* turns; **2ung** f relief

abmach|en take* off, remove; *vereinbaren:* arrange; **2ung** f arrangement, agreement

ab|melden cancel; **~messen** measure; **~montieren** take* off, remove; **~mühen:** *sich* ~ try hard (*to do s.th.*)

Abnahme f decrease; *an Gewicht:* loss; *econ.* purchase

abnehmbar *adj* removable

abnehm|en v/i decrease; lose* weight; *Mond:* wane; v/t take* off (*a. med.*), remove; *Hörer:* pick up; *econ.* buy*; *j-m et.* ~ *wegnehmen:* take* s.th. (away) from s.o.; **2r** m buyer

Abneigung f dislike (**gegen** of, for); *starke:* aversion (to)

abnorm abnormal

abnutz|en wear* out; **2ung** f wear and tear

Abonne|ment n subscription; **~ent(in)** subscriber; **2ieren** subscribe to

Abordnung f delegation

ab|plagen: *sich* ~ toil, struggle (*mit* with); **~prallen** rebound, bounce (off); **~putzen** clean; wipe off; **~raten:** *j-m von et.* ~ advise *od.* warn s.o. against (doing) s.th.; **~räumen** clear away;

Tisth: clear; **~reagieren** s-n Ärger etc.: work off (**an** on); **sich ~** F let* off steam

abrechn|en abziehen: deduct; Spesen: account for; **mit j-m ~** settle accounts (fig. get* even) with s.o.; **2ung** f settlement; **2** fig. showdown

Abreise f departure (**nach** for); **2n** leave* (**nach** for)

ab|reißen v/t tear* od. pull off (Gebäude: down); v/i Knopf etc.: come* off; **~riegeln** block (durch Polizei: a cordon) off

Abruf m: **auf ~** on call; **2en** call away

abrunden round (off)

abrüst|en disarm; **2ung** f disarmament

Absage f cancellation; Ablehnung: refusal; **2n** call off; v/t a. cancel

Absatz m Schuh: heel; print. paragraph; econ. sales pl

ab|schaffen abolish, do* away with; **~schalten** v/t switch od. turn off; v/i F relax, switch off; **~schätzen** estimate; ermessen: assess

abscheulich despicable (a. Person)

ab|schicken → **absenden**; **~schieben** fig. get* rid of; Ausländer: deport

Abschied m farewell; **~ nehmen (von)** say* goodbye (to); **~sfeier** f farewell party

ab|schlagen knock off; → **ablehnen**; **~schleifen** grind* off

abschlepp|en tow (away); **2seil** n tow rope; **2wagen** m wrecker

abschließen close (up); beenden: end; Vertrag etc.: conclude; **e-n Handel ~** strike* a bargain; **~d** concluding; letzte: final

Abschluss m conclusion; **2zeugnis** n graduation diploma

ab|schnallen unbuckle; **sich ~** unfasten one's seatbelt; **den Weg ~** take* a short cut

Abschnitt m section; Absatz: paragraph; Kontroll2: stub; Zeit2: period

abschrauben unscrew

abschreck|en deter; **2ung** f deterrence; Mittel: deterrent

ab|schreiben econ. F fig. write* off; **~schürfen** graze; **~schüssig** sloping; steil: steep; **~schütteln** shake* off; **~schwächen** lessen; **~schweifen** digress

absehbar foreseeable; **in ~er Zeit** in the foreseeable future; **~en** foresee*; **es abgesehen haben auf** be* after; **~von** refrain from; beiseite lassen: leave* aside

abseits: ~ stehen Sport: be* offside; fig. be* left out

absenden send* off; mail; **2r** m sender; Adresse: return address

absetzen set* od. put* down;

Brille etc.: take* off; *Fahr-gast*: drop; *econ.* sell*; *sich* ~ → *ablagern*

Absicht f intention; **2lich** intentional; on purpose

absolut absolute(ly)

ab|sondern separate; *sich* ~ cut* o.s. off; **~speichern** *Daten*: save; **~sperren** lock; → *abriegeln*; **2sperrung** f *Straße*: roadblock; **~spielen** *Sport*: pass; *sich* ~ happen; **2sprache** f agreement; **~springen** jump off; *fig.* back out; **2sprung** m jump; **~spülen** rinse; → *abwaschen*

abstammen be* descended; **2ung** f descent

Ab|stand m distance; *zeitlich*: interval; **2stauben** dust; F swipe; **~stecher** m detour; **2stehen** stick* out; **2stellen** put* down; *bei j-m*: leave*; *Gerät*: turn off; *Auto*: park; **2stempeln** stamp

Abstieg m descent, *fig.* decline; *Sport*: relegation

abstimmen vote (*über* on); *aufeinander*: harmonize; **2ung** f vote; *Radio*: tuning

abstoßen repel; *med.* reject; *Boot*: push off; **~d** repulsive

abstreiten deny

Ab|sturz m *aviat.*, *Computer*: crash; **2stürzen** fall*; *aviat.*, *Computer*: crash

absurd absurd

Abszess m abscess

abtauen defrost

Abteil n compartment; **2en** divide; **~ung** f department; **~ungsleiter(in)** department head

abtreib|en *med.* have* an abortion; *Kind*: abort; **2ung** f abortion

ab|trennen separate; take* off; **~trocknen** dry (*sich* o.s. off); dry the dishes; **~wälzen**: ~ *auf* → *abschieben*; **~warten** *v/i* wait; *v/t* wait for

abwärts down(wards)

Abwasch f washable; **~en** *v/t* wash off; *v/i* do* the dishes

Abwasser n sewage, waste water

abwechs|eln alternate; *sich* ~ take* turns; **~elnd** *adv* alternately; **~(e)lung** f change; *zur* ~ for a change

Abwehr f defense; **2en** ward off

abweichen deviate

ab|weisen turn away; *Bitte etc.*: turn down; **~d** unfriendly

ab|wenden turn away (*a.* *sich* ~); *Unheil etc.*: avert; **~werfen** throw* off; *Gewinn*: yield

abwert|en devalue; **2ung** f devaluation

abwesen|d absent; **2heit** f absence

ab|wickeln unwind*; *econ.* wind* up; **~wischen** wipe (off); **~zahlen** pay *for s.th.*

by instalments; **~zählen**
count; **2zahlung** f: **auf ~** on
the installment plan
Abzeichen n badge
ab|zeichnen unterschreiben:
sign, initial; **sich ~** stand*
out; fig. (begin* to) show*;
~ziehen v/t take* off; math.
subtract
Abzug m Waffe: trigger; econ.
deduction; phot. print
abzüglich less, minus
abzweig|en branch off; Geld:
set* aside (**für** for); **2ung** f
junction
ach int. oh!; **~ so!** I see
Achse f axle; math. etc. axis
Achsel f shoulder; **die ~n
zucken** shrug one's shoul-
ders
acht eight; **heute in ~ Tagen**
a week from today
Acht f: **~ geben** be* careful;
pay* attention (**auf** to); **gib
~!** look od. watch out!, →
aufpassen; außer ~ lassen
disregard; **sich in ~ nehmen**
watch out (**vor** for)
achte, 2t n eighth
achten respect; **~ auf** pay*
attention to; **darauf ~, dass**
see* to it that
achtlos careless
Achtung f respect; **~!** look
out!; → **Vorsicht**
acht|zehn(te) eighteen(th);
~zig eighty; **die ~er Jahre**
the eighties pl; **~zigste**
eightieth
ächzen groan (**vor** with)

Acker m field
Adapter m adapter
addieren add (up)
Ader f vein (a. min.)
Adler m eagle
adoptieren adopt
Adressbuch n directory
Adress|e f address; **2ieren**
address (**an** to)
Adventszeit f Christmas season
Affäre f affair
Affe m monkey; Menschen2:
ape
affektiert affected
Afrika n Africa; **~ner(in),
2nisch** African
After m anus
Agent|(in) agent; **~ur** f agen-
cy
Aggress|ion f aggression; **2iv**
aggressive
ah int. ah!
aha int. I see!, oh!
ähneln resemble, look like
Ahnen pl ancestors pl
ahnen suspect; vorhersehen:
foresee*, know*
ähnlich similar (dat to): **j-m ~
sehen** look like s.o.; **2keit** f
similarity
Ahnung f foreboding; idea;
keine ~ haben have* no
idea; **2slos** unsuspecting
Ahorn m maple (tree);
~syrup m maple syrup;
~zucker m maple sugar
Ähre f ear
Aids-Kranke m, f AIDS
victim

Akademi|e f academy; **~ker(in)** university graduate; ℒsch academic

akklimatisieren: **sich ~** get acclimatized (**an** to)

Akkord[1] m mus. chord

Akkord[2] m: **im ~ arbeiten** do piecework

Akkordeon n accordion

Akku m storage battery

Akne f acne

Akrobat(in) acrobat

Akt m act(ion); thea. act; paint., phot. nude

Akte f file; **~n** pl files pl, records pl; **~ntasche** f briefcase

Aktie f stock; **~ngesellschaft** f corporation

Aktion f action

aktiv active; ℒität f activity

aktuell topical; heutig: current; up-to-date

Akusti|k f acoustics pl (Lehre: sg); ℒsch acoustic

akut urgent; med. acute

Akzent m accent; Betonung: a. stress (a. fig.)

akzeptieren accept

Alarm m alarm; ℒieren Polizei etc.: call; warnen: alert

Albtraum m nightmare

Album n album

Algen pl algae pl

Alibi n alibi

Alkohol m alcohol; ℒfrei nonalcoholic; **~iker(in)**, ℒisch alcoholic

all all; **~es** everything; **~e** (**Leute**) everybody; **~e drei**
Tage every three days; **vor ~em** above all

All n the universe

Allee f boulevard

allein alone; selbst: by o.s.; **~ Erziehende** single parent; **~ stehend** single

allerbeste very best

Allergi|e f allergy (**gegen** to); ℒisch allergic (**gegen** to)

aller|hand a good deal (of); **das ist ja ~!** that's a bit much!; **~neu(e)ste** very latest; **~wenigst: am ~en** least of all

allgemein general; üblich: common; **im ℒen** in general; ℒbildung f general education; ℒheit f general public

allmählich gradual(ly)

All|radantrieb m four-wheel drive; **~tag** m weekday; daily routine

Alpen pl the Alps pl

Alphabet n alphabet; ℒisch alphabetical

Alptraum m → **Albtraum**

als zeitlich: when; besser etc. ~ better etc. than; **~ Kind** as a child; **~ ob** as if; **nichts ~** nothing but

also so, therefore; F well; **~ gut!** all right (then)!

alt old; hist. ancient

Altar m altar

Alte m, f old man (woman) (a. fig.); **die ~n** pl the old pl

Alter n age; hohes: old age; **im ~ von** at the age of

älter older

altern grow* old, age
alternativ alternative
Altersheim n senior citizens'
home
Alt|lasten pl residual pollution sg; 2modisch old-fashioned; ~öl n waste oil; ~papier n waste paper
Aluminium n aluminum
am at the; Montag etc.: on; ~
1. Mai on May 1; ~ Abend in
the evening, at night
Amateur(in) amateur
ambulant: ~ behandeln
treat s.o. as an outpatient; 2z
f outpatient department
Ameise f ant
Amerika America; ~ner(in),
2nisch American
Amnestie f amnesty
Ampel f traffic light, stoplight
Ampulle f ampoule
amputieren amputate
Amsel f blackbird
Amt n office; Aufgabe: duty;
2lich official; ~szeichen n
dial tone
amüs|ant amusing, entertaining; ~ieren amuse; sich
~ have* a good time
an on (a. Licht etc.); Tisch etc.:
at; gegen: against; von ... ~
from ... on
Analphabet(in) illiterate
Analyse f analysis
Ananas f pineapple
Anatomie f anatomy
Anbau m agr. cultivation;
arch. annex; 2en grow*;
arch. add

anbehalten keep* on
anbei enclosed
an|beißen bite* into; Fisch:
bite*; fig. take* the bait;
~beten adore, worship;
~bieten offer; ~binden
Hund: tie up; ~an tie to
Anblick m sight
anbrechen v/t Flasche: open;
v/i begin*; Tag: break*;
Nacht: fall*
andauern continue, go* on;
~d → dauernd
Andenken n souvenir (an
of); zum ~ an in memory of
andere other; verschieden:
different; et. (nichts) ~s
s.th. (nothing) else; nichts
~s als nothing but; ~rseits
on the other hand
ändern change (a. sich ~);
Kleid etc.: alter
andernfalls otherwise
anders different(ly); jemand
~ somebody else; ~ werden
change; ~herum the other
way round; ~wo elsewhere
anderthalb one and a half
Änderung f change; bsd.
kleine, a. Kleid etc.: alteration
andeut|en hint (at), suggest;
2ung f hint, suggestion
Andrang m crush; rush
an|drehen turn on; ~drohen:
j-m et. ~ threaten s.o. with
s.th.
aneinander together; denken: of each other
anekeln disgust, sicken

anerkenn|en acknowledge, recognize; *lobend*: appreciate; **2ung** *f* acknowledgment, recognition; appreciation

anfahren *v/i* start; *v/t* hit*; *et.*: *a.* run* into; *fig. j-n*: jump on

Anfall *m* fit, attack; **2en** attack, assault

Anfang *m* beginning; **2en** begin*

Anfänger(in) beginner

anfangs at first

an|fassen touch; *ergreifen*: take* (hold of); **mit ~** lend* (s.o.) a hand (**bei** with); **~fertigen** make*; **~feuchten** moisten; **~feuern** cheer

Anflug *m aviat.* approach; *fig.* touch, hint

anforder|n, 2ung *f* demand; request

Anfrage *f* inquiry

an|freunden: sich ~ make* friends (**mit** with); **~fühlen: sich ~** feel* (**wie** like)

anführ|en lead*; *täuschen*: fool; **2er(in)** leader; **2ungs-zeichen** *pl* quotes *pl*

Angabe *f* statement; *Hinweis*: indication; F showing-off; **~n** *pl* information *sg*, data *pl*

angeb|en give*, state; *zeigen*: indicate; *Preis*: quote; F brag; **2er(in)** F big mouth; **~lich** alleged(ly)

angeboren innate, inborn

Angebot *n* offer; **~ und Nachfrage** supply and demand

angebracht appropriate; **~heitert** tipsy

angehen go* on; *j-n*: concern; *das geht dich nichts an* that's none of your business; **~d** future, budding

angehör|en belong to; **2ige** *m, f* relative; member

Angeklagte *m, f* defendant

Angel *f* fishing rod; *Tür2*: hinge

Angelegenheit *f* matter, affair; *m-e ~* my business

Angel|haken *m* fish hook; **2n** fish; **~n** *n* fishing; **~schein** *m* fishing permit; **~schnur** *f* fishing line

angemessen proper, suitable; *Strafe*: just; *Preis*: reasonable; **~nehm** pleasant; **~regt** lively; **~sehen** respected; **~sichts** in view of; **~spannt** tense

Angestellte *m, f* employee; *die ~n* *pl* the staff *pl*

angewandt applied; **~wiesen: ~ auf** dependent on

angewöhnen: sich et. ~ get* used to doing s.th.; **~ das Rauchen ~** start smoking; **2wohnheit** *f* habit

Angina *f* tonsillitis

Angler(in) *f* angler

angreifen attack; *Gesundheit*: affect; **2er** *m* attacker; *bsd. pol.* aggressor

Angriff *m* attack

Angst *f* fear (**vor** of); **~ haben** (**vor**) be* afraid (of)

ängstlich fearful

anhaben have* on (*a. Licht*); *Kleid etc.: a.* wear*

anhalten *stop; dauern:* continue; **den Atem ~** hold* one's breath; *~end* continual; **2er(in)** hitchhiker; **per Anhalter fahren** hitchhike; **2spunkt** *m* clue

Anhang *m* appendix

anhängen add; *rail. etc.* couple (on) (**an** to); **2er** *m* supporter; *Schmuck:* pendant; *Schild:* label, tag; *mot.* trailer; **2erin** *f* supporter

an|häufen heap up, accumulate (*a. sich*); **~heben** lift, raise; **~hören** listen to; **mit ~** overhear; **sich ~** sound

Ankauf *m* purchase

Anker *m*, **2n** anchor

Anklage *f* accusation, charge; **2n** accuse (**wegen** of), charge (with)

an|kleben stick* on (**an** to); **~klopfen** knock (**an** on); **~knipsen** switch on; **~kommen** arrive; **es kommt (ganz) darauf an** it (all) depends; **es darauf ~ lassen** take* a chance; **gut ~ (bei)** *fig.* go* down well (with); **~kreuzen** check; **~kündigen** announce

Ankunft *f* arrival

an|lächeln, **~lachen** smile at

Anlage *f* layout, arrangement; → *Bau*; *Einrichtung:* facility; *Werk:* plant; *tech.* system; (*stereo etc.*) set; *Geld2:* investment; *zu Brief:* enclosure; *Talent:* gift; **~n** *pl* park, garden(s) *pl*; **sanitäre ~n** *pl* sanitary facilities *pl*

Anlass *m* occasion; cause

anlassen leave* *od.* keep* on; *tech., mot.* start; **2er** *m* starter

anlaufen *v/i* run* up; *fig.* start; *Metall:* tarnish; *Brille:* steam up

anlegen *v/t Schmuck etc.:* put* on; *Geld:* invest; *~ auf* aim at; **2er** *m* *naut.* land; **~ auf** aim at; **2er** *m* *econ.* investor; *naut.* landing wharf

anlehnen *Tür:* leave* ajar; (**sich**) **~ an** lean* against (*fig.* on)

Anleitung *f* instruction(s *pl*)

Anliegen *n* request; *Aussage:* message; **~r** *m* resident

an|machen turn on (*a. F erregen*); *Licht etc.:* switch on; *Salat:* dress; F *j-n:* make* a pass at; **~malen** paint; **~maßend** arrogant

Anmelde|formular *n* registration form; **2en** announce; *amtlich:* register; *Zollgut:* declare; **sich ~** register; *für Schule etc.: a.* enrol; **sich ~ bei** make* an appointment with; **~ung** *f* registration; appointment

anmerk|en: *j-m et.* ~ notice s.th. in s.o.; *sich (nichts) ~ lassen* (not) let* it show; **2ung** *f* note; *erklärend:* annotation; → *Fußnote* an|nähen *sew** on; **~nähernd** approximate(ly)

Annahme *f* acceptance; *Vermutung:* assumption

annehm|bar acceptable; *Preis:* reasonable; **~en** accept; *vermuten:* suppose; *Kind, Namen:* adopt; *Form etc.:* take* on; **sich** *gen* **~** take* care of; **2lichkeit** *f* convenience

Annonce *f* ad(vertisement)

anonym anonymous

Anorak *m* parka

anordn|en arrange; *befehlen:* order; **2ung** *f* arrangement; order

an|packen *Problem etc.:* tackle; **~passen** adapt, adjust (*beide a.* **sich** *~*) (*dat, an* to); **~preisen** push; **~probieren** try on; **2rainer** *m* öster. resident

Anrede *f* address; **2n** address (**mit Namen** by name)

anregen stimulate; *vorschlagen:* suggest

Anreiz *m* incentive

anrichten *Speisen:* prepare; *Schaden:* cause; F do*

Anruf *m* call; **~beantworter** *m* answering machine; **2en** call, phone

anrühren touch; mix

Ansage *f* announcement; **2n** announce; **~r(in)** announcer

ansammeln accumulate (*a.* **sich** *~*)

Ansatz *m* start (**zu** of); *Methode:* approach

an|schaffen *get** (*a.* **sich** *~*); **2ung** *f* purchase, buy

anschauen → **ansehen**; **~lich** graphic, plastic

Anschein *m:* **allem ~ nach** to all appearances; **2end** apparently

Anschlag *m* *Bekanntmachung:* notice; attack; **e-n ~ verüben auf** make* an attempt on *s.o.'s* life; **~brett** *n* bulletin board; **2en** *v/t Plakat:* post; *v/i Hund:* bark

anschließen connect; **sich ~** follow; *zustimmen:* agree with; *j-m:* join *s.o.;* **~d** *adj* following; *adv* afterwards

Anschluss *m* connection; *Wasser, Strom etc.:* hook-up; **im ~ an** following; **~flug** *m* connecting flight

an|schnallen *Ski etc.:* put* on; **sich ~** fasten one's seat belt, *mot. a.* buckle up; **~schnauzen** F chew *s.o.* out; **~schneiden** cut*; *Thema:* bring* up; **~schrauben** screw on; **~schreien** shout at

Anschrift *f* address

an|schwellen swell* (*a. fig.*); **~schwemmen** wash ashore

ansehen (*have* od.* take* a) look at; see*; *Spiel etc.:* watch (*alle a.* **sich** *~*); **mit ~** watch, witness; **~ als** look upon as; **man sieht ihm an, dass ...** one can see that...; **2** *n* reputation

ansehnlich considerable

ansetzen v/t put* (an) to); an-
fügen: put* on, add; Termin:
fix, set*; Fett (Rost) ~ put*
on weight (rust)

Ansicht f view; Meinung:
opinion, view; meiner ~
nach in my opinion; ~s-
karte f postcard; ~ssache f
matter of opinion

anspannen, 2ung f strain

anspielen: ~ auf hint at;
2ung f hint, allusion

Ansprache f address, speech

ansprechen speak* to, ad-
dress; fig. appeal to;
2partner m contact

anspringen v/t jump at; v/i
Motor: start

Anspruch m claim (auf) to;
2slos modest; Buch etc.:
light; contp. trivial; 2svoll
hard to please; Buch etc.: de-
manding

Anstalt f institution; med.
sanitarium

Anstand m decency; 2stän-
dig decent (a. fig.); 2-
standslos without further
ado

anstarren stare at

anstatt instead of

anstecken pin on; Ring:
put* on; med. infect; sich ~
bei catch* s.th. from s.o.; ~
anzünden; ~end infectious
(a. fig.), durch Berührung:
contagious; 2ung f infection,
contagion

anstehen stand* in line;
~steigen rise*; ~stellen em-

ploy; TV etc.: turn on; F tun:
do*; Verbotenes: be* up to;
sich ~ line up; F (make*) a
fuss

Anstieg m rise, increase

anstimmen incite; ~stimmen
strike* up

Anstoß m Fußball: kickoff;
fig. initiative; ~ erregen
give* offense; ~ nehmen an
take* offense at; 2en v/t j-n:
nudge; v/i clink glasses; ~ auf
drink* to

anstößig offensive

anstrahlen illuminate; fig.
j-n: beam at; ~streichen
paint; Fehler, Textstelle:
mark

anstrengen: sich ~ try
(hard), make* an effort;
~end strenuous, hard; 2ung
f exertion; Bemühung: effort

Anteil m share (a. econ.),
part; ~ nehmen an take* an
interest in; mitfühlen: sym-
pathize with; ~nahme f sympathy; interest

Antenne f antenna

Antibabypille f contracep-
tive pill; ~biotikum n antibi-
otic; ~blockiersystem n
mot. anti-lock braking system

antik antique, hist. a. ancient;
2e f ancient world

Antikörper m antibody

Antiquitäten pl antiques pl

antisemitisch anti-Semitic;
2ismus m anti-Semitism

Antrag m application; parl.

motion; **~steller(in)** applicant

an|treffen meet*, find*; **~treiben** *tech.* drive*; *zu et.*: urge (on); *Strandgut*: float ashore; **~treten** *Amt, Erbe etc.*: enter upon; *Reise*: set* out on

Antrieb *m* drive (*a. fig. Schwung*), propulsion; *fig.* motive, spring

antun: j-m et. ~ do* s.th. to s.o.; **sich et. ~** lay* hands on o.s.

Antwort *f*, **2en** answer, reply

anvertrauen: j-m et. ~ (en)trust s.o. with s.th.; *Geheimnis*: confide s.th. to s.o.

Anwalt *m* → **Rechtsanwalt**

Anwärter(in) candidate

anweis|en *anleiten*: instruct; *befehlen*: *a.* direct, order; **2ung** *f* instruction; order

anwend|en apply; **2ung** *f* application

anwesen|d present; **2heit** *f* presence; **2heitsliste** *f* attendance record

anwidern → **anekeln**

Anzahl *f* number

anzahl|en make* a down payment on; **2ung** *f* down payment

anzapfen tap

Anzeichen *n* symptom, sign

Anzeige *f* ad(vertisement); *Bekanntgabe*: announcement; *tech.* display; **~ erstatten** → **2n** report to the police; *Instrument*: indicate;

Thermometer: read*

anziehen *Kleidung*: put* on; *j-n*: dress; *Bremse etc.*: apply; *fig.* attract; **sich ~** get* dressed; **~d** attractive

Anzug *m* suit

anzüglich suggestive

anzünden light*

apart striking

apathisch apathetic

Apfel *m*, **~mus** *n* apple sauce; **~saft** *m* apple juice; **~sine** *f* orange

Apostroph *m* apostrophe

Apotheke *f* pharmacy, drugstore; **~r(in)** pharmacist

Apparat *m* *Vorrichtung*: device; (tele)phone; radio; TV set; camera; **am ~!** speaking!; **am ~ bleiben** hold* the line

Appartement *n* (efficiency) apartment

Appetit *m* appetite (**auf** for); **guten ~!** enjoy!; **~lich** appetizing

Applaus *m* applause

Aprikose *f* apricot

April *m* April

Äquator *m* equator

Arbeit *f* work, *econ., pol. u. in Zssgn a.* labor; *Stelle, einzelne ~*: job; *Produkt*: piece of work; *Schule etc.*: test; paper; **2en** work; **~er(in)** worker; **~geber** *m* employer; **~nehmer(in)** *m* employee

Arbeits|amt *n* employment office; **2los** unemployed; **~lose** *m, f*: **die ~n** *pl* the unemployed *pl*; **~losenunter-stützung** *f* unemployment compensation; **~losigkeit** *f* unemployment; **~platz** *m* place of work; *Stelle:* job; **~tag** *m* workday; *Stelle:* job; **~unfähig** unfit for work; *ständig:* disabled; **~zeit** *f* (*gleitende* flexible) working hours *pl*; **~zimmer** *n* study

Archäologie *f* archeology

Architekt|(in) architect; **~ur** *f* architecture

Archiv *n* archives *pl*

Ärger *m* trouble; *Zorn:* anger; **2lich** angry; *störend:* annoying; **2n** annoy, irritate; *sich ~* be* angry

Argument *n* argument

Arie *f* aria

arm poor

Arm *m* arm; *Fluss:* branch

Armaturen *pl* instruments *pl*; *Bad etc.:* fixtures *pl*; **~brett** *n* dashboard

Armband *n* bracelet; **~uhr** *f* wristwatch

Armee *f* army (*a. fig.*)

Ärmel *m* sleeve

ärmlich poor (*a. fig.*)

armselig miserable

Armut *f* poverty

Aroma *n* flavor

Arrest *m* arrest

arrogant arrogant

Arsch *m* V ass; **~loch** *n* V asshole

Art *f* kind, sort; *biol.* species; *Weise:* way; **~enschutz** *m* protection of endangered species

Arterie *f* artery

artig good, well-behaved

Artikel *m* article (*a. gr.*)

Artist|(in) *mst* acrobat

Arznei(mittel) *n* *f* medicine

Arzt, Ärztin doctor

ärztlich medical

As *n mus.* A flat; → *Ass*

Asbest *m* asbestos

Asche *f* ash(es *pl*); **~nbecher** *m* ashtray

Asiat|(in), **2isch** Asian

Asien Asia

asozial antisocial

Asphalt *m*, **2ieren** asphalt

Ass *n* ace

Assistent|(in) assistant

Ast *m* branch

Astro|logie *f* astrology; **~naut(in)** astronaut; **~nomie** *f* astronomy

Asyl *n* asylum; **~ant(in)** (political) refugee

Atelier *n* studio

Atem *m* breath; *außer ~* out of breath; (*tief*) *~ holen* take* a (deep) breath; **2be-raubend** breathtaking; **2los** breathless; **~pause** *f* F breather

Äther *m* ether

Athlet|(in) athlete; **2isch** athletic

Atlas *m* atlas

atmen breathe

Atmosphäre *f* atmosphere

Atmung *f* breathing

Atom *n* atom; *in Zssgn:* *mst* nuclear; **2ar** atomic, nuclear;

~bombe *f* atom(ic) bomb; **~gegner** *m* anti-nuclear activist; **~kern** *m* (atomic) nucleus; **~sperrvertrag** *m* non-proliferation treaty
Atten|tat *n* attempt(ed assassination); ***Opfer e-s ~s werden*** be* assassinated; **~täter(in)** assassin
Attest *n* certificate
Attrak|tion *f* attraction; **2tiv** attractive
Attrappe *f* dummy
ätzend corrosive, caustic (*a. fig.*); *sl.* gross
au *int.* oh!; ouch!
auch also, too, as well; *sogar*: even; ***ich ~*** so am (do) I, me too; ***~ nicht*** not ... either; ***was*** *etc.* **~** (***immer***) whatever *etc.*; ***wenn ~*** even if
auf *prp u. adv räumlich*: on; in; at; *offen*: open; *wach, hoch*: up; **~ der Welt** in the world; **~ der Straße** on the street; ***~ Deutsch*** in German; ***~ und ab*** up and down; ***~ sein*** be open; *wach*: be* up
aufatmen breathe a sigh of relief
Aufbau *m* building (up); *Gefüge*: structure; **2en** build* (up); construct; ***~ auf*** *fig.* be* based on
auf|bekommen *Tür etc.*: get* open; **~bereiten** process, treat; **~bewahren** keep*; **~blasen** blow* up; **~bleiben** stay up (*Tür, Laden*: open); **~blenden** *mot.* turn the headlights up; **~blicken** look up; **~blühen** blossom (out); **~brechen** *v/t* break* *od.* force open; *v/i* burst* open; *fig.* leave*; **2bruch** *m* departure; **~bürden: *j-m et. ~*** burden s.o. with s.th.; **~decken** uncover; **~drängen** force *s.th.* on *s.o.*; ***sich ~*** impose (***j-m*** on s.o.); *Idee*: suggest itself; **~drehen** *v/t* turn on; *v/i fig.* open up; **~dringlich** obtrusive
aufeinander on top of each other; one after another; ***~ folgend*** successive
Aufenthalt *m* stay; *aviat., rail.* stop(over); **~sraum** *m* lounge
Auferstehung *f* resurrection
auf|essen eat* up; **2fahrt** *f* driveway; **2fahrunfall** *m* rear-end collision; *Massen2*: pileup; **~fallen** attract attention; ***j-m ~*** strike* s.o.; **~fallend, ~fällig** striking, conspicuous; **~fangen** catch*
auffass|en understand* (***als*** as); **2ung** *f* view; **2ungsgabe** *f* grasp
aufforder|n ask; *stärker*: tell*; **2ung** *f* request; *stärker*: demand
auffrischen freshen up; *Wissen*: brush up
aufführ|en perform, present; *nennen*: list; ***sich ~*** behave; **2ung** *f* performance
Aufgabe *f* task, job; *Pflicht*:

duty; *Schule:* homework; *Verzicht, Aufgeben:* giving up

Aufgang *m* way up; staircase; *astr.* rising

aufgeben give* up (*a. v/i*); *Brief:* mail; *Gepäck:* check; *Bestellung:* place; **~gehen** open; *Sonne, Teig etc.:* rise*

aufgeregt excited; nervous; **~schlossen** *fig.* minded; **~ für** open to

aufgreifen pick up; **~grund** because of; **~haben** *v/t* have* on, wear*; *Geschäft:* be* open; **~halten** stop, hold* up; *Augen, Tür:* keep* open; **sich ~** stay

aufhängen hang* (up); *j-n:* hang; **2r** *m* fig hanger

aufheben pick up; *aufbewahren:* keep*; *abschaffen:* abolish; **~heitern** cheer up; **sich ~** clear up; **~hellen** brighten (*a.* **sich ~**); **~holen** *v/t Zeit:* make* up for; *v/i* catch* up (**gegen** with); **~hören** stop; *mit et.* **~** stop (doing) s.th.; **~kaufen** buy* up; **~klären** clear up (*a.* **sich ~**); *j-n* **~** inform s.o. (**über** about); *sexuell:* F tell* s.o. the facts of life; **~kleben** stick* on; **2kleber** *m* sticker; **~knöpfen** unbutton; **~kommen** come* up; *Zweifel etc.:* arise*; **~ für** lay* (for); **~laden** load; *electr.* charge

Auflage *f Buch:* edition; *Zeitung:* circulation

auflassen leave* open; *Hut etc.:* keep* on

Auflauf *m* soufflé

auflegen *v/t* put* on; *v/i tel.* hang* up; **~lehnen: sich ~** lean* (**auf** on); **sich ~** (**gegen**) revolt (against); **~lesen** pick up; **~leuchten** flash (up)

auflösen dissolve (*a.* **sich ~**); *Rätsel:* solve (*a. math.*); **sich** (**in s-e Bestandteile**) **~** disintegrate; **2ung** *f* (dis)solution; disintegration

aufmachen open; **sich ~** set* out; **2ung** *f* outfit

aufmerksam attentive; *freundlich:* thoughtful; *j-n* **~ machen auf** call s.o.'s attention to; **2keit** *f* attention; *Geschenk:* little present

aufmuntern cheer up

Aufnahme *f Empfang:* reception; *Zulassung:* admission; *phot.* photo(graph); *Ton2:* recording; **~gebühr** *f* admission fee

aufnehmen take* up (*a. Arbeit, Geld*); *aufheben:* pick up; take* in (*a. geistig*); *fassen:* hold*; *empfangen:* receive; *zulassen:* admit; *phot.* take* a picture of; *Band:* record; **~passen** pay* attention; **~ auf** look after; **pass auf!** look out!

Aufprall *m* impact; **2en: ~ auf** hit*; *mot. a.* crash into

aufpumpen pump up; **~putschen** pep up; **~räumen**

tidy up, clean up (a. fig.)

aufrecht upright (a. fig.)

aufreg|en excite; **sich ~ get~** upset (**über** about); **~end** exciting; **2ung** f excitement

aufreißen tear~ open; Augen: open wide; F j-n: pick up; **~reizend** provocative; **~richten** raise; **sich ~ stand~** up; im Bett: sit~ up; **~richtig** sincere; offen: frank; **~rollen** roll up

Aufruf m call; appeal (**zu** for); **2en** call on s.o.

aufrührerisch rebellious

aufrunden round off

Aufrüstung f (re)armament

aufsaugen absorb; **~schieben** fig. postpone

Aufschlag m impact; econ. extra charge; Mantel: lapel; Hose: cuff; Tennis: service; **2en** v/t open; Zelt: pitch; v/i Tennis: serve; auf dem Boden: hit~ the ground

aufschließen unlock, open; **~schneiden** v/t cut~ open (Fleisch: up); v/i F brag, boast

Aufschnitt m cold cuts pl

aufschnüren untie; Schuh: unlace; **~schrauben** unscrew; **~schrecken** v/t startle; v/i start up

Aufschrei m (fig. out)cry

aufschreib|en write~ down; **~en** cry out, scream

Aufschrift f inscription; **~schwung** m econ. boom

Aufsehen n: **~ erregen** at-

tract attention; **~ erregend** sensational

aufsein → **auf**; **~setzen** put~ on: abfassen: draw~ up; aviat. touch down; **sich ~ sit~** up

Aufsicht f supervision, control; **~srat** m board (of directors)

auf|spannen Schirm: put~ up; **~sperren** unlock; **~spielen: sich ~** show~ off; **~springen** jump up; Tür: fly~ open; Haut: chap; **~stampfen** stamp (one's foot)

Aufstand m revolt; **~ständische** pl rebels pl

auf|stapeln pile up; **~stehen** get~ up; F für: be~ open; **~steigen** rise~; **~ auf** get~ on(to)

aufstellen set~ od. put~ up; pol., Sport: nominate; Rekord: set~; Liste: make~ up; **2ung** f nomination; list

Aufstieg m ascent; fig. a. rise

auf|suchen visit; Arzt etc.: see~; **~tanken** fill up; (re)fuel; **~tauchen** appear; naut. surface; **~tauen** thaw; Speisen: defrost; **~teilen** divide (up)

Auftrag m instructions pl, order (a. econ.)

auf|treten behave, act; vorkommen: occur; **~ als** appear as; **~wachen** wake~ up; **~wachsen** grow~ up

Aufwand m expenditure (**an**

of); *Prunk:* pomp
aufwärmen warm up
aufwärts upward(s)
auf|wecken wake* (up);
~weichen soften; **~wenden**
spend* (**für** on); **~wendig**
costly
aufwert|en revalue; **2ung** *f*
revaluation
auf|wiegen *fig.* make* up for;
~wirbeln whirl up; (**viel**)
Staub ~ make* (quite) a stir;
~wischen wipe up; **~zählen**
list, name
aufzeichn|en record, tape;
2ung *f* recording; **~en** *pl*
notes *pl*
aufziehen draw* *od.* pull up;
öffnen: (pull) open; *Uhr etc.:*
wind* (up); *Kind:* bring* up;
j-n ~ tease s.o.
Aufzug *m* elevator; *thea.* act
Auge *n* eye; *aus den ~n ver-*
lieren lose* sight of; *unter*
vier ~n in private
Augen|arzt, ~ärztin ophthal-
mologist; **~blick** *m* moment;
2blicklich *adj* immediate;
adv at present; *sofort:* immediately; **~braue** *f* eyebrow;
~licht *n* eyesight; **~zeuge** *m*
eyewitness
August *m* August
Auktion *f* auction; **~ator(in)**
auctioneer
aus *prp u. adv räumlich:* mst
out of, from; *Material:* of;
Grund: out of; **~geschaltet**
etc.: off; *zu Ende:* over;
Sport: out; *ein - aus* tech. on

- off; **~ sein** be* out *od.* over;
~ sein auf be* out for; *j-s*
Geld: be* after
aus|arbeiten work out; *ent-*
werfen: prepare; **~atmen**
breathe out; **~bauen** *er-*
weitern: extend; *fertigstellen:*
complete; *Motor etc.:* re-
move; **~bessern** mend, repair
Ausbeute *f* profit; *Ertrag:*
yield; **2n** exploit (*a. fig.*)
ausbild|en train, instruct;
2er(in) instructor; **2ung** *f*
training, instruction
Ausblick *m* outlook
aus|brechen break* out; **~ in**
burst* into; **~breiten**
spread* (out); *Arme etc.:*
stretch (out); **sich ~** spread*
Ausbruch *m* outbreak; *Vul-*
kan: eruption; *Flucht:* escape; *Gefühl:* (out)burst
ausbrüten hatch (*a. fig.*)
Ausdauer *f* perseverance, en-
durance; **2nd** persevering
ausdehn|en stretch; *fig.* ex-
pand, extend (*alle a.* **sich ~**);
2ung *f* expansion; extension
ausdenken: sich ~ think*
s.th. up, invent; *vorstellen:*
imagine
Ausdruck *m* expression;
Computer: print-out; **2en**
Computer: print out
ausdrück|en express; **~lich**
explicit
ausdrucks|los *Blick:* blank;
~voll expressive
Ausdünstung *f* odor

auseinander apart; separate(d); **~ bringen** separate; **~ gehen** separate, part; *Meinungen:* differ; **~ halten** tell* apart; **~ nehmen** take* apart (*a. fig.*); **sich ~ setzen mit** deal* with; argue with *s.o.*; **⌂setzung** *f* argument

auserlesen choice

ausfahr|en *j-n:* take* out; *Waren:* deliver; **⌂t** *f* drive, ride; *mot.* exit; **~ freihalten!** do not block exit *od.* driveway!

Ausfall *m Verlust:* loss; **⌂en** *nicht stattfinden:* be* canceled; *tech., mot.* break* down, fail; *Ergebnis:* turn out; **~ lassen** cancel; **⌂end** insulting

aus|findig: **~ machen** find*; **~flippen** F freak out

Ausflug *m* trip, excursion

Ausfuhr *f* export

ausführ|en *et.:* carry out; *econ.* export; *darlegen:* explain; *j-n:* take* out; **~lich** *adj* detailed; *adv* in detail; **⌂ung** *f* execution; *Typ:* type, model

ausfüllen fill out

Ausgabe *f* distribution; *Buch etc.:* edition; *Geld:* expense; *Computer:* output

Ausgang *m* exit; end; *Ergebnis:* outcome; **~spunkt** *m* starting point

ausgeben *Geld:* spend*; *Computer:* output*, *auf Monitor:* display; F **e-n ~**

buy* *s.o.* a drink

ausge|bucht fully booked; **~dehnt** extensive; **~glichen** (well-)balanced

ausgehen go* out; *Haare:* fall* out; *Geld etc.:* run* out; **davon ~, dass** assume that

ausge|lassen lively; **~nommen** except; **~schlossen** impossible; **~sprochen** *adv* decidedly; **~sucht** select; **~wogen** (well-)balanced; **~zeichnet** excellent

ausgießen pour out

Ausgleich *m* compensation; **⌂en** equalize; *econ.* balance; *Verlust:* compensate

ausgrab|en dig* out *od.* up; **⌂ungen** *pl* excavations *pl*

Ausguss *m* (kitchen) sink

aus|halten *v/t* endure, stand*; *v/i* hold* out; **~händigen** hand over

Aushang *m* notice

aushelfen help out

Aushilfe *f* (temporary) help; **~s...** temporary ...

aus|kennen: **sich ~ (in)** know* one's way (around); *fig.* know* all about *s.th.*; **~kommen** get* by; **~ mit** *et.:* manage with; *j-m:* get* along with; **⌂kommen** *n:* **sein ~ haben** make* a (decent) living

Auskunft *f* information (desk)

aus|lachen laugh at; **~laden** unload

Auslage *f* (window) display;

~n *pl* expenses *pl*

Aus|land *n:* **das ~** foreign countries *pl;* **ins** *od.* **im ~** abroad; **~länder(in)** foreigner; **~ländisch** foreign; **~landsgespräch** *n* international call; **~landskorrespondent(in)** foreign correspondent

aus|lassen leave ~ (*Saum:* let*) out; *Fett:* melt; **s-e Wut ~ an** take* it out on; **~laufen** run* out (*a. Produktion*); *naut.* leave* port; **~legen** lay* out; *Waren: a.* display; *Boden:* carpet; *deuten:* interpret; *Geld:* advance; *tech.* design for; **~leihen** *verleihen:* lend* (out); *sich ~:* borrow

Auslese *f* selection; *fig.* elite; **2n** select; *Buch:* finish

aus|liefern hand over; *pol.* extradite; *econ.* deliver; **2ung** *f* delivery; extradition

aus|löschen put* out; *fig.* wipe out; **~losen** draw* (lots) for

auslöse|n *tech.* release; *verursachen:* cause; trigger; **2r** *m* (*phot.* shutter) release; trigger (*a. Waffe*)

ausmachen put* out; *Gerät etc.:* turn off; *vereinbaren:* agree on, arrange; *Teil:* make* up; *Betrag:* amount to; *Streit:* settle; *sichten:* sight; **macht es Ihnen et. aus(, wenn ...)?** do you mind (if ...)?; **es macht mir**

nichts aus I don't mind

Ausmaß *n* extent

ausmessen measure

Ausnahme *f* exception; **~ezustand** *m* state of emergency; **2slos** without exception; **2sweise** *diesmal:* just this once

aus|nehmen *j-n:* except; *j-n betrügen:* rip off; **~nutzen** use, take* advantage of (*a. contp.*); → **ausbeuten**; **~packen** unpack; **~pressen** squeeze (out); **~probieren** try (out), test

Auspuff *m* exhaust; **~gase** *pl* exhaust fumes *pl;* **~topf** *m* muffler

aus|radieren erase; *fig.* wipe out; **~rauben** rob; **~räumen** empty, clear; **~rechnen** calculate, work out

Ausrede *f* excuse

ausreichend sufficient

Ausreise *f* departure; **2n** leave* (a *od.* one's country)

aus|reißen *v/t* pull *od.* tear* out; *v/i* F run* away; **~renken** dislocate; **~richten** *erreichen:* accomplish; **kann ich etwas ~** can I take a message?; **~rotten** exterminate

Ausruf *m* cry, shout; **2en** cry, shout, exclaim; *Namen etc.:* call out; **~ungszeichen** *n* exclamation mark

ausruhen rest (*a. sich ~*)

ausrüst|en equip; **2ung** *f* equipment

ausrutschen slip
Aussage f statement; fig.
message; 2n state, declare
aus|schalten switch off; ~
eliminate; **~schauen: ~**
nach be* on the lookout for;
~scheiden v/i Sport etc.:
drop out; **~ aus** Firma etc.:
leave*; v/t med. secrete;
~schimpfen scold; **~schla-**
fen (sich) ~ get a good
night's sleep

Ausschlag m med. rash; **den**
~ geben decide it; 2en v/i
Pferd: kick; bot. bud; v/t
knock out; fig. refuse; 2ge-
bend decisive

ausschließen lock out; fig.
exclude; ausstoßen: expel;
Sport: disqualify; **~lich** ex-
clusive(ly)

Ausschluss m exclusion; expulsion; disqualification

aus|schmücken decorate;
fig. embellish; **~schneiden**
cut* out

Ausschnitt m Kleid: neck;
Zeitung: clipping; fig. part;
Buch, Rede: extract; **mit tie-**
fem ~ low-necked

Ausschreitungen pl rioting
sg; riots pl

Ausschuss m committee;
Abfall: waste

ausschütten pour out; verschütten: spill*; econ. pay*;
sich ~ (vor Lachen) split*
one's sides laughing

aussehen look (**wie, nach**
like); 2n look (s pl); appear-

ance
aussein → aus
außen outside; **nach ~** out-
ward(s); fig. outwardly
Außen|bordmotor m outboard
motor; **~handel** m
foreign trade; **~minister(in)**
foreign minister, in den
USA: Secretary of State;
~politik f foreign affairs pl;
bestimmte: foreign policy;
~seite f outside; **~seiter(in)**
outsider; **~stelle** f branch
äußere exterior, outer, outward;
2 n exterior, outside;
(outward) appearance
außer|gewöhnlich unusual;
~halb outside, out of; jenseits:
beyond; **~irdisch** extraterrestrial
äußer|lich external, outward;
~n express; **sich ~** say* s.th.;
sich ~ zu express o.s. on
außer|ordentlich extraordinary;
~planmäßig unscheduled
äußerst räumlich: outermost;
fig. extreme(ly)
Äußerung f utterance
aussetzen v/t Tier etc.: abandon;
mit dat: expose to; Preis
etc.: offer; **et. auszusetzen**
haben an find* fault with;
v/i Motor etc.: fail

außer out of; neben: beside(s);
ausgenommen: except; **alle ~** all but; **~ sich**
sein be* beside o.s.; **~ wenn**
unless; **~ dem** besides, moreover

Aussicht f view (**auf** of); fig. chance (**auf Erfolg** of success); **2slos** hopeless; **2sreich** promising; **~sturm** m lookout tower

aussöhnen → **versöhnen**; **2ung** f reconciliation

aus|sortieren sort out; **~spannen** fig. (take* a) rest, relax; **~sperren** lock out

Aus|sprache f pronunciation; discussion; **2sprechen** pronounce; **äußern**: express; **~spruch** m word(s pl), saying

aus|spucken spit* out; **~spülen** rinse

ausstatten equip, furnish; **2ung** f equipment; furnishings pl

ausstehen v/t: **ich kann ihn (es) nicht ~** I can't stand him (it)

aussteig|en get* out od. off; fig. drop out; **2er(in)** dropout

ausstell|en exhibit; Rechnung, Scheck: make* out; Pass: issue; **2er** m exhibitor; **2ung** f exhibition

aussterben die out

Ausstieg m exit; fig. pullout, withdrawal (**aus** from)

aus|stopfen stuff; **~stoßen** eject, emit; econ. turn out; j-n: expel

ausstrahl|en radiate; senden: broadcast*; **2ung** f broadcast; fig. charisma

aus|strecken stretch (out); **~strömen** escape (**aus** from); **~suchen** choose*, pick (out)

Austausch m, **2en** exchange (**gegen** for)

austeilen distribute

Auster f oyster

aus|tragen deliver; Streit: settle; Wettkampf: hold*; **~treiben** drive* out; Teufel: exorcise; **~treten** v/t stamp out; Schuhe: wear* out; v/i entweichen: escape; **~** leave*; **~trinken** drink* up; leeren: empty; **~trocknen** dry up; **~üben** practice; Amt: hold*; Macht: exercise; Druck: exert

Ausverkauf m sale; **2t** sold out

Aus|wahl f choice, selection; Sport: representative team; **2wählen** choose*, select

Auswander|er m emigrant; **2n** emigrate; **~ung** f emigration

auswärtig out-of-town; pol. foreign; **~s** out of town

auswechseln exchange (**gegen** for); Rad: change; ersetzen: replace; Sport: substitute; **2spieler(in)** substitute

Ausweg m way out

ausweichen make* way (dat for); avoid (a. fig. j-m); e-r Frage: evade; **~d** evasive

Ausweis m ID; **2en** expel; **sich ~** identify o.s.; **~ung** f expulsion

aus|weiten expand; **~werten**

Badezimmer

evaluate; *nützen*: utilize;
~wickeln unwrap; **~wirken:
sich ~ auf** effect; **~wirkung** *f*
effect; **~wischen** wipe out;
~wringen wring* out;
²wuchs *m* excess; **~zahlen**
pay* (out); pay* *s.o.* off;
sich ~ pay*; **²zahlung** *f* payment

auszeichnen *Ware*: price;
j-n ~ mit award *s.th.* to *s.o.*;
sich ~ distinguish o.s.; **²ung**
f fig. distinction, honor;
Orden: medal; *Preis*: award

ausziehen *v/t Kleidung*:
take* off; *j-n*: undress (*a.*
sich ~); *v/i* move out

Auszubildende *m, f* apprentice

Auszug *m* move; *Buch etc.*:
excerpt; *Konto*²: statement
(of account)

Auto *n* car, auto(mobile);
(**mit dem) ~ fahren** drive*,
go* by car

Autobahn *f* superhighway,
freeway, interstate; **~dreieck** *n* junction; **~gebühr** *f*
toll; **~kreuz** *n* interchange

Autobiographie *f* autobiography

Auto|bus *m* → **Bus**; **~fähre** *f*
car ferry; **~fahrer(in)** driver;
~fahrt *f* drive

Autogramm *n* autograph

Auto|karte *f* road map; **~kino**
n drive-in (theater)

Automat *m* (vending) machine; → **Spielautomat**; **~ik**
f mot. automatic transmission; **²isch** automatic

Auto|mechaniker *m* auto
mechanic; **~mobil** *n* → **Auto**

Autor(in) author

autori|tär authoritarian; **²tät**
f authority

Auto|vermietung *f* car rental; **~waschanlage** *f* car
wash; **~werkstatt** *f* garage

Axt *f* ax(e)

B

Bach *m* stream, creek

Backe *f* cheek

backen bake; *in Fett*: fry

Backenzahn *m* molar

Back|form *f* baking pan;
~hähnchen *n* fried chicken;
~ofen *m* oven

Bad *n* bath; *im Freien*: swim;
bathroom; → **Badeort**

Bade|anstalt *f* (public)
swimming pool; **~anzug** *m*

swimsuit; **~hose** *f* swim
trunks *pl*; **~kappe** *f* swimming cap; **~mantel** *m* bathrobe; **~meister** *m* lifeguard

baden *v/i* have* *od.* take* a
bath; *im Freien*: swim*; **~ gehen** go* swimming; *v/t* bathe

Bade|ort *m* seaside resort;
~tuch *n* bath towel; **~wanne**
f bathtub; **~zimmer** *n*
bath(room)

Bagger *m* excavator; *naut.* dredge; 2n excavate; dredge

Bahn *f* railroad; *Zug*: train; *Weg*, *Kurs*: way, path, course; *Sport*: track; course; *mit der ~* by train *od.* rail

bahnen: *j-m od. e-r Sache den Weg ~* clear the way for s.o. *od.* s.th.

Bahn|hof *m* (railroad) station; **~linie** *f* railroad line; **~steig** *m* platform; **~übergang** *m* grade crossing

Bahre *f* stretcher

Bakterien *pl* bacteria *pl*

bald soon; *so ~ wie möglich* as soon as possible; **~ig** speedy; **~e Antwort** early reply

Balken *m* beam

Balkon *m* balcony

Ball *m* ball; *Tanz*2: *a.* dance

Ballast *m* ballast; **~stoffe** *pl* roughage *sg*

Ballen *m* bale; *anat.* ball

Ballett *n* ballet

Ballon *m* balloon

Ballungs|raum *m*, **~zentrum** *n* conurbation

Bambus *m* bamboo

banal banal, trite

Banane *f* banana

Band[1] *m* volume

Band[2] *n* band; *Zier*2: ribbon; *Meß*2, *Ton*2: tape; *anat.* ligament; *fig.* tie, link, bond; *auf ~ aufnehmen* tape

bandagieren bandage

Bande *f* gang

Band|scheibe *f* (interverte-

bral) disk; **~wurm** *m* tapeworm

bang(e) afraid; *besorgt*: anxious; *Bange machen* frighten, scare

Bank *f* bench; *econ.* bank; **~angestellte** *m*, *f* bank clerk *od.* employee; **~automat** *m* cash dispenser *od.* F machine, cashpoint; **~ier** *m* banker; **~konto** *n* bank account; **~leitzahl** *f* A.B.A. *od.* routing number; **~note** *f* bill

bankrott bankrupt

Bann *m* ban; *Zauber*: spell

bar (in) cash; *bloß*: bare; *rein*: pure; *fig.* sheer

Bar *f* bar; nightclub

Bär *m* bear

Baracke *f* hut; *contp.* shack

barfuß barefoot

Barfrau *f* bartender

Bargeld *n* cash; 2los noncash

Barkeeper *m* bartender

barmherzig merciful

Barmixer *m* bartender

Barometer *n* barometer

Barren *m* *metall.* ingot; *Turnen*: parallel bars *pl*

Barriere *f* barrier

Barrikade *f* barricade

Bart *m* beard; *Schlüssel*2: bit

bärtig bearded

Barzahlung *f* cash payment

Basis *f* basis; *mil.*, *arch.* base

Bass *m* bass

Bast *m* bast; *zo.* velvet

bast|eln *v/i* tinker (around with); *v/t* build*, make*; 2ler *m* do-it-yourselfer

Batterie f battery

Bau m building (a. *Gebäude*), construction; *Tier*♀: hole; *e-s Raubtiers*: den; **im ~** under construction

Bauarbeiten pl construction work(s pl); **~r** m construction worker, hard hat

Bauch m belly (a. fig.): anat. abdomen; **~redner** m ventriloquist; **~schmerzen** pl stomachache sg; **~tanz** m belly dancing

bauen build*, construct; *Möbel etc.*: a. make*

Bauer m farmer; *Schach*: pawn

Bäuer|in f farmer's wife, farmer; ♀**lich** rustic

Bauern|haus n farmhouse; **~hof** m farm

bau|fällig dilapidated; ♀**gerüst** n scaffold(ing); ♀**herr(in)** owner; ♀**holz** n timber, lumber; ♀**jahr** n year of construction; **~ 1998** 1998 model

Baum m tree

baumeln dangle, swing* (*beide a.* **~ mit**)

Baum|stamm m trunk; **gefällter:** log; **~wolle** f cotton

Bauplatz m building site

Bausch m wad, ball

Bau|stein m brick; *Spielzeug*: (building) block; **~stelle** f building site; *mot.* construction zone; **~teil** n module; **~werk** n building

Bay|er m, ♀**(e)risch** Bavarian

Bayern n Bavaria

Bazillus m bacillus, germ

beabsichtigen intend, plan

beacht|en pay* attention to; *Regel etc.*: follow; **~ Sie, dass** note that; **nicht ~** disregard, ignore; **~lich** considerable; ♀**ung** f attention; observance; *Berücksichtigung*: consideration

Beamt|e, ~in official, officer; *Stand*: civil servant

be|ängstigend alarming; **~anspruchen** claim; *Zeit, Raum etc.*: take* up; *j-n*: keep* s.o. busy; *tech.* stress; **~anstanden** object to; **~antragen** apply for; *parl., jur.* move (for); **~antworten** answer, reply to; **~arbeiten** work; *agr.* till; *chem., tech.* process, treat (a. *Thema*); *Fall etc.*: be* in charge of; *F j-n*: work on; **~aufsichtigen** supervise; *Kind*: look after; **~auftragen** commission; *anweisen*: instruct; **~ mit** put s.o. in charge of; **~bauen** build* on; *agr.* cultivate

beben shake*, tremble (*beide*: **vor** with); *Erde*: quake

Becher m cup; *Henkel*♀: a. mug

Becken n basin; pool; *anat.* pelvis; *mus.* cymbal(s pl)

bedächtig deliberate

bedanken: sich bei j-m (für et.) ~ thank s.o. (for s.th.)

Bedarf m *econ.* demand (for)

bedauerlich regrettable; **~erweise** unfortunately

bedauern j-n: feel* sorry for, pity; *et.*: regret; 2 n regret (**über** at); **~swert** pitiable, deplorable

bedeck|en cover; **~t** *Himmel*: overcast

bedenk|en consider; 2en pl doubts pl; scruples pl; *Einwände*: objections pl; **~lich** doubtful; *ernst*: serious; critical

bedeuten mean*; **~d** important; *beträchtlich*: considerable

Bedeutung f meaning; *Wichtigkeit*: importance; 2slos insignificant; 2svoll significant

bedien|en v/t j-n: serve, wait on; *tech.* operate; **~ sich ~** help o.s.; v/i serve; *bei Tisch*: wait (at table); *Karten*: follow suit; 2ung f service; *Person*: waiter, waitress; clerk; *tech.* operation

beding|t limited; **~ durch** caused by, due to; 2ung f condition; **~ungslos** unconditional

bedrängen press (hard)

bedroh|en threaten; **~lich** threatening; 2ung f threat

bedrücken depress, sadden

Bedürf|nis n need (**für, nach** for); **2tig** needy, poor

be|eilen: **sich ~** hurry (up); **~eindrucken** impress; **~einflussen** influence; **~ein-**

trächtigen affect; **~end(ig)en** end, finish

beerdig|en bury; 2ung f funeral

Beere f berry; *Wein2*: grape

Beet n bed

befähigt (cap)able

befahr|bar passable; **~en** drive* on

befassen: **sich ~ mit** engage in; *Buch etc.*: deal* with

Befehl m order; command (**über** of); 2en order; command

befestigen fasten (**an** to), attach (to)

befinden: **sich ~** be* (situated *od.* located)

befolgen follow; *Gebote*: keep*

beförder|n carry, transport; **zu ... befördert werden** be* promoted (to) ...; 2ung f transportation (*a.* **~smittel**); promotion

be|fragen question, interview; **~freien** free; *retten*: rescue; **~freundet** friendly; **~ sein** be* friends

befriedig|en satisfy; **~end** satisfactory; 2ung f satisfaction

befristet limited (**auf** to)

befruchten fertilize

Befund m finding(s pl)

befürcht|en, 2ung f fear

befürworten advocate

begab|t gifted, talented; 2ung f gift, talent(s pl)

begegnen meet* (*a.* **sich ~**);

ℒung f meeting; *bes. feindliche*: encounter
begehen *feiern*: celebrate; *Tat*: commit; *Fehler*: make*
begeister|n inspire; **sich ~ für** be* enthusiastic about; **~t** enthusiastic; **ℒung** f enthusiasm
Begier|de f desire (*nach* for); **ℒig** eager (*nach, auf* for)
begießen water; *Braten*: baste; F *fig.* celebrate
Beginn m beginning, start; **zu ~** at the beginning; **ℒen** begin*, start
beglaubig|en certify; **ℒung** f certification
begleit|en accompany; *j-n nach Hause ~* see* s.o. home; **ℒer(in)** companion; **ℒung** f company; *Schutz*: escort; *mus.* accompaniment
be|glückwünschen congratulate (*zu* on); **~gnädigen** pardon; **~gnügen: sich ~ mit** be* satisfied with; **~graben** bury; **ℒgräbnis** n funeral; **~greifen** understand*; **~greiflich** understandable; **~grenzen** limit (*auf* to)
Begriff m idea, notion; *Ausdruck*: term; *im ~ sein zu* be* about to
begründen explain; → **gründen**
begrüß|en greet, welcome; **ℒung** f greeting, welcome
begünstigen favor
be|haart hairy; **~haglich**

comfortable; cozy
behalten keep* (**für sich** to o.s.); *sich merken*: remember
Behälter m container
behand|eln treat (*a. med.*); *Thema*: deal* with; **ℒung** f treatment
beharren insist (**auf** on); **~lich** persistent
behaupt|en claim; *fälschlich*: pretend; **ℒung** f claim
be|helfen: sich ~ mit make* do with; **sich ~ ohne** do* without
beherrsch|en *Lage, Markt etc.*: control; *Sprache*: have* a good command of; **sich ~** control o.s.; **ℒung** f command, control; **die ~ verlieren** lose* one's self-control
Behörde f authority
behutsam careful
bei *räumlich*: near; at; *zeitlich*: during; **~ j-m** at s.o.'s (place); **wohnen** stay (*ständig*: live) with; **arbeiten** ~ work for; **e-e Stelle** ~ a job with; **~ Müller** *Adresse*: c/o Müller; **ich habe ... ~ mir** I have ... with me; **~ Licht** by light; **~ Tag** during the day; **~ Nacht** at night; **~ Regen** in case of rain; **~ der Arbeit** at work; **~ weitem** by far; → **beim**

bei|behalten keep* up; **~bringen** teach*

beichten confess (a. fig.)

beide both; **m-e ~n Brüder** my two brothers; **wir ~** both of us; **keiner von ~n** neither of them

beieinander together

Bei|fahrer m front(-seat) passenger; **~fall** m applause; **2fügen** e-m Brief: enclose

beige beige

Bei|geschmack m (unpleasant) taste; **~hilfe** f subsidy; jur. aiding and abetting

Beil n hatchet

Beilage f Zeitung: supplement; Essen: side dish; vegetables pl

bei|läufig casual(ly); **~legen** Streit: settle; → **beifügen**

Beileid n condolence; **herzliches ~** my deepest sympathy

beiliegend enclosed

beim: **~ Arzt** etc. at the doctor's etc.; **~ Sprechen** while speaking; **~ Spielen** at play

Bein n leg; Knochen: bone

beinah(e) almost, nearly

beisammen together

Beischlaf m (sexual) intercourse

Beisein n presence

beiseite aside; **~ schaffen** (a. j-n) get rid of

beisetz|en bury; **2ung** f funeral

Beispiel n example; **zum ~** for example; **2haft** exemplary; **2los** unprecedented

beißen bite*; **sich ~ Farben:** clash

Bei|stand m assistance; **2stehen** assist, help; **2steuern** contribute (**zu** to)

Beitrag m contribution; Mitglieds2: dues pl; **2en** contribute (**zu** to)

beitreten join

bejahen answer yes to

bejahrt aged, elderly

bekämpfen fight* (against)

bekannt known; vertraut: familiar; **~ geben** announce; **j-n ~ machen mit** introduce s.o. to; **2e** m, f friend; **~lich** as everyone knows; **2machung** f announcement; **2schaft** f acquaintance

bekenn|en confess; **sich ~ schuldig** jur. plead guilty; **2tnis** n confession; Religion: denomination

beklagen: **sich ~** complain (**über** of, about)

Bekleidung f clothing

beklommen uneasy

be|kommen get*; Krankheit, Zug etc.: a. catch*; Kind: have*; **j-m ~** agree with s.o.; **~kräftigen** confirm; **~laden** load; fig. a. burden

Belag m covering; tech. coat(ing); Brot2: spread; (sandwich) filling

be|langlos irrelevant; **~lasten** Kto. load; fig. strain; Umwelt: pollute; **~lästigen** molest; **2lastung** f load; fig. burden; strain, stress

Beleg *m Beweis*: proof; *econ.* receipt; **2en** cover; *Platz etc.*: reserve; *beweisen*: prove; *Kurs etc.*: sign up for; **2t** taken, occupied; *Hotel etc.*: full; *Stimme*: husky; *Zunge*: coated

belehren teach*; inform

beleidig|en offend, *stärker*: insult; **~end** offensive, insulting; **2ung** *f* offense, insult

beleuchten light* (up), illuminate; **2ung** *f* light(ing); illumination

belicht|en expose; **2ung** *f* exposure (*a.* **~szeit**)

Belieben *n*: *nach* ~ at will

beliebig: *jeder* **2e** anyone

beliebt popular (*bei* with); **2heit** *f* popularity

beliefern supply

bellen bark

belohn|en, 2ung *f* reward

bel|ügen: *j-n* ~ lie to s.o.; **~mängeln** find* fault with

bemerk|bar noticeable; *sich* ~ *machen* draw* attention to o.s.; *Folgen etc.*: begin* to show; **~en** notice; *sagen*: remark; **~enswert** remarkable (*wegen* for); **2ung** *f* remark

bemitleiden pity, feel* sorry for; **~swert** pitiable

bemüh|en: *sich* ~ try (hard); *sich* ~ *um et.*: try to get; *j-n*: try to help; *Leute*: *danke für Ihre* **~en** thank you for your trouble

benachbart neighboring

benachrichtig|en inform; **2ung** *f* information

benachteilig|en place *s.o.* at a disadvantage; *sozial*: discriminate against; **2ung** *f* disadvantage; discrimination

benehmen: *sich* ~ behave (o.s.); **2** *n* behavior

beneiden envy (*j-n um et.* s.o. s.th.); **~swert** enviable

benommen dazed

benötigen need, require

benutz|en use; *nützen*: make* use of; **2er(in)** user; **2ung** *f* use

Benzin *n* gas(oline)

beobacht|en watch; *genau*: observe; **2er(in)** observer; **2ung** *f* observation

bepflanzen plant (*mit* with)

bequem comfortable; **2lichkeit** *f* comfort

berat|en *j-n*: advise; *et.*: discuss; **2er(in)** adviser; **2ung** *f* advice (*a. med.*); debate; *Besprechung*: conference; **2ungsstelle** *f* counseling center

berauben rob; *fig.* deprive (*gen* of)

berechn|en calculate; *econ.* charge; **~end** calculating; **2ung** *f* calculation

berechtig|en entitle; *ermächtigen*: authorize; **~t** entitled; *Anspruch*: legitimate

Bereich *m* area; *Umfang*: range; (*Sach*)*Gebiet*: field

Bereifung *f* (set of) tires

bereinigen settle
bereit ready, prepared; **~en**
prepare; *verursachen:* cause;
Freude: give*; **~halten**
have* s.th. ready; *sich ~ be**
ready, stand* by; **~s** already;
2schaft f readiness; **~stel-**
len make* available, provide; **~willig** ready, willing
bereuen regret; repent (of)
Berg m mountain; **~e von**
heaps *od.* piles of; **2ab**
downhill (*a. fig.*); **2auf** up-
hill; **~bau** m mining
bergen rescue, save; *Tote:* recover; *enthalten:* hold*
Berg|führer(in) mountain
guide; **2ig** mountainous;
~mann m miner; **~rutsch** m
landslide; **~schuh** m climbing boot; **~steigen** n (mountain) climbing; **~steiger(in)**
(mountain) climber
Bergung f recovery; *Rettung:*
rescue
Bergwerk n mine
Bericht m report (*über od.*
account (of); **2en** report
(*über et.* s.th.); *j-m et. ~* inform s.o. of s.th.
berichtigen correct
bersten burst* (*vor* with)
berüchtigt notorious (*we-*
gen for)
berücksichtigen consider
Beruf m job, occupation;
Gewerbe: trade; *bsd. akade-*
mischer: profession; **2lich**
adj professional; *adv* on
business

Berufs|... *Sportler etc.:* pro-
fessional ...; **~ausbildung** f
vocational *od.* professional
training; **2tätig** working;
~verkehr m rush-hour traffic
Berufung f appointment (*zu*
to); *unter ~ auf* with reference to; **~ einlegen** appeal
beruhen: *~ auf be** based on;
et. auf sich ~ lassen let*
s.th. rest
beruhigen calm (down),
soothe (*a. Nerven*); *sich ~*
calm down; **2ung** f calming
(down); *Erleichterung:* relief; **2ungsmittel** n tranquil-
izer
berühmt famous
berühr|en, 2ung f touch
Besatzung f crew; *mil.* occupation (forces *pl*)
beschädig|en damage; **2ung**
f damage (*gen* to)
beschaffen provide, get*;
Geld: raise; **2heit** f state,
condition
beschäftig|en employ; *sich*
~ occupy o.s.; **2ung** f employment; occupation
beschäm|end shameful; hu-
miliating
Bescheid m: *~ sagen* let* s.o.
know; (*gut*) *~ wissen* (*über*)
know* (all about)
bescheiden modest; **2heit** f
modesty
bescheinig|en certify; *Emp-*
fang: acknowledge; **2ung** f
Schein: certificate

bescheißen rip off

beschenken: give* s.o. presents

beschicht|en, 2ung f coat

be|schimpfen insult; **~schissen** lousy, rotten

beschlag|en v/i Glas: steam up; adj steamed-up; fig. well-versed; **2nahme** f confiscation; **~nahmen** confiscate

beschleunig|en accelerate; **2ung** f acceleration

be|schließen decide (on); Gesetz: pass; beenden: conclude; **2schluss** m decision

be|schmieren smear; **~schmutzen** make dirty; **~schneiden** cut* (a. fig.)

beschränk|en limit, restrict; **sich ~ auf** confine o.s. to; **2ung** f limitation, restriction

beschreib|en describe; **2ung** f description; account

beschriften write* on; **2ung** f writing

beschuldigen: j-n e-r Sache ~ accuse s.o. of (doing) s.th.; **2ung** f accusation

beschützen protect

Beschwer|de f complaint; **2en: sich ~** complain (über about, of; **bei** to)

be|schwichtigen appease; **~schwipst** tipsy; **~schwören** et.: swear* to; **j-n:** implore; **~seitigen** remove

Besen m broom

besessen obsessed (von by)

besetz|en occupy (a. mil.); Stelle: fill; thea. cast*; Kleid: trim; **~t** WC: occupied; Platz: taken; tel. busy; **2zeichen** n busy signal

besichtigen visit, see*; **2ung** f sightseeing; visit

besiedelt: dicht ~ densely populated

besiegen defeat, beat*

Besinnung f consciousness; **zur ~ kommen** come* to one's senses; **2slos** unconscious

Besitz m possession; Eigentum: property; **2en** possess, own; **2er(in)** owner

besondere special, particular; **2heit** f peculiarity; **~s** especially

besonnen prudent, calm

besorg|en get*, buy*; erledigen: **2nis** f concern; **~t** concerned; **2ung** f: **~en machen** go* shopping

besprechen discuss, talk s.th. over; **2ung** f discussion; meeting, conference

besser better; **es geht ihm ~** he is better; **~n: sich ~** get* better, improve; **2ung** f improvement; **gute ~!** speedy recovery!

Bestand m (continued) existence; Vorrat: stock; **~ haben** be* last(ing)

beständig constant, steady

Bestandteil m part, component

bestärken j-n: encourage

bestätig|en confirm; Emp-

fang: acknowledge; **sich ~** prove* (to be) true; ⚲ung *f* confirmation; acknowledgment

beste best; *am ~n* best; *es ist das ~, wir* it would be best to *inf*; *der (die, das)* ⚲ the best

bestechen bribe; **~lich** corrupt; ⚲ung *f* bribery

Besteck *n* silverware

bestehen *Prüfung*: pass; ~ *auf* insist on; ~ *aus (in)* consist of (in); ~ *bleiben* last, survive

besteigen get* on; *Berg*: climb

bestellen order; *Zimmer etc.*: book; *vor~*: reserve; *Gruß*: give*, send*; ⚲nummer *f* order number; ⚲schein *m* order form; ⚲ung *f* order; booking; reservation

Bestie *f* beast; *fig. a.* brute

bestimmen determine, decide; *Begriff*: define; *auswählen*: choose*, pick; *bestimmt für* meant for; **~t** *adj* certain; *besondere*: special; *festgelegt*: fixed; *energisch*: firm; *adv* certainly; *er ist ~ ...* he must be ...; ⚲ung *f* regulation; *Zweck*: purpose; ⚲ungsort *m* destination

bestrafen punish; ⚲ung *f* punishment

Bestreben *n*, ~ung *f* effort

bestürzt dismayed; ⚲ung *f* dismay

Besuch *m* visit; *Teilnahme*:

attendance; ~ **haben** have* company *od.* guests; ⚲en visit; *Schule, Veranstaltung etc.*: attend; **~er(in)** visitor, guest; **~szeit** *f* visiting hours *pl*

betasten touch, feel*; **~tätigen** *tech.* operate; *Bremse*: apply; *sich ~* be* active

betäuben stun (*a. fig.*), daze; *med.* anesthetize; ⚲ung *f med.* anesthetization; *Zustand*: anesthesia; *fig.* stupefaction; ⚲ungsmittel *n* anesthetic

beteiligen give* *s.o.* a share (*an* in); *sich ~ (an)* participate (in); *~t concerned*; ~ *sein an* be* involved in; ⚲ung *f* participation; share

beten (say* one's) pray(ers)

beteuern protest

Beton *m* concrete

betonen stress; *fig. a.* emphasize; ⚲ung *f* stress; *fig.* emphasis

Betracht: *in ~ ziehen* take* into consideration *od.* account; **~trachten** look at; ~ *als* regard as; ⚲trächtlich considerable

Betrag *m* amount; ⚲en amount to; *sich ~* behave (o.s.); **~en** *n* behavior

betreffen concern; *betrifft (Betr.)* re; *was ... betrifft* as for, as to

betreten *v/t* step on; *eintreten*: enter; *adj* embarrassed; **~treuen** look after

Betrieb *m* business; *tech.* operation; *außer ~* out of order; *es war viel ~ in ...* the ... was very busy

Betriebs|**leitung** *f* management; **~unfall** *m* industrial accident; **~wirtschaft** *f* business administration

be|**trinken**: *sich ~* get* drunk; **~troffen** affected; → **bestürzt**

Be|**trug** *m* cheating; *jur.* fraud; **2trügen** cheat (*Partner*: on s.o.; *j-n um* s.o. out of); **~trüger(in)** fraud

betrunken, **2e** *m, f* drunk

Bett *n* bed; *ins ~ gehen* go* to bed; **~decke** *f* bedspread

betteln beg (*um* for)

Bett|**gestell** *n* bedstead; **2lägerig** bedridden; **~laken** *n* sheet

Bettler(in) beggar

Bettwäsche *f* bed linen

beugen bend* (*a. sich ~*; *dat* to)

Beule *f* bump; *Auto*: dent

be|**unruhigen** alarm; **~urlauben** give* s.o. time off; **~urteilen** judge

Beuschel *n* österr. lung(s *pl*)

Beute *f* loot; *tier*: prey (*a. fig.*); *Opfer*: victim

Beutel *m* bag; *zo., Tabaks*2: pouch

bevölker|**n** populate; **~t** → **besiedelt**; **2ung** *f* population

bevollmächtigen authorize; **2te** *m, f* authorized person

bevor before; **~munden** patronize; **~stehen** be* near (*Gefahr*: imminent); *j-m ~* await s.o.; **~zugen** prefer; **~zugt** privileged

bewach|**en** guard; **2er** *m*, **2ung** *f* guard

bewaffn|**en** arm; **2ung** *f* armament; *Waffen*: arms *pl*

bewahren keep*; *~ vor* preserve *od.* save from

bewähr|**t** (well-)tried; *Person*: experienced; **2ung** *f* probation (*a. -sfrist*)

be|**wältigen** manage; **~wandert** (well-)versed

bewässer|**n** *Land etc.*: irrigate; **2ung** *f* irrigation

beweg|**en** (*sich*) *~* move; **2grund** *m* motive; **~lich** movable; *Teile*: moving; **2lichkeit** *f* mobility; **~t** *Meer*: rough; *Leben*: eventful; *fig.* moved; **2ung** *f* movement (*a. pol.*); motion (*a. phys.*); *körperliche*: exercise; *in ~ setzen* set* in motion; **~ungslos** motionless

Beweis *m* proof (*für* of); **2en** prove*

bewerb|**en**: *sich ~ um* apply for; *pol.* → **kandidieren**; **2er(in)** applicant; **2ung** *f* (*Schreiben*: letter of) application

be|**werten** rate; **~willigen** grant; **~wirken** bring* about

bewirt|**en** entertain; **~schaften** manage

bewohn|en inhabit, live in; **~t** *Haus:* occupied; 2er(in) inhabitant; occupant

Bewölkung *f* clouds *pl*

Bewunder|er *m* admirer; 2n admire (**wegen** for)

bewusst conscious; *sich gen* **~ sein** be* aware *od.* conscious of; **~ machen** make* *s.o.* aware of *s.th.*; **~los** unconscious; 2sein *n* consciousness; **bei ~** conscious

bezahl|en *Summe, j-n:* pay*; *Ware etc.:* pay* for (*a. fig.*); 2ung *f* payment; *Lohn:* pay

bezaubernd charming

bezeichn|en: **~ als** call; **~end** characteristic; 2ung *f* name

bezeugen testify to

bezieh|en cover; *Bett:* change; *Haus etc.:* move into; **~ auf** relate to; **sich ~ auf** refer to; 2ung *f* relation (**zu** to *s.th.*; with *s.o.*); relationship (**zu** with *s.o.*); respect; **~ungsweise** respectively; *oder (vielmehr):* or (rather)

Bezirk *m* district

Be|zug *m* c⟨o⟩ver(ing); case, slip; *Bezüge pl* earnings *pl*; **~ nehmen auf** refer to; **in ~ auf** → 2züglich regarding

be|zwecken aim at, intend; **~zweifeln** doubt

BH *m* bra

Bibel *f* Bible

Biber *m* beaver

Bibliothek *f* library; **~ar(in)** librarian

biblisch biblical

bieder upright; *iron.* simple

bieg|en *Verb* (*a. sich ~*); **~ um** (*in*) turn (a)round (into); **~sam** flexible; 2ung *f* curve

Biene *f* bee; **~nkorb** *m*, **~nstock** *m* (bee)hive

Bier *n* beer; **~deckel** *m* coaster; **~krug** *m* (beer)stein

Biest *n* F beast

bieten offer; *Auktion:* bid*; **sich ~** present itself; **sich ~ lassen** put* up with *s.th.*

Bilanz *f* balance; *fig.* result

Bild *n* picture; *fig.* idea

bilden form (*a. sich ~*); *fig.* educate (**sich** o.s.)

Bild|erbuch *n* picture book; **~hauer(in)** sculptor; 2lich *fig.* figurative

Bildschirm *m* TV screen; *Computer: a.* monitor

Bildung *f* education; *von et.:* formation; **~s...** educational

Billard *n* billiards *sg*

billig cheap

billigen approve of

Billion *f* trillion

Binde *f* bandage; (arm-)sling; → **Damenbinde** 2glied *n* (connecting) link; **~haut-entzündung** *f* conjunctivitis; 2n bind* (*fig. sich* o.s.); tie; *Krawatte:* knot; 2nd binding; **~strich** *m* hyphen

Bindfaden *m* string

Bindung *f fig.* tie, link, bond; *Ski:* binding

Bio..., **2...** *Chemie, dynamisch etc.:* bio...

Biographie *f* biography

Bio|laden *m* health food store; **~logie** *f* biology; **2logisch** biological; *agr.* organic

Birke *f* birch(-tree)

Birne *f* pear; *electr.* bulb

bis *zeitlich:* until, (up) to; (**~ spätestens**) by; *räumlich:* (up) to, as far as; **Montag ~ Freitag** Monday through Friday; **von ... ~** from ... to; **~ auf** except; **~ jetzt** so far

bisher up to now, so far

Biss *m* bite (*a. fig.*)

bisschen: ein ~ a little

Bissen *m* bite

bissig *fig.* cutting; **ein ~er Hund** a vicious dog; **Vorsicht, ~er Hund!** beware of the dog!

Bitte *f* request (**um** for)

bitte please; *als Antwort:* that's o.k.; (**wie**) **~?** pardon?

bitten ask (**um** for)

bitter bitter

blähen swell* (*a. sich ~*); **2ungen** *pl* flatulence *sg*

Blam|age *f* disgrace; **2ieren** make* *s.o.* look like a fool; **sich ~** make* a fool of o.s.

blank shiny; *F* broke

Blanko... blank ...

Bläschen *n* bubble; *med.* small blister

Blase *f* bubble; *anat.* bladder; *med.* blister

blas|en blow*; **2instrument**

n wind instrument; **2kapelle** *f* brass band

blass pale (**vor** with); **~ werden** turn *od.* go* pale

Blatt *n* leaf; *Papier*2: sheet; *Säge*2: blade; *Karten*2: hand; (news)paper

blättern: ~ in leaf through

Blätterteig *m* puff pastry

blau blue; *F* plastered; **~er Fleck** bruise; **~es Auge** black eye; **2beere** *f* blueberry

bläulich bluish

Blech *n* sheet metal; **~dose** *f* can

Blei *n* lead

bleiben stay, remain; **~ bei** stick* to; **et. ~ lassen** leave s.th.; **lass das ~** stop it!; → **Apparat** *etc.*; **~d** lasting

bleich pale (**vor** with); **~en** bleach

blei|ern lead(en *fig.*); **~frei** unleaded; **2stift** *m* pencil; **2stiftspitzer** *m* pencil sharpener

Blende *f* blind; *phot.* aperture; (**bei**) **~ 8** (at) f-8; **2n** blind, dazzle; **2nd** *F* great

Blick *m* look; *flüchtiger:* glance; *Aussicht:* view; **auf den ersten ~** at first sight; **2en** look

blind blind; *Alarm:* false; **~er Passagier** stowaway

Blinddarm *m* appendix; **~entzündung** *f* appendicitis; **~operation** *f* appendectomy

Blind|e *m, f* blind (wo)man; **~enhund** *m* seeing eye dog; **~enschrift** *f* braille; **~heit** *f* blindness; **2lings** blindly

blinke|n sparkle; flash (a signal); *mot.* signal; **2r** *m mot.* turn signal

blinzeln blink (one's eyes)

Blitz *m* (flash of) lightning; **~ableiter** *m* lightning rod; **2en** flash; *es blitzt* there's lightning; **~gerät** *n* flash; **~schlag** *m* lightning stroke; **2schnell** like a flash

Block *m* block; *pol.* bloc; *Schreib2*: pad; **~ade** *f* blockade; **~flöte** *f* recorder; **~haus** *n* log cabin; **2ieren** block; *mot.* lock; **~schrift** *f* block letters *pl*

blöd|(e) silly, stupid; **2sinn** *m* nonsense; **~sinnig** idiotic

blond blond, fair

bloß *adj* bare; *Auge*: naked; *nichts als*: mere; *adv* only, merely; **~legen** lay* bare; **~stellen** compromise (*sich* o.s.)

blühen bloom; *Baum*: blossom; *fig.* flourish

Blume *f* flower; *Wein*: bouquet; *Bier*: head; **~nhändler(in)** florist; **~nkohl** *m* cauliflower; **~nstrauß** *m* bunch of flowers; **~ntopf** *m* flowerpot

Bluse *f* blouse

Blut *n* blood; **2arm** anemic; **~bad** *n* massacre; **~druck** *m* blood pressure

Blüte *f* flower; bloom; *Baum2*: blossom; *fig.* height, heyday

Blut|egel *m* leech; **2en** bleed*

Blütenblatt *n* petal

Blut|erguss *m* hematoma, *blauer Fleck*: bruise; **~gruppe** *f* blood group; **2ig** bloody; **~kreislauf** *m* (blood) circulation; **~probe** *f* blood test; **~spender(in)** blood donor; **2stillend** styptic; **~transfusion** *f* blood transfusion; **~ung** *f* bleeding, hemorrhage; **~vergießen** *n* bloodshed; **~vergiftung** *f* blood poisoning; **~verlust** *m* loss of blood

Bö *f* gust, squall

Bock *m* buck (*a. Turnen*); **2ig** stubborn; sulky

Boden *m* ground; *agr.* soil; *Gefäß, Meer*: bottom; *Fuß2*: floor; *Dach2*: attic; **2los** bottomless; **~schätze** *pl* mineral resources *pl*

Bogen *m* curve, bend; *math.* arc; *arch.* arch; *Ski*: turn; *Papier*: sheet; *Pfeil und ~* bow and arrow; **~schießen** *n* archery

Bohle *f* plank

Bohne *f* bean

bohnern polish, wax

bohr|en bore, drill; **2er** *m* drill; **2insel** *f* oil rig; **2maschine** *f* power drill; **2turm** *m* derrick

Boje *f* buoy

Bolzen *m* bolt

bombardieren bomb; *fig.* bombard

Bombe *f* bomb; **~nanschlag** *m* bombing (**auf** of), bomb attack (on); **~r** *m* bomber

Bon *m* coupon, voucher

Bonbon *m*, *n* candy

Bonbon~ *n* boat

Bord¹ *n* shelf

Bord² *m naut., aviat.:* **an ~** on board; **über ~** overboard; **von ~ gehen** go* ashore; **~gepäck** *n* carry-on (luggage); **~karte** *f* boarding pass; **~stein** *m* curb

borgen → *leihen*

Borke *f* bark

Börse *f* stock exchange; **~nkurs** *m* quotation; **~n-makler(in)** stockbroker

Borste *f* bristle; **~ig** bristly

Borte *f* border; *Besatz:* lace

bösartig vicious; *med.* malignant

Böschung *f* slope, bank

böse bad, evil; *zornig:* angry, mad; **2** *n* evil

bos|haft malicious; **2heit** *f* malice

Botani|k *f* botany; **~ker(in)** botanist; **2sch** botanical

Bot|e, ~in messenger

Botschaft *f* message; *Amt:* embassy; **~er(in)** ambassador

box|en box; **2en** *n* boxing; **2er** *m* boxer; **2kampf** *m* boxing match, fight

boykottieren boycott

Branche *f* line (of business), trade; **~n(telefon)buch** *n* yellow pages *pl*

Brand *m* fire; **in ~ geraten (stecken)** catch* (set* on) fire; **~stifter** *m* arsonist; **~stiftung** *f* arson; **~ung** *f* surf; **~wunde** *f* burn

braten fry; *im Ofen:* roast; **2** *m* roast; **2fett** *n* dripping; **2soße** *f* gravy

Brat|kartoffeln *pl etwa* hash browns *pl;* **~pfanne** *f* pan, skillet; **~röhre** *f* oven

Brauch *m* custom; **2bar** useful; **2en** need; *Zeit:* take*; *ge~:* use; *müssen:* have* to

brau|en brew; **2rei** *f* brewery

braun brown; *(sun)tanned;* **~ werden** get* a tan

Bräune *f* (sun)tan; **2n** brown; *Sonne:* tan

Brause *f* shower; → *Limonade*

Braut *f* bride; *Verlobte:* fiancée

Bräutigam *m* bridegroom; *Verlobter:* fiancé

Braut|kleid *n* wedding dress; **~paar** *n* bride and (bride-)groom; *Verlobte:* engaged couple

brav good

brech|en break*; *er~:* throw* up; *med.* vomit; **sich ~** *opt.* be* refracted; **2reiz** *m* nausea

Brei *m* pulp, mash; *Kinder2:* pap

breit wide; broad (*a. fig.*); **2e** *f*

width, breadth; *geogr.* latitude; **2engrad** *m* degree of latitude

Brems|belag *m* brake lining; **~e** *f* brake; *zo.* gadfly; **2en** brake, put* on the brakes; slow down; **~kraftverstärker** *m* brake booster; **~leuchte** *f* brake light; **~pedal** *n* brake pedal; **~spur** *f* skid marks *pl*; **~weg** *m* stopping distance

brenn|bar *m* combustible; (in)flammable; **~en** burn*; *wehtun*: *a.* smart; *be** on fire; **2er** *m* burner; **2nessel** *f* (stinging) nettle; **2holz** *n* firewood; **2punkt** *m* focus; **2stoff** *m* fuel

Brett *n* board; → **Anschlagbrett**

Brezel *f* pretzel

Brief *m* letter; **~bogen** *m* sheet of (note)paper; **~kasten** *m* mailbox; **2lich** by letter; **~marke** *f* stamp; **~öffner** *m* letter opener; **~papier** *n* writing paper; **~tasche** *f* billfold, wallet; **~träger(in)** *m* letter carrier; **~umschlag** *m* envelope; **~wechsel** *m* correspondence

Brillant *m* (cut) diamond; **2** *adj* brilliant

Brille *f* (pair of) glasses *pl*; *Schutz*2: goggles *pl*; toilet seat

bringen bring*; *fort~, hin~*: take*; **~** *zu* get* *s.o.* to do *s.th.*, make* *s.o.* do *s.th.*; **es**

zu et. (nichts) ~ succeed (fail) in life

Brise *f* breeze

Brit|e *m*, **~in** Briton; *die Briten pl* the British *pl*; **2isch** British

bröckeln crumble

Brocken *m* piece; *Klumpen*: lump; **~** *pl Worte*: scraps *pl*

Brombeere *f* blackberry

Bronchitis *f* bronchitis

Brosche *f* brooch, pin

Broschüre *f* booklet

Brot *n* bread; *belegtes*: sandwich; **ein ~** a loaf of bread

Brötchen *n* roll

Bruch *m* break (*a. fig.*), breakage; *med.* hernia; *Knochen*2: fracture; *math.* fraction; *geol.* fault

brüchig brittle; cracked

Bruch|landung *f* crash landing; **~stück** *n* fragment; **~teil** *m* fraction

Brücke *f* bridge; *Teppich*: rug

Bruder *m* brother (*a. rel.*)

brüderlich brotherly

Brühe *f* broth; clear soup

brüllen roar; *Stier*: bellow

brumm|en *Insekt*: hum, buzz; **~ig** grumpy

brünett, 2e *f* brunette

Brunnen *m* well; *Quelle*: spring; *Spring*2: fountain

Brust *f* chest; *Busen*: breast

Brust|korb *m* rib cage; **~schwimmen** *n* breaststroke; **~warze** *f* nipple

brutal brutal; **2ität** *f* brutality

brüten brood, sit* (on eggs)

~ über brood over
brutto gross (*a. in Zssgn*)
BSE *vet.* → **Rinderwahn (-sinn)**
Bube *m* Karten: jack
Buch *n* book; **Dreh**2: script
Buche *f* beech
buchen book; *econ.* enter
Bücher|ei *f* library; **~regal** *n* bookshelf; **~schrank** *m* bookcase
Buch|halter(in) bookkeeper; **~haltung** *f* bookkeeping; **~händler(in)** bookseller; **~handlung** *f* bookstore
Büchse *f* box, case; **Blech**2: can; **~nöffner** *m* can opener
Buch|stabe *m* letter; **2stabieren** spell*; **2stäblich** literally
Bucht *f* bay
Buchung *f* booking; *econ.* entry
Buckel *m* hump; *contp.* hunchback
bücken: sich ~ bend* (down)
bucklig hunchbacked; **2e** *m, f* hunchback
Bude *f* stall, booth; *contp.* hole
Büfett *n: kaltes (warmes) ~* cold (hot) buffet (meal)
Büffel *m* buffalo; **2n** cram
Bug *m naut.* bow; *aviat.* nose
Bügel *m* hanger; **Brillen**2: temple; **~brett** *n* ironing board; **~eisen** *n* iron; **~falte** *f* crease; **2frei** non-iron; **2n** iron, press
Bühne *f* stage; *fig. a.* scene;

~nbild *n* (stage) set(ting)
Bullauge *n* porthole
Bulle *m* bull; F *fig.* cop
Bummel *m* stroll; **2n** stroll, saunter; *trödeln:* dawdle; **~streik** *m* slowdown
bumsen F screw
Bund1 *n* union, federation; **Hosen**2 *etc.:* (waist)band
Bund2 *n* bunch; bundle
Bündel *n, 2n* bundle
Bundes|... Federal ...; **~kanzler(in)** Federal Chancellor; **~land** *n* state, Land; **~liga** *f* First Division; **~republik** *f* Federal Republic; **~staat** *m* confederation; **~tag** *m* (Lower House of) German Parliament; **~wehr** *f* (German) Armed Forces *pl*
Bündnis *n* alliance
bunt (multi)colored; colorful (*a. fig.*); **2stift** *m* crayon
Burg *f* castle
Bürge *m* guarantor; *für Einwanderer:* sponsor; **2n: ~ für** sponsor *s.o.*; guarantee *s.th.*
Bürger|(in) citizen; **~krieg** *m* civil war; **2lich** middle-class; *contp.* bourgeois; **~meister(in)** mayor; **~rechte** *pl* civil rights *pl*; **~steig** *m* sidewalk
Büro *n* office; **~angestellte** *m, f* clerk; **~klammer** *f* (paper)clip; **~kratie** *f* bureaucracy
Bursche *m* fellow, guy
Bürste *f, 2n* brush
Bus *m* bus

Busch m bush, shrub
Büschel n tuft, bunch
Busen m bosom, breasts pl
Bushaltestelle f bus stop
Bussard m buzzard
Buße f Geld♀: fine

büßen pay* od. suffer for s.th.; rel. repent
Bußgeld n fine, penalty
Büste f bust; **~nhalter** m bra
Butter f butter; **~blume** f buttercup; **~milch** f buttermilk

C

Café n coffee shop
Camping n camping; **~bus** m RV (recreational vehicle); **~platz** m campground
Catcher(in) (all-in) wrestler
Celsius: 5 Grad ~ (Abk. 5° C) five degrees Celsius
Champagner m champagne
Champignon m mushroom
Chance f chance
Chaos n chaos; ♀tisch chaotic
Charakter m character; ♀isieren characterize; ♀istisch characteristic
charmant charming
Chef m boss; **~arzt, ~ärztin** medical director; **~in** f boss
Chemie f chemistry; **~kalien** pl chemicals pl; **~ker(in)** chemist; ♀isch chemical; **~otherapie** f chemotherapy

Chinesle, ~in, ♀isch Chinese
Chip m chip
Chirurg(in) surgeon
Chlor n chlorine
Cholesterin n cholesterol
Chor m choir (a. arch.); im ~ in chorus
Christ m Christian; **~entum** n Christianity; **~in** f Christian; ♀lich Christian
Chrom n chrome
Chronik f chronicle; ♀isch chronic; ♀ologisch chronological
Computer m computer
Conférencier m M.C., emcee
Corner m öster. corner (kick)
Couch f couch
Coupon m → Kupon
Cousin m, **~e** f cousin
Creme f cream
Cyberspace m Computer: cyberspace, virtual reality

D

da adv there; here; zeitlich: then; **~ sein** be* there, exist; **noch ~ sein** be* left; cj as, since, because
dabei mit enthalten: included, with it; gleichzeitig: at the

same time; **es ist nichts ~**
there's no harm in it; **es
bleibt ~** that's final; **~ sein**
be* present *od.* there; **~blei-
ben** stick* in it

dableiben stay

Dach *n* roof; **~boden** *m* attic;
~gepäckträger *m* roof rack

Dachziegel *m* tile

Dackel *m* dachshund

dadurch this *od.* that way;
deshalb: for this reason; so;
~, dass by doing s.th.; because

dafür for it *od.* that; *anstatt:*
instead; in return; **~ sein** be*
in favor of it; **er kann nichts
~** it's not his fault

dagegen against it; *jedoch:*
however, on the other hand;
haben Sie et. ~ (, dass)? do
you mind (if)?

daheim at home

daher from there; *bei Verben
der Bewegung:* ... along; *deshalb:* that is why

dahin there, to that place; *bei
Verben der Bewegung:* ...
along; *bis ~* till then; up to
there; **~ten** back there

dahinter behind it; **~ kommen** find* out (about it)

dalassen leave* behind

damalig then, at that time

Dame *f* lady; *Tanz:* partner;
Karte, Schach: queen; *Spiel:*
checkers

Damenbinde *f* sanitary napkin

damit *adv* with it; **was
meinst du ~?** what do you
mean by that?; *cj* so that

Damm *m* dam

dämmerig dim; **~n** dawn (*a.
F j-m* on s.o.); get* dark;
2ung *f* dusk; **Morgen~:** dawn

Dampf *m* steam; **2en** steam

dämpfen soften; *Schall:* muffle; *Stoff, Speisen:* steam; *fig.*
dampen

danach after it; *später:* afterwards; *entsprechend:* according to it

daneben next to it; *außerdem:* besides, at the same
time; *am Ziel vorbei:* beside
the mark

Dank *m* (**schönen**) many)
thanks *pl*; **Gott sei ~!** thank
God!; **2** *prp* thanks to; **2bar**
grateful; **~barkeit** *f* gratitude; **2e: ~ (schön)** thank
you (very much); **2en** thank

dann then; **~ und wann** (every) now and then

daran on it; *denken:* of it;
glauben: in it; *leiden:* from
it

darauf on (top of) it; *zeitlich:*
after (that); **am Tag ~** the
day after; **→ ankommen**

daraus from it; **was ist ~ ge-
worden?** what has become
of it?

darin in it *od.* that; **gut ~ sein**
be* good at it

Darlehen *n* loan

Darm *m* intestine

darstellen show*; *thea.* play;

_er(in) ac|tor (-tress); **_ung** f representation

darüber over _od._ above it; _quer:_ across it; _davon:_ about it; **_ hinaus** in addition

darum (a)round it; _deshalb:_ therefore

darunter under _od._ below it; _dazwischen:_ among them; _weniger:_ less

das → der

dasein → da

Dasein n life, existence

dass that; _damit:_ so (that); **ohne _** without _ger_

dastehen stand* (there)

Datei f Computer: file

Daten pl data pl (_Computer a._ sg), **_bank** f database; **_verarbeitung** f data processing

datieren date

Dattel f date

Datum n date

Dauer f duration; **für die _ von** for a period of; **auf die _** in the long run; _Stoff etc.:_ durable; **_lauf** m sg(ging); **2n** last, take*; **2nd** continual(ly); **_welle** f perm(anent)

Daumen m thumb

davon (away) from it; _dadurch:_ by it; _darüber:_ about it; _fort:_ away; _in Zssgn mst off; von et.:_ of it _od._ them; **_kommen** get* away

davor before it; in front of it; _sich fürchten etc.:_ of it

dazu _Zweck:_ for it; _trinken etc.:_ with it; _außerdem:_ in addition; **_ kommen (, es zu tun)** get* around to (doing) it; **_gehören** be* part of it; **_kommen** join s.o.; _et.:_ be* added

dazwischen between (them); _zeitlich:_ (in) between; _darunter:_ among them; **_kommen wenn et. dazwischenkommt** if s.th. unexpected happens

Debatte f debate

Deck n deck

Decke f blanket; _Zimmer:_ ceiling; tablecloth

Deckel m lid, top

decken cover; **→ Tisch**

Deckung f cover

defekt defective; out of order; **2** m defect, fault

defin|ieren define; **2ition** f definition

Defizit n deficit

dehn|bar elastic (_a. fig._); **_en** stretch (_a. fig._)

Deich m dike

dein your; **_er, _e, _(e)s** yours; **_etwegen** for your sake; _wegen gen:_ because of you

Dekan m dean

Deklin|ation f gr. declension; **2ieren** gr. decline

Dekor|ateur(in) decorator; **_ation** f (window) display; _thea.:_ scenery; **2ieren** decorate; _Fenster etc.:_ dress

Delfin m → **Delphin**

delikat delicious; **2esse** f

dicht

delicacy; 2**essengeschäft** n gourmet food store

Delle f dent

Delphin m dolphin

dementieren deny

dem|**entsprechend** accordingly; ~**nach** therefore; ~**nächst** shortly

Demokrat(**in**) democrat, *in den USA auf die Partei bezogen:* Democrat; 2**isch** democracy, *parteibezogen:* Democratic

demolieren demolish

Demonstr|**ant**(**in**) demonstrator; ~**ation** f demonstration; 2**ieren** demonstrate

De|**mut** f humility; 2**mütig** humble; 2**mütigen** humiliate; ~**mütigung** f humiliation

denk|**bar** conceivable; ~**en** think* (**an, über** of, about); **daran** ~ (**zu**) remember (to); **das kann ich mir** ~ I can imagine; 2**mal** n monument; *Ehrenmal:* memorial; 2**zettel** m *fig.* lesson

denn for, because; **es sei** ~, **dass** unless, except

dennoch yet, nevertheless

Deodorant n deodorant

Deponie f dump; 2**ren** deposit

Depr|**ession** f depression; 2**imieren** depress

der, die, das the; *dem pron* that, this; he, she, it; **die** *pl* these, those, they; *rel pron* who, which, that

derart so (much), like that; ~**ig** such (as this)

derb coarse; tough, sturdy

der-, die-, dasjenige he, she, that; **diejenigen** *pl* those

dermaßen → derart

der-, die-, dasselbe the same; he, she, it

desertieren desert

deshalb therefore, that is why, so

Desin|**fektionsmittel** n disinfectant; 2**fizieren** disinfect

Dessert n dessert

destillieren distill

desto → je

deswegen → deshalb

Detail n detail

Detektiv(**in**) detective

deuten interpret; *Sterne, Traum:* read*; ~ **auf** point at

deutlich clear, distinct

deutsch German **auf** 2 in German; 2**e** m, f German

Deutschland n Germany

Devise f motto; ~**n** pl foreign currency sg

Dezember m December

dezent discreet

Dezimal... decimal ...

Dia n slide

Diagnose f diagnosis

diagonal diagonal

Dialekt m dialect

Dialog m dialog

Diamant m diamond

Diät f (**auf** 2) a diet

dich you; ~ (**selbst**) yourself

dicht dense, thick; ~ **bei** close to

dichte|n write* (poetry); **2**r(in) poet; writer

Dichtung f poetry; *tech.* seal(ing)

dick thick; *Person:* fat; **~ machen** be* fattening; **~köpfig** stubborn

Dieb|(in) thief; **~stahl** m theft

Diele f board, plank; *Vorraum:* hall(way)

dien|en serve (*j-m* s.o.); **2st** m service; *Arbeit:* work; **~ haben** be* on duty; **~ habend**, **~ tuend** on duty; *im (außer)* ~ on (off) duty

Dienstag m Tuesday

Dienst|leistung f service; **2lich** official; **~stunden** pl office hours pl

dies, **~er**, **~e**, **~es** this (one); **~e** pl these

diesig hazy, misty

dies|jährig this year's; **~mal** this time; **~seits** on this side of

Dietrich m skeleton key

Differenz f difference

Digital... digital ...

Ding n thing; *vor allen* **~en** above all; **~s(bums)**, **~sda** m, f, n F thingamajig

Diplom n diploma

Diplomat|(in) diplomat; **2isch** diplomatic

dir to (you); *~ (selbst)* yourself

direkt direct; *TV* live; **~ neben** *etc.* right next to *etc.*; **2ion** f management; **2or(in)** director · manager; *Schule:*

---

principal; **2übertragung** f live broadcast

Dirig|ent(in) conductor; **2ieren** *mus.* conduct; direct

Diskette f diskette; **~nlaufwerk** n disk drive

Diskont m discount

Disko(thek) f disco(theque)

dis|kret discreet; **2kretion** f discretion; **~kriminieren** discriminate against; **2kriminierung** f discrimination; **2kussion** f discussion; **~kuswerfen** n discus throwing; **~kutieren** discuss; **~qualifizieren** disqualify

Distanz f distance (*a. fig.*); **2ieren: sich ~ von** distance o.s. from

Distel f thistle

Disziplin f discipline; *Sport:* event; **2iert** disciplined

divi|dieren divide (*durch* by); **2sion** f division

doch but, however, yet; → *trotzdem; also* ~ *(noch)* after all; *setz dich* **~!** do sit down!; *das stimmt nicht!* - **~!** that's not true! - yes, it is!

Docht m wick

Dock n dock

Dogge f Great Dane

Doktor m doctor('s degree)

Dokument n document; **~arfilm** m documentary

Dolch m dagger

dolmetsch|en interpret; **2er(in)** interpreter

Dom m cathedral

Donner m, **2n** thunder

Donnerstag m Thursday

doof dumb, stupid

Doppel n duplicate; *Sport*: doubles pl; **~... Bett, Zimmer** *etc.*: double ...; **~gänger(in)** double; **~punkt** m colon; **2t** double

Dorf n village, (small) town

Dorn m thorn; **2ig** thorny

Dorsch m cod(fish)

dort (over) there; **~her** from there; **~hin** there

Dose f can; **~nöffner** m can opener

Dosis f dose (*a. fig.*)

Dotter m, n yolk

Dozent(in) lecturer

Drache m dragon

Drachen m kite; *Sport*: hang glider; **e-n ~ steigen lassen** fly* a kite; **~fliegen** n hang gliding

Draht m wire; **~seilbahn** f cablecar

Drama n drama; **~tiker(in)** playwright; **2tisch** dramatic

dran F → **daran; ich bin ~** it's my turn

Drang m urge, drive

drängeln push, shove; **~en** push, shove; *zu et.*: press, urge; *Zeit*: be* pressing; **sich ~** press; *durch et.*: force one's way

drauf F → **darauf; ~ und dran sein zu** be* just about to *do s.th.*

draußen outside; outdoors

Dreck m F dirt; filth; *fig. a.* trash; **2ig** dirty; filthy

dreh|bar revolving, rotating; **2buch** n script; **~en** turn; *Film*: shoot*; **sich ~** turn; *schnell*: spin*; *Zigarette*: roll; **sich ~ um** *fig.* be* about; **2stuhl** m swivel chair; **2tür** f revolving door; **2ung** f turn; rotation; **2zahlmesser** m rev(olution) counter

drei three; **2eck** n triangle; **~eckig** triangular; **~fach** triple; **2rad** n tricycle; **~ßig** thirty; **~ßigste** thirtieth; **~zehn(te)** thirteen(th)

dressieren train

Drillinge pl triplets pl

drin F → **darin; das ist nicht ~!** no way!

dringen: **~ auf** insist on; **~ aus** escape from; **~ durch (in)** penetrate (into); **~d** urgent

drinnen inside; indoors

dritte third; **~ Welt** Third World; **2l** n third; **~ns** thirdly

Droge f drug; **2enabhängig** drug-addicted; **~erie** f drugstore

drohen threaten, menace

dröhnen roar; resound

Drohung f threat, menace

Drossel f thrush

drüben over there

Druck m pressure; *print.* print(ing); **2en** print

drücken v/t press; *Knopf: a.* push; *fig.* Preis *etc.*: bring* down; **sich ~ vor** shirk (doing) *s.th.*; v/i *Schuh*: pinch; **~d** oppressive

Druck|er m printer (a. Computer); **~erei** f print shop; **~knopf** m snap; tech. push button; **~sache** f printed matter; **~schrift** f block letters pl

Drüse f gland

Dschungel m jungle

du you

ducken: sich ~ duck

Duell n duel

Duett n duet

Duft m scent, fragrance, smell; **2en** smell* (**nach** of); **2ig** filmy, gauzy

duld|en tolerate, put* up with; **~sam** tolerant

dumm stupid; **2heit** f stupidity; **2kopf** m dimwit

dumpf dull; **~Ahnung:** vague

Düne f (sand) dune

düngen fertilize; **2r** m fertilizer

dunkel dark (a. fig.); **2heit** f dark(ness)

dünn thin, skinny

Dunst m haze; chem. vapor

dünsten stew, braise

dunstig hazy, misty

Dur n major (key)

durch through; by s.o.; math. divided by; gastr. (well-)done; **~aus** absolutely, quite; **~blättern** leaf through

Durchblick m fig. grasp of s.th.

durch|bohren pierce; durchlöchern: perforate; **~brechen** break* through;

break* (in two); **~brennen** Sicherung: blow*; Reaktor: melt* down; F run* away; **~bringen** get* (Kranke: pull) through; **~dacht** (well) thought-out; **~drehen** Rad: spin; F crack up; **~dringen** v/t penetrate; get* through

durcheinander confused; et.: (in) a mess; **~ bringen** confuse, mix up; **2** n mess

durchfahr|en go* through; **2t** f passage

Durchfall m diarrhea; **2en** fall* through; Prüfung: fail

durchführ|bar feasible; **~en** carry out, do*

Durchgang m passage; fig., Sport: round; **~s...** Verkehr etc.: through ...; Lager etc.: transit ...

durchgebraten well-done

durchgehen go* through; F run* away (**mit** with); **~d** continuous; **~ geöffnet** open all day

durchgreifen take* drastic measures; **~d** drastic; radical

durch|halten v/t keep* up; v/i hold* out; **~kommen** come* (durch Prüfung etc.: get*) through; **~kreuzen** Plan etc.: cross, thwart; **~lassen** let* pass od. through; **~lässig** permeable (to); undicht: leaky; Schuhe: wear*) through; Schule, Stufen: pass through; **~lesen** read* (through);

~leuchten *med.* X-ray; *pol. etc.* screen; ~löchern perforate; ~machen go* through; **die Nacht** ~ make* a night of it; ⊇messer *m* diameter; ~nässt soaked; ~queren cross

Durchreise *f* transit (*a. in Zssgn*); **auf der ~ sein** be* passing through; ⊇n *v/i* travel through; *v/t* tour

durch|reißen tear* (in two); ⊇lich *f* announcement; ~schauen look (*fig. j-n, et.*: see*) through

durchscheinen shine* through; ~d transparent

Durchschlag *m* (carbon) copy; ⊇en cut* in two; *Kugel etc.:* go* through; *sich* ~ struggle along; ⊇end *Erfolg:* sweeping

durchschneiden cut*

Durchschnitt *m* (**im** on an) average; ⊇lich *adj* average; ordinary; *adv* on an average

durch|sehen *v/i* see* *od.* look through; *v/t* look *od.*

go* through; ~setzen *et.*: push through; *sich* ~ be* successful; ⊇sichtig transparent; *klar:* clear; ~streichen cross out; ~suchen, ⊇suchung *f* search; ~wühlen rummage through; ⊇zug *m* draft

dürfen be* allowed to; **darf ich (...)?** may I (...)?; **du darfst nicht** you must not

dürftig poor; scanty

dürr dry; *Boden etc.:* arid; *mager:* skinny; ⊇e *f* drought

Durst *m* thirst; ~ **haben** be* thirsty (**auf** for); ⊇ig thirsty

Dusche *f* shower; ⊇n take* a shower

Düse *f* nozzle, jet; ~nflugzeug *n* jet (plane)

düster dark, gloomy

Dutzend *n* dozen

duzen use the familiar 'du' with *s.o.*; *sich* ~ be* on 'du' terms

Dyna|mik *f phys.* dynamics *sg*; *fig.* dynamism; ⊇misch dynamic; ~mit *n* dynamite

E

Ebbe *f* ebb tide, *Niedrigwasser:* low tide

eben *adj* even; *flach:* flat; *math.* plane; *adv* just; *genau:* exactly; **so ist es** ~ that's the way it is

Ebene *f* plain; *math.* plane; *fig.* level

ebenfalls as well, too

ebenso just as; ~ **gut** just as well; ~ **viel** just as much; ~ **wenig** just as little *od.* few

Eber *m* boar

ebnen level; *fig.* smooth

Echo *n* echo; *fig.* response

echt genuine, real; *wahr:*

true; *Dokument*: authentic; F ~ **gut** real good

Eck|e f corner (*a. Sport*); 2ig angular

edel noble; 2**metall** *n* precious metal; 2**stein** *n* precious stone; *geschnitten*: gem

EDV f EDP, electronic data processing

Efeu *m* ivy

egal F → **gleich**; *das ist mir* ~ I don't care

Egois|mus *m* ego(t)ism; ~**t(in)** ego(t)ist; 2**tisch** selfish, ego(t)istic(al)

ehe before

Ehe f marriage; ~**frau** f wife; 2**lich** *Kind*: legitimate

ehemalig former, ex-...

Ehe|mann *m* husband; ~**paar** *n* married couple

eher sooner; *lieber*: rather; *nicht ~ als* not until

Ehering *m* wedding ring

Ehre f, 2n honor

Ehren|..., 2**amtlich** honorary; ~**gast** *m* guest of honor; ~**wort** *n* word of honor

Ehr|furcht f respect (*vor* for); 2**fürchtig** respectful; ~**geiz** *m* ambition; 2**geizig** ambitious

ehrlich honest; F ~**l(?)** honestly!(?); 2**keit** f honesty

Ehrung f honor(ing)

Ei *n* egg; V ~**er** *pl* balls *pl*

Eiche f oak (tree)

Eichel f acorn; *anat.* glans (penis)

Eichhörnchen *n* squirrel

Eid *m* oath; *e-n* ~ **leisten** *od.* **ablegen** take an oath

Eidechse f lizard

eidesstattl|ich: ~**e Erklärung** affidavit

Eidotter *m, n* (egg) yolk

Eier|becher *m* eggcup; ~**stock** *m* ovary; ~**schale** f eggshell

Eifer *m* zeal, eagerness; ~**sucht** f jealousy; 2**süchtig** jealous (**auf** of)

eifrig eager, zealous

Eigelb *n* (egg) yolk

eigen (of one's) own; (*über-*) *genau*: particular; 2**art** f peculiarity; ~**artig** peculiar; *seltsam*: strange; ~**händig** with one's own hands; 2**heim** *n* home; ~**mächtig** arbitrary; 2**name** *m* proper noun

Eigenschaft f quality; *chem. etc.* property

eigensinnig stubborn

eigentlich actual(ly), real(ly)

Eigen|tum *n* property; ~**tümer(in)** owner, proprietor; 2**tümlich** peculiar; ~**tums-wohnung** f condo(minium)

eign|en: *sich ~ für Sache*: be* suitable for; *Person*: be* suited for; 2**ung** f suitability

Eil|bote *m*: *durch ~n* (by) special delivery; ~**brief** *m* special delivery letter

Eil|e f (*in* in) a hurry; 2**en** hurry; *et.*: be* urgent; 2**ig** hurried; *dringend*: urgent; *es ~ haben* be* in a hurry

Eimer *m* bucket, pail

ein one; a, an; **~ aus** on - off; **~ander** each other

ein|arbeiten break* *s.o.* in; **sich ~** work o.s. in; **~atmen** breathe, inhale

Ein|bahnstraße *f* one-way street; **2band** binding, cover; **2bauen** build* in, install, fit; **2biegen** turn (**in** into)

einbild|en: **sich ~** imagine; **sich et. ~ auf** be* conceited about; **2ung** *f* imagination; *Dünkel:* conceit

einbreche|n *Dach etc.:* collapse; *Winter:* set* in; **~ in** break* into, burglarize; *Eis etc.:* fall* through; **2r** *m* burglar

einbringen bring* in; **nichts ~** not pay*; be* no use

Einbruch *m* burglary; **bei der Nacht** at nightfall

ein|bürgern naturalize; **sich ~** come* into use; **~büßen** lose*; **~deutig** clear

eindring|en: **~ in** enter; force one's way into; **~lich** urgent

Ein|druck *m* impression; **2drücken** break* *od.* push in; **2drucksvoll** impressive

ein|eiig *Zwillinge:* identical; **~einhalb** one and a half

einer, **~e**, **~(e)s** one

einerlei of the same kind; → **gleich**; **2** *n:* **das ewige (tägliche) ~** the same old (daily) routine

einerseits on the one hand

einfach *adj* simple; *Fahrkarte:* one-way; *adv* simply, just; **2heit** *f* simplicity

einfädeln thread; *fig.* arrange; **sich ~** *mot.* get* in lane

Einfahrt *f* entrance; *mot.* driveway

Einfall *m* idea; **2en** fall* in, collapse; **~ in** invade; **j-m ~** occur to s.o.

ein|farbig solid-color(ed); **~fassen** border; **~fetten** grease

Einfluss *m* influence; **2reich** influential

ein|förmig uniform; **~frieren** freeze*

Ein|fuhr *f* import(ation); **2führen** introduce; *econ.* import; **~führung** *f* introduction

Ein|gabe *f* petition; *Computer:* input; **~gang** *m* entrance; *econ.* arrival; *Brief:* receipt

eingeben *med.* administer (to *s.o.*); *Daten:* feed*

einge|bildet imaginary; *dünkelhaft:* conceited; **~fallen** sunken, hollow

eingehen *v/i Stoff:* shrink*; *bot., zo.* die; **~ auf** agree to; *j-n:* listen *dat.* talk to; *v/t Risiko:* take*

einge|nommen: **~ sein von** be* taken with; **~schrieben** registered

Eingeweide *pl* intestines *pl*, bowels *pl*

eingewöhnen: **sich ~ in** settle into

ein|gießen pour; **~gliedern** integrate (**in** into); **~greifen** step in, interfere

Eingriff *m* intervention, interference; *med.* operation

einhalten *v/t* keep*; *v/i* stop

einheimisch native; *econ.* domestic; **2e** *m*, *f* local

Einheit *f* unit; *pol. etc.* unity; **2lich** uniform; homogeneous; **~s...** *Preis etc.*: standard ...

einholen catch* up with; *Zeitverlust*: make* up for

einig united; **~ sein** agree; **(sich) nicht ~ sein** differ

einige some, several

einigen unite; **sich ~ come* to an agreement**

einigermaßen somewhat

einiges some(thing); quite a lot

Einig|keit *f* unity; agreement; **~ung** *f* agreement; *pol.* unification

einkalkulieren take* into account, allow for

Einkauf *m* purchase; **2en** buy*, purchase; **~ gehen** go* shopping; **~s...** shopping ...; **~sbummel** *m* shopping spree; **~swagen** *m* cart; **~szentrum** *n* shopping mall

ein|kehren stop (**in** at); **~kleiden** clothe; **~klemmen** jam

Einkommen *n* income; **~steuer** *f* income tax

Einkünfte *pl* income *sg*

einlad|en *j-n*: invite; *Güter etc.*: load; **~end** inviting; **2ung** *f* invitation

Einlage *f* *econ.* deposit; *Schuh2*: insole

einlassen let* in, admit; **sich ~ mit (auf)** get* involved with (in)

ein|laufen *Stoff*: shrink*; *Wasser*: run* in; **sich ~ warm** up; **~leben: sich ~** settle in; **~legen** put* in (*a. Gang, gutes Wort*); *gastr.* pickle

einleit|en start; introduce; *med.* induce; **2ung** *f* introduction

ein|leuchten make* sense; **~liefern: ~ in(s)** take* to; **~lösen** *Scheck*: cash; **~machen** preserve; pickle

einmal once; one day; **auf ~** all at once; **nicht ~** not even; **→ noch**; **2eins** *n* (multiplication) table; *fig.* basics *pl*; **~ig** *fig.* unique

einmischen: **sich ~** meddle, interfere

Einmündung *f* junction

Einnahme *f* taking; **~n** *pl* receipts *pl*; **2nehmen** take*; *Geld*: earn, make*; **2nehmend** engaging

ein|ordnen put* in its place; *Akten*: file; **sich ~** *mot.* get* in lane; **~packen** pack (up); *einwickeln*: wrap up; **~parken** park; **~pflanzen** (*med., fig.* im)plant; **~planen** plan (*Zeit etc.*: allow) for; **~prägen** impress; **sich et.** ~ memorize *s.th.*; **~rahmen** frame; **~reiben** rub (*s.th.* in); **~reichen** hand in

Einreise *f* entry; **~visum** *n* entry visa

einrenken *med.* set*; *fig.* straighten out

einrichten furnish; *ermöglichen:* arrange; **sich ~ auf** prepare for; **2ung** *f* furnishings *pl*; *tech.* installation(s *pl*); *öffentliche:* institution, facility

eins one; one thing

einsam lonely; **2keit** *f* loneliness

einsammeln collect

Einsatz *m tech.* insert(ion); *Spiel:* stake(s *pl*); *Eifer:* effort(s *pl*); *Verwendung:* use

ein|schalten switch *od.* turn on; **~schätzen** judge, rate; **~schenken** pour (out); **~schicken** send* in; **~schlafen** fall* asleep, go* to sleep (*a.* *Glied*); **~schläfern** lull (*Tier:* put*) to sleep; **~schlagen** *v/t* knock in (*Zähne:* out); *zerbrechen:* break*; *v/i Blitz etc.:* strike*; *fig.* be* a success; **~schließen** lock in *od.* up; *umgeben:* enclose; *fig.* include; **~schließlich** including; **2schnitt** *m* cut

einschränken reduce, cut* down on (*a. Rauchen etc.*); **sich ~** economize; **2ung** *f* re-

striction; **ohne ~** without reservation

Einschreiben *n* registered letter; **2 ~ eintragen; sich ~** enroll

ein|schreiten intervene; **~schüchtern** intimidate; **~sehen** see*, realize; **~seitig** one-sided; *pol.* unilateral; **~senden** send* in; **~setzen** *v/t* put* in; *ernennen:* appoint; *Mittel:* use; *Leben:* risk; **sich ~** try hard; **sich ~ für** support; *v/i* set* in, start

Einsicht *f* insight; realization; **2ig** reasonable

ein|sparen save, economize on; **~sperren** lock up; **~springen** fill in (**für** for)

Einspritz... fuel-injection ...

Einspruch *m* objection

einspurig single-lane

ein|stecken pocket (*a. fig.*); *electr.* plug in; **~steigen** get* in; *Bus, aviat.:* get* on, board

einstellen *j-n:* engage, employ, hire; *aufgeben:* give* up; *beenden:* stop; *tech.* adjust (**auf** to); *Radio:* tune in (to); **sich ~ auf** adjust to; **2ung** *f* employment; *Haltung:* attitude; *tech.* adjustment

einstimmig unanimous

ein|studieren *thea.* rehearse; **~stufen** grade, rate; **2sturz** *m*, **~stürzen** collapse

eintauschen exchange (**gegen** for)

einteil|en divide (*in* into); *Zeit*: organize; **~ig** one-piece; **2ung** f division; organization

eintönig monotonous

Eintopf m stew

Eintracht f harmony

eintragen enter; *amtlich*: register (*a. sich ~*)

einträglich profitable

ein|treffen arrive; happen; **~treten** enter; happen; **~ in** join; **~ für** support

Eintritt m entry; *Zutritt, Gebühr*: admission; **~ frei!** admission free; **~ verboten!** keep out!; **~sgeld** n admission (fee); **~skarte** f ticket

einver|standen: ~ sein agree (*mit* to); **~!** agreed!; **2ständnis** n agreement

Einwand m objection

Einwander|er m immigrant; **2n** immigrate; **~ung** f immigration

einwandfrei perfect

Einweg... oneway ...

ein|weichen soak; **~weihen** dedicate; **~ in** let* s.o. in on s.th.; **~weisen: ~ in** send* to; *Arbeit*: instruct in; **~wenden** object (*gegen* to); **~werfen** throw* in (*a. Wort; Sport a. v/i*); *Fenster*: break*; *Brief*: mail; *Münze*: insert

einwickeln wrap (up)

einwilli|gen, 2gung f consent (*in* to)

einwirken: ~ auf act (up)on; *j-n*: work on

Einwohner(in) inhabitant

Einwurf m *Sport*: throw-in; *Schlitz*: slot

Einzahl f singular

einzahl|en pay* in; **2ung** f deposit

einzäunen fence in

Einzel n *Tennis*: singles sg; **~gänger(in)** loner; **~handel** m retail; **~heit** f detail; **einzeln** single; *getrennt*: separate(ly); *Schuh etc.*: odd

Einzelne: der ~ the individual; *im* **~n** in detail

Einzelzimmer n single room

einziehen v/i move in; v/t draw* in; *bsd. tech.* retract; *Kopf*: duck; *mil.* draft; *Besitz*: confiscate

einzig only; **kein 2er** not (a single) one; **das 2e** the only thing; **der 2e** the only one; **~artig** unique

Einzug m moving in; entry

Eis n ice; ice cream; **~bahn** f skating rink; **~becher** m sundae; **~berg** m iceberg; **~café** n ice-cream parlor

Eisen n iron

Eisenbahn f railroad; **~wagen** m (railroad) car

Eisenwaren pl hardware sg

eisern iron (*a. fig.*), of iron

eis|gekühlt iced; **2hockey** n hockey; **~ig** icy (*a. fig.*); **~kalt** icecold; **2kunstlauf** m figure skating; **2kunstläufer(in)** figure skater; **2würfel** m ice cube; **2zapfen** m icicle eitel vain; **2keit** f vanity

Eiter m pus; **2ern** fester

Eiweiß n white of egg; biol. protein

Ekel m disgust (**vor** at), nausea (at); n F beast; **2haft** sickening, disgusting; **2n: ich ekle mich vor ..., ... ekelt mich ...** makes me sick

Ekzem n eczema

elastisch elastic, flexible

Elch m moose; **~test** m mot. moose test

elegant elegant, smart

Elektri|ker(in) electrician; **2sch** electric(al)

Elektrizität f electricity; **~s-werk** n power station

Elektrogerät n electric appliance

Elektron|en... electron(ic) ...; **~ik** f electronics sg; **2isch** electronic

Elektrorasierer m electric razor

Element n element

Elend n misery; **2** miserable; **~sviertel** n ghetto(s pl)

elf eleven

Elfmeter m penalty (kick)

elfte eleventh

Ellbogen m elbow

Elster f magpie

elter|lich parental; **2n** pl parents pl; **2nteil** m parent

Email n, **~le** f enamel

Emanzipation f emancipation; **2iert** emancipated

Emigrant(in) emigrant, bsd. pol. refugee

Empfang m reception (a. Radio); Erhalt: receipt; **2en** receive; welcome

Empfänger m receiver; post. addressee; **2lich** susceptible (**für** to); **~nisverhütung** f contraception

Empfangs|bestätigung f receipt; **~chef** m, **~dame** f receptionist

empfehl|en recommend; **~enswert** recommendable; ratsam: advisable; **2ung** f recommendation

empfind|en feel*; **~lich**, **~sam** sensitive (**gegen** to); **2ung** f sensation; seelisch: feeling

empor up, upward(s)

empör|en shocking; **~t** shocked; **2ung** f indignation

Ende n end(ing Film etc.); am **~** at the end; schließlich: in the end; **zu ~** over; Zeit: up; **zu ~ gehen** come* to an end; **2n** (come* to an) end; finish

End|ergebnis n final result; **2gültig** final; **~lagerung** f final disposal (of nuclear waste); **2lich** finally; **2los** endless; **~runde** f, **~spiel** n final(s pl); **~station** f terminus; **~ung** f gr. ending

Energie f energy; **~versor-gung** f power supply

energisch energetic

eng narrow; Kleidung: tight; vertraut: close

Engel m angel

England England

Engländer *m* Englishman; **die ~** *pl* the English *pl*; **~in** *f* Englishwoman

englisch English; **auf** ♀ in Englisch

Engpass *m* bottleneck

engstirnig narrow-minded

Enkel *m* grandchild; grandson; **~in** *f* granddaughter

enorm enormous

entbehr|en do* without; *erübrigen:* spare; *vermissen:* miss; **♀ungen** *pl* privations *pl*

entbind|en give* birth; **entbunden werden von** *med.* give* birth to; **♀ung** *f med.* delivery

entdeck|en discover; **♀er** *m* discoverer; **♀ung** *f* discovery

Ente *f* duck

entehren dishonor; **~eignen** expropriate; **~fallen** *j-m:* slip *s.o.'s* memory

entfern|en remove; **sich ~** leave*; **~t** distant (*a. fig.*); **♀ung** *f* distance; removal

entfrosten *mot.* defrost

entführ|en kidnap; *Flugzeug etc.:* hijack; **♀er** *m* kidnapper; hijacker; **♀ung** *f* kidnaping; hijacking

entgegen contrary to; *Richtung:* toward(s); **~gesetzt** opposite; **~kommen** come* to meet; *fig.* meet* *s.o.* halfway; **~kommend** kind, helpful; **~nehmen** accept; **~sehen** await; *freudig:* look forward to

ent|gegnen reply; **~gehen** escape; **sich ~ lassen** miss; **~giften** decontaminate

enthalt|en contain, hold*; **sich ~** abstain (*gen* from); **~sam** abstinent; **♀ung** *f* abstention

enthüllen uncover; *fig.* reveal

enthusiastisch enthusiastic

ent|kleiden (**sich**) ~ undress, strip; **~kommen** escape; **~laden** unload; **sich ~** *electr.* discharge

entlang along

entlass|en dismiss; *Patient:* discharge; **♀ung** *f* dismissal; discharge

ent|lasten *j-n:* relieve (**von** of); **den Verkehr ~** ease the traffic load; **~legen** remote; **~mutigen** discourage; **~nehmen** take* (*dat* from); **~ aus** *fig.* gather from; **~reißen** snatch (away) (*dat* from)

entrüst|et indignant; **♀ung** *f* indignation

entschädig|en compensate; **♀ung** *f* compensation

entscheid|en (**sich**) ~ decide; **~end** decisive; *kritisch:* crucial; **♀ung** *f* decision

ent|schließen: **sich ~** decide, make* up one's mind; **~schlossen** determined; **♀schluss** *m* decision, resolution

entschlüsseln decode

entschuldig|en excuse; **sich ~** apologize (**bei** to); *ab-*

sagen; excuse o.s.; ~ **Sie** (**bitte**)! excuse me!; 2ung f excuse (a. Schreiben); apology; **um ~ bitten** apologize (**j-n** to s.o.); ~**!** excuse me

Entsetz|en n horror; 2lich horrible

Entsorgung f (safe) disposal (of garbage etc.)

entspann|en: sich ~ relax; pol. ease (up); 2ung f relaxation; pol. détente

entsprechen correspond to; e-r Beschreibung: answer to; Anforderungen etc.: meet*; ~**end** corresponding (to); passend: appropriate; 2ung f equivalent

entstehen arise*; allmählich: develop; ~ **aus** originate from; ~ **durch** be caused by; 2ung f origin

entstellen disfigure; fig. distort

enttäusch|en disappoint; 2ung f disappointment

entweder: ~ ... oder either ~ or

ent|weichen escape; ~**werfen** design; Schriftstück: draw* up

entwerten lower the value of; Fahrschein etc.: cancel; 2ung f devaluation; cancellation

entwick|eln: (sich) ~ develop (**zu** into); 2lung f development

entwirren disentangle

entzieh|en take* away (dat from); Führerschein etc.: revoke; 2ungskur f detoxification (treatment)

entziffern decipher

entzück|end delightful; ~**t** delighted (**von** at, with)

entzünd|en: sich ~ med. become* inflamed; ~**et** inflamed; 2ung f inflammation

Epidemie f epidemic

Epoche f epoch

er he; Sache: it

Er|barmen n pity, 2bärmlich pitiful; elend: miserable; 2barmungslos merciless

erbau|en build*, construct; 2r m builder, constructor

Erbe[1] m heir

Erbe[2] n inheritance, heritage; 2n inherit

erbeuten capture

Erbin f heiress

erbittert fierce, furious

erblich hereditary

Erbschaft f inheritance

Erbse f pea

Erd|apfel m öster. potato; ~**beben** n earthquake; ~**beere** f strawberry; ~**boden** m earth, ground; ~**e** f earth; Bodenart: soil; 2en electr. ground; ~**gas** n natural gas; ~**geschoss** n, ~**geschoß** n öster. first floor; ~**nuss** f peanut; ~**öl** n (mineral) oil, petroleum

erdrosseln strangle

erdrücken crush (to death); ~**d** fig. overwhelming

Erd|rutsch m landslide (a.

pol.); **~teil** m continent

erdulden suffer, endure

ereign|en: **sich ~** happen; **Qnis** n event; **~nisreich** eventful

Erektion f erection

erfahr|en learn*, hear*; *erleben*: experience; **~en** adj experienced; **Qung** f experience

erfassen seize; *begreifen*: grasp; *amtlich*: register

erfind|en invent; **Qer(in)** inventor; **Qung** f invention

Erfolg m success; **~ haben** be* successful, succeed; **Qlos** unsuccessful; **Qreich** successful; **Qversprechend** promising

erforder|lich necessary; **~n** require, demand

erforschen explore

erfreu|en please; **~lich** pleasing; **~licherweise** fortunately; **~t** pleased

erfrier|en freeze* (to death); **Qung** f frostbite

erfrischen refresh; **Qung** f refreshment

er|füllen fulfill; *halten*: keep*; *Zweck*: serve; *Erwartung*: meet*; **~ mit** fill with; **sich ~** come* true; **~gänzen** complement (**sich** each other); *hinzutun*: supplement, add; **~geben** amount to; **sich ~** surrender; **~ entstehen**; **sich ~ aus** result from

Ergebnis n result (a. Sport), outcome; **Qlos** fruitless

ergehen: **so erging es mir auch** the same thing happened to me; **et. über sich ~ lassen** (grin and) bear it

ergiebig productive, rich

ergreif|en seize, grasp; *Gelegenheit, Maßnahme*: take*; *Beruf*: take* up; *fig.* move, touch; **Qung** f capture

ergriffen moved

er|halten get*, receive; *bewahren*: preserve, keep*; *unterstützen*: support; *schützen*: protect; **gut ~** in good condition; **~hältlich** available

erheb|en raise; **sich ~** rise*; **~lich** considerable; **Qung** f survey; *geogr.* elevation

Erheiterung f amusement

er|hitzen heat; **~hoffen** hope for

erhöh|en raise; *fig. a.* increase; **Qung** f fig. increase

erhol|en: **sich ~** recover; **~sam** restful; **Qung** f recovery; rest

erinner|n: **j-n ~ (an)** remind s.o. (of); **sich ~ (an)** remember; **Qung** f memory (**an** of); → Andenken

erkält|en: **sich ~** catch* (a) cold; **(stark) erkältet sein** have* a (bad) cold; **Qung** f cold

erkennen recognize; *verstehen*: see*, realize

Erkenntnis f realization; **~se** pl findings pl

erklär|en explain (**j-m** to s.o.); *verkünden*: declare;

~ung f explanation; declaration; **e-e ~ abgeben** make* a statement

erkrank|en fall* sick; **~ an** get*, catch*; **2ung** f illness, sickness

erkundig|en: sich ~ inquire (**nach** about s.th., after s.o.); **2ungen** pl inquiries pl (**einholen** make*)

erlaub|en allow, permit; **sich ~** permit o.s.; dare; → **gönnen; 2nis** f permission

erläuter|n explain

erleb|en experience; see*; **Schlimmes:** go* through; **das ~ wir nicht mehr** we won't live to see that; **2nis** n experience

erledigen take* care of; **Problem:** settle; F j-n: finish

erleichter|n make* s.th. easier; **~t** relieved; **2ung** f relief

er|leiden suffer; **~lernen** learn*; **~lesen** choice

Erlös m proceeds pl

erloschen extinct

erlös|en deliver (**von** from); **2er** m Savior; **2ung** f rel. salvation; fig. relief

er|mächtigen authorize; **~mahnen** admonish; warn; **2mahnung** f warning; caution

Ermessen n discretion

ermittel|n find* out; bestimmen: determine; jur. investigate; **2lung** f finding; **~en** pl investigations pl

ermöglichen make* possible, allow s.o. to do s.th.

ermord|en murder; bsd. pol. assassinate; **2ung** f murder (gen of); assassination (of)

ermüd|en tire; **~end** tiring; **2ung** f fatigue

er|muntern, ~mutigen encourage; **2mutigung** f encouragement

ernähr|en feed*; Familie: support; **sich ~ von** live on; **2ung** f nutrition, diet

ernenn|en appoint; **2ung** f appointment

erneu|ern renew; **2erung** f renewal; **~t** adj renewed, new; adv once again

ernst serious, earnest; **~ nehmen** take* seriously; **2** m seriousness; **im ~ (?)** seriously (?); **~haft, ~lich** serious(ly)

Ernte f harvest; Ertrag: crop(s pl); **~dankfest** n Thanksgiving; **2n** harvest, reap (a. fig.)

erober|n conquer; **2ung** f conquest

eröffn|en open; **2ung** f opening

erörter|n discuss; **2ung** f discussion

erotisch erotic; sexy

erpress|en blackmail; Geld: extort; **2er(in)** blackmailer; **2ung** f blackmail

erraten guess

erreg|en excite; verursachen:

cause; Ձer *m* germ; Ձung *f*
excitement

erreich|bar within reach; *jemand*: available; **∼en** reach; *Bus etc.*: catch*; *fig.* achieve

er|richten erect; *fig.* establish; **∼röten** blush

Errungenschaft *f* achievement; F acquisition

Ersatz *m* replacement; substitute (*a. Person*); → *Schadenersatz*; **∼...** *Reifen, Teil etc.*: spare ...; **∼spieler(in)** substitute

erscheinen appear; Ձen *n* appearance; Ձung *f* appearance; *Natur*Ձ etc.: phenomenon

er|schießen shoot* (dead); **∼schlagen** kill; **∼schließen** develop

erschöpf|t exhausted; Ձung *f* exhaustion

erschrecken *v/t* frighten, scare; *v/i* be* frightened

erschütter|n shake*; *fig. a.* move; Ձung *f fig.* shock

erschweren make* (more) difficult

erschwinglich affordable

ersetzen replace (*durch* by); *ausgleichen*: make* up for

ersparen save; *j-m*: spare *s.o. s.th.*; Ձnisse *pl* savings *pl*

erst first; *nicht früher als*: not till *od.* before; *nur, nicht mehr od. später als*: only

erstarr|en stiffen; *fig.* freeze*; **∼t** stiff, numb

erstatten *Geld*: refund; →

Erstaun|en *n* astonishment; Ձlich amazing; Ձt astonished

erste first; *als* Ձ(*r*), *als* Ձs first; *fürs* Ձ for the time being; → *Mal*

erstechen stab (to death)

erstens first(ly)

ersticken suffocate, choke

erstklassig first-class

er|strecken: *sich* **∼** extend, stretch; *sich* **∼** *über a.* cover; **∼suchen**, Ձsuchen *n* request; **∼tappen** catch*, surprise; **∼teilen** give*

Ertrag *m* yield; *Einnahmen*: proceeds *pl*; Ձen bear*, stand*

erträglich tolerable

er|tränken, **∼trinken** drown; **∼übrigen** spare; *sich* **∼** be* unnecessary; **∼wachen** wake* up

erwachsen, Ձe *m, f* adult

er|wägen consider; **∼wähnen** mention; **∼wärmen** warm (*a. sich* **∼**; *für* to)

erwart|en expect; *Kind*: be* expecting; *warten auf*: wait for; Ձung *f* expectation

er|weisen *Dienst, Gefallen*: do*; *sich* **∼** *als* prove to be*; **∼weitern**: (*sich*) **∼** enlarge, extend; *bsd. econ.* expand

erwerb|en acquire; Ձung *f* acquisition

erwidern reply; *Besuch, Gruß, Liebe*: return

erwischen catch*, get*

erwünscht desirable

erzähl|en tell*; 2er(in) narrator; 2ung f story, tale
erzeug|en produce; 2er m producer; 2nis n product
erzie|hen bring* up; geistig: educate; ~ zu bring* up od. train s.o. to be; 2her(in) educator; teacher; kindergarten teacher; 2hung f upbringing; education
erzielen achieve; Sport, Punkte etc.: score
es it; Baby, Tier: a. he; she
essbar eatable, edible
essen eat*; zu Abend ~ have* supper (feiner: dinner); ~ gehen eat* out; → Mittag
Essen n food; Mahlzeit: meal; Gericht: dish
Essig m vinegar; ~gurke f pickle
Ess|löffel m tablespoon; ~tisch m dining table; ~zimmer n dining room
Etage f floor, story; ~nbett n bunk bed
Etat m budget
Etikett n label; (price) tag
Etui n case
etwa zirka: about; in Fragen: perhaps, by any chance; zum Beispiel: for example; nicht ~(, dass) not that; ~ig any (possible)

etwas indef pron something; fragend: anything; adj some; adv a little; somewhat
euch you; ~ (selbst) yourselves
eu|er, ~(e)re your
Eule f owl
Europa n Europe; ~... European ...; ~päer(in), 2päisch European
evangelisch Protestant; lutherisch: Lutheran; 2um n gospel
eventuell adj possible; adv possibly, perhaps, maybe
ewig eternal; F constant(ly); auf ~ for ever; 2keit f eternity
exakt exact, precise
Examen n exam(ination)
Exemplar n specimen; Buch etc.: copy
Exil n exile
Existenz f existence; 2ieren exist; subsist (von on)
Experiment n, 2ieren experiment
explo|dieren explode (a. fig.), burst*; 2sion f explosion; ~siv explosive
Export m export(ation); Bier: lager; 2ieren export
extra extra; speziell: special(ly)
extrem, 2 n extreme

F

Fabel f fable; **2haft** fabulous

Fabrik f factory; **~at** n make; *Erzeugnis*: product

Fach n compartment; *ped., univ.* subject; **~arbeiter(in)** skilled worker; **~arzt, ~ärztin** specialist *(für* in)

Fachgeschäft n specialist store; **~kenntnisse** pl specialized knowledge sg; **2lich** professional; technical; **~mann** m expert

fad(e) tasteless; *fig.* dull

Faden m thread *(a. fig.)*

fähig capable, able; **2keit** f (cap)ability; talent; skill

fahnden, 2ung f search *(nach* for)

Fahne f flag; F **e-e ~ haben** reek of alcohol

Fahrbahn f road; lane

Fähre f ferry(boat)

fahren v/i/i go* *(mit dem Auto, Bus* etc. by car, bus *etc.); in od. auf e-m Fahrzeug:* ride*; *Auto* ~: drive*; v/t drive*; *Fahr-, Motorrad:* ride*

Fahrer|(in) driver; **~flucht** f hit-and-run offense

Fahr|gast m passenger; **~geld** n fare; **~gemeinschaft** f car pool; **~karte** f ticket; **~kartenautomat** m ticket machine; **~kartenschalter** m ticket window;

2lässig reckless; **~lehrer(in)** driving instructor; **~plan** m schedule; **~preis** m fare; **~rad** n bicycle, F bike; **~schein** m ticket; **~scheinentwerter** m ticket-canceling machine; **~schule** f driving school; **~schüler(in)** student driver; **~stuhl** m elevator

Fahrt f ride, *mot. a.* drive; *Reise:* trip, journey

Fährte f track *(a. fig.)*

Fahrzeug n vehicle

Falke m hawk *(a. pol.)*, falcon

Fall m fall; *gr., jur., med.* case; *auf jeden* ~ in any case; *auf keinen* ~ on no account; *für den* ~, *dass ...* in case ...

Falle f trap

fallen v/i* fall; drop; *mil.* be* killed (in action); ~ *lassen* drop *(a. fig. j-n, Pläne etc.)*

fällen *Baum:* chop down; *Urteil:* pass

fällig due; *Geld: a.* payable

falls if, in case

Fallschirm m parachute

falsch wrong; *unwahr, unecht:* false; *gefälscht:* forged; ~ *gehen Uhr:* be* wrong; ~ *verbunden! tel.* sorry, wrong number

fälschen forge, fake

Falschgeld n counterfeit money

fehlerfrei

Fälschung f forgery, fake; counterfeit

Falte f fold; Knitter2, Runzel: wrinkle; Rock etc.: pleat; Bügel2: crease; **2en** fold; **~er** m butterfly; **2ig** wrinkled

familiär informal, personal

Familie f family; **~nname** m last name, surname; **~n-stand** m marital status

Fanatiker(in) fanatic; **2sch** fanatic

Fang m catch; **2en** catch*; **sich (wieder) ~** recover o.s.

Fantasie f imagination; Trugbild: fantasy; med. be* delirious; F talk nonsense; **2tisch** fantastic

Farbe f color; Mal2: paint; Gesichts2: complexion; Bräune: tan; Karten: suit; **2echt** colorfast

färben dye; ab~: bleed*; **sich rot ~** turn red

Farb|**film** m color film; **2ig** colored; fig. colorful; **2los** colorless; **~stift** m → **Buntstift**; **2ton** m shade

Fasan m pheasant

Fasching m → **Karneval**

Faser f fiber; Holz: grain; **2(e)rig** fibrous

Fass n barrel; **~bier** n draft (beer)

Fassade f facade, front

fassen seize, grasp; Schmuck: set*; fig. grasp, understand*; **sich ~** compose o.s.; **nicht zu ~** incredible; → **kurz**

Fassung f Schmuck: setting;

Brille: frame; electr. socket; schriftlich: draft(ing); Wortlaut: wording; **die ~ verlieren** lose* one's temper; **j-n aus der ~ bringen** put* s.o. out; **2slos** stunned, aghast

fast almost, nearly

fasten fast; **2zeit** f Lent; **2nacht** f → **Karneval**

fatal unfortunate

fauchen hiss (a. F fig.)

faul rotten, bad; Person: lazy; Ausrede: lame; F verdächtig: fishy; **~en** rot, decay

faulenzen laze, loaf; **2r(in)** loafer, bum

Faulheit f laziness

Fäulnis f rottenness, decay

Faust f fist; **~handschuh** m mitt(en); **2schlag** m punch

Favorit(in) favorite

Fax n fax; (Gerät) fax machine; **2en** fax

Feber öster., **~ruar** m February

Feder f feather; Schreib2: nib; tech. spring; **~ball** m badminton; Ball: shuttlecock; **~gewicht** n featherweight; **2n** be* springy; wippen: bounce; **~ung** f suspension

fegen sweep* (a. fig.)

fehlen be* missing; dat ~ (an) be* lacking s.th.; **sie fehlt uns** we miss her; **was fehlt dir?** what's wrong with you?

Fehler m mistake, error; Schuld, Mangel: fault; tech. a. defect; **2frei** faultless;

♀haft full of mistakes; *tech.* faulty

Fehl|geburt f miscarriage; **~griff** m mistake; **~schlag** m *fig.* failure; **♀schlagen** fail; **~zündung** f backfire (a. **~ haben**)

Feier f celebration; party; **~abend** m end of a day's work; closing time; **~ machen** quit* work; **nach ~** after work; **♀lich** solemn; **♀n** celebrate; **~tag** m holiday

feig(e) cowardly, F chicken

Feige f fig

Feig|heit f cowardice; **~ling** m coward

Feile f, **♀n** file

feilschen haggle (**um**) over)

fein fine; *zart*: delicate

Feind(in) enemy; **♀lich** hostile; *mil.* enemy; **~schaft** f hostility; **♀selig** hostile

fein|fühlig sensitive; **♀heit** f fineness; delicacy; **♀schmecker(in)** gourmet

Feld n field

Felge f (wheel) rim

Fell n coat; *abgezogenes*: skin; *Pelz:* fur

Fels|(en) m rock; **~brocken** a. boulder; **♀ig** rocky

feminin feminine; **♀ismus** m feminism; **♀istin** f, **~istisch** feminist

Fenster n window; **~brett** n windowsill; **~laden** m shutter; **~platz** m window seat; **~scheibe** f windowpane

Ferien pl vacation sg; **~ ha-**

ben be* on vacation; **~haus** n, **~wohnung** f vacation rental

Ferkel n piglet; F *fig.* pig

fern far(away), distant (a. *Zukunft*); **~ halten** keep* away (**von**) from); **♀bedienung** f remote control; **♀e** f (**aus der** from a) distance; **♀fahrer(in)** long-haul truck driver, trucker; **♀gespräch** n long-distance call; **♀glas** n binoculars pl; **♀lenkung** f remote control; **♀licht** n *mot.* bright lights, brights

Fernseh|en n (**im** on) television; **♀en** watch television; **~er** m TV set; television viewer; **~sendung** f TV program

Fernverkehr m long-distance traffic

Ferse f heel

fertig finished; *bereit:* ready; **~ bringen** manage to; **~ machen** finish (a. *fig. j-n*); *für et.:* get* ready (a. *sich ~*); **♀keit** f skill; **♀stellung** f completion

Fessel f *anat.* ankle; **~n** pl bonds pl (a. *fig.*); **♀n** bind*; *fig.* fascinate

fest firm (a. *fig.*); *nicht flüssig:* solid; *Schlaf:* sound

Fest n festival (a. *rel.*); *Feier:* party

fest|binden fasten, tie (**an** to); **~halten** hold* on to (a. *sich ~ an*); **~ an** *fig.* stick* to; **♀land** n mainland; **~legen: sich ~ auf** commit o.s. to)

~lich festive; ~machen fix, fasten (*alle*: **an** to); 2nahme f, ~nehmen arrest; 2platte f Computer: hard disk; ~setzen fix, set*; 2spiele pl festival sg; ~stehen be° certain (*Termin etc.*: fixed); ~stellen find* (out); see*, notice; *ermitteln*: determine

fett fat (a. *fig.*); *gastr.* fatty; *print.* bold; 2 n fat; grease (a. *tech.*); ~fleck m grease spot; ~ig greasy

Fetzen m shred; *Lumpen*: rag; *Papier*: scrap

feucht damp, moist; *Luft*: a. humid; 2igkeit f moisture; dampness; *Luft*: humidity

Feuer n fire (a. *fig.*); hast du ~? do you have a light?; ~fangen catch* fire; ~alarm m fire alarm; 2fest fireproof; 2gefährlich (in)flammable; ~leiter f fire escape; ~löscher m fire extinguisher; ~melder m fire alarm; 2n fire; ~wehr f fire department; *Löschzug*: fire engine; ~wehrmann m firefighter; ~werk n fireworks pl; ~zeug n lighter

feurig fiery, ardent

Fichte f spruce, F pine; ~nnadel f pine needle

ficken V fuck

Fieber n temperature, fever; 2haft feverish; ~thermometer n fever thermometer

fies mean, nasty

fiebrig feverish

Figur f figure

Filet n filet

Film m film; *Spiel2*: a. movie; ~e-n einlegen *phot.* load a camera; 2en film, shoot*; ~kamera f movie camera; ~schauspieler(in) film (od. movie) actor (-ress)

Filter m, *tech.* ~ filter (a. in *Zssgn* Papier, Zigarette etc.); ~kaffee m filtered coffee; 2n filter

Filz m felt; ~stift m marker

Finale n finale; *Sport*: final(s pl)

Finanzamt n IRS, Internal Revenue Service; ~en pl finances pl; 2iell financial; 2ieren finance; ~minister m finance minister; *in den USA*: Secretary of the Treasury

finden find*; *meinen*: think*, believe; wie ~ Sie ...? how do you like ...?

Finger m finger; ~abdruck m fingerprint; ~hut m thimble; *bot.* foxglove; ~spitze f fingertip

Fink m finch

finster dark; *düster*: gloomy; 2nis f darkness

Firma f company

firmen *rel.* confirm

First m *arch.* ridge

Fisch m fish; ~e pl *astr.* Pisces sg; ~dampfer m trawler; 2en fish; ~er m fisherman; ~er... Boot, Dorf etc.: fishing ...; ~fang m fishing; ~händ-

ler m fish dealer; **~zucht** f fish farming

fit: *sich ~ halten* keep* fit; **2nesscenter** n fitness center

fix *fest(gelegt)*: fixed; *flink*: quick

FKK nudism; **~-Strand** m nudist beach

flach flat; *seicht*: shallow

Fläche f *Ober2*: surface; *geom.* area; *weite ~*: expanse

Flachland n lowland, plain

flackern flicker

Flagge f flag

Flamme f flame

Flanell m flannel

Flanke f flank; *Sport*: cross

Flasche f bottle; **~nbier** n bottled beer; **~nöffner** m bottle opener, F church key; **~npfand** n deposit; **~nzug** m pulley

Flaum m down, fluff, fuzz

flauschig fluffy

Flaute f *naut.* calm; *econ.* slack period

Flechte f *bot.*, *med.* lichen; **2n** plait; *Korb*, *Kranz*: weave*

Fleck m spot (*a. Stelle*): stain; → *blau*; **~entferner** m stain remover; **2ig** spotted; *schmutzig*: *a.* stained

flehen beg (*um* for)

Fleisch n meat; *lebendes*: flesh (*a. fig.*); **~brühe** f consommé; **~er** m butcher; **~erei** f meat market; **~hauer** m *öster.* butcher; **2ig** fleshy; *bot.* pulpy; **~konserven** pl canned meat *sg*

Fleiß m hard work, diligence, industry; **2ig** hard-working, diligent, industrious

Flick|en m patch; **2en** mend, repair; *notdürftig*: patch (up); **~werk** n patch-up job

Flieder m lilac

Fliege f fly; *Krawatte*: bow tie

fliegen fly*; F *fallen*: fall*; → *Luft*

Fliegengewicht n flyweight

Flieger m pilot (*a. ~in*); *mil.* airman; F plane

fliehen flee*, run* away (*beide*: *vor* from)

Fliese f, **2n** tile

Fließ|band n assembly line; *Förderband*: conveyor belt; **2en** flow; **2end** flowing; *Wasser*: running; *Sprache*: fluent; *unbestimmt*: fluid

flimmern flicker

flink quick, nimble, brisk

Flinte f shotgun; F gun

Flipper m pinball (machine); **2n** play pinball

Flirt m flirt(ing); **2en** flirt

Flitterwochen pl honeymoon *sg*

Flocke f flake

Floh m flea; **~markt** m flea market

Floß n raft, float

Flosse f *naut.*, *Robbe*: flipper

Flöte f flute; → *Blockflöte*

flott brisk; *beschwingt*: lively; *schick*: smart

Flotte f fleet; **2nstützpunkt** m naval base

Fluch m curse; *Wort:* swearword; **2en** swear*, curse

Flucht f flight (*vor* from); escape (*aus* from); *auf der* ~ on the run

flüchten flee* (*nach, zu* to); run* away; **~ig** fugitive; *kurz:* fleeting; *oberflächlich:* superficial; **2igkeitsfehler** m slip; **2ling** m refugee

Flug m flight; **~begleiter(in)** flight attendant; **~blatt** n handbill, leaflet

Flügel m wing; *mus.* grand piano

Flug|gast m passenger; **~gesellschaft** f airline; **~hafen** m airport; **~linie** f airline; **~lotse** m air traffic controller; **~plan** m flight schedule; **~platz** m airfield; *großer:* airport; **~schein** m (air) ticket; **~sicherung** f air traffic control; **~steig** m gate; **~verkehr** m air traffic; **~zeit** f flying time

Flugzeug n plane, aircraft; **~absturz** m plane crash; **~entführung** f hijacking, skyjacking

Fluor n fluorine; *Wirkstoff:* fluoride; **~chlorkohlenwasserstoff** m CFC, chlorofluorocarbon

Flur m hall

Fluss m river; *Fließen:* flow; **2abwärts** downstream; **2aufwärts** upstream; **2bett** n river bed

flüssig liquid; *Sprache, Stil:* fluent; **2keit** f liquid; fluency

flüstern whisper

Flut f (high) tide, flood (*a. fig.*); → *Hochwasser;* **~licht** n floodlight; **~welle** f tidal wave

Fohlen n foal; *Hengst2:* colt; *Stut2:* filly

Föhn m foehn, warm dry wind; hair dryer; **2en** blow-dry

Folge f result, consequence; *Wirkung:* effect; *Serie:* series; *Teil:* sequel, episode; *in (rascher)* ~ in (quick) succession; **2en** follow; *gehorchen:* obey; *daraus folgt* it follows from this; *wie folgt* as follows; **2end** following; **2ern** conclude (*aus* from); **~erung** f conclusion; **2lich** thus, therefore

Folie f foil; → *Frischhaltefolie*

Fön® m hair dryer

Fonds m fund(s pl)

Förderband n conveyor belt

fordern demand; *jur. a.* claim (*a. Tote*); *Preis:* ask

fördern promote; *unterstützen:* support; *tech.* mine

Forderung f demand; *Anspruch:* claim; *econ.* charge

Förderung f promotion; *univ.* grant; *tech.* mining

Forelle f trout

Form f form, shape; *Sport a.* condition; *tech.* mold; **2al** formal; **~alität** f formality; **~at** n size; **~el** f formula

förmlich formal; *fig.* regular

formlos shapeless; *fig.* informal

Formul|ar *n* form, blank; **2ieren** formulate; **~ierung** *f* formulation

forsch brisk, straightforward

forsch|en *in (do*)* research (work); **~ nach** search for; **2er(in)** (research) scientist; *Entdecker:* explorer; **2ung** *f* research (work)

fort away, off; *nicht da:* gone; **~bewegen: sich ~** move; **2bildung** *f* further education *od.* training; **~fahren** leave*; *mot. a.* drive* off; *fig.* continue; **~führen** continue; **~gehen** go* away, leave*; **~geschritten** advanced; **~laufend** consecutive; **~pflanzen: sich ~** reproduce; **2pflanzung** *f* reproduction; **2schritt** *m* progress; **~schrittlich** progressive; **~setzen** continue; **2setzung** *f* continuation; *TV etc.:* sequel

Foto *n* photo(graph), picture; **~album** *n* photo album; **~apparat** *m* camera; **~graf** *m* photographer; **~grafie** *f* photography; *Bild:* → **Foto**; **2grafieren** photograph; take* a picture *od.* pictures of; **~grafin** *f* photographer; **~kopie** *f* (photo)copy; **~modell** *n* model

Foyer *n* foyer, lobby

Fracht *f* freight, load; *Ge-*

bühr: freight; **~er** *m* freighter

Frage *f* question; *in ~ kommen* be* possible *(Person:* eligible); **~bogen** *m* questionnaire; **2n** ask *(nach* for); **sich ~** wonder; **~zeichen** *n* question mark

frag|lich doubtful; *betreffend:* in question; **~würdig** dubious

frankieren stamp

Frankreich France

Franse *f* fringe

Franz|ose, ~ösin French|man (-woman); **2ösisch** French

Frau *f* woman; *Ehe2:* wife; **X** Mrs. *od.* Ms X

Frauen|arzt, ~ärztin gynecologist; **~bewegung** *f* feminist movement, Women's Lib; **2feindlich** sexist, misogynistic

Fräulein *n* Miss

frech impudent, fresh; **2heit** *f* impudence, nerve

frei free *(von* from, of); *nicht besetzt:* vacant; **~beruflich** freelance; *ein ~er Tag* a day off; *im 2en* outdoors

Frei|bad *n* outdoor (swimming) pool; **2bekommen** get* *a day etc.* off; **2geben** release; give* *s.o. a day etc.* off; **2gebig** generous; **~gepäck** *n aviat.* baggage allowance; **2haben** have* *a day etc.* off; **2halten** *Straße etc.:* keep* clear; *Platz:* save; *j-n:*

treat *s.o.* (to *s.th.*); **~heit** *f* freedom, liberty; **~heits- strafe** *f* prison sentence; **~karte** *f* free ticket; **2lassen** *f* release, set* free; **~lassung** *f* release; **~lichtbühne** *f*, **~lichttheater** *n* open-air theater; **2machen** *Post*: stamp; **sich ~** undress; **2sprechen** acquit (**von** from); **~spruch** *m* acquittal; **~stoß** *m* free kick; **~tag** *m* Friday; **2willig** voluntary; **~willige** *m*, *f* volunteer; **~zeit** *f* free *od.* leisure time

fremd strange; *ausländisch*: foreign, alien; *unbekannt*: unknown; **2e** *m*, *f* stranger; *Ausländer(in)*: foreigner, alien

Fremden|führer(in) guide; **~verkehr** *m* tourism; **~zimmer** *n* (guest) room

fremd|gehen be* unfaithful (to one's wife *od.* husband *etc.*); **2sprache** *f* foreign language; **2wort** *n* foreign word

Frequenz *f* frequency

fressen eat*, feed* on; *verschlingen*: devour

Freud|e *f* joy; *Vergnügen*: pleasure; **~ haben an** enjoy; **... macht ~** ... is fun; **2estrahlend** radiant (with joy); **2ig** joyful; *Ereignis*: happy

freuen: sich ~ be* glad *od.* happy (**über** about); **sich ~ auf** look forward to

Freund *m* friend; boyfriend; **~in** *f* friend; girlfriend; **2lich** friendly, kind, nice; *Raum*, *Farben*: cheerful; **~schaft** *f* friendship

Fried|en *m* peace; **~hof** *m* cemetery; **2lich** peaceful

frieren freeze*; **ich friere** I'm cold (*stärker*: freezing)

frisch fresh; *Wäsche*: clean; **~ gestrichen!** wet paint!; **2e** *f* freshness; **2haltefolie** *f* plastic wrap

Friseu|r *m* hairdresser('s); *Herren*2: barber('s); *Damensalon*: beauty parlor; *Herrensalon*: barbershop; **~se** *f* hairdresser

frisieren do* *s.o.*'s (**sich** one's) hair

Frist *f Termin*: deadline; **2los** without notice

Frisur *f* hairstyle, haircut

Fritten *pl* F fries

froh glad (**über** about)

fröhlich cheerful, happy

fromm religious, pious

Front *f* front; **in ~ liegen** be* ahead; **2al** head-on

Frosch *m* frog

Frost *m* frost

frösteln feel* chilly, shiver

frostig frosty (*a. fig.*); **2schutz(mittel** *n*) *m* antifreeze

Frottee *n*, *m* terry(cloth); **2ieren** rub down

Frucht *f* fruit; **2bar** fertile; **~barkeit** *f* fertility

früh early; **zu ~ kommen** be*

early; *heute* ~ this morning;
2aufsteher *m* early riser, F
early bird; **~er** in former
times; *ich war ~ ...* I used to
be ...; **~ere** *ehemalige*:
former; **~estens** at the earli-
est; **2jahr** *n*, **2ling** *m* spring
Frühstück *n* (*zum* for)
breakfast; **2en** have* breakfast
Frust *m* frustration; **2riert**
frustrated
Fuchs *m* fox; *Pferd*: sorrel
Fuge *f* joint; *mus.* fugue
fügen: *sich* ~ (*in*) submit (to)
fühl|bar noticeable; **~en:**
(*sich*) ~ feel*; **2er** *m* feeler
führen *v/t* lead*; *herum-, lenken*: guide; *bringen*: take*;
Betrieb etc.: run*, manage;
Waren: sell*; *Buch, Konto*:
keep*; *sich* ~ conduct o.s.;
v/i lead* (*zu* to); **~d** leading
Führer *m* leader (*a. pol.*);
*Fremden*2: guide; *Buch*:
guide (book); **~schein** *m*
mot. driver's license
Führung *f* leadership; *econ.*
management; *Besichtigung*:
tour; *in* ~ *gehen* (*sein*)
take* (be* in) the lead
Fülle *f* wealth, abundance;
Gedränge: crush; *Haar,
Wein*: body; **2en** fill; *Kissen,
gastr.*: stuff; **~er** *m* fountain
pen; **~ung** *f* filling (*a. Zahn*);
gastr. stuffing
fummeln fumble, fiddle
Fund *m* find, discovery
Fundament *n* foundation(s

pl); *fig. a.* basis
Fund|büro *n* lost and found;
~gegenstand *m* found article; **~grube** *f* rich source,
mine
fünf five; **2kampf** *m* pentath-
lon; **2linge** *pl* quintuplets *pl*;
~te, ~tel *n* fifth; **~tens** fifth-
ly, in the fifth place;
~zehn(te) fifteen(th); **~zig**
fifty; **~zigste** fiftieth
Funk *m* radio
Funke *m* spark; *fig. a.* glimmer;
2ln sparkle, glitter;
Stern: a. twinkle
funk|en radio, transmit; **2er**
(**-in**) radio operator; **2gerät**
n (two-way) radio; **2haus** *n*
broadcasting center; **2signal**
n radio signal; **2spruch** *m*
radio message; **2streife** *f*
(radio) patrol car
Funktion *f* function; **~är(in)**
official; **2ieren** work
Funkverkehr *m* radio commu-
nication(s *pl*)
für for; *zugunsten: a.* in favor
of; *Tag* ~ *Tag* day after day;
Wort ~ *Wort* word by word;
was ~ *...?* what (kind *od.*
sort of) ...?
Furcht *f* fear; *aus* ~ *vor* (*dass*) for fear of (that);
2bar terrible, awful
fürcht|en fear (*um* for); *sich*
~ be* scared *od.* afraid (*vor*
of); *ich fürchte, ...* I'm
afraid ...; **~erlich → furchtbar**
furchtlos fearless

füreinander for each other
Fürsorge f care; *öffentliche ~* public welfare (work); *von der ~ leben* be* on welfare
Fürsprecher(in) advocate
Furunkel m boil
Fuß m foot; *zu ~* on foot; *zu ~ gehen* walk
Fußball m soccer; *amerikanischer*: football; *Ball*: football; soccer ball; *~platz* m football field; soccer field; *~spiel* n football game; soccer game; *~spieler(in)* football player; soccer player

Fuß|boden m floor; *~bremse* f mot. footbrake
Fußgänger(in) pedestrian; *~übergang* m crosswalk; *~zone* f (pedestrian) mall
Fußgelenk n ankle (joint); *~note* f footnote; *~sohle* f sole (of the foot); *~tritt* m kick; *~weg* m footpath
Futter n agr. feed; *Heu etc.*: fodder; dog etc. food; tech.: *Mantel2 etc.*: lining
Futteral n case; *Hülle*: cover
füttern feed*; *Kleid*: line; *2ung* f feeding (time)
Futur n future (tense)

G

Gabe f gift (*a. Talent*)
Gabel f fork; *~stapler* m forklift (truck)
gaffen gape; stare
Gage f fee
gähnen yawn
Galerie f gallery; *Zwischenetage*: mezzanine
Galle f bile; *Organ*: → *~n-blase* f gall bladder; *~nstein* m gallstone
Galopp m, *2ieren* gallop
Gang m walk; *Pferd*: pace; *Durch2*: passage; *Kirche, aviat. etc.*: aisle; → *Flur*; mot. gear; *gastr.*, (*Ver*)*Lauf*: course; *in ~ bringen* get* s.th. going, start s.th.; *in ~ kommen* get* started; *im ~e sein* be* in progress; *in*

vollem ~(e) in full swing
gängig current; *econ.* sal(e)able
Gangschaltung f gears pl; *Hebel*: gear stick
Gans f goose
Gänse|blümchen n daisy; *~haut** f fig. gooseflesh; *dabei kriege ich e-e ~* it gives me the creeps
ganz adj whole; *heil*: a. undamaged; *den ~en Tag* all day; *sein ~es Geld* all his money; adv wholly, completely; *sehr*: very; *ziemlich*: quite, rather; *~ und gar nicht* not at all; → *groß*
Ganztagsbeschäftigung f full-time job
gar *Speisen*: done; *~ nicht(s)*

not(hing) at all; **oder ~** or
even; → **ganz**

Garage f garage

Garantie f, **Ωren** guarantee

Garderobe f wardrobe,
clothes pl; checkroom; thea.
dressing room; Flur♀: coat
rack

Gardine f curtain

gären ferment, work

Garn n yarn; thread

Garnele f shrimp

garnieren garnish

Garnitur f set; Möbel: a. suite

Garten m yard, garden

Gärtner(in) gardener; **~ei** f
truck farm

Gas n gas; **~ geben** accele-
rate; **Ωförmig** gaseous; **~hei-
zung** f gas heating; **~herd** m
gas range od. stove; **~leitung**
f gas main; **~pedal** n gas
(pedal)

Gasse f lane, alley

Gast m guest; visitor; im
Lokal: customer; **~arbeiter
(-in)** foreign worker

Gästezimmer n guest room

gast|freundlich hospitable;
Ωfreundschaft f hospitality;
Ωgeber(in) host(ess);
~haus n restaurant; hotel;
Land~: inn; **~lich** hospitable; **Ωstätte** f, **Ωwirtschaft** f
restaurant

Gatt|e m husband; **~in** f wife

Gattung f type, sort; biol. genus; Art: species

GAU m Abk. für größter an-
zunehmender Unfall worst-

-case scenario

Gaumen m palate (a. fig.)

Gauner(in) crook

Gebäck n pastry; → **Keks**

gebär|en give* birth to;
Ωmutter f uterus, womb

Gebäude n building

geben give*; Karten: deal*;
sich ~ nachlassen: pass; get*
better; **es gibt** there is, there
are; **was gibt es?** what is it?;
zum Essen etc.: what's for
lunch etc.?; TV etc.: what's
on?

Gebet n prayer

Gebiet n area; bsd. pol. territory; fig. field

gebildet educated

Gebirg|e n mountains pl; **Ωig**
mountainous

Gebiss n (set of) teeth;
künstliches: denture(s pl)

geboren born; **~er Deutscher** German by birth; **~e
Smith** née Smith

geborgen safe, secure

Gebot n rel. commandment;
Vorschrift: rule; Auktion: bid

Gebrauch m use; **Ωen** use;
ich könnte ... ~ I could do
with ...

gebräuchlich common

Gebrauchs|anweisung f in-
structions pl; **Ωt** used; econ.
a. second-hand; **~twagen** m
used car

gebrechlich frail, infirm

Gebrüll n roar(ing)

Gebühr f charge, fee; Post:
postage; Maut: toll; **Ωen**

due, proper; **2enfrei** free of charge; **2enpflichtig** *Straße etc.*: toll ...

Geburt *f* birth; **~enkontrolle** *f,* **~enregelung** *f* birth control

gebürtig: ~er Italiener Italian by birth

Geburts|datum *n* date of birth; **~jahr** *n* year of birth; **~ort** *m* birthplace; **~tag** *m* birthday; → **haben;** **~urkunde** *f* birth certificate

Gebüsch *n* bushes *pl*

Gedächtnis *n* memory

Gedanke *m* thought; idea; **sich ~n machen über** think* about; be* worried about; **2nlos** thoughtless; **~nstrich** *m* dash

Ge|därme bowels *pl*, intestines *pl*; **~deck** *n* cover; → *Menü*

gedenk|en (*gen*) remember; **~ zu** intend to; **2feier** *f* commemoration; **2stätte** *f* memorial

Gedicht *n* poem

Gedränge *n* crowd, crush

Geduld *f* patience; **2en: sich ~** wait; be* patient; **2ig** patient

Gefahr *f* danger; **auf eigene ~** at one's own risk

gefähr|den endanger; risk; **~lich** dangerous

Gefälle *n* slope, incline

Gefallen[1] *m* favor

Gefallen[2] *n:* **~ finden an** enjoy *s.th.*, like *s.o.*

gefallen please; **es gefällt mir (nicht)** I like it; **(wie) gefällt dir ...?** (how) do you like ...?; **sich ~ lassen** put* up with

gefällig kind; **2keit** *f* kindness; *Gefallen*: favor

gefangen captive; imprisoned; **~ nehmen** take* prisoner; *fig.* captivate; **2e** *m, f* prisoner; *Sträfling*: convict; **2schaft** *f* captivity, imprisonment

Gefängnis *n* prison, jail; **~strafe** *f* prison sentence

Gefäß *n* vessel (*a. anat.*)

gefasst composed; **~ auf** prepared for

Ge|fieder *n* plumage, feathers *pl*; **~flügel** *n* poultry; **2fragt** popular; **2fräßig** voracious

gefrier|en freeze*; **2fach** *n* freezing compartment; **~getrocknet** freeze-dried; **~punkt** *m* freezing point; **2schrank** *m*, **2truhe** *f* freezer

Gefüge *n* structure; **2ig** compliant

Gefühl *n* feeling; *Sinn*: *a.* sense; **~sregung:** *a.* emotion; **2los** insensible; *taub*: numb; *herzlos*: heartless; **2voll** (full of) feeling; emotional; *sanft*: gentle; *a. contp.* sentimental

gegen against; *Mittel*: for; *ungefähr*: about; around; *für*:

(in return) for; *verglichen mit*: compared with

Gegen... *Angriff, Argument etc.*: counter...

Gegend f region, area

gegen|einander against each other; **2fahrbahn** f opposite lane; **2gewicht** n counterweight;

2maßnahme f countermeasure; **2mittel** n antidote; **2satz** m contrast; *Gegenteil*: opposite; **im ~ zu** in contrast to *od.* with; *im Widerspruch*: in opposition to; **2seite** f opposite side; **~sätzlich** contrary, opposite; **2seite** f opposite side; **~seitig** *adj* mutual; *adv* each other; **2spieler(in)** opponent; **2stand** m object; *Thema*: subject (matter); **2teil** n opposite; **im ~ on** the contrary

gegenüber opposite; *fig.* to, toward(s); compared with; **~stehen** be* faced with; face; **~stellen** confront with; compare with *s.th.*

Gegen|verkehr m oncoming traffic; **~wart** f present (time); *Anwesenheit*: presence; *gr.* present (tense); **2wärtig** (at) present; **~wind** m head wind

Gegner(in) m opponent; *Feind*: enemy; **2isch** opposing; *mil.* enemy

Gehacktes n → *Hackfleisch*

Gehalt¹ m content

Gehalt² n salary; **~serhöhung** f (pay) raise

Gehäuse n case, casing; *zo.* shell; *Kern2*: core

geheim secret; **2dienst** m counterintelligence service; **2nis** n secret; mystery; **~nisvoll** mysterious

gehemmt inhibited, self-conscious

gehen go*; *zu Fuß*: walk; *weg~*: leave*; *funktionieren*: work; *Ware*: sell*; *dauern*: take*, last; *möglich sein*: be* possible; **~ um** be* about, concern; **wie geht es Ihnen?** how are you?; **mir geht es gut** I'm fine; **es geht nichts über** there is nothing like; **sich ~ lassen** let* o.s. go

geheuer: nicht (ganz) ~ eerie, creepy; *Sache*: fishy

Gehirn n brain(s *pl*); **~erschütterung** f concussion

Gehör n hearing; ear

gehorchen obey

gehör|en belong (*dat*, **zu** to); **es gehört sich (nicht)** it's proper *od.* right (not done); **~ig** *adj* due, proper; F good; *adv* F thoroughly

gehorsam obedient; **2 m** obedience

Gehsteig m, **~weg** m sidewalk

Geier m vulture

Geige f violin; **~r(in)** violinist

geil randy, V horny; F awesome

Geisel f hostage; **~nehmer** m

hostage-taker

Geist *m* spirit; *Sinn, Gemüt, Verstand:* mind; *Witz:* wit; *Gespenst:* ghost

geistesabwesend absent-minded; **~gegenwart** *f* presence of mind; **~gegenwärtig** alert; *schlagfertig:* quick-witted; **~krank** insane, mentally ill; **~zustand** *m* state of mind

geistig mental; *Fähigkeiten etc.:* intellectual; **~ behindert** mentally handicapped

geistlich religious, spiritual; **~licher** *m* clergyman; minister; *Priester:* priest; **~los** silly; **~reich** witty, clever

Geiz *m* stinginess; **~hals** *m* skinflint, miser; **~ig** stingy

gekonnt masterly, skillful; **~lächter** *n* laughter; **~laden** loaded; *electr.* charged; F *mad:* **~lähmt** paralyzed

Gelände *n* country, ground; *Bau~ etc.:* site; **auf dem** (*Betriebs- etc.*) **~** on the premises; **~...** *Lauf etc.:* cross-country ...

Geländer *n* banister(s *pl*); *Balkon:* balustrade

gelassen calm, cool

Gelatine *f* gelatin(e)

geläufig common; *vertraut:* familiar; **~laufig: gut** (**schlecht**) **~ sein** be* in a good (bad) mood

gelb yellow; **~lich** yellowish; **~sucht** *f* jaundice

Geld *n* money; **~anlage** *f* in-

vestment; **~automat** *m* ATM; **~beutel** *m* purse; **~buße** *f* fine; **~schein** *m* bill; **~strafe** *f* fine; **~stück** *n* coin; **~wechsel** *m* exchange of money

Gelee *n, m* jelly

gelegen situated; *passend:* convenient; **~ kommen** suit

Gelegenheit *f* occasion; *günstige:* opportunity; **~arbeit** *f* odd job; **~skauf** *m* bargain

gelegentlich occasional(ly)

gelehrt learned; **~te** *m, f* scholar

Gelenk *n* joint; **~ig** flexible (*a. tech.*); supple

gelernt skilled, trained

Geliebte *f* mistress; **~r** *m* lover

gelinde: ~ gesagt to put it mildly

gelingen succeed, be* successful; *geraten:* turn out (well); **es gelang mir zu fliehen** I succeeded in escaping, I managed to escape

gellend shrill, piercing

geloben vow, promise

gelten be* valid; *Sport:* count; *j-m* **~** be* meant for s.o.; **~ als** be* regarded as; **~ lassen** accept; **~end** *Recht etc.:* established; **~ machen** assert; **~ung** *f* prestige

gelungen successful

gemächlich leisurely

Gemälde *n* painting, picture; **~galerie** *f* picture gallery

gemäß according to; **~igt**

moderate; *meteor.* temperate
gemein mean; **~ haben** (**mit**)
have* in common (with)
Gemeinde *f pol.* municipali-
ty; *Gemeinschaft:* community; *rel.* parish; **~rat** *m* town
council, *Person:* town coun-
cilor
Gemein|heit *f* nastiness; F
dirty trick; 2**sam** common;
et. **~ tun** do* s.th. together;
~schaft *f* community
Gemetzel *n* massacre
Gemisch *n* mixture; 2t mixed
(*a. Gefühle etc.*)
Gemurmel *n* murmur
Gemüse *n* vegetable(*s pl*)
Gemüt *n* mind; *~sart:* nature;
2**lich** comfortable, cozy;
mach es dir ~ make yourself
at home; **~lichkeit** *f* cozi-
ness; cozy atmosphere;
~sbewegung *f* emotion
Gen *n* gene
genau exact(ly), precise(ly);
sorgfältig: careful(ly); ~
hören etc.: closely; **~ genommen** strictly speaking; 2**igkeit** *f* accuracy, precision
genehmig|en permit; *amt-
lich: a.* approve; 2**ung** *f* per-
mission; *Schein:* permit
geneigt inclined (**zu** to)
General *m* general; **~konsul**
m consul general; **~konsu-
lat** *n* consulate general;
~probe *f* dress rehearsal;
~streik *m* general strike;
~vertreter(in) general agent
Generation *f* generation

Generator *m* generator
genes|en recover (**von**
from); 2**ung** *f* recovery
Genetik *f* genetics *sg*
genial brilliant
Genick *n* (back of the) neck
Genie *n* genius
genieren: **sich** ~ feel* *od.*
be* embarrassed
genieß|bar edible; drinkable;
~en enjoy (**et. zu tun** doing
s.th.); 2**er(in)** gourmet; bon
vivant
genormt standardized
Genossenschaft *f* coopera-
tive (society)
Gentechnik *f* genetic engineering
genug enough, sufficient
genüg|en be* enough, suf-
fice; **das genügt** that will do;
~end → genug; **~sam** modest
Genuss *m* pleasure; *Zusich-
nahme:* consumption; **ein ~ a**
real treat
Geogra|phie *f* geography;
~logie *f* geology; **~metrie** *f*
geometry
Gepäck *n* baggage; **~abferti-
gung** *f* *aviat.* check-in
counter; **~aufbewahrung** *f*
baggage room; **~ausgabe** *f*
aviat. baggage claim (area);
~kontrolle *f* baggage check;
~schein *m* baggage check
(receipt); **~stück** *n* piece of
baggage; **~träger** *m* porter;
am Rad etc.: rack; **~wagen**
m baggage car

gepflegt well-groomed, neat
Ge|plapper n babbling; **~pol-
ter** n rumble; **~quassel** n
yakking
gerade adj straight (a. fig.);
Zahl etc.: even; adv just (a. ~
noch); **nicht** not exactly;
ich wollte ~ I was just about
to; **warum ~ ich?** why me of
all people?
Gerade f (straight) line; 2**aus**
straight ahead
Gerät n device; Haushalts2
etc.: appliance; TV etc.: set;
Meß2: instrument; Werk-
zeug: tool
geraten turn out; ~ **an**
come* across; ~ **in** get*
into
geräumig spacious
Geräusch n sound; noise;
2**los** adj noiseless; adv without a sound
gerecht just, fair; 2**igkeit** f
justice, fairness
Gerede n talk; gossip
gereizt irritable
Gericht n gastr. dish; jur.
court; 2**lich** judicial, legal
Gerichts|hof m law court;
Oberster ~ Supreme Court;
~saal m courtroom; **~ver-
handlung** f (court) hearing;
Strafprozess: trial
gering little, small; unbedeutend: → **~fügig** slight, minor;
Betrag, seltener: petty; **~st**
least; **nicht im** 2**en** not in the
least
gerinnen coagulate; Milch: a.

curdle; Blut: a. clot
Gerippe n skeleton
gerissen cunning, clever
gern(e) willingly, gladly; ~
haben like, be* fond of; et.
(**sehr**) ~ **tun** like (love)
doing s.th.; ~ **geschehen!**
my pleasure!
Gerste f barley; **~nkorn** n
med. sty(e)
Geruch m smell; bsd. unan-
genehmer: odor; Duft: scent;
2**los** odorless
Gerücht n rumor
gerührt touched, moved
Gerümpel n junk
Gerüst n scaffold(ing)
gesamt whole, total, all;
2**heit** f whole, totality
Gesandt|e m, f envoy;
~schaft f legation, mission
Gesang m singing; Lied:
song; **~buch** n hymn book
Gesäß n bottom
Geschäft n business; Laden:
store; gutes etc.: deal, bargain; 2**ig** busy, active; 2**lich**
adj business ...; adv on business
Geschäfts|... business ...; **~
frau** f businesswoman; **~füh-
rer(in)** manager; **~mann** m
businessman; **~ordnung** f
rules pl of procedure; **~part-
ner(in)** partner; **~reise** f
business trip; **~schluss** m
closing time; **nach ~** a. after
business hours
geschehen happen, occur;
es geschieht ihm recht it

serves him right; ♀ *n* events *pl*

gescheit clever, bright

Geschenk *n* present, gift; **~packung** *f* gift box

Geschicht|e *f* story; *Wissenschaft:* history; *fig.* business, thing; ♀**lich** historical

Geschick *n* fate, destiny; → **~lichkeit** *f* skill; ♀**t** skillful

geschieden divorced

Geschirr *n* dishes *pl;* *Porzellan:* china; pots and pans; **~spüler** *m* dishwasher; **~tuch** *n* dish towel

Geschlecht *n* sex; *Gattung:* species; *gr.* gender; ♀**lich** sexual

Geschlechts|krankheit *f* venereal disease; **~teile** *pl* genitals *pl;* **~verkehr** *m* (sexual) intercourse

ge|schliffen cut; *fig.* polished; **~schlossen** closed; **~e Gesellschaft** private party

Geschmack *m* taste (*a. fig.*); *Aroma:* flavor; ♀**los** tasteless; **~ssache** *f* matter of taste; ♀**voll** tasteful; in good taste

geschmeidig supple, lithe

Gechöpf *n* creature

Geschoss *n, öster.* **Geschoß** *n* projectile, missile; *Stockwerk:* story, floor

Geschrei *n* shouting; *Angst♀:* screams *pl; Baby:* crying

Geschwätz *n* babble; *Klatsch:* gossip; ♀**ig** talkative

Geschwindigkeit *f* speed;

~sbegrenzung *f* speed limit; **~süberschreitung** *f* speeding

Geschwister *pl* siblings *pl*

geschwollen swollen; *fig.* pompous, bombastic

Geschworene *m, f* member of a jury; **die ~n** *pl* the jury *sg, pl*

Geschwulst *f* growth, tumor

Geschwür *n* abscess, ulcer

Geselchte *n öster.* smoked meat

Gesell|e *m* journeyman; F fellow; ♀**ig** social

Gesellschaft *f* society; *econ.,* *Umgang:* company; **j-m ~ leisten** keep* *s.o.* company; ♀**lich** social

Gesellschafts|... *Kritik etc.:* social ...; **~spiel** *n* parlor game

Gesetz *n* law; **~buch** *n* code (of law); **~entwurf** *m* bill; **~gebung** *f* legislation; ♀**lich** lawful, legal

gesetzt staid; *Alter:* mature; **~ den Fall ...** supposing ...

gesetzwidrig illegal

Gesicht *n* face; **~sausdruck** *m* (facial) expression; **~sfarbe** *f* complexion; **~spunkt** *m* point of view; **~szüge** *pl* features *pl*

Gesinnung *f* mind; *Haltung:* attitude; *pol.* convictions *pl*

gespannt tense (*a. fig.*); *neugierig:* curious; **~ sein, ob (wie)** wonder if (how)

Gespenst *n* ghost; ♀**isch**

ghostly, F spooky

Gespräch n talk (a. pol.), conversation; tel. call; 2ig talkative

Gestalt f shape (**annehmen** take*), form; Figur, Person: figure; 2en arrange; entwerfen: design; ~ung f arrangement; design; Raum2: decoration

geständ|ig: ~ **sein** confess; 2nis n confession

Gestank m stench, stink

gestatten allow, permit

Geste f gesture

gestehen confess

Ge|stein n rock, stone; ~stell n stand, base; Regal: shelves pl; Rahmen: frame

gestern yesterday; ~ **Abend** last night

gestreift striped

gestrig yesterday's

Gestrüpp n undergrowth

gesucht wanted (**wegen** for)

gesund healthy; (**wieder**) ~ **werden** get* well (again); ~**er Menschenverstand** common sense; 2heit f health; ~! bless you!; gesundheit!

Gesundheits|amt n Public Health Department; 2schädlich bad for one's health; ungesund: unhealthy; ~zustand m state of health

Getränk n drink, beverage

Getreide n grain, cereals pl

Getriebe n (**automatisches**) automatic) transmission

getrost safely

Ge|tue n fuss; ~tümmel n turmoil

Gewächs n plant; ~haus n greenhouse, hothouse

ge|wachsen: j-m ~ sein be* a match for s.o.; **e-r Sache ~ sein** be* equal to s.th.; ~**wagt** daring; Witz: risqué

Gewähr f: ~ **übernehmen** (**für**) guarantee; 2en grant, allow; 2leisten guarantee

Gewalt f force, violence; Macht: power; Beherrschung: control; **mit** ~ by force; 2ig powerful, mighty; riesig: enormous; ~losigkeit f non-violence; 2sam adj violent; adv by force; ~ **öffnen** force open; 2tätig violent

Gewand n robe, gown

gewandt nimble; geschickt: skillful; fig. clever

Ge|wässer n body of water; ~ pl waters pl; ~webe n fabric; biol. tissue; ~wehr n gun

Gewerbe n trade, business; 2lich commercial, industrial

Gewerkschaft f labor union; ~(l)er(in) labor-union member; 2lich labor union ...

Gewicht n weight (a. fig.); 2heben n weight lifting

gewillt willing, ready

Gewinde n thread

Gewinn m profit; Ertrag: gain(s pl); Lotterie: prize; ~bringend profitable; 2en win*; tech. extract, mine; fig. gain; ~er(in) winner

gewiss certain(ly)

Gewissen *n* conscience; **2haft** conscientious; **2los** unscrupulous; **~sbisse** *pl* pricks *pl* of conscience

gewissermaßen to a certain extent, more or less

Gewissheit *f* certainty

Gewitter *n* storm

gewöhnen: sich ~ an get* used to

Gewohnheit *f* habit

gewöhnlich common, ordinary, usual; **wie ~** as usual

gewohnt usual; **~ sein be*** used to (doing) s.th.

gewunden winding

Gewürz *n* spice; **~gurke** *f* pickle

Gezeiten *pl* tide(s *pl*)

Gicht *f* gout

Giebel *m* gable

Gier *f* greed; **~ig** greedy

gieß|en pour; *Blumen:* water; **es gießt** it's pouring

Gift *n* poison; *zo. a.* venom (*a. fig.*); **~ig** poisonous; venomous (*a. fig.*); *vergiftet:* poisoned; *chem., med.* toxic; **~müll** *m* toxic waste; **~pilz** *m* poisonous mushroom, toadstool; **~schlange** *f* venomous snake; **~zahn** *m* poisonous fang

Gipfel *m* summit, top; *Spitze:* peak; F limit; **~konferenz** *f* summit (meeting)

Gips *m* plaster (of Paris); *in ~ med.* in (a) cast; **~abdruck** *m*, **~verband** *m* cast

Girlande *f* garland

Girokonto *n* checking account

Gitarre *f* guitar

Gitter *n* lattice; *Fenster:* grating; *hinter ~* behind bars

Glanz *m* shine, gloss, luster; *fig.* glamor

glänzen shine*, gleam; **~d** shiny, glossy, glazier (*a. fig.*)

Glas *n* glass; **~er(in)** glazier

glas|ieren glaze; *Kuchen:* ice, frost; **~ig** glassy; **2scheibe** *f* (glass) pane; **2ur** *f* glaze; *Kuchen:* icing

glatt smooth (*a. fig.*); *rutschig:* slippery; *Sieg:* clear; *Lüge etc.:* downright

Glätte *f* slipperiness

Glatteis *n* black ice; icy roads *pl*

glätten smooth

Glatze *f* bald head; **e-e ~ haben** be* bald

Glaube *m* belief, *bsd. rel.* faith (*beide: an* in); **2en** believe; *meinen: a.* think*; *annehmen: a.* suppose; **2haft** credible

Gläubiger *m* creditor

glaubwürdig credible

gleich *adj* same; *Rechte, Lohn etc.:* equal; **zur ~en Zeit** at the same time; **es ist mir ~** it doesn't make any difference to me; **(ist) ~** *math.* equals; *adv* alike, equally; **so~:** at once, right away; **~ groß (alt)** of the same size (age); **~ bleibend**

constant, steady; **~ nach** (**neben**) right after (next to); **~ gegenüber** just opposite; **~altrig** of the same age; **~berechtigt** having equal rights; **2berechtigung** *f* equal rights *pl*; **~en** be* *od.* look like; **~falls** also, likewise; **danke, ~!** (thanks,) the same to you! **2gewicht** *n* balance (*a. fig.*); **~gültig** indifferent (**gegen** to); **das** (**er**) **ist mir ~** I don't care (for him); **2gültigkeit** *f* indifference; **~mäßig** regular; *Verteilung:* equal; **2strom** *m* direct current, DC; **~wertig** equally good; **~zeitig** simultaneous(ly)

Gleis *n* track(s *pl*), line; *Bahnsteig:* platform

gleit|en glide, slide*; **~end:** **~e Arbeitszeit** flextime; **2flug** *m* glide

Gletscher *m* glacier; **~spalte** *f* crevasse

Glied *n anat.* limb; *Penis:* penis; *tech., fig.* link; **2ern** structure; divide (**in** into)

glimmen smolder

glimpflich: ~ davonkommen get* off lightly

glitschig slippery

glitzern glitter, sparkle

glob|al global; **2us** *m* globe

Glocke *f* bell; **~nturm** *m* bell tower

glotzen gawk, gawp

Glück *n* (good) luck, fortune;

Gefühl: happiness; **~ haben** be* lucky; **viel ~!** good luck!; **zum ~** fortunately

glücken → gelingen

glücklich happy; *vom Glück begünstigt:* lucky, fortunate; **~erweise** fortunately

glucksen gurgle; *F* chuckle

Glück|sspiel *n* game of chance; gambling; **2strahlend** radiant; **~wunsch** *m* congratulations *pl* (**zu** on); **herzlichen ~!** congratulations!; happy birthday!

Glüh|birne *f* light bulb; **2en** glow; **~end** glowing; *Eisen:* red-hot; *fig.* ardent; **~ heiß** blazing hot; **~würmchen** *n* glow-worm

Glut *f* (glowing) fire; embers *pl*; *Hitze:* blazing heat; *fig.* ardor

GmbH *f Abk. für* **Gesellschaft mit beschränkter Haftung** corporation

Gnade *f* mercy; *rel.* grace; *Gunst:* favor; **~ngesuch** *n* petition for mercy

gnädig merciful

Goal *m öster.* goal

Gold *n* gold; **~barren** *m* gold bar *od.* ingot; **2en** gold(en *fig.*); **2ig** *fig.* sweet, cute; **~schmied(in)** goldsmith; **~stück** *n* gold coin; *fig.* gem

Golf¹ *m geogr.* gulf

Golf² *n* golf; **~platz** *m* golf course; **~schläger** *m* golf club; **~spieler(in)** golfer

gönne|n: *j-m et.* ~ allow s.o. s.th.; *neidlos*: not (be)grudge s.o. s.th.; **sich et.** ~ allow o.s. s.th.; **~haft** patronizing

Gosse f gutter (*a. fig.*)

Gott m God; **2heit**: god; ~ **sei Dank** thank God; **um ~es willen!** for heaven's sake!

Gottesdienst m church service

Göttlin f goddess; **2lich** divine

Gouverneur m governor

Grab n grave; tomb; **~en** v/t ditch; **2en dig***; **~gewölbe** n vault, tomb; **~mal** n tomb; *Ehrenmal*: monument; **~stein** m tombstone

Grad m degree; *mil. etc.* rank; *15* ~ **Kälte** 15 degrees below zero; **2uell** in degree; *gradweise*: gradual(ly)

Grafik f graphic arts *pl*; *Druck*: print; *tech. etc.* graph, diagram; **~iker(in)** graphic artist; **2isch** graphic

Gramm n gram

Grammatik f grammar; **2sch** grammatical

Granit m granite

Gras n grass; **2en** graze

grässlich hideous, atrocious

Grat m ridge, crest

Gräte f fish-bone

gratis free (of charge)

gratulieren congratulate (**zu** on); *j-m zum Geburtstag* ~ wish s.o. a happy birthday

grau gray

Grau|en n horror; **2enhaft**

horrible

Graupel f sleet

grau|sam cruel; **2samkeit** f cruelty; **~sig** horrible

graziös graceful

greif|bar at hand; *fig.* tangible; **~en** seize, grab; ~ **nach** reach for; ~ **zu** resort to; *um sich* ~ *fig.* spread*; **2vogel** m bird of prey

Greis(in) (very) old (wo)man

grell glaring; *Ton*: shrill

Grenze f border, Linie: boundary; *fig.* limit; **2n**: ~ **an** border on; *fig. a.* verge on; **2nlos** boundless

Grenzübergang m border crossing(-point), checkpoint

Grieß m semolina

Griff m grip, grasp; *Tür2, Messer2 etc.*: handle

Grill m grill; *Holzkohlen2*: barbecue; **~e** f zo. cricket; **2en** grill, barbecue

Grimasse f grimace; **~n schneiden** make* faces

grinsen grin (**über** at); *höhnisch*: sneer (at); **2 n** grin; sneer

Grippe f flu, influenza

grob coarse (*a. fig. derb*); *Fehler etc.*: gross; *ungefähr*: rough(ly)

grölen bawl

grollen *Donner*: rumble

groß big; *bsd. Umfang, Zahl*: large; *hoch (gewachsen)*: tall; *erwachsen*: grown-up; *fig. bedeutend*: great (*a. Freude, Schmerz etc.*); *Buch-*

Gummiknüppel

stabe: capital; *im* 2*en* (*und*)
Ganzen by and large; **~artig**
great
Größe *f* size; *Körper*2: height;
Bedeutung: greatness; *Person*: celebrity
Groß|eltern *pl* grandparents
pl; **~handel** *m* wholesale
(trade); **~händler** *m* whole-
saler; **~macht** *f* Great
Power; **~mutter** *f* grand-
mother; **~schreibung** *f* capitalization; **~stadt** *f* big city
größtenteils mostly, mainly
Groß|vater *m* grandfather;
2zügig generous, liberal (*a.*
Erziehung); *Planung etc.*: on
a large scale
grotesk grotesque
Grübchen *n* dimple
Grube *f* pit; *Bergwerk*: mine
grübeln ponder, muse (*über*
on, over)
Gruft *f* tomb, vault
grün green (*a. fig. u. pol.*); →
Grüne, **2anlage** *f* park
Grund *m* reason; *Boden*:
ground; *agr. a.* soil; *Meer etc.*:
bottom; *aus diesem ~* for
this reason; *im ~(e)* actually,
basically; *~... Ausbildung,*
Regel, Wissen etc.: *mst* basic
...; **~besitz** *m* real estate;
~besitzer(in) *m* landowner
gründe|n found (*a. Familie*),
establish; **2r(in)** *m* founder
Grund|gebühr *f* basic rate;
~gedanke *m* basic idea;
~gesetz *n* constitution;
~lage *f* basis; **2legend**

fundamental, basic
gründlich thorough(ly)
grundlos *fig.* unfounded
Grund|mauer *f* foundation;
~riss *m* ground plan; **~satz**
m principle; **2sätzlich** fundamental; *dagegen*
against it on principle;
~schule *f* primary school;
~stein *m* foundation stone;
~stück *n* plot (of land);
(building) site; *Grundstücke pl;*
~stücksmakler(in) realtor
Gründung *f* foundation
Grundwasser *n* groundwater
Grüne *m, f/o* Green
grunzen grunt
Grupp|e *f* group; **2ieren**
group; *sich ~* form groups
**Grusel|... Film etc.*: horror ...;
2ig eerie, creepy; **2n: es**
gruselt mich it gives me the
creeps
Gruß *m* greeting(s *pl*)
Grüße *pl*: *viele ~ an ...* give
my regards (*herzlicher*: love)
to ...; *mit freundlichen ~n*
sincerely yours; *herzliche ~*
best wishes; love; **2n** greet,
say* hello (to); *bsd. mil.* salute; *grüß dich!* hi!; *er lässt*
Sie ~ he sends his regards
gucken look; *F TV* watch
gültig valid, good (*a. Sport*);
2keit *f* validity
Gummi 1. *m, n* rubber (*a. in*
Zssgn Ball, Sohle etc.); **2.** *m F*
Kondom: rubber; **~band** *n*
rubber band; **~knüppel** *m*

truncheon; **~stiefel** pl rubber boots pl

günstig favorable; *passend:* convenient; *Preis:* reasonable; *im ~sten Fall* at best

Gurke f cucumber; *Gewürz2:* pickle

Gurt m belt; *Halte2, Trage2:* strap

Gürtel m belt

Guss m downpour; **~eisen** n cast iron

gut adj good; *Wetter: a.* fine; *ganz ~* not bad; *also ~!* all right (then)!; *schon ~!* never mind!; *(wieder) ~ werden* be* all right; *~ in et.* good at (doing) s.th.; *adv* well; *aussehen, klingen, schmecken etc.:* good; **~ aussehend** good-looking; **~ gehen** go* (off) well, work out well; *wenn alles ~ geht* if nothing goes wrong; *mir geht es ~* I'm (*bsd. finanziell:* doing) fine; **~ gelaunt** cheerful; **~ gemeint** well-meant; *machs ~!* take care

Gut n estate; *pl econ.* goods pl

Gut|achten n (expert) opinion; **~achter(in)** expert; **2artig** good-natured; *med.* benign

Gute n good; **~s tun** do* good; *alles ~!* good luck!

Güte f kindness; *econ.* quality; *meine ~* good God!

Güter pl goods pl; **~bahnhof** m freight depot; **~wagen** m freight car; **~zug** m freight train

gut|gläubig credulous; **~haben:** *du hast (noch) ... gut* I (still) owe you ...; **2haben** n credit (balance)

gut|machen make* up for, repay*; **~mütig** good-natured

Gut|schein m coupon, voucher; **~schrift** f credit

Gymnasium n (German) secondary school

Gymnastik f exercises pl; *Turnen:* gymnastics pl

Gynäkolog|e, ~in gynecologist

H

Haar n hair; **~bürste** f hairbrush; **~festiger** m setting lotion; **~klemme** f bobby pin; **~nadel** f hairpin; **~nadelkurve** f hairpin curve; **~schnitt** m haircut; **~spalterei** f hairsplitting; **2sträubend** hair-raising;

~trockner m hair dryer; **~waschmittel** n shampoo; **~wasser** n hair tonic

haben have*; *er hat Geburtstag* it's his birthday; *welche Farbe hat ...?* what color is ...?; → *Durst, Hunger etc.*

habgierig greedy

Hack|e f hoe; *Ferse:* heel; **2en** chop (*a. Fleisch*); **~fleisch** n hamburger

Hafen m harbor, port; **~arbeiter** m longshoreman; **~stadt** f port

Hafer m oats pl; **~flocken** pl oatmeal sg

Haft f imprisonment; **in ~** under arrest; **2bar** responsible; *jur.* liable; **2en** stick* (*an* to); **~ für** be* liable for

Häftling m prisoner

Haft|pflichtversicherung f third-party insurance; **~ung** f liability

Hagel m hail (*a. fig.*); **~korn** n hailstone; **2n** hail (*a. fig.*)

hager lean, gaunt

Hahn m *Haus2:* rooster; *Wasser2:* tap, faucet

Hähnchen n chicken

Hai(fisch) m shark

häkeln crochet

Haken m hook; *Zeichen:* check; *fig.* catch; **~kreuz** n swastika

halb half; **~ elf** half past ten, 10.30; **2finale** n semifinal; **~ieren** halve; **2insel** f peninsula; **~kreis** m semicircle; **2kugel** f hemisphere; **~laut** *adj* low; *adv* in an undertone; **2leiter** m semiconductor; **2mond** m half moon, crescent; **2pension** f room plus one main meal; **2schuh** m shoe; **2tags...** part-time ...; **~wegs** more or less;

2wüchsige m, f adolescent; **2zeit** f half; *Pause:* half time

Hälfte f half; **die ~ von** half

Halle f hall; *Hotel:* a. lounge

hallen resound, reverberate

Hallenbad n indoor swimming pool

Halm m *Stroh2:* straw

hallo hello!; *Gruß:* hi!

Hals m neck; *Kehle:* throat; **~band** n *Hund etc.:* collar; **~entzündung** f sore throat; **~kette** f necklace; **~-Nasen-Ohren-Arzt** m ear, nose, and throat doctor; **~schlagader** f carotid; **~schmerzen** pl: **~ haben** have* a sore throat; **~tuch** n scarf

Halt m hold; *Stütze:* support; *Stopp:* stop, halt; **~ machen** stop; **2! int** stop!; **2bar** durable; *Lebensmittel:* not perishable; **~barkeitsdatum** n pull date

halten v/t hold*; *Tier, Wort etc.:* keep*; *Rede:* make*; **~ für** regard as; *irrtümlich:* (mis)take* for; *viel (wenig)* **~ von** think* highly (little) of; v/i hold*, last; *an~:* stop

Halter m *tech.* holder, stand, rack

Halte|stelle f stop; **~verbot** n no standing (area)

Haltung f posture; *fig.* attitude (*zu* towards)

hämisch malicious

Hammer m hammer

hämmern hammer

Hand *f* hand; *von* (*mit der*) ~ by hand; *sich die* ~ *geben* shake* hands (with s.o.); **~arbeit** *f* manual labor; needlework; *es ist* ~ it is handmade; **~ball** *m* handball; **~bremse** *f* emergency brake; **~buch** *n* manual, handbook

Händedruck *m* handshake

Handel *m* commerce; **~s**verkehr: trade; abgeschlossener: transaction, deal; ~ **treiben** trade (*mit* with s.o.); **2n** *m* feilschen: bargain (*um* for); ~ *mit* deal* od. trade in s.th.; ~ *von* deal* with, be* about

Handels|abkommen *n* trade agreement; **~bilanz** *f* (*aktive* favorable) balance of trade; **~kammer** *f* chamber of commerce

Hand|feger *m* handbrush; **~fläche** *f* palm; **~gelenk** *n* wrist; **~gepäck** *n* hand baggage; **~griff** *m* tech. etc. handle

Händler(in) dealer, trader

handlich handy

Handlung *f* act(ion); Film, Buch: story, plot

Hand|schellen *pl* handcuffs *pl*; **2schriftlich** handwritten; **~schuh** *m* glove; **~tasche** *f* purse, handbag; **~tuch** *n* towel; **~voll** *f* handful; **~werk** *n* trade; **~werker(in)** crafts(wo)man; **~werkszeug** *n* tools *pl*

Handy *n* cellular phone, cellphone

Hang *m* slope; fig. inclination (*zu* for), tendency (to)

Hänge|brücke *f* suspension bridge; **~matte** *f* hammock

hängen hang* (*an* on); *an j-m* ~ be* devoted to s.o.; ~ *bleiben* get* stuck (a. fig.); ~ *bleiben an* get* caught on

hänseln tease (*wegen* about)

Happen *m* morsel, bite

Harfe *f* harp

harmlos harmless

Harmon|ie *f* harmony; **2ieren** harmonize; **2isch** harmonious

Harn *m* urine; **~blase** *f* bladder

hart hard; *f a.* tough; Sport: rough; streng: severe; ~ *gekocht* Ei: hard-boiled

Härte *f* hardness; roughness; severity

hartnäckig stubborn

Harz *n* resin

Haschisch *n* hashish, F pot

Hase *m* hare

Haselnuss *f* hazelnut

Hass *m* hatred, hate

hassen hate

hässlich ugly; fig. a. nasty

hastig hasty, hurried

Haube *f* mot. hood

Hauch *m* breath; Duft: whiff; fig. touch; **2en** breathe

hauen hit*; tech. hew*; *sich* ~ have* a fight, fight*

Haufen m heap, pile; F fig. crowd; **ein ~** F loads of

häuf|en f lead(ing part) u. **sich ~** fig. increase; **~ig** frequent(ly)

Haupt n head; fig. a. leader; **~... in Zssgn** mst main ...; **~darsteller(in)** lead(ing man od. lady); **~gewinn** m first prize

Haupt|**mann** m captain; **~quartier** n headquarters pl; **~rolle** f lead(ing part) u. **~sache** f main thing; **~sächlich** main(ly), chief(ly); **~stadt** f capital; **~straße** f main street; → **~verkehrsstraße** f main road; **~verkehrszeit** f rush hour

Haus n house; **nach/bei ~e** home; **zu ~e** (at) home; **~arbeit** f housework; univ. etc. paper; **~arzt, ~ärztin** family doctor; **~besitzer(in)** home owner; Vermieter(in): land|lord (-lady); **~flur** m hall; **~frau** f housewife; **~halt** m household; econ. pol. budget; **~herr(in)** land|lord (-lady); Gastgeber(in): host(ess)

häuslich domestic

Haus|**meister(in)** super(intendent); **~schlüssel** m front-door key; **~schuh** m slipper; **~tier** n domestic animal; **~tür** f front door; **~wirt(in)** land|lord (-lady)

Haut f skin; **~arzt, ~ärztin** dermatologist; **~farbe** f color (of one's skin); Teint:

complexion

Hebamme f midwife

Hebel m lever

heben lift, raise (a. fig.); **sich ~** rise*, go* up

hebräisch Hebrew

Heck n naut. stern; aviat. tail; mot. rear (a. in Zssgn)

Hecke f hedge

Heer n army; fig. a. host

Hefe f yeast

Heft n (note)book; **2en** fasten (**an** to); tech. staple; **~er** m stapler; Ordner: file

heftig violent; Schmerz: severe

Heft|**klammer** f staple; **~pflaster** n Band-Aid®

Heide f heath; **~kraut** n heather, heath

Heidelbeere f blueberry

heikel delicate, dicey

heil safe; Sache: undamaged

Heil|**anstalt** f sanatorium; Nerven2: mental hospital; **2bar** curable; **2en** v/t cure; v/i heal

heilig holy; geweiht: sacred (a. fig.); **2abend** m Christmas Eve; **2e** m, f saint; **2tum** n sanctuary

Heil|**mittel** n remedy; **~praktiker(in)** nonmedical practitioner

heim, 2 n home (a. in Zssgn Spiel etc.)

Heimat f home, native country; Ort: home town; **2los** homeless

heim|**isch** home, domestic;

bot., zo., etc. native; **sich ~ fühlen** feel* at home; **~kehren, 2kommen** return home; **~lich** secret(ly); **2reise** *f* journey home; **~weg** *m* way home; **2weh** *n* homesickness; **~haben** be* homesick; **2werker** *m* do-it-yourselfer

Heirat *f* marriage; **2en** marry, get* married (to); **~santrag** *m* proposal

heiser hoarse; **2keit** *f* hoarseness

heiß hot (*a. fig. u.* F); **mir ist ~** I am *od.* feel hot

heißen be* called; *bedeuten:* mean*; **wie ~ Sie?** what's your name?; **wie heißt das?** what do you call this?; **das heißt** that is

heiter cheerful; *Film etc.:* humorous; *meteor.* fair; **2keit** *f Belustigung:* amusement

heiz|en heat; **2kissen** *n* heating pad; **2körper** *m* radiator; **2öl** *n* fuel oil; **2platte** *f* hot plate; **2ung** *f* heating

hektisch hectic

Held *m* hero; **~in** *f* heroine

helfen help (**bei** with); **~ gegen** be* good for; **er weiß sich zu ~** he can manage; **es hilft nichts** it's no use

Helfer(in) helper, assistant

hell light (*a. Farbe*); *Licht etc.:* bright; *Klang, Stimme:* clear; *Kleid etc.:* light-colored; *Bier:* pale; *fig.* bright, clever; **~... blau** etc.: light ...;

2seher(in) clairvoyant

Helm *m* helmet

Hemd *n* shirt

hemm|en check, stop; **→ gehemmt; 2ung** *f psych.* inhibition; *moralisch:* scruple; **~ungslos** unrestrained; unscrupulous

Hengst *m* stallion

Henkel *m* handle

Henne *f* hen

her *hier~:* here; *zeitlich:* ago; **von ... ~** from; **hinter ... her sein** be after ...

herab down; **~lassend** condescending; **~sehen: ~ auf** look down upon; **~setzen** reduce; *fig.* disparage

heran: ~ an up to; **~kommen: ~ an** come* near to; **~wachsen** grow* (up) (**zu** into); **2wachsende** *m, f* adolescent

herauf up (here); upstairs; **~beschwören** call up; *verursachen:* provoke; **~ziehen** *v/t* pull up; *v/i* come* up

heraus out; *fig.* **aus ... ~** out (of) ...; **~bekommen** *Geld:* get* back; *fig.* find* out; **~bringen** bring* out; *fig.* **~finden** find* out; **~fordern** challenge; *et.:* provoke; **2forderung** *f* challenge; provocation; **~geben** give* back; *ausliefern:* give* up; *Buch:* publish; *Geld:* give* change (**auf** for); **2geber(in)** publisher; *Zeitung:* editor; **~holen** get* out (**aus**

of); **~kommen** come* out; **~
aus** get* out of; **groß ~**
make* it (big); **~nehmen**
take* out; **sich et. ~** take*
liberties; **~ziehen** pull out

herb Geschmack: tart; Wein:
dry; fig. bitter; F tough
Herbst m fall, autumn
Herd m stove
Herde f herd
herein come in (here); **~!** come in!;
~fallen fig. be* taken in;
~legen fig. take* s.o. for a
ride
hergeben give* away; **gib
her!** give it to me
Hering m herring
her|kommen come* (here);
⊆kunft f origin
Heroin n heroin
Herr m gentleman; rel. the
Lord; **~ Brown** Mr. Brown;
m-e ~en gentlemen
Herren|... in Zssgn men's ...;
⊆los ownerless
herrichten get* s.th. ready
herrlich marvelous
Herrschaft f power, control
(a. fig.) **(über** over); **m-e
~en!** (ladies and) gentlemen!; F folks!
herrschen rule; **es herrsch-
te ...** there was ...
her|stellen produce, manu-
facture; fig. establish;
⊆stellung f manufacture,
production
herüber over (here), across
herum (a)round; **~führen**
show* s.o. (a)round; **~kom-**

men get* around (**um et.**
s.th.); **~kriegen: ~ zu** get*
s.o. to do s.th.; **~lungern**
hang~ around; **~reichen**
pass round

herunter down; downstairs;
~gekommen run-down; a.
Person: seedy, shabby; **~ho-
len** get* down; **~kommen**
come* down(stairs)

hervor out of od. from, forth;
~bringen bring* out, produce (a. fig.); Wort: utter;
~heben stress, emphasize;
~ragend fig. outstanding;
~rufen cause, bring* about;
~stechend fig. striking

Herz n anat. heart (a. fig.);
Karten: hearts pl; **~anfall** m
heart attack; **⊆haft** hearty;
nicht süß: savory; **~infarkt** m
heart attack, F mst coronary;
~klopfen n: **er hatte ~ (vor)**
his heart was throbbing
(with); **⊆lich** cordial, hearty;
~e Grüße kind regards; **⊆los**
heartless; **~schlag** m heart-
beat; med. heart failure;
~schrittmacher m pace-
maker; **~verpflanzung** f
heart transplant

Hetze f rush; **⊆n** v/i rush; v/t
chase; fig. rush
Heu n hay
Heuch|elei f hypocrisy;
~ler(in) hypocrite
heuer öster. this year
heulen howl; weinen: bawl
Heu|schnupfen m hay fever;
~schrecke f grasshopper;

schädliche: locust

heute today; **~ Abend** this evening, tonight; **~ früh, ~ Morgen** this morning; **~ in acht Tagen** a week from today; **~ vor acht Tagen** a week ago today; **~ig** today's; *gegenwärtig*: present

Hexe *f* witch; **~nschuss** *m* lumbago

Hieb *m* blow, stroke

hier here; **~ entlang!** this way!

hier|auf on it *od.* this; after that, then; **~aus** from this; **~bei** here, in this case; while doing this; **~durch** by this, hereby; **~für** for this; **~her** (over) here, this way; **bis ~** so far; **~mit** with this; **~nach** after this; **~von** *demzufolge*: according to this; **~über** *fig.* about this (subject); **~zu** for this; *dazu*: to this

hiesig local

Hi-Fi-Anlage *f* stereo (system)

Hilfe *f* help; *Beistand*: aid (*a. econ.*); **erste ~** first aid; **~!** help!; **~ruf** *m* cry for help

hilflos helpless

Hilfs|arbeiter(in) unskilled worker; **2bedürftig** needy; **2bereit** helpful; **~mittel** *n* aid; *tech. a.* device

Himbeere *f* raspberry

Himmel *m* sky; *rel., fig.* heaven; **2blau** sky-blue; **~fahrt** *f* Ascension (Day); **~srichtung** *f* direction

himmlisch heavenly

hin there; **bis ~ zu** as far as; **auf j-s ...~** at s.o.'s ...; **~ und her** back and forth; **~ und wieder** now and then; **~ und zurück** there and back; *Fahrkarte*: round-trip

hinauf up (there); upstairs; **die ... ~** up the ...; **~gehen** go*/etc.* up; *fig. a.* rise*; **~steigen** climb up

hinaus out; *aus ... ~* out (of) ...; **~gehen** go* out(side); **~über** go* beyond; **~laufen: ~ auf** come* out amount to; **~schieben** *fig.* postpone; **~werfen** throw* out (*aus* of); **~zögern** put* off

Hin|blick *m*: **im ~ auf** with regard to; **2bringen** take* there

hinder|lich: *j-m ~ sein* be* in s.o.'s way; **~n** hinder; **~ an** prevent from *ger*; **2nis** *n* obstacle

hindurch through; **... ~** throughout ...

hinein in; **~gehen** go* in(side); **~ in passen:** go* into

hinfahr|en go* (*j-n*: take*) there; **2t** *f*: **auf der ~** on the way there

hin|fallen fall* (down); **~führen** lead* *od.* take* there; **~gabe** *f* devotion; **~geben: sich ~** *e-r Aufgabe*: devote o.s. to; *Illusionen*: cherish; **~gehen** go* (there); *Zeit*: pass; **~halten** hold* out; *j-n*: stall

hinken limp

hin|legen lay* od. put* down;
sich ~ lie* down; **~nehmen**
ertragen: put* up with;
2reise f **~ Hinfahrt; ~set-**
zen set* od. put* down; **sich**
~ sit* down; **~stellen** put*
(down); **sich ~** stand*

hinten at (Auto etc.: in) the
back; **von ~** from behind

hinter behind; → **her**

Hinter|... Achse, Eingang etc.:
rear ...; **~bein** n hind leg

hinter|e rear, back;
~einander one after the
other; **dreimal ~** three times
in a row; **2gedanke** m ulterior
motive; **~grund** m back-
ground; **~her** behind, after;
zeitlich: afterwards; **~lassen**
leave*; **~legen** deposit; **2n**
m F bottom, behind; **2teil** n
back od. rear (part) F →
Hintern; 2tür f back door

hinüber over, across; **~ sein** F
have had it

hinunter down; downstairs;
den ... ~ down the ...;
~schlucken swallow

Hinweg m way there

hinweg: **über ... ~** over ...;
~kommen: ~ über get*
over; **~setzen: ~ sich ~ über**
ignore

Hin|weis m hint; Zeichen: indi-
cation, clue; Verweis: reference; **~weisen: j-n auf**
call s.o.'s attention to; **~ auf**
point at od. to; **2werfen**

throw* down; **2ziehen: sich**
~ stretch (**bis zu** to); zeitlich:
drag on

hinzu in addition; **~fügen**
add; **~kommen** be* added;
~ziehen Arzt etc.: call in

Hirn n brain; **2verbrannt** F
crazy, crackpot

Hirsch m (red) deer

hissen hoist

historisch historic(al)

Hitze f heat (a. zo.);
2beständig heat-resistant;
~ewelle f heat wave; **2ig**
hot-tempered; Debatte:
heated; **~schlag** m heat-
stroke

Hobel m, **2n** plane

hoch high; Baum, Gebäude:
tall; Strafe: heavy; Alter:
great, old; Schnee: deep; **~**
oben high up; math. **~ zwei**
squared

Hoch n meteor. high (a. fig.);
~achtung f respect; **~be-**
trieb m rush; **2deutsch**
High od. standard German;
~druck m high pressure;
~ebene f plateau; **~form** f:
in ~ in top form; **2gebirge** n
high mountains pl; **~ge-**
schwindigkeits... high-
-speed ...; **~haus** n high-rise;
~konjunktur f boom; **~mut**
m arrogance; **2mütig** arrogant; **~saison** f peak season;
~schule f university; college; **~sommer** m midsum-
mer; **~spannung** f high tension (a. fig.) od. voltage;

~sprung m high jump
höchst adj highest; *äußerst*: extreme; adv highly, most, extremely
Hochstapler m conman
höchst|ens (at the) most, at best; **2form** f top form; **2geschwindigkeit** f (*mit* at) top speed; **zulässige ~** speed limit; **2leistung** f top performance; **~wahrscheinlich** most likely
Hoch|wasser n high tide; *Überschwemmung*: flood; **2wertig** high-grade
Hochzeit f wedding; **~s...** *Geschenk, Kleid, Tag etc.*: wedding ...; **~sreise** f honeymoon
hocke|n squat; **2r** m stool
Hoden m testicle
Hof m yard; *agr.* farm
hoffen hope (*auf* for); **~entlich** hopefully; **2nung** f hope; **~nungslos** hopeless
höflich polite, courteous (*zu* to); **2keit** f politeness, courtesy
Höhe f height; *aviat., astr., geogr.* altitude; *An2*: hill; *e-r Summe, Strafe etc.*: amount; *Niveau*: level; *Ausmaß*: extent; *mus.* pitch; **in die ~** up
Hoheitsgebiet n territory
Höhen|messer m altimeter; **~sonne** f sunlamp
Höhepunkt m climax
hohl hollow (*a. fig.*)
Höhle f cave; *zo.* hole

Hohl|maß n measure of capacity; **~raum** m hollow, cavity
Hohn m derision, scorn
höhnisch sneering
holen (go* and) get*, go* for; *rufen*: call; **~ lassen** send* for; *sich ~ Krankheit etc.*: catch*, get*
Höll|e f hell; **2isch** infernal
holper|ig bumpy; *Sprache*: clumsy; **~n** jolt, bump
Holz n wood; *Nutz2*: lumber
Holz|fäller m lumberjack; **~handlung** f lumberyard; **2ig** woody; **~kohle** f charcoal; **~schnitt** m woodcut; **~wolle** f wood shavings pl; **~wurm** m woodworm
homosexuell homosexual
Honig m honey
Honorar n fee
Hopfen m hops pl; *bot.* hop
Hör|apparat m hearing aid; **2bar** audible
horchen listen (*auf* to); *heimlich*: eavesdrop
Horde f horde, F a. bunch
höre|n hear*; *an~, Radio etc.*: listen to (*a. ~ auf*); *gehorchen*: obey; **~ von** hear* from *s.o.*; hear* about *s.th. od. s.o.*; **schwer ~** be hard of hearing; **2r** m listener; *tel.* receiver; **2rin** f listener
Horizont m (*am* on the) horizon; **2al** horizontal
Horn n horn; *mus.* (French) horn; **~haut** f horny skin; *Auge*: cornea

Hornisse *f* hornet

Horoskop *n* horoscope

Hörspiel *n* radio play

Hose *f* (pair of) pants *pl*; *sportliche*: slacks *pl*; *kurze*: shorts *pl*

Hosen|anzug *m* pantsuit; **~schlitz** *m* fly; **~tasche** *f* pants pocket; **~träger** *pl* (pair of) suspenders *pl*

Hospital *n* hospital

Hostess *f* hostess

Hostie *f rel.* host

Hotel *n* hotel; **~direktor(in)** hotel manager; **~zimmer** *n* hotel room

hübsch pretty, cute; *Geschenk*: nice

Hubschrauber *m* helicopter

Huf *m* hoof; **~eisen** *n* horseshoe

Hüft|e *f* hip; **~gelenk** *n* hip joint

Hügel *m* hill; **2ig** hilly

Huhn *n* chicken; *Henne*: hen

Hühner|auge *n* corn; **~brühe** *f* chicken broth

Hülle *f* cover(ing); *Schutz*2, *Buch*2: jacket; *in ~ und Fülle* in abundance; **2n** wrap, cover

human humane, decent

Hummel *f* bumblebee

Hummer *m* lobster

Humor *m* humor; **(keinen) ~ haben** have* a (no) sense of humor; **2voll** humorous

humpeln limp, hobble

Hund *m* dog; F bastard

Hunde|hütte *f* doghouse; **~kuchen** *m* dog biscuit; **~leine** *f* lead, leash; **~marke** *f* dog tag

hundert *a od.* one hundred; **~ste, 2stel** *n* hundredth

Hündin *f* bitch

Hüne *m* giant

Hunger *m* hunger; **~ bekommen (haben)** get* (be*) hungry; **2n** go* hungry, starve; **~snot** *f* famine

hungrig hungry (**auf** for)

Hupe *f* horn; **2n** sound one's horn, honk

hüpfen hop, skip; bounce

Hürde *f* hurdle

Hure *f* whore, prostitute

hurra hooray!

husten, 2 *m* cough; **2saft** *m* cough syrup

Hut *m* hat

hüten *Schafe etc.*: herd; *Kind, Haus*: look after; **sich ~ vor** beware of; **sich ~ zu** be* careful not to *do s.th.*

Hütte *f* hut; *Häuschen*: cabin; *Berg*2 *etc.*: lodge

Hydrant *m* hydrant

hydraulisch hydraulic

Hygien|e *f* hygiene; **2isch** hygienic(ally)

Hymne *f* hymn

Hypno|se *f* hypnosis; **2tisieren** hypnotize

Hypothek *f* mortgage

Hypothese *f* hypothesis

Hysteri|e *f* hysteria; **2sch** hysterical

I

ich I; ~ **selbst** (I) myself; ~ **bins** it's me

Ideal n, 2 ideal

Idee f idea

identi|fizieren identify (**sich** o.s.); ~**sch** identical; 2**tät** f identity

Ideologie f ideology

Idiot(in) idiot; 2**isch** idiotic

Idol n idol

ignorieren ignore

ihm (to) him; (to) it

ihn him; it

ihnen pl (to) them; **Ihnen** sg, pl (to) you

ihr pers pron you; (to) her; poss pron her; pl their; 2 sg, pl your; ~**etwegen** for her (pl their) sake; because of her (pl them)

illegal illegal

Illustration f illustration; ~**ierte** f magazine

Imbiss m snack; ~**stube** f snack bar

immer always; ~ **mehr** more and more; ~ **noch** still; ~ **wieder** again and again; **für** ~ for ever; **wer** (**was** etc.) ~ (**auch**) ~ whoever, what(so)ever etc.; ~**hin** after all; ~**zu** all the time

Immobilien pl real estate sg; ~**makler(in)** real estate agent, realtor

immun immune; 2**ität** f immunity

Imperativ m imperative

impf|en vaccinate; 2**schein** m certificate of vaccination; 2**stoff** m vaccine; 2**ung** f vaccination

imponieren: **j-m** ~ impress s.o.

Import m import(ation); 2**ieren** import

impotent impotent

imprägnieren waterproof

improvisieren improvise

impulsiv impulsive

imstande capable of

in räumlich: in, at; innerhalb: within, inside; wohin? into, in, to; ~ **der** (**die**) **Schule** at (to) school; ~**s Bett** (**Kino** etc.) to bed (the movies etc.); zeitlich: in, at, during; within; **gut** ~ good at

inbegriffen included

Inbusschlüssel m tech. Allen wrench

indem while, as; dadurch, dass: by doing s.th.

Indianer(in) (American) Indian, native American

indirekt indirect

individu|ell, 2**um** n individual

Indizien pl, ~**beweis** m circumstantial evidence sg

Industrialisierung f industrialization

Industrie f industry; ~**...** industrial; ~**gebiet** n industrial area

ineinander in(to) one another; **~ verliebt** in love with each other

Infektion f infection; **~skrankheit** f infectious disease

infizieren infect

Inflation f inflation

Inform|atik f computer science; **~atiker(in)** computer scientist; **~ation** f information (a. **~en** pl); **2ieren** inform

Ingenieur(in) engineer

Ingwer m ginger

Inhaber(in) owner; Wohnung: occupant; Pass, Amt etc.: holder

Inhalt m contents pl; Raum2: volume; Sinn: meaning; **~sangabe** f summary; **~sverzeichnis** n Buch: table of contents

Initiative f initiative; **die ~ ergreifen** take* the initiative

inklusive including

Inland n home (country); Landesinnere: inland; **~flug** m domestic flight

inländisch domestic

innen inside; im Haus: a. indoors; **nach ~** inwards

Innen|architekt(in) interior designer; **~minister** m minister of the interior, in den USA: Secretary of the Interior; **~politik** f domestic politics; **~seite** f: **auf der ~** (on

the) inside; **~stadt** f downtown

inner inner; med., pol. internal; **2e** n interior; **2eien** pl variety meat sg; **~halb** within; **~lich** internal(ly); **~ste** in(ner)most

inoffiziell unofficial

Inschrift f inscription

Insekt n insect

Insel f island

Inser|at n ad(vertisement); **2ieren** advertise

insgesamt altogether

insofern: ~ als in so far as

Inspektion f inspection

Install|ateur(in) plumber; **2ieren** install

instand: ~ halten keep* in good order; tech. maintain

Instinkt m instinct

Institut n institute; **~ion** f institution

Instrument n instrument

Inszenierung f production, staging (a. fig.)

intellektuell, **2e** m, f intellectual, F highbrow

intelligen|t intelligent; **2z** f intelligence

intensiv intensive; **2station** f intensive care unit, ICU

interess|ant interesting; **2e** n interest (**an**, **für** in); **~ieren** interest (**für** in); **sich ~ für** be* interested in

Internat n boarding school

international international

Internet n: **das ~** Computer: the Internet

inter|pretieren interpret; **2view** *n*, **~viewen** interview
intim intimate
intolerant intolerant
Invalide *m*, *f* invalid
Invasion *f* invasion
invest|ieren invest; **2ition** *f* investment
inwie|fern in what way *od.* respect; **~weit** to what extent
inzwischen meanwhile
irdisch earthly; worldly
Ire *m* Irishman; **die ~n** *pl* the Irish *pl*
irgend|etwas something; anything; **~jemand** someone, somebody; anyone, anybody; **~ein(e)** some (-one); any(one); **~wann** sometime (or other); **~wie** somehow; **~wo** somewhere; anywhere

Ir|in *f* Irishwoman; **sie ist ~** she's Irish; **2isch** Irish
Iron|ie *f* irony; **2isch** ironic(al)
irre mad, insane; F *toll:* super; **2** *m*, *f* mad|man (-woman), lunatic; **~führen** mislead*; **~n** *umher~*: wander; **sich ~** be* wrong *od.* mistaken; **sich ~ in** get* *s.th.* wrong
irritieren *reizen:* irritate; *verwirren:* confuse
Irrsinn *m* madness; **2ig** mad, insane; F → **irre**
Irr|tum *m* error, mistake; **im ~ sein** be* mistaken; **2tüm-lich(erweise)** by mistake
Ischias *m* sciatica
Islam *m* Islam
Isol|ation *f* isolation; *tech.* insulation; **~ierband** *n* insulating tape; **2ieren** isolate; *tech.* insulate

J

ja yes; **wenn ~** if so
Jacht *f* yacht
Jacke *f* jacket; *längere:* coat; **~tt** *n* jacket, coat
Jagd *f* hunt(ing); *Verfolgung:* chase; **~hund** *m* hound; **~revier** *n* hunting ground; **~schein** *m* hunting license
jagen hunt; *verfolgen:* chase
Jäger *m* hunter
jäh sudden; *steil:* steep
Jahr *n* year; **mit 18 ~en** at the age of eighteen; **2elang** *adj*

(many) years of ...; *adv* for (many) years
Jahres... *Bericht etc.:* annual ...; **~tag** *m* anniversary; **~zeit** *f* season, time of the year
Jahr|gang *m* age group; *Wein:* vintage; **~hundert** *n* century
jährlich yearly, annual(ly); *adv a.* every year
Jahr|markt *m* fair; **~zehnt** *n* decade
jähzornig hot-tempered

Jalousie f (Venetian) blind
Jammer m misery; *es ist ein ~* it's a shame
jämmerlich miserable
jammern moan (*über* about), complain (about)
Janker m öster. jacket
Jänner öster., **Januar** m January
jäten weed (*a. Unkraut ~*)
jaulen howl, yowl
Jause f öster. snack
jawohl yes, sir (ma'am)!; (that's) right
je ever; *pro:* per; *~ zwei* two each; *~ nachdem(, wie)* it depends (on how); *~ ..., desto ...* the ... the ...
jed|**er, ~e, ~es** every; *~ Beliebige:* any; *~ Einzelne:* each; *von zweien:* either; *jeden zweiten Tag* every other day; *jedes Mal* every time; **~enfalls** in any case; **~erzeit** (at) any time
jedoch however, yet
jemals ever
jemand someone, somebody; anyone, anybody
jene, ~r, ~s that (one); *~ pl* those pl
jenseits beyond (*a. fig.*); *2 n* hereafter
jetzige present; existing
jetzt now; *bis ~* so far; *erst ~* only now; *von ~ an* from now on
jeweils at a time; *je:* each
Jockei m jockey
Jod n iodine

jogg|**en** jog; **2en** n jogging; **2er(in)** jogger
Joghurt m,n yog(h)urt
Johannisbeere f: *rote ~* redcurrant; *schwarze ~* blackcurrant
Journalist(in) journalist
jubeln cheer, shout for joy
Jubiläum n anniversary
juck|**en, 2reiz** m itch
Jude m Jewish person; *sie sind ~n* they are Jewish
Jüd|**in** f Jewish woman (*od.* lady *od.* girl); **2isch** Jewish
Jugend f youth; young people pl; **2frei** Film: G-rated; *nicht ~* X-rated; **~kriminalität** f juvenile delinquency; **2lich** youthful; **~liche** m, f young person; *~ pl* young people pl; **~stil** m Art Nouveau
Juli m July
jung young
Junge[1] m boy, F kid
Junge[2] n Hund: pup(py); Katze: kitten; Raubtier: cub; *~ pl* young pl
jungenhaft boyish
jünger younger; *zeitlich näher:* (more) recent
Jung|**fer** f: *alte ~* contp. old maid; **~frau** f virgin; astr. Virgo; **~geselle** m bachelor; **~gesellin** f bachelor girl
jüngste youngest; Ereignisse: latest; *in ~r Zeit* lately, recently; *das 2 Gericht, der 2 Tag* the Last Judgment
Juni m June

Jura: **~ studieren** study (the) law

Jurist|(in) lawyer; *law student;* **2isch** legal

Jury f jury

Justiz f (administration of) justice; **~minister** m minis-ter of justice; *in den USA:* Attorney General; **~ministerium** n ministry of justice; *in den USA:* Department of Justice

Juwel|en pl jewelry sg; **~ier(in)** jeweler

K

Kabel n cable; **~fernsehen** n cable TV

Kabeljau m cod(fish)

Kabine f cabin; *Sport:* locker room; *Umkleide2 etc.:* cubi-cle

Kabinett n pol. cabinet

Kabriolett n convertible

Kachel f, **2n** tile

Käfer m beetle, bug

Kaffee m coffee; **~automat** m coffee machine; **~kanne** f coffeepot; **~maschine** f cof-fee maker

kahl bare; *Mensch:* bald

Kahn m boat; *Last2:* barge

Kai m quay, wharf

Kajüte f cabin

Kakao m cocoa; *bot.* cacao

Kakt|**ee** f, **~us** m cactus

Kalb n calf; **~fleisch** n veal; **~sbraten** m roast veal

Kalender m calendar

Kalk m lime; *med.* calcium; *geol.* → **~stein** m limestone

Kalorie f calorie; **2narm** low-calorie

kalt cold; **mir ist ~** I'm cold; **~blütig** adj cold-blooded; adv in cold blood

Kälte f cold(ness fig.); → **Grad;** **~welle** f cold wave

Kamera f camera

Kamerad|(in) companion; **~schaft** f companionship

Kamille f camomile

Kamin m fireplace; **am ~** by the fire(side); → **Schorn-stein;** **~sims** m, n mantel-piece

Kamm m comb; *zo. a.* crest

kämmen comb

Kammer f (small) room; **~musik** f chamber music

Kampf m fight (a. fig.); *mil. a.* combat

kämpfe|n fight*; **2r(in)** fight-er

Kampfrichter(in) judge

Kanad|a Canada; **~ier(in),** **2isch** Canadian

Kanal m canal; *natürlicher:* channel (a. TV, tech., fig.); *Ab-wasser2:* sewer, drain; **~isa-tion** f sewerage; *Fluss:* can-alization; **2isieren** provide with a sewerage (system); *Fluss:* canalize; *fig.* channel

Kandid|at(in) candidate; **2ieren** run* **(für** for)

Kaninchen n rabbit

Kanister m (fuel) can

Kanne f Kaffee2, Tee2: pot; Milch2 etc.: can

Kanone f cannon, gun (a. F Waffe); fig. ace, crack

Kante f edge

Kantine f cafeteria

Kanu n canoe

Kanzel f pulpit; aviat. cockpit

Kanzler(in) chancelor

Kap n cape, headland

Kapazität f capacity; fig. authority

Kapelle f chapel; mus. band

kapieren get* (it)

Kapital n capital; **~anlage** f investment; **~ismus** m capitalism

Kapitän m captain

Kapitel n chapter; F story

kapitulieren surrender

Kappe f cap; tech. a. top

Kapsel f capsule; case

kaputt broken; tech.: out of order; erschöpft: worn out; **~machen** break*, wreck; ruin

Kapuze f hood

Karaffe f decanter, carafe

Kardinal m cardinal; **~zahl** f cardinal number

Karfiol m öster. cauliflower

Karfreitag m Good Friday

kariert checked; Papier: squared

Karies f caries

Karikatur f cartoon; Porträt,

fig.: caricature

Karneval m carnival

Karo n square, check; Karten: diamonds pl

Karosserie f mot. body

Karotte f carrot

Karpfen m carp

Karre f, **~n** m cart

Karriere f career

Karte f card; → **Fahr-, Land-, Speisekarte** etc.

Kartei f card index; **~karte** f index od. file card

Karten|spiel n card game; deck of cards; **~telefon** n etwa charge-card phone

Kartoffel f potato; **~brei** m mashed potatoes pl

Karton m cardboard box; → **Pappe**

Karussell n carousel

Käse m cheese; F baloney

Kaserne f barracks sg, pl

Kasino n casino

Kasse f Kaufhaus etc.: cashier('s stand); Bank: cashier's window od. counter; Supermarkt: checkout; Laden2: till; Registrier2: cash register; thea. etc. box-office

Kassen|patient(in) etwa HMO patient; **~zettel** m sales slip

Kassette f box, case; mus., TV, phot. cassette; **~n...** Rekorder etc.: cassette ...

kassieren collect; **2r(in)** cashier; Bank: a. teller; Beitrag etc.: collector

Kastanie f chestnut

Kasten m box (a. F TV), case; *Getränke*ℒ: case

Katalog m catalog

Katalysator m catalyst; *mot.* catalytic converter

Katastrophe f disaster

Kategorie f category

Kater m tomcat; F hangover

Kathedrale f cathedral

Katholi|k(in), ℒ**sch** Catholic

Katze f cat; *junge*: kitten

Kauderwelsch n gibberish

kauen chew

kauern crouch, squat

Kauf m purchase; *guter ~* bargain; ℒ**en** buy*

Käufer(in) buyer; customer

Kauf|frau f businesswoman; **~haus** n department store; **~mann** m businessman; *Händler*: dealer, merchant, storekeeper

Kaugummi m chewing gum

kaum hardly, scarcely

Kaution f security; *jur.* bail

Kauz m owl; F character

Kavalier m gentleman

Kaviar m caviar

Kegel m cone; *Figur*: pin; **~bahn** f bowling alley; ℒ**förmig** conic(al); ℒ**n** bowl, go* bowling

Kehl|e f throat; **~kopf** m larynx

kehren sweep*; *wenden*: turn

keifen nag, scold

Keil m wedge; **~riemen** m fan belt

Keim m germ; *bot.* bud; ℒ**en** *Samen*: germinate; *sprießen*:

sprout; ℒ**frei** sterile

kein: **~(e)** no, not any; **~e(r)** no one, nobody, none (*a.* **~es**); **~er von beiden** neither (of the two); **~er von uns** none of us; **~esfalls**, **~eswegs** by no means; **~mal** not once

Keks m, n cookie; *ungesüßt*: cracker

Kelch m cup; *rel.* chalice

Kelle f ladle; *tech.* trowel

Keller m basement

Kellner(in) wait|er (-ress)

kennen know*; ~ *lernen* get* to know (*sich* each other); *j-n*: *a.* meet* (*a. sich ~*); ℒ**er(in)** expert; *Kunst~, Wein~*: connoisseur; ℒ**tnis** f knowledge; ℒ**zeichen** n mark, sign; *mot.* license number; **~zeichnen** mark; *fig.* characterize

Keramik f ceramics *pl*, pottery

Kerbe f notch

Kerl m fellow, guy

Kern m *Obst*: seed; *Kirsch*ℒ *etc.*: pit; *Nuss*: kernel; *tech.* core (*a. Reaktor*ℒ); *phys.* nucleus (*a. Atom*ℒ); *fig.* core, heart; **~...** *Energie, Forschung, Waffen etc.*: nuclear ...; **~kraft** f nuclear power; **~kraftgegner(in)** anti-nuclear activist; **~kraftwerk** n nuclear power station; **~spaltung** f nuclear fission

Kerze f candle; *mot.* spark

plug

Kessel *m* kettle; *tech.* boiler

Kette *f* chain; *Hals2:* necklace; **2n...** *Raucher, Reaktion etc.:* chain ...

keuchen pant, gasp; **2husten** *m* whooping cough

Keule *f* club; *Fleisch:* leg

Kfz-Brief *m* registration certificate; **2Steuer** *f* automobile tax; **2Versicherung** *f* car insurance

kichern giggle

Kiefer1 *m* jaw(bone)

Kiefer2 *f bot.* pine

Kieme *f* gill

Kies *m* gravel; **2el** *m* pebble

Kilo(gramm) *n* kilogram; **2meter** *m* kilometer; **2watt** *n* kilowatt

Kind *n* child, F kid; baby

Kinder|arzt, 2ärztin *f* pediatrician; **2bett** *n* crib; **2garten** *m* preschool; **2gärtner(in)** → **Erzieher(in)**; **2hort** *m* day-care center; **2lähmung** *f* polio(myelitis); **2los** childless; **2mädchen** *n* nurse(maid); **2sitz** *m* car seat; **2tragetasche** *f* bassinet; **2wagen** *m* baby carriage; **2zimmer** *n* children's room

Kind|heit *f* childhood; **2isch** childish; **2lich** childlike

Kinn *n* chin

Kino *n* cinema, F the movies *pl; Gebäude:* movie theater

Kippe *f* butt, stub; → *Müllkippe;* **2n** *v/i* tip (over);

v/t tilt

Kirche *f* church; **2enbank** *f* pew; **2enlied** *n* hymn; **2gänger(in)** churchgoer; **2lich** church...; **2turm** *m* steeple

Kirsche *f* cherry

Kissen *n* cushion; *Kopf2:* pillow

Kiste *f* box, case, chest; *Latten2:* crate

Kitsch *m* trash, kitsch

Kitt *m* cement; *Glaser2:* putty

Kittel *m* smock; overall; *Arzt2:* (white) coat

kitten cement; putty

kitz|eln tickle; **2lig** ticklish

kläffen yap, yelp

klaffend gaping

Klage *f* complaint; *Weh2:* lament; *jur.* (law)suit; **2n** complain; *jur.* go to court; *gegen j-n ~* sue s.o.

Kläger(in) *jur.* plaintiff

kläglich miserable

klamm *Finger etc.:* numb

Klammer *f* clamp, cramp; *Haar2:* clip; *Zahn2:* brace; *math., print.* parenthesis; → *Büro-, Wäscheklammer;* **2n** clip (together); *sich ~ an* cling* to (*a. fig.*)

Klang *m* sound; ring(ing)

Klapp... *Rad, Stuhl, Tisch etc.:* folding ...

Klappe *f* flap; *Deckel:* lid; *anat.* valve; *mot.* tailgate; F *Mund:* trap; **2n** *v/t: nach oben ~* lift *od.* put* up; *nach unten ~* lower, put* down;

v/i clap, clack; *fig.* work (out well)

Klapper *f* rattle; **2n** rattle (*mit et.* s.th.); **~schlange** *f* rattlesnake

Klappmesser *n* jackknife

Klaps *m* slap, smack

klar clear; *offensichtlich: a.* obvious; ~ *zu(m)* ... ready for ...; *ist dir* ~*, dass* ...? do you realize that ...?; *alles* ~*(?)* everything o.k.(?)

Klär|anlage *f* water treatment plant; **2en** *Wasser:* treat; *fig.* clear up; *sich* ~ be* settled

klar|machen make* *s.th.* clear; *sich et.* ~ realize s.th.; **~stellen** get* *s.th.* straight

Klasse *f* class; *Schul2: a.* grade; F super

Klassik *f* classical period; **2isch** classic(al *mus. etc.*)

Klatsch *m* gossip; **2en** clap, applaud; F *schlagen, werfen:* slap, bang; *ins Wasser:* splash; F *fig.* gossip

klauben *öster.* pick; gather

Klaue *f* claw; *Schrift:* scrawl

klauen F pinch, steal* (*a. fig.*)

Klavier *n* piano

kleb|en *v/t* glue, paste, stick*; *v/i* stick*, cling* (*an* to); **~rig** sticky; **2stoff** *m* glue; **2streifen** *m* adhesive tape

Klee(blatt *n*) *m* clover(-leaf)

Kleid *n* dress; **~er** *pl* clothes *pl;* **2en** dress (*a. sich* ~)

Kleider|bügel *m* (coat) hanger; **~bürste** *f* clothes brush;

~haken *m* (coat) hook *od.* peg; **~schrank** *m* closet

Kleidung *f* clothes *pl*

klein clear, *bsd.* F little; *von Wuchs:* short; ~ *schneiden* chop up; **2...** mini...; **2bildkamera** *f* 35 mm camera; **2geld** *n* (small) change; **2igkeit** *f* trifle; *Geschenk:* little something; *zu essen:* snack; *e-e* ~ *leicht:* nothing, child's play; **2kind** *n* infant; **~lich** narrow-minded; *geizig:* stingy; **2st...** *mst* micro...; **2stadt** *f* small town; **2wagen** *m* subcompact

Kleister *m,* **2n** paste

Klemme *f tech.* clamp; → *Haarklemme; in der* ~ in a jam; *Farbe, squeeze; Tür etc.:* be* stuck; *sich* ~ jam one's finger *etc.*

Klempner(in) plumber

Klette *f* bur(r); *fig.* leech

klettern climb (*a.* ~ *auf*)

Klient(in) client

Klima *n* climate; **~anlage** *f* air conditioning; **2tisiert** air--conditioned

klimpern jingle, chink; F tinkle (away) (*auf* at)

Klinge *f* blade

Klingel *f* bell; **2n** ring* (the bell)

klingen sound; ring*

Klinik *f* hospital, clinic

Klinke *f* (door) handle

Klippe *f* cliff, rock

klirren clink, tinkle; *Fenster etc.:* rattle; *Teller:* clatter

Klischee n fig. cliché

Klo n john

klopfen knock; Herz: beat*; heftig: throb; auf die Schulter etc.: pat; **es klopft** there's somebody at the door

Klops m meatball

Klosett n toilet

Kloß m dumpling; fig. lump

Klotz m block; Holz: a. log

Klub m club

Kluft f fig. gap, chasm

klug clever, intelligent

Klumpen m lump; Erd☿ etc.: clod; **~fuß** m clubfoot

knabbern nibble, gnaw

knacken crack (a. fig. u. F)

Knall m bang; **e-n ~ haben** be* nuts; **☿en** bang; crack; pop

knapp scarce; spärlich: scanty; Mehrheit, Sieg etc.: narrow, bare; eng: tight; **~ an ...** short of ...; **~ werden** run* short

knarren creak

knattern crackle; mot. roar

Knäuel m, n ball; tangle

Knauf m knob

Knebel m, **☿n** gag

kneif|en pinch; F chicken out; **☿zange** f pincers pl

Kneipe f bar, tavern

kneten knead; mold

Knick m fold, crease; **☿en** fold, crease; bend*; brechen: break*

Knie n knee; **☿n** kneel*; **~kehle** f hollow of the knee; **~scheibe** f kneecap;

~strumpf m knee(-length) sock

knipsen phot. take* a picture (of)

Knirps m shrimp

knirschen crunch; **mit den Zähnen ~** grind* one's teeth

knistern crackle; Papier etc.: rustle

knittern crumple, crease

Knoblauch m garlic

Knöchel m Fuß☿: ankle; Finger☿: knuckle

Knochen m bone; **~enbruch** m fracture; **☿ig** bony

Knödel m dumpling

Knolle f tuber; Zwiebel: bulb

Knopf m, **knöpfen** button

Knopfloch n buttonhole

Knorpel m gristle; anat. cartilage

Knospe f, **☿n** bud

Knoten m knot; **☿** knot, make* a knot (in)

knüpfen tie; Teppich: weave*

Knüppel m stick (a. Steuer☿ etc.), club; **~ Gummiknüppel; ~schaltung** f mot. stick shift

knurren growl, snarl; fig. grumble; Magen: rumble

knusprig crisp, crunchy

knutsch|en smooch; **☿fleck** m hickey

Koch m cook; chef; **~buch** n cookbook; **☿en** v/t cook; Eier, Wasser etc.: boil; Kaffee, Tee etc.: make*; v/i cook, do* the cooking; Flüssiges: boil (fig. **vor Wut** with rage);

~er m stove

Köchin f cook

Koch|nische f kitchenette; **~platte** f hotplate; **~topf** m pot

Köder m, **2n** bait

Koffein n caffeine; **2frei** decaffeinated; **2er Kaffee** a. decaf

Koffer m (suit)case; **~raum** m mot. trunk

Kohl m cabbage

Kohle f coal; F Geld: bread; **~ndioxyd** n carbon dioxide; **~nsäure** f carbonic acid; **mit (ohne)** ~ (non-)carbonated

Koje f berth, bunk

Kokain n cocaine

Kokosnuss f coconut

Koks m coke (a. sl. Kokain)

Kolben m Gewehr2: butt; tech. piston

Kolik f colic

Kollege m, **~in** colleague

Kolonne f column; Wagen2: convoy

Kombi m station wagon; **~nation** f combination; Mode: set; **2nieren** v/t combine; v/i reason

Komfort m luxury; Ausstattung: (modern) conveniences pl; **2abel** luxurious

Komik f humor; comic effect; **~ker(in)** comedian; f Beruf: comedienne; **2sch** funny; fig. a. strange; Oper etc.: comic

Komitee n committee

Komma n comma; **sechs**

vier six point four

kommandieren command

kommen come*; an~: arrive; gelangen: get*; ~ **lassen** send* for; j-n.: a. call; ~ **auf** think* of; remember; **zu et.** ~ come* by s.th.; get* around to (doing) s.th.; **zu sich ~** come* to

Kommentar m comment(ary TV etc.); **2ieren** comment on

Kommissar(in) Polizei: captain; **~ion** f commission; Ausschuss: a. committee

Kommode f bureau

Kommunis|mus m communism; **~t(in), 2tisch** communist

Komödie f comedy

Kompanie f company

Kompass m compass

kompatibel compatible

komplett complete

Kompliment n compliment

Komplize, ~in accomplice

komplizier|en complicate; **~t** complicated, complex

kompo|nieren compose; **2nist(in)** m composer

Kompromiss m compromise

kondensier|en condense; **2milch** f condensed milk

Kondition f condition

Konditor|(in) confectioner; **~ei** f confectionery (a. **~waren**)

Kondom n, m condom

Konfekt n candy; chocolates pl

Konferenz f conference
Konfession f denomination
Konfirmation f confirmation
Konfitüre f jam
Konflikt m conflict
konfrontieren confront
Kongress m congress
Konjunktur f economic situation
Konkurr|**ent** (m) competitor; **~enz** f competition; **die ~** our etc. competitor(s pl); **2enzfähig** competitive; **2ieren** compete
Konkurs m bankruptcy
können can*, be* able to, know* how to; Sprache: know*, speak*; **kann ich ...?** can od. may I ...?; **ich kann nicht mehr** I can't go on; I can't eat any more; **es kann sein** it may be
konsequen|**t** consistent; **2z** f consistency; Folge: consequence
konservativ conservative
Konserven (pl) canned food(s pl); **~büchse** f, **~dose** f can
konservier|**en** preserve, can; **2ungsstoff** m preservative
konstru|**ieren** construct; entwerfen: design; **2ktion** f construction
Konsulat n consulate
Konsum m consumption
Kontakt m contact; **~ aufnehmen (haben)** get* (be*) in touch; **2arm** unsociable; **2freudig** sociable; **~linsen** pl contact lenses pl

Kontinent m continent
Konto n account; **~auszug** m bank statement; **~stand** m balance (of account)
kontra against, versus; → **pro**
Kontrast m contrast
Kontroll|**e** f Aufsicht: supervision; Prüfung: check(ing); Überwachung: control; **~eur** (**-in**) m inspector; **2ieren** check (j-n: up on s.o.); beherrschen, überwachen: control
Konzentr|**ation** f concentration; **2ieren** concentrate (a. **sich ~**)
Konzert n concert; Musikstück: concerto; **~saal** m concert hall
Konzession f concession
Kopf m head (a. fig.); **~ende** n head, top; **~hörer** m headphones pl; **~kissen** n pillow; **~salat** m lettuce; **~schmerzen** pl headache sg; **~tuch** n (head)scarf; **2über** head first
Kopie f, **2ren** copy; **~rer** m, **~rgerät** n copier
koppeln couple
Koralle f coral
Korb m basket; **j-m e-n ~ geben** turn s.o. down; **~...., Möbel etc.:** wicker ...
Kord m corduroy; **~el** f cord
Kork|**(en)** m cork; **~enzieher** m corkscrew
Korn n grain (a. phot., tech.)
Körper m body; **~bau** m physique; **2behindert** physically handicapped, disabled; **2lich** physical; **~pflege** f

hygiene; **~teil** m part of the body

korrekt correct; **2ur** f correction

Korrespondent(in) correspondent; **~enz** f correspondence; **2ieren** correspond

korrigieren correct

Korsett n corset

Kosmet|ik f beauty treatment; *Mittel:* cosmetics pl; **~ikerin** f beautician; **2isch** cosmetic

Kost f food, diet; *Verpflegung:* board; **2bar** precious, valuable

kosten¹ taste, try

kosten² cost; *Zeit:* a. take*

Kosten pl cost(s pl); *Un2:* expenses pl; **~los** free

köstlich delicious; *fig.* priceless; **sich ~ amüsieren** have* a very good time

Kost|probe f sample; **2spielig** expensive, costly

Kostüm n *Damen2:* suit; *thea. etc.* costume

Kot m excrement

Kotelett n chop

Köter m mutt, cur

Kotflügel m fender

Krabbe f shrimp

krabbeln crawl

Krach m crash (a. fig., pol.); *Lärm:* noise; *Streit:* quarrel; **2en** crack (a. Schuss), crash (a. prallen)

krächzen croak

Kraft f strength, force (a. fig., pol.), power (a. phys.); **in ~**

treten come* into force; **~brühe** f consommée

kräftig strong (a. fig.); *Essen:* substantial; F *tüchtig:* good

kraft|los weak; **2stoff** m fuel; **2werk** n power station

Kragen m collar

Krähe f, **2n** crow*

Kralle f claw (a. fig.)

Kram m stuff, junk; **2en** rummage (around)

Krampf m cramp; *stärker:* spasm; **~ader** f varicose vein

Kran m crane

Kranich m crane

krank sick; **2e** m, f sick person, patient; **die ~** the sick

kränken hurt*, offend

Kranken|geld n sick pay; **~haus** n hospital; **~kasse** f health insurance; **~pfleger** m male nurse; **~schwester** f nurse; **~versicherung** f health insurance; **~wagen** m ambulance; **~zimmer** n sickroom

krank|haft morbid; **2heit** f illness; *bestimmte:* disease

kränk|lich sickly; **2ung** f insult, offense

Kranz m wreath; *fig.* ring

krass crass, gross

kratz|en: (sich) ~ scratch (o.s.); **2er** m scratch (a. F)

kraulen scratch (gently); *Sport:* crawl

kraus curly, frizzy

Kraut n herb; *Kohl:* cabbage; *sauerkraut*

Krawall m riot

Krawatte f (neck)tie
Krebs m crayfish; crab; med. cancer; astr. Cancer
Kredit m credit; → **Darlehen**; **~karte** f credit card
Kreide f chalk
Kreis m circle (a. fig.); pol. district; **~bahn** f orbit
kreischen screech, scream
kreis|en (move in a) circle, revolve, rotate; Blut: circulate; **~förmig** circular; **2lauf** m circulation; biol., fig. cycle; **2laufstörungen** pl circulatory trouble sg
Kren m öster. horseradish
Krepp m crepe (a. in Zssgn)
Kreuz n cross; crucifix; anat. (small of the) back; Karten: club(s pl)
kreuz|en cross (a. **sich ~**); naut. tack(ue); **2fahrt** f cruise; **2schmerzen** pl backache sg; **2ung** f intersection; biol., fig. crossing; **2verhör** n: **ins ~ nehmen** cross-examine; **2worträtsel** n crossword (puzzle)
kriech|en creep*, crawl (a. contp.); **2spur** f slow lane
Krieg m war
kriegen get*; catch*
Krimi m mystery, F whodunit
Kriminal|beamte, ~beamtin detective; **~film** m mystery; **~ität** f crime; **~polizei** f detective force; **~roman** m mystery
kriminell, 2e m, f criminal
Krise f crisis

Kristall m, **~(glas)** n crystal
Kriterium n criterion
Kritik f criticism; thea. etc. review; **~ker(in)** critic; **2sch** critical; **2sieren** criticize
kritzeln scrawl, scribble
Kropf m goiter
Kröte f toad
Krücke f crutch
Krug m jug, pitcher; mug
Krümel m crumb
krumm crooked (a. fig.), bent
krümm|en bend*; crook (a. Finger); **2ung** f bend; curve; math., geogr., med. curvature
Kruste f crust
Kruzifix n crucifix
Kubik... cubic ...
Küche f kitchen; gastr. cuisine, cooking
Kuchen m cake
Küchenschrank m (kitchen) cabinet
Kuckuck m cuckoo
Kugel f ball; Gewehr etc.: bullet; **2en** roll; ball bearing; **~lager** n ball bearing; **~schreiber** m ballpoint (pen); **~stoßen** n shot put
Kuh f cow
kühl cool (a. fig.); **2box** f cold box; **~en** cool, chill; **~er** m mot. radiator; **2erhaube** f hood; **2schrank** m refrigerator; **2truhe** f freezer
kühn bold, daring
Küken n chick (a. F fig.)
Kulissen pl scenery sg
kultivieren cultivate
Kultur f culture (a. biol.), civ-

ilization; **~beutel** m toilet kit; **2ell** cultural

Kümmel m caraway

Kummer m grief, sorrow

kümmer|lich miserable; **dürftig**: poor; **~n** concern; **sich ~ um** look after, take* care of

Kumpel m miner; F pal

Kunde m customer; **~ndienst** m customer service (department)

Kundgebung f pol. rally

kündig|en cancel; j-m: give* s.o. notice; **2ung** f (Frist: period of) notice

Kund|in f customer; **~schaft** f customers pl

Kunst f art; Fertigkeit: a. skill; **~faser** f synthetic fiber; **~gewerbe** n arts and crafts pl

Künstler(in) artist; **2isch** artistic

künstlich artificial

Kunst|stoff m synthetic (material), plastic; **~stück** n trick; **~werk** n work of art

Kupfer n copper; **~stich** m copperplate

Kupon m voucher, coupon

Kuppe f (hill)top; (finger)tip

Kuppel f dome; **2eln** couple; mot. engage the clutch;

~lung f coupling; mot. clutch

Kur f cure

Kurbel f, **2n** crank

Kürbis m pumpkin

Kurs m course; Börse: price; Wechsel2: (exchange) rate; **~buch** n railroad timetable

kursieren circulate

Kurve f curve; **2nreich** winding; F Frau: curvaceous

kurz short; zeitlich: a. brief; **~e Hose** shorts pl; **sich ~ fassen** be* brief; **~ (gesagt)** in short; **vor ~em** a short time ago

Kürze f shortness; **in ~** shortly; **2n** shorten (**um** by); Buch etc.: abridge; Ausgaben: cut*, reduce

kurz|erhand without hesitation; **~fristig** adj short-term; adv at short notice; **2geschichte** f short story

kürzlich recently

Kurz|schluss m short (circuit); **~schrift** f shorthand; **2sichtig** nearsighted; **~welle** f short wave

Kusine f (female) cousin

Kuss m, **küssen** kiss (a. sich ~)

Küste f coast, shore

L

Labor n lab(oratory); **~ant (-in)** laboratory technician

lächeln, **2 n** smile

lachen laugh; **2 n** laugh(ter)

lächerlich ridiculous

Lachs m salmon

Lack m varnish; Farb2: lacquer; mot. paint(work); **2ie-**

ren varnish; *mot.*, Nägel: paint

laden load; *electr.* charge

Laden *m* store; *Fenster*: shutter; **~dieb(in)** shoplifter; **~schluss** *m* closing time

Ladung *f* load, freight; *naut.*, *aviat.* cargo; *electr.* charge

Lage *f* situation, position; *Schicht*: layer; **in der ~ sein zu** be* able to

Lager *n* camp; *econ.* stock **(auf** in); *tech.* bearing; **~haus** *n* warehouse; **2n** *v/i* camp; *econ.* be* stored; *ab-*: age; *v/t* store, keep* *in a place*; **~ung** *f* storage

lahm lame; **~en** be* lame **(auf** in)

lähm|en paralyze; **2ung** *f* paralysis

Laie *m* layperson; amateur

Laken *n* sheet

lallen babble

Lamm *n* lamb

Lampe *f* lamp; **~nschirm** *m* lampshade

Land *n* Fest2: land (*a.* ~besitz); *pol.* country; *Bundes2*: state; Land; **an** ~ ashore; **auf dem ~(e)** in the country; **~ebahn** *f* runway; **2en** land

Länderspiel *n* international game

Landes|... Grenze *etc.*: national ...; **~innere** *n* interior

Land|karte *f* map; **~kreis** *m* district

ländlich rural; *derb*: rustic

Land|schaft *f* countryside; landscape (*a.* paint.); *schöne*: scenery; **~smann**, **~smännin** (fellow) country|man (-woman); **~straße** *f* (secondary od. country) road; **~streicher(in)** tramp; **~tag** *m* Land parliament

Landung *f* landing

Land|wirt(in) farmer; **~wirtschaft** *f* agriculture, farming; **2wirtschaftlich** agricultural

lang long; *Person*: tall; **~e** (for a) long (time)

Länge *f* length; *geogr.* longitude

langen → **genügen, reichen**; **mir langts** I've had enough

Langeweile *f* boredom

lang|fristig long-term; **~jährig** ... of many years; **2lauf** *m* cross-country skiing

längs along(side)

langsam slow

längst long ago *od.* before

Langstrecken... long-distance ...; *aviat.*, *mil.* long--range ...

langweil|en bore; **sich ~** be* bored; **~ig** boring, dull; **~e Person** bore

Langwelle *f* long wave

Lappalie *f* trifle

Lappen *m* rag, cloth

Lärche *f* larch

Lärm *m* noise

Larve *f* mask; *zo.* larva

Lasche *f* flap; tongue

Laser *m* laser

lassen let*; _an e-m Ort etc._: leave*; _unter~_: stop; _veran~_ make*; _et. tun od._ **machen** _~ have_* s.th. done _od._ made

lässig casual; careless

Last _f_ load; burden; _Gewicht_: weight; _zur ~ fallen_ be* a burden to _s.o._

Laster _n_ vice

läst|ern: _~ über_ badmouth; **~ig** troublesome

Lastwagen _m_ truck

Lateinamerika Latin America

Laterne _f_ streetlight

Latte _f_ lath; _Zaun_: pale

Lätzchen _n_ bib

Laub _n_ foliage, leaves _pl;_ **~baum** _m_ deciduous tree

Lauch _m_ leek

lauern lurk, lie* in wait

Lauf _m_ run; _Ver2:_ course; _Gewehr_: barrel; **~bahn** _f_ career; **2en** run*; _gehen_: walk; _~ lassen_ let* _s.o._ go

Läufer _m_ runner; _Teppich_: runner, rug; _Schach_: bishop

Lauf|masche _f_ run; **~werk** _n_ drive

Laune _f_: _... ~ haben_ be* in a ... mood; **2isch** moody

Laus _f_ louse

lauschen listen (_dat_ to)

laut _adj_ loud; noisy; _adv_ aloud, loud(ly); _prp_ according to; **2** _m_ sound; **~en** _Antwort etc._: be*; _Satz_: read*

läuten ring*; _es läutet_ there's somebody at the door

lauter nothing but

laut|los soundless; **2spre-cher** _m_ (loud)speaker; **2stärke** _f_ volume

lauwarm lukewarm

Lavendel _m_ lavender

Lawine _f_ avalanche

leben live (_von_ on); be* alive; **2** _n_ life; _am ~_ alive; _ums ~_ **kommen** lose* one's life; **~dig** living, alive; _fig._ lively

Lebens|bedingungen _pl_ living conditions _pl;_ **~gefahr** _f_ mortal danger; _unter ~_ at the risk of one's life; **2gefährlich** dangerous (to life); **~haltungskosten** _pl_ cost _sg_ of living; **2länglich** for life; **~lauf** _m_ résumé; **2lustig** fun-loving; **~mittel** _pl_ food _sg;_ **~mittelgeschäft** _n_ grocery store; **~standard** _m_ standard of living; **~un-terhalt** _m_ livelihood; _s-n ~_ **verdienen** earn one's living; **~versicherung** _f_ life insurance; **2wichtig** vital; **~zei-chen** _n_ sign of life

Leber _f_ liver; **~fleck** _m_ mole; **~wurst** _f_ liverwurst

Lebewesen _n_ living being

leb|haft lively; _Verkehr_: heavy; **~los** lifeless

Leck _n_ leak

lecken¹ _undicht sein_: leak

lecken² lick (_a. ~ an_)

lecker delicious; **2bissen** _m_ delicacy

Leder _n_ leather

ledig single, unmarried

leer empty; *Haus etc.: a.* vacant; *Seite etc.:* blank; *Batterie:* dead; **2e** *f* emptiness; **~en** empty (*a.* **sich ~**); **2lauf** *m* neutral

legal legal, lawful

legen lay* (*a. Ei*); place, put*; *Haare:* set*; **sich ~** lie* down; *fig.* calm down

Legende *f* legend

Lehm *m* loam; *Ton:* clay

Lehn|e *f* back(rest); *arm* (-rest); **2en** lean* (*a.* **sich ~**), rest (**an, gegen** against); **~stuhl** *m* armchair

Lehrbuch *n* textbook

Lehre *f* science; theory; *Ausbildung:* apprenticeship; *Warnung:* lesson; **2n** teach*, instruct; **~r(in)** teacher, instructor

Lehr|gang *m* course; **~ling** *m* apprentice; **2reich** instructive; **~stelle** *f* apprenticeship

Leib *m* body; *anat.* abdomen; **~gericht** *n* favorite dish; **~wache** *f*, **~wächter** *m* bodyguard

Leiche *f* (dead) body, corpse

leicht light (*a. fig.*); *einfach:* easy; **2athlet(in)** (track-and-field) athlete; **2athletik** *f* track and field (*events pl*); **2sinn** *m* carelessness; **~sinnig** careless

Leid *n* grief, sorrow; **es (er) tut mir ~** I'm sorry (for him)

leiden suffer (**an** from); **ich kann ... nicht ~** I can't stand ...; **2** *n* suffering; *med.* complaint

Leidenschaft *f* passion; **2lich** passionate

leider unfortunately

leih|en *j-m:* lend*; *sich ~:* borrow; → **mieten**; **2gebühr** *f* rental (fee); **2wagen** *m* rented car

Leim *m*, **2en** glue

Leine *f* line; → **Hundeleine**

Lein|en *n* linen; **~wand** *f* paint. canvas; *Kino:* screen

leise quiet; *Stimme: a.* low; **~r stellen** turn down

Leiste *f* ledge; *anat.* groin

leisten do*, work; *Dienst, Hilfe:* render; *vollbringen:* achieve; **sich et. ~ (nicht) ~** I can('t) afford ...

Leistung *f* performance; achievement; *tech. a.* output; *Dienst2:* service

Leit|artikel *m* editorial; **2en** lead*; conduct (*a. phys., mus.*); *Betrieb etc.:* run*; manage

Leiter[1] *f* ladder (*a. fig.*)

Leiter[2] *m phys.* conductor

Leiter(in) leader; conductor (*a. mus.*); *Firma:* manager

Leitplanke *f* guardrail

Leitung *f* management, direction; *Vorsitz:* chair(manship); *tech. tel.* line; *Haupt2:* main(*s pl*); pipe(*s pl*); cable(*s pl*); **~srohr** *n* pipe; **~swasser** *n* tap water

Lektion *f* lesson; **~üre** *f* reading (matter)

Lende *f* loin

lenk|en steer, drive*; *fig.* direct; *Kind:* guide; **2rad** *n* steering wheel; **2ung** *f* steering (system)

Lerche *f* lark

lernen learn*; study

lesbisch lesbian

lese|n read*; *Wein:* harvest; **2r(in)** reader; **~lich** legible; **2zeichen** *n* bookmark

letzte last; *neueste:* latest

Leucht|e *f* light, lamp; **2en** shine*; *schimmern:* gleam; **2end** shining, bright; **~er** *m* candlestick; **~reklame** *f* neon sign(s *pl*); **~turm** *m* lighthouse

leugnen deny

Leute *pl* people *pl*; F folks *pl*

Lexikon *n* encyclopedia

Libelle *f* dragonfly

liberal liberal

Licht *n* light; **2empfindlich** *phot.* sensitive

lichten: *sich* **~** get* thin(ner)

Licht|hupe *f:* **die ~ benutzen** flash one's lights (at s.o.); **~jahr** *n* light year; **~maschine** *f* generator, *Drehstrom:* alternator; **~schalter** *m* light switch

Lichtung *f* clearing

Lid *n* (eye)lid; **~schatten** *m* eye shadow

lieb dear; *nett:* nice, kind

Liebe *f,* **2n** love

liebenswürdig kind

lieber rather; **~ haben** prefer

Liebes|brief *m* love letter; **~paar** *n* couple

liebevoll loving, affectionate

Lieb|haber *m* lover (*a. fig.*); **~haberei** *f* hobby; **~lich** sweet, *Wein:* pleasant; **~ling** *m* darling; **~lings...** favorite ...; **2los** unkind; *nachlässig:* careless(ly)

Lied *n* song

liederlich slovenly, sloppy

Liefer|ant(in) supplier; **2bar** available; *2n* deliver; supply; **~schein** *m* delivery note; **~ung** *f* delivery; supply; **~wagen** *m* panel truck

Liege *f* couch; campbed

liegen lie*; *Haus etc.:* be* (situated); **~ nach** face; **daran liegt es** (**, dass**) that's (the reason) why; **j-m ~** appeal to s.o.; **2~ bleiben** stay in bed; *Sache:* be* left behind; **~ lassen** leave* (behind)

Liegestuhl *m* deck chair

Lift *m* elevator

Liga *f* league

Likör *m* liqueur

lila purple, violet

Lilie *f* lily

Limonade *f* soft drink

Limousine *f* sedan

Linde *f* lime tree, linden

lindern relieve, ease

Lineal *n* ruler

Linie *f* line; *fig.* figure; **~nflug** *m* scheduled flight

link left; *pol.* left-wing

Linke¹ *f* left (hand); *pol. the* left (wing)

Linke² *m, f* leftist, left-winger

links on the left; *pol.* left(ist)

nach ~ to the left; **2s-händer(in)** left-hander, F southpaw; ~ *sein* be* left-handed

Linse *f bot.* lentil; *opt.* lens

Lippe *f* lip; **~nstift** *m* lipstick

lispeln (have* a) lisp

List *f* cunning; trick

Liste *f* list; *Namen:* a. roll

listig cunning, sly

Liter *m, n* liter

litera|risch literary; **2tur** *f* literature

Lizenz *f* license

Lob *n,* **2en** *f* praise; **2enswert** praiseworthy

Loch *n* hole; **2en,** **~er** *m* punch

Locke *f* curl

locken lure, entice

Lockenwickler *m* curler

locker loose; *fig.* relaxed; **~n** loosen (*a. sich* ~), slacken; *Griff, fig.:* relax

lockig curly, curled

Löffel *m* spoon

Loge *f thea.* box; *Bund:* lodge

logisch logical

Lohn *m* wages *pl; fig.* reward; **2en:** *sich* ~ be* worth it, pay*; **~erhöhung** *f* raise; **~steuer** *f etwa* wage income tax

Loipe *f* (cross-country) course

Lokal *n* restaurant; *Kneipe:* bar

Lokomotiv|e *f* engine; **~führer** *m* engineer

Lorbeer *m* laurel; *gastr.* bay leaf

Los *n* lot (*a. fig.*); (lottery) ticket

los off; *Hund etc.:* loose; *was ist* ~? what's the matter?; *j-n, et.* ~ *sein* be* rid of; ~*!* hurry up!; **~binden** untie

Lösch|blatt *n* blotting paper; **2en** extinguish, put* out; *Schrift, tech.:* erase; *Durst:* quench; *naut.* unload

lose loose (*a. fig.*)

Lösegeld *n* ransom

lösen undo*; *lockern:* loosen; *Bremse etc.:* release; *Problem etc.:* solve; *Karte:* buy*; → *ab-, auflösen*

los|fahren leave*; drive* off*; **~gehen** leave*; start, begin*; **~lassen** let* go

löslich soluble

los|machen release; loosen; **~reißen** tear* off

Lösung *f* solution (*a. fig.*); **~smittel** *n* solvent

loswerden get* rid of

löten solder

Lotse *m,* **2n** pilot

Lott|erie *f* lottery; **~o** *n* lotto

Löw|e *m* lion; *astr.* Leo; **~enzahn** *m* dandelion; **~in** *f* lioness

Luchs *m* lynx

Lücke *f* gap; **2nhaft** incomplete; **2nlos** complete

Luft *f* air; (*frische*) ~ *schöppen* get* a breath of fresh air; *in die* ~ *sprengen* (*fliegen*) blow* up ~; **~ballon** *m* balloon; **~blase** *f* air bubble; **2dicht** airtight; **~druck**

m air pressure
lüften air, ventilate
Luft|fahrt *f* aviation;
~kissenfahrzeug *n* hovercraft; ₂krank airsick; ~linie
f: **50 km** ≈ 50 km as the crow
flies; ~matratze *f* air mattress; ~post *f* air mail;
~röhre *f* windpipe
Lüftung *f* ventilation
Luft|veränderung *f* change
of air; ~verschmutzung *f*
air pollution; ~waffe *f* air
force; ~zug *m* draft
Lüg|e *f*, ₂en lie; ~ner(in) liar
Luke *f* hatch; *Dach:* skylight
Lumpen *m* rag
Lunge *f* lungs *pl;* ~nent-

zündung *f* pneumonia
Lupe *f* magnifying glass
Lust *f* desire; *contp.* lust; ~
haben zu *od.* **auf** feel* like
(doing) *s.th.*
lust|ig funny; *fröhlich:* cheerful; *sich ~ machen über*
make* fun of; ₂spiel *n* comedy
lutsch|en suck (*a. ~ an*); ₂er
m lollypop
luxuriös luxurious
Luxus *m* luxury; ~artikel *m*
luxury article; *pl* luxury
goods *pl;* ~hotel *n* luxury
hotel
Lymphdrüse *f* lymph gland
Lyrik *f* poetry

M

machbar feasible
machen *tun:* do*; *herstellen,
verursachen:* make*; *Prüfung:* take*; *wie viel macht
das?* how much is it?; (*das*)
macht nichts it doesn't matter; *sich et.* (*nichts*) ~ *aus*
(not) care about; (*nicht*) *mögen:* (not) care for; → *lassen*
Macho *m* macho
Macht *f* power (*a. Staat*)
mächtig powerful; *riesig:*
huge
machtlos powerless
Mädchen *n* girl; *Dienst*₂:
maid; ~name *m* girl's name;
Frau: maiden name
Mad|e *f* maggot; *Obst*₂:

worm; ₂ig worm-eaten
Magazin *n* magazine
Magen *m* stomach; ~beschwerden *pl* stomach
trouble *sg;* ~geschwür *n* ulcer; ~schmerzen *pl* stomachache *sg*
mager lean (*a. Fleisch*), thin,
skinny; *fig.* meager
Mag|ie *f*, ₂isch magic
Magnet *m* magnet; ~..., *Band
etc.:* magnetic ...; ₂isch magnetic
mähen cut*, mow*; *Getreide:*
reap
mahlen grind*
Mahlzeit *f* meal
Mahnung *f econ.* reminder

Mai m May; **~glöckchen** n lily of the valley

Mais m corn; **~kolben** m corn on the cob

makellos immaculate

Makler(in) real estate agent, realtor; *Börsen*♀: broker

Mal n time; *Zeichen*: mark; **zum ersten (letzten)** ~ for the first (last) time

mal times; multiplied by

male|n paint; **♀r(in)** painter; **♀rei** f painting; **~risch** picturesque

Malz n malt

Mama f → **Mutti**

man you, one; they pl

manch, **~er**, **~e**, **~es** mst some pl; many pl; **~mal** sometimes

Mandarine f tangerine

Mandel f bot. almond; anat. tonsil; **~entzündung** f tonsillitis

Mangel m lack (**an** of); tech. fault; med. deficiency; **♀haft** poor, unsatisfactory

Manieren pl manners pl

Mann m man; *Ehe*♀: husband

Männchen n zo. male

Mannequin n (fashion) model

männlich masculine (a. gr.); biol. male

Manöv|er n, **♀rieren** maneuver

Mannschaft f team; naut., aviat. crew

Manschette f cuff

Mantel m coat; tech. jacket

Manuskript n manuscript

Mappe f portfolio; → **Aktentasche**

Märchen n fairy tale

Marder m marten

Margarine f margarine

Marienkäfer m ladybird

Marille f öster. apricot

Marine f navy

Marionette f puppet

Mark¹ f Geld: mark

Mark² n anat. marrow

Marke f econ. brand; Fabrikat: make; post. etc. stamp

markieren mark; fig. act

Markise f awning

Markt m market

Marmelade f jam; Orangen♀: marmalade

Marmor m marble

Marsch m march (a. mus.); **♀ieren** march

März m March

Masche f mesh; Strick♀: stitch; F fig. trick

Maschine f machine; Motor: engine; aviat. plane; **~schreiben** type; **♀ll** mechanical

Masern pl measles pl

Maserung f Holz etc.: grain

Maske f mask

Maß¹ n measure; Grad: extent; **~e** pl measurements pl

Maß² f liter of beer

Massaker n massacre

Masse f mass; Substanz: substance; **e-e** F loads of

massieren massage

mäßig, **~en** moderate

massiv solid; *fig.* massive
maßlos immoderate; **2nahme** *f* measure; **2stab** *m* scale; *fig.* standard; **~voll** moderate
Mast *m* mast; *Stange:* pole
mästen fatten; F stuff
Material *n* material(s *pl tech.*); **2istisch** materialistic
Mathematik *f* mathematics *sg;* **~er(in)** *f* mathematician
Matratze *f* mattress
Matsch *m* mud, sludge
matt weak; *Farbe etc.:* dull, pale; *phot.* matt(e); *Glas:* frosted; *Schach:* checkmate
Matte *f* mat
Mattscheibe *f* screen
Matura *f öster.* → *Abitur*
Mauer *f* wall
Maul *n* mouth; **~korb** *m* muzzle; **~tier** *n* mule; **~wurf** *m* mole
Maurer(in) bricklayer
Maus *f* mouse (*a. Computer*); **~efalle** *f* mousetrap
maximal, **2um** *n* maximum
Mechanik *f* mechanics *sg; tech.* mechanism; **~ker(in)** mechanic; **2sch** mechanical; **~smus** *m* mechanism
meckern bleat; F grumble
Medaille *f* medal
Medien *pl* (mass) media *pl*
Medikament *n* medicine, drug; **~zin** *f* medicine; **2zinisch** medical
Meer *n* sea, ocean; **~esspiegel** *m* sea level; **~rettich** *m* horseradish

Mehl *n* flour
mehr more; *übrig:* left; **~ere** several; **~fach** repeated(ly); **2heit** *f* majority; **~mals** several times; **2weg...** returnable ...; **2wertsteuer** *f* value-added tax; **2zahl** *f* majority; *gr.* plural
meiden avoid
Meile *f* mile
mein my; **~e(r)**, **~s** mine
Meineid *m* perjury
meinen think*, believe; *äußern:* say*; *sagen wollen, sprechen von:* mean*
meinetwegen for my sake; *wegen mir:* because of me; **~!** I don't mind
Meinung *f* opinion; *meiner ~ nach* in my opinion; **~sverschiedenheit** *f* disagreement
Meißel *m*, **2n** chisel
meist most(ly); *am ~en* most (of all); **~ens** mostly
Meister(in) master; *Sport:* champion; **~schaft** *f* championship; **~werk** *n* masterpiece
melancholisch melancholy
melden report; *sich ~* report (*bei* to); answer the telephone; *Teilnahme:* enter (*zu* for); **2ung** *f* report; announcement; entry
Melodie *f* melody, tune
Melone *f* melon; *Hut:* derby
Menge *f* quantity, amount; *Menschen2:* crowd; *e-e ~* lots of

Mensa f cafeteria
Mensch m human being; person; **der ~** man; **die ~en** pl people pl; mankind sg; **kein ~** nobody
Menschen|affe m ape; **~leben** n human life; **2leer** deserted; **~menge** f crowd; **~rechte** pl human rights pl; **~verstand** m → **gesund**
Menschheit f mankind
menschlich human; fig. humane; **2keit** f humanity
Menstruation f menstruation
Menü n special; Computer: menu
merk|en notice; **sich ~** remember; **2mal** n feature; **~würdig** strange, odd
Messe f fair; rel. mass
messen measure
Messer n knife
Messgerät n meter
Messing n brass
Metall n metal
Meter m, n meter; **~maß** n tape measure
Methode f method, way
Metzger m butcher
Metzgerei f meat market
mich me; **~** (**selbst**) myself
Miene f look, expression
mies rotten, lousy
Miete f rent; **2en** rent; **~er(in)** tenant; Unter2: lodger; **~shaus** n apartment building; **~vertrag** m lease; **~wagen** m rented car; **~wohnung** f (rented) apart-

ment
Mikro|fon n microphone; **~prozessor** m microprocessor; **~skop** n microscope; **~welle** f microwave (a. Gerät)
Milch f milk; **~glas** n frosted glass; **2ig** milky; **~kaffee** m coffee with milk; **~reis** m rice pudding; **~straße** f Milky Way; **~zahn** m baby tooth
mild mild; **~ern** lessen, soften
Milieu n environment
Militär n the military pl
Milli|arde f billion; **~meter** m, n millimeter; **~on** f million; **~onär(in)** millionaire
Milz f spleen
Minder|heit f minority; **2jährig** under age
minderwertig inferior; **2keitskomplex** m inferiority complex
mindest least; **2...** minimum ...; **~ens** at least
Mine f mine; Bleistift: lead; Ersatz2: refill
Mineral n mineral; **~wasser** n mineral water
Minirock m miniskirt
Minister|(in) minister, in den USA: secretary; **~ium** n ministry, in den USA: department
minus minus; below zero
Minute f minute
mir (to) me
misch|en mix; Karten: shuffle; **2ung** f mixture; blend

miss|achten disregard, ignore; **2bildung** f deformity; **~billigen** disapprove of; **2brauch** m, **~brauchen** abuse; **2erfolg** m failure; **2geschick** n mishap; **2handlung** f ill-treatment

Mission f mission; **~ar(in)** missionary

miss|lingen fail; **2trauen** n suspicion; **~trauisch** suspicious; **2verständnis** n misunderstanding; **~verstehen** misunderstand*

Mist m manure; F trash; **~!** damn!

mit with; **~ dem Bus** etc. by bus etc.; → **Jahr**; **2arbeit** f cooperation; **2arbeiter(in)** employee; pl staff pl; **~bringen** bring* (with one); **2bürger(in)** fellow citizen; **~einander** with each other; together; **2esser** m med. blackhead; **~fahren: mit j-m ~** go* with s.o. **~fühlend** sympathetic; **2gefühl** n sympathy; **~gehen: mit j-m ~** go* with s.o.

Mitglied n member; **~schaft** f membership

mitkommen come* along; **Schritt halten:** keep* up (**mit** with)

Mitleid n pity (a. **~ haben mit**)

mit|machen v/i join in; v/t take* part in; erleben: go* through; **~nehmen** take* (along) (with one); im Auto:

give* s.o. a ride; fig. put* s.o. under stress; **~spielen** join in; **~ in** be* od. appear in

Mittag m noon: **heute ~** at noon today; (et.) zu **~ essen** have* (s.th. for) lunch; **~essen** n (zum) for) lunch; **2s** at noon; **~spause** f lunch break

Mitte f middle; center

mitteil|en inform s.o. of s.th.; **2ung** f message, information

Mittel n means; remedy (**gegen** für); Durchschnitt: average; **~** pl means pl; **~alter** n **2alterlich** Middle Ages pl; **2alterlich** medieval; **2groß** medium-sized; **2los** without means; **2mäßig** average; **~punkt** m center; **~streifen** m mot. median strip; **~stürmer** m center forward; **~weg** m middle course; **~welle** f medium wave, AM

mitten: ~ in (auf, unter) in the middle of

Mitternacht f midnight

mittlere middle; average

Mittwoch m Wednesday

mix|en mix; **2er** m mixer

Möbel pl furniture sg; **~stück** n piece of furniture; **~wagen** m furniture truck

möblieren furnish

Mode f fashion

Modell n model

Modenschau f fashion show

Moderator(in) TV host, MC

moderig musty, moldy

modern modern; fashionable; **~isieren** modernize

Modeschmuck *m* costume jewelry

modisch fashionable

mogeln cheat

mögen like; **lieber ~** prefer; **nicht ~** dislike; **ich möchte** I'd like; **ich möchte lieber** I'd rather

möglich possible; → **bald**; **~erweise** possibly; **Ꙗkeit** *f* possibility; **~st** if possible; as ... as possible

Mohammedaner(in) Muslim

Mohn *m* poppy (seeds *pl*)

Möhre *f*, **Mohrrübe** *f* carrot

Molkerei *f* dairy

Moll *n* minor (key)

mollig *rundlich*: plump

Moment *m* moment; **im ~** at the moment; **Ꙗan** *adj* present; *adv* at the moment

Monat *m* month; **Ꙗlich** monthly; **~skarte** *f* (monthly) season ticket

Mond *m* moon; **~finsternis** *f* lunar eclipse; **~schein** *m* moonlight

Mono|log *m* monolog; **Ꙗton** monotonous

Montag *m* Monday

Mont|age *f* assembly; **~eur(in)** fitter; mechanic; **Ꙗieren** assemble; *anbringen*: fit

Moor *n* bog; moor(land)

Moos *n* moss

Moral *f* morals *pl*; *Lehre*:

moral; *mil. etc.* morale; **Ꙗisch** moral

Morast *m* morass

Mord *m* murder (**an** of)

Mörder(in) murderer

morgen tomorrow; **~ früh** tomorrow morning

Morgen *m* morning; **am ~** → **Ꙗs** in the morning; **8 Uhr ~** 8 a.m.

Morphium *n* morphine

morsch rotten, decayed

Mörtel *m* mortar

Mosaik *n* mosaic

Moschee *f* mosque

Moskito *m* mosquito

Moslem *m* Muslim

Most *m* grape juice; *Apfel*Ꙗ: apple juice

Motiv *n* motive; *paint., mus.* motif; **Ꙗieren** motivate

Motor *m* engine, *bsd. electr.* motor; **~boot** *n* motor boat; **~haube** *f* hood; **~rad** *n* motorcycle; **~radfahrer(in)** motorcyclist; **~schaden** *m* engine trouble

Motte *f* moth

Möwe *f* (sea)gull

Mücke *f* mosquito

müde tired, weary

Mühe *f* trouble; *Anstrengung*: effort; **j-m ~ machen** give* s.o. trouble; **sich ~ geben** take* great trouble; **Ꙗlos** without difficulty; **Ꙗvoll** laborious

Mühle *f* mill

mühsam laborious

Mulde *f* hollow, depression

Mull *m* gauze

Müll *m* refuse, garbage; **~abfuhr** *f* garbage collection; **~eimer** *m* garbage can

Müll|kippe *f* dump; **~schlucker** *m* garbage chute

multiplizieren multiply (*mit* by)

Mund *m* mouth; **den ~ halten** shut* up; **~art** *f* dialect

münden: ~ in *Fluss:* flow into; *Straße:* lead* into

Mund|geruch *m* bad breath; **~harmonika** *f* harmonica

mündlich verbal; *Prüfung etc.:* oral

Mundstück *n* mouthpiece; *Zigarette:* tip

Mündung *f* mouth

Mundwasser *n* mouthwash

Munition *f* ammunition

Münster *n* cathedral

munter *wach:* awake; *lebhaft:* lively

Münz|e *f* coin; *Gedenk&:* medal; **~telefon** *n* pay phone; **~wechsler** *m* change machine

mürbe tender; *Gebäck:* crisp; *brüchig:* brittle

murren grumble

mürrisch sullen, grumpy

Mus *n* mush; stewed fruit

Muschel *f* mussel; *Schale:* shell; *tel.* earpiece

Museum *n* museum

Musik *f* music; **&alisch** musical; **~box** *f* jukebox; **~er(in)** musician; **~instrument** *n* musical instrument

Muskat *m*, **~nuss** *f* nutmeg

Muskel *m* muscle; **~kater** *m* charley horse; **~zerrung** *f* pulled muscle

muskulös muscular

Muße *f* leisure

müssen must*, have* to; **ich muss*** I have* to go to the bathroom; **müsste** should; ought to

Muster *n* pattern; *Probe:* sample; *Vorbild:* model (*a. in Zssgn*); **&n** eye s.o.; size s.o. up

Mut *m* courage; **~ machen** encourage s.o.; **&ig** courageous; **&maßlich** presumed

Mutter *f* mother; *tech.* nut

mütterlich motherly

Mutter|mal *n* birthmark; **~sprache** *f* mother tongue

Mutti *f* mom(my), *Anrede:* Mom(my)

mutwillig willful, wanton

Mütze *f* cap, hat

mysteriös mysterious

Mythologie *f* mythology

N

Nabe *f* hub

Nabel *m* navel

nach after; *Richtung:* (to)wards; for; *gemäß:* according to, by; *Uhrzeit:* after, past; **~ und ~** gradually

Nagellack

nachahmen imitate
Nachbar(in) neighbor; **~schaft** f neighborhood
nachdem after, when; **je ~, wie** depending on how
nach|denken think* (**über** about); **~denklich** thoughtful; 2druck m emphasis; print. reprint; **~eifern** emulate
nacheinander one after the other, abwechselnd: in turns
Nachfolger(in) successor
nachforschen investigate; 2ung f investigation
Nachfrage f inquiry; econ. demand; 2n inquire, ask
nach|füllen refill; **~geben** fig. give* in; 2gebühr f surcharge; **~gehen** follow; e-m Fall: investigate; Uhr: be* slow; **~giebig** yielding, soft; **~haltig** lasting
nachher afterwards
nachholen make* up for
Nachkomme m descendant; 2n follow
Nachlass m econ. reduction, discount; jur. estate
nach|lassen decrease, diminish; **~lässig** negligent; **~laufen** run* after; **~machen → nachahmen**
Nachmittag m afternoon; **am ~ → 2s** in the afternoon
Nachnahme f COD; **~name** m surname, last name; 2prüfen, 2rechnen check
Nachricht f news sg (a. **~en** pl); Botschaft: message

Nachruf m obituary
Nach|saison f off-peak season; 2schlagen look up; 2sehen v/i (have* a) look; v/t check; Wort etc.: look up; 2senden forward
nächst|beste first, f any old; **~e** zeitlich, Reihenfolge: next; örtlich: nearest (a. Verwandte)
nachstellen Uhr: put* back; tech. (re)adjust; j-m: be* after s.o.
Nächstenliebe f charity
Nacht f night; **in der ~ → nachts**; **~dienst** m night duty
Nachteil m disadvantage
Nachthemd n nightgown; Männer2: nightshirt
Nachtigall f nightingale
Nachtisch m dessert
Nachtlokal n nightclub
nachträglich additional; später: later; Wünsche: belated
nachts at night, in od. during the night
Nacht|schicht f night shift; **~tisch** m bedside table
nach|wachsen grow* again; 2weis m proof; **~weisen** prove*; 2wirkung f after-effect; **~zahlen** pay* extra; 2zählen count; check
Nacken m (nape of the) neck
nackt naked; bloß, fig.: bare
Nadel f needle; Steck2 etc.: pin; **~baum** m conifer(ous tree)
Nagel m nail; **~lack** m nail

polish; **~lackentferner** *m* nail polish remover

nage|n gnaw (*an* at); **≗tier** *n* rodent

nah → **nahe** near, close (*bei* to); **~ gehen** affect deeply; **~ legen** suggest; **~ liegen** seem likely

Nähe *f* proximity; *Umgebung*: vicinity; **in der ~** close by; *mit gen*: near

nähen sew*; *Kleid*: make*

Näher|e *n* details *pl*; **≗n:** bei **~** approach

Näh|garn *n* thread; **~maschine** *f* sewing machine; **~nadel** *f* needle

nahr|haft nutritious, nourishing; **≗ung** *f* food; **≗ungsmittel** *pl* food *sg*

Naht *f* seam; *med.*: suture

Nahverkehr *m* local traffic

Nähzeug *n* sewing kit

naiv naive

Nam|e *m* name; **~enstag** *m* name day; **≗entlich** by name

nämlich that is (to say)

Napf *m* bowl, dish

Narbe *f* scar

Narkose *f*: **in ~** under anesthesia

Narzisse *f mst* daffodil

nasal nasal

naschen: gern **~** have* a sweet tooth

Nase *f* nose; **~nbluten** *n* nosebleed; **~nloch** *n* nostril

nass wet

Nässe *f* wet(ness)

nasskalt damp and cold

Nation *f* nation

national national; **≗hymne** *f* national anthem; **≗ität** *f* nationality; **≗mannschaft** *f* national team

Natter *f* adder, viper

Natur *f* nature; **~ereignis** *n* natural phenomenon; **~gesetz** *n* law of nature; **≗getreu** true to life; lifelike; **~katastrophe** *f* natural disaster

natürlich *adj* natural; *adv* naturally, of course

Natur|schutzgebiet *n* nature reserve; **~wissenschaft** *f* science; **~wissenschaftler(in)** scientist

Nebel *m* fog

neben beside, next to; *außer*: besides; *verglichen mit*: compared with; **~an** next door; **~bei** in addition; *übrigens*: by the way; **~einander** side by side; next (door) to each other; **≗fluss** *m* tributary; **≗gebäude** *n* adjoining building; *Anbau*: annex; **≗kosten** *pl* extras *pl*; **≗produkt** *n* by-product; **≗sächlich** unimportant; **≗straße** *f* side street; minor road; **≗tisch** *m* next table; **≗wirkung** *f* side effect

neblig foggy

neck|en tease; **~isch** saucy

Neffe *m* nephew

negativ negative

nehmen take* (*a.* sich **~**)

Neid *m* envy; **≗isch** envious

neig|en (*sich*) ~ bend*; ~ *zu* tend to (do) s.th.; **2ung** f inclination; *fig. a.* tendency

nein no

Nelke f carnation; *Gewürz:* clove

nennen name, call; mention; *sich ...* ~ be* called ...; **~swert** worth mentioning

Neon n neon (*a. in Zssgn*)

Nerv n nerve; *j-m auf die* **~en gehen** get* on s.o.'s nerves

Nerven|arzt, **~ärztin** neurologist; **~klinik** f psychiatric hospital; **~system** n nervous system; **~zusammenbruch** m nervous breakdown

nervös nervous; **2osität** f nervousness

Nerz n mink (*a. Mantel*)

Nest n nest; *contp.* one-horse town

nett nice; *so ~ sein zu ...* be* kind enough to ...

netto net (*a. in Zssgn*)

Netz n net; *fig.* network (*a. tel.*); *electr.* power; **~haut** f retina; **~teil** n electr. power supply unit

neu new; **~zeitlich:** modern; **~(e)ste** latest; *von ~ em* anew, afresh; *was gibt es* **2es?** what's new?; **~artig** novel; **2bau** m new building; **2erung** f innovation; **~geboren** newborn; **2gier** f curiosity; **~gierig** curious; **2heit** f novelty; **2jahr** n New Year's (Day); **~lich** the oth-

er day; **2mond** m new moon

neun nine; **~te, 2tel** n ninth; **~zehn(te)** nineteen(th); **~zig** ninety; **~zigste** ninetieth

neutr|al neutral; **2alität** f neutrality; **2on**(en ...) n neutron (...); **2um** n gr. neuter

Neuzeit f modern times

nicht not; ~ *mehr* not any more, no longer

Nicht... *Raucher etc.:* non(-)...

Nichte f niece

nichts nothing; ~ *sagend* meaningless; **2 n** nothing

nick|en nod; **2erchen** n nap

nie never; *fast ~* hardly ever

nieder adj low; adv down; **~geschlagen** depressed; **2kunft** f childbirth; **2lage** f defeat; **~lassen:** *sich* ~ settle (down); *econ.* set* up; **2lassung** f establishment; *Filiale:* branch; **~legen** lay* down; *Amt:* resign (from); **2schlag** m rain(fall); *radioaktiver:* fallout; **~schlagen** knock down; **~trächtig** mean; **2ung** f lowland(s pl)

niedlich pretty, sweet, cute

niedrig low (*a. fig.*)

niemals never, at no time

niemand nobody, no one; **2sland** n no-man's-land

Niere f kidney

niesel|n, **2regen** m drizzle

niesen sneeze

Niete f *Los:* blank; *fig.* failure; *tech.* rivet

nippen sip (*an* at)

nirgends nowhere
Nische f niche, recess
Niveau n level; fig. a. standard
noch still (a. **~ immer**); **~ ein** another, one more; **~ einmal** once more; **~ etwas?** anything else?; **~ nicht(s)** not(hing) yet; **~ nie** never before; **~ größer** even bigger; **~mals** once more
nominieren nominate
Nonne f nun
Nord(en m) north
nördlich north(ern); **Wind, Kurs:** northerly
Nord|ost(en m) northeast; **~pol** m North Pole; **~west (-en** m) northwest
nörgeln carp, nag
Norm f standard, norm
normal normal; **2...** tech. standard ...; **Verbraucher etc.:** average ...; **2benzin** n regular gas; **~erweise** normally
Not f need; **Elend:** misery; **in ~** in need od. trouble; **~ leidend** needy
Notar(in) notary (public)
Not|arzt m doctor; **mot.** ambulance; **~ausgang** m emergency exit; **~bremse** f emergency brake; **2dürftig** makeshift; **~reparieren** patch up
Note f grade; **Zensur:** grade; **~n lesen** read* music
Not|fall m emergency; **2falls** if necessary
notieren make* a note of
nötig necessary; **~ haben**

need
Notiz f note; **~buch** n notebook
not|landen make* an emergency landing; **2ruf** m tel. emergency call; **2rufsäule** f call box; **2rutsche** f aviat. (emergency) escape chute; **2signal** n distress signal; **2wehr** f self-defense; **~wendig** necessary; **2zucht** f rape
November m November
Nu m: **im ~** in no time
nüchtern sober; **sachlich:** matter-of-fact
Nudel f noodle
null zero; **Sport:** nil, nothing; **2** f → **null**; **contp.** a nobody; **gleich ~** nil; **2punkt** m zero
Nummer f number; **Zeitung etc.: a.** issue; **Größe:** size
nummerieren number
Nummernschild n mot. license plate
nun now; **also, na:** well; **~?** well?; **was ~?** what now od. next?
nur only, just; **bloß:** merely; **~ noch** only
Nuss f nut; **~schale** f nutshell
Nutte f hooker
Nutzen m use; **Gewinn:** profit; **Vorteil:** advantage; **2** → **nützen**
nützen v/i be* of use; **es nützt nichts (zu)** it's no use (ger); **v/t** use, make* use of; **~lich** useful
nutzlos useless, (of) no use

O

o *int.* oh!; ~ **weh!** oh dear!

ob whether, if; **als** ~ as if

Obdachlose *m, f* homeless person; **die** ~*n* the homeless *pl*

oben above; up; at the top; upstairs; **siehe** ~ see above; ~ **erwähnt** above-mentioned; ~ **ohne** topless; ~**auf** on (the) top; *fig.* feeling great

Ober *m* waiter; ~**arm** *m* upper arm; 2**e** upper, top; ~**fläche** *f* surface; 2**flächlich** superficial; 2**halb** above; ~**kellner(in)** head waiter(-ress); ~**kiefer** *m* upper jaw; ~**körper** *m* upper part of the body

Obers *n öster.* cream

Ober|schenkel *m* thigh; ~**schule** *f* = **Gymnasium**

ober|ste top; highest; 2**teil** *n* top; 2**weite** *f* bust size

obgleich (al)though

Obhut *f* care

Objekt *n* object; ~**iv** *n phot.* lens; 2**iv** objective

Obst *n* fruit; ~**torte** *f* fruit torte

obszön obscene, filthy

obwohl (al)though

Ochse *m* ox; ~**nschwanzsuppe** *f* oxtail soup

öd(e) deserted, desolate

oder or; ~ **aber** or else

Ofen *m* stove; *Back*2: oven

offen open; *Stelle:* vacant; *fig.* frank; ~ **gesagt** frankly (speaking); ~ **lassen** leave* open; ~ **stehen** be* open (*a. fig.*); ~**bar, ~sichtlich** obvious(ly); *anscheinend:* apparent(ly)

offensiv offensive

öffentlich public; 2**keit** *f* the public

offiziell official

Offizier *m* officer

öffn|en open (*a. sich*); 2**er** *m* opener; 2**ung** *f* opening; 2**ungszeiten** *pl* opening hours *pl*

oft often, frequently

öfter more often; frequently, repeatedly

oh *int.* o(h)!

ohne without; ~**hin** anyhow

Ohn|macht *f med.* unconsciousness; *in* ~ **fallen** faint; 2**mächtig** helpless; *med.* unconscious; ~ **werden** *med.* faint

Ohr *n* ear

Öhr *n* eye

Ohren|arzt, ~ärztin ear-nose-and-throat doctor; 2**betäubend** deafening; ~**schmerzen** *pl* earache *sg*

Ohr|feige *f* slap in the face; ~**läppchen** *n* ear lobe; ~**ring** *m* earring

Ökologie *f* ecology

Oktober *m* October

Öl *n* oil; 2**en** oil; *tech. a.* lubricate; **~gemälde** n oil painting; **~heizung** f oil heating; **2ig** oily

oliv, 2e f olive

Öl|quelle f oil well; **~unfall** m oil spill

Olympia..., **2isch** Olympic; *Olympische Spiele* pl Olympic Games pl

Oma f F grandma, *Anrede:* Grandma

Omnibus m → **Bus**

Onkel m uncle

Opa m F grandpa, *Anrede:* Grandpa

Oper f opera; opera house

Operation f operation

Operette f operetta

operieren: j-n ~ operate on s.o.; *sich ~ lassen* have* an operation

Opfer n sacrifice; *Mensch, Tier:* victim; **2n** sacrifice

Opposition f opposition

Optiker(in) optician

Optimist(in) optimist; **2isch** optimistic

Orange f orange; **~nsaft** m orange juice; O J

Orchester n orchestra

Orchidee f orchid

Orden m order (*a. rel.*); medal, decoration

ordentlich tidy, neat; *gehörig:* proper, decent

ordinär vulgar

ordn|en put* in order; *arrange;* **2er** m file; *Helfer:* attendant; **2ung** f order; class; *in* **~** alright; *in* **~** *bringen*

put* right; repair, fix; **2ungszahl** f ordinal number

Organ n organ; F voice; **~isation** f organization; **2isch** organic; **2isieren** organize; **~ismus** m organism

Orgel f organ

orientieren j-n: inform; *sich ~* orient o.s.; **2ung** f orientation; *die* **~** *verlieren* lose* one's bearings; **2ungssinn** m sense of direction

Original n, **2al** original; *Idee etc.:* ingenious; witty

Orkan m hurricane

Ort m place; → **Ortschaft**; **vor ~** fig. on site

Orthopäd|e, ~in orthopedist

örtlich local

Ortschaft f place, village

Orts|gespräch n local call; **~kenntnis** f: **~ haben** know* a place; **~zeit** f local time

Öse f eye; *Schuh:* eyelet

Ost(en m) east

Oster|ei n Easter egg; **~glocke** f daffodil; **2n** n Easter

Österreich Austria; **~er(in)**, **2isch** Austrian

östlich eastern; *Wind etc.:* easterly; **~ von** east of

Otter[1] m otter

Otter[2] f adder, viper

Ouvertüre f overture

oval, 2 n oval

Oxyd n oxide; **2ieren** oxidize

Ozean m ocean, sea

Ozonschicht f ozone layer

P

Paar *n* pair; *Ehe*♀ etc.: couple
paar: *ein ~* a few, some; *ein ~ Mal* a few times; *~en:* **(sich) ~ mate**
Pacht *f*, ♀en lease
Pächter(in) leaseholder
Päckchen *n* small parcel; → *Packung*
pack|en pack; *fig.* grip, thrill; ♀papier *n* brown paper; ♀ung *f* package, box; *Zigaretten*♀: packet, pack
Paddel *n* paddle; *~boot n* canoe; ♀n paddle, canoe
Paket *n* package; *post.* parcel; *~karte f* parcel ID form
Palme *f* palm (tree)
paniert breaded
Panne *f* breakdown; *~n-dienst m mot.* emergency road service
Pantoffel *m* slipper
Papa *m* dad(dy), pa, *Anrede:* Dad(dy), Pa
Papagei *m* parrot
Papier *n* paper; *~e pl* papers *pl*, documents *pl*; *Ausweis*♀e: identification *sg*; *~korb m* waste basket
Pappe *f* cardboard
Pappel *f* poplar
Papp|karton *m*, *~schachtel f* cardboard box
Paprika *m Gemüse:* pepper; *Gewürz:* paprika
Papst *m* pope
Parade *f* parade

Paradeiser *m öster.* tomato
Paradies *n* paradise
Paragraph *m jur.* article, section; *print.* paragraph
parallel, ♀e *f* parallel
Parfüm *n* perfume; *~erie f* perfume store
Park *m* park
parken park; ♀en *verboten!* no parking!
Parkett *n* parquet; *thea.* orchestra
Park|gebühr *f* parking fee; *~haus n* parking garage; *~lücke f* parking space; *~platz m* parking lot; *einzelner:* parking space; *~uhr f* parking meter; *~verbot n* no parking
Parlament *n* parliament
Parodie *f* parody, takeoff
Partei *f* party; ♀isch partial
Parterre *n* first floor
Partner|(in) partner; *~schaft f* partnership
Pass *m* passport; *Sport, geogr.:* pass
Passage *f* passage
Passagier(in) passenger
Passant(in) passerby
Passbild *n* passport photo
passen fit; *zusagen:* suit *(j-m* s.o.); *~ zu* go* with, match; *~d* suitable; matching
passieren *v/i* happen; *v/t* pass (through)
passiv passive

Paste f paste

Pastete f pie

Pate m godfather; godchild; ~**nkind** n godchild

Patent n patent

Patient(in) patient

Patin f godmother

Patriot(in) patriot

Patrone f cartridge

Pauke f kettledrum

Pauschal|e f lump sum; ~**reise** f package tour

Pause f break; *thea. etc.* intermission; *Sprech*~: pause

Pavillon m pavilion

Pech n pitch; *fig.* bad luck

Pedal n pedal

pedantisch pedantic

peinlich embarrassing; ~ **genau** meticulous

Peitsche f, ~**n** whip

Pellkartoffeln pl potatoes pl (boiled) in their jackets

Pelz m fur; ~**gefüttert** furlined; ~**mantel** m fur coat

Pend|el n pendulum; ~**eln** swing*; *Person*: commute; ~**elverkehr** m shuttle service; commuter traffic; ~**ler** m commuter

penetrant obtrusive

Penis m penis

Pension f (old-age) pension; boarding-house; ~**ieren**: **sich ~ lassen** retire; ~**iert** retired

per *pro*: per; *durch*: by

perfekt perfect

Periode f period (*a. med.*)

Perle f pearl; *Glas*~: bead; ~**n** sparkle, bubble

Perlmutt n mother-of-pearl

Person f person; **für zwei ~en** for two

Personal n staff, personnel; ~**abteilung** f personnel department; ~**ausweis** m ID (card); ~**chef(in)** staff manager; ~**ien** pl particulars pl, personal data pl

Personenzug m passenger train; local train

persönlich personal(ly); ~**keit** f personality

Perücke f wig

Pessimist|(in) pessimist; ~**isch** pessimistic

Pest f plague

Petersilie f parsley

Petroleum n kerosene

Pfad m path; ~**finder** m boy scout; ~**finderin** f girl scout

Pfahl m stake, post; pole

Pfand n security; *Flaschen*~: deposit; ~**flasche** f returnable bottle

Pfanne f pan, skillet; ~**kuchen** m pancake

Pfarrer m priest; *protestantischer*: minister, pastor

Pfau m peacock

Pfeffer m pepper; ~**kuchen** m gingerbread; ~**minze** f peppermint; ~**n** pepper; ~**mühle** f pepper mill

Pfeife f whistle; *Tabak*~, *Orgel*~: pipe; ~**n** whistle

Pfeil m arrow

Pfeiler m pillar

Pferd n horse; **zu ~e** on horseback; **~erennen** n horse race; **~eschwanz** m Frisur: ponytail; **~estärke** f horsepower

Pfiff m whistle

pfiffig clever

Pfingst|en n Pentecost; **~rose** f peony

Pfirsich m peach

Pflanze f plant; **~nfett** n vegetable fat

Pflaster n Band-Aid®; Straße: pavement; **2n** pave; **~stein** m paving stone

Pflaume f plum; Back2: prune

Pflege f care; med. nursing; fig. cultivation; **~...** Eltern, Kind etc.: foster ...; **~heim** n nursing home; **2n** care for; med. a. nurse; fig. cultivate; **sie pflegte zu sagen** she used to say; **~r** m male nurse; **~rin** f nurse

Pflock m peg

pflücken pick, gather

Pförtner(in) gatekeeper; doorkeeper

Pfosten m (Sport: goal)post

Pfote f paw

Pfropfen m stopper; cork; Watte etc.: plug; med. clot

pfui ugh!; Sport etc.: boo!

Pfund n pound

pfuschen bungle

Pfütze f puddle, pool

Phantasie etc. → **Fantasie** etc.

Phase f phase, stage

Philosoph|(in) philosopher; **~ie** f philosophy

phlegmatisch phlegmatic

Phosph|at n phosphate; **~or** m phosphorus

Photo etc. → **Foto** etc.

Physik f physics sg; **2alisch** physical; **~er(in)** physicist

physisch physical

Pianist(in) pianist

Pick|el m med.: pimple; **2(e)lig** pimpled, pimply

picken peck, pick

Picknick n picnic

piep(s)en chirp; electr. bleep

Pik n spade(s pl)

pikant spicy, piquant (a. fig.)

Pilger(in) pilgrim

Pille f pill

Pilot m pilot; **~...** Film, Projekt etc.: pilot ...

Pilz m mushroom; biol., med. fungus

pingelig fussy

pinkeln F pee; **~ gehen** go* for a pee

Pinsel m brush

Pinzette f tweezers pl

Pionier m pioneer

Piste f course; aviat. runway

Pistole f pistol, gun

Plag|e f trouble; Insekten2 etc.: plague; **2n** trouble, bother; **sich ~** toil, drudge

Plakat n poster

Plakette f badge

Plan m plan

Plane f awning, tarpaulin

planen plan

Planet m planet

Planke f plank, board

plan|los without plan; *ziellos*: aimless; **~mäßig** *adj* systematic; *rail. etc.* scheduled; *adv* as planned

Plansch|becken n paddling pool; **2en** splash, paddle

Plantage f plantation

plappern chatter, prattle

plärren bawl; *Radio*: blare

Plastik¹ f sculpture

Plastik² n plastic

Platin n platinum

plätschern ripple; splash

platt flat; *fig.* trite; F flabbergasted

Platte f plate; *Stein*: slab; *Computer*: disk; **kalte** plate of cold cuts

plätten iron, press

Platt|form f platform; **~fuß** m flat foot; *mot.* flat tire

Platz m place; spot; *Raum*: room, space; *Lage, Bau*2: site; *Sitz*: seat; *öffentlicher*: square; **~ nehmen** take* a seat; **~anweiser(in)** usher(ette)

Plätzchen n → *Keks*

platz|en burst* (*a. fig.*); explode; **2karte** f seat reservation; **2regen** m downpour

Plauder|ei f, **2n** chat

pleite broke; spot; **2 f** bankruptcy; F flop; **~ gehen** go* bankrupt, F go bust

Plombe f seal; *Zahn*2: filling; **2ieren** seal; fill

plötzlich sudden(ly)

plump clumsy

plündern plunder, loot

Plural m plural

plus plus; **2 n** plus; **im ~** *econ.* in the black

Po m F bottom, behind

Pöbel m mob, rabble

pochen *Herz etc.*: throb; **~ auf** *fig.* insist on

Pocken pl smallpox sg

Podium n podium, platform

poetisch poetic(al)

Pokal m *Sport*: cup; **~end-spiel** n cup final; **~spiel** n cup tie

pökeln salt

Pol m pole; **2ar** polar

Police f (insurance) policy

polieren polish

Politi|k f politics sg, pl; *bestimmte*: policy; **~ker(in)** politician; **2sch** political

Politur f polish

Polizei f police pl; **~beamte,** **~beamtin** police officer; **~revier** n police station

Polizist(in) police (wo)man

Polster n pad; *Kissen*: cushion; **~möbel** pl upholstered furniture sg; **2n** upholster, stuff; *wattieren*: pad

Polter|abend m eve of the wedding (party); **2n** rumble

Pommes (frites) pl (French) fries pl

Pony¹ n pony

Pony² m *Frisur*: bangs pl

populär popular

Por|e f pore; **2ös** porous

Porree m leek

Portemonnaie n purse

Portier *m* doorman

Portion *f* portion, share; *bei Tisch*: helping, serving

Portmonee *n* → **Portemonnaie**

Porto *n* postage; **2frei** postage paid

Porträt *n* portrait

Porzellan *n* china

Posaune *f* trombone

Position *f* position

positiv positive

Post *f* mail; **~amt** *n* post office; **~beamte, ~beamtin** postal clerk; **~bote, ~botin** → **Briefträger(in)**

Posten *m* post; *Stelle*: a. job; *Waren*: lot

Post|fach *n* (PO) box; **~karte** *f* postcard; **2lagernd** general delivery; **~leitzahl** *f* zip code; **~stempel** *m* postmark

Pracht *f* splendor

prächtig splendid

prahlen brag, boast

Prakti|kant(in) trainee; **~ken** *pl* practices *pl*; **~kum** *n* practical training (period); **2sch** practical; useful, handy; **~er Arzt** general practitioner

Praline *f* chocolate

prall tight; *drall*: plump; *Sonne*: blazing; **~en** bounce; **~ gegen** hit*

Prämie *f* premium; bonus

Präservativ *n* condom

Präsident(in) president

prasseln *Feuer*: crackle; *Regen, Hagel*: patter; **~ gegen**

beat* against

Praxis *f* practice; *med.* doctor's office

predigen preach; **2er(in)** preacher; **2t** *f* sermon

Preis *m* price; *erster etc.*: prize; *Film etc.*: award; **~ausschreiben** *n* competition

Preiselbeere *f* cranberry

Preis|erhöhung *f* increase in price(s); **2gekrönt** prize-winning; **~nachlass** *m* discount; **2wert** inexpensive

Prellung *f* contusion, bruise

Premiere *f* first night

Presse *f*, **2n** press

prickeln, **2** *n* tingle

Priester(in) priest(ess)

prima great, super

primitiv primitive

Prinzip *n* (*im* in) principle

Prise *f*: *e-e ~* a pinch of

privat private; **2...** *Leben, Schule etc.*: private ...

Privileg *n* privilege

pro per; *das* **2 und Kontra** the pros and cons *pl*

Probe *f* test; *Muster*: sample; *thea.* rehearsal; *auf die* **~ stellen** put* to the test; **~fahrt** *f* test drive; **2n** *thea.* rehearse

probieren try; *kosten*: a. taste

Problem *n* problem

Produ|kt *n* product; **~ktion** *f* production; **2ktiv** productive; **2zieren** produce

Professor(in) professor

Profi *m* pro(fessional)

Profil n profile; *Reifen*: tread; **Qieren: sich ~** distinguish o.s.

Profit m, **Qieren** profit (*von* from)

Programm n program; *TV Kanal*: channel; **Qieren** program

Projekt n project

Promillegrenze f (blood) alcohol limit

prominent prominent; **Qz** f VIPs pl, big names pl

prompt prompt, quick

Propeller m propeller

prophezeien predict

Prosa f prose

Prospekt m brochure

prost cheers!

Prostituierte f prostitute

Protest m protest; **~ant(in)**, **Qantisch** Protestant; **Qieren** protest

Prothese f artificial limb; *Zahn*Q: denture(s pl)

Protokoll n record, minutes pl; *pol.* protocol

protzig show-offish

Proviant m provisions pl

Provinz f province

Provision f commission; **Qorisch** provisional

provozieren provoke

Prozent n per cent

Prozess m jur. lawsuit; *Straf*Q: trial; *chem. etc.* process

prüde prudish

prüf|en examine, test; *kontrollieren*: check; **Qer(in)** ex-

aminer; *tech.* tester; **Qung** f exam(ination); test

Prügel pl: **~ bekommen** get* a beating *sg*; **Qn** beat*; *sich ~* fight*, have* a fight

pst s(s)ht!; *hallo*: psst!

Psychi|ater(in) psychiatrist; **Qsch** mental

Psycho|loge m psychologist; **~logie** f psychology; **~login** f psychologist; **Qlogisch** psychological; **~terror** m psychological warfare

Pubertät f puberty

Publikum n audience; *Sport*: spectators pl

Pudding m pudding

Pudel m poodle

Puder m powder

Puff m F whorehouse

Pull|i m (light) sweater; **~over** m sweater

Puls m pulse (rate)

Pult n desk

Pulver n powder

pummelig chubby

Pumpe f, **Qn** pump

Punkt m point (*a. fig.*); *Tupfen*: dot; *Satzzeichen*: period; *Stelle*: spot; **~ zehn Uhr** 10 (o'clock) sharp

pünktlich punctual; **Qkeit** f punctuality

Pupille f pupil

Puppe f doll (*a.* F fig.); *thea.* puppet; *zo.* pupa

pur pure; *Whisky*: straight

Püree n purée, mash

purpurrot crimson

pusten blow*; *keuchen*: puff

Pute f, **~r** m turkey
Putz m plaster(ing); **2en** v/t
clean; *wischen*: wipe; *sich
die Nase ~* blow* one's
nose; *sich die Zähne ~*

brush one's teeth; v/i do* the
cleaning; **~frau** f cleaning
woman
Puzzle n jigsaw (puzzle)
Pyramide f pyramid

Q

Quadrat n, **~.. Meter, Wurzel**
etc. square (a. ...); **2isch** square
quaken *Ente*: quack; *Frosch*:
croak
Qual f pain, torment, agony
quälen torment; *Tier etc.*: be*
cruel to; *sich ~* torment o.s.;
körperlich: struggle
Qualifi|kation f qualification;
2zieren: (sich) ~ qualify
Qualität f quality
Qualle f jellyfish
Qualm m (thick) smoke; **2en**
smoke
qualvoll excruciating, very
painful; *Schmerz*: agonizing
Quantität f quantity
Quarantäne f quarantine
Quark m cottage cheese;
curd(s pl)
Quartal n quarter

Quartett n quartet
Quartier n accommodation
Quarz m quartz
Quatsch m nonsense; **2en**
chat; *contp.* babble
Quecksilber n mercury
Quelle f spring; source (a.
fig.); **2n** pour, stream
quer across (a. **~ über**);
2schnitt m cross-section;
~schnittsgelähmt paraple-
gic; **2straße** f side street
quetsch|en squeeze; *med.*
bruise; **2ung** f bruise
quiek(s)en squeak, squeal
quietschen squeal; *Reifen*: a.
screech; *Tür*: creak
quitt quits, even
quitt|ieren give* a receipt
for; **2ung** f receipt
Quote f quota; share

R

Rabatt m discount
Rabbi(ner) m rabbi
Rache f revenge, vengeance
Rachen m throat
rächen revenge (*sich* o.s.)
Rad n wheel; *Fahr2*: bike; **~**

fahren cycle, ride* a bicycle
(F bike), F bike
Radar m, n radar; **~falle** f
speed trap; **~kontrolle** f ra-
dar speed check
Radfahrer(in) cyclist

radier|en erase; **2gummi** *m* eraser; **2ung** *f* etching

Radieschen *n* (red) radish

radikal radical

Radio *n* (**im** on the) radio; **2aktiv** radioactive; **~wecker** *m* clock radio

Radius *m* radius

Rad|kappe *f* hubcap; **~tour** *f* bicycle tour; **~weg** *m* bike path *od.* route

raffiniert refined; *fig.* clever, cunning

ragen tower (up), rise*

Rahm *m* cream

Rahmen *m*, **2** frame

rammen ram; *mot. a.* hit*

Rampe *f* ramp

Ramsch *m* junk, trash

Rand *m* edge, border; *Seite:* margin; *Glas, Hut:* brim; *Teller, Brille:* rim; *fig.* brink

randalier|en riot; **2er** *m* rioter

Rang *m* rank (*a. mil.*)

Ranke *f* tendril; **2n: sich ~** creep*; climb

ranzig rancid, rank

rar rare, scarce

rasch quick, swift; prompt

rascheln rustle

rasen race; *toben:* rage (*a. Sturm*); **~d** *Tempo:* breakneck; *Kopfschmerz:* splitting; **~ machen** drive* mad

Rasen *m* lawn; **~mäher** *m* lawn mower

Raser *m* speeder

Rasier|... *Schaum etc.:* shaving ...; **~apparat** *m* (safety) razor; electric razor; **2en** shave (*a.* **sich ~**); **~klinge** *f* razor blade; **~wasser** *n* aftershave

Rasse *f* race; *zo.* breed

rasseln rattle

Rassen|trennung *f* (racial) segregation; **~unruhen** *pl* race riots *pl*

Rassismus *m* racism

Rast *f* rest, stop; **2en** rest, stop; **2los** restless; **~platz** *m* *mot.* rest area; **~stätte** *f mot.* service area

Rasur *f* shave

Rat *m* (**ein** a piece of) advice; *pol.* council

Rate *f* installment; rate; *in* **~n** by installments

raten advise; guess (*a. er~*); *Rätsel:* solve

Ratenzahlung *f* → *Abzahlung*

Rat|geber(in) advisor; *Buch:* guide; **~haus** *n* town *od.* city hall

Ration *f* ration; **2alisieren** reorganize; **2ieren** ration

rat|los at a loss; **~sam** advisable

Rätsel *n* puzzle; *~frage:* riddle; *fig. a.* mystery; **2haft** puzzling; mysterious

Ratte *f* rat

rattern rattle, clatter

rau rough, rugged; *Klima, Stimme:* a. harsh; *Haut etc.:* chapped

Raub *m* robbery; *Beute:* loot; *Opfer:* prey; **2en** rob

Räuber(in) robber
Raub|tier n predator; **~über-**
fall m holdup, mugging;
armed robbery; **~vogel** m →
Greifvogel
Rauch m smoke; 2en smoke;
Rauchen verboten no
smoking; **~er(in)** smoker
Räucher... Lachs etc.:
smoked ...; 2n smoke
rauchig smoky
rauh → rau; 2reif m → **Rau-**
reif
Raum m room; Welt2: space;
Gebiet: area
räumen leave*; evacuate;
Straße, Lager: clear
Raum|fahrt... space ...; **~in-**
halt m volume
räumlich three-dimensional
Raumschiff n spacecraft; be-
mannt: a. spaceship
Raupe f caterpillar
Raureif m hoarfrost
Rausch m intoxication; **e-n ~**
haben be* drunk; 2en rush;
fig. sweep*
Rauschgift n drug(s pl);
~handel m drug traf-
fic(king); **~händler(in)** drug
trafficker; sl. pusher;
~süchtige m, f drug addict
räuspern: sich ~ clear one's
throat
Razzia f raid
reagieren react (auf to)
Reaktor m reactor
real real; **~istisch** realistic;
2ität f reality
Rebe f vine

Rebell m rebel; 2ieren rebel,
revolt, rise*
Rechen m, 2 rake
Rechen|aufgabe f (arith-
metic) problem; **~fehler** m
error, miscalculation; **~**
schaft f: **~ ablegen über** account for; **zur ~ ziehen** call
to account
Rechn|en n arithmetic; 2en
calculate; Aufgabe: do*; ~
mit expect; count on s.o.; **~er**
m calculator; computer;
~ung f calculation; econ.
bill, invoice; im Lokal: check
recht right; pol. right-wing
Recht n right (auf to); jur.
law; fig. justice; **~ haben** be*
right
Rechte¹ f right (hand); pol.
the right (wing)
Rechte² m, f pol. rightist,
right-winger
Recht|eck n rectangle; 2-
eckig rectangular; 2ferti-
gen justify; **~fertigung** f jus-
tification; 2lich legal; 2-
mäßig legal, lawful; legitimate
rechts on the right; pol.
right(ist); **nach ~** to the right
Rechtsan|walt, **~wältin** law-
yer, attorney
Rechtschreibung f spelling
Rechts|händer(in) right-
-hander; **~ sein** be* right-
-handed; 2widrig illegal
recht|wink(e)lig right-an-
gled; 2zeitig in time (zu for)
recken stretch (sich o.s.)

Rede f speech (**halten** make*); 2gewandt eloquent; 2n talk, speak*; ~nsart f saying

redlich honest, upright

Red|ner(in) speaker; 2selig talkative

Reeder|(in) shipowner; ~ei f shipping company

reell Preis etc.: fair; echt: real; Firma: solid

reflektieren reflect

Reform f reform; 2ieren reform

Regal n shelves pl

Regel f rule; med. period; 2mäßig regular; 2n regulate; erledigen: take* care of; ~ung f regulation; e-r Sache: settlement

Regen m rain; ~bogen m rainbow; ~mantel m raincoat; ~schauer m shower; ~schirm m umbrella; ~tropfen m raindrop; ~wald m rain forest; ~wetter n rainy weather; ~wurm m earthworm

Regie f direction

regier|en govern; 2ung f government, administration

Region f region

Regisseur(in) director

registrieren register, record; fig. note

regne|n rain; ~risch rainy

regulieren regulate, adjust; steuern: control

regungslos motionless

reib|en rub; gastr. grate; 2ung f friction

reich rich (an in), wealthy

Reich n empire, kingdom (a. rel.; zo.); fig. world; das Dritte ~ the Third Reich

reichen reach (bis to; nach [out] for); zu~: a. hand, pass; genügen: be* enough; das reicht that will do

reich|haltig rich; ~lich plenty (of); ziemlich: rather; 2tum m wealth (an of); 2weite f reach; mil. range

Reif m (hoar)frost; bracelet; ring

reif ripe; bsd. fig. mature; 2e f ripeness; maturity; 2en ripen, mature

Reifen m hoop; mot. etc. tire; ~panne f flat tire

Reihe f line, row (a. Sitz2); Anzahl: number; Serie: series; der ~ nach in turn; ich bin an der ~ it's my turn; 2nfolge f order

Reim m rhyme; 2en: (sich) ~ rhyme

rein pure; sauber: clean; Gewissen, Haut: clear; 2fall m flop; ~igen (chemisch: dry-)clean; 2igung f (chemische) cleaning; Betrieb: (dry) cleaners pl

Reis m rice

Reise f trip; journey; naut. voyage; Rund2: tour; ~andenken n souvenir; ~büro n travel agency; ~führer m guide(book); ~gesellschaft f tour group; ~leiter(in) tour guide; 2n travel; ~nde m, f traveler; ~pass m passport; ~scheck m traveler's check; ~tasche f carryall; ~ziel n destination

reißen tear*; Witze: crack; ~end torrential; 2verschluss m zipper; 2zwecke f thumbtack

Reit... Schule, Stiefel etc.: riding ...; 2en ride*; ~er(in) rider, horseman (-woman); ~hose f (riding) breeches pl

Reiz m appeal, attraction; med. etc. stimulus; 2bar irritable; 2en irritate (a. med.); provoke; anziehen: appeal to; Karten: bid; 2end delightful; nett: kind; 2voll attractive

Reklamation f complaint; ~e f advertising; Anzeige: advertisement, F ad

Rekord m record

relativ relative

Religion f religion; 2ös religious

Reling f rail

Reliquie f relic

Renn bahn f racecourse; 2en run*; ~en n race; ~fahrer(in) racing driver; racing cyclist; ~läufer(in) ski racer; ~pferd n racehorse; ~rad n racing bicycle; ~stall m racing stable; ~wagen m racing car

renovieren Haus: renovate

rentabel profitable

Rente f (old-age) pension;

~ner(in) pensioner

Reparatur f repair; ~werkstatt f mot. garage

reparieren repair, F fix

Report age f report; ~er(in) reporter

Reptil n reptile

Republik f republic; ~aner(in), 2anisch republican, in den USA auf die Partei bezogen: Republican

Reserve f reserve; ~rad n spare wheel

reservier en reserve (a. ~ lassen); ~t reserved (a. fig.)

resignieren give* up

Respekt m, 2ieren respect

Rest m rest; ~e pl remains pl; Essen: leftovers pl

Restaurant n restaurant

restaurieren restore

restlich remaining; ~los entirely, completely

retten save (vor from); rescue (aus from); 2r(in) rescuer

Rettich m radish

Rettung f rescue

Rettungs boot n lifeboat; ~mannschaft f rescue party; ~ring m life belt

Reue f repentance, remorse

Revolution f revolution; 2är, ~är(in) revolutionary

Rezept n med. prescription; gastr., fig. recipe

Rezeption f reception desk

Rheuma n rheumatism

Rhythmus m rhythm

Ribisel f öster. currant

richten fix; get* *s.th.* ready; ~ **auf** direct to; *Waffe, Kamera:* point at; (**sich**) ~ **an** address (o.s.) to; **sich** ~ **nach** go* by, act according to; *abhängen von:* depend on

Richter(in) judge

richtig right; correct; *echt:* real; ~ **gehen** *Uhr:* be* right; **das** Ⓔe the right thing (to do)

Richtlinien *pl* guidelines *pl*

Richtung *f* direction

riechen smell* (**nach** of)

Riegel *m* bolt, bar (*a. Schokolade etc.*)

Riemen *m* strap; *Gürtel, tech.:* belt; *Ruder:* oar

Riese *m* giant

rieseln trickle, run*; *Schnee:* fall softly

riesig huge, gigantic

Riff *n* reef

Rille *f* groove

Rind *n* beef; **~er** *pl* cattle *pl*

Rinde *f* bark; *Käse:* rind; *Brot:* crust

Rind|erbraten *m* roast beef; **~erwahn(sinn)** *m vet.* mad cow disease; **~fleisch** *n* beef

Ring *m* ring; *fig. a.* circle

Ringelspiel *n* öster. carousel

ring|en wrestle; *fig. a.* struggle; *Hände:* wring*; Ⓔen *n* wrestling; Ⓔer(in) wrestler; Ⓔkampf *m* wrestling match; Ⓔrichter *m* referee

Rinn|e *f* channel; Ⓔen run*; **~stein** *m* gutter

Rippe *f* rib

Ris|iko *n* risk; Ⓔkant risky;

Ⓔkieren risk

Riss *m* tear; *Sprung:* crack; *Haut:* chap

Ritt *m* ride

Ritter *m* knight

Ritze *f* chink; Ⓔn scratch

Rival|e, **~in** rival

Robbe *f* seal; Ⓔn crawl

Robe *f* robe; gown

Roboter *m* robot

robust robust, sturdy

röcheln moan; *et.:* gasp

Rock *m* skirt

Rogen *m* roe

Roggen *m* rye

roh raw; *grob:* rough; *fig.* brutal; Ⓔkost *f* crudités *pl*; Ⓔöl *n* crude (oil)

Rohr *n* tube, pipe; → **Schilf**

Röhre *f* tube (*a. TV*), pipe

Rohstoff *m* raw material

Roll|laden *m* → **Rollladen**; **~bahn** *f* runway

Rolle *f* roll; *thea.* part, role; *Garn etc.:* reel; *fig.* roll; *aviat.* taxi

Roll|kragen *m* turtleneck; **~laden** *m* shutters; **~schuh** *m* roller skate; **~stuhl** *m* wheelchair; **~treppe** *f* escalator

Roman *m* novel

romantisch romantic

röntgen, Ⓔbild *n* X-ray; Ⓔstrahlen *pl* X-rays *pl*

rosa pink

Rose *f* rose; **~nkohl** *m* Brussels sprouts *pl*

Rosine *f* raisin, currant

Rost *m* rust; *tech.* grate;

Bra♀; grill; ♂en rust
rösten roast; *Brot*: toast
rost|frei rustproof, stainless;
~ig rusty; ♀schutzmittel n
anti-rust agent
rot red; ~ werden blush;
~blond sandy(-haired)
Röteln pl German measles
sg
röten: (sich) ~ redden
Rothaarige m f redhead
Rot|kehlchen n robin; ~kohl
m red cabbage; ~stift m red
pencil; ~wein m red wine
Route f route
Routine f routine
Rübe f turnip; (sugar) beet
Rubin m ruby
Ruck m jerk, jolt, start
Rückblick m review (auf of);
rücken move; shift; näher ~
be* approaching
Rücken m back; ~lehne f
back(rest); ~mark n spinal
cord; ~schwimmen n back-
stroke; ~wind m tailwind;
~wirbel m dorsal vertebra
Rück|erstattung f refund;
~fahrkarte f round-trip ticket; ~fahrt f return trip; auf
der ~ on the way back;
~fällig: ~ werden relapse;
~flug m return flight; ~grat
n spine, backbone; ~halt m
support; ~kehr f return;
~licht n taillight; ~porto n
return postage; ~reise f →
Rückfahrt
Rucksack m backpack;
~tourist m backpacker

Rück|schlag m setback;
~schritt m step back(ward);
~seite f back, reverse;
~sicht f consideration; ~
nehmen auf show* consid-
eration for; ♀sichtslos in-
considerate (gegen of);
skrupellos: ruthless; *Fahren
etc.*: reckless; ♀sichtsvoll
considerate; ~sitz m back
seat; ~spiegel m rearview
mirror; ~stand m arrears pl;
chem. residue; ♀ständig
backward; ~tritt m resignation; ♀wärts backward(s);
~wärtsgang m reverse
(gear); ~weg m way back;
~wirkend retroactive; ~
zahlung f repayment; ~zug
m retreat
Ruder n rudder; *Riemen*: oar;
~boot n rowboat; ♂n row
Ruf m call (a. fig.); cry, shout;
Ansehen: reputation; ♀en
call; cry, shout; ~ lassen
send* for
Rüge f reproof, reproach
Ruhe f quiet, calm; *Erholung*:
rest (a. phys.); in ~ lassen
leave* alone; ♀los restless;
♀n rest (auf on); ~pause f
break; ~stand m retirement;
~störung f disturbance (of
the peace)
ruhig quiet; calm
Ruhm m fame; *mil.* glory
Rühr|ei n scrambled eggs
pl; ♀en stir (a. gastr.), move
(beide a. sich ~); *fig.* touch,
move; ♀end touching, mov-

ing; **ung** f emotion

Ruin m ruin

Ruin|e f ruin(s pl); **℈nieren** ruin (*sich* o.s.)

rülpsen belch

Rum m rum

Rummel m bustle; *Reklame etc.*: ballyhoo; **~platz** m fair, amusement park

rumpeln rumble

Rumpf m anat. trunk; naut. hull; aviat. fuselage

rümpfen: die Nase ~ turn one's nose up

rund adj round; adv about; **~ um** (a)round; **℈blick** m panorama; **~e** f round; *Rennen*: lap; **℈fahrt** f tour

Rundfunk m (*im* on the) radio; *Gesellschaft*: broadcasting corporation; **~hörer** m listener; pl a. (radio) audience sg; **~sender** m radio station; **~sendung** f broadcast

Rund|gang m tour (*durch*

of); **℈herum** all (a)round; **℈lich** plump; **~reise** f tour (*durch* round); **~schreiben** n circular

Runz|el f wrinkle; **℈(e)lig** wrinkled; **℈eln → Stirn**

rupfen pluck

Rüsche f frill

Russe m Russian

Rüssel m *Elefant*: trunk; *Schwein*: snout

Russ|in f, **℈isch** Russian

Russland Russia

rüsten arm (*zum Krieg* for war); **sich ~** prepare, get* ready (*zu, für* for)

rüstig vigorous, hale

Rüstung f mil. armament; **~skontrolle** f arms control

Rute f rod; *Gerte*: switch

Rutsch|bahn f, **~e** f slide, chute; **℈en** slide*, slip (a. aus~); mot. etc. skid; **℈ig** slippery

rütteln v/t shake*; v/i jolt; **~ an** rattle at

S

Saal m hall

Sach|bearbeiter(in) person in charge; **℈dienlich** relevant; **~e** f thing; *Angelegenheit*: matter; *gute etc.*: cause; **℈gerecht** proper; **℈kundig** expert; **℈lich** matter-of-fact; objective

Sachschaden m material damage

sacht(e) softly; F easy

Sach|verhalt m facts pl (of the case); **~verständige** m,f expert (witness jur.)

Sack m sack, bag; **~gasse** f cul-de-sac, dead end (street) (a. fig.)

Saft m juice; **℈ig** juicy

Sage f legend, myth

Säge f saw

sagen say*; *mitteilen:* tell*
sägen saw*
sagenhaft legendary; F fabulous, incredible
Sahne f cream
Saison f season
Saite f string; **~ninstrument** n string(ed) instrument
Sakko m, n (sports) jacket
Salat m salad; *Kopf*2: lettuce; **~sauce** f salad dressing
Salbe f ointment, salve
salopp casual
Salto m somersault
Salz n, **2en** salt; **2ig** salty; **~kartoffeln** pl boiled potatoes pl; **~säure** f hydrochloric acid; **~streuer** m salt shaker; **~wasser** n salt water
Same(n) m seed; *biol.* sperm, semen
samm|eln collect; **2er(in)** collector; **2lung** f collection
Samstag m Saturday
samt (along) with
Samt m velvet
sämtlich; **~e** pl all; *Werke:* the complete
Sanatorium n sanitarium
Sand m sand
Sandale f sandal
Sand|bank f sandbank; **2ig** sandy; **~papier** n sandpaper
sanft gentle, soft
Sänger(in) singer
sanitär sanitary
Sanitäter(in) paramedic
Sankt Saint, *Abk.* St.
Sard|elle f anchovy; **~ine** f

sardine
Sarg m coffin, casket
Satellit m satellite
Satire f satire
satt F full (up); *sich* **~ essen** eat* one's fill; *ich bin* **~** I've had enough; **~ haben** be* fed up with
Sattel m, **2n** saddle
sättigend filling
Satz m sentence, clause; *Sprung:* leap; *Tennis, Werkzeug etc.:* set; *econ.* rate; *mus.* movement; **~ung** f statute
Sau f sow; **2...** F damn ...
sauber clean; *ordentlich:* neat, tidy; F *contp.* fine; **~ machen** clean (up), tidy (up); **2keit** f clean(li)ness; tidiness
sauer sour; acid; *Gurke:* pickled; *wütend:* mad; *saurer Regen* acid rain; **2kraut** f sauerkraut; **2stoff** m oxygen; **2teig** m leaven
saufen drink*
Säufer(in) m drunkard
saugen suck (*an et.* [at] s.th.)
säug|en suckle, nurse; **2etier** n mammal; **2ling** m baby, infant
Säule f column, pillar
Saum m hem(line); seam
Sauna f sauna
Säure f acid
Saxophon n saxophone
S-Bahn f etwa rapid transit
Schabe f roach
schaben scrape
schäbig shabby

Schach n chess; ~ (und matt)! check(mate)!; ~brett n chessboard; ~figur f chessman; 2matt: ~ setzen checkmate; ~spiel n (game of) chess

Schachtel f box; pack(et)

schade: (das ist [sehr]) that's a (great) pity, F that's too bad; wie ~! what a pity!

Schädel m skull; ~bruch m fracture of the skull

schaden damage, harm

Schaden m damage (an to); körperlicher: injury; ~ersatz m damages pl; 2froh gloating(ly)

schadhaft defective

schädigen damage, harm; ~lich harmful, injurious; 2ling m zo. pest

Schaf n sheep

Schäferhund m: a. Deutscher ~ German shepherd

schaffen create (a. er~); bewältigen: manage; arbeiten: work; es ~ make* it

Schaft m shaft; Stiefel: leg

Schal m scarf

Schale f bowl, dish; Ei etc.: shell; Obst etc.: peel, skin; ~n pl Kartoffeln: peelings pl

schälen peel, skin

Schall m sound; ~dämpfer m mot. muffler; 2dicht soundproof; 2en sound; ~mauer f sound barrier; ~platte f record

schalt|en switch, turn; mot. shift gear; 2er m switch;

Post, Bank: counter, window; 2hebel m gearshift; 2jahr n leap year

Scham f shame (a. ~gefühl)

schämen: sich ~ be* od. feel* ashamed (wegen of)

schamlos shameless

Schande f disgrace

schändlich disgraceful

Schanze f ski-jump

scharen: sich ~ um gather round

scharf sharp (a. fig.); ~ gewürzt: hot; F hot; → geil: auf crazy about; j-n: a. hot for

Schärfe f sharpness; Härte: severity; 2n sharpen

Scharfschütze m sniper

Scharlach m med. scarlet fever; 2rot scarlet

Scharnier n hinge

scharren scrape, scratch

Schatten m shadow; im ~ in the shade; 2ig shady

Schatz m treasure; fig. darling

schätz|en estimate (auf at); F reckon; zu ~ wissen appreciate; 2ung f estimate

Schau f show; exhibition

Schauder m, 2n shudder

schauen look (auf at)

Schauer m shower; → Schauder

Schaufel f shovel; Kehr2: dustpan; 2n shovel; dig*

Schaufenster n shop window; ~bummel m: e-n machen go* window-

-shopping

Schaukel f swing; **2n** swing*; Boot: rock; **~stuhl** m rocking chair

Schaum m foam; Bier: froth; Seife: lather

schäumen foam (a. fig.); Seife: lather; Wein: sparkle

schaumig foamy, frothy

Schauplatz m scene

Schauspiel n spectacle; thea. play; **~er(in)** act|or (-ress)

Scheck m check

Scheibe f disk; Brot etc.: slice; Fenster: pane; **~nbremse** f disk brake; **~nwischer** m windshield wiper

Scheide f sheath; anat. vagina; **2en** divorce; **sich ~ lassen** get* a divorce; von j-m: divorce s.o.; **~ung** f divorce

Schein m certificate; Formular: blank; Geld2: bill; Licht2: light; fig. appearance; **2bar** apparent; **2en** shine*; look*; **2heilig** hypocritical; **~werfer** m headlight

Scheiß|... damn ..., fucking ...; **~e** f shit; **2en** shit*

Scheitel m part

scheitern fail, go* wrong

Schellfisch m haddock

schelten scold

Schema n pattern

Schemel m stool

Schenkel m Ober2: thigh; Unter2: shank

schenken give* (zu for)

Scherbe f, **~n** m (broken)

piece, fragment

Schere f scissors pl; große: shears pl; zo. claw; **2n** shear*, clip, cut* (a. Haare)

Scherereien pl trouble sg

Scherz m, **2en** joke; **2haft** joking(ly)

scheu shy; **2** f shyness; **~en** v/i shy (vor at); v/t shun, avoid; **sich ~ zu** be* afraid of doing s.th.

scheuern scrub; wund2: chafe

Scheune f barn

Scheusal n monster

scheußlich horrible

Schicht f layer; Farb2 etc.: coat; Film: film; Arbeits2: shift; pol. class; **2en** pile up

schick chic, stylish

schicken send*

Schicksal n fate, destiny

Schiebe|dach n mot. sunroof; **~fenster** n sash window; **2n** push, shove; **~tür** f sliding door

Schiedsrichter(in) referee (a. Fußball), umpire (a. Tennis)

schief crooked; schräg: sloping, Turm: leaning; fig. Bild etc.: false; **~ gehen** go* wrong

schielen be cross-eyed

Schienbein n shin(bone)

Schiene f rail; med. splint; fig. (beaten) track; **2n** splint

schier sheer, pure; **~ unmöglich** next to impossible

schieß|en shoot* (a. fig.),

fire; *Tor:* score; **2erei** *f* gun-fight; **2scheibe** *f* target; **2stand** *m* rifle range

Schiff *n* ship, boat; **~fahrt** *f* navigation; **2bar** navigable

schikanieren harass

Schild *n* sign; *Namens2 etc.:* plate; **~drüse** *f* thyroid gland

schilder|n describe; **2ung** *f* description

Schildkröte *f* turtle

Schilf(rohr) *n* reed

schillern shimmer

Schimm|el *m* white horse; *Pilz:* mold; **2eln** go* moldy; **2(e)lig** moldy

Schimmer *m,* **2n** glimmer

schimpf|en scold, tell* *s.o.* off; **2wort** *n* swearword

Schinken *m* ham

Schirm *m* umbrella; *Sonnen2:* sunshade; *Schutz:, Bild2:* screen; *Mütze:* visor

Schlacht *f* battle (**bei** of)

schlachten slaughter, butch-er

Schlaf *m* sleep; **~anzug** *m* pajamas *pl*

Schläfe *f* temple

schlafen sleep*; **~ gehen, sich ~ legen** go* to bed

schlaff slack; *Muskeln:* flab-by; *kraftlos:* limp

Schlaf|gelegenheit *f* sleep-ing accommodation(s *pl*); **2los** sleepless; **~losigkeit** *f med.* insomnia; **~mittel** *n* barbiturate

schläfrig sleepy, drowsy

Schlaf|sack *m* sleeping bag;

~tablette *f* sleeping pill; **~zimmer** *n* bedroom

Schlag *m* blow (*a. fig.*); *mit der Hand:* slap; *Faust2:* punch; *med., Blitz:* stroke; *electr.* shock; *Herz etc.:* stroke; *Schläge pl* beating *sg;* **~ader** *f* artery; **~anfall** *m* stroke; **~baum** *m* barrier; **2en** hit*, beat* (*a. besiegen, Herz:*); strike* (*a. Blitz:*) knock (**zu Boden** down); *Sahne:* whip; **sich ~** fight* (*um* over); → *fällen*

Schläger *m* bat; *Person:* thug; → *Golf-, Tennis-schläger;* **~ei** *f* fight

schlag|fertig quick-witted; **2obers** *n öster.* whipped cream; **2sahne** *f* whipped cream; **2wort** *n* catchword; **2zeile** *f* headline; **2zeug** *n* drums *pl;* **2zeuger(in)** drummer, percussionist

Schlamm *m* mud

Schlampe *f* slut; **2ig** sloppy, messy

Schlange *f zo.* snake; *Menschen2:* line; **~ stehen** line up, stand in line

schlängeln: sich ~ wriggle; wind *o.s.*

schlank slim; **2heitskur** *f: e-e ~ machen** be* *od.* go* on a diet

schlau clever; *listig:* sly

Schlauch *m* tube; *Garten2 etc.:* hose; **~boot** *n* inflatable boat *od.* raft

Schlaufe *f* loop

schlecht bad; **~ werden** *verderben*: go* bad; → **übel**

schleichen creep*, sneak

Schleife *f* bow; *Fluss, tech.,*
Computer etc.: loop

schleifen *drag; schärfen*:
grind*, sharpen; *Holz*: sand;
Glas, Steine: cut*

Schleim *m* slime; *med.* mucus; **~haut** *f* mucous membrane; **2ig** slimy (*a. fig.*); mucous

schlemmen feast

schlendern stroll, saunter

schlenkern dangle, swing*

schlepp|en drag (*a. sich ~*);
mot. tow; **2er** *m* tug(boat);
mot. tractor; **2lift** *m* ski tow

Schleuder *f* slingshot;
Trocken2: spin drier; **2n** *v/t*
fling*, hurl; *Wäsche*: spin-dry; *v/i mot.* skid

Schleuse *f* sluice; *Kanal*:
lock

schlicht plain, simple; **~en**
settle; **2er(in)** mediator

schließ|en shut*, close (*beide*
a. sich ~); (*be)enden*: finish;
Frieden: make*; **~ aus** conclude from; **2fach** *n* (luggage) locker; **~lich** finally;
immerhin: after all

schlimm bad; *furchtbar*: awful; **~er** worse; **am ~sten**
(the) worst

Schling|e *f* loop, noose; *med.*
sling; **2en** wind*; *binden*: tie;
2ern roll; **~pflanze** *f* climbing plant

Schlips *m* (neck)tie

Schlitten *m* sled

Schlittschuh *m* skate (*a. ~*
laufen); **~läufer(in)** skater

Schlitz *m* slit; *Einwurf2*: slot;
Hose: fly; **2en** slit*, slash

Schloss *n* lock; *Bau*: castle

Schlosser(in) mechanic;
locksmith

schlottern shake* (**vor** with)

Schlucht *f* ravine, canyon

schluchzen sob

Schluck *m* gulp, swallow;
~auf *m*, **~en** *m the* hiccups
pl; **2en** swallow

Schlummer *m* slumber

schlüpf|en slip (**in** into; **aus**
out of), slide*; **2er** *m*
Damen~: panties *pl*; **~rig**
slippery

schlurfen shuffle (along)

schlürfen slurp

Schluss *m* end; *Ab2*,
~folgerung: conclusion

Schlüssel *m* key; **~bein** *n*
collarbone; **~loch** *n* keyhole

Schluss|folgerung *f* conclusion; **~licht** *n* taillight;
~verkauf *m* sale

schmächtig frail

schmackhaft tasty

schmal narrow; *Figur*: thin,
slender

Schmarren *m* öster. gastr.
pancake; F garbage

schmatzen eat* noisily,
smack one's lips

schmecken taste (**nach** of);
schmeckt es? do you like
it?

Schmeich|elei *f* flattery;

2elhaft flattering; **2eln** flatter; **2ler(in)** flatterer

schmeißen throw*; *Tür:* slam

schmelzen melt* (*a. fig.*)

Schmerz *m* pain (*a. ~en pl*), *anhaltender:* ache; *fig.* grief, sorrow; **2en** hurt* (*a. fig.*), ache; **~ensgeld** *n* compensation (for injuries suffered); **2haft, 2lich** painful; **2los** painless; **~mittel** *n* painkiller; **2stillend** pain-relieving

Schmetterling *m* butterfly

schmettern smash

Schmiede|eisen *n* wrought iron; **2n** forge; *Pläne:* make*

schmieren *tech.* grease, lubricate; *Butter etc.:* spread*; **~ig** greasy; *fig.* filthy

Schminke *f* make-up; **2n** make* *s.o.* up; *sich ~* make* o.s. up

Schmirgelpapier *n* sandpaper

schmollen sulk, pout

Schmor|braten *m* pot roast; **2en** braise, stew

Schmuck *m* jewelry; *Zierde:* decoration

schmücken decorate

Schmuggel *n* smuggling; **2eln** smuggle; **~ler(in)** smuggler

schmunzeln smile (to o.s.)

Schmutz *m* dirt, filth; **2ig** dirty, filthy

Schnabel *m* bill, beak

Schnalle *f* buckle

schnapp|en catch*, grab;

nach Luft *~* gasp for air; **2schuss** *m* snapshot

Schnaps *m* liquor

schnarchen snore

schnattern cackle; chatter

schnaufen pant, puff

Schnauz|bart *m* mustache; **~e** *f* snout, muzzle; F trap

Schnecke *f* snail; *Nackt2:* slug; **~nhaus** *n* snail shell

Schnee *m* snow; **~flocke** *f* snowflake; **~glöckchen** *n* snowdrop; **2kette** *f* snow chain; **~mann** *m* snowman; **~matsch** *m* slush; **~pflug** *m* snowplow; **~sturm** *m* snowstorm, blizzard; **~wehe** *f* snowdrift

Schneide *f* edge; **2n** cut*; *tranchieren:* carve

Schneider *m* tailor; **~in** *f* dressmaker

Schneidezahn *m* incisor

schneien snow

Schneise *f* firebreak, lane

schnell fast, quick; (*mach*) *~!* hurry up!; **2gaststätte** *f* fast food restaurant; **2igkeit** *f* speed; **2imbiss** *m* snackbar; **2straße** *f* expressway

schnippisch pert, saucy

Schnitt *m* cut; *Durch2:* average; *Film:* editing; **~blumen** *pl* cut flowers *pl*; **~e** *f* slice; (open-faced) sandwich; **~lauch** *m* chives *pl*; **~muster** *n* pattern; **~wunde** *f* cut

Schnitzel *n* cutlet; *Wiener ~* Wiener schnitzel; *n, m* chip; *Papier2:* scrap

schnitzen carve, cut*

Schnorchel m snorkel

Schnörkel m flourish

schnorren sponge

schnüffeln sniff; fig. snoop

Schnuller m pacifier

Schnupfen m cold

schnuppern sniff

Schnur f string, cord

Schnürlsamt m öster. corduroy

Schnurr|bart m mustache; **2en** purr

Schnürsenkel m shoelace

Schock m, **2ieren** shock

Schokolade f chocolate

Scholle f Eis**2**: (ice) floe; zo. plaice

schon already; jemals: ever; sogar: even; **hast du ~ ...?** have you ... yet?; **~ gut!** never mind!

schön beautiful; gut, nett: nice; Wetter: fine; **~ warm** nice and warm; **ganz ~ ...** pretty ...

schonen go* easy on; Kräfte etc.: save; j-s Leben: spare; **sich ~** take* it easy

Schönheit f beauty

schöpf|en scoop, ladle; fig. → **Luft, Verdacht** etc.; **2er** m creator; **~erisch** creative; **2ung** f creation

Schorf m scab

Schornstein m chimney; Fabrik**2** etc.: smokestack; **~feger** m chimneysweep

Schoß m lap; Leib: womb

Schote f pod, husk, shell

Schotter m gravel

schräg slanting, sloping

Schramme f, **2n** scratch

Schrank m cupboard; Wand**2**: closet

Schranke f barrier (a. fig.)

Schraube f, **2n** screw; **~nschlüssel** m wrench; **~nzieher** m screwdriver

Schreck m fright, shock; **e-n ~ einjagen** scare; **~en** m terror; Gräuel: horror; **2haft** jumpy; **2lich** awful, terrible

Schrei m cry; lauter: shout, yell; Angst**2**: scream

schreiben write*

Schreib|en n letter; **2faul: ~ sein** hate writing letters; **~papier** n writing paper; **~tisch** m desk; **~ung** f spelling; **~waren** pl stationery sg; **~warengeschäft** n stationery store

schreien cry; lauter: shout, yell; angstvoll: scream

Schreiner m → **Tischler**

Schrift f (hand)writing; **~art:** script; print. typeface; **2lich** adj written; adv in writing; **~steller(in)** m author, writer; **~verkehr** m, **~wechsel** m correspondence

schrill shrill, piercing

Schritt m step (a. fig.); **~ fahren!** slow

schroff jagged; steil: steep; fig. gruff; krass: sharp

Schrot m, n coarse meal; hunt. (small) shot; **~flinte** f shotgun

Schrott

454

Schrott *m* scrap metal

schrubben scrub, scour

schrumpfen shrink*

Schub|fach *n* drawer; **~karren** *m* wheelbarrow; **~kraft** *f* thrust; **~lade** *f* drawer

schüchtern shy

Schuft *m contp.* bastard

schuften slave away

Schuh *m* shoe; **~creme** *f* shoe polish; **~geschäft** *n* shoe store; **~größe** *f:* **~ 9** (a) size 9 (shoe)

Schul|bildung *f* education; **~buch** *n* textbook

Schuld *f* guilt; *Geld*2: debt; **die ~ geben** blame; **es ist (nicht) meine ~** it is(n't) my fault; **~en haben** be* in debt; 2en *see;* 2ig *bsd. jur.* guilty (**an** of); responsible (for); **j-m et. ~ sein** owe s.o. s.th.; **~ige** *m, f* offender; person *etc.* responsible *od.* to blame; 2los innocent

Schule *f* (**auf** *od.* **in der** at) school; **höhere ~** *etwa* high school; 2n train

Schüler(in) student

Schulfreund(in) schoolmate

Schulter *f* shoulder

Schund *m* junk

Schuppe *f zo.* scale; **~n** *pl Kopf* 2n: dandruff *sg*

Schuppen *m* shed

Schürze *f* apron

Schuss *m* shot; *Spritzer:* dash; *Ski:* schuss

Schüssel *f* bowl, dish (a. *TV*)

Schuss|waffe *f* firearm;

~wunde *f* gunshot wound

Schutt *m* rubble, debris; **~abladeplatz** *m* dump

Schüttel|frost *m* shivering fit; 2n shake*

schütten pour (*a.* F *regnen*)

Schutz *m* protection; *Zuflucht:* shelter; **~blech** *n* fender

Schütze *m astr.* Sagittarius; *Tor*2: scorer; **guter ~** good shot

schützen protect; shelter

Schutz|impfung *f* inoculation; *Pocken etc.:* vaccination; 2los unprotected; *wehrlos:* defenseless; **~umschlag** *m* (dust) jacket

schwach weak; *leise:* faint

Schwäche *f* weakness; 2en weaken; 2lich weakly; *zart:* delicate, frail

schwach|sinnig *med.* mentally deficient; 2strom *m* low-voltage current

Schwager *m* brother-in-law

Schwägerin *f* sister-in-law

Schwalbe *f* swallow

Schwall *m* gush (*a. fig.*)

Schwamm *m* sponge; **~erl** *n öster.* mushroom

Schwan *m* swan

schwanger pregnant; 2**schaft** *f* pregnancy; 2**schaftsabbruch** *m* abortion

schwanken sway (*a. fig. innerlich*); *torkeln:* stagger; **~ zwischen ... und** vary from ... to

Schwanz *m* tail; V *sl.* cock
schwänzen: die Schule ~ play hookey
Schwarm *m* swarm; *Idol*: idol
schwärm|en swarm; *erzäh-len*: rave; **~ für** be* mad about
schwarz black; **~es Brett** bulletin board; **2arbeit** *f* moonlighting; **2brot** *n* rye bread; **2weiß...** *Film etc.*: black-and-white ...
schwatzen chat
schweben be* suspended; *Vogel, aviat.*: hover *(a. fig.)*; *gleiten*: glide; *in Gefahr*: be*
Schwefel *m* sulfur
Schweif *m* tail *(a. astr.)*
schweig|en be* silent; **2en** *n* silence; **~end** silent; **~sam** quiet, reticent
Schwein *n* pig *(a. fig.)*, hog; *contp.* swine, bastard; **~ ha-ben** be* lucky
Schweine|braten *m* roast pork; **~fleisch** *n* pork; **~rei** *f* mess; *Gemeinheit*: dirty trick; **~stall** *m* pigsty *(a. fig.)*
Schweiß *m* sweat, perspira-tion
schweißen *tech.* weld
Schweiz: die ~ Switzerland
Schweizer|(in), 2isch Swiss
schwelgen: ~ in revel in
Schwell|e *f* threshold; **2en** swell*; **~ung** *f* swelling
schwenken swing*; *Hut*: wave; *spülen*: rinse
schwer heavy; *schwierig*: dif-ficult, hard *(a. Arbeit)*; *Wein*

etc.: strong; *ernst*: serious; **2 Pfund ~ sein** weigh two pounds; **~ arbeiten** work hard; **~ verdaulich** indigest-ible, heavy; **~ verständlich** difficult to understand; **2behinderte** *m, f* handi-capped person; **~fällig** clum-sy; **2gewicht** *n* heavy-weight; **~hörig** hard of hear-ing; **2kraft** *f* gravity; **2punkt** *m* center of gravity; *fig.* em-phasis
schwerwiegend serious
Schwester *f* sister; *Nonne*: a. nun; *Kranken2*: nurse
Schwieger... *Eltern, Mutter, Sohn etc.*: ...-in-law
schwielig horny
schwierig difficult, hard; **2keit** *f* difficulty, trouble
Schwimm|bad *n* *(Hallen2*: indoor) swimming pool; **2en** swim*; *Gegenstand*: float; **~er(in)** swimmer; **~flosse** *f* fin; **~weste** *f* life jacket
Schwindel *m* dizziness; *Betrug*: swindle; *Ulk*: hoax; **~anfall** *m* dizzy spell; **2n** fib, lie
Schwindl|er(in) swindler; **2ig** dizzy; *mir ist* **~** I feel diz-zy
schwingen swing*; *phys.* os-cillate
Schwips *m*: **e-n ~ haben** be* tipsy
schwitzen sweat, perspire
schwören swear*
schwul gay

schwül humid

Schwung m swing; *fig.* verve, F pep; **2voll** full of drive

Schwur m oath

sechs six; **2eck** n hexagon; **~eckig** hexagonal; **~te**, **2tel** n sixth

sech|zehn(te) sixteen(th); **~zig** sixty; **~zigste** sixtieth

See[1] m lake

See[2] f sea, ocean; **an der ~** at the seaside; **~bad** n seaside resort; **~gang** m: **starker ~** heavy sea; **~hund** m seal; **2krank** seasick

Seele f soul; **2isch** mental

See|mann m sailor; **~meile** f nautical mile; **~not** f distress (at sea); **~reise** f voyage, cruise

Segel n sail; **~boot** n sailboat; **~fliegen** n gliding; **~flugzeug** n glider; **2n** sail; **~schiff** n sailing ship; **~tuch** n canvas

Segen m blessing (a. *fig.*)

Segler(in) yachts(wo)man

segnen bless

sehen see*; *blicken:* look; *sich an~:* watch; **~nach** look after; **~swert** worth seeing; **2swürdigkeit** f sight

Sehne f sinew; *Bogen:* string

sehnen: **sich ~** *nach* long for

Seh|sucht f, **2süchtig** longing, yearning

sehr very; *mit vb:* (very) much, greatly

seicht shallow (a. *fig.*)

Seide f silk; **2ig** silky

Seife f soap; **~nschaum** m lather

Seil n rope; **~bahn** f cable car

sein[1] his; her; its

sein[2] be*; *existieren:* a. exist; **2** n being; existence

seinerzeit in those days

seit *mit Zeitpunkt:* since; *mit Zeitraum:* for; **~ 1997** since 1997; **~ 2 Jahren** for two years; **~ langem** for a long time; **~dem** *adv* since then; (ever) since; *cj* since

Seite f side; *Buch:* page

Seiten... *Straße etc.:* side ...; **~wind** m crosswind

seit|lich side ..., at the side(s pl); **~wärts** sideways

Sekretär m secretary (a. *Möbel*); **~in** f secretary

Sekt m champagne

Sekt|e f sect; **~or** m sector

Sekunde f second

selbe same

selbst *pron:* **ich ~** (I) myself; **mach es ~** do it yourself; **~ gemacht** homemade; **von ~** by itself

selbständig → **selbstständig**; **2keit** f → **Selbstständigkeit**

Selbst|bedienung f self-service; **~beherrschung** f self-control; **2bewusst** self-confident; **~gespräch** n monolog; **~e führen** talk to o.s.; **~hilfe** f self-help; **2los** unselfish; **~mord** m suicide; **2sicher** self-confident; **2ständig** independent;

ständigkeit f independence; **2süchtig** selfish; **2tätig** automatic; **2verständlich** of course, naturally; **für ~ halten** take* s.th. for granted; **~verständlichkeit** f a matter of course; **~verteidigung** f self-defense; **~vertrauen** n self-confidence; **~verwaltung** f self-government, autonomy

selchen bsd. öster. smoke

selig rel. blessed; verstorben: late; fig. overjoyed

Sellerie m, f celeriac

selten adj rare; adv rarely, seldom; **2heit** f rarity

seltsam strange, F funny

Semester n term

Semikolon n semicolon

Seminar n univ. department; Übung: seminar; Priester2: seminary; Fortbildung: workshop

Semmel f roll

Senat m senate

senden send*; Radio etc.: broadcast*, transmit; TV a. televise; **2er** m transmitter; radio od. TV station; **2ung** f broadcast, program; econ. consignment, shipment

Senf m mustard

senior, **2** m senior; **2en** pl senior citizens pl

senken lower; Kopf: a. bow; reduzieren: a. reduce, cut*; **sich ~** drop, go* od. come* down; **~recht** vertical

Sensation f sensation

sensibel sensitive

sentimental sentimental

September m September

Serie f series; **Satz**: set

Serum n serum

Service¹ n service, set

Service² m service

servieren serve

Serviette f napkin

servus int hi!; bye!

Sessel m armchair, easy chair; **~lift** m chair lift

setzen put*, set* (a. print., agr., Segel), place; **sich ~** sit* down; Bodensatz: settle; **sich ~ auf** (in) get* on (into); **~ auf wetten**: bet* on

Seuche f epidemic

seufzen, **2r** m sigh

Sex m sex; **2ismus** m sexism; **~ual~** sex ...; **2uell** sexual

sich oneself; sg himself, herself, itself; pl themselves; sg yourself, pl yourselves; einander: each other

sicher safe, secure (**vor** from); gewiss: certain, sure; **selbst~**: confident; **2heit** f safety; security; certainty

Sicherheits~ ... security ...; bsd. tech. safety ...; **~gurt** m seat od. safety belt; **~nadel** f safety pin

sichern secure (**sich** o.s.); **~stellen** secure; **2ung** f safeguard; tech. safety device; electr. fuse

Sicht f visibility; Aus2: view; **in ~ kommen** come* into view; **2bar** visible; **2lich** ob-

vious(ly); **∼vermerk** m visa;
∼weite f: **in (außer) ∼** within
(out of) view
sickern trickle, ooze, seep
sie she; pl they; **2** sg, pl you
Sieb n sieve; Tee: sieve, sift
sieben¹ sieve, sift
sieb|en² seven; **∼te, 2tel** n
seventh; **∼zehn(te)** seven-
teen(th); **∼zig** seventy;
∼zigste seventieth
siedeln settle
siede|n boil; **2punkt** m boil-
ing point
Siedl|er(in) settler; **∼lung** f
settlement; Wohn**2**: development
Sieg m victory; Sport: a. win
Siegel n seal; privat: signet
sieg|en win*; **2er(in)** winner
siehe: **∼ oben (unten)** see
above (below)
siezen: **sich ∼** be* on 'Sie'
terms
Signal n, **2isieren** signal
Silbe f syllable
Silber n, **2n** silver
Silhouette f silhouette; Stadt:
a. skyline
Silvester n New Year's Eve
Sinfonie f symphony
singen sing*
Singular m singular
Singvogel m songbird
sinken sink*; econ. fall*
Sinn m sense; Bedeutung: a.
meaning; **im ∼ haben** have*
in mind; **(keinen) ∼ ergeben**
(not) make* sense; **es hat
keinen ∼** it's no use;

∼esorgan n sense organ
sinn|lich sensual; Wahrneh-
mung: sensory; **∼los** sense-
less; useless
Sippe f family, clan
Sirup m syrup
Sitte f custom, habit; **∼n** pl
morals pl; manners pl
sittlich moral
Situation f situation
Sitz m seat; Kleid: fit; **2en**
sit*; sich befinden: be*; pas-
sen: fit*; **∼ bleiben** remain
seated; **∼platz** m seat; **∼ung**
f session; meeting
Skala f scale; fig. range
Skandal m scandal
Skelett n skeleton
skeptisch skeptical
Ski m ski (a. **∼ laufen** od.
fahren); **∼läufer(in)** skier;
∼lift m ski lift; **∼schuh** m ski
boot; **∼springen** n ski jump-
ing
Skizz|e f, **2ieren** sketch
Skonto m, n (cash) discount
Skorpion m scorpion; astr.
Scorpio
Skrupel m scruple; **2los** unscrupulous
Skulptur f sculpture
Slalom m slalom
Slip m → Schlüpfer
Smoking m tuxedo
so so, thus; like this od. that; **∼
ein** such a; **(nicht) ∼ ... wie**
(not) as ... as; **∼ genannt** so-
-called; **∼ viel wie** as much
as; **doppelt ∼ viel** twice as
much; **∼ weit** so far; **∼ weit**

sein be* ready; **es ist ~ weit** it's time; **~bald** as soon as

Socke f sock

Sockel m base; *Statue, fig.:* pedestal

Sodbrennen n heartburn

soeben just (now)

sofort at once, immediately; **2bildkamera** f instant camera

Sog m suction; *aviat., fig.:* wake

so|gar even; **~genannt** → **so**

Sohle f sole; *Tal:* bottom

Sohn m son

solange as long as

Solar... *Zelle etc.:* solar ...

solch such

Sold m pay

Soldat(in) f soldier

solid(e) solid; *fig. a.* sound

Solist(in) f soloist

Soll n debit; *Plan*2: target

sollen be* to; be* supposed to; **soll ich ...?** shall I ...? **sollte(st)** should; *stärker:* ought to

Sommer m summer; **2lich** summer(y); **~zeit** f summertime; daylight saving time

Sonde f probe (*a. med.*)

Sonder|... *Angebot, Ausgabe, Zug etc.:* special ...; **2bar** strange, F funny; **~ling** m eccentric, crank; **~müll** m hazardous waste; **2n** but; *nicht nur...*; **~ auch** not only ... but also

Sonnabend m Saturday

Sonne f sun

sonnen: sich ~ bask in the sun

Sonnen|aufgang m sunrise; **~bad** n sunbath; **~brand** m sunburn; **~brille** f sunglasses pl; **~finsternis** f solar eclipse; **~kollektor** m solar panel; **~licht** n sunlight; **~schein** m sunshine; **~schirm** m sunshade; **~schutz** m *Mittel:* suntan lotion; **~stich** m sunstroke; **~strahl** m sunbeam; **~untergang** m sunset

sonnig sunny

Sonntag m Sunday

sonst otherwise, *mit pron.:* else; *normalerweise:* normally; **wer** etc. **~?** who etc. else?; **~ noch et.?** anything else?; **~ nichts** nothing else

Sorge f worry, problem; *Ärger:* trouble; *Für*2: care; *sich* **~n machen** (*um*) worry (about); *keine* **~!** don't worry!; *2n:* **~ für** care for, take* care of; *dafür*~, *dass* see (to it) that; *sich* **~ um** worry about

sorg|fältig careful; **~los** carefree; *nachlässig:* careless

Sorte f sort, kind, type; **2ieren** sort, arrange; **~iment** n assortment

Soße f sauce; *Braten*2: gravy; *Salat*2: dressing

souverän *pol.* sovereign

so|viel cj as far as; → **so; ~weit** cj as far as; → **so; ~wieso** anyway

sowohl: ~ ... **als** (**auch**) both ... and, ... as well as

sozial social; **2...** Arbeiter(in), Demokrat(in) etc.: social ~, **2hilfe** f welfare; **2ismus** m socialism; **2ist(in)**, **~istisch** socialist

sozusagen so to speak

Spalt m crack, gap; **~e** f → **Spalt**; print. column; **2en:** (**sich**) ~ split*

Spange f clasp; Zahn2: brace

spanisch Spanish

Spann m instep; **~e** f span; **2en** stretch; Bogen: draw*; be* (too) tight; **~end** exciting, thrilling; **~ung** f tension (a. tech., electr.; electr. voltage; fig. suspense; **~weite** f spread

spar|en save; economize (on); er~: spare; **2er(in)** f saver

Spargel m asparagus

Spar|kasse f savings bank; **~konto** n savings account

spärlich scanty; sparse

sparsam economical

Spaß m fun; Scherz: joke; ... **macht** ~ ... is fun; **2vogel** m joker

spät late; **zu** ~ **kommen** be* late; **wie** ~ **ist es?** what time is it?

Spaten m spade

spätestens at the latest

Spatz m sparrow

spazieren: ~ **fahren** go* (j-n: take*) for a ride; ~ **gehen** go* for a walk

Spazier|fahrt f drive, ride; **~gang** m walk; **e-n ~ machen** go* for a walk; **~gänger(in)** walker, stroller

Specht m woodpecker

Speck m bacon

Spedition f haulage company

Speer m spear; Sport: javelin

Speiche f spoke

Speichel m spit(tle), saliva

Speicher m storehouse; Wasser2: reservoir; Boden: attic; Computer: memory

speien spit*; fig. spew

Speise f food; Gericht: dish; **~eis** n ice cream; **~karte** f menu; **2n** v/i dine; v/t feed*; **~röhre** f gullet; **~saal** m dining room

spekulieren speculate

Spende f gift; donation; **2n** give* (a. Blut); donate

Spengler m plumber

Sperling m sparrow

Sperr|e f barrier; rail. gate; Verbot: ban (on); Sport: suspension; **2en** close; Scheck: stop; Sport: suspend; ~ **in** lock (up) in; **~holz** n plywood; **2ig** bulky; **~stunde** f (legal) closing time

Spesen pl expenses pl

spezial|isieren: sich ~ specialize (**auf** in); **2ist(in)** specialist; **2tät** f specialty

speziell special, particular

Spiegel m mirror; **~bild** n reflection; **~ei** n fried egg sunnyside up; **2n** reflect; glänzen: shine*; **sich** ~ be* reflected

Spiel n game; Wett2: a. match; ~en, ~weise: play; Glücks2: gambling; **auf dem ~ stehen** be* at stake; **aufs ~ setzen** risk; ~**automat** m slot machine; ~**bank** f casino; 2**en** play; gamble; Geld fig. easily; ~**er(in)** player; gambler; ~**film** m feature film; ~**kamerad(in)** playmate; ~**karte** f playing card; ~**plan** m program; ~**platz** m playground; ~**raum** m scope; ~**regel** f rule; 2**sachen** pl, ~**verderber(in)** spoilsport; ~**waren** pl toys pl; ~**zeug** n toy(s pl)

Spieß m spear, pike; Brat2: spit; Fleisch2: skewer

Spinat m spinach

Spind m, n locker

Spinn|e f spider; 2**en** spin*; F fig. be* nuts; talk nonsense; ~**webe** f cobweb

Spion m spy; ~**age** f espionage; 2**ieren** spy

Spirale f spiral

Spirituosen pl spirits pl

Spital n hospital

spitz pointed; Winkel: acute; Zunge: sharp; 2**e** f point; Finger2 etc.: tip; Berg etc.: peak, top; Gewebe: lace; fig. head; F toll: super; **an der** ~ at the top; 2**en** point, sharpen; ~**findig** quibbling; 2**name** m nickname

Splitter m, 2**n** splinter

Sport m sports pl, sport (a. ~art); (viel) ~ treiben do* (a lot of) sports; ~... Nachrichten, Verein, Wagen etc.: mst sports ...; 2**kleidung** f sportswear; ~**ler(in)** athlete; 2**lich** athletic; fair: fair; Kleidung: casual; ~**platz** m stadium

Spott m mockery; Hohn: derision; 2**billig** dirt cheap; 2**en** mock (über at); make* fun (of)

spöttisch mocking(ly)

Sprache f language; Sprechen: speech; Sprechweise: a. talk; 2**los** speechless

sprech|en speak*; talk; ~**er(in)** (speaker; TV etc. announcer; Vertreter(in): spokesperson; 2**stunde** f office hours pl; 2**stundenhilfe** f receptionist; 2**zimmer** n (doctor's etc.) office

spreizen spread* (out)

spreng|en blow* up; Wasser: sprinkle; Rasen: water; fig. break* up; 2**stoff** m explosive; 2**ung** f blasting; blowing up

sprenkeln speckle, spot

Sprichwort n proverb

sprießen sprout

Springbrunnen m fountain

springen jump, leap*; Ball: bounce; Schwimmen: dive*; Glas: crack; zer~: break*

Spritze f syringe; Injektion: shot, injection; 2**n** squirt; med. inject; Fett: spatter; ~**r** m splash; gastr. dash

spröde brittle (a. fig.)
Spross m shoot, sprout
Sprosse f rung, step
Spruch m saying, words pl
Sprudel m mineral water; 2n bubble (v.i.)
Sprüh|dose f spray (can); 2en spray; Funken: throw out; ~regen m drizzle
Sprung m jump, leap; Schwimmen: dive; Riss: crack; ~brett n Schwimmen: diving board; ~schanze f ski jump
Spucke f spit(tle); 2n spit*
Spule f spool, reel; electr. coil
Spül|e f (kitchen) sink; 2en rinse; wash (the dishes); WC: flush the toilet; ~maschine f dishwasher; ~mittel n (liquid) detergent
Spur f trace (a. fig.); mehrere: track(s pl); Fahr2: lane; Ton-band: track
spüren feel*; sense
Staat m state; government; 2lich state; Einrichtung: a. public
Staats|angehörigkeit f nationality, citizenship; ~an-walt, ~anwältin district attorney; ~bürger(in) citizen; ~dienst m civil service; ~mann m statesman; ~oberhaupt n head of (the) state
Stab m rod, bar; mil.: Team: staff; mus., Staffel2: baton; ~hochsprung: pole; ~hoch-sprung m pole vault

stabil stable; robust: solid
Stachel m spine, prick; Insekt: sting; ~beere f gooseberry; ~draht m barbed wire; 2ig prickly
Stadion n stadium
Stadium n stage, phase
Stadt f town; city; ~gebiet n urban area; ~gespräch n fig. talk of the town
städtisch municipal
Stadt|mitte f downtown area; ~plan m city map; ~rand m outskirts pl; ~rat m city council; ~rundfahrt f sightseeing tour; ~teil m, ~viertel n district, area, quarter
Stahl m steel
Stall m barn
Stamm m stem (a. gr.); Baum2: trunk; Volks2: tribe; 2eln stammer; 2en: ~ aus come* (zeitlich: date) from; ~gast m regular
stämmig stocky, sturdy
Stammkunde m regular (customer)
stampfen v/t mash; v/i stamp (one's foot)
Stand m standing position; Verkaufs2: stand, stall; Niveau: level; sozialer: status; Sport: score; ~bild n statue
Ständer m stand; rack
Standesamt n etwa public records office; 2lich: ~e Trauung civil marriage
stand|haft steadfast; ~halten withstand*, resist

ständig constant(ly); *Adresse etc.*: permanent

Stand|**licht** *n* parking lights *pl*; **~ort** *m* position; **~punkt** *m* point of view

Stange *f* pole; *Metall*⟨2⟩: rod, bar; *Zigaretten*: carton

Stängel *m* stalk, stem

Stapel *m* pile, stack; **⟨2⟩n** pile (up), stack

stapfen trudge, plod

Star *m* *zo.* starling; *med.* cataract; *Film etc.*: star

stark strong; *mächtig, leistungs~: a.* powerful; *Raucher, Verkehr:* heavy; *Schmerz*: severe; F super

Stärke *f* strength, power; *chem.* starch; **⟨2⟩n** strengthen (*a. fig.*); *Wäsche*: starch

Starkstrom *m* high-voltage current

Stärkung *f* strengthening; *Imbiss*: refreshment

starr rigid; *unbeweglich*: rigid; **~er Blick** (fixed) stare; **~en** stare (**auf** at); **~köpfig** stubborn

Start *m* start (*a. fig.*); *aviat.* takeoff; **~bahn** *f* runway; **⟨2⟩bereit** ready to start (*aviat.* for takeoff); **⟨2⟩en** *v/i* start; *aviat.* take* off; *v/t* start

Station *f* station; *Kranken*⟨2⟩: ward; *fig.* stage

Statistik *f* statistics *pl*

Stativ *n* tripod

statt instead of; **~ zu** instead of *ger.*; **~dessen** instead

Stätte *f* place; scene

stattfinden take* place

stattlich imposing; *Summe etc.*: handsome

Statue *f* statue

Stau *m* (traffic) jam, congestion (*a. med.*)

Staub *m* dust (*a.* **~ wischen**)

Staubecken *n* reservoir

staub|**en** make* dust; **~ig** dusty; **⟨2⟩sauger** *m* vacuum cleaner; **⟨2⟩tuch** *n* duster

Staudamm *m* dam

staunen be* astonished *od.* amazed (**über** at)

Stausee *m* reservoir

stechen prick; (**sich** one's finger *etc.*); *Insekten*: sting*; *Mücke etc.*: bite*; *mit Messer*: stab; **~d Blick**: piercing; *Schmerz*: stabbing

Steckdose *f* outlet

stecken *v/t* stick*, put*; **~ an** pin to; *v/i sich befinden*: be*; *festsitzen*: stick*, be* stuck; **~ bleiben** get* stuck; **⟨2⟩pferd** *n* hobbyhorse; *fig.* hobby

Steck|**er** *m* plug; **~nadel** *f* pin

Steg *m* footbridge

stehen stand*; *sich befinden, sein*: be*; **hier steht, dass** it says here that; **es steht ihr** she looks good in it; **wie (viel) steht es?** what's the score?; **wie stehts mit ...?** what about ...?; **~ bleiben** stop; come* to a standstill; **~ lassen** leave* (*j-n*: standing there; *et.*: as it is)

Stehlampe *f* floor lamp

stehlen steal*

Stehplatz *m* standing room

steif stiff (**vor** with)

Steig|bügel *m* stirrup; 2en climb (*a. aviat.*); hoch~, zunehmen: rise*, go* up; → **einsteigen** *etc.*; 2ern: (sich) ~ increase; *verbessern:* improve; **~ung** *f* gradient; *Hang:* slope

steil steep

Stein *m* stone, rock; **~bock** *m* ibex; *astr.* Capricorn; **~butt** *m* turbot; **~bruch** *m* quarry; **~gut** *n* earthenware; 2ig stony; **~zeit** *f* Stone Age

Stelle *f* place; *Fleck:* spot; *Punkt:* point; *Arbeits2:* job; **freie** ~ vacancy; **ich an deiner** ~ if I were you

stellen put*, place; set* (*a. Uhr, fig.*); *leiser etc.:* turn; *Frage:* ask; *fig.* give* o.s. up

Stellung *f* position; *Stelle:* job; **~nahme** *f* opinion, comment; 2slos unemployed

Stellvertreter(in) representative; *amtlich:* deputy

stemmen lift; **sich ~ gegen** press against; *fig.* resist

Stempel *m* stamp; *Post2:* postmark; *bot.* pistil; 2n stamp

Stengel *m* → **Stängel**

Steppdecke *f* quilt

Sterbe|hilfe *f* euthanasia, mercy killing; 2en die (**an** of); 2lich mortal

Stereo(...) *n* stereo (...)

steril sterile; **~isieren** sterilize

Stern *m* star (*a. fig.*); **~enbanner** *n* Star-Spangled Banner, Stars and Stripes *pl*; **~schnuppe** *f* shooting star; **~warte** *f* observatory

Steuer¹ *n* (steering) wheel; *naut.* helm, rudder

Steuer² *f* tax; **~erklärung** *f* tax return; 2frei tax-free; *Waren:* duty-free

Steuer|knüppel *m* joystick; 2n steer; *mot. a.* drive*; *tech., fig.* control; **~rad** *n* steering wheel; **~ruder** *n* helm, rudder; **~ung** *f* steering; *tech.* control

Steuerzahler *m* taxpayer

Stich *m* prick; *Biene:* sting; *Mücken2:* bite; *Messer2:* stab; *Nähen:* stitch; *Karten:* trick; *Graphik:* engraving; **im ~ lassen** let* *s.o.* down; *verlassen:* abandon, desert; **~probe** *f* spot check; **~tag** *m* fixed day; **~wort** *n thea.* cue; **~e** *pl* notes *pl*

sticken embroider

stickig stuffy; 2oxid *n* nitrogen oxide; 2stoff *m* nitrogen

Stiefel *m* boot

Stief|... *Mutter etc.:* step...; **~mütterchen** *n* pansy

Stiege *f öster.* staircase

Stiel *m* handle; *Besen:* stick; *Glas, Pfeife, Blume:* stem

Stier *m* bull; *astr.* Taurus

Stift *m* pen; *Blei2:* pencil; *tech.* pin; 2en found; *spen-*

den: donate
Stil m style
still quiet, silent; *unbewegt*: still; **sei(d)** *~!* be quiet!; **2e** f quiet(ness), silence
stillen *Baby*: nurse, breast-feed*; *Schmerz*: relieve; *Hunger, Neugier*: satisfy; *Durst*: quench; *Blutung*: stop
still||halten keep* still *od.* quiet; **~legen** close down; **~schweigend** *fig.* tacit; **2-stand** m standstill, stop
stimm||berechtigt entitled to vote; **2e** f voice; *pol.* vote; **~en** *v/i* be* true *od.* right *od.* correct (*a. Summe*); *pol.* vote; *v/t* tune; **2recht** n right to vote; **2ung** f mood; atmosphere; **2zettel** m ballot
stinken stink* (*nach*)
Stipendium n scholarship
Stirn f brow; **die ~ runzeln** frown; **~höhle** f sinus
stöbern rummage (about)
stochern *~ in Feuer*: poke; *Zähnen*: pick; *Essen*: pick at
Stock m stick; *~werk*: floor; **im ersten ~** on the second floor
stocken stop (short); *zögern*: falter; *Verkehr*: be* jammed
Stockwerk n floor
Stoff m material; *Gewebe*: fabric; *Tuch*: cloth; *Thema*: subject
stöhnen groan, moan
stolpern stumble, trip
stolz proud; **2** m pride
stopfen *v/t* stuff, fill (*a. Pfei-*

fe); *Socke, Loch*: darn, mend; *v/i Essen*: be* filling (*med.* constipating)
Stoppel f stubble
stopp||en stop; *Zeit*: time; **2schild** n stop sign; **2uhr** f stopwatch
Stöpsel m stopper, plug
stören disturb, bother; be* in the way
störrisch stubborn
Störung f disturbance; trouble (*a. tech.*); *TV etc.* interference
Stoß m push, shove; *Schlag*: blow, knock; *Anprall*: impact; *Schwimm2*: stroke; *Erschütterung*: shock; *Wagen*: jolt; *Stapel*: pile; **~dämpfer** m shock absorber; **2en** push, shove; knock, strike*; **~ an** *od.* **gegen** bump *od.* run* into *od.* against; **~ auf** come* across; *Probleme etc.*: meet* with; **~stange** f bumper; **~zeit** f rush hour, peak hours *pl*
stottern stutter
Straf||anstalt f penitentiary; **2bar** punishable, criminal; **~e** f punishment; *jur., Sport, fig.*: penalty; *Geld2*: fine; **2en** punish
straff tight; *fig.* strict
Straf||porto n surcharge; **~raum** m penalty area; **~zettel** m ticket
Strahl m ray (*a. fig.*); *Licht*: *a.* beam; *Blitz*: flash; *Wasser etc.*: jet; **2en** radiate; *Sonne*:

shine*; *phys.* be* radioactive; *fig.* beam; **~ung** *f* radiation, rays *pl*

Strähne *f* strand

stramm tight

strampeln kick; *fig.* pedal

Strand *m* (*am* on the) beach

strapazier|en wear* out; **~fähig** durable

Straße *f* road; *e-r Stadt etc.*: street; *Meerenge*: strait(s *pl.*)

Straßen|arbeiten *pl* roadworks *pl*; **~bahn** *f* streetcar, trolley; **~café** *n* sidewalk café; **~karte** *f* road map; **~sperre** *f* roadblock; **~verkehrsordnung** *f* traffic regulations *pl*

sträuben *Federn:* ruffle (up); **sich ~ gegen** struggle against, resist

Strauch *m* shrub, bush

Strauß *m zo.* ostrich; *Blumen:* bunch, bouquet

streben *nach* strive* for

Strecke *f* distance; *Route:* route; *rail.* line; **2n** stretch (**sich** o.s.), extend

Streich *m* trick, prank; **2eln** stroke, caress; **2en** paint; *schmieren:* spread*; *aus-:* cross out; *absagen:* cancel; **über et. ~** run* one's hand over s.th.; **~ durch** roam; **~holz** *n* match; **~orchester** *n* string orchestra

Streife *f* patrol(man); **2n** stripe; *berühren:* brush (against); *Thema:* touch on; **~ durch** roam; **~n** *m* stripe;

~nwagen *m* patrol car

Streik *m* strike; **~en** strike*, go* *od.* be* on strike

Streit *m* quarrel, argument, fight; *pol. etc.* dispute; **2en** (**sich**) ~ quarrel, argue, fight* (**um** for); **~kräfte** *pl* (armed) forces *pl*

streng strict, severe (*a. Kritik, Strafe, Winter*)

Stress *m* (**im** under) stress

stress|en cause stress; **put** *s.o.* under stress; **~ig** stressful

streuen scatter; *Weg:* grit

Strich *m* stroke; *Linie:* line; **auf den ~ gehen** walk the streets; **~kode** *m* bar code

Strick *m* rope; **2en** knit*; **~nadel** *f* knitting needle; **~waren** *pl* knitwear *sg*; **~zeug** *n* knitting

Striemen *m* welt, weal

Stroh *n* straw; **~dach** *n* thatched roof; **~halm** *m* straw

Strom *m* (large) river; *electr.* current; *fig.* stream

strömen stream, flow, run*; *Regen, Menschen:* pour

Stromkreis *m* circuit

Strömung *f* current

Strophe *f* stanza, verse

Strudel *m* whirlpool, eddy

Struktur *f* structure

Strumpf *m* stocking; **~hose** *f* panty hose

struppig shaggy

Stück *n* piece; *Teil: a.* part; *Zucker:* lump; *thea.* play

467

symbolisch

Student(in) student

Studie f study; **2ieren** study, be* a student (of); **~um** n studies pl; studying law etc.

Stufe f step; Stadium, Raketen2: stage

Stuhl m chair; med. stool (specimen); **~gang** m (bowel) movement

stumm dumb, mute

Stumpf m stump (a. med.)

stumpf blunt, dull (a. fig.); **~sinnig** dull

Stunde f hour

Stunden|kilometer pl kilometers pl per hour; **2lang** adv for hours; adj hours of ...; **~lohn** m hourly wage; **2weise** by the hour

stündlich hourly, every hour

stur pigheaded

Sturm m storm; mil. assault

stürm|en storm; Sport: attack; fig. rush; **2er(in)** forward; **~isch** stormy

Sturz m fall (a. fig.); Regierung etc.: overthrow

stürzen fall*; eilen: rush; Regierung: overthrow*

Sturzhelm m crash helmet

Stute f mare

Stütze f support; fig. a. help

stutzen v/t trim, clip; v/i be taken aback

stützen support (a. fig.); **sich ~ auf** lean* on

stutzig: ~ machen make* suspicious

Stützpunkt m base

Styropor® n Styrofoam®

Subjekt n gr. subject; contp. character; **2iv** subjective

Substanz f substance

subtrahieren subtract

Suche f search (**nach** for); **auf der ~ nach** in search of; **2n** look (intensiv: search) for; **~r** m phot. viewfinder

Sucht f addiction

süchtig: ~ sein be addicted to drugs etc.; **2e** m, f addict

Süd(en m) south; **~früchte** pl tropical fruits pl; **2lich** south(ern); Wind etc.: southerly; **~ost(en m)** southeast; **~pol** m South Pole; **~west(en m)** southwest

Summe f sum (a. fig.), (sum) total; Betrag: amount

summen buzz, hum

Sumpf m swamp, bog; **~...** Pflanze etc.: mst marsh ...; **2ig** swampy, marshy

Sünde f sin; **~nbock** m scapegoat; **2r(in)** sinner

Super n Benzin: premium; **~lativ** m superlative; **~markt** m supermarket

Suppe f soup; **~nschüssel** f tureen

Surf|brett n surfboard; **2en** surf; **im Internet ~** Computer: surf the net

süß sweet (a. fig.); **~en** sweeten; **2igkeiten** pl candy sg; **2speise** f dessert; **2stoff** m sweetener; **2wasser** n fresh water

Symbol n symbol; **2isch** symbolic(al)

symmetrisch symmetric(al)
sympathisch nice, likable; **er ist mir ~** I like him
Symphonie f symphony
Symptom n symptom
Synagoge f synagogue

synchronisieren synchronize; *Film etc.*: dub
synthetisch synthetic
System n system; **2atisch** systematic, methodical
Szene f scene

T

Tabak m tobacco
Tabelle f table
Tablett n tray
Tablette f tablet, pill
Tachometer m speedometer
Tafel f board; → **Anschlagbrett**; Schild: sign; Gedenk2 etc.: plaque; Schokolade: bar
Tag m day; **am ~e** during the day; **guten ~!** hello!, hi!; beim Vorstellen: a. how do you do?; → **heute**
Tage|buch n diary; **2lang** for days; **2n** hold* a meeting
Tages|anbruch m (**bei** at) dawn; **~ausflug** m day trip; **~licht** n daylight; **~lichtprojektor** m overhead projector
täglich daily
tagsüber during the day
Tagung f conference
Taille f waist
Takt m mus. time; Einzel2: bar; mot. stroke; **~gefühl**: tact; **~ik** f tactics sg, pl; **2los** tactless; **~stock** m baton; **2voll** tactful
Tal n valley
Talent n talent, gift

Tampon m tampon
Tang m seaweed
Tank m tank; **2en** get* (some) gas, fill up; **~er** m tanker; **~stelle** f gas station; **~wart** m gas station attendant
Tanne f fir (tree); **~nzapfen** m fir cone
Tante f aunt
Tanz m, **2en** dance
Tänzer(in) dancer
Tapete f, **2zieren** wallpaper
tapfer brave; courageous
Tarif m rate(s pl)
Tasche f bag; pocket
Taschen|buch n paperback; **~dieb(in)** pickpocket; **~geld** n pocket money; **~lampe** f flashlight; **~messer** n pocket knife; **~rechner** m pocket calculator; **~tuch** n handkerchief
Tasse f cup
Tast|atur f keyboard; **~e** f key; **2en** grope (**nach** for); **~entelefon** n push-button phone
Tat f act, deed; Handeln: action; Straf2: offense; crime; **2enlos** inactive

Täter(in) culprit, offender
tätig active; busy; 2**keit** f activity; occupation, job
tat|kräftig active; 2**ort** m scene of the crime
tätowier|en, 2**ung** f tattoo
Tat|sache f fact; 2**sächlich** actual(ly), real(ly)
tätscheln pat
Tatze f paw
Tau¹ n rope
Tau² m dew
taub deaf; Finger: numb
Taube f pigeon; poet. dove
taubstumm deaf and dumb; 2**e** m, f deaf mute
tauch|en dive; ~ **in** dip into; 2**er(in)** (Sport: skin) diver; 2**sport** m skin diving
tauen thaw, melt
Tauf|e f baptism, christening; 2**en** baptize, christen
taug|en be* good (**zu** for); **nichts** ~ be* no good; ~**lich** fit (for s.th.)
taumeln reel, stagger
Tausch m exchange; 2**en** exchange (**gegen** for), F swap
täusch|en mislead*; **sich** ~ be* mistaken; 2**ung** f deception
tausend(ste) thousand(th)
Tauwetter n thaw
Taxi n taxi, cab; ~**stand** m taxi stand
Technik f technology; Verfahren: technique (a. Sport, Kunst); ~**er(in)** technician
technisch technical; technological; ~**e Hochschule** col-

lege etc. of technology
Technologie f technology
Tee m tea; ~**kanne** f teapot; ~**löffel** m teaspoon
Teer m, 2**en** tar
Teich m pond
Teig m dough; ~**waren** pl pasta sg
Teil m, n part; An2: portion, share; **zum** ~ partly, in part; ~**chen** m particle; 2**en** divide; share (a. **sich** et. ~); 2**haben** share (**an** in); ~**haber(in)** partner; ~**nahme** f participation; 2**nehmen:** ~ **an** take* part in, participate in; ~**nehmer(in)** participant; 2**s** partly; ~**ung** f division; ~**weise** partly, in part
Teint m complexion
Telefax n → **Fax**
Telefon n (tele)phone; ~**buch** n telephone directory; ~**gespräch** n (tele)phone call; 2**ieren** (tele)phone; 2**isch** by (tele)phone; ~**ist(in)** (telephone) operator; ~**nummer** f (tele)phone number; ~**zelle** f (tele-) phone booth
Teleobjektiv n telephoto lens
Teller m plate
Temperament n temper(ament); Schwung: life, F pep; 2**voll** full of life
Temperatur f (**messen** take* s.o.'s) temperature
Tempo n speed; mus. time; ~**limit** n speed limit

Tendenz f tendency, trend
Tennis n tennis; **~platz** m tennis court; **~schläger** m (tennis) racket
Teppich m carpet; **~boden** m (wall-to-wall) carpeting
Termin m date; Arzt♀: appointment; Frist: deadline
Terrasse f patio
Terror m terror; **~anschlag** m terrorist attack; **♀isieren** terrorize; **~ismus** m terrorism
Testament n (last) will; rel. Testament
Test m, **♀en** test
teuer expensive; **wie ~ ist es?** how much is it?
Teufel m devil
Text m text; Lied: words pl
Textilien pl textiles pl
Textverarbeitung f word processing
Theater n theater; F fig. fuss; **~besucher** m theatergoer; **~kasse** f box office; **~stück** n play
Theke f bar, counter
Thema n subject, topic; bsd. mus. theme
theoretisch theoretic(al); **♀ie** f theory
Therapie f therapy
Therm|al... thermal; **~ometer** n thermometer; **~osflasche**® f thermos®
Thrombose f thrombosis
Thunfisch m tuna
tief deep (a. fig.); niedrig: low
Tief n meteor. low (a. fig.); **~e**

f depth (a. fig.); **~enschärfe** f depth of focus; **♀gekühlt** deep-frozen; **~kühl...** → Gefrierfach etc.
Tier n animal; **~arzt, ~ärztin** vet; **~kreis** m astr. zodiac; **~quälerei** f cruelty to animals
tilgen econ. pay* off
Tinte f ink; **~nfisch** m squid; **~nstrahldrucker** m inkjet printer
Tipp m tip; Wink: a. hint
tippen tap; schreiben: type; raten: guess
Tisch m table; **den ~ decken** set* the table; **~decke** f tablecloth; **~ler(in)** carpenter; **~tennis** n table tennis
Titel m title; **~bild** n cover (picture); **~blatt** n, **~seite** f front page
Toast m, **♀en** toast
toben rage; Kinder: romp
Tochter f daughter
Tod m death; **♀... müde, sicher** etc.: dead ...
Todes|anzeige f obituary (notice); **~opfer** n casualty; **~strafe** f death penalty
tödlich fatal; deadly
Toilette f bathroom, öffentliche: restroom
tolerant tolerant
toll super, great; **♀wut** f rabies; **~patschig** clumsy
Tomate f tomato
Ton¹ m clay
Ton² m sound; mus., fig. tone; Betonung: stress; **♀angebend** dominant; **~art** f key

tönen v/i sound, ring*; v/t tint (a. Haar)

Tonfall m tone (of voice); accent

Tonne f ton; Fass: barrel

Topf m pot; **~en** m öster. curd(s pl)

Töpfer(in) m potter; **~ei** f pottery (a. **~waren**)

Tor n gate; Fußball etc.: goal

torkeln reel, stagger

Tor|latte f crossbar; **~linie** f goal line; **~pfosten** m goalpost

Torte f gateau, layer cake

Torwart m goalkeeper

tosend thunderous

tot dead (a. fig.); **~er Punkt** fig. deadlock; Müdigkeit: low point

total total; complete; **2schaden** m total loss

Tote m, f dead man od. woman; (dead) body, corpse; **~ pl** casualties pl, fatalities pl

töten kill

Totenschein m death certificate

Totschlag m manslaughter; **2en** kill

Tour f tour (**durch** of); **~ismus** m tourism; **~ist(in)** m (f) tourist; **~nee** f tour

Tracht f costume; Schwestern2 etc.: uniform

trächtig pregnant

Tradition f tradition; **2ell** traditional

Trafik f öster. cigar store

Trag|bahre f stretcher; **2bar** portable; Kleidung: wearable; fig. bearable

träge lazy, indolent

tragen carry; Kleidung, Haar etc.: wear*; fig. bear*

Träger m carrier; med. stretcher-bearer; am Kleid etc.: strap; tech. support; arch. girder

Tragetasche tote (bag)

Trag|fläche f aviat. wing; **~flügelboot** n hydrofoil

tragisch tragic; **2ödie** f tragedy

Trainer(in) coach; **2ieren** v/i practice, train; v/t train; Team etc.: a. coach; **~ing** n practice; **~ingsanzug** m track suit

Traktor m tractor

trampeln trample, stamp

trampen hitchhike

Träne f tear; **2n** water; **~ngas** n teargas

tränken water

Transfusion f transfusion

Transport m transport (-ation); **2ieren** transport; **~mittel** n (means sg of) transport

Traube f bunch of grapes; Beere: grape; **~nsaft** m grape juice; **~nzucker** m glucose, dextrose

trauen marry; trust (j-m s.o.); **sich ~** dare

Trauer f sorrow; mourning; **~feier** f funeral (service); **2n** mourn (**um** for)

Traum m dream

träumen dream*
traumhaft great
traurig sad
Trau|ring m wedding ring; ~schein m marriage certificate; ~ung f marriage, wedding; ~zeuge, ~zeugin witness to a marriage
treff|en hit*; *begegnen*: meet* (*a. sich ~*); *kränken*: hurt*; *Entscheidung*: make*; **nicht** ~ miss; 2en n meeting; 2punkt m meeting place
treib|en v/t drive* (*a. tech.*); *Sport*: do*; *j-n*: push; v/i drift, float; *bot.* shoot*; 2haus n greenhouse; 2hauseffekt m greenhouse effect; 2stoff m fuel
trenn|en separate (*a. sich ~*); *ab~*: sever; *tel.* disconnect; **sich ~ von** part with; *j-m*: leave*; 2ung f separation; 2wand f partition
Treppe f staircase, stairs pl; ~nhaus n staircase
Tresor m safe; bank vault
treten kick; step (**auf** ein, **aus** out of; **in** into); *fahren*: pedal
treu faithful; loyal; 2e f faithfulness; loyalty; ~los unfaithful; disloyal
Tribüne f platform; *Sport*: (grand)stand
Trichter m funnel
Trick m trick
Trieb m *bot.* (young) shoot; *Natur2*: instinct; sex urge; ~kraft f *fig.* driving force;

~werk n engine
triftig valid
Trikot n *Sport*: shirt
trink|bar drinkable; ~en drink* (**auf** to; **zu** *et.* s.th.); 2er(in) drinker; 2geld n tip; 2halm m straw; 2wasser n drinking water
Tripper m gonorrhea
Tritt m *Sport*: kick; *Fuß2*: kick
Triumph m, 2ieren triumph
trocken dry (*a. Wein*);
2haube f hair dryer; 2heit f dryness; *Dürre*: drought;
~legen drain; *Baby*: change
trockn|en dry; 2er m dryer
Trödel m junk; 2n dawdle
Trommel f drum; ~fell n *anat.* eardrum; 2n drum
Trompete f trumpet
Tropen pl tropics pl
tröpf|eln drip; *regnen*: drizzle
tropf|en drip; 2en m drop; 2steinhöhle f stalactite cave
tropisch tropical
Trost m comfort
trösten comfort, console
trostlos miserable; *Gegend etc.*: desolate
Trottel m idiot
trotz in spite of, despite; 2 m defiance; ~dem nevertheless, all the same, still; ~ig defiant; sulky
trüb(e) cloudy; *Licht etc.*: dim; *Farbe, Wetter*: dull
Trubel m (hustle and) bustle
trübsinnig gloomy
trügerisch deceptive
Truhe f chest

Trümmer *pl* ruins *pl*; debris *sg*; Stücke: fragments *pl*

Trumpf *m* trump(s *pl*)

Trunkenheit *f* drunkenness; ~ **am Steuer** driving under the influence (of alcohol), DUI

Trupp *m* troop; group; **~e** *f* troop; *thea.* company

Truthahn *m* turkey

Tube *f* tube

Tuberkulose *f* tuberculosis

Tuch *n* cloth; → **Hals-, Kopf-, Staubtuch**

tüchtig (cap)able, efficient; F *fig.* good; arbeiten etc.: hard, a lot

tückisch treacherous

Tugend *f* virtue

Tulpe *f* tulip

Tumor *m* tumor

Tümpel *m* pool

Tumult *m* tumult, uproar

tun do* (*j-m et.* s.th. to s.o.); legen etc.: put*; **zu ~ haben** be* busy; **so ~, als ob** pretend to

Tunke *f* sauce; **2n** dip

Tunnel *m* tunnel

tupfe|n dab; **tüpfeln** dot; **2n** *m* dot, spot; **2r** *m* med. swab

Tür *f* door

Turb|ine *f* turbine; **~olader** *m* turbo(charger)

Türklinke *f* doorhandle

Turm *m* tower; **~springen** *n* platform diving

Turn|en *n* gymnastics *sg*; **2en** do* gymnastics; **~er(in** *f*)* gymnast; **~halle** *f* gym (nasium); **~hose** *f* gym shorts *pl*

Turnier *n* tournament

Turn|schuh *m* sneaker; gym shoe; **~verein** *m* athletics club

Tür|rahmen *m* door frame; **~schild** *n* door plate

Tusche *f* Indian ink

tuscheln whisper; *fig.* rumor

Tüte *f* bag

TÜV *m etwa* compulsory (car) inspection

Typ *m* type; F guy

Typhus *m* typhoid (fever)

typisch typical (**für** of)

Tyrann *m* tyrant; **2isieren** tyrannize (over), F bully

U

U-Bahn *f* subway

übel bad; **mir ist (wird)** ~ I'm feeling (getting) sick; **et. ~ nehmen** take* offense at s.th.; **2keit** *f* nausea

üben practice

über over; oberhalb: a. above; mehr als: a. more than; quer ~: across; reisen ~: via; Thema: about, of; Buch etc.: a. on; ~ **Nacht** overnight; **~all** everywhere; ~ **in** throughout, all over

über|anstrengen overstrain (**sich** o.s.); **~belichten** overexpose; **~bieten** outbid*; fig.

beat*; *j-n*: *a.* outdo*;
2bleibsel *n* remains *pl*
Überblick *m* survey (*über* of); *Vorstellung*: general idea; **2en** overlook; *fig.* grasp, see*
über|bringen bring*, deliver; **~dauern** survive; **~drüssig** tired of; **~durchschnittlich** above average
übereinander on top of each other; *sprechen etc.*: about one another
überein|kommen agree; **~stimmen**: **~** (*mit*) *Person*: agree (with, to); *Sache*: correspond (with, to); **2stimmung** *f* agreement; correspondence
überempfindlich hypersensitive
überfahren run* over; *Ampel*: jump; *fig. j-n*: bulldoze; **2t** *f* crossing
Überfall *m* Raub2: (bank *etc.*) robbery, holdup; *auf der Straße*: mugging; **2en** attack; hold* up; mug
über|fällig overdue; **~fliegen** fly* over *od.* across; *fig.* glance over; **2fluss** *m* abundance (*an* of); **~flüssig** superfluous; **~fluten** flood; **~fordern** overtax
überführen transport; **2ung** *f mot.* overpass
überfüllt overcrowded
Übergang *m* crossing; **~szeit** *f* transitional period
über|geben hand over; *sich*

~ throw* up, vomit; **~gehen** pass (*in* into; *zu* on to); **~glücklich** overjoyed; **~greifen**: **~** *auf* spread* to; **~haupt** at all; *sowieso*: anyway; **~** *nicht(s)* not(hing) at all; **~heblich** arrogant
überhol|en pass; *tech.* overhaul; **~t** outdated
über|kochen boil over; **~laden** overload; **~lassen**: *j-m et.* **~** let* s.o. have s.th.; *fig.* leave* s.th. to s.o.; **~lasten** overload; *fig.* overburden; **~laufen** run* over; *adj* overcrowded
überleben survive; **2de** *m, f* survivor
überleg|en think* about *s.th.*; *es sich anders* **~** change one's mind; **~en** *adj* superior (*dat* to; *an* in); **2ung** *f* consideration
Über|lieferung *f* tradition; **2listen** outwit; **2mäßig** excessive; **~mitteln** send*, transmit; **2morgen** the day after tomorrow; **2müdet** overtired; **2mütig** high-spirited; **2nächst**: **~e Woche** the week after next
übernacht|en stay overnight; **2ung** *f* overnight stay; **~ und Frühstück** bed and breakfast
über|natürlich supernatural; **~nehmen** take* over; *Verantwortung, Führung etc.*: take*; *erledigen*: take* care of; *sich* **~** overdo* it; **~prüfen**

check; *j-n:* screen; **~queren**
cross; **~ragend** superior
überrasch|en, 2ung *f* surprise
über|reden persuade; **~reichen** reach; **~rumpeln** (take* by) surprise
Überschall... supersonic ...
über|schätzen overrate; **~schlagen** *econ.* make* a rough estimate of; *sich ~* turn over; *Stimme:* break*; **~schnappen** crack up; **~schneiden:** *sich ~* overlap; **~schreiten** cross; *fig.* go* beyond; *Maß, Befugnis:* exceed; **2schrift** *f* heading, title; *Schlagzeile:* headline; **2schuss** *m,* **~schüssig** surplus; **2schwemmung** *f* flood
Übersee... overseas ...
übersehen overlook (*a. fig.*)
übersetz|en translate (*in* into); **2er(in)** translator; **2ung** *f* translation
Übersicht *f* general idea (*über* of); *Zusammenfassung:* summary; **2lich** *Gelände etc.:* open; *gegliedert:* clear
über|springen *auslassen:* skip; **~stehen** *überleben:* survive (*a. fig.*); **~steigen** *fig.* exceed; **~stimmen** outvote
Überstunden *pl* overtime *sg;* **~ machen** work overtime
überstürz|en: *et. ~* rush things; **~t** hasty

übertrag|bar transferable;
med. contagious; **~en** broadcast*, transmit (*a. Kraft, Krankheit*); *Blut:* transfuse; *Organ:* transplant; **~en** *adj* figurative; **2ung** *f* (*radio od.* TV) broadcast; transmission; transfusion; transfer
übertreffen surpass, F beat*; *j-n: a.* outdo*
übertreib|en exaggerate; **2ung** *f* exaggeration
über|treten *jur. etc.* violate; **~trieben** exaggerated; **2tritt** *m* change (*zu* to); *rel.* conversion; **~vorteilen** cheat; **~wachen** supervise; *bsd. tech.* control, monitor (*a. med.*)
überwältigen overwhelm
überweis|en *Geld:* transfer (*an* to); **2ung** *f* transfer
über|winden overcome*; *sich ~ zu* bring* o.s. to *inf;* **2zahl** *f: in der ~* in the majority
überzeug|en convince (*von* of); **2ung** *f* conviction
überziehen put* *s.th.* on; *Konto:* overdraw*
üblich usual, common
übrig remaining; *die* **2en** *pl* the others *pl,* the rest *pl;* **~ sein (haben)** be* there*; **~ lassen** leave*; **~ens** by the way
Übung *f* exercise; *Üben, Erfahrung:* practice

Ufer *n* shore; *Fluss:* bank; **ans**

~ ashore

Uhr f clock; *Armband⁀ etc.*: watch: **um vier** ~ at four o'clock; **(um) wieviel ~?** (at) what time?; **~armband** n watchstrap; **~zeiger** m hand

Uhu m eagle owl

ulkig funny

Ulme f elm

Ultra..., **⁀...** *Schall, violett etc.*: ultra...

um a(round); *zeitlich*: at; *ungefähr*: about, around; **~ ... willen** for ...'s sake; **~ zu** (in order) to; **~ sein** be* over; *Zeit*: be* up

um|armen: (sich) ~ embrace; **~bauen** rebuild*; **~blättern** turn over; **~bringen** kill **(sich** o.s.); **~buchen** change one's booking (for)

umdrehen turn (a)round **(a. sich** ~); **⁀ung** f *tech.* revolution

umfallen fall*; *zs.-brechen*: collapse; **tot** ~ drop dead

Umfang m circumference; *Ausmaß*: size; *fig.* extent; **⁀reich** extensive

um|formen transform, convert; **⁀frage** f (opinion) poll, survey; **~funktionieren: ~ in** *od. zu* turn into

umgeb|en surround; ~ von surrounded by; **⁀ung** f surroundings *pl*; *Milieu*: environment

umgeh|en: ~ mit deal* with, handle, treat; **⁀ungsstraße** f beltway

um|gekehrt *adj* reverse; opposite; *adv* the other way round; **und ~** and vice versa; **~graben** dig* (up)

umher (a)round, about

um|hören: sich ~ keep* one's ears open, ask around; **~kehren** turn back; *et.*: turn (a)round; **~kippen** tip over; → **umfallen**; **~klammern** clasp (in one's arms)

Umkleideraum m changing *(Sport:* locker) room

umkommen be* killed **(bei** in); F ~ **vor** be* dying with

Umkreis m vicinity; **im ~ von** within a radius of

Umlauf m circulation; **~bahn** f orbit

umlegen put* down; *Kosten:* divide; *sl. töten:* bump off

Umleitung f detour

umliegend surrounding

um|rechnen convert; **⁀nungskurs** m exchange rate

um|ringen surround; **⁀riss** m outline; **~rühren** stir; **⁀satz** m *econ.* turnover; **~schalten** switch (over) **(auf** *(auf* to); **~schauen** → **umsehen**

Umschlag m envelope; *Hülle*: cover, wrapper; *Buch:* jacket; *Hose:* cuff; *med.* compress; *econ.* handling; **⁀en** *Boot etc.*: turn over; *econ.* handle

um|schreiben rewrite*; *Begriff:* paraphrase; **~schulen** retrain; **~schwärmen** *fig.* idolize, worship; **⁀schwung**

m (sudden) change; **~sehen: sich ~** look back; look around (**nach** for); **sich ~ nach suchen:** be* looking for

umsonst free (of charge); *vergebens:* in vain

Um|stand *m* fact; *Einzelheit:* detail; **~stände** *pl: unter ~n* possibly; *keine ~ machen* not go* to (*j-m:* not cause) any trouble; *in anderen ~n sein* be* expecting; **~ständ-lich** complicated; *langatmig:* long-winded; *zu ~* too much trouble

um|steigen change; **~stellen** change (**auf** to); *Möbel etc.:* rearrange; *Uhr:* reset*; → **~umzingeln: sich ~ auf an-passen:** adjust (o.s.) to; **2stellung** *f* change; adjust-ment; **~stimmen** change *s.o.'s* mind; **~stoßen** knock over; *et.: a.* upset* (*a. Plan*); **2sturz** *m* overthrow; **~stür-zen** upset*, overturn

Umtausch *m,* **2en** exchange (**gegen** for)

um|wandeln transform, con-vert; **~weg** *m* detour

Umwelt *f* environment; **~...** *mst* environmental ...; **2freundlich** non-polluting; *abbaubar:* biodegradable; **2schädlich** harmful, pollut-ing; **~schutz** *m* environmen-tal protection; **~schüt-zer(in)** environmentalist; **~verschmutzung** *f* (envi-

ronmental) pollution

um|werfen upset*, overturn; **~ziehen** move (**nach** to); **sich ~** change; **~zingeln** sur-round; **2zug** *m* move (**nach** to); parade

unabhängig independent; **2keit** *f* independence

un|absichtlich unintention-al; **~achtsam** careless

unan|gebracht inappropri-ate; *pred. a.* out of place; **~genehm** unpleasant; *pein-lich:* embarrassing; **~nehm-lichkeiten** *pl* trouble *sg;* **~ständig** indecent

unappetitlich *schmuddelig:* grubby

unauf|fällig inconspicuous; **~merksam** inattentive

unausstehlich unbearable

unbe|deutend insignificant; *geringfügig: a.* minor; **~dingt** by all means; **~friedigend** unsatisfactory; **~friedigt** dis-satisfied; disappointed; **~fugt** unauthorized; **~greif-lich** incomprehensible; **~grenzt** unlimited; **~gründet** unfounded; **2hagen** *n* un-easiness; **~haglich** uneasy; **~herrscht** uncontrolled; **~holfen** clumsy, awkward; **~kannt** unknown; **~küm-mert** carefree; **~liebt** un-popular; **~merkt** unnoticed; **~quem** uncomfortable; *lästig:* inconvenient; **~rührt** untouched; **~schränkt** un-limited; **~schreiblich** indescribable; ~**ständig** unstable, unsettled (*a. Wetter*); ~**stechlich** incorruptible; ~**stimmt** indefinite; *unsicher*: uncertain; *Gefühl*: vague; ~**teilig** not involved; *gleichgültig*: indifferent; ~**wacht** unguarded; ~**waffnet** unarmed; ~**weglich** motionless; *fig.* inflexible; ~**wohnt** uninhabited; *Gebäude*: unoccupied; ~**wusst** unconscious; ~**zahlbar** priceless (*a. fig.*), invaluable

unbrauchbar useless

und and; *na* ~? so what?

un|dankbar ungrateful *Aufgabe*: thankless; ~**definierbar** nondescript; ~**denkbar** unthinkable; ~**deutlich** indistinct; ~**dicht** leaky

undurch|dringlich impenetrable; ~**lässig** impervious, impermeable; ~**sichtig** opaque; *fig.* mysterious

un|eben uneven; ~**ehelich** illegitimate; ~**empfindlich** insensitive (*gegen* to); ~**endlich** infinite; *endlos*: endless

unent|behrlich indispensable; ~**geltlich** free (of charge); ~**schieden** undecided; 2**schieden** *n* draw, tie; ~**schlossen** irresolute

uner|fahren inexperienced; ~**freulich** unpleasant; ~**hört** outrageous; ~**klärlich** inexplicable; ~**laubt** unlawful; *unbefugt*: unauthorized; ~-

messlich immense; ~**müdlich** indefatigable, untiring; ~**reicht** unequaled; ~**sättlich** insatiable; ~**schöpflich** inexhaustible; ~**schütterlich** unshakable; ~**setzlich** irreplaceable; *Schaden*: irreparable; ~**träglich** unbearable; ~**wartet** unexpected; ~**wünscht** undesirable

unfähig incapable (*zu* of *ger*), incompetent; 2**keit** *f* incompetence

Unfall *m* accident; ~**flucht** *f* hit-and-run offense

un|fassbar unbelievable; ~**förmig** shapeless; misshapen; ~**frankiert** unstamped; ~**freiwillig** involuntary; *Humor*: unintentional; ~**freundlich** unfriendly; *Wetter*: nasty; *Zimmer*, *Tag*: cheerless; ~**fruchtbar** infertile

Unfug *m* nonsense; ~ *treiben* fool around

unge|bildet uneducated; ~**bräuchlich** unusual; ~**bunden** free, independent

Ungeduld *f* impatience; 2**ig** impatient

unge|eignet unfit; *Person*: *a.* unqualified; ~**fähr** approximate(ly), rough(ly); *adv a.* about; ~**fährlich** harmless; *sicher*: safe

ungeheuer vast, huge, enormous; 2 *n* monster

unge|hindert unhindered; ~**hörig** improper; ~**horsam**

disobedient; **~kürzt** unabridged; **~legen** inconvenient; **~lernt** unskilled; **~mütlich** uncomfortable; **~nau** inaccurate; *fig.* vague; **~nießbar** uneatable; *Person:* unbearable; **~nügend** insufficient; *Leistung:* unsatisfactory; **~niert** (free and) easy; **~pflegt** unkempt

ungerade odd

ungerecht unjust (**gegen** to); **2igkeit** *f* injustice

ungern unwillingly; **et. ~ tun** dislike doing s.th.

unge|schickt clumsy; **~spritzt** *agr.* organic(ally grown); **~stört** undisturbed, uninterrupted; **~sund** unhealthy

ungewiss uncertain; **2heit** *f* uncertainty

unge|wöhnlich unusual, uncommon; **2heit** *f* *Läuse etc.:* vermin *pl*; **~zogen** naughty; **~zwungen** informal

ungläubig incredulous

unglaub|lich incredible; **~würdig** untrustworthy; *Ausrede etc.:* implausible

ungleich unequal, different; **~mäßig** uneven; irregular

Unglück *n* misfortune; *Pech:* bad luck; *Unfall etc.:* accident; *stärker:* disaster; *Elend:* misery; **2lich** unfortunate; *traurig:* unhappy; **2licherweise** unfortunately

un|gültig invalid; **~günstig** unfavorable; **~handlich** unwieldy, bulky; **2heil** *n* evil; disaster; **~ anrichten** wreak havoc; **~heilbar** incurable; **~heimlich** weird; **~höflich** impolite; **~hörbar** inaudible; **~hygienisch** insanitary

Uniform *f* uniform

uninteress|ant uninteresting; **~iert** uninterested

Union *f* union

Universität *f* university

Universum *n* universe

unkennt|lich unrecognizable; **2nis** *f* ignorance

un|klar unclear; *ungewiss:* uncertain; **im 2en sein** be* in the dark; **2kosten** *pl* expenses *pl*; **2kraut** *n* weeds *pl*; **~leserlich** illegible; **~logisch** illogical; **~lösbar** insoluble; **~mäßig** excessive; **2menge** *f* vast quantity

Unmensch *m*: **kein ~ sein** have* a heart; **2lich** inhuman

un|missverständlich unmistakable; **~mittelbar** immediate(ly); **~modern** dated; **~möglich** impossible; **~moralisch** immoral; **~mündig** under age; **~natürlich** unnatural; *geziert:* affected; **~nötig** unnecessary

unordentlich untidy; **2nung** *f* disorder, mess

un|parteiisch impartial; **~passend** unsuitable; → ***unangebracht***; **~passier-**

bar impassable; **~persönlich** impersonal; **~politisch** apolitical; **~praktisch** impractical; **~pünktlich** unpunctual; **~rasiert** unshaven

unrecht wrong; **j-m ~ tun** do* s.o. wrong

Unrecht n injustice; **im ~ sein, ~ haben** be wrong; **zu ~** wrong(ful)ly

unrechtmäßig unlawful

un|regelmäßig irregular; **~reif** unripe; fig. immature; **~rein** fig. unclean

Unruhe f restlessness; pol. unrest; Besorgnis: anxiety; **~n** pl disturbances pl; stärker: riots pl; **2ig** restless; Meer: rough; fig. uneasy

uns (to) us; each other; **~ (selbst)** ourselves

un|sachlich not objective; personal; **~sauber** dirty; **~schädlich** harmless; **~scharf** blurred; **~schätzbar** invaluable; **~scheinbar** plain; **~schlüssig** undecided

Unschuld f innocence; **2ig** innocent

unselbstständig dependent (on others)

unser our; **~es** etc. ours

un|sicher unsafe, insecure (a. psych.); → **ungewiss**; **~sichtbar** invisible; **~sinn** m nonsense; **~sittlich** indecent; **~sozial** antisocial; **~stimmigkeiten** pl disagreements pl; **~sympathisch** disagreeable; **... ist mir ~** I

don't like ...; **~tätig** inactive

unten below; down (a. nach ~); downstairs; **von oben bis ~** from top to bottom

unter under; bsd. ~halb: below; zwischen: among

Unter|arm m forearm; **2belichtet** underexposed; **~bewusstsein** n: **im ~** subconsciously; **2binden** stop

unterbrech|en interrupt; **~ung** f interruption

unter bringen j-n: accommodate, put* s.o. up; find* a place for s.th.; **~drücken** suppress; pol. oppress

untere lower

untereinander between od. among each other; räumlich: one under the other; **~entwickelt** underdeveloped

unterernährt undernourished; **2ung** f malnutrition

Unter|führung f underpass; **~gang** m astr. setting; Schiff: sinking; fig. fall; **2gehen** go* down; naut. a. sink*; astr. a. set*

Untergrund m pol., fig. underground; **~bahn** f → **U-Bahn**

unterhalb below, underneath

Unterhalt m maintenance, support (a. Zahlungen); **2en** entertain; Familie: support; **sich ~ (mit)** talk (to, with); **sich gut ~** have* a good time; **~ung** f conversation; entertainment

Unter|hemd n undershirt; ~hose f underpants pl; Damen♀: panties pl; ♀irdisch underground; ♀kiefer m lower jaw; ~kunft f accommodation; ~lage f base; ~n pl documents pl; ♀lassen fail to do s.th.; ♀legen adj inferior (j-m to s.o.); ~leib m abdomen, belly; ♀liegen be* defeated (j-m by s.o.); fig. be* subject to; ~lippe f lower lip

unternehm|en do* s.th. (gegen about s.th.); ♀en v econ. business; ♀er(in) entrepreneur; Arbeitgeber: employer; ~ungslustig adventurous

Unteroffizier m noncommissioned officer, NCO

Unterricht m instruction; classes pl; ♀en teach*; inform (über of)

Unter|rock m slip; ♀schätzen underestimate; ♀scheiden distinguish; sich ~ differ; ~schenkel m shank

Unterschied m difference; ♀lich different; varying

unterschlag|en embezzle; ♀ung f embezzlement

unter|schreiben sign; ♀schrift f signature; ♀setzer m coaster

unterste lowest

unterstellen et.: put* (in in[to]); annehmen: assume; sich ~ take* shelter; ♀streichen underline (a. fig.)

unterstütz|en support; ♀ung f support; staatliche: a. aid; Fürsorge: welfare

untersuch|en examine (a. med.), investigate (a. jur.); chem. analyze (a. med.); ♀ung f examination (a. med.), investigation (a. jur.); med. a. checkup; chem. analysis; ♀ungshaft f pretrial detention

Unter|tasse f saucer; ♀tauchen dive*, submerge; j-n: duck; fig. disappear; ~teil n, m lower part; ~titel m subtitle; ♀wäsche f underwear; ~wegs on the od. one's way; ♀würfig servile; ♀zeichnen sign; ♀ziehen put* on underneath; sich dat ~ med. undergo*; Prüfung: take*

un|tragbar unbearable; ~trennbar inseparable; ~treu unfaithful; ♀tröstlich inconsolable

unüber|legt thoughtless; ~sichtlich Kreuzung etc.: blind; komplex: intricate; ~windlich insuperable

ununterbrochen uninterrupted; ständig: continuous

unver|ändert unchanged; ~antwortlich irresponsible; ~besserlich incorrigible; ~bindlich not binding; Art etc.: noncommittal; ~daulich indigestible; ~dient undeserved; ~geßlich unforgettable; ~gleichlich incomparable; ~heiratet single; ~käuflich not for sale;

~letzt unhurt; ~meidlich inevitable; ~nünftig unwise
unverschämt impertinent; 2heit f impertinence
unver|ständlich unintelligible; unbegreiflich: incomprehensible; ~wüstlich indestructible; ~zeihlich inexcusable; ~züglich immediate(ly), without delay
unvoll|endet unfinished; ~kommen imperfect; ~ständig incomplete
unvor|eingenommen unbiased; ~hergesehen unforeseen; ~sichtig careless; ~stellbar unthinkable
unwahrscheinlich unlikely; F incredibly
unwesentlich irrelevant; geringfügig: negligible
Unwetter n storm
unwichtig unimportant
unwider|ruflich irrevocable; ~stehlich irresistible
Unwille(n) m indignation; 2kürlich involuntary
un|wirksam ineffective; ~wissend ignorant; ~wohl unwell; ~würdig unworthy (gen of); ~zählig countless
unzer|brechlich unbreakable; ~trennlich inseparable
unzüchtig indecent; Buch etc.: obscene

unzufrieden dissatisfied; 2heit f dissatisfaction
unzu|länglich inadequate; ~rechnungsfähig incompetent; ~sammenhängend incoherent; ~verlässig unreliable
üppig luxuriant; Figur: a. voluptuous; Essen: rich
uralt ancient (a. F fig.)
Uran n uranium
Ur|aufführung f première; ~enkel(in) great-grand|son (-daughter); ~heberrechte pl copyright sg
Urin m urine
Urkunde f document; Zeugnis, Ehren2: diploma
Urlaub m vacation; amtlich, mil.: leave; ~er(in) m vacationer
Urne f urn; pol. ballot box
Ur|sache f cause; Grund: reason; keine ~! not at all, you're welcome; ~sprung m origin; 2sprünglich original(ly)
Urteil n judgment; Strafmaß: sentence; 2en judge (über j-n s.o.); ~sspruch m verdict
Urwald m primeval forest; Dschungel: jungle
Utensilien pl utensils pl
Utopi|e f impossible dream; 2isch utopian

V

vage vague
Vagina f anat. vagina
Vakuum n vacuum
Vanille f vanilla
Vase f vase
Vater m father; **~land** n native country
väterlich fatherly, paternal
Vaterunser n Lord's Prayer
Vegetalrier(in), **⌾risch** vegetarian; **~tion** f vegetation
Veilchen n violet
Vene f vein
Ventil n valve; fig. vent, outlet; **~ator** m fan
verabred|en arrange; **sich ~** make* a date (geschäftlich: an appointment); **⌾ung** f appointment; bsd. private: date
verab|scheuen detest; **~schieden** parl. pass; **sich ~ (von)** say* goodbye (to)
ver|achten despise; **~ächtlich** contemptuous; **⌾achtung** f contempt; **~allgemeinern** generalize; **~altet** outdated
veränder|lich changeable, variable; **~n (sich)** change; **⌾ung** f change
veran|lagt inclined (**zu**, **für** to); **... ~ sein** have* a gift for music etc.; **⌾lagung** f (pre)disposition (a. med.): talent, gift; **~lassen** cause; **~stalten** organize; sponsor; **~stalter(in)** organizer;

sponsor; **⌾staltung** f event
verantwort|en take* the responsibility for; **sich ~ für** answer for; **~lich** responsible; **j-n ~ machen (für)** hold* s.o. responsible (for); **⌾ung** f responsibility; **~ungslos** irresponsible
ver|arbeiten process; fig. digest; **⌾arbeitung** f processing (a. Computer); **~ärgern** annoy
Verb n verb
Verband m bandage; Bund: association, union; **~(s)kasten** m first-aid kit; **~(s)zeug** n dressing material
ver|bannen banish (a. fig.), exile; **~bergen** hide* (a. **sich ~**), conceal
verbesser|n improve; berichtigen: correct; **⌾ung** f improvement; correction
verbeug|en: sich ~ bow (**vor** to); **⌾ung** f bow
ver|biegen twist; **~bieten** forbid*, prohibit
verbind|en med. bandage (up); connect (a. tech., tel.); **kombinieren:** combine (a. chem. etc.); fig. associate; **~lich** obligatory, binding (a. econ.); nett: friendly; **⌾ung** f connection; combination; chem. compound; **sich in ~ setzen mit** get* in touch with

ver|blassen fade; **~bleit**
leaded; **~blüffen** amaze; **~blühen** fade; wither; **~bluten** bleed* to death; **~borgen** hidden

Verbot n ban (on *s.th.*), prohibition; **2en** prohibited; **Rauchen** ~ no smoking

Verbrauch m consumption (an of); **2en** consume, use up; **~er** m consumer

Verbrech|en n crime (**begehen** commit); **~r(in)**, **2risch** criminal

verbreit|en: (**sich**) ~ spread*; **~n: (sich)** widen

verbrenn|en burn*; *Leiche:* cremate; *Müll:* incinerate; **2ung** f burning; cremation; incineration; *med.* burn

verbünde|n: **sich** ~ ally o.s. (**mit** to, with); **2te** m, f ally

ver|bürgen: **sich** **~ für** answer for; **~büßen:** *e-e* **Strafe** ~ serve a sentence

Verdacht m suspicion; ~ **schöpfen** become* suspicious

verdächtig suspicious; **2e** m, f suspect; **~en** suspect

verdamm|en condemn; **~t** damned; **~!** damn (it)!

ver|dampfen evaporate; **~danken** owe *s.th.* to *s.o.*

verdau|en digest; **~lich** (**leicht** easily) digestible; **2ung** f digestion; **2ungsstörungen** pl constipation sg

Verdeck n top; **2en** cover (up), hide*

ver|derben spoil* (a. *fig.* *Spaß etc.*); *Fleisch etc.:* go*; *ich habe mir den Magen verdorben* I have an upset stomach; **~derblich** perishable; **~dienen** *Geld:* earn; *fig.* deserve

Verdienst[1] m income

Verdienst[2] n merit

ver|doppeln: (**sich**) ~ double; **~dorben** spoiled (a. *fig.*); *Magen:* upset; *moralisch:* corrupt; **~drängen** displace; *psych.* repress; **~drehen** twist (a. *fig.*); *Augen:* roll; **~dreifachen: (sich)** ~ triple; **~dunkeln** darken (a. *sich*); **~dünnen** dilute; **~dunsten** evaporate; **~dursten** die of thirst

verehr|en worship (a. *fig.*); *bewundern:* admire; **2er(in)** admirer; fan; **2ung** f reverence; admiration

vereidigen swear* in

Verein m club; society

vereinbar|en agree (up)on, arrange; **2ung** f agreement, arrangement

vereinfachen simplify

vereinig|en: (**sich**) ~ unite; **2ung** f union; *Akt:* unification

ver|eitert septic; **~engen: (sich)** ~ narrow; **~erben** leave*; *biol.* transmit

verfahren proceed; **sich** ~ get* lost; **2** n procedure; *tech. a.* process; *jur.* proceedings pl

Verfall m decay (a. fig.); **2en** decay (a. fig.); Haus etc.: a. dilapidate; ablaufen: expire

Verfasser(in) author; **~ung** f condition; pol. constitution

verfaulen rot, decay

verfluch|en curse; **~t →** verdammt

verfolg|en pursue (a. fig.); jagen: chase; rel., pol. persecute; **2r** m pursuer

verfrüht premature

verfüg|bar available; **~en** order; **~ über** have* at one's disposal; **2ung** f order; **zur ~ stehen (stellen)** be* (make*) available

verführ|en seduce; **~risch** seductive; tempting

vergammeln F rot; fig. go* to the dogs

vergangen, **2heit** f past

Vergaser m carburetor

vergeb|en give* away; verzeihen: forgive*; **~lich** adj futile; adv in vain

vergehen pass; **2** n offense

Vergeltung f retaliation

ver|gessen forget*; **~gesslich** forgetful; **~geuden** waste

vergewaltig|en, **2ung** f rape

ver|gewissern: sich ~ make* sure (gen of); **~gießen** Blut, Tränen: shed*; verschütten: spill* (a. Blut)

vergift|en poison (a. fig.); **2ung** f poisoning

Vergissmeinnicht n forget-me-not

Vergleich m comparison; jur. compromise; **2bar** comparable; **2en** compare

vergnüg|en: sich ~ enjoy o.s.; **2en** n pleasure; **viel ~!** have fun!; **~t** cheerful

ver|graben bury; **~griffen** Buch: out of print

vergrößer|n enlarge (a. phot.); opt. magnify; **2t** increase; **2ung** f enlargement; **2ungsglas** n magnifying glass

verhaft|en, **2ung** f arrest

verhalten: sich ~ behave; **2** n behavior, conduct

Verhältnis n relationship; Relation: relation, proportion, math. ratio; Liebes**2**: affair; **~se** pl conditions pl; Mittel: means pl; **2mäßig** comparatively, relatively

verhandeln negotiate; **2ung** f negotiation

verhängnisvoll fatal; **~hasst** hated; Sache: a. hateful; **~heerend** disastrous; **~heilen** heal (up); **~heimlichen** hide*; conceal; **~heiratet** married; **~hindern** prevent; **~höhnen** deride, mock (at)

Verhör n interrogation; **2en** interrogate, question; **sich ~** get* it wrong

verhungern die of hunger, starve (to death)

verhüt|en prevent; **2ung** f contraception; **2ungsmittel** n contraceptive

ver|irren: **sich ~** lose one's way; **~jagen** drive* away; **~kabeln** t extension

Verkauf m sale; **2en** sell*; **zu ~** for sale

Verkäufer(in) seller; bsd. im Laden: (sales)clerk; **2lich** for sale

Verkehr m traffic; öffentlicher: transportation; Geschlechts2: intercourse; **2en** Bus etc.: run*

Verkehrs|ampel f traffic light, stoplight; **~minister(in)** Minister of Transportation; in den USA: Secretary of Transportation; **~mittel** n means of transportation; öffentliche ~ pl public transportation; **~polizei** f traffic police pl; **~stau** m traffic jam, in der Stadt a. gridlock; **~unfall** m traffic accident; **~widrigkeit** f traffic offense; **~zeichen** n traffic sign

ver|kehrt wrong; **~kennen** mistake*, misjudge; **~klagen** sue (auf, wegen for); **~kleiden** disguise (sich o.s.); tech. cover; **~kommen** v/i go* to the dogs; adj rundown; moralisch: depraved; **~krüppelt** crippled; **~künden** announce; Urteil: pronounce; **~kürzen** shorten

verlangen ask for, demand; **2** n desire

verlänger|n lengthen; fig. prolong (a. Leben); extend;

Ausweis: renew; **2ung** f extension; renewal; **2ungsschnur** f extension (cord)

ver|langsamen slow down (a. sich ~); **2lass** m: auf ... ist (kein) ~ you can('t) rely on ...; **~lassen** leave*; sich ~ auf rely on; **~lässlich** reliable

Verlauf m course; **2en** run*; sich ~ lose* one's way

verleben spend*; Zeit etc.: a. have*; **~t** dissipated

verlegen v/t move; Brille: mislay*; zeitlich: postpone; Buch: publish; adj embarrassed; **2heit** f (Geld2: financial) embarrassment

Verleih m rental (service); **2en** lend*; Autos etc.: rent out; Preis: award

ver|leiten mislead* (zu into ger); **~lernen** forget*; **~lesen: sich ~** misread* s.th.

verletzen hurt (sich o.s.), injure; fig. a. offend; **2te** m, f injured person; **die ~n** pl the injured pl; **2ung** f injury

verleugnen deny

verleumd|en, 2ung f slander; schriftlich: libel

verlieb|en: sich ~ (in fall* in love (with); **~t** in love (in with); Blick: amorous

verlieren lose*

verlob|en: sich ~ get* engaged (mit to); **2te** m fiancé; f fiancée **2ung** f engagement

ver|lockend tempting; **~loren: ~ gehen** be* od. get*

lost; 2lust m loss; ~machen leave*; ~mehren: (sich) ~ increase; biol. multiply; ~meiden avoid; ~meintlich supposed; ~messen v/t measure; Land: survey; adj presumptuous; ~mieten rent; Autos etc.: rent out; zu ~ for rent; ~mischen mix; ~missen miss

vermitteln v/t arrange; j-m et.~ get* od. find* s.o. s.th.; v/i mediate (zwischen between); 2ler(in) mediator, go-between; 2lung f mediation; Herbeiführung: arrangement; Stelle: agency; tel. exchange

Vermögen n fortune

vermummt masked

vermuten suppose; ~lich probably; 2ung f supposition

ver|nachlässigen neglect; ~nehmen jur. question, interrogate; ~neinen deny; answer in the negative

Vernetzung f network(ing)

vernicht|en destroy; 2ung f destruction

Vernunft f reason; 2nünftig sensible, reasonable (a. Preis)

veröffentlich|en publish; 2ung f publication

ver|ordnen med. prescribe; ~pachten lease

verpack|en pack (up); tech. package; 2ung f pack(ag)ing; Papier~: wrapping

ver|passen miss; ~pesten pollute, foul; ~pfänden pawn; ~pflanzen transplant

verpfleg|en feed*; 2ung f food

ver|pflichten engage; sich ~ zu undertake* to; ~pflichtet obliged; ~pfuschen ruin; ~prügeln beat* s.o. up

Ver|rat m betrayal; pol. treason; 2raten: (sich) ~ betray (o.s.), give* (o.s.) away; ~räter(in) traitor

verrechn|en: ~ mit set* off against; sich ~ miscalculate (a. fig.); 2ungsscheck m check for deposit only

verregnet rainy, wet

verreisen go* away (geschäftlich: on business)

verrenk|en dislocate (sich et. s.th.); 2ung f dislocation

ver|riegeln bolt, bar; ~ringern decrease, lessen (beide: a. sich ~); ~rosten rust

verrück|en move, shift; ~t mad, crazy (beide: nach about); 2te m, f mad|man (-woman), lunatic; maniac

verrutschen slip

Vers m verse

ver|sagen fail; ~salzen put too much salt in; fig. spoil

versamm|eln (sich) ~ gather, assemble; 2lung f assembly, meeting

Versand m dispatch, shipment; ~... Haus, Katalog: mail-order ...

ver|säumen miss; *Pflicht*: neglect; *zu tun*: fail; ~schaffen get*; *sich* ~ *a.* obtain; ~schätzen: *sich* ~ make* a mistake (*a. fig.*); *sich um ...* ~ be* ... off; ~schenken give* away; ~schicken send* (off); *econ. a.* dispatch; ~schieben shift; *zeitlich*: postpone

verschieden different; ~e *pl mehrere*: several; 2es miscellaneous; ~artig various

ver|schimmeln get* moldy; ~schlafen *v/i* oversleep; *adj* sleepy (*a. fig.*); 2schlag *m* shed; ~schlagen cunning; ~schlechtern: (*sich*) ~ make* (get*) worse, deteriorate; 2schleiß *m* wear (and tear); ~schließen close; *absperren*: lock (up); ~schlimmern → *verschlechtern*; ~schlossen closed; locked; *fig.* reserved; ~schlucken swallow; *sich* ~ choke; 2schluss *m* fastener; *aus Metall: a.* clasp; *Flaschen2*: cap, top; *phot.* shutter; ~schlüsseln encode; ~schmelzen merge, fuse; ~schmerzen get* over *s.th.*; ~schmieren smear; ~schmutzen soil, dirty; *Umwelt*: pollute; ~schollen missing; ~schonen spare; ~schreiben *med.* prescribe (*gegen* for); ~schrotten scrap; ~schuldet in debt; ~schütten spill*; *j-n*: bury

alive; ~schweigen hide*, say* nothing about; ~schwenden, 2schwendung *f* waste; ~schwiegen discreet; ~schwimmen become* blurred; ~schwinden disappear, vanish; ~schwommen blurred (*a. phot.*)

ver|sehen: *sich* ~ make* a mistake; 2*n* oversight; *aus* ~ → ~tlich by mistake

ver|senden → *verschicken*; ~sengen singe, scorch; ~setzen move; *dienstlich*: transfer; ~seuchen contaminate

versicher|n insure (*sich* o.s.); *sagen*: assure, assert; 2te *m, f* the insured; 2ung *f* insurance (company); assurance; 2ungspolice *f* insurance policy

ver|sickern trickle away; ~sinken sink*

Version *f* version

versöhn|en reconcile; *sich* (*wieder*) ~ become* reconciled; make* (it) up (*mit* with *s.o.*); 2ung *f* reconciliation

versorg|en provide, supply; *betreuen*: take* care of; 2ung *f* supply; care

verspät|en: *sich* ~ be* late; ~et late; 2ung *f* delay; ~ *haben* be* late

ver|speisen eat* (up); ~sperren bar, block (up), obstruct (*a. Sicht*); ~spotten

vertreten

make* fun of, ridicule;
~sprechen promise; *sich ~*
make* a mistake; **2sprechen** *n* promise; **~staatlichen** nationalize

Verstand *m* mind; *Vernunft:* reason; *Intelligenz:* brain(*s pl*); **den ~ verlieren** go* mad
verständig|en inform; *sich ~* communicate; *einig werden:* come* to an agreement; **2igung** *f* communication; **~lich** intelligible; understandable; **2nis** *n* comprehension; understanding; **~nisvoll** understanding

verstärk|en reinforce; strengthen; *Radio, phys.:* amplify; *steigern:* intensify; **2er** *m* amplifier; **2ung** *f* reinforcement (*s pl mil.*)

verstauben get* dusty
verstauch|en, **2ung** *f* sprain
verstauen stow away
Versteck *n* hiding place; **2en** hide* (*a. sich*), conceal
verstehen understand*, F get*; *einsehen:* see*; *sich (gut) ~* get* along (well) (*mit* with)

Versteigerung *f* auction
verstell|bar adjustable; *fig.* move; *tech.* adjust; *Stimme:* disguise; *sich ~* put* on an act

ver|steuern pay* tax on; **~stimmt** out of tune; F cross; **~stohlen** furtive
verstopf|en block, jam; **~t** *Darm:* constipated; **2ung** *f*

med. constipation
verstorben late, deceased; **2e** *m, f* the deceased
Verstoß *m* offense; **2en:** *~ gegen* violate
ver|streichen *Zeit:* pass; *Frist:* expire; **~streuen** scatter; **~stummen** grow* silent
Versuch *m* attempt, try; *Probe:* trial; *phys. etc.* experiment; **2en** try attempt; **~ung** *f* temptation
ver|tagen adjourn; **~tauschen** exchange
verteidig|en defend (*sich* o.s.); **2er(in)** defender; *jur.* counsel for the defense; **2ung** *f* defense; **2ungsminister** *m* Minister of Defense; *in den USA:* Secretary of Defense

verteilen distribute
vertief|en (*sich*) ~ deepen; *sich ~ in fig.* become absorbed in; **2ung** *f* hollow
Vertrag *m* contract; *pol.* treaty; *pol.* treaty, stand*; *ich kann ... nicht ~ Essen etc.:* ... doesn't agree with me; *Lärm, j-n etc.:* I can't stand ...; *sich ~ → verstehen*
vertrau|en trust; **2en** *n* confidence; trust; **~lich** confidential; **~t** familiar
vertreiben drive* away; expel (*aus* from) (*a. pol.*); *Zeit:* pass; kill
vertret|en substitute for; *pol., econ.* represent; *Idee etc.:*

support; **2er(in)** substitute;
pol., *econ.* representative;
Handels~: sales representative

ver|trocknen dry up; **~trösten** put* off

verun|glücken have* (*tödlich*: die in) an accident;
~sichern make* *s.o.* feel insecure *od.* uncertain

verursachen cause

verurteil|en condemn (*a. fig.*), sentence, convict; **2ung** *f jur.* conviction

ver|vielfältigen copy; **~vollkommnen** perfect; **~vollständigen** complete; **~wackeln** *phot.* blur; **~wählen** **sich ~** dial the wrong number

verwalt|en manage; **2er(in)** manager; **2ung** *f* administration (*a. pol.*)

verwand|eln turn (**a. sich ~**) (**in** into); **2lung** *f* change, transformation

verwandt related (**mit** to); **2e** *m*, *f* relative, relation; **2schaft** *f* relationship; *Verwandte:* relations *pl*

Verwarnung *f* warning

verwechs|eln confuse (**mit** with), mistake* (**for**); **2lung** *f* confusion; mistake

verweigern deny, refuse

Verweis *m* reprimand; reference (**auf** to); **2en** refer (**auf, an** to); *hinauswerfen:* expel

verwelken wither (*a. fig.*)

verwenden use; *Zeit etc.:* spend* (**auf** on); **2ung** *f* use

ver|werfen reject; **~werten** (make*) use (of); **~wirklichen** realize

verwirr|en confuse; **2ung** *f* confusion

ver|wischen blur; *Spuren:* cover; **~witwet** widowed;
~wöhnen spoil*; **~worren** confused

verwund|bar vulnerable (*a. fig.*); **~en** wound

Verwundete *m*, *f* wounded (person), casualty

ver|wünschen curse; **~wüsten** devastate; **~zählen:** *sich* **~** miscount; **~zaubern** enchant; **~** *in* turn into;
~zehren consume

Verzeichnis *n* list, catalog

ver|zeihen forgive*; *bsd. et.:* excuse; **2ung** *f* pardon; (*j-n*) **um ~ bitten** apologize (to s.o.); **~!** excuse me!

ver|zerren distort; **sich ~** become* distorted; **~zichten:** **~ auf** do* without; *aufgeben:* give* up; **~ziehen:** *sich* **~** *Holz:* warp; F disappear;
~zieren decorate; **~zinsen** pay* interest on

verzöger|n delay; **sich ~** be* delayed; **2ung** *f* delay

verzollen pay* duty on; **et.** (**nichts**) **zu ~** s.th. (nothing) to declare

verzweif|eln despair; **~elt** desperate; **2lung** *f* despair

Vetter *m* cousin

Video n video; **~... Kassette** etc.: video ...; **auf ~ aufnehmen** (video)tape; **~rekorder** m VCR

Vieh n cattle pl; **~zucht** f cattle breeding

viel a lot (of), much; **~e** pl a lot (of), many; **~ beschäftigt** very busy; **~ sagend** meaningful; **~ versprechend** promising; **~ so**

Vielfalt f (great) variety

viel|leicht perhaps, maybe; **~mehr** rather; **~seitig** versatile

vier four; **2eck** n quadrangle, square; **~eckig** square; **2linge** pl quadruplets pl; **~te** fourth

Viertel n fourth (part), quarter (a. Stadt2); **(ein) ~ vor (nach)** (a) quarter of (after); **~jahr** n three months pl; **2jährlich** quarterly; adv a. every three months; **~stunde** f quarter of an hour

vierzehn fourteen; **~ Tage** pl two weeks pl; **~te** fourteenth

vierzig forty; **~ste** fortieth

violett violet, purple

Virus n, m virus

Visum n visa

Vitamin n vitamin

Vize- vice-...

Vogel m bird; **~perspektive** f bird's-eye view; **~scheuche** f scarecrow

Volk n people; nation

Volks|lied n folk song;

~musik f folk music; **~tanz** m folk dance; **~wirtschaft(slehre)** f economics sg; **~zählung** f census

voll adj full; **~er** full of; adv fully; zahlen etc.: in full; **~ füllen, ~ gießen** fill (up); **~ tanken** fill up

voll|automatisch fully automatic; **2bart** m full beard; **2beschäftigung** f full employment; **~enden** finish, complete; **~endet** fig. perfect; **~füllen → voll;** **2gas** n full throttle; **~ geben** F step on it; **~gießen → voll**

völlig complete(ly), total(ly)

voll|jährig of age; **2jährigkeit** f majority; **~kommen** perfect; **2korn...** whole grain ...; **2macht** f jur. power of attorney; **2milch** f whole milk; **2mond** m full moon; **2pension** f full board; **~ständig** complete(ly); **~tanken → voll;** **2wertkost** f wholefood(s pl); **~zählig** complete

Volt n volt

Volumen n volume

von räumlich, zeitlich: from; für Genitiv: of; Passiv: by; **~einander** from each other

vor in front of; zeitlich: before; Reihenfolge: before; Uhrzeit: to, of; **~ e-m Jahr** etc. a year etc. ago; **~ allem** above all

Vor|abend m eve; **~ahnung** f premonition

voran (dat) in front (of), before; **Kopf ~** head first;

~**gehen** go* ahead; ~**kommen** get* along

Vorarbeiter(in) fore|man (-woman)

voraus (dat) ahead (of); **im ~** in advance, beforehand; ~**gehen** go* ahead; zeitlich: precede; ~**sagen** predict; ~**schicken** send* on ahead; ~**sehen** foresee*; ~**setzen** assume; **2setzung** f Bedingung: prerequisite; ~**en** pl requirements pl; ~**sichtlich** adv probably; **2zahlung** f advance payment

vorbehalt|en: sich ~ reserve; **Änderungen ~** subject to change

vorbei räumlich: by, past (**an** s.o., s.th.); zeitlich: over, past, gone; ~**fahren** drive* past; ~**gehen** pass, go* by; nicht treffen: miss; ~**lassen** let* pass

vorbereit|en prepare (a. **sich ~**); **2ung** f preparation

vorbestellen reserve

vorbeugen prevent (**e-r Sache** s.th.); (**sich**) ~ bend* forward; ~**d** preventive

Vorbild n model; **sich zum ~ nehmen** follow s.o.'s example; **2lich** exemplary

vorbringen bring* forward; sagen: say*, state

Vorder|... Rad, Sitz etc.: front ...; **2e** follow s.o.'s front ...; ~**bein** n foreleg; ~**grund** m foreground; ~**seite** f front

vor|dräng(l)en: sich ~ cut* into line; ~**dringen** advance; **2druck** m blank; ~**ehelich** premarital; ~**eilig** hasty; ~**eingenommen** prejudiced (**gegen** against); ~**enthalten: j-m et.** withhold* s.th. from s.o.; ~**erst** for the time being

vorfahr|en drive* up; **2t** f right of way; **die ~ beachten** yield (of) (right of way)

Vorfall m incident, event

vorfinden find*

vorführ|en show*, present; **2ung** f presentation, show(ing); thea., Film: a. performance

Vor|gang m event; biol., tech. etc.: process; ~**gänger(in)** predecessor; ~**garten** m front yard; **2gehen** go* (up) to the front; → **vorangehen**; geschehen: go* on; wichtiger sein: come* first; verfahren: proceed; Uhr: be* fast; ~**gesetzte** m, f superior, boss; **2gestern** the day before yesterday

vorhaben plan, intend; **2 n** intention, plan(s pl); project

Vorhand f forehand

vorhanden existing; verfügbar: available; ~ **sein** exist; **2sein** n existence

Vorhang m curtain

vorher before, earlier; **im voraus:** in advance

vorherrschend predominant

Vorhersage f forecast, prediction; **2n** predict

vorhin a (short) while ago

vorig previous

Vorkenntnisse pl previous experience sg

vorkommen be* found; geschehen: happen; scheinen: seem; sich ... ~ feel* ...; 2 n occurrence

Vorladung f summons

Vorlage f Muster: pattern; parl. bill; Sport: pass; 2lassen let* s.o. go first; let* s.o. pass; empfangen: admit; 2läufig adj provisional; adv for the time being

vorlegen present; zeigen: show*; 2r m rug

vorlesen read* (out) (j-m to s.o.); 2ung f lecture (über on)

vorletzte next-to-last; ~ Nacht the night before last

Vorliebe f preference; 2merken put* (j-n: s.o.'s name) down

Vormittag m (am in the; heute this) morning

Vormund m guardian

vorn in front; nach ~ forward; von ~ from the front (zeitlich: beginning)

Vorname m first name

vornehm distinguished; fein: fashionable

vornehmen: sich et. ~ decide to do s.th.

vornherein: von ~ from the first od. start

Vorort m suburb; ~(s)zug m commuter train

Vorrang m priority (vor over); ~rat m store, stock (an of); Vorräte pl a. provisions pl, supplies pl; 2rätig in stock; ~recht n privilege; ~richtung f device; 2rücken move forward; ~runde f preliminary round; ~saison f off(-peak) season; ~satz m resolution; jur. intent; 2sätzlich bsd. jur. willful; ~schein m: zum ~ kommen appear, come* out

Vorschlag m suggestion, proposal; 2en suggest, propose

Vorschrift f rule, regulation; tech., med. instruction; 2schriftsmäßig according to regulations etc.; ~schule f kindergarten; ~schuss m advance; 2sehen plan; jur. provide; sich ... ~ be* careful, watch out (vor for)

Vorsicht f caution, care; ~! look out!, (be) careful!; ~, Stufe! caution: step!; 2ig careful; ~smaßnahme f: ~n treffen take* precautions

Vorsilbe f prefix

Vorsitz m chair(manship); ~ende m, f chairperson, chair|man (-woman)

Vorsorge f precaution; 2lich as a precaution

Vorspeise f hors d'oeuvre

Vorspiel n prelude (a. fig.); sexuell: foreplay; 2en: j-m et. ~ play s.th. to s.o.

Vorsprung m projection;

Sport: lead; **e-n ~ haben** be* ahead (*a. fig.*); **~stadt** *f* suburb; **~stand** *m* board (of directors); **2stehen** protrude; *fig.* be* the head of

vorstell|en *Uhr:* put forward; introduce (**sich** o.s.; **j-n** *j-n* s.o. to s.o.); **sich et. ~** imagine s.th.; **sich ~ bei** have* an interview with; **2ung** *f* introduction; *Gedanke:* idea; *thea. etc.* performance; **2ungsgespräch** *n* interview

Vor|strafe *f* previous conviction; **~n** *pl* police record; **2täuschen** feign, pretend

Vorteil *m* advantage; **2haft** advantageous (**für** to)

Vortrag *m* lecture (*give*); **2en** *Gedicht:* recite; *äußern:* express, state

vortreten (step forward; *fig.* protrude (*a. Augen*)

vorüber ~ vorbei; ~gehen pass, go* by; **~gehend** temporary

Vor|urteil *n* prejudice; **~ver-**

kauf *m thea.* advance booking; **~wahl** *f tel.* area code; **~wand** *m* pretext

vorwärts forward, on(ward); **~!** let's go!; **~ kommen** (make*) progress

vorweg beforehand; **~nehmen** anticipate

vor|weisen show*; **~werfen:** **j-m et. ~** reproach s.o. with s.th.; **2 beschuldigen;** **~wiegend** chiefly, mainly, mostly

Vorwort *n* foreword; *des Autors:* preface

Vorwurf *m* reproach; **j-m (sich)** *Vorwürfe machen* reproach s.o. (o.s.) (**wegen** for); **2svoll** reproachful

Vor|zeichen *n* omen, sign (*a. math.*); **2zeigen** show*; **2zeitig** premature; **2ziehen** *Vorhänge:* draw*; *fig.* prefer; **~zug** *m* geben: preference; *haben:* advantage; *Wert:* merit; **2züglich** exquisite

vulgär vulgar

Vulkan *m* volcano

W

Waag|e *f* scale; *Fein2:* balance; *astr.* Libra; **2(e)recht** horizontal

wach awake; **~ werden** wake* up; **2e** *f* guard (*a. mil.*); *naut., med.* watch; *Polizei2:* police station; **~en** (keep*) watch

Wacholder *m* juniper

Wachs *n* wax

wachsam watchful

wachsen¹ grow* (*a. sich lassen*); *fig. a.* increase

wachsen² wax

Wächter(in) guard

wackel|ig shaky; **2kontakt**

loose connection; **~n** shake*;
Tisch etc.: wobble

Wade f calf

Waffe f weapon (a. fig.); **~n** pl
a. arms pl

Waffel f waffle; *Eis* 2: wafer

wagen dare; *riskieren:* risk;
sich ~ in venture into

Wagen m car; → **Lastwagen**
etc.; **~heber** m jack; **~spur** f
(wheel) track

Waggon m car

Wahl f choice; *pol.* election; **~akt**: voting, poll

wähle|n choose*; *pol.* vote;
j-n: elect; *tel.* dial; 2**r(in)** voter; **~risch** particular

Wahl|kampf m election cam-
paign; **~kreis** m constituen-
cy; 2**los** (adv at) random;
~recht n right to vote, fran-
chise; **~urne** f ballot box

Wahnsinn m insanity, madness (a. fig.); 2**ig** insane,
mad; adv F awfully

wahr true; *wirklich:* a. real

während prp during; cj while;
Gegensatz: a. whereas

Wahrheit f truth; 2**nehmen**
perceive, notice; fig. ergreifen: seize; 2**scheinlich** probably, (most od. very) likely;
~scheinlichkeit f probability,
likelihood

Währung f currency

Wahrzeichen n landmark

Waise f orphan

Wal m whale

Wald m wood(s pl), forest;
~sterben n dying of forests

Wall m rampart

Wallfahrt f pilgrimage

Walnuss f walnut

Walze f roller; cylinder

wälzen: (sich) ~ roll

Walzer m waltz

Wand f wall

Wandel m; **sich ~** change

Wander|er, ~in hiker; 2**n**
hike; **~ung** f hike; **~weg** m
(hiking) trail

Wand|gemälde n mural;
~lung f change; **~schrank** m
closet

Wange f cheek

wankel|mütig fickle, incon-
stant; **~n** stagger, reel

wann when, (at) what time;
seit ~? (for) how long?,
since when?

Wanne f tub; bathtub

Wanze f bedbug; F fig. bug

Wappen n coat of arms

Ware f goods pl; *Artikel:* article; *Produkt:* product; **~n-
haus** n department store;
~nlager n warehouse; **~n-
probe** f sample

warm warm; *Essen:* hot

Wärme f warmth; phys. heat;
2**n** warm (up); **~flasche** f
hot-water bottle

Warn|dreieck n mot. warning
triangle; 2**en** warn (**vor** of,
against); **~ung** f warning

warten wait (**auf** for)

Wärter(in) guard; *Zoo:* keeper; *Museum etc.:* attendant

Warte|saal m, **~zimmer** n
waiting room

Wartung f maintenance

warum why

Warze f wart

was what; **~ kostet ...?** how much is ...?

wasch|bar washable; **2becken** n washbowl

Wäsche f laundry; *Tisch2, Bett2*: linen; *Unter2*: underwear; **~klammer** f clothespin

waschen: (sich) ~ wash (**die Haare** etc. one's hair etc.)

Wäscherei f laundry

Wasch|lappen m washcloth; **~maschine** f washing machine, washer; **~mittel** n, **~pulver** n (laundry) detergent, washing powder; **~salon** m laundromat

Wasser n water; **~ball** m beach ball; *Sport*: water polo; **2dicht** waterproof; **~fall** m waterfall; **~graben** m ditch; **~hahn** m tap, faucet

Wasser|kraftwerk n hydroelectric power station; **~leitung** f water pipe(s pl); **~mann** m astr. Aquarius

wässern water

Wasser|rohr n water pipe; **2scheu** afraid of water; **~ski** n water skiing; **~ laufen** waterski; **~spiegel** m water level; **~sport** m water od. aquatic sports pl; **~stoff** m hydrogen; **~verschmutzung** f water pollution; **~waage** f (spirit) level; **~werk** n waterworks sg, pl

Watsche(n) f öster. slap in the face

watscheln waddle

Watt[1] n electr. watt

Watt[2] n geogr. mud flats pl

Watte f cotton

web|en weave*; **2stuhl** m loom

Wechsel m change; *Geld2*: exchange; *Bank2*: bill of exchange; **~geld** n (small) change; **~kurs** m exchange rate; **2n** change; *ab~*: vary; *Worte*: exchange; **~strom** m alternating current, AC

wecke|n wake* (up); **2r** m alarm clock

wedeln wave (**mit et.** s.th.); *Ski*: wedel; *Hund*: wag its tail

weder: ~ ... noch neither ... nor

Weg m way (a. fig.); *Pfad*: path, trail; *Route*: route; *Fuß2*: walk

weg away; *verschwunden, verloren*: gone; *los, ab*: off; **~bleiben** stay away; **~bringen** take* away

wegen because of

weg|fahren leave*; *mot. a.* drive* away; **~fallen** be* dropped; **~gehen** go* away (a. fig.), leave*; *Ware*: sell*; **~jagen** chase away; **~lassen** let* s.o. go; et.: leave* out; **~laufen** run* away; **~machen** *Fleck etc.*: get* rid of; **~nehmen** take* away (*j-m* from s.o.); **~räumen** clear away; **~schaffen** remove

Wegweiser m signpost
weg|werfen throw* away;
　~wischen wipe off
Wehen pl labor sg
wehen blow; *Fahne: a.* wave
wehleidig self-pitying
Wehr|dienst m military service; **2en: sich ~** defend o.s.;
　2los defenseless
wehtun hurt* (**sich** o.s.)
Weib|chen n zo. female;
　2lich female; gr., Art: feminine
weich soft (*a. fig.*); *Ei:* soft-boiled; F **~ werden** give* in
weichlich soft, F sissy
Weide f bot. willow; agr. pasture; **~land** n pasture; **2n**
　pasture, graze
weiger|n: sich ~ refuse; **2ung**
　f refusal
weihen rel. consecrate
Weihnacht|en n Christmas;
　~sabend m Christmas Eve;
　~sbaum m Christmas tree;
　~sgeschenk n Christmas
　present; **~slied** n (Christmas) carol; **~smann** m Santa Claus
Weih|rauch m incense;
　~wasser n holy water
weil because; since, as
Weile f: **e-e ~** a while
Wein m wine; *Rebe:* vine;
　~bau m winegrowing; **~beere** f grape; **~berg** m vineyard; **~brand** m brandy
weinen cry (**vor** with; **um** for;
　wegen about, over)
Wein|fass n wine cask;

~karte f wine list; **~lese** f
vintage; **~probe** f wine tasting; **~stock** m vine; **~traube**
f → **Traube**
weise wise
Weise f Art u. ~: way; *mus.*
tune; **auf diese (m-e) ~** this
(my) way
weisen show*; **~ aus** od. **von**
expel s.o. from; **~ auf** point
at od. to
Weisheit f wisdom; **~szahn**
m wisdom tooth
weiß white; **2brot** n white
bread; **2e** m, f white (man
od. woman); **2wein** m white
wine
weit adj wide; *Reise, Weg:*
long; **wie ~ ist es?** how far is
it?; adv far; **bei ~em** by far;
von ~em from a distance; **~
verbreitet** widespread; **zu ~
gehen** go* too far
weiter adj further; **e-e ~e** another; adv on, further; **und
so ~** and so on; **nichts ~**
nothing else; **~... arbeiten**
etc.: mst go* on doing s.th.;
~fahren go* on; **~geben**
pass (**an** to); **~gehen** move
on; fig. continue; **~kommen**
get* on (fig. in life);
~können be* able to go on;
~machen go* on, continue
weit|sichtig farsighted (a.
fig.); **2sprung** m broad
jump; **2winkel** m phot.
wide-angle lens
Weizen m wheat
welch interr pron what,

which; **~e(r)?** which one?; *rel pron* who, which, that

Wellblech n corrugated iron

Welle f wave; *tech.* shaft

wellen: (sich) ~ wave; **2länge** f wavelength (*a. fig.*); **2linie** f wavy line

wellig wavy

Welt f world; **~all** n universe; **2berühmt** world-famous; **~krieg** m world war; **2lich** worldly; **~meister(in)** world champion; **~raum** m (outer) space; **~reise** f world trip *od.* tour; **~rekord** m world record; **~stadt** f metropolis; **2weit** worldwide

wem (to) whom, F *mst* who ... to; **von ~** *mst* who ... from

wen who

Wende f turn; *Änderung:* change; **2n: (sich) ~** turn (**nach** *to*; **gegen** against; **an j-n [um Hilfe]** to s.o. [for help]); **bitte ~!** please turn over!; **~punkt** m turning point

wenig little; **~(e)** *pl* few *pl*; **~er** less; *pl* fewer; *math.* minus; **am ~sten** least (of all); **~stens** at least

wenn when; *falls:* if

wer who; *auswählend:* which; **~ von euch?** which of you?; **~ auch (immer)** who(so)ever

Werbe|fernsehen n TV commercials *pl*; **~funk** m radio commercials *pl*; **2n** advertise (**für et.** s.th.); **~spot** m commercial

Werbung f advertising, (sales) promotion; *a. pol. etc.:* publicity

werden become*, *mit adj:* *mst* get*; *allmählich:* grow*; *blaß ~ etc.:* turn; *Futur:* will; *Passiv:* **geliebt ~** be* loved (**von** by); **was willst du ~?** what do you want to be?

werfen throw* (*a. zo.*) ([**mit**] **et. nach** s.th. at)

Werft f shipyard

Werk n work; *Tat: a.* deed; *tech.* works *pl*; *Fabrik:* factory; *a.* nutzen: turn; *Futur:* **~meister(in)** fore|man (-woman); **~statt** f workshop; repair shop; **~tag** m workday; **an ~en** on weekdays; **~zeug** n tool(s *pl*); *feines:* instrument

wert worth; *lesens~ etc.:* worth *reading etc.*; **2** m value; *Sinn, Nutzen:* use; **~e** *pl* data *sg, pl,* figures *pl*; **~ legen auf** attach importance to; **~los** worthless; **2papiere** *pl* securities *pl*; **2sachen** *pl* valuables *pl*; **~voll** valuable

Wesen n being, creature; *Kern:* essence; *Natur:* nature, character; **2tlich** essential

weshalb → **warum**

Wespe f wasp

wessen whose; what ... of

Weste f vest

West|(en m) west; **2lich** western; *Wind etc.:* west(erly); *pol.* West(ern)

Wett|bewerb m competition; **~e** f bet; **2en** bet* (**mit j-m**

um *et.* s.o. s.th.)

Wetter *n* weather; **~bericht** *m* weather report; **~vorhersage** *f* weather forecast

Wettkampf *m* competition; **~kämpfer(in)** competitor; **~lauf** *m*, **~rennen** *n* race; **~rüsten** *n* arms race; **~streit** *m* contest

wichtig important; **2keit** *f* importance

wickeln wind*; *Baby:* change

Widder *m* ram; *astr.* Aries

wider against, contrary to; **2haken** *m* barb; **~legen** refute, disprove; **~lich** disgusting; **~spenstig** unruly (*a. Haar*), stubborn; **~sprechen** contradict; **2spruch** *m* contradiction (**in sich** *in terms*); **2stand** *m* resistance (*a. phys.*); **~standsfähig** resistant; **~strebend** reluctantly; **~wärtig** disgusting; **2wille** *m* aversion; *Ekel:* disgust; **~willig** reluctant

widmen dedicate (**sich** o.s.); **2ung** *f* dedication

wie how; **~ geht es dir?** how are you?; **~ ist er?** what's he like?; **~ wäre es mit ...?** what *od.* how about ...?; **~ viel** ...? how much (*pl* many)?; **~ viele ...?** how many ...?; **~ ich (neu)** like me (new); **~ er sagte** as he said; → **so**

wieder again; **immer ~** again and again; **~ aufnehmen** resume; **~ erkennen** recognize (**an** by); **~ gutmachen**

make* up for; **sich ~ sehen** see* each other again; **2aufbau** *m* reconstruction; **~bekommen** get* back; **~bringen** bring* back; **~geben** give* back, return; *schildern:* describe; **~herstellen** restore; **~holen** repeat; **2holung** *f* repetition; **~kommen** come* back, return; **2sehen** *n* reunion; **auf ~!** good-bye!, F bye!; **~vereinigung** *f* reunification

Wiege *f* cradle; **2n** weigh; *Baby:* rock; **~nlied** *n* lullaby

wiehern neigh; F guffaw

Wiese *f* meadow

Wiesel *n* weasel

wieso → **warum**; **~vielte: der 2 ist heute?** what's the date today?

wild wild (*a. fig.*); **~ leben**; **Wild** *n* game; *gastr. mst* venison; **~leder** *n* suede; **~nis** *f* wilderness; **~schwein** *n* wild boar

Wille *m* will; **s-n ~n durchsetzen** have* one's way; **~nskraft** *f* willpower

willkommen welcome

wimmeln swarm (**von** with)

wimmern whimper

Wimpel *m* pennant

Wimper *f* eyelash; **~ntusche** *f* mascara

Wind *m* wind

Windel *f* diaper

winden wind* (*a. sich ~*); **sich ~ vor** writhe in

windig windy; *fig.* shady;

2mühle f windmill; 2po-
cken pl chicken pox sg;
2schutzscheibe f wind-
shield; 2stärke f wind force;
2stille f calm; 2stoß m gust;
2surfen n windsurfing

Windung f bend, turn

Wink m sign; fig. hint

Winkel m math. angle; Ecke:
corner

winken wave (mit et. s.th.)

winseln whimper, whine

Winter m winter; 2lich wintry; ~sport m winter sports
pl

Winzer(in) winegrower

winzig tiny, minute

Wipfel m (tree)top

wir we; ~ sinds it's us

Wirbel m whirl (a. fig.); anat.
vertebra; 2n whirl; ~säule f
spine; ~sturm m cyclone,
tornado

wirklen work; be* effective
(gegen against); (er)schei-
nen: look, seem; ~lich
real(ly), actual(ly); 2lichkeit
f reality; ~sam effective;
2ung f effect; ~ungsvoll effective

wirr confused; Haar: tousled;
2warr m mix-up, chaos

Wirt(in) land|lord (-lady)

Wirtschaft f economy; Ge-
schäftswelt: business; →
Gastwirtschaft; 2lich economic; sparsam: economical;
~sminister m minister for
economic affairs; in den
USA: Secretary of Com-

merce

wischen wipe; → Staub

wissen know* (von about); 2
n knowledge

Wissenschaft f Natur2: science, Geistes2: the arts;
~ler(in) Natur2: scientist,
Geistes2: scholar; 2lich
natur2: scientific, geistes2:
scholarly

wissenswert worth know-
ing; 2es useful facts pl

wittern scent, smell*; 2ung f
weather; hunt. scent

Witwe(r) widow(er)

Witz m joke; ~bold m joker;
2ig funny; geistreich: witty

wo where; ~anders(hin)
somewhere else

Woche f week; ~nende n
weekend; ~nlang for weeks;
~nlohn m weekly wages pl;
~ntag m weekday

wöchentlich weekly; einmal
~ once a week

wo|durch interr pron how; rel
pron by od. through which;
~für interr pron what (...)
for?; rel pron for which

Woge f wave (a. fig.)

wogegen whereas, while

wo|her where ... from; ~hin
where (... to)

wohl well; vermutlich: I suppose; sich ~ fühlen be* well;
seelisch: feel* good

Wohl n s.o.'s well-being; zum
~! your health!, F cheers!;
~fahrts... welfare ...; 2ha-
bend well-to-do; 2ig cozy,

snug; ~**stand** m prosperity; ~**tat** f fig. pleasure, relief; 2**tätig** charitable; ~**tätig keits...** Konzert etc.: benefit ...; 2**tuend** pleasant; 2**ver dient** well-deserved

wohn|en live (**in** in; **bei j-m** with s.o.); vorübergehend: stay (at; with); 2**ge meinschaft** f **in e-r ~ leben** share an apartment od. a house; 2**mobil** n RV (recreational vehicle); 2**sitz** m residence; 2**ung** f apartment; ~**wagen** m camper; 2**zimmer** n family room

Wolf m wolf

Wolke f cloud; ~**nbruch** m cloudburst; ~**nkratzer** m skyscraper; ~**nlos** cloudless

wolkig cloudy, clouded

Woll... Decke etc.: woolen ...; ~**e** f wool

wollen want (to); **lieber ~** prefer; ~ **wir (...)?** shall we (...)?; ~ **Sie bitte ...** will you please ...; **sie will, dass ich ...** she wants me to inf

wo|mit which ... with; ~? with?; ~**möglich** perhaps; if possible; ~**nach** what ... for?; ~**rauf** after (örtlich: on) which; ~**raus** from which; ~ **ist es?** what is it made of?; ~**rin** in which; ~? where?

Wort n word; **beim ~ nehmen** take* s.o. at his word

Wörterbuch n dictionary

wörtlich literal

wort|los without a word;

2**schatz** m vocabulary; 2**wechsel** m argument

wo|rüber what ... about?; ~**rum: ~ handelt es sich?** what is it about?; ~**von** what ... about?; ~**vor** what ... of?; ~**zu** what ... for?

Wrack n wreck

wringen wring*

Wucher m usury; ~**n** grow* rampant; ~**ung** f growth

Wuchs m growth; build

Wucht f force; 2**ig** heavy

wühlen dig*; Schwein: root; fig. ~ **in** rummage in

wund sore; ~**e Stelle** sore

Wunde f wound

Wunder n miracle; 2**bar** wonderful, marvelous; 2**n** surprise; **sich ~** be* surprised (**über** at); 2**schön** lovely; 2**voll** wonderful

Wundstarrkrampf m tetanus

Wunsch m wish (a. Glück2); Bitte: request

wünschen wish, want (a. sich ~); ~**swert** desirable

Würde f dignity

würdig worthy (gen of); ~**en** appreciate

Wurf m throw; zo. litter

Würfel m cube; Spiel2: dice; 2**n** (play) dice; gastr. dice; ~**zucker** m lump sugar

Wurfgeschoss n missile

würgen choke

Wurm m worm; 2**en** F gall; 2**stichig** wormeaten

Wurst f sausage

Würze f spice; fig. a. zest

Wurzel f root (*a. math. etc.*)   waste
würz|en spice, season; **~ig**   **Wüste** f desert
spicy, well-seasoned   **Wut** f rage, fury
wüst F messy; *wild*: wild; *öde*: **wüten** rage; **~d** furious

X, Y

X-Beine pl knock knees pl   umpteenth time
x-beliebig: *jede(r, -s)* **~e** ... **Xylophon** n xylophone
any (... you like)
x-mal umpteen times
x-te: *zum* **~n** *Male* for the   **Yacht** f yacht

Z

Zack|e f, **~en** m (sharp)   **~radbahn** f cog railroad;
point; **2ig** jagged   **~schmerzen** pl toothache
zaghaft timid   sg; **~seide** f dental floss;
zäh tough; **~flüssig** thick,   **~stocher** m toothpick
viscous; *fig.* slow-moving   **Zange** f pliers pl; *Kneif2*: pin-
Zahl f number; *Ziffer*: figure;   cers pl; *med.* forceps pl;
2bar payable   *Greif2*: tongs pl; *zo.* pincer
zählbar countable   **zanken** → **streiten**
zahlen pay*; **~,** *bitte! im Res-* **zänkisch** quarrelsome
taurant: the check, please!   **Zäpfchen** n *anat.* uvula; *med.*
zähle|n count; **~ zu** rank with; suppository
2r m counter; meter   **Zapfen** m *Fass*: tap, faucet;
zahl|los countless; **~reich** *adj* *Pflock*: peg; **2en** tap; **~hahn**
numerous; **2tag** m payday;   m tap, faucet; **~säule** f gas
2ung f payment   pump
zahm, zähmen tame   **zappeln** fidget, wriggle
Zahn m tooth; *tech. a.* cog;   **zart** tender; *sanft*: gentle
~arzt, ~ärztin dentist;   **zärtlich** tender, affectionate;
~bürste f toothbrush;   **2keit** f affection; *Liebko-*
~fleisch n gums pl; **2los**   *sung*: caress
toothless; **~lücke** f gap (in   **Zauber** m magic, spell, charm
one's teeth); **~pasta** f tooth-   (*alle a. fig.*); **~er** m wizard,
paste; **~rad** n cogwheel;   sorcerer, magician; **2haft**

charming; **~in** f sorceress;
~künstler(in) illusionist,
conjurer; **2n** v/t conjure; do*
magic (tricks)

Zaum m bridle (a. **~zeug**)

Zaun m fence

Zebrastreifen m crosswalk

Zeche f bill; (coal) mine

Zecke f tick

Zeh m, **~e** f toe; Knoblauch:
clove; **~enspitze** f tip of the
toe; **auf ~n gehen** tiptoe

zehn ten; **2kampf** m decath-
lon; **~te, 2tel** n tenth

Zeichen n sign; Merk2: a.
mark; Signal: signal; **~trick-
film** m (animated) cartoon

zeichn|en draw*; kenn~:
mark (a. fig.); **2er(in)**
drafts|man (-woman); **2ung**
f drawing; zo. marking

Zeige|finger m forefinger, in-
dex finger; **2n** show* (a. **sich
~**); **~ auf (nach)** point at
(to); **~r** m der Uhr: hand;
tech. pointer, needle

Zeile f line

Zeit f time; gr. tense; **zur ~** at
the moment; **in letzter ~** recently; **lass dir ~** take your
time; **~alter** n age; **2gemäß**
modern, up-to-date; **~ge-
nosse, ~genossin, 2ge-
nössisch** contemporary;
~karte f season ticket; **2lich**
adj time ...; adv: **~ planen**
etc. time s.th.; **~lupe** f slow
motion; **~punkt** m (point in)
time; **~raum** m period;
~schrift f magazine; **~ung** f

(news)paper

Zeitungs|kiosk m news-
stand; **~verkäufer(in)** news-
dealer

Zeit|verlust m loss of time;
~verschwendung f waste
of time; **~vertreib** m pastime; **2weise** for a time;
~zeichen n time signal

Zelle f cell; tel. booth; **~stoff**
m, **~ulose** f cellulose

Zelt n tent; **2en** camp, go*
camping; **~lager** n camp;
~platz m campsite

Zement m cement

Zentimeter m, n centimeter

Zentner m 50 kilograms

zentral central; **2e** f head-
quarters sg, pl; **2heizung** f
central heating; **2verrie-
gelung** f mot. central locking

Zentrum n center

zerbrech|en break* (to piec-
es); **sich den Kopf ~** rack
one's brains; **~lich** fragile

Zeremonie f ceremony

Zerfall m decay; **2en** disintegrate, decay (a. fig.)

zer|fetzen tear* to pieces;
~fließen melt; **~fressen**
eat*; chem. corrode; **~ge-
hen** melt; **~kauen** chew;
~kleinern cut* up; mahlen:
grind*; **~knirscht** remorse-
ful; **~knittern** (c)rumple,
crease; **~knüllen** crumple
up; **~kratzen** scratch; **~le-
gen** take* apart; Fleisch:
carve; **~lumpt** ragged

~mahlen grind*; **~platzen** burst*; explode; **~quetschen** crush; **~reiben** grind*, pulverize; **~reißen** v/t tear* up od. to pieces; **sich et. ~ Hose etc.**: tear*; v/i tear*; Seil etc.: break*

zerr|en drag; med. strain; **~ an** tug at; **Sung** f strain

zer|sägen saw* up; **~schlagen** break*, smash (a. fig. Drogenring etc.); **~schneiden** cut* (up od. into pieces); **~setzen**: (**sich**) **~** decompose; **~splittern** shatter; Holz etc., fig.: splinter; **~springen** burst*; Glas: crack

Zerstäuber m atomizer

zerstör|en destroy; **Ler** m destroyer (a. naut.); **Sung** f destruction

zerstreu|en disperse, scatter; **sich ~** fig. take* one's mind off things; **~t** absent-minded; **Sung** f distraction

zer|teilen divide; Fleisch: carve; **~treten** crush (a. fig.); **~trümmern** smash; **~zaust** tousled

Zettel m slip (of paper); Nachricht: note

Zeug n stuff (a. fig. contp.); Sachen: things pl

Zeuge m witness

zeugen father

Zeug|enaussage f testimony, evidence; **~in** f witness; **~nis** n report card; certificate, diploma; vom Arbeit-

geber: reference

Zickzack m zigzag (a. **im ~ fahren** etc.)

Ziegel m brick; DachS: tile; **~stein** m brick

ziehen v/t pull, draw* (a. Strich); Blumen: grow*; heraus~: take* out; **j-n ~ an** pull s.o. by; **auf sich ~** Aufmerksamkeit etc.: attract; **sich ~** run*; dehnen: stretch; v/i pull (**an** at); sich bewegen, um~: move; Vögel, Volk: migrate; **es zieht** there is a draft

Zieh|harmonika f accordion; **~ung** f Lotto etc.: draw(-ing)

Ziel n aim; fig. a. goal, objective; Sport: finish; ReiseS: destination; **Sen** (take*) aim (**auf** at); **Slos** aimless; **~scheibe** f target

ziemlich adj quite a; adv fairly, rather, F pretty

Zier|de f (**zur** as a) decoration; **Sen**: decorate; **Slich** dainty

Ziffer f figure; **~blatt** n dial, face

Zigarette f cigarette; **~n-automat** m cigarette machine

Zigarre f cigar

Zigeuner(in) gypsy

Zimmer n room; **~mädchen** n maid; **~mann** m carpenter

zimperlich fussy; prüde: prudish

Zimt m cinnamon

Zink n zinc

Zinke f tooth; *Gabel:* prong

Zinn n pewter; *chem.* tin

Zins|en pl interest sg; **~satz** m interest rate

Zipfel m corner; *Wurst*: end

Zirk|el m circle (a. fig.); *math.* compasses f pl; **~ulieren** circulate

Zirkus m circus

zischen hiss; *Fett:* sizzle

Zitat n quotation; **~ieren** quote; *falsch* ~ misquote

Zitrone f lemon

zittern tremble, shake* (*vor* with)

zivil civil; **2** n civilian (*Polizei:* plain) clothes pl; **~bevölkerung** f civilians pl; **2dienst** m alternative service; **2isation** f civilization; **2ist** m civilian

zögern hesitate

Zoll m customs sg; *Abgabe:* duty; *Maß:* inch; **~abfertigung** f customs clearance; **~amt** n customs office; **~beamte, ~beamtin** customs officer; **~erklärung** f customs declaration; **2frei** duty-free; **~kontrolle** f customs check

Zone f zone

Zoo m zoo

Zoologie f zoology

Zopf m braid

Zorn m anger; **2ig** angry

zottig shaggy

zu *prp Richtung:* to, toward(s); *Ort, Zeit:* at; *Zweck,*

Anlass: for; ~ *Weihnachten schenken etc.:* for Christmas; *Schlüssel etc.* ~ key *etc.* to; *adv* too; F *geschlossen:* closed, shut; **~ viel** too much (pl many); **~ wenig** too little (pl few); **Tür** ~ shut the door!; **2allererst** first of all

Zubehör n accessories pl

zubereit|en prepare; **2tung** f preparation

zubinden tie (up)

Zucht f *zo.* breeding; *bot.* cultivation; *Rasse:* breed; *fig.* discipline

züchte|n breed*; *bot.* grow*; **2r(in)** breeder; grower

zucken jerk; twitch (*mit et.* s.th.); *vor Schmerz:* wince; *Blitz:* flash; → **Achsel**

Zucker m sugar; **~dose** f sugar bowl; **2krank, ~kranke** m, f diabetic; **2l** n *öster.* → **Bonbon**; **2n** sugar; **~rohr** n sugarcane; **~rübe** f sugar beet; **~watte** f cotton candy

Zuckungen pl convulsions pl

zudecken cover (*sich* o.s.)

zu|drehen turn off; **~dringlich:** ~ *werden* get* fresh (*zu* with)

zuerst first; *anfangs:* at first

Zufahrt f approach; **~straße** f access road

Zufall m (*durch* by) chance; **2fällig** *adj* accidental; *adv* by accident, by chance; **~flucht** f refuge, shelter

zufrieden content(ed), satisfied; ~ **stellen** satisfy; ~ **stel-**

Zufriedenheit

506

lend satisfactory; **2heit** *f* contentment; satisfaction

zu|frieren freeze* over; **~fügen** do*, cause; *Schaden ~ a.* harm; **2fuhr** *f* supply

Zug *m* rail. train; *Menschen, Wagen etc.:* procession; *Fest2:* parade; *Gesichts2:* feature; *Charakter2:* trait; *Luft2, Schluck:* draft; *Schach etc.:* move; *Ziehen:* pull; *Rauchen: a.* puff

Zu|gabe *f* extra; *thea.* encore; **~gang** *m* access (*a. fig.*); **2gänglich** accessible (*für* to) (*a. fig.*); **2geben** add; *fig.* admit

Zügel *m* rein (*a. fig.*); **2los** uncontrolled

Zugeständnis *n* concession

zugig drafty

zügig brisk, speedy

Zugkraft *f* traction; *fig.* draw, appeal

zugleich at the same time

Zugluft *f* draft

zugreifen grab it; *sich bedienen:* help o.s.; *kaufen:* buy*

zugrunde: ~ gehen perish; **~ richten** ruin

zugunsten in favor of

Zugvogel *m* migratory bird

zuhaben be* closed

Zuhälter *m* pimp

Zuhause *n* home

zuhören listen (*dat* to); **2r(in)** listener; *pl a.* audience *sg, pl*

zu|jubeln cheer; **~kleben** seal; **~knallen** slam; **~knöp-**

~fen button (up); **~kommen: ~ auf** come* up to

Zukunft *f* future; **2künftig** *adj* future; *adv* in future

zu|lächeln smile at; **2lage** *f* bonus; **~lassen** allow; *j-n:* admit; *amtlich:* license, register (*a. mot.*); F keep* closed; **2lassung** *f* admission; *mot. etc.* license; **~letzt** in the end; *als letzte(r, -s):* last; **~liebe** for *s.o.'s* sake; **~machen** close; F hurry

zumindest at least

zumut|en: *j-m et. ~* expect *s.th.* of *s.o.;* **2ung** *f* unreasonable demand

zunächst first of all; *vorerst:* for the present

Zunahme *f* increase

Zuname *m* surname

zünd|en *tech.* ignite; fire; **2holz** *n* match; **2kerze** *f* spark plug; **2schlüssel** *m* ignition key; **2ung** *f* ignition

zunehmen increase (*an* in); *Person:* put* on weight

Zuneigung *f* affection

Zunge *f* tongue

zu|nicken nod to; **~packen** *fig.* work hard

zupfen pluck (*an* at)

zurecht|finden: *sich ~* find* one's way; **~kommen** get* along (*mit* with); **~machen** get* ready, prepare; *sich ~* fix o.s. up

zureden encourage *s.o.*

zurück back; *hinten:* behind; **~bringen, ~fahren, ~nehmen,**

~schicken etc.: ... back; ~**bekommen** get* back; ~**bleiben** stay behind; *fig.* fall* behind; ~**blicken** look back; ~ **führen** lead* back; ~ **auf** attribute to; ~**geben** give* back, return; ~**geblieben** *fig. backward; geistig:* retarded; ~**gehen** go* back, return; *fig.* decrease; ~ **auf** *Zeit etc.:* date back to; ~**gezogen** secluded; ~**halten** hold* back; *sich* ~ control o.s.; ~**haltend** reserved; 2**haltung** *f* reserve; ~**kommen** come* back, return (*beide: fig. auf* to); ~**lassen** leave* (behind); ~**legen** put* back (*Geld:* aside); *Strecke:* cover; ~**schlagen** *v/t Angriff:* beat* off; *Decke:* throw* back; *Ball:* return; *v/i* hit* back; ~**schrecken** shrink* (*vor* from); ~**setzen** *mot.* back (up); *fig.* neglect *s.o.;* ~**stellen** put* back (*Uhr:* set*) back; *fig.* put* aside; ~**treten** step back *od.* stand* back; resign (*von Amt:* from); withdraw* (*von Vertrag:* from); ~**weisen** turn down; ~**werfen** throw* back (*a. fig.*); ~**zahlen** pay* back (*a. fig.*); ~**ziehen** draw* back; *fig.* retire, withdraw*; *sich* ~

Zuruf *m* shout; 2**en** shout (*j-m et.* s.th. to s.o.)

Zusage *f* acceptance; *Versprechen:* promise; *Einwilligung:* assent; 2**n** promise; ac-

cept (an invitation); *passen:* suit

zusammen together; 2**arbeit** *f* cooperation; ~**arbeiten** work together; cooperate; ~**brechen** break* down, collapse; 2**bruch** *m* breakdown (*a. med.*), *völliger:* collapse; ~**fallen** collapse; *zeitlich:* coincide; ~**fassen** summarize; sum up; 2**fassung** *f* summary; ~**gehören** belong together; 2**hang** *m* connection; *textlich:* context; ~**hängen** be* connected; ~**hängend** coherent; ~**klappen** fold up; *fig.* break* down; ~**kommen** meet*; 2**kunft** *f* meeting; ~**legen** fold up; *Geld:* pool together; ~**nehmen** *Mut etc.:* muster (up); *sich* ~ pull o.s. together; ~**packen** pack up; ~**passen** harmonize; 2**prall** *m* collision; ~**prallen** collide; ~**rechnen** add up; ~**rücken** move up; ~**schlagen** *Hände:* clap; beat* *s.o.* up; ~**setzen** put* (*sich* get*) together; *tech.* assemble; *sich* ~ *aus* consist of; 2**setzung** *f* composition; *chem., ling.* compound; ~**stellen** put* together; *anordnen:* arrange; 2**stoß** *m* collision; *fig. a.* clash; ~**stoßen** collide; *fig. a.* clash; ~**treffen** meet*; *zeitlich:* coincide; ~**zählen** add up; ~**ziehen** contract (*a. sich* ~)

Zu|satz m addition; chem. etc. additive; 2sätzlich additional, extra

zuschau|en look on, watch; 2er(in) spectator; TV viewer; ~ſ audience sg, pl; 2erraum m thea. auditorium

zuschicken send* (dat to)

Zuschlag m surcharge (a. Post); 2en strike*; Tür etc.: slam shut; fig. act

zu|schließen lock (up); ~schnappen Hund: snap; Tür: snap shut; ~schneiden cut* out; Holz: cut* (to size); ~schrauben screw shut; 2schrift f letter; 2schuss m allowance; staatlich: subsidy; ~sehen → zuschauen; ~sehends schnell: rapidly; ~senden send* to; ~setzen: j-m ~ press s.o. (hard)

zusichern: j-m et. ~ assure s.o. of s.th.; 2ung f assurance

zu|spitzen: sich ~ become* critical; 2stand m condition, state, F shape; ~stande: ~ bringen manage; ~ kommen come* about; ~ständig responsible, in charge; ~stehen: j-m steht et. zu s.o. is entitled to (do) s.th.

zustell|en deliver; 2ung f delivery

zustimm|en (dat) agree (to s.th.; with s.o.); 2ung f approval, consent

zustoßen happen to s.o.

Zutaten pl ingredients pl

zuteilen assign, allot

zutragen: sich ~ happen

zutrau|en: j-m et. ~ credit s.o. with s.th.; 2en n confidence (zu in); ~lich trusting; Tier: friendly

zutreffen be* true; ~ auf apply to; ~d right, correct

zutrinken: j-m ~ drink* to s.o.

Zutritt m → Eintritt

zuverlässig reliable; 2keit f reliability

Zuversicht f confidence; 2lich confident, optimistic

zuviel → zu

zuvor before, previously; ~kommen anticipate; ~kommend obliging

Zuwachs m increase

zu|weilen at times; ~weisen assign; ~wenden: (sich) ~ turn (dat to); ~wenig → zu; ~werfen Tür: slam (shut); j-m et. ~ throw* to s.o.; Blick: cast* at s.o.; ~wider: ... ist mir ~ I hate od. detest ...; ~winken wave to; signal to; ~ziehen v/t Vorhänge: draw*; Schlinge etc.: pull tight; sich ~ med. catch*; v/i move in; ~züglich plus

Zwang m compulsion; Gewalt: force; 2los informal

zwängen squeeze (sich o.s.)

zwanzig twenty; ~ste twentieth

zwar: ich kenne ihn ~, aber I do know him, but; und ~ that is, namely

Zweck m purpose; guter ~ good cause; es hat keinen ~

(**zu** inf) it's no use (ger); 2**los** useless; 2**mäßig** practical; angebracht: wise

zwei two; ~**deutig** ambiguous; Witz: off-color; ~**erlei** two kinds of; ~**fach** double

Zweifel m doubt; 2**haft** doubtful, dubious; 2**los** no doubt; 2**n** doubt (**an et.** s.th.)

Zweig m branch (a. fig.); kleiner: twig; ~**geschäft** n, ~**stelle** f branch

Zwei|kampf m duel; 2**mal** twice; 2**motorig** twin--engine; 2**seitig** two-sided; pol. bilateral; 2**sprachig** bilingual; 2**spurig** mot. two-lane; 2**stöckig** three-storied

zweit second; **aus** ~**er Hand** second-hand; **wir sind zu** ~ there are two of us; ~**... -be-ste etc.**: second-...

zweiteilig two-piece

zweitens secondly

Zwerchfell n diaphragm

Zwerg(in) dwarf; midget

Zwetsch(g)e f, ~**ke** f öster. plum

zwicken pinch, nip

Zwieback m rusk, zwieback

Zwiebel f onion; Blumen2: bulb

Zwie|licht n twilight; ~**spalt** m conflict; ~**tracht** f discord

Zwilling|e pl twins pl; astr. Gemini sg; ~**s...** Bruder etc.: twin ...

zwingen force

Zwinger m kennels sg

zwinkern wink, blink

Zwirn m thread, yarn

zwischen between; unter: among; ~**durch** in between; 2**ergebnis** n intermediate result; 2**fall** m incident; 2**landung** f stopover; 2**raum** m space, interval; 2**stecker** m adapter; 2**zeit** f: **in der** ~ meanwhile

zwitschern twitter, chirp

zwölf twelve; **um** ~ (**Uhr**) at twelve (o'clock); at noon; at midnight; ~**te** twelfth

Zylinder m top hat; math., tech. cylinder

zynisch cynical

Zypresse f cypress

Zyste f cyst

Temperatur-Entsprechungen

	°F	°C
Siedepunkt	212°	100°
	194°	90°
	176°	80°
	158°	70°
	140°	60°
	122°	50°
	104°	40°
	86°	30°
	68°	20°
	50°	10°
Gefrierpunkt	32°	0°
	14°	–10°
	0°	–17.8°

Temperatur-Umrechnung

$$°\text{Fahrenheit} = (\tfrac{9}{5}\ °C) + 32$$
$$°\text{Celsius} = (°F - 32) \cdot \tfrac{5}{9}$$

Amerikanische Währung

1 $ = 100 cents

Münzen		Banknoten	
1 ¢	(one *od.* a cent, a penny)	**$ 1**	(one *od.* a dollar, F a buck)
5 ¢	(five cents, a nickel)	**$ 5**	(five dollars)
10 ¢	(ten cents, a dime)	**$ 10**	(ten dollars)
25 ¢	(twenty-five cents, a quarter)	**$ 20**	(twenty dollars)
50 ¢	(fifty cents, a half-dollar)	**$ 50**	(fifty dollars)
		$ 100	(one *od.* a hundred dollars)

Kennzeichnung der Kinofilme in den USA

G All ages admitted. General audiences.
Für alle Altersstufen geeignet.

PG Parental guidance suggested. Some material may not be suitable for children.
Einige Szenen ungeeignet für Kinder. Erklärung und Orientierung durch Eltern sinnvoll.

R Restricted. Under 17 requires accompanying parent or adult guardian.
Für Jugendliche unter 17 Jahren nur in Begleitung eines Erziehungsberechtigten.

X No one under 17 admitted.
Nicht freigegeben für Jugendliche unter 17 Jahren.

512

Zahlwörter

Grundzahlen

0 zero *null*	**70** seventy *siebzig*
1 one *eins*	**80** eighty *achtzig*
2 two *zwei*	**90** ninety *neunzig*
3 three *drei*	**100** a *od.* one hundred *(ein)hundert*
4 four *vier*	
5 five *fünf*	**101** a hundred (and) one *hundert(und)eins*
6 six *sechs*	
7 seven *sieben*	**200** two hundred *zweihundert*
8 eight *acht*	
9 nine *neun*	**572** five hundred (and) seventy-two *fünfhundert(und)zweiundsiebzig*
10 ten *zehn*	
11 eleven *elf*	
12 twelve *zwölf*	
13 thirteen *dreizehn*	**1000** a *od.* one thousand *(ein)tausend*
14 fourteen *vierzehn*	
15 fifteen *fünfzehn*	**1066** *als Jahreszahl:* ten sixty-six *tausendsechsundsechzig*
16 sixteen *sechzehn*	
17 seventeen *siebzehn*	
18 eighteen *achtzehn*	**1998** *als Jahreszahl:* nineteen (hundred and) ninety-eight *neunzehnhundertachtundneunzig*
19 nineteen *neunzehn*	
20 twenty *zwanzig*	
21 twenty-one *einundzwanzig*	
22 twenty-two *zweiundzwanzig*	**2000** two thousand *zweitausend*
30 thirty *dreißig*	**5044** *tel.* five 0 [ou] (*od.* zero) double four *fünfzig vierundvierzig*
31 thirty-one *einunddreißig*	
40 forty *vierzig*	
41 forty-one *einundvierzig*	**1,000,000** a *od.* one million *eine Million*
50 fifty *fünfzig*	
51 fifty-one *einundfünfzig*	**2,000,000** two million *zwei Millionen*
60 sixty *sechzig*	
61 sixty-one *einundsechzig*	**1,000,000,000** a *od.* one billion *eine Milliarde*

Ordnungszahlen

1st first *erste*	**40th** fortieth *vierzigste*
2nd second *zweite*	**41st** forty-first *einund-vierzigste*
3rd third *dritte*	**50th** fiftieth *fünfzigste*
4th fourth *vierte*	**51st** fifty-first *einund-fünfzigste*
5th fifth *fünfte*	**60th** sixtieth *sechzigste*
6th sixth *sechste*	**61st** sixty-first *einund-sechzigste*
7th seventh *sieb(en)te*	**70th** seventieth *siebzigste*
8th eighth *achte*	**80th** eightieth *achtzigste*
9th ninth *neunte*	**90th** ninetieth *neunzigste*
10th tenth *zehnte*	**100th** (one) hundredth *hundertste*
11th eleventh *elfte*	**101st** hundred and first *hundert(und)erste*
12th twelfth *zwölfte*	**200th** two hundredth *zwei-hundertste*
13th thirteenth *dreizehnte*	**300th** three hundredth *dreihundertste*
14th fourteenth *vierzehnte*	**572nd** five hundred and seventy-second *fünf-hundert(und)zwei-undsiebzigste*
15th fifteenth *fünfzehnte*	
16th sixteenth *sechzehnte*	
17th seventeenth *siebzehnte*	
18th eighteenth *achtzehnte*	**1000th** (one) thousandth *tausendste*
19th nineteenth *neunzehnte*	**1,000,000th** (one) millionth *millionste*
20th twentieth *zwanzigste*	
21th twenty-first *einund-zwanzigste*	
22nd twenty-second *zwei-undzwanzigste*	
23rd twenty-third *dreiund-zwanzigste*	
30th thirtieth *dreißigste*	
31st thirty-first *einund-dreißigste*	

Maße und Gewichte

1. Längenmaße

1 inch = 2,54 cm
1 foot = 30, 48 cm
1 yard = 91,439 cm
1 mile = 1,609 km

2. Flächenmaße

1 square inch = 6,452 cm^2
1 square foot = 929,029 cm^2
1 square yard = 8361,26 cm^2
1 acre = 40,47 a
1 square mile = 258,998 ha

3. Raummaße

1 cubic inch = 16,387 cm^3
1 cubic foot = 0,028 m^3
1 cubic yard = 0,765 m^3
1 register ton = 2,832 m^3

4. Hohlmaße

1 pint = 0,473 *l*
1 quart = 0,946 *l*
1 gallon = 3,785 *l*
1 barrel = 119,228 *l*

5. Handelsgewichte

1 grain = 0,065 g
1 ounce = 28,35 g
1 pound = 453,592 g
1 quarter = 12,701 kg
1 hundredweight =
   100 pounds = 45,359 kg
1 ton = 907,185 kg
1 stone = 14 pounds
   = 6,35 kg

Unregelmäßige englische Verben

Die an erster Stelle stehende Form bezeichnet das Präsens (present tense), nach dem ersten Gedankenstrich steht das Präteritum (past tense), nach dem zweiten das Partizip Perfekt (past participle).

alight – alighted, alit – alighted, alit

arise – arose – arisen

awake – awoke, awaked – awoken

be – was (were) – been

bear – bore – borne *getragen*, born *geboren*

beat – beat – beaten, beat

become – became – become

beget – begot – begotten

begin – began – begun

bend – bent – bent

bet – bet, betted – bet, betted

bid – bid – bid

bind – bound – bound

bite – bit – bitten

bleed – bled – bled

bless – blessed, blest – blessed, blest

blow – blew – blown

break – broke – broken

breed – bred – bred

bring – brought – brought

broadcast – broadcast – broadcast

build – built – built

burn – burnt, burned – burnt, burned

burst – burst – burst

buy – bought – bought

can – could

cast – cast – cast

catch – caught – caught

choose – chose – chosen

cling – clung – clung

come – came – come

cost – cost – cost

creep – crept – crept

cut – cut – cut

deal – dealt – dealt

dig – dug – dug

do – did – done

draw – drew – drawn

dream – dreamed, dreamt – dreamed, dreamt

drink – drank – drunk

drive – drove – driven

dwell – dwelt, dwelled – dwelt, dwelled

eat – ate – eaten

fall – fell – fallen

feed – fed – fed

feel – felt – felt

fight – fought – fought

find – found – found

flee – fled – fled

fling – flung – flung

fly – flew – flown

forbid – forbad(e) – forbid(den)

forecast – forecast(ed) – forecast(ed)

forget – forgot – forgotten

forsake – forsook – forsaken

freeze – froze – frozen

get – got – got(ten)

give – gave – given

go – went – gone

grind – ground – ground

grow – grew – grown

hang – hung – hung

have – had – had

hear – heard – heard

hew – hewed – hewed, hewn

hide – hid – hidden

hit – hit – hit

hold – held – held

hurt – hurt – hurt

keep – kept – kept

kneel – knelt, kneeled – knelt, kneeled

knit – knitted, knit – knitted, knit

know – knew – known

lay – laid – laid

lead – led – led

lean – leant, leaned – leant, leaned

leap – leapt, leaped – leapt, leaped

learn – learned, learnt – learned, learnt

leave – left – left

lend – lent – lent

let – let – let

lie – lay – lain

light – lighted, lit – lighted, lit

lose – lost – lost

make – made – made

may – might

mean – meant – meant

meet – met – met

mow – mowed – mowed, mown

pay – paid – paid

prove – proved – proven

put – put – put

quit – quit – quit

read – read – read

rid – rid(ded) – rid(ded)

ride – rode – ridden

ring – rang – rung

rise – rose – risen

run – ran – run

saw – sawed – sawn, sawed

say – said – said

see – saw – seen

seek – sought – sought

sell – sold – sold

send – sent – sent

set – set – set

sew – sewed – sewn, sewed

shake – shook – shaken

shall – should

shear – sheared – sheared, shorn

shed – shed – shed

shine – shone – shone

shit – shit, shat – shit, shat

shoot – shot – shot

show – showed – shown, showed

shrink – shrank – shrunk

shut – shut – shut

sing – sang – sung

sink – sank, sunk – sunk

sit – sat – sat

sleep – slept – slept

slide – slid – slid

sling – slung – slung

slit – slit – slit
smell – smelt, smelled – smelt, smelled
sow – sowed – sown, sowed
speak – spoke – spoken
speed – sped, speeded – sped, speeded
spell – spelt, spelled – spelt, spelled
spend – spent – spent
spill – spilt, spilled – spilt, spilled
spin – spun – spun
spit – spit – spit
split – split – split
spoil – spoiled, spoilt – spoiled, spoilt
spread – spread – spread
spring – sprang, sprung – sprung
stand – stood – stood
steal – stole – stolen
stick – stuck – stuck
sting – stung – stung
stink – stank, stunk – stunk
stride – strode – stridden
strike – struck – struck
string – strung – strung

swear – swore – sworn
sweat – sweat – sweat
sweep – swept – swept
swell – swelled – swollen, swelled
swim – swam – swum
swing – swung – swung
take – took – taken
teach – taught – taught
tear – tore – torn
tell – told – told
think – thought – thought
throw – threw – thrown
thrust – thrust – thrust
tread – trod – trodden
wake – woke, waked – woken, waked
wear – wore – worn
weave – wove – woven
weep – wept – wept
wet – wet, wetted – wet, wetted
will – would
win – won – won
wind – wound – wound
wring – wrung – wrung
write – wrote – written

Einige amerikanische Speisen und Getränke

apple pie ['æpl 'paɪ] Apfel-kuchen

bagel ['beɪgl] eine Art Bröt-chen mit einem Loch in der Mitte

baked beans ['beɪkt 'bi:nz] gekochte Bohnen in Toma-tensoße

baked chicken ['beɪkt 'tʃɪkən] gebackenes Hähn-chen

baked potato ['beɪkt pə'teɪtəʊ] gebackene Kar-toffel, Folienkartoffel

barbecued ['baːrbɪkjuːd] ge-grillt

barbecued chicken ['baːr-bɪkjuːd 'tʃɪkən] mit Barbe-cuesoße gegrilltes Hähn-chen

BBQ'd ['baːrbɪkjuːd] gegrillt

bell pepper ['bel pepər] (grüne) Paprikaschote

biscuit ['bɪskɪt] weiches Brötchen

BLT (bacon, lettuce and to-mato) ['biːel'tiː] Sandwich mit Frühstücksspeck, Salat und Tomaten

blueberry pie ['bluːberi paɪ] Heidelbeerkuchen

blue cheese ['bluː tʃiːz] Blauschimmelkäse

blush [blʌʃ] Rosé(wein)

boiled potatoes ['bɔɪld pə-'teɪtəʊz] Salzkartoffeln

Boston cream pie ['bɒstən 'kriːm 'paɪ] Vanillecreme-kuchen mit Schokoladen-guss

broiled [brɔɪld] (auf dem Rost) gebraten

brownie ['braʊnɪ] Schokola-denkuchen mit Nüssen

butter beans ['bʌtər biːnz] weiße Bohnen

Caesar salad ['siːzər sæləd] gemischter römischer Salat

catch of the day ['kætʃ əv ðə 'deɪ] Tagesspezialität (Fisch)

catfish ['kætfɪʃ] Wels

cheeseburger ['tʃiːzbɜːrgər] Cheeseburger

cheese cake ['tʃiːz keɪk] Käsecremetorte

chef salad ['ʃef 'sæləd] ge-mischter Salat

cherry pie ['tʃeri paɪ] Kirschkuchen

chickpeas ['tʃɪkpiːz] Kicher-erbsen

chili peppers ['tʃɪli pepərz] Peperoni

clam chowder ['klæm 'tʃaʊdər] Muschelsuppe

club sandwich ['klʌb 'sænwɪdʒ] Sandwich aus

drei Lagen bestehend

club soda ['klʌb 'soʊdə] Selterswasser, Soda

cod [kɑːd] Kabeljau

coleslaw ['koʊlslɔː] Krautsalat

corn [kɔːrn] Mais

corn on the cob ['kɔːrn_ɑːn_ðə 'kɑːb] Maiskolben

cottage cheese ['kɑːtɪdʒ 'tʃiːz] Hüttenkäse

crawfish ['krɔːfɪʃ] Flusskrebs

cream cheese ['kriːm 'tʃiːz] Frischkäse

deep-fried ['diːp_fraɪd] frittiert

deviled ['devld] scharf gewürzt

eggplant ['egplænt] Aubergine

eggrolls ['egroʊlz] Frühlingsrollen

English muffin ['ɪŋglɪʃ 'mʌfɪn] kleines, süßes Brötchen

escargots [eskɑːr'goʊz] Schnecken

fillet of sole [fɪ'leɪ_əv 'soʊl] Seezungenfilet

fish fillet sandwich ['fɪʃ_fɪleɪ 'sænwɪdʒ] Sandwich mit frittiertem Fischfilet

French-fried onion rings ['frentʃ_fraɪd 'ʌnjən_rɪŋz] frittierte Zwiebelringe

French fries ['frentʃ 'fraɪz] Pommes frites

French toast ['frentʃ 'toʊst] armer Ritter

fried [fraɪd] (in der Pfanne) gebraten

fried eggs sunny-side up ['fraɪd_'egz_'sʌnɪsaɪd_'ʌp] Spiegeleier

fried shrimp or oyster plate ['fraɪd 'ʃrɪmp ər_'ɔɪstər_-pleɪt] Platte mit gebratenen Krabben oder Austern

fromage frais [frə'mɑːʒ 'freɪ] Frischkäse

fruit torte ['fruːt 'tɔːrt] Obsttorte

ginger ale ['dʒɪndʒər_'eɪl] Ingwerlimonade

green pepper ['griːn 'pepər] (grüne) Paprikaschote

grilled cheese sandwich ['grɪld 'tʃiːz 'sænwɪdʒ] gegrilltes Käsesandwich

grits [grɪts] Hafergrütze

guacamole [gwɑːkə'moʊli] Avocadosoße

hash browned potatoes ['hæʃ_braʊnd pə'teɪtoʊz] Bratkartoffeln

herbal tea ['(h)ɜːrbl 'tiː] Kräutertee

house salad ['haʊs 'sæləd] Salat nach Art des Hauses

house wine ['haʊs_waɪn] Hauswein

iceberg lettuce ['aɪsbɜːrg 'letəs] Eissalat

iced tea ['aɪst 'tiː] Eistee

jalapenos [hɑːlə'peɪnjoʊz] Peperoni

jambalaya [dʒæmbə'laɪə] Reis mit Schinken, Würstchen, Geflügelfleisch, Krabben oder Austern

julep ['dʒuːlɪp] Getränk aus Bourbon, Zucker und Pfefferminze

lima beans ['laɪmə_biːnz] weiße Bohnen

mackerel ['mækrəl] Makrele

mashed potatoes ['mæʃt pə'teɪtoʊz] Kartoffelpüree

mullet ['mʌlɪt] Meeräsche

mushroom and Swiss burger ['mʌfruːm ənd 'swɪs 'bɜːrgər] Hamburger mit Schweizer Käse und Champignons

New York strip steak ['nuː_jɔːrk 'strɪp 'steɪk] Beefsteak

ocean perch ['oʊʃn_pɜːrtʃ] Barsch

oysters on the half-shell ['ɔɪstərz ɑːn ðə 'hæf ʃel] Austern in der Schale

pancakes ['pænkeɪks] Pfannkuchen

pastrami sandwich [pə-'strɑːmi 'sænwɪdʒ] Sandwich mit geräuchertem Rindfleisch

patty ['pæti] Frikadelle

peanut butter and jelly sandwich ['piːnət_bʌtər _ənd 'dʒeli 'sænwɪdʒ] Sandwich mit Erdnussbutter und Gelee

pizza ['piːtsə] Pizza

pizza with chicken or shrimp ['piːtsə wɪð 'tʃɪkən_ər 'ʃrɪmp] Pizza mit

Geflügel oder Krabben

pizza with hamburger ['piːtsə wɪð 'hæmbɜːrgər] Pizza mit Hackfleisch

pollock ['pɒlək] Seelachs

popcorn shrimp ['pɑːpkɔːrn 'ʃrɪmp] Mini-Krabben

potatoes au gratin [pə-'teɪtoʊz oʊ 'grætn] Kartoffelgratin

potato pancakes [pə'teɪtoʊ 'pænkeɪks] Kartoffelpfannkuchen

Reuben sandwich ['ruːbən 'sænwɪdʒ] Sandwich mit gepökeltem Rindfleisch, Schweizer Käse und Sauerkraut

roast chicken ['roʊst 'tʃɪkən] Brathähnchen

roasted ['roʊstɪd] gebraten

roast or smoked turkey breast sandwich ['roʊst_ər 'smoʊkt 'tɜːki_brest 'sænwɪdʒ] Sandwich mit gebratenem oder geräuchertem Truthahnfleisch

rosé [roʊ'zeɪ] Rosé(wein)

salsa ['sælsə] scharfe rote Chilisoße

scallops ['skæləps] Jakobsmuscheln

seafood gumbo ['siːfuːd 'gʌmboʊ] Meeresfrüchtesuppe

shallots [ʃə'lɑːts] Schalotten

shark steak ['ʃɑːrk_steɪk] Haifischsteak

shortcake ['ʃɔːrtkeɪk] Biskuittörtchen

shrimp cocktail ['ʃrɪmp 'kɑːkteɪl] Krabbencocktail

shrimps [ʃrɪmps] Garnelen

smoked salmon and cream cheese ['sməʊkt 'sæmən ənd 'kriːm 'tʃiːz] geräucherter Lachs mit Frischkäse

soup du jour ['suːp dy 'ʒuːr] Tagessuppe

steak tartare ['steɪk tɑːr'tɑːr] Steak Tatar

steamed clams ['stiːmd 'klæmz] gedünstete Venusmuscheln

steamed mussels ['stiːmd 'mʌslz] gedünstete Miesmuscheln

stir-fried ['stɜːr_fraɪd] im Wok gebraten

stuffed bell pepper ['stʌft 'bel_pepər] gefüllte Paprikaschote

stuffed flounder ['stʌft 'flaʊndər] gefüllte Flunder

stuffed lamb chop ['stʌft 'læm_tʃɑːp] gefülltes Lammkotelett

stuffed pork chop ['stʌft 'pɔːrk_tʃɑːp] gefülltes Schweinekotelett

sweet potatoes ['swiːt_pə'teɪtoʊz] Süßkartoffeln

sweet potato pie ['swiːt_pəteɪtoʊ 'paɪ] Süßkartoffelpastete

swordfish ['sɔːrdfɪʃ] Schwertfisch

tap water ['tæp_wɔːtər] (Leitungs)Wasser

tenderloin steak ['tendərlɔɪn 'steɪk] Lendensteak

tortilla [tɔːr'tiːə] Tortilla, Maismehlfladen

tuna ['tuːnə], **tunny** ['tʌnɪ] Thunfisch

tuna melt sandwich ['tuːnəmelt 'sænwɪdʒ] gegrilltes Sandwich mit Thunfisch und Käse

waffles ['wɑːflz] Waffeln

western omelette ['westərn_'ɑːmlət] Omelett mit Käse, Paprika, Schinken und Zwiebeln

whipped potatoes ['hwɪpt pə'teɪtoʊz] Kartoffelpüree

wine by the glass ['waɪn baɪ_ðə 'glæs] offener Wein

Die 50 Staaten der USA

Alabama [ælə'bæmə]	AL	The Cotton State
Alaska [ə'læskə]	AK	The Last Frontier
Arizona [ærɪ'zoʊnə]	AZ	The Grand Canyon State
Arkansas ['ɑːrkənsɔː]	AR	The Land of Opportunity
California [kælə'fɔːrnjə]	CA	The Golden State
Colorado [kɑːlə'rædoʊ]	CO	The Centenniel State
Connecticut [kə'netɪkət]	CT	The Constitution State
Delaware ['deləwər]	DE	The First State
Florida ['flɔːrɪdə]	FL	The Sunshine State
Georgia ['dʒɔːrdʒə]	GA	The Empire State of the South
Hawaii [hə'wɑːi]	HI	The Aloha State
Idaho ['aɪdəhoʊ]	ID	The Gem State
Illinois [ɪlə'nɔɪ]	IL	The Prairie State
Indiana [ɪndɪ'ænə]	IN	The Hoosier State
Iowa ['aɪəwə]	IA	The Hawkeye State
Kansas ['kænzəs]	KS	The Sunflower State
Kentucky [kən'tʌki]	KY	The Bluegrass State
Louisiana [luizi'ænə]	LA	The Pelican State
Maine [meɪn]	ME	The Pine Tree State
Maryland ['merɪlənd]	MD	The Old Line State
Massachusetts [mæsə-'tʃuːsɪts]	MA	The Bay State
Michigan ['mɪʃɪgən]	MI	The Wolverine State
Minnesota [mɪnɪ'soʊtə]	MN	The North Star State
Mississippi [mɪsɪ'sɪpi]	MS	The Magnolia State
Missouri [mɪ'zʊri]	MO	The Show Me State
Montana [mɑːn'tænə]	MT	The Treasure State
Nebraska [nə'bræskə]	NE	The Cornhusker State
Nevada [nɪ'vædə]	NV	The Silver State

New Hampshire [nu:ˈhæmpʃər]	NH	The Granite State
New Jersey [nu:ˈdʒɜːrzi]	NJ	The Garden State
New Mexico [nu:ˈmeksɪkoʊ]	NM	The Land of Enchantment
New York [nu:ˈjɔːrk]	NY	The Empire State
North Carolina [nɔːrθ kerəˈlaɪnə]	NC	The Tar Heel State
North Dakota [nɔːrθ dəˈkoʊtə]	ND	The Sioux State
Ohio [oʊˈhaɪoʊ]	OH	The Buckeye State
Oklahoma [oʊkləˈhoʊmə]	OK	The Sooner State
Oregon [ˈɔːrɪgən]	OR	The Beaver State
Pennsylvania [penslˈveɪnjə]	PA	The Keystone State
Rhode Island [roʊd ˈaɪlənd]	RI	Little Rhody
South Carolina [saʊθ kerəˈlaɪnə]	SC	The Palmetto State
South Dakota [saʊθ dəˈkoʊtə]	SD	The Coyote State
Tennessee [tenəˈsiː]	TN	The Volunteer State
Texas [ˈteksəs]	TX	The Lone Star State
Utah [ˈjuːtɔː]	UT	The Beehive State
Vermont [vərˈmɑːnt]	VT	The Green Mountain State
Virginia [vərˈdʒɪnjə]	VA	The Old Dominian
Washington [ˈwɑːʃɪŋtən]	WA	The Evergreen State
West Virginia [west vərˈdʒɪnjə]	WV	The Mountain State
Wisconsin [wɪˈskɑːnsɪn]	WI	The Badger State
Wyoming [waɪˈoʊmɪŋ]	WY	The Equality State

Für den Autofahrer – auf einen Blick

... ahead – Achtung ... voraus (*z. B.* construction ahead = *Ankündigung einer Baustelle*)
bumpy road – schlechte Straße
business loop – Innenstadtroute
call box – Notrufsäule
caution – Vorsicht
center lane – mittlere Fahrbahn
chains – Schneeketten
closed to traffic – gesperrt
construction – Baustelle
crossroads – Kreuzung
danger – Gefahrenstelle
dead end – Sackgasse
deer crossing – Achtung Wildwechsel
detour – Umleitung
dip – Bodensenke
do not enter – Einfahrt verboten
do not tailgate – Abstand halten
downtown – Innenstadt
emergency parking (stopping) only – Parken (Halten) nur in Notfällen
falling rocks – Steinschlag
flash flood area – Überschwemmungsgebiet
food & lodging – Raststätte, Hotel, Motel

freeway – breiter, kreuzungsfreier Highway
fuel – Benzin
full service – (Zapfsäule mit) Bedienung
game crossing – Wildwechsel
garage – Reparaturwerkstatt
gas (leaded, unleaded) – (verbleites, bleifreies) Benzin
gas station – Tankstelle
grade – Gefälle, Steigung
high beam – Fernlicht
intersection – Kreuzung
keep off median – Mittelstreifen nicht befahren
lane – Fahrstreifen
lane ends – Fahrstreifen endet
maximum speed – Höchstgeschwindigkeit
men at work – Baustelle
merge – Einmündung, einfädeln
merge left (right) – links (rechts) einordnen
merging traffic – einmündender Verkehr
miles per hour (mph) – Meilen pro Stunde
mudslide – Bergrutsch
narrow bridge – enge Brücke
next exit – nächste Ausfahrt

no entry – kein Eingang, gesperrt
no facilities – keine Toiletten, Restaurants oder Tankstellen
no left (right) turn – Linksabbiegen (Rechtsabbiegen) verboten
no parking (stopping) anytime – absolutes Parkverbot (Halteverbot)
no passing – Überholverbot
no through street – Sackgasse
no U-turn – Wenden verboten
one way street – Einbahnstraße
pass – überholen
pass with care – vorsichtig überholen
pedestrians – Fußgänger
pothole – Schlagloch
premium (gas) – Super(benzin)
prohibited – verboten
radiator water – Kühlwasser
railroad crossing – Bahnübergang
recreational vehicle (RV) – Wohnmobil
reduced speed – verringerte Geschwindigkeit
regular (gas) – Normal(benzin)
rental car (return) – Mietwagen(-Rückgabe)
repair shop – Reparaturwerkstatt
residential area – Wohngebiet

rest area – Rastplatz
rest rooms – Toiletten
right of way – Vorfahrt
road under construction – Baustelle
rockslide – Bergrutsch
rough road – unebene Straße
school bus – Schulbus
school crossing – Achtung Schulkinder
school zone – Schule
self service – Selbstbedienung
service station – Tankstelle
signal – Ampel
skid marks – Bremsspuren
slippery when wet – Schleudergefahr bei Nässe
speed limit – Geschwindigkeitsbegrenzung
speed zone – Zone mit Geschwindigkeitsbegrenzung
stay in lane – Fahrspur nicht wechseln
steep grade – starkes Gefälle, starke Steigung
straight ahead – geradeaus
thru traffic – Durchgangsverkehr
traffic light(s) – Ampel
truck lane – LKW-Spur
turn left (right) – nach links (rechts) abbiegen
turn on headlights – Licht einschalten
two way traffic – Gegenverkehr
U-turn – wenden
watch for – Achtung, aufpas-

526

sen auf
winding road – kurvenreiche
  Straße
work (**workers, roadwork**)
  – Straßenbauarbeiten

wrong way – Einfahrt verboten
X-ing (**crossing**) – (*z. B. Rin-
der*) kreuzen
yield – Vorfahrt beachten

Amerikanische Verkehrsschilder

Vorfahrt beachten

Höchstgeschwindigkeit
55 Meilen

Halteverbot

Parkverbot

527

Kreuzung

Einmündung

Wenden verboten

Gefälle

Scharfe Kurve

Kurve: empfohlene
Geschwindigkeit 35 Meilen

Kreuzung US-Highway
mit State Highway

Bahnübergang

Buchstabe		Seite
A	. . . .	309–331
B	. . . .	331–348
C	. . . .	348
D	. . . .	348–355
E	. . . .	355–367
F	. . . .	368–377
G	. . . .	377–390
H	. . . .	390–399
I	. . . .	400–402
J	. . . .	402–404
K	. . . .	404–414
L	. . . .	414–420
M	. . . .	420–426
N	. . . .	426–430
O	. . . .	431–432
P	. . . .	433–439
Q	. . . .	439
R	. . . .	439–446
S	. . . .	446–468
T	. . . .	468–473
U	. . . .	473–482
V	. . . .	483–494
W	. . . .	494–502
X	. . . .	502
Y	. . . .	502
Z	. . . .	502–509